USA
Der Osten

Manfred Braunger

Reise-Handbuch

Inhalt

Wissenswertes über den Osten der USA

Wissenswertes für die Reise

Unterwegs im Osten der USA

Kapitel 1 Neuengland

Inhalt

Kapitel 3 Die mittlere Atlantikküste

Inhalt

Kapitel 4 Der Süden

Kapitel 5 Florida

Inhalt

Themen

Alle Karten auf einen Blick

▶ Dieses Symbol im Buch verweist auf die
Extra-Reisekarte USA – Der Osten

Am James River bei Jamestown ließen sich
die ersten englischen Siedler nieder

Wissenswertes über
den Osten der USA

Wo die Neue Welt am ältesten ist

Europäer betrachten die USA nicht selten mit Skepsis. Das gilt vor allem für jene, die das Riesenland nur über die Medien und nicht aus eigener Anschauung kennen. Wer Amerika schon einmal bereist hat, sieht das Land in der Regel nicht unkritischer, gesteht aber ein, dass man sich der ›Faszination USA‹ nur schwer entziehen kann.

Nicht weit entfernt von der weltbekannten, patinagrünen Freiheitsstatue ›schwimmt‹ vor der einzigartigen Postkarten-Skyline von Manhattan in der Upper Bay von New York City die winzige Insel Ellis Island. Zwischen 1892 und 1954 betraten dort 12 Mio. Einwanderer erstmals den Boden der Neuen Welt. Von ihnen stammt nachweislich fast die Hälfte der heute ca. 319 Mio. US-amerikanischen Staatsbürger ab. In der geräumigen Lobby des Ellis Island Immigration Museum türmten sich Reisetaschen, Koffer, Überseekisten und Körbe, in denen die Ankömmlinge aus aller Herren Länder ihre dürftigen Habseligkeiten an Land schleppten, einer unsicheren Zukunft entgegen. Der Gepäckberg symbolisiert den riesigen Einwandererstrom in die USA, ohne den weder die gigantische Landnahme jenseits des Mississippi noch der Aufstieg zur politischen und wirtschaftlichen Weltmacht möglich gewesen wäre.

Aber nicht nur die gewaltigen Wellen von Immigranten aus vielen Teilen der Welt machten die Atlantikküste zur Wiege der Nation. Seefahrer erforschten in den Jahrzehnten nach Christoph Kolumbus die unbekannte Ostküste des neu entdeckten Kontinents, ohne dass die Nationen Europas irgendwo einen bleibenden Stützpunkt errichtet hätten. Erst 1565 entstand mit der heute noch existierenden Stadt St. Augustine an der Ostküste von Florida die erste dauerhafte spanische Siedlung in der Neuen Welt. 1607 gingen die ersten englischen Kolonisten in Jamestown (Virginia) an Land und schufen die erste englische Siedlung auf dem Boden der heutigen Vereinigen Staaten von Amerika, die Bestand haben sollte. Nach und nach gründeten Zuwanderer aus Europa weitere Kolonien wie in Massachusetts, Pennsylvania, Rhode Island, Connecticut, Maryland und New Jersey, die sich als Bund von insgesamt 13 Kolonialgebieten im Jahr 1776 von England unabhängig erklärten. Seit damals vergrößerten sich die Gründungsstaaten von Amerika durch die schrittweise Expansion nach Westen zu einem riesigen Gemeinwesen von 50 Bundesstaaten. Der ›jüngere‹ Westen besitzt zwar dramatische Landschaften, exotische Wüsten, weltberühmte Nationalparks und große Gruppierungen von Native Americans (Indianer), wie sie im Osten nicht zu finden sind. Dem stellt die Atlantikküste als touristische Highlights historische Stätten, Schlachtfelder des Revolutions- und Bürgerkriegs, Denkmäler und Museen gegenüber, welche die Rolle des Ostens als historisches Kerngebiet unterstreichen und die bewegte Entstehungsgeschichte der USA auf nachvollziehbare Weise dokumentieren.

Wer glaubt, dass der Osten außer faszinierenden historischen Spuren wenig an landschaftlichen Reizen zu bieten hat, täuscht sich jedoch. Von den zerklüfteten Steilküsten Neuenglands bis zu den Korallenbänken der Florida Keys imponieren die östlichen USA mit eindrucksvollen Naturszenerien, wie sie in Europa kaum zu finden sind. Die flammenden Herbstwälder von Vermont, Maine und New Hampshire, das grandiose Naturwunder

der Niagarafälle auf der Grenze zwischen den USA und Kanada, das ländlich sympathische Pennsylvania mit seiner gänzlich unamerikanischen Amish-Bevölkerung, die vom Schriftsteller James Fenimore Cooper unsterblich gemachten Wildnisgebiete der Adirondack Mountains im nördlichen Staat New York, die vom Meer umspülte Inselwelt der Outer Banks von North Carolina, die entrückten Great Smoky Mountains oder die riesigen Sumpfgebiete der Everglades in Florida weisen das weit verbreitete Bild vom ausschließlich urbanisierten Osten der USA als Trugschluss aus.

Packende Kontraste zur üppigen Natur bilden zahlreiche dynamische Weltstädte. New York City hat sich vom brutalen Terroranschlag am 11. September 2001 erholt und seine ehemalige Dynamik zurückgewonnen, wenngleich die Erinnerungen an seine dunkelste Stunde noch lange wach bleiben werden. Das britisch angehauchte Boston, die Hauptstadt Washington D. C. als politisches und kulturelles Schaufenster Amerikas, Philadelphia mit Zeugnissen der Entstehungsgeschichte der Nation, Baltimore mit dem umtriebigen Inner Harbor, Atlanta als aufstrebende Metropole des Südens und das karibisch anmutende Miami – Zitadellen von Konsum und Kommerz, Trendsetter in Sachen Mode und Musik, Garanten für Kunst und Kultur und Inbegriff von ebenso abwechslungs- wie ereignisreichem City Life. Wer von den USA träumt, hat häufig diese vibrierenden Metropolen des Ostens vor dem geistigen Auge, in denen zwischen Stahlbetonriesen und Glasfassaden das urbane Leben schneller und mit höherem Druck durch die Großstadtadern zu pulsieren scheint als sonst irgendwo auf der Welt.

So betrachtet, ist der Osten der USA ein äußerst facettenreicher Landesteil, eine Bühne des heutigen und gestrigen Amerika mit ständig wechselndem Programm. Sich dort auf Spurensuche nach den Wurzeln des Landes zu begeben, bedeutet in der Regel, auch Bekanntschaft zu machen mit zivilisatorischen Errungenschaften, mit modernsten Trends und mit dem typischen American Way of Life. Es bedeutet aber hier und da auch, mit den brennenden sozialen Problemen des Landes in Kontakt zu kommen.

Graffiti ›Wissen ist Macht‹ an einer Hauswand im Stadtteil SoHo in Manhattan

Steckbrief zum Osten der USA

Daten und Fakten

Name: United States of America (USA)

Fläche: 1,21 Mio. km² (nur Osten; das entspricht ungefähr der Fläche der Schweiz, Deutschlands, Frankreichs und Italiens)
Hauptstadt: Washington D. C.
Amtssprache: Amerikanisches Englisch

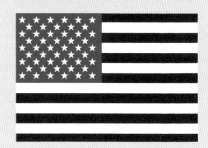

Einwohner: 132 Mio.
Bevölkerungsdichte: 140 Einw./km²,
80 % der Bevölkerung lebt in städtischen Ballungsgebieten
Lebenserwartung: Männer: 74,5 Jahre, Frauen 80,8 Jahre

Währung: US-Dollar ($). Der Dollar *(greenback)* ist in 100 Cents unterteilt. Noten gibt es als 1-, 2-, 5-, 10-, 20-, 50- und 100-$-Scheine.
Zeitzonen: Eastern Time (MEZ – 6 Std.) und Central Time (MEZ –7 Std.)
Landesvorwahl: 001

Landesflagge: Die amerikanische Flagge wird Star Spangled Banner, Sternenbanner genannt. Ihre roten und weißen Streifen stehen stellvertretend für die 13 Gründungsstaaten. Die 50 weißen Sterne in blauem Feld symbolisieren die 50 US-Bundesstaaten. Zur Farbensymbolik: Das Weiß versinnbildlicht Reinheit und Unschuld. Während Rot für Tapferkeit und Ausdauer steht, verweist die Farbe Blau auf die Tugenden Wachsamkeit, Beharrlichkeit sowie Gerechtigkeit.

Geografie

Die Ostküste liegt zwischen dem 49. und 25. Breitengrad und reicht von Maine knapp 3000 km weit bis an die Südspitze von Florida. In der Breite dehnt sich das Gebiet von der Atlantikküste ca. 800 km nach Westen aus. An der Küste verläuft eine fast 1700 km lange Kette vorgelagerter Inseln und Sandbänke. Große Buchten wie etwa die Chesapeake Bay (Maryland/Virginia) haben sich dort gebildet, wo das Meer in Flussmündungen eingedrungen ist. Hinter der Küste erstreckt sich in der südlichen Hälfte eine größtenteils flache Küstenebene bis an den Fuß der Appalachen. Dieses vor allem von Laubwäldern bedeckte Mittelgebirge breitet sich

von Kanada bis nach Alabama aus und besitzt im Mount Mitchell (2037 m) in North Carolina seinen höchsten Gipfel. Westlich der Appalachen bestimmt zwischen der kanadischen Grenze bzw. den Großen Seen und dem Golf von Mexiko ein riesiges Kontinentalbecken das Relief.

Geschichte

Die erste ständige englische Siedlung auf amerikanischem Boden wurde 1607 in Jamestown (Virginia) gegründet. 1620 ließ sich eine Gruppe Puritaner in Plymouth (Massachusetts) nieder. 1733 lebten englische Siedler in 13 Kolonien entlang der Atlantikküste. Mit dem ersten Kontinentalkongress 1774 verschärfte sich der Widerstand der amerikanischen Kolonien gegen die als repressiv empfundene britische Politik. Im Zuge des Unabhängigkeitskriegs (1775–1783) trennten sich die USA vom Mutterland Großbritannien. Am 4. Juli 1776 proklamierten 13 Staaten in Philadelphia ihre Unabhängigkeit. Der Bürgerkrieg (1861–1865) setzte der Sklaverei ein Ende und förderte die Entwicklung der USA zum Nationalstaat. Industrie und Wirtschaft prägten in immer stärkerem Maß die Gesellschaft und bereiteten dem Aufstieg des Landes zur Weltmacht vor. Der New Yorker Börsenkrach im Oktober 1929 stürzte die USA in die Weltwirtschaftskrise, die US-Präsident Roosevelt mit dem Sozial- und Investitionsprogramm New Deal aufzufangen hoffte. Die Zeit nach dem Zweiten Weltkrieg stand im Zeichen wirtschaftlicher Prosperität einerseits und tief greifender gesellschaftlicher Umbrüche andererseits, wie sie etwa in der schwarzen Bürgerrechtsbewegung, den Demonstrationen gegen den Vietnamkrieg und einer Jugendbewegung im Zeichen von Flower Power ihren Ausdruck fanden. Zu Beginn des 21. Jh. sahen sich die USA nach dem Zusammenbruch der UdSSR in der Rolle der einzig verbliebenen globalen Supermacht.

Staat und Politik

Die USA besitzen ein präsidiales Regierungssystem mit einem auf vier Jahre gewählten Präsidenten an der Spitze. Im Januar 2013 begann die zweite Amtszeit des wiedergewählten US-Präsidenten Barack Obama. Die Legislative liegt in Händen des aus zwei Kammern, Senat und Repräsentantenhaus, bestehenden Kongresses. Die Abgeordneten des Repräsentantenhauses werden für zwei Jahre, Senatoren für sechs Jahre gewählt. Der Oberste Gerichtshof (*Supreme Court*) steht an der Spitze der Judikative. Die Stabilität der im Jahr 1787 verabschiedeten, ältesten noch gültigen schriftlichen Verfassung der Welt (*constitution*) zeigt sich an bislang nur 27 Zusatzartikeln (*amendments*). Die Parteienlandschaft wird durch ein vom Mehrheitswahlrecht begünstigtes Zweiparteiensystem von Republikanern und Demokraten beherrscht.

Wirtschaft und Tourismus

Die USA insgesamt erwirtschaften ca. 20 % des jährlichen Welteinkommens. Die wirtschaftliche Dynamik des Landes resultiert u. a. aus einem riesigen, gut erschlossenen Staatsgebiet mit gewaltigen Rohstoffvorkommen und einem Binnenmarkt von etwa 319 Mio. Konsumenten. Zum realen Bruttoinlandsprodukt (BIP) tragen zu 56 % der Dienstleistungssektor, zu 14 % das verarbeitende Gewerbe und zu jeweils 1,5 % Landwirtschaft und Bergbau bei. Der US-Tourismus registriert jährlich 40 Mio. ausländische Besucher, deren Ausgaben mit 90 Mrd. Dollar zu Buche schlagen.

Bevölkerung und Religion

In die USA sind bis heute über 56 Mio. Menschen eingewandert und haben zur ethnischen und kulturellen Vielfalt des Landes beigetragen. Von der Gesamtbevölkerung des Ostens mit ca. 132 Mio. sind ca. 102 Mio. (77,3 %) Weiße, zu denen auch Menschen lateinamerikanischer Herkunft gehören. 18 Mio. (13,6 %) sind Afro-Amerikaner, 9 Mio. (6,8 %) Menschen asiatischer bzw. pazifischer Herkunft und ca. 3 Mio. (2,3 %) Native Americans (Indianer) bzw. Inuit. Etwa 62 % der Einwohner gehören ca. 238 Religionsgemeinschaften an. Davon bilden Katholiken mit 26 %, Protestanten (Baptisten, Methodisten, Lutheraner, Presbyterianer) mit 27,5 % und Juden mit 2,6 % die größten Gruppen.

Natur und Umwelt

Steilküsten mit Fjorden und Hummergründen, endlose Sandstrände, gewaltige Buchten, von Korallenriffen gesäumte Inseln, über 2000 m hohe Berge mit bunten Wäldern im Indian Summer und Wind umtoste, in Eis und Schnee erstarrte Gipfel: Zwischen Kanada und der Karibik könnte die Natur kaum vielfältiger sein.

Landschaftsformen

Die östlichen Bundesstaaten erstrecken sich entlang der Atlantikküste von der kanadischen Grenze bis an den Rand der Karibik, wo die Südspitze von Florida nur 150 km von der Insel Kuba entfernt ist. Auf Europa übertragen, würde dieses 1,2 Mio. km^2 große Gebiet von Paris bis nach Oberägypten reichen. Die gewaltige Nord-Süd-Ausdehnung von knapp 3000 km hat Konsequenzen für Klima, Flora und Fauna sowie für die Lebensweise der Menschen. Wenn man etwa die Waldgebiete in Neuengland mit den subtropischen Inseln in Florida oder den Sumpfgebieten im Südosten vergleicht, wird deutlich, dass sich die Landschaftstypen in diesem riesigen Gebiet zum Teil sehr deutlich voneinander unterscheiden. Drei **Großlandschaften** prägen das Relief: die Atlantische Küstenebene, das Hochland der Appalachen und westlich dieses Gebirgszugs das riesige Kontinentalbecken, das große Teile der zentralen USA bildet.

Atlantikküste

Ein Blick auf die Landkarte zeigt, dass die amerikanische Atlantikküste durch Buchten, Landvorsprünge und Inseln stark zergliedert ist. So verdankt etwa Neuengland seine landschaftlichen Reize u. a. fjordartigen Buchten, in denen die Brandung bunte Hummerbojen vor der Kulisse malerischer Leuchttürme tanzen lässt. An dieser Küste liegt mit Acadia Neuenglands einziger Nationalpark. Ganz anders sieht der Atlantiksaum südlich von

Virginia aus, wo lang gezogene Sandbankinseln wie natürliche Wellenbrecher das Festland gegen die Meeresbrandung abschirmen. Ein anderes Gesicht wiederum haben die subtropischen Florida Keys mit türkisgrünen Badebuchten und karibisch anmutenden Puderzuckerstränden, vor denen das drittgrößte Korallenriff der Erde verläuft. Der Sunshine State geht mit 13 000 km Küstenlinie ins Rennen um die Gunst der Badetouristen.

Küstenebene

Während in Neuengland die Ausläufer der Appalachen teilweise bis an den Atlantik heranreichen, erstreckt sich von der Hudson-Mündung bis nach Florida landeinwärts eine flache, im Durchschnitt 300 km breite Küstenebene, in der die größten **Ballungsräume** des Ostens liegen: Boston, New York, Washington, Philadelphia und Atlanta. Neben der Siedlungsdichte sind in dieser nur wenig über Meereshöhe liegenden Region ausgedehnte Sumpfgebiete wie der Okefenokee Swamp typisch, aber auch Marschland wie in New Jersey und den Carolinas. Einen ähnlichen Charakter weist die Küstenebene nördlich vom Golf von Mexiko auf.

Wo das Meer in Flussmündungen eingedrungen ist, haben sich zum Teil riesige Buchten gebildet wie die Delaware Bay, Chesapeake Bay in Maryland und Virginia, Albemarle Sound in South Carolina und Tampa Bay an der Golfküste von Florida.

Große Flüsse wie Hudson, Delaware, Susquehanna, Potomac und Savannah führen

Blick vom Blue Ridge Parkway in Virginia über die Bergwelt der Appalachen

aufgrund der hohen Niederschlagsmengen ständig Wasser und sind in der Küstenebene schiffbar. Sie gewährleisten aber auch die Wasserversorgung der Städte und die Bewässerung von Agrarflächen. Gletscher der Eiszeit haben allein in Maine 2200 Seen hinterlassen. Zu den imposantesten Hinterlassenschaften dieser Epoche gehören die fünf Großen Seen, Lake Ontario, Erie, Huron, Michigan und Superior an der kanadischen Grenze, das größte Süßwasserreservoir der Erde. An der Verbindung von Ontario- und Eriesee liegt mit den Niagarafällen eines der großen Naturwunder des Ostens.

Die Appalachen

Vom Küstensaum steigt das Terrain von der Küstenebene über das Piedmont-Plateau an zu den grob in Nord-Süd-Richtung von Kanada bis nach Alabama verlaufenden Appalachen, einem der markantesten Kennzeichen des Ostküstenreliefs. Teil dieser **waldreichen Bergkette** sind die White Mountains in Neuengland, die Blue Ridge Mountains in

Virginia und North Carolina und die Great Smoky Mountains an der Grenze zu Tennessee. Das aus Sedimentgesteinen bestehende, bereits im Paläozoikum vor 450 Mio. Jahren gefaltete Mittelgebirge besitzt im Mount Mitchell (2037 m) in North Carolina seinen höchsten Gipfel. Höchste Erhebung in den White Mountains in New Hampshire ist der Mount Washington mit 1917 m – an den Gipfeln der Sierra Nevada oder der Rocky Mountains gemessen ein Hügel. Seine Lage im Schnittpunkt dreier Sturmschneisen macht den Berg aber zu einer außergewöhnlichen arktischen Klimaoase. Selbst an warmen Herbsttagen, wenn der Indian Summer die Bergregion in einen Farbenrausch versetzt, empfängt der Gipfel Besucher mit eiskaltem Nebel, Sturmböen und einer in Eis erstarrten Landschaft, die man hier nicht für möglich hält.

Zentrale Tiefebene

Westlich der Appalachen dehnt sich ein bis zu 2500 km breites **Kontinentalbecken** aus, das bis an den Fuß der Rocky Mountains

In Florida gibt es wegen Schutzmaßnahmen wieder Alligatoren wie Sand am Meer

reicht. Als im frühen 19. Jh. die Entwicklung des Industrieraums im Nordosten der USA begann, kam vor allem den dort leicht abbaubaren Steinkohlevorkommen und Eisenerzlagerstätten große Bedeutung zu. Räumliche Nähe und steigender Bedarf an Metallen zur Herstellung von Eisenbahnen und Maschinen sorgten dafür, dass Pittsburgh 1815 zum Zentrum der Eisengießer, Werkzeugmacher und Maschinenhersteller wurde.

Flora und Fauna

Pflanzenwelt

Zu Beginn der europäischen Besiedelung war ungefähr die Hälfte des heutigen Staatsgebiets der USA von Wald bedeckt. Heute ist es noch etwa ein Viertel. Weit über dem nationalen Durchschnitt liegen der Bundesstaat Maine mit 80 und Vermont mit 65 % Wald, der in Pionierzeiten Bau- und Brennstoff, später auch Rohmaterial für Zellstoff- und Papierfabriken lieferte. Unter den Nadelhölzern überwiegen Balsamtannen, auf felsigem Untergrund auch Pechkiefern und in Küstennähe Weißfichten. Mischwald besteht aus Espen,

Erlen, Schwarzeschen und Birken. Die Appalachen sind zum Teil von Sekundärwäldern bedeckt. Vor allem im 19. Jh. wurden riesige Flächen abgeholzt und brandgerodet. Die aus Zuckerahorn, Gelbbirken, Hickory, Rotfichten und Hemlocktannen bestehenden Wälder im Shenandoah National Park in Virginia sind allein den Aufforstungsbemühungen des National Park Service seit 1936 zu verdanken. Noch mehr unterschiedliche Baumarten als Shenandoah besitzt der Great Smoky Mountains National Park zwischen Tennessee und North Carolina mit über 120 Spezies. Dem Park kommt zugute, dass weite Teile nie oder nicht in dem Maß wie in Shenandoah abgeholzt wurden. Im Frühjahr und Frühsommer blühen Rhododendren und Azaleen und verwandeln die Bergwelt in ein Blumenparadies.

Tierwelt

Bevölkerungswachstum und zivilisatorische Entwicklung haben die Lebensräume der Tiere in den USA seit der Kolonialzeit stark eingeschränkt und ihre Zahl zum Teil drastisch verringert. Bereits im 17. Jh. spielte für die in Nordamerika rivalisierenden europäischen Nationen der Pelzhandel mit den Indianern eine bedeutende Rolle. Die Jagd auf Elche, Schwarzbären, Weißwedelhirsche, Luchse, Kojoten, Wölfe und Waschbären war dabei zweitrangig. In erster Linie ging es Jägern und Fallenstellern um Biber, weil für die Herstellung von Filz Biberfelle unverzichtbar waren. Als Filzhüte in Europa immer mehr in Mode kamen, stieg die Nachfrage und nahm die Biberpopulation immer mehr ab, bis die Nager Ende des 19. Jh. fast ausgerottet waren. Erst Jahrzehnte später zeigten Maßnahmen zur Erhaltung der Tierart Wirkung.

Bedrohte Arten

Von März bis September ist an der Atlantikküste zwischen Virginia und Florida Meeresschildkröten-Saison. Allein an den Stränden von Georgia werden jährlich bis zu 1500 Gelege von Unechten Karettschildkröten *(Caretta caretta)* gezählt, an der Ostküste Floridas liegt die Zahl bei ca. 14 000. Mehrere dortige Küstenorte wie Juno Beach und Hobe Sound haben sich auf abendliche Beobachtungstouren spezialisiert, bei denen Schaulustige an Strandabschnitte geführt werden, um Nestbau und Eiablage von Schildkröten zu beobachten. Zwei Monate später schlüpfen die Jungtiere und versuchen die ca. 3 km vor der Küste liegenden Seegrasgebiete zu erreichen, in denen die Überlebenschancen am größten sind. Viele Umweltgruppen organisieren den Schutz der Nester vor Kojoten, Waschbären, Gürteltieren und Füchsen.

Zu den bedrohten Tierarten gehört der Florida-Panther *(Puma concolor coryi),* eine Pumaart, die im Sonnenscheinstaat fast nur noch auf Autokennzeichen auftaucht, mit denen eine Schutzkampagne propagiert und finanziert wird. Neben den Großkatzen haben viele Naturschützer ihr Herz an Seekühe *(Trichechus manatus)* verloren, in den USA Manatees genannt. Das täglich bis zu 50 kg Pflanzen konsumierende Säugetier mit bis zu 4 m Länge hat einen zerknautscht wirkenden Bulldoggenkopf. Von den harmlosen Riesen gibt es in den flachen, warmen Küstengewässern Floridas nur noch wenige Tausend Exemplare, weil sie durch die Motorisierung des Wassersports stark dezimiert wurden und die Weibchen nur alle drei bis fünf Jahre ein Junges zur Welt bringen.

Die Jahreszeiten

Dem rauesten Klima an der Ostküste ist der Bundesstaat Maine ausgesetzt. In Caribou an der kanadischen Grenze liegen die maximalen bzw. minimalen durchschnittlichen Temperaturen im Januar bei −7 ° bzw. −17 °, im Juli bei 24 ° bzw. 12,5 °C, während sich Key West im äußersten Süden von Florida mit vergleichbaren 24 ° bzw. 18 ° im Januar und 32 ° bzw. 27 °C im Juli empfiehlt. Kaltluft aus dem Norden kann im Winter bis nach Florida vordringen, wo solche Einbrüche schon ganze Orangenplantagen vernichteten. Im Gegenzug schieben sich Fronten feuchtwarmer Luft im Sommer vom Golf von Mexiko weit die Ostküste hinauf. Der ungehinderte Luftaustausch wird durch die in Nord-Süd-Richtung verlaufenden Appalachen möglich, die mit ihren lang gezogenen Tälern den Transport von kalter oder warmer Luft begünstigen. Am schwersten ist bei den Hitzeeinbrüchen die Schwüle zu ertragen, die selbst das südliche Neuengland mit schweißtreibenden Tropentemperaturen überziehen kann.

In der nördlichen Hälfte der Atlantikregion gebärdet sich der Winter nicht selten extrem, mit arktischen Temperaturen bis unter −30 °C und Bergen von Schnee. Fast regelmäßig ›ertrinken‹ Maine, New Hampshire und Vermont in der kalten Jahreszeit bei klirrender Kälte in der weißen Pracht.

Indian Summer

Schönste Jahreszeit in Neuengland ist der sogenannte Indian Summer (s. S. 107). Genau datieren lässt sich diese mit grandiosen Laubverfärbungen aufwartende Jahreszeit nicht, weil sie von mehreren Faktoren abhängt. Aber im Großen und Ganzen geht es um die Zeit zwischen Mitte September und Ende Oktober, wenn sich warme Tage und kalte Nächte abwechseln und die Wälder von Maine bis New York in ›Flammen‹ stehen.

Traumstraße des Ostens: der Intracoastal Waterway | Thema

Die legendäre Panamericana an der US-Pazifikküste, auch unter dem Namen ›Traumstraße der Welt‹ bekannt, hat an der Atlantikküste ein feuchtes Pendant: den 4827 km langen Atlantic Intracoastal Waterway (ICW) zwischen Boston und Key West in Florida.

Kein Bootsrevier im Osten ist so populär wie diese zum Teil aus künstlichen Kanälen, größtenteils aber aus natürlichen Flüssen, Mündungsbuchten und Lagunen bestehende Traumwasserstraße, auf der einige Abschnitte auch über das Meer führen. Im Zeitlupentempo arbeitende Dreh- und Hebebrücken, die an Fahrten auf europäischen Kanälen erinnern, überspannen zahlreiche Passagen und tragen zur reizvollen Atmosphäre bei.

Der eigentliche Reiz des Wasserwegs besteht in seiner ständig wechselnden Kulisse. Auf manchen Abschnitten formen Urwaldufer grüne ›Tunnels‹, und Torfboden färbt das Wasser dunkelbraun wie starken Tee. Der Waccamaw River bei Georgetown in South Carolina mit einem von Sumpfzypressen gesäumten und von Seerosen bedeckten Ufer ist so eine Fabeletappe in die unverfälschte Wildnis. Dann wieder schippert man als Freizeitkapitän etwa in Florida durch Reviere mit türkisgrünem Wasser, durch das man Korallenstöcke und die exotische Unterwasserfauna- und flora auf dem Meeresboden erkennen kann. Aber auch dicht besiedelte Gebiete werden vom ICW nicht umgangen. Beweis dafür ist Fort Lauderdale, wo sich die feuchte Route ein, zwei Kilometer vom Meer entfernt mitten im Stadtgebiet in viele Kanäle verästelt, an denen geschniegelte Villen mit manikürten Vorgärten liegen.

Ein Problem während eines längeren Törns über den ICW stellt die Versorgung dar. An den Anlegestellen gibt es meist keine Einkaufsmöglichkeiten, und der nächste Supermarkt liegt in der Regel Meilen entfernt. Deshalb können Skipper an manchen Marinas für eine Versorgungsfahrt ein Courtesy Car kostenlos ausleihen.

Bereits im amerikanischen Bürgerkrieg erwiesen sich manche Abschnitte des ICW als günstige Routen zum Verschiffen von Truppen und Kriegsmaterial. Im Jahr 1919 machte der amerikanische Kongress den Weg frei zum Bau des ICW, um die wirtschaftliche Entwicklung in Küstennähe zu fördern. In den folgenden Jahren verwirklichte das United States Army Corps of Engineers das Projekt und kümmert sich seit damals um den technischen Zustand. Auf den meisten Abschnitten wird periodisch für eine Wassertiefe von 4 m gesorgt. Außerdem müssen zwecks Orientierung Markierungen gesetzt und erneuert werden. Landseitig bestehen sie aus Pfählen mit nummerierten roten Dreiecken, seeseitig weisen ebenfalls mit fortlaufenden Nummern versehene grüne Quadrate den Weg. Zwar ist der mautfreie Wasserweg längst zu einem Mekka von Wassersportlern und Bootsfahrern geworden. Dennoch spielt er wirtschaftlich immer noch eine bedeutende Rolle als Transportweg für Massengüter. Lastkähne transportieren wie eh und je gewaltige Mengen an Treibstoff, Baumaterial, Getreide und Industriewaren. In der Chesapeake und Tampa Bay sind Containerriesen und Frachtschiffe aus aller Herren Länder ein gewohntes Bild. Fischerboote und Shrimpskutter erreichen ihre geschützten Liegeplätze meist auch nur über den ICW.

Verrücktes Wetter

Im Südosten ist von Juni bis November Hurrikansaison. Manchmal ziehen die **Wirbelstürme** mit zerstörerischer Kraft über Meer und Land. Sie brauen sich in einer Tiefdruckrinne vor der Atlantik- bzw. Golfküste zusammen, wenn das durch intensive Sonneneinstrahlung erwärmte Meerwasser verdunstet. Dadurch entstehen in der Atmosphäre riesige Wirbel, deren Richtung schwer vorherzusagen ist. Im National Hurricane Center in Miami werden alle Informationen über heranziehende Wirbelstürme gebündelt und ausgewertet. Das Zentrum ist auch dafür verantwortlich, rechtzeitig Warnungen zu veröffentlichen bzw. Evakuierungen anzuordnen.

Umweltschutz

Amerikaner haben dem Umweltschutz gegenüber ein zwiespältiges Verhältnis. Wer etwa Müll aus dem Autofenster wirft, muss mit empfindlichen Strafen rechnen. Wieder verwertbare Getränkedosen werden schon lange in entsprechenden Containern oder von Armen gesammelt. Wer in Nationalparks Blumen oder nur einen Grashalm pflückt, kommt selbst nicht ungerupft davon. In Sachen Energie- oder Wassersparen nehmen es die Amerikaner weit weniger genau. Ein Bewusstsein hinsichtlich der Verschwendung von Ressourcen entwickelt sich nur langsam. Der Verzicht auf Plastiktüten setzt sich in Supermärkten nur langsam durch.

Gegenwärtig sind die USA für rund 15,5 % des globalen CO_2-Ausstoßes verantwortlich. Zu den Umweltzielen von Präsident Obama zählt ein Klimagesetz, mit dem der Ausstoß von Treibhausgasen reduziert und die Entwicklung von erneuerbaren Energien vorangetrieben werden soll. Seine politischen Widersacher sind gegen dieses Gesetz, weil sie dadurch die Wirtschaft des Landes beeinträchtigt sehen.

Seit die USA mit der neuen Fördertechnik Fracking einen regelrechten Ölboom in Gang gesetzt haben, reißen die Diskussionen über die Methode nicht mehr ab. Der ›schwarze Segen‹ hat zwar dazu geführt, dass die USA ihr 40 Jahre gültiges Erdölexportverbot lockern konnten und sich anschicken, weltweit der größte Ölproduzent zu werden. Aber die neue Technologie, die die Förderung schwer zugänglicher Rohstoffe möglich macht, ist stark umstritten, weil ein Gemisch aus Wasser, Sand und Chemikalien tief in der Erde liegendes Schiefergestein aufbricht und dabei das Grundwasser verschmutzen könnte.

Ökotourismus

Ökologisch verantwortlicher Tourismus ist in den letzten Jahren populär geworden. Das Konzept entstand in den 1960er-Jahren in den USA, wo es in manchen Gegenden eine wichtige Rolle spielt, etwa in den Korallenbänken vor der Ostküste der Florida Keys. Wie hoch der Wert dieses Ökosystems eingeschätzt wird, zeigt folgendes Beispiel: Das Atom-U-Boot ›USS Memphis‹ setzte am 25. Februar 1993 in einem über 3000 Jahre alten Riff auf und zerstörte ein über 1000 m² großes Gebiet. Vier Jahre später wurde die Navy zur Zahlung von Schadensersatz in Höhe von 750 000 $ verpflichtet. Das Geld wurde für die Beseitigung der Schäden verwendet.

Ökotouristische Angebote gibt es gerade in Florida en masse. Ob die Programme auch das halten, was sie versprechen, ist eine andere Frage. Kritische Stimmen weisen zu Recht darauf hin, dass der Ökotourismus erschlossene Gebiete häufig Massentourismus nach sich ziehen und die Frage, wie man überhaupt vor Ort gelangt, ausblenden. Mit gezielt versenkten Objekten wie Schiffswracks will man in den Korallenbänken neue Lebensräume schaffen, eine Methode, die in den USA bereits seit 1830 praktiziert wird. Fachleute sehen solche Aktionen mit Argwohn, weil sie u. a. vermuten, dass dadurch lediglich der Tauchtourismus gefördert und eine günstige Möglichkeit zur Entsorgung von Schrott geschaffen werden soll. Zudem glauben sie, dass der Bau künstlicher Riffe von der Hauptursache des Korallensterbens ablenkt: der beständig zunehmenden Wasserverschmutzung durch Städte und Gemeinden.

Die Supermacht USA ist im Hinblick auf ihre Grundfesten kein Land wie jedes andere. Für die einen der Global Player schlechthin, machen andere ihre Meinung über das moderne Amerika eher an gigantischer Verschuldung, Finanz- und Budgetkrisen und einer Polarisierung der Gesellschaft fest. Wie die Einschätzungen auch ausfallen mögen: Gleichgültig lassen die USA offensichtlich niemanden.

Supermacht oder taumelnder Gigant?

In Zusammenhang mit den USA wiederholen sich die Superlative: einzig verbliebene Supermacht, Wirtschaftsriese, Führer der westlichen Welt … Ob solche Einschätzungen der Realität entsprechen, ist häufig eine Frage des Blickwinkels. Wer die US-Wirtschaft von ihrer positiven Seite sieht, verweist gern auf das längste kontinuierliche Wachstum ihrer Geschichte in den 1990er-Jahren. Folge: Das 21. Jh. begannen die USA mit einer stärkeren Volkswirtschaft als jemals zuvor. Nach der Europäischen Union bildet das Land mit ca. 319 Mio. Konsumenten den zweitgrößten Binnenmarkt der Welt und erwirtschaftet über ein Viertel der globalen Produktion, obwohl nicht einmal 5 % der Weltbevölkerung auf amerikanischem Boden leben.

Tiefe Spuren hinterließ die Immobilien- und Finanzkrise 2008/09. Nach einem Rückgang des jährlichen Wachstums des realen Bruttoinlandsprodukts (BIP) 2008 um 0,3 % und 2009 um 3,5 % im Vergleich zum Vorjahr, erholten sich die Werte in den Folgejahren und lagen 2010 bei gut 3 % und im Jahr 2014 nach vorläufigen Schätzungen bei einem Wert von 2,7 %.

Im Inneren führen Kritiker das immense Außenhandelsdefizit ins Feld, das u. a. durch steigende Lohnstückkosten verursacht wird und US-Produkten auf dem Weltmarkt die Konkurrenzfähigkeit raubt. So steigerte sich das Handelsbilanzdefizit 2013 auf die astronomische Summe von 471 Mrd. Dollar. Über ihr Leistungsbilanzdefizit baut die Regierung nach Meinung vieler Fachleute hohe Schulden auf, deren Tilgung in der Zukunft immer schwieriger wird. Ihren früher markanten technischen Vorsprung haben die USA auf vielen Gebieten verloren. Auffallend ist auch, dass das Wachstum der industriellen Güterproduktion seit Mitte der 1980er-Jahre von anderen Branchen wie Handel, Dienstleistungen und Finanzdienstleistungen überholt wurde. Computer werden nicht mehr im eigenen Land produziert, sondern aus Taiwan eingeführt. Importierte Maschinen und Automobile tragen das Zeichen ›Made in Germany‹, während Arbeitsroboter aus japanischer Fertigung stammen.

Hightech-Oasen im Osten

Im Osten des Landes liegen innovative Wirtschaftsoasen, die Vergleiche mit dem legendären Silicon Valley geradezu provozieren. Ähnlich wie in den 1950er- und 1960er-Jahren die Auto-, Chemie- und Stahlbranche das Wirtschaftswachstum vorantrieben, gilt dort der Hightechsektor als zugkräftige Lokomotive. Ortskundigen als ›Route 128 Corridor‹ bekannt, ist die im Westen von Boston verlaufende Route 128 als führender Hightechstandort in Neuengland bekannt. Mitte der 1970er-Jahre entstanden die ersten Firmen im Dunstkreis des berühmten Massachusetts Institut of Technology in Cambridge, dessen Schwerpunkt heute auf Softwareherstellung und Biotechnologie liegt.

Nicht mit Hochtechnologie, sondern mit Geld, Aktien und Fonds hat sich der Financial District in Manhattan seine Reputation als bedeutendstes Finanzzentrum der westlichen Welt erstritten. Herz und Hirn des Stadtteils ist die New York Stock Exchange in der weltbekannten Wall Street. Kein anderer Platz der Welt symbolisiert Reichtum, Spekulantentum und Macht des Mammons besser als diese Einrichtung, an der Wertpapiere von über 1700 der größten US-amerikanischen Aktiengesellschaften gehandelt werden. Entsprechend zog der Finanzcrash von 2008 hier besonders verheerende Folgen nach sich.

›Cybermania‹

Wer von Washington D. C. über den Potomac River nach Nord-Virginia fährt, gelangt auf einer mautpflichtigen Schnellstraße Richtung Washington Dulles International Airport in den sog. Dulles-Korridor. Keine andere Ostküstenregion ist so komplett von Cybermania ›befallen‹ wie diese High-Tech-Gemeinde mit ihren globalen Technologie- und Kommunikationsgiganten. Von den mehr als 12 000 Global Playern im Großraum Washington konzentrieren sich viele in diesem Mekka des World Wide Web. Dass dieser Boom gerade in Nord-Virginia stattfindet, hängt mit dem nahen Pentagon zusammen. Auf die Entwicklung von Datenbanken und Kommunikationsnetzen spezialisierte Firmen bekamen vom US-Verteidigungsministerium Milliardenaufträge. Eine Metro-Verlängerung von Washington D. C. durch den Dulles-Korridor ist fertiggestellt.

Auch der Sunshine State besitzt einen Wachstumspol. Floridas High Tech Corridor, dessen Triebfedern die University of South Florida und die University of Central Florida waren und sind, erstreckt sich von der Tampa Bay im Westen über den Großraum Orlando bis an die Space Coast an der Atlantikküste. In diesem Technologiegürtel liegen 20 000 Firmen, deren rund 250 000 Beschäftigte über Jahreseinkommen um 77 000 $ verfügen.

Landwirtschaft

Trotz der starken Industrialisierung der Ostküstenstaaten spielt die Landwirtschaft seit langem eine bedeutende Rolle. In Anbetracht der natürlichen Voraussetzungen überwiegen in Neuengland Holz- und Milchwirtschaft, an der mittleren Atlantikküste der Anbau von Mais, Sojabohnen, Obst, Gemüse und Tabak, während im Süden Reis, Baumwolle, Zuckerrohr und Südfrüchte dominieren. Aus zaghaften Versuchen in der ersten Hälfte des 19. Jh. mit Orangen- und Zitronenbäumen entwickelte sich in Florida ein richtiges ›Orangenfieber‹, bis im Winter 1894/95 ein Kälteeinbruch fast sämtliche Kulturen vernichtete. Nur langsam erholte sich der Agrarzweig und wuchs zu einem profitablen Wirtschaftssektor heran, in dem heute über 100 000 Menschen arbeiten. Für viele Amerikaner ist ein Frühstück ohne Orangensaft kein Frühstück. Was zur ersten Mahlzeit des Tages getrunken wird, stammt in der Regel aus Florida. Die Märkte in Europa hingegen werden hauptsächlich mit brasilianischer Ware beliefert.

Gentechnik im Agrarsektor

In den USA befinden sich gentechnisch veränderte Pflanzen seit 1996 im kommerziellen Anbau. Kulturflächen haben inzwischen massiv zugenommen, insbesondere bei Sojabohnen und Mais. Sowohl in Amerika als auch im Ausland werden genmanipulierte Produkte mit Skepsis, zum Teil auch mit Ablehnung betrachtet. Als problematisch erweist sich der Bereich Gentechnik auch in den jüngsten Verhandlungen über das geplante Freihandelsabkommen der Europäischen Union mit den USA (TTIP). Kritiker befürchten nicht ganz ohne Grund, dass sich das angestrebte Abkommen als Türöffner für Gentechnik auf den Äckern der EU erweisen könnte, was viele EU-Bürger kategorisch ablehnen.

Ähnlich wie beim Thema Umweltschutz zeigt sich, dass Regierungspolitik und Volksmeinung beim Thema genmanipulierte Nahrungsmittel auseinander klaffen. Im Allgemeinen wird Amerikanern hierzulande unterstellt, sie gingen mit diesem Thema gelassener um

Hotelanlage in der Touristenhochburg Daytona Beach in Florida

als Verbraucher in der Alten Welt. Umfragen ergaben jedoch, dass 80 bis 90 % aller US-Konsumenten eine klare Kennzeichnung von sogenanntem Novel Food verlangen. Dass inzwischen 60 bis 70 % aller verarbeiteten Lebensmittel in den USA genetisch veränderte Bestandteile enthalten, wissen nur wenige.

Problemzone Tabak

Schon in den 1980er-Jahren begann die neue ›Tabak-Prohibition‹, die inzwischen gastronomische Betriebe, Flughäfen, Rathäuser, Finanzämter, Sportstadien und andere öffentliche Einrichtungen fest im Griff hat. Zigarettenkonzerne wurden mit einer Flut von Prozessen überzogen. Die Firmen ihrerseits werfen der Umweltbehörde EPA vor, Anti-Raucher-Kampagnen auf die wissenschaftlich nicht nachweisbare Behauptung zu stützen, dass passives Rauchen die Krebsgefahr erhöhe. Tabakproduzenten attackieren die EPA wegen vermeintlicher Heuchelei und Scheinheiligkeit, weil der Staat einerseits Tabakgenuss als die Gesundheit gefährdend einstuft, andererseits jährlich viele Milliarden Dollar Tabaksteuern kassiert. Hauptanbaugebiet in den USA ist North Carolina, wo die meisten Großfarmen bewirtschaftet werden. Im Jahr 1965 war Tabak dort noch das bedeutendste Agrarprodukt, heute rangiert es hinter Geflügel- und Viehzucht an dritter Stelle. Auch in Virginia, Florida, Georgia, Kentucky, Maryland, South Carolina und Tennessee fühlen sich Tabakfarmer in ihrer Existenz bedroht. Längst haben sie es satt, sich als Suchtgiftproduzenten beschimpfen zu lassen. Ihr Hauptargument: Wenn die Bundesbehörden mit öffentlichen Erklärungen gegen den Tabakkonsum zu Felde ziehen, warum richten sie entsprechende Kampagnen nicht auch gegen den Alkoholgenuss, was etwa den Winzern in Kalifornien und Virginia die Existenzgrundlage entziehen würde?

Der Tourismus boomt

Die USA erzielen durch den internationalen Tourismus weltweit die höchsten Einnahmen. Sie beliefen sich 2013 auf knapp 140 Mrd. $. Was Besucher aus Deutschland anbelangt, war 1999 mit 2 Mio. Urlaubern das absolute Spitzenjahr. 2002 sanken die deutschen Besucherzahlen in Folge des Terroranschlags

Im Land von Bonus und Discount

Thema

Günstige Euro-Dollar-Wechselkurse haben USA-Aufenthalte für Europäer zwar erschwinglicher gemacht als noch vor einigen Jahren. Trotzdem ist ein Urlaub im Osten der USA nicht zum Schnäppchenpreis zu haben. Die Preise in den Großstädten und in den touristisch interessanten Gebieten sind zum Teil gesalzen, wie Hotelpreise in Manhattan, Boston und Philadelphia, aber auch in vielen Küstenorten beweisen.

Aber es gibt probate Mittel, um die Kosten drastisch zu senken. Wer seine Übernachtungen nicht vorgebucht hat, kann von Couponheften profitieren, die es gratis in Touristenbüros, Hamburgerfilialen oder zum Ausdrucken im Internet gibt. Gab es noch vor wenigen Jahren in diesem Segment wesentlich mehr Anbieter, so konzentrieren sich die Rabattbroschüren mittlerweile bei Hotel Coupons (www.hotelcoupons.com). Die Ostküste ist dabei in unterschiedliche Regionen aufgeteilt wie North und South Carolina, Florida, mittlere Atlantikküste, Nordosten und Süden. Weitere Angebote findet man im Internet unter http://motel-coupons.com und http://ehotel coupons.com. Im Kleingedruckten der Coupons steht jeweils, für welche Zeiträume und für wie viele Personen die Ermäßigungen gelten. Äußerst praktisch sind die Hefte auch deshalb, weil in ihnen detaillierte Pläne abgedruckt sind, mit denen die Suche nach entsprechenden Unterkünften zu einem Kinderspiel wird. Bei Destination Coupons (www.destination-coupons.com) beispielsweise bekommt man neben Unterkünften auch ermäßigte Mietwagen und Campingplätze.

ADAC-Mitgliedern gewährt die hierzulande in allen Geschäftsstellen ausgestellte Bonuskarte der US-Partnerorganisation AAA (Triple A) reduzierte Preise in vielen Hotels und sogar in manchen Restaurants und Sehenswürdigkeiten. In New York, Boston, Atlanta und Philadelphia ist der ›CityPass‹ für mehrere Se-

henswürdigkeiten gültig und verbilligt den Eintrittspreis um fast die Hälfte (zu kaufen in den betreffenden Museen und US-Reisebüros, Online-Kauf unter http://de.citypass.com). In zahlreichen Museen ist der Eintritt mit dem ›City Pass‹ an bestimmten Tagen gratis (s. Info- und Adressteil der jeweiligen Orte).

Ein freundlicher Urlaubsgruß für die Lieben zu Hause per Telefon kann die Urlaubskasse kräftig strapazieren. Ferngespräche führt man besser nicht vom Hotelzimmer aus, sondern vom öffentlichen Telefon mit einer im Laden gekauften Telefonkarte. E-Mails ruft man vom Hotel aus mit dem eigenen Laptop am billigsten über lokale Einwahlknoten ab, weil dann nur der Preis für ein Ortsgespräch fällig ist. In Bibliotheken, PC-Geschäften, Cafe- und Hamburgerketten darf man für begrenzte Zeit kostenlos im Internet surfen, häufig allerdings keine Mails mit Attachment abschicken. Wer Hotels, Motels, Vergnügungsparks und Eintrittskarten für Museen und Veranstaltungen online bestellt, kommt in den meisten Fällen preisgünstiger davon.

Auch beim Einkauf im Supermarkt kann man günstige Schnäppchen machen. Wer eine Postadresse in den USA angibt, bekommt in vielen Supermärkten und Kaufhäusern kostenlos eine Bonuskarte für verbilligte Einkäufe. In vielen Märkten und in Wochenendausgaben von Zeitungen gibt es Coupons bündelweise, mit denen die Schnäppchenjagd zur sportlichen Herausforderung wird.

Gambling als Entwicklungshilfe

Thema

An der Ostküste ist Glücksspiel außer in Atlantic City verboten. Trotzdem gibt es zahlreiche Kasinos. Denn 1988 wurde mit dem Gaming Regulatory Act eine Art Entwicklungshilfegesetz verabschiedet, das Indianern das Recht zugesteht, in ihren quasi autonomen, häufig von Arbeitslosigkeit, Analphabetismus und Armut gekennzeichneten Reservaten Glücksspielbetriebe einzurichten.

Diese Art von ›Entwicklungshilfe‹ machten sich etwa die Mashantucket-Pequot-Indianer zu Eigen. Die aus ca. 870 Stammesmitgliedern bestehende Gruppierung betreibt mit dem Foxwood-Kasino im nördlichen Connecticut eine der größten Glücksspielhochburgen des Ostens, die aus sämtlichen dort lebenden Native Americans längst Millionäre gemacht hat. Sie alle genossen neben einem sechsstelligen Jahreseinkommen zahlreiche Privilegien, bis sich die Finanzkrise auch bei den Mashantucket-Pequot-Indianern mit sinkenden Glücksspieleinnahmen bemerkbar machte. Neben den Menschen profitierte auch der Staat Connecticut vom Glücksspielgeschäft, weil der Casinokomplex nicht nur zu den größten Steuerzahlern des Bundesstaates gehört, sondern auch die meisten Angestellten beschäftigt.

Was im Einzelnen mit Kasinoeinnahmen geschieht, hängt von der jeweiligen Reservation ab. Manche Stämme verteilen die Einkünfte auf Pro-Kopf-Basis, andere legen das Kapital in Fonds an, aus deren Renditen Ausbildungsplätze, Arbeitsstätten und Altenheime finanziert werden. Die Cherokee in North Carolina etwa bauten zunächst ein Dialysezentrum auf, um die überdurchschnittliche Anzahl an Diabeteskranken behandeln zu können. Wie sich die Situation in Zukunft entwickeln wird, ist unsicher. Seit geraumer Zeit versucht fast jede Indianerreservation auf amerikanischem Boden, ins

Geschäft mit Roulette und Spielautomaten einzusteigen. Aus diesem Grund wird auch die Konkurrenz zwischen den einzelnen ›roten‹ Kasinos immer größer, sodass zu vermuten ist, dass am Ende nur die großen Glücksspieltempel überleben.

Ein anderes Beispiel für erfolgreiches indianisches Management ist die Reservation der Oneida Nation bei Verona im nördlichen Bundesstaat New York. Schon vor einigen Jahren wurde das dort liegende Turning Stone Casino Resort mit Poker-, Blackjack- und Würfeltischen, Spielautomaten, Restaurants, Cafés, Hotels und einem Spa zu einem Erfolgsmodell, welches das ursprünglich ärmliche Indianerreservat völlig umkrempelte und über den Einwohnern einen warmen Dollarregen niedergehen ließ.

4 Mio. Gäste statten dem Kasino bzw. den umliegenden Hotels Jahr für Jahr einen Besuch ab und sorgen bis heute dafür, dass die Oneida-Wirtschaft mit jährlich dreistelligen Millionenumsätzen boomt. Neben dem Glücksspiel-Geschäft investierten die Indianer ihre Profite in eine Besteckfabrik, einen Verlag, ein Film- und TV-Unternehmen, eine Fluggesellschaft, Tankstellen für billigen Sprit, Einzelhandelsgeschäfte, die Souvenirs und Discount-Zigaretten verhökern, und in ein Online-Versandhaus für indianisches Kunsthandwerk (5218 Patrick Rd., Verona, Tel. 1-315-361-7711, www.turningstone.com, ab 190 $).

Indianische Skulptur in der Lobby des Foxwood Casino in Connecticut

vom 11. September 2001 auf 1,2 Mio., erholten sich aber in den nachfolgenden Jahren wieder. Seit 2010 befindet sich der deutsche Tourismus in den USA im ständigen Aufwärtstrend und lag 2013 bei 1,9 Mio. Urlaubs- und Geschäftsreisenden. Zu den Hauptprofiteuren dieses Höhenfluges gehört neben den großen Millionenmetropolen an der Ostküste u. a. der Sonnenscheinstaat Florida, dem Jahr für Jahr etwa 44 Mio. Urlauber eine Stippvisite abstatten und dem Land damit nicht nur willkommene Milliardenumsätze, sondern auch eine halbe Million Arbeitsplätze sichern.

Die Gesellschaft

Sklaverei und Einwandererströme aus aller Welt ließen in den USA schon früh ein gesellschaftliches Mosaik aus unterschiedlichen Rassen, Ethnien und Nationalitäten entstehen. Religiöse Freiheit war für viele einer der Hauptgründe, in die Neue Welt aufzubrechen. Zwar sind nach dem ersten Zusatz zur Verfassung von 1791 Staat und Religion streng voneinander getrennt. Aber seit jeher besitzt die Religion in gesellschaftlichen und politischen Fragen einen hohen Stellenwert. Über zwei Drittel der US-Amerikaner sind davon überzeugt, dass ihr Präsident starke religiöse Überzeugungen haben müsse. Sie begreifen sich als eine Nation, die bei der Durchsetzung von Freiheit, Gleichheit und Demokratie einem besonderen weltgeschichtlichen Auftrag folgt. Nationale Symbole wie US-Fahne, Unabhängigkeitserklärung, Freiheitsglocke und Verfassung werden geradezu sakral erhöht, während Denkmäler der US-Geschichte an berühmte Persönlichkeiten erinnern wie an Heilige. Wenn sich Politiker in ihren Reden auf religiöse Elemente beziehen, spiegelt das nicht etwa individuelle religiöse Haltungen wider. Vielmehr appellieren solche Hinweise an die religiösen Überzeugungen und Grundhaltungen der meisten US-Bürger und zielen auf eine integrierende Wirkung ab.

Unübersehbar stehen dem säkularen Verfassungsanspruch Bestrebungen gegenüber, den Alltag der Gesellschaft religiös auszurichten. Zwar hat der Oberste Gerichtshof in den 1970er-Jahren in öffentlichen Schulen das von Lehrern und Schülern gemeinsam vorgetragene Schulgebet verboten. Trotzdem ist es bis heute eine häufige Regel geblieben. Und auf jeder US-Banknote steht der Satz ›In God we trust‹ – um nur zwei Beispiele zu nennen.

Unter Zuwanderern waren nicht nur viele Christen, sondern auch Anhänger religiöser Gemeinschaften wie Amish People, Shaker und Hutterer. Der amerikanischen Ideologie zufolge sollten sie sich ebenso wie alle anderen Gruppen in einer allumfassenden US-Gesamtkultur vereinen. Lange geisterte der Begriff des Schmelztiegels durch die Medien, wenn es darum ging, den Sollzustand der US-Gesellschaft zu beschreiben. Dieses Modell hat sich als Illusion herausgestellt. Heute ist eher von ethnischem Pluralismus oder ethnischem Separatismus die Rede.

Bevölkerung

Im Osten der USA leben ca. 132 Mio. Menschen – über ein Drittel aller US-Amerikaner. Einen Schwerpunkt bildet der Staat New York, der hinter Kalifornien und Texas in der nationalen Rangliste mit 19,6 Mio. Einwohnern den dritten Platz belegt. Zu den bevölkerungsreichen Bundesstaaten gehören Florida mit 19,5 und Pennsylvania mit 12,8 Mio. Einwohnern. Im Gegensatz zu diesen dicht besiedelten Gebieten leben in Staaten wie Maine nur rund 1,3 Mio. und in Vermont nur 630 000 Menschen. Die stärksten Zuwächse zwischen 2000 und 2013 wurden in New York City, Atlanta und in Zentral-Florida registriert, wogegen das Bevölkerungswachstum in den Bundesstaaten New York, Ohio und Pennsylvania stagnierte.

Ein prägendes Merkmal der modernen US-Gesellschaft ist ihr ständig multikultureller werdender Charakter. Konnte die Bevölkerung im Hinblick auf die Rassenzugehörigkeit vor 30 oder 40 Jahren im Grunde noch in Schwarz und Weiß eingeteilt werden, ergibt sich heute wegen der starken Einwanderung aus Asien, Lateinamerika, Afrika und der Karibik ein gänzlich anderes Bild. Die Vereinigten Staaten weisen mittlerweile eine größere Vielfalt von Rassen, Kulturen und Sprachen auf als jemals zuvor.

Lateinamerikanisierung

Schlagzeilen machte vor wenigen Jahren das für Volkszählungen zuständige U. S. Census Bureau mit Schätzungen, dass die Hispanier die Schwarzen als größte Minderheitengruppe ablösen. Der in den 1970er-Jahren geprägte Begriff ›hispanisch‹ bezeichnet spanischsprachige Einwohner lateinamerikanischer Herkunft. Sie wiesen in den letzten Jahren höhere Immigrations- und Geburtenraten auf und überflügeln deshalb die Afroamerikaner zahlenmäßig. 2013 belief sich der Anteil der Hispanier an der US-Bevölkerung auf 17,1 %. Bis 2050 soll er sich auf 23 % steigern. Es wird bereits von einer Lateinamerikanisierung der USA gesprochen. Ein Vergleich bringt die Situation auf den Punkt: Die USA sind mit ca. 54,5 Mio. Hispanics das drittgrößte ›lateinamerikanische‹ Land der Welt und das zweitgrößte spanischsprachige.

Native Americans

Die indianische Urbevölkerung wurde im 19. Jh. fast vollständig aus dem Osten verdrängt. Alle großen Reservationen, d.h. die von Native Americans selbst verwalteten Gebiete, liegen im Westen. Im Osten existieren nur noch kleine Nischen. Die Eastern Band of Cherokee Indians in North Carolina am Fuß der Great Smoky Mountains etwa besteht aus etwa 10 500 Nachkommen derer, die 1838 auf dem ›Trail of Tears‹ (Pfad der Tränen) unter unsäglichen Strapazen ins 2000 km entfernte Oklahoma deportiert wurden. Die Cherokee gehörten zusammen mit den Choctaw, Chickasaw, Creek und Seminolen zu den ›Fünf zivilisierten Stämmen‹, die hinsichtlich ihrer Sozialorganisation und Wirtschaftsform europäischen Staaten ähnelten. Erst die schwarze Bürgerrechtsbewegung der 1960er- und 1970er-Jahre beeinflusste Selbstbewusstsein und politisches Engagement der Native Americans, denen der Indian Self-Determination Act von 1974 weitgehende Befugnisse in ihren Reservaten einräumte.

Geschichte

Die Menschheitsgeschichte Amerikas spannt einen Bogen über 40 000 Jahre. Sie reicht von der Einwanderung der ersten Menschen in den bis dahin wahrscheinlich unbesiedelten Kontinent bis in die jüngste Vergangenheit, wobei nach wie vor Probleme virulent sind, die sich seit der Kolonisierung für indianische Ureinwohner und Nachfahren schwarzer Sklaven aus der weißen Dominanz ergeben haben.

Im Jahr 1492 machte sich Christoph Kolumbus auf die Suche nach einem Seeweg nach Indien und ›entdeckte‹ den Kontinent, der später Amerika genannt wurde. Dass bereits 500 Jahre zuvor eine Gruppe Wikinger mit ihren schnellen Schiffen an der Atlantikküste Nordamerikas Labrador und Neufundland erreichten und vielleicht Richtung Süden bis nach Neuengland oder sogar bis an die Mündung des Hudson vordrangen, wird von der Geschichtsschreibung häufig ausgeblendet. Schließlich gründeten die Nordeuropäer keine dauerhaften Ansiedlungen und hinterließen in der Neuen Welt so gut wie keine Spuren.

Erste Einwanderer

Viele Fragen zur indianischen Urbevölkerung Amerikas in präkolumbischer Zeit sind bis heute ungeklärt. Dass die Vorfahren von Cherokee und Comanchen, Seminolen und Irokesen vor ungefähr 18 000 bis 40 000 Jahren aus Asien über die damals verlandete Beringstraße einwanderten, galt lange Zeit als gesichert. Manche Forscher vermuten jedoch, dass Menschen auch aus anderen Teilen der Welt über den Seeweg nach Amerika kamen, etwa aus Sibirien über den Nordpazifik, über den Südpazifik oder sogar aus Europa.

Deutlicher beginnt sich die Vergangenheit erst abzuzeichnen, als die ersten Europäer in nachkolumbischer Zeit an der Ostküste auf-tauchten, wie etwa der Spanier Juan Ponce de León 1513 im Nordosten von Florida oder der italienische Seefahrer Giovanni da Verrazano 1524 bei Sandy Hook an der Küste von New Jersey. Er berichtete, dass dort etwa 2000 Mitglieder des zur Algonquin-Nation gehörenden Lenni-Lenape-Stamms lebten. 1534 stieß der damals 43-jährige französische Seefahrer Jacques Cartier aus St.-Malo an die ostkanadische Küste vor. In den Jahren danach versuchten seine Landsleute zum Teil im Wettstreit mit den weiter im Süden Schatz suchenden Spaniern, auf dem Kontinent Fuß zu fassen.

1564 bauten sie in der Nähe der heutigen Großstadt Jacksonville das Fort Caroline und gründeten die erste protestantische Gemeinde in den USA. Ein Jahr später war das Schicksal der jungen Kolonie bereits besiegelt, als die Spanier unter Pedro Menéndez de Aviles das Fort einnahmen und den Grundstein legten für das bis heute existierende St. Augustine, die erste ständige Siedlung von Europäern auf dem Territorium der späteren USA. Andere Nationen der Alten Welt ließen nicht lange auf sich warten. Der Engländer Henry Hudson segelte 1607 den später nach ihm benannten Fluss hinauf. Holländer landeten in den 20er-Jahren des 17. Jh. in der Bucht von New York, und schwedische Pioniere bauten im Bundesstaat Delaware das Fort Christina, um ihre kleine Siedlung zu schützen.

Die Cherokee auf dem ›Marsch der Tränen‹

Thema

Über lange Zeiträume ihrer Geschichte hinweg erwies sich die Indianerpolitik der US-Regierung als zynisch und menschenverachtend. In kaum einem anderen Fall zeigte sich das brutale, das Recht beugende Verhalten so deutlich wie in der Zwangsumsiedlung der Cherokee im Jahr 1838 von Georgia nach Oklahoma.

1828 war ein Schicksalsjahr für die Indianer des Ostens. Mit dem unter dem Spitznamen ›Indianerfresser‹ bekannten Andrew Jackson (1767–1845) kam als siebter US-Präsident ein ehemaliger General ins Amt, der alle Stämme des Ostens notfalls mit Gewalt zur Umsiedlung nach Oklahoma veranlassen wollte. Das Zielgebiet westlich des Mississippi war weißen Siedlern als ›Great American Desert‹ und damit als wertloses Niemandsland bekannt.

Gleich zu Beginn seiner Präsidentschaft gewährte Jackson dem Bundesstaat Georgia Unterstützung bei dessen Bemühungen, die polizeiliche und juristische Staatsgewalt auf die Gebiete der Cherokee-Indianer auszudehnen. Die Indianer sollten also durch erhöhten Druck aus ihrem angestammten Territorium vertrieben werden. Als auf dem Cherokee-Gebiet 1828 Gold gefunden wurde, überschlugen sich die Ereignisse. Weiße Goldsucher setzten ihre Ansprüche auf Indianerland rücksichtslos per Faustrecht durch. Der Staat Georgia erließ gleichzeitig mehrere Staatsgesetze zur Entrechtung der Indianer. Und auch der amerikanische Kongress blieb nicht untätig.

Am 28. Mai 1830 verabschiedete er mit dem ›Removal Act‹ ein Gesetz, das der zwangsweisen Umsiedlung der östlichen Stämme in die ›Große Amerikanische Wüste‹ den Boden bereitete. Auf diese Weise sollten Siedlungsflächen für Weiße geschaffen werden, die den Erfolg der Cherokee-Farmer

bis zu diesem Zeitpunkt ohnehin mit Hass und Missgunst betrachtet hatten. Die sogenannten ›Fünf zivilisierten Stämme‹ – Creek, Choctaw, Chickasaw, Cherokee und Seminolen – schickten bis dahin ihre Kinder in Missionsschulen und bauten feste Häuser, die denen der Weißen in nichts nachstanden. Sogar Sklaven wurden beschäftigt, um die Ländereien zu kultivieren.

Die Urbevölkerung wehrte sich gegen den ›Removal Act‹, aber der Oberste Gerichtshof der USA ließ gerichtliche Klagen nicht zu, weil Indianer als Menschen ohne Bürgerrechte dazu nicht befugt waren. Im Jahr 1838 endete der Traum der Cherokee-Republik in Georgia, als 14 000 Stammesmitglieder auf den ›Trail of Tears‹ (Marsch der Tränen) nach Oklahoma gezwungen wurden. Auf dem langen Weg starben 4000 von ihnen an Schwäche und Krankheiten, während zur gleichen Zeit ihr Stammesland per Lotterie an weiße Siedler verhökert wurde. Etwa 1000 Cherokee gelang während des langen Marsches ins Exil die Flucht in die unwegsamen Wälder der Appalachen. Ein Händler namens William Holland erbarmte sich der Heimatlosen und erwarb in North Carolina ein beträchtliches Stück Land, auf dem er die Entwurzelten ansiedelte. Heute leben in der Cherokee Indian Reservation am Rand der Great Smoky Mountains etwa 11 000 Nachfahren der damals Vertriebenen. Andere versprengte Stammesnachfolger ließen sich in mehreren US-Bundesstaaten nieder.

Die Europäer fassen Fuß

Am konsequentesten trieb England seine Ansprüche und seine Präsenz in Amerika voran. Erst die 1607 in Jamestown/Virginia gelandeten Siedler leiteten die britische Kolonisierung ein. Etwa 13 Jahre später segelten die Pilgerväter mit der ›Mayflower‹ über den Atlantik, um in Massachusetts den Boden für ein Leben nach eigenen religiösen und gesellschaftlichen Vorstellungen zu bereiten – der amerikanische Osten wurde eine britische Domäne.

Ob in Connecticut oder Maryland, New Jersey oder Pennsylvania: Im Lauf der Zeit entstanden unter dem Zustrom europäischer Einwanderer Kolonialterritorien, die sich immer stärker verselbstständigten, um sich schließlich im Zuge des Unabhängigkeitskriegs (1775–1783) vom Mutterland Großbritannien zu trennen. Bis heute wird der 4. Juli, an dem im Jahr 1776 in Philadelphia 13 Staaten ihre Unabhängigkeit proklamierten, als Nationalfeiertag begangen.

Die indianischen Ureinwohner des Landes stehen diesen alljährlich wiederkehrenden Festlichkeiten distanziert gegenüber. Ihnen brachten die ersten Neuankömmlinge aus der Alten Welt nicht nur glitzernden Tand, nützliche Arbeitsgeräte, Waffen und Ideen, sondern auch unbekannte Krankheiten, denen sie schutzlos ausgesetzt waren.

Verdrängung und Entrechtung der Native Americans

Ihr kulturelles Erbe in Form von Tempelanlagen, Grabfeldern und geheimnisvoll aufgeschütteten Hügeln interessierte zunächst allenfalls Anthropologen und Historiker. Während der amerikanischen Expansion nach Westen im 19. Jh. verbreitete sich schnell die Auffassung, dass die Reste der indianischen Bevölkerung sich dem Leben der weißen Mehrheit anzupassen hätten. Im Osten wurden die ›Rothäute‹ jenseits des Mississippi in ein Territorium abgeschoben, das man per Gesetz als Indianergebiet ausgewiesen und von weißer Besiedlung ausgenommen hatte. Wenige Dekaden später war dieses Gesetz das Papier nicht mehr wert, auf dem es stand. Das weiße Amerika hatte in seinem Landhunger längst die endlosen Prärien im Zentrum des Kontinents ins Auge gefasst und im Zuge der Lewis & Clark-Expedition 1804–1806 bereits einen begehrlichen Blick auf die Pazifikküste geworfen.

In Florida war zwar kein Gold zu holen wie in Georgia und Kalifornien, aber das Land eignete sich für landwirtschaftlichen Anbau. Allerdings konnten sich weiße Pioniere und Bauern für ein Leben in diesen Landesteilen erst dann in größerer Anzahl begeistern, als die Regionen ›befriedet‹, also frei von potenziell feindlichen Indianern, waren. In drei Kriegen 1817–1818, 1835–1842 und 1855–1858 wehrten sich die Seminolen am Ende ohne Erfolg gegen Umsiedlung bzw. Vertreibung. Kleine Truppen lieferten der Armee zwar noch eine Zeitlang in sumpfigen Gebieten Rückzugsgefechte. Aber schließlich wurden die Florida-Indianer genauso wie die Cherokee nach Westen abgeschoben.

Diskriminierung der Urbevölkerung

Jahrhundertelang wurden Native Americans massakriert und gefoltert, vertrieben und unterdrückt, von ihren Familien getrennt und versklavt, weil das weiße Amerika, von Wirtschaftsinteressen einmal abgesehen, ihre Kultur nicht akzeptierte und der Respekt vor ihrer spirituell-religiösen Geschichte sowie vor ihren sozialen Institutionen verloren ging. Der Instrumentalisierung ihrer Sprachen (die Navajo-Sprache wurde während des Zweiten Weltkriegs im Pazifik als Geheimcode verwendet) folgte diejenige ihrer Bräuche und Riten. In den USA ist es Usus, dass Football- und Baseball-Mannschaften kämpferische Namen tragen, etwa Washington Redskins (Washington-Rothäute), Atlanta Braves (Atlanta-Krieger) oder Cleveland Indians. Seit den 1970er-Jahren machen sich zahlreiche Organisationen dafür stark, dass der amerikanische Profisport auf Bezeichnungen und Verhaltensweisen verzichtet, welche die Native Americans diskriminieren und ihre religiösen Zeremonien abwerten.

Geschichte

Bis zum Jahr 1924, als sie die Staatsbürgerschaft erhielten, waren Indianer Ausländer in ihrem eigenen Land. Kein Wunder, dass sie anlässlich der 500-Jahr-Feiern der ›Entdeckung‹ Amerikas durch Kolumbus eher von 500 Jahren Kolonialgeschichte und Unterdrückung, Ausbeutung, Versklavung und Genozid sprechen wollten.

Indianerpolitik nach dem Zweiten Weltkrieg

Die Jahre nach dem Zweiten Weltkrieg standen im Zeichen der Politik der ›Indian Claims Commission‹. Sie wurde 1946 eingerichtet, um alle aus alten Verträgen der Indianer mit der US-Regierung resultierenden Gebiets- und Reparationsansprüche der Native Americans ein für allemal zu klären und abzugelten. Rechtmäßigen Landansprüchen sollte nicht durch Rückgabe, sondern durch finanzielle Entschädigungen weit unter dem tatsächlichen Wert entsprochen werden. Da die Kommission sich mit enormen Gebietsansprüchen beschäftigen und viele Landforderungen anerkennen musste, versuchten die in den 1950er-Jahren dominanten konservativen Kräfte des Landes das Problem auf andere Weise zu lösen.

1953 verabschiedete der US-Kongress eine Resolution mit dem Ziel, den bis dato gültigen Sonderstatus der Reservationsindianer aufzuheben. Die Folgen waren katastrophal, nicht nur wegen der Konsequenzen in Bereichen wie Soziales und Bildung. Die Indianer verloren dadurch fast ihr gesamtes Reservationsgebiet und büßten ihre ohnehin nur rudimentär vorhandene Eigenständigkeit ein. Über 100 Stämme wurden zwischen 1954 und 1962 durch erzwungene Auflösung ausradiert.

Zur damaligen Zeit lernten die Indianer von der schwarzen Bürgerrechtsbewegung, sich zu organisieren und für ihre Rechte und Interessen zu kämpfen. Das war auch bitter nötig, wollten sie nicht Gefahr laufen, völlig verdrängt zu werden. Im Zuge der Reformpläne des neu gewählten Präsidenten John F. Kennedy und später auch unter den Präsidenten Johnson und Nixon reifte in der Administration die Einsicht, dass das Indianerproblem ohne ein größeres Selbstbestimmungsrecht für diese Volksgruppe nicht zu lösen war.

Die 1970er-Jahre waren durch ein konstruktives Verhältnis zwischen Indianern und US-Regierung gekennzeichnet. Zahlreiche wichtige Gesetze zum Wohl der Ureinwohner in Bereichen wie Ausbildung, Selbstbestimmung, medizinische Versorgung und religiöser Freiheit wurden erlassen.

Mit der 1980 ins Amt gekommenen Regierung Reagan veränderte sich die Situation wieder zu Ungunsten der Native Americans. Präsident Bill Clinton war der erste Amtsinhaber überhaupt, der 1994 Vertreter sämtlicher 547 Stämme, die auf amerikanischem Boden leben, ins Weiße Haus einlud. Auch Präsident Obama organisierte 2009 in Washington D. C. ein großes Treffen.

Schwarze Bürgerrechtsbewegung

Vorrangige Stoßrichtung der allumfassenden FBI-Umtriebe in den 1960er-Jahren war die schwarze Bürgerrechtsbewegung. FBI-Boss Edgar Hoover persönlich gab das Motto aus, »das Erstarken schwarzer Gruppen zu verhindern und ihr öffentliches Bild zu zerstören«. Im Februar 1968 erging die Anweisung an die COINTELPRO-Agenten, »den Aufstieg eines schwarzen Messias wie Martin Luther King oder Stokeley Carmichael zu verhindern«. Zwei Monate später traf King vor dem Lorraine Motel in Memphis eine tödliche Kugel.

Den Zorn des weißen Establishments hatte King nicht nur wegen seines entschiedenen Eintretens für die Gleichberechtigung der Afroamerikaner auf sich gezogen. Hinzu kam, dass er als einer der ersten Prominenten gegen den Vietnamkrieg protestierte.

Schwarzes Bewusstsein

Ähnlich wie die Native Americans weisen auch die Schwarzen seit einigen Jahren durch ihre selbst gewählte Bezeichnung Afro-Americans darauf hin, dass sie in den USA nicht nur eine rassische Minderheit, sondern Teil der Gesamtgesellschaft sind. Gleichzeitig ist

Jugendliche vor einem M.-L.-King-Bild im Battery Park in Manhattan

der Name ein Herkunftshinweis. Die ersten Schwarzen wurden schon wenige Jahre nach Gründung der englischen Kolonie Jamestown als Fronarbeiter in die Südstaaten verschleppt. Der Bürgerkrieg (1861–1865) setzte der Sklaverei in den USA ein Ende, nachdem bis dahin 10–12 Mio. Schwarze in die westliche Hemisphäre deportiert worden waren.

Ein Meilenstein auf dem Weg zur Gleichberechtigung war erst 1954 mit einer Entscheidung des Obersten Bundesgerichts erreicht. Die Richter monierten die ›Farbenblindheit‹ der Verfassung und verboten die Rassentrennung in Schulen – für die schwarze Bürgerrechtsbewegung ein wichtiger Etappensieg auf dem Weg zur Gleichberechtigung.

Zeittafel

Ab ca. 40 000 v. Chr.   Die ersten Menschen wandern von Asien kommend über die Beringstraße nach Amerika ein.

Um 1000 n. Chr.   Wikinger stoßen mit ihren Schiffen bis an die Ostküste Nordamerikas vor.

15.–16. Jh.   Nach Christoph Kolumbus gelangen weitere Entdecker wie John Cabot, Giovanni da Verrazano und Jacques Cartier an die Nordostküste Amerikas. Der Spanier Juan Ponce de León betritt 1513 als erster Europäer den Boden Floridas.

17. Jh.   In Jamestown (VA) entsteht 1607 die erste permanente englische Niederlassung in Amerika. Danach erreichen englische Pilgerväter mit der ›Mayflower‹ Massachusetts, und niederländische Siedler legen den Grundstein für New York.

ab 1773   Mit der ›Boston Tea Party‹ beginnt in Neuengland der organisierte Widerstand gegen England, der am 4. Juli 1776 in der Proklamation der amerikanischen Unabhängigkeit gipfelt. Der folgende Revolutionskrieg endet 1781 mit der Kapitulation Englands.

1788   Annahme der US-Verfassung

1789   George Washington, ehemaliger Oberbefehlshaber der amerikanischen Kontinentalarmee, wird erster US-Präsident (bis 1797).

1812–1820   Der zweijährige britisch-amerikanische Krieg endet 1814. Wenige Jahre später tritt Spanien für 5 Mio. Dollar Florida an die USA ab. Die erste große Einwanderungswelle des 19. Jh. lässt die Einwohnerzahl rapide nach oben schnellen.

1861–1865   Der amerikanische Bürgerkrieg endet mit der Kapitulation der Südstaaten. US-Präsident Abraham Lincoln fällt in Washington D. C. einem Attentat zum Opfer.

1866–1869   Der 13. Verfassungszusatz schafft die Sklaverei offiziell ab. Das 15. Amendment sichert allen US-Bürgern ungeachtet der Rasse und Hautfarbe das Wahlrecht.

1903   Die Gebrüder Wright schreiben in Kitty Hawk (NC) mit dem ersten motorisierten Flug Luftfahrtgeschichte.

Die Native Americans (Indianer) bekommen die Staatsbürger-schaftsrechte zuerkannt.	**1924**
Charles Lindbergh überquert als erster Pilot nonstop den Atlantik.	**1927**
Beginn der Weltwirtschaftkrise	**1929**
Nach dem japanischen Angriff auf Pearl Harbor 1941 werden die USA in den Zweiten Weltkrieg hineingezogen. Vier Jahre später findet die Jalta-Konferenz mit Roosevelt, Churchill und Stalin statt.	**1941–1945**
Der Oberste Gerichtshof erklärt die Rassentrennung in Schulen für verfassungswidrig.	**1954**
Präsident J. F. Kennedy wird in Dallas erschossen.	**1963**
Vietnamkrieg	**1963–1975**
Der ›Voting Rights Act‹ sichert allen afro-amerikanischen Bürgern das Wahlrecht. Martin Luther King wird in Memphis ermordet.	**1965**
Neil Armstrong betritt als erster Mensch den Mond.	**1969**
Der Watergate-Skandal zwingt Präsident Nixon zum Rücktritt.	**1973**
Das NASA-Raumflugprogramm erleidet einen schweren Rück-schlag, als das Space-Shuttle ›Challenger‹ explodiert.	**1986**
Nach chaotischer Präsidentschaftswahl siegt George W. Bush.	**2000**
Selbstmordattentate am 11. September auf das World Trade Center in New York und das Pentagon bei Washington D. C.	**2001**
Im Wirbelsturm Sandy sterben an der Ostküste über 100 Menschen. Vor allem in New Jersey und New York sind die Schäden immens.	**2012**
Nach seiner Wiederwahl als Präsident der USA wird Barack Obama in einer Zeremonie vor dem Kapitol in Washington D. C. vereidigt.	**2013**
Ein arktischer Wintereinbruch stellt zu Jahresbeginn in Atlanta (-13° C.) und New York City (-16° C.) neue Kälterekorde auf.	**2014**

Gesellschaft und Alltagskultur

Viele Amerikaner halten den American Way of Life für den unverzichtbaren Schlüssel zur Glückseligkeit. Als Gemisch von Werten, gesellschaftlichen Normen, Konsumgewohnheiten und Mentalitäten wird die typische amerikanische Lebensart von den einen gepriesen, von den anderen verteufelt. Dazwischen bleibt wenig Raum.

Vom Savoir-vivre der Franzosen einmal abgesehen gibt es vermutlich keine nationalspezifische Lebensart, deren weltweiter Bekanntheitsgrad mit dem American Way of Life konkurrieren kann. Die Gründe dafür liegen auf der Hand. Diese Lebensart kommt plakativ daher, ist stark konsumorientiert und wird als global kompatibles, prototypisches Verhaltensmuster betrachtet, das seine Kraft aus Coca-Cola und Cheeseburger und seinen ideologischen Unterbau aus der Bill of Rights bezieht, die das Streben nach Glück schon vor über 200 Jahren als fundamentales Menschenrecht festgeschrieben hat.

Der American Way of Life

Auch die amerikanische Unabhängigkeitserklärung äußert sich zu amerikanischen Werten und nennt Normen und Überzeugungen, deren Gültigkeit nicht in Frage gestellt wird. Genauso wie die Bill of Rights betont sie das verfassungsrechtlich verbriefte unveräußerliche Recht auf Streben nach Glück *(pursuit of happiness)*. Dieser Grundgedanke führte während des wirtschaftlichen Aufschwungs in der ersten Hälfte des 20. Jh. zu einem bis heute fortlebenden Mythos der US-Gesellschaft, der besagt, dass es jedes Individuum vom Tellerwäscher zum Millionär bringen kann, wenn dieses Ziel nur entschlossen genug in Angriff genommen wird.

Der American Way of Life und der American Dream sind das Erfolgsduo der US-Gesellschaft. Bei der Konferenz der Vereinten Nationen für Umwelt und Entwicklung im Jahr 1992 in Rio de Janeiro verweigerte sich Präsident George Bush Senior dauerhaften Schritten, um die Umwelt vor menschlichen Aktivitäten zu schützen und prägte den seit damals häufig zitierten Satz, der American Way of Life sei nicht verhandelbar. Damit bescheinigte er der amerikanischen Lebensweise eine vitale Funktion in der US-Gesellschaft und eine die Mentalität der Amerikaner prägende Rolle. Tatsächlich liegt dem Lebenskonzept nicht nur das Recht des Individuums auf Chancengleichheit und größtmögliche Freiheit zugrunde, sondern sogar die tiefe Überzeugung, dass der American Way of Life überhaupt die einzig richtige Lebensart sei.

Stützpfeiler Familie

Ein fester Pfeiler, auf dem die amerikanische Gesellschaft ruht, ist die Familie. Ähnlich wie in anderen westlichen Ländern hat es in den USA in den vergangenen Jahrzehnten signifikante Veränderungen in den Familienstrukturen gegeben: steigende Scheidungsraten, zerrüttete Ehen, immer mehr Alleinerziehende, Adoptivfamilien. Dennoch zeigen sich die Vereinigten Staaten als familienorientiertes Land, in dem die intakte Familie als uneinnehmbare Festung der viel beschworenen ›amerikanischen‹ Werte gilt.

Was das Zusammenleben in amerikanischen Familien nicht gerade leichter macht, ist die Tatsache, dass viele Erwachsene notgedrungen mehreren beruflichen Tätigkeiten nachgehen und sogar die Kinder als Baby-sitter oder Zeitungsboten Geldverdiener sind. Die USA gehören zwar zu den Indus-trieländern mit dem höchsten Pro-Kopf-Einkommen der Welt. Aber selbst Familien des Mittelstandes kommen mit einem einzi-gen Einkommen nicht mehr aus. Über die Hälfte aller über 16 Jahre alten Amerikane-rinnen geht einer bezahlten Beschäftigung nach. Über 60 % der Mütter mit Kindern un-ter sechs Jahren arbeiten zumindest Teilzeit außer Haus.

Soziales Engagement und Wohltätigkeit

In vielen Familien sind private Spenden und unentgeltliches Engagement etwa für die Gemeinde oder die Pfarrei üblich, getreu dem Satz von Präsident John F. Kennedy aus seiner Antrittsrede im Januar 1961: »Frage nicht, was dein Land für dich tun kann. Frage, was du für dein Land tun kannst.« Über 80 % aller Schüler beteiligen sich an außerschulischen Programmen wie Sport, Schülerzeitung, Theatergruppen, Chor oder Schulorchester. Hinzu kommt bei vielen Jugendlichen die Mitarbeit in wohltätigen Or-ganisationen und Verbänden wie etwa den Pfadfindern oder beim Umweltschutz. Popu-lär sind ›Adopt a Highway‹-Programme, bei denen Schulklassen und Firmen Patenschaf-ten für Straßenabschnitte übernehmen und sie sauber halten, oder Beautification-Aktio-nen, bei denen es um die Verschönerung von Straßenzügen oder Parks geht. Junge Men-schen werden mit solchen Aktivitäten an so-ziales Engagement herangeführt, das sie auch als Erwachsene fortführen, ob bei der freiwilligen Feuerwehr, als Vorleserin in Be-hindertenheimen oder als Schülerlotse. Frei-willige gemeinnützige Arbeiten entsprechen in den USA jedes Jahr einer Arbeitsleistung von über 200 Mrd. $.

Der ›göttliche Supermarkt‹

In keinem anderen westlichen Land ist die Zugehörigkeit der Einwohner zu einer religiö-sen Gruppierung prozentual so hoch wie in den USA. Diesbezüglich drängt sich ein Ver-gleich zwischen Religion und Wirtschaft auf, weil in beiden Bereichen eine hemmungslose Konkurrenz herrscht. Nach Meinung des Schriftstellers Malise Ruthven ist das religiöse Amerika »zu einem göttlichen Supermarkt ge-worden, wo sich für nahezu jeden erdenk-lichen Geschmack eine Kirche finden oder er-schaffen lässt«.

Die Fanatisierung bestimmter religiöser Gruppierungen hat in Amerika schon früh zu Auswüchsen geführt, wie etwa die He-xenverfolgungen Ende des 17. Jh. in Salem in Massachusetts zeigen. Puritanisch orien-tierte Weiße waren häufig von der Überle-genheit ihrer Rasse überzeugt und betrach-teten sie als gottgewollt. Hauptsächlich im Süden der Vereinigten Staaten verfolgten sie Schwarzen gegenüber eine rassistische Po-litik der Apartheid und gründeten 1915 in Georgia den neuen Ku-Klux-Klan, dessen Wurzeln ins 19. Jh. zurückreichen. Der Club der Kapuzenmänner soll heute noch etwa 7000 Mitglieder haben.

Mega-Kirchen

Der Kirchgang gehört in den USA, wo sich über 80 % der Bevölkerung als Christen be-zeichnen, für viele gläubige Familien zur sonntäglichen Pflicht. Sogenannte Megakir-chen, die konfessionell ungebunden sind und in Gottesdiensten über 2000 Besucher zählen, boomen im ganzen Land – der Fi-nanzcrash bescherte ihnen noch mehr Zu-lauf. Über 1000 dieser evangelikalen Ein-richtungen soll es geben, die an der Evoluti-onslehre zweifeln, die Bibel für unfehlbar und Homosexualität für eine schlimme Sünde halten. Auch in den eigenen vier Wänden sind diese Kirchen und Prediger durch das Fernsehen präsent. Sogenannte Tele-Evan-gelisten besitzen oft eigene TV-Stationen, über die sie Einfluss auf die öffentliche Mei-nung nehmen und durch Spendenaufrufe er-hebliche finanzielle Mittel sammeln. Mit der Wahrheit und Ehrlichkeit nehmen es manche fanatisierte ›Vertreter Gottes‹ allerdings nicht sehr genau, wie viele Fälle von Betrug und moralischer Verfehlung beweisen.

Gesellschaft und Alltagskultur

›Shop till you drop‹

Amerika wird aus gutem Grund als Konsumparadies apostrophiert. Gerade in den Ballungsgebieten des Ostens gibt es eine riesige Auswahl an Einkaufsmöglichkeiten von der Boutique bis zum Supermarkt, vom Gemüseladen bis zu Outlet-Mall und vom Farmers Market bis zum Flohmarkt. Längst wird Einkaufen nicht mehr als Notwendigkeit, sondern als vergnüglicher Zeitvertreib betrachtet. Und längst ist normales Shopping eine Verbindung mit Entertainment eingegangen, wofür amerikanische Werbestrategen Begriffe wie Retailtainment und Shoppertainment und Architekten die ›Mall‹ erfunden haben.

›Shop till you drop‹ (Einkaufen bis zum Umfallen) ist eine häufig zitierte Devise, die ungebremsten Konsum mit hoher Lebensqualität gleichgesetzt. Ein riesiges Warenangebot, lange Ladenöffnungszeiten, Sonderangebote en masse und eine allgegenwärtige Werbung haben sich als treibende Kräfte bewährt.

Verbraucherschutz

Die Macht der Verbraucher ist in den USA heute eine fest etablierte Größe, die schon vor 100 Jahren in der amerikanischen Literatur thematisiert wurde. 1906 erschien das Buch ›Der Dschungel‹ des amerikanischen Schriftstellers Upton Sinclair, eine schreiende Anklage u. a. gegen die unhaltbaren hygienischen Zustände in den riesigen Schlachthöfen Chicagos. Folge war eine deutlich schärfere Gesetzgebung zum Schutz der Verbraucher. In den 1960er-Jahren proklamierte Präsident John F. Kennedy das Recht aller Amerikaner auf sichere Produkte und umfassende Produktinformationen. Um dieselbe Zeit inszenierte der Rechtsanwalt Ralph Nader medienwirksame Boykottaktionen u. a. gegen die amerikanische Automobilindustrie und wurde zur Galionsfigur der Verbraucherschützer. Unter den heute knapp drei Dutzend großen Verbraucherschutzorganisationen ist die 1936 gegründete Consumers Union auf nationaler Ebene die einflussreichste.

Kriminalität und Sicherheit

Nicht erst seit den Schießereien in Schulen, wie in Littleton (Colorado), Jonesboro (Arkansas), Newtown (Connecticut) und der Universität von Virginia sowie den Terroranschlägen vom 11. September 2001 treibt die Frage der Sicherheit Amerikaurlauber um. Noch hautnaher hat die US-Bevölkerung damit zu tun.

Ein hoher Prozentsatz von Verbrechen in den USA steht im Zusammenhang mit Drogenhandel und -konsum. Von der Regierung wurden spezielle Behörden eingerichtet, die grenzübergreifend mit anderen Regierungen zusammenarbeiten, um Drogenanbau und -schmuggel einzudämmen. Mit der Drug En-

›Deine Chance – nutze sie‹ – Bostoner Polizisten vor einer Werbewand

forcement Administration (DEA) ist dem US-Justizministerium eine sowohl national wie international operierende Anti-Drogen-Behörde unterstellt, die in vielen Hauptstädten der Welt vertreten ist und sogar eine eigene Flugzeugflotte für Operationen im eigenen Land und auf internationaler Ebene unterhält. In Schulen und gemeinnützigen Organisationen laufen zahlreiche Projekte, um über die Gefahren des Drogenkonsums aufzuklären und Drogenabhängigen zu helfen.

Andererseits sind Zusammenhänge zwischen Kriminalität und schrumpfendem Einkommen eindeutig nachweisbar, wenn etwa die Löhne am unteren Ende der Einkommensskala den Lebensunterhalt nicht mehr sichern können.

›Null Toleranz‹

Nach 20 Jahren mit fallenden Kriminalitätsraten, erwies sich 2012 als Wendepunkt. Sowohl bei Verbrechen wie Mord, Vergewaltigung und Raub als auch bei Eigentumsdelikten stellte sich ein Anstieg heraus, wenngleich sich die Raten immer noch auf einem historischen Tief bewegten. Manche Analysten führten das auf den verstärkten Polizeieinsatz speziell in großen Städten zurück.

So zum Beispiel in Manhattan, wo der ehemalige Bürgermeister Giuliani schon 1994 eine ›Zero-Tolerance‹-Kampagne initiierte, die selbst bei kleineren Vergehen und Verstößen keine Nachgiebigkeit duldete und Kleindealer, Straßenstricher, Graffitisprüher und aggressive Bettler ins Visier der Polizei rückte.

Gesellschaft und Alltagskultur

Harte Konsequenzen drohten selbst den Schwarzfahrern. Bei entsprechenden Verkehrskontrollen stellte sich heraus, dass jeder 438. Verkehrsteilnehmer eine illegale Schusswaffe bei sich trug. Daraus ergab sich ein Handlungskonzept nach der Devise: Wenn wir Kleinigkeiten nicht mehr durchgehen lassen, erledigen sich die großen Probleme von selbst. Im Zuge dieser Kampagne wurde etwa die Gegend um den Times Square erkennbar sauberer und sicherer. Kritiker werfen dem Konzept aber vor, dass es sich als Teil eines neokonservativen Generalangriffs auf Sozialhilfe, Gesundheitsversorgung und sozialen Wohnungsbau u. a. gegen Arme und Obdachlose richtet, die der städtischen Ausrichtung auf die Bedürfnisse und Konsuminteressen einer privilegierten Stadtbevölkerung geopfert werden.

Starke Waffenlobby

Bei der operativen Strategie des New York Police Department spielt die Waffenkontrolle eine wichtige Rolle, ein Thema, das Amerika seit Jahrzehnten spaltet. Zwischen Waffengegnern und schätzungsweise 60 bis 80 Mio. Schusswaffenbesitzern öffnen sich tiefe kulturelle und soziale Abgründe. Eine starke Lobby in Gestalt der ca. 3 Mio. Mitglieder starken National Rifle Association (NRA) hat bis heute die Eindämmung des privaten Schusswaffenbesitzes weitgehend verhindert.

Sport und Freizeit

Sportliche Aktivitäten und Sportevents sind aus dem amerikanischen Alltag nicht wegzudenken. Neben typisch amerikanischen Nationalsportarten wie American Football, Baseball und Basketball sind auch Golf, Eishockey, Tennis und Autorennen populär. Wahrscheinlich haben nirgends auf der Welt berühmte Sportler in der Gesellschaft einen solchen Vorbildcharakter wie in den USA, und zwar ungeachtet ihrer Hautfarbe oder Religion. Die Verehrung der Stars nimmt zum Teil geradezu religiöse Züge an, was nicht nur an ihren außergewöhnlichen Leistungen, son-

dern auch an ihren Supergehältern und zum Teil am extrovertierten Lebenswandel liegt. Der legendäre Baseballheld Joe DiMaggio (1914–1999), der im ›Nebenberuf‹ mit Marilyn Monroe verheiratet war, kommt sogar in dem berühmten Filmsong ›Mrs. Robinson‹ des Gesangsduos Simon und Garfunkel vor.

Kein Wunder, dass die Heroen der großen Sportarten in eigens eingerichteten Ruhmeshallen gefeiert werden wie der Georgia Sports Hall of Fame in Macon (Georgia), der National Baseball Hall of Fame in Cooperstown (New York), der Pro Football Hall of Fame in Canton (Ohio), der Naismith Memorial Basketball Hall of Fame in Springfield (Massachusetts) und der International Tennis Hall of Fame in Newport (Rhode Island). Dem in den USA so populären Golfsport sind im Osten sogar zwei Museen gewidmet, die Georgia Golf Hall of Fame in Augusta (Georgia) und die World Golf Hall of Fame in St. Augustine (Florida). Die Basketballer LeBron James, Kobe Bryant und Dwyane Wade schafften es ebenso in die Forbes-Rangliste der 100 berühmtesten Menschen der Welt des Jahres 2012 wie der Boxer Floyd Mayweather, der Golfprofi Tiger Woods, der Footballstar Peyton Manning und die Tennisspielerin Serena Williams.

Mega-Ereignis Superbowl

Kein Sportereignis auf amerikanischem Boden kann mit dem sogenannten Superbowl konkurrieren, dem Finale der amerikanischen Football-Profiliga NFL. Die TV-Sender können bei diesem gigantischen Event mit weltweiten Einschaltquoten von einer Milliarde Menschen rechnen. Das Endspiel der Sieger der beiden NFL-Ligen American Football Conference und National Football Conference findet seit 1967 jeweils am letzten Wochenende im Januar oder eine Woche später im Februar statt, wobei die Austragungsorte wechseln. Typisch für sportliche Großveranstaltungen dieser Art ist das stark patriotisch angehauchte Vorprogramm mit Hymnen, Fahnenträgern aller Waffengattungen und F 14-Kampfjets, die über das Stadion donnern.

Der Umgang miteinander

Der Zwang zur Mobilität wirkt sich nach Meinung mancher Wissenschaftler negativ auf den Zustand der Gesellschaft aus. Beständiger Ortswechsel, so argumentieren sie, verhindere die lokale Verankerung und Verbindung von Menschen und erschwere die Gestaltung eines gesellschaftlichen Raums. Enge Bindungen einzugehen, Freundschaften zu schließen und gut nachbarschaftliche Verhältnisse zu pflegen, lohne sich unter diesen Umständen kaum. Besucher aus Europa nehmen den umgänglichen Charakter und die Unkompliziertheit der Amerikaner positiv zur Kenntnis, ebenso wie die fast allenthalben vorhandene große Hilfsbereitschaft. Aus dem zwang- und formlosen Umgang im zwischenmenschlichen Bereich auf einen Mangel an Umgangsformen zu schließen, wäre ein Fehler. Diesbezüglich korrektes Verhalten ist in den USA das A und O. Nachdem man sich kennengelernt hat, nennt man sich zwar häufig beim Vornamen. Dabei hat diese Anrede nicht unbedingt den Charakter des deutschen ›Du‹, sondern ist deutlich distanzierter. Geschäftliche Kontakte beginnen in der Regel förmlich. Je nach Hierarchie bzw. gegenseitiger ›Chemie‹ kommt man dann mehr oder weniger schnell zum Vornamen, was den Umgang verbindlicher macht.

Feste und Veranstaltungen

Wichtigster Feiertag im Jahr ist der **Unabhängigkeitstag** am 4. Juli zur Erinnerung an die Unterzeichnung der Unabhängigkeitserklärung 1776. An diesem Tag ist ganz Amerika auf den Beinen, um an Paraden, kostenlosen Konzerten und vielen anderen Veranstaltungen teilzunehmen. Auf Coney Island bei New York City findet am Nationalfeiertag seit 1916 der schräge ›International Hot Dog-Eating- Contest‹ statt. Der Rekordhalter der letzten Jahre brachte es auf immerhin 69 Würste mit Brötchen innerhalb von zehn Minuten. Den krönenden Abschluss des Tages bildet in vielen Städten ein Feuerwerk, das

Offizielle Feiertage

1. Jan.: New Year's Day (Neujahr)

3. Mo im Januar: Martin Luther King Day (Geburtstag von M. L. King)

3. Mo im Februar: Presidents' Day (Geburtstag von George Washington)

Letzter Mo im Mai: Memorial Day (Totengedenktag; Beginn der Urlaubssaison)

4. Juli: Independence Day (Unabhängigkeitstag)

1. Mo im September: Labor Day (Tag der Arbeit; Ende der Urlaubssaison)

2. Mo im Oktober: Columbus Day (Erinnerung an die Landung von Christoph Kolumbus in Amerika)

11. November: Veterans Day (Gedenktag für die Kriegsveteranen)

4. Do im November: Thanksgiving Day (Erntedankfest)

25. Dezember: Christmas Day (Weihnachten)

In Wahljahren kommt der **Election Day** hinzu, der Dienstag nach dem ersten Montag im November. Fällt ein Feiertag auf einen Sonntag, ist der darauf folgende Montag arbeitsfrei. Einzelne Bundesstaaten begehen weitere Feiertage.

vor allem in New York City seinesgleichen sucht und regelmäßig den East River in ein funkelndes Lichtermeer taucht. Am besten kann man das nächtliche Schauspiel von der Südspitze von Roosevelt Island verfolgen. Am vierten Donnerstag im November feiern die Amerikaner im Familienkreis oder mit guten Freunden **Thanksgiving** (Erntedankfest), neben Weihnachten das wichtigste Familienfest. Fast überall läuft es nach einem festen Ritual ab. Die Hausfrau legt ihren ganzen Ehrgeiz in das Festessen, das in der Regel aus Truthahn mit Preiselbeersauce und variierender Füllung besteht. Zum Nachtisch ist der im Herbst ohnehin beliebte Pumpkin Pie, ein Kürbiskuchen, obligatorisch. Natürlich dürfen auch Marshmallows nicht fehlen, wovon in Amerika Jahr für Jahr etwa 45 Mio. kg konsumiert werden.

Architektur und Kunst

Manhattans gigantische Wolkenkratzerarchitektur, hauptstädtischer Neoklassizismus in Washington D. C., Art déco in Miami Beach, Weltliteratur aus dem Greenwich Village und aus Key West, Musikshows aus der Musicalwiege am Broadway, Countrymusic im Nashville-Stil und Pop-Art beispielsweise von Andy Warhol: Amerikas Kunst- und Kulturszene überschlägt sich in ihrem Facettenreichtum.

Highlights der Architektur

Himmelstürmende Gigantomanie ist nur eines zahlreicher Kennzeichen der Architektur im Osten. Einwanderertraditionen aus unterschiedlichen Teilen der Welt und eine Vielzahl von Baustilen gestalteten die USA seit der Unabhängigkeit 1776 äußerst vielfältig. Stand die Zeit vor 1860 vor allem bei Staats- und Verwaltungsbauten im Zeichen des Greek Revival, einer Hinwendung zu Vorbildern aus der griechischen Antike, so kam um 1825 mit dem viktorianischen Zeitalter ein Baustil in Mode, der sich in zahlreiche Stilrichtungen wie etwa Second Empire und Queen Anne aufspaltete. Über die Beaux-Arts-Periode mit monumentalen Portalen, Stuckaturen und üppigem Skulpturenschmuck und die Zeit des Art déco reichen die Architekturzeugnisse heute bis in die Postmoderne.

Markenzeichen Wolkenkratzer

Woran denkt man zuerst, wenn von New York City die Rede ist? Wahrscheinlich an Manhattans Skyline, die sich im Wasser des Hudson und des East River spiegelt. Dabei wurde der erste Wolkenkratzer nicht einmal hier, sondern in Chicago nach Plänen des Architekten William Le Baron Jenny (1832–1907) zwischen 1883 und 1885 errichtet.

Jennys Prototyp machte auch in Manhattan Schule, wo Stararchitekt Louis Sullivan 1898 das mit einer Terrakottafassade verse-

hene Bayard-Condict Building in der Bleecker Street nach dem neuen Prinzip entwarf. Die zwölf Stockwerke dieses Bauwerks wurden schon vier Jahre später durch Sullivans Kollegen David H. Burnham in den Schatten gestellt. An der Ecke Broadway und Fifth Avenue ragte auf einem dreieckigen Grundstück das Flatiron Building für die damalige Zeit geradezu irrwitzige 87 m in den Himmel, sodass die Bevölkerung schon bei der Einweihung des an ein Bügeleisen erinnernden Gebäudes einen Spitznamen parat hatte: Burnham's Folly – Burnhams Torheit.

Eine Renaissance des ›Größenwahns‹ läuteten die Architekten in den 60er- und 70er-Jahren des 20. Jh. mit dem Bau der Doppeltürme des World Trade Center ein, die am 11. September 2001 einem radikal-islamistischen Terroranschlag zum Opfer fielen. Kaum war der Schock über die grauenvolle Tat abgeklungen, deutete sich an, dass das unter dem Namen ›Ground Zero‹ bekannt gewordene Gelände neu bebaut werden würde.

Die Arbeiten hier begannen erst nach endlosen Diskussionen und juristischen Streitereien. Herzstück des Komplexes ist das 541 m in den Himmel ragende One World Trade Center, das höchste Gebäude der USA und der vierthöchste Turm der Welt. Die Aussichtsplattformen und ein Restaurant oberhalb der 100. Etage sollen Anfang des Jahres 2015 für die Öffentlichkeit geöffnet werden. Auf dem Gelände erinnert eine 9/11-

Auch nachts ein beeindruckender Anblick: das Hochhausmeer von Manhattan

Gedächtnisstätte samt Museum an den schwärzesten Tag in der Stadtgeschichte.

Wie ›Vom Winde verweht‹

Für viele USA-Reisende ist allein das unvergleichliche ›Vom Winde verweht‹-Flair der Südstaaten eine Reise wert. Plantagen mit prächtigen Herrenhäusern wie etwa Drayton Hall bei Charleston oder Shirley Plantation am James River in Virginia versinken in üppiger subtropischer Vegetation und zeugen vom Reichtum und abgehobenen Lebensstil ehemaliger Pflanzer. Sklavenquartiere wie auf der Boone Hall Plantation bei Charleston erinnern an die unselige Ära der Zwangsarbeit. Viele der repräsentativen Anwesen stammen aus der Zeit vor dem amerikanischen Bürgerkrieg (1861–1865) und werden daher als Antebellum-Häuser bezeichnet.

Im Bann der Painted Ladies

Am Antebellum-Trail in Georgia bestand die vor 1860 entstandene Architektur zum großen Teil aus dem seit ca. 1825 populären viktorianischen Stil, der sich in verschiedenen Strömungen manifestierte, wie Gothic Revival (Neogotik, aufgrund der Holzarchitektur auch Carpenter Gothic genannt), Italianate (an italienischen Villen orientiert), Second Empire (Periode des Zweiten französischen Kaiserreiches von 1852–1870), Romanesque Revival (Neoromanik) und Queen Anne (seit ca. 1890). Waren die meist aus Holz gebauten Häuser vor 1860 noch relativ simpel, entstanden gegen Ende des 19. Jh. vielerorts viktorianische Paläste, die wegen ihrer hübschen, zumeist pastellfarbenen Fassaden auch ›Gingerbread Houses‹ (Lebkuchenhäuser) oder ›Painted Ladies‹ genannt wurden. Quasi ein Open-Air-Museum viktorianischer Architektur ist Cape May an der Küste von New Jersey.

Art déco

Als Mekka dieses Stils gilt das Stadtviertel South Beach in Miami Beach, Amerikas größter Art déco-Distrikt. Manche Gebäude sehen aus wie gestrandete Ozeandampfer, die im Lauf der Zeit zu Stein erstarrten. Balkone täuschen die Sonnendecks von Luxuslinern vor. Statt aus Fenstern blicken die Bewohner aus runden Bullaugen, und Aufzugsschächte auf

Architektur und Kunst

Dächern wachsen als altmodische Schornsteine von Dampfschiffen und Steuermannsbrücken in den Himmel. Stuckdekor gaukelt Betrachtern vor, die Häuserwände seien von Nieten mit runden oder eckigen Köpfen zusammengehalten.

Art déco, eine Abkürzung für *arts décoratifs,* bezeichnet eine Stilrichtung, die das Kunsthandwerk, aber auch Fotografie, Plakatkunst und Bildhauerei, Bühnenbilder und Kostüme des Theaters und vor allem die Architektur zwischen 1920 und 1940 beeinflusste. Wichtige Anregungen gingen von der Wiener Werkstätte, dem Deutschen Werkbund, der niederländischen Stijl-Bewegung und dem Bauhaus aus. Art déco verband Elemente des vorangegangenen Jugendstils mit dem Funktionalismus der 1920er-Jahre und der Bewegung des Futurismus.

Oasen der schreibenden Zunft

Amerika ist flächenmäßig so groß und historisch bedingt so facettenreich, dass die Literatur sowohl regional als auch thematisch sehr unterschiedlich geprägt ist. Das gilt etwa für die Südstaatenliteratur, in der nach dem Bürgerkrieg Niedergang und Pathos vergangener Größe beispielsweise in den Werken von William Faulkner und in Margaret Mitchells ›Vom Winde verweht‹ zum prägenden Motiv wurden. Neben geografisch gefärbten und themenbezogenen Schwerpunkten fällt gerade im östlichen Teil des Landes auf, dass sich Schriftsteller von bestimmten Kristallisationspunkten amerikanischer Kunst und Kultur magisch angezogen fühlten und bevorzugt dort arbeiteten.

Literatenwinkel Greenwich Village

In keinem anderen Landesteil wurde mehr gedichtet und über Manuskripten geschwitzt, die Einsamkeit des Schreibens konsequenter im Alkohol ertränkt oder über den Endfassungen von Theaterstücken die Nacht zum Tag gemacht als im Stadtteil Greenwich Village in Manhattan. Die Liste der Poeten und Kritiker, Romanciers und Dramatiker, die dort arbeiteten, liest sich wie ein ›Who is Who‹ der amerikanischen Literatur. Das hat wahrscheinlich mit den unleugbaren ›Standortvorteilen‹ des Village zu tun. Man lebt dort quasi am Rand der Stadt, ohne die Hand vom hektischen Puls der Riesenmetropole nehmen zu müssen.

Literaten auf der Spur

Theodore Dreiser (1871–1945) saß in der West 11th Street über dem sozialkritischen Roman ›Eine amerikanische Tragödie‹. Sinclair Lewis (1885–1951), ein unbestechlicher Beobachter der amerikanischen Mittelklasse, verließ 1910 seine Heimat Minnesota und mietete sich im Village in der Charles Street ein. 20 Jahre später wurde er als erster Amerikaner mit dem Literaturnobelpreis ausgezeichnet. Der Dramatiker Eugene O'Neill (1888–1953), bezeichnenderweise in einem Familienhotel am Broadway geboren, arbeitete eine Zeit lang im Provincetown Playhouse (133 MacDougal St.). Der walisische Lyriker Dylan Thomas (1914–1953) saß am liebsten in der White Horse Tavern (567 Hudson St.). Mit Susan Sontag (1933–2004) ließ sich eine der einflussreichsten Intellektuellen der USA und seit dem Jahr 2000 eine der hartnäckigsten Kritikerinnen der Bush-Regierung eine Zeit lang vom Greenwich Village inspirieren

Höchste ›Dichterdichte‹

Die Insel und das gleichnamige Städtchen Key West am südlichen Ende der Florida Keys sind nicht nur ein reizvolles Tropenparadies. Seit den 1920er-Jahren avancierten sie auch zum Sammelplatz bedeutender Literaten, die dort zumindest temporär lebten und arbeiteten. Heute sind lokalpatriotische Einwohner stolz darauf, dass der Flecken pro Kopf der Bevölkerung eine größere ›Dichterdichte‹ aufweist als jede andere amerikanische Stadt. Seine literarische Bedeutung begann mit Ernest Hemingway (1899–1961), der dort im Jahr 1931 Fuß fasste und mit Unterbrechungen bis 1961 blieb. Für den vor Ort verfassten Bestseller ›Der alte Mann und das Meer‹ bekam er den Literaturnobelpreis.

Im Jahr 1941 kam mit Tennessee Williams (1911–1983) eine weitere Berühmtheit nach Key West und blieb über drei Jahrzehnte. Ein mit Hemingway vergleichbarer Tennessee-Williams-Rummel existiert in Key West allerdings nicht. An der Duncan Street Nr. 1431 kaufte er sich ein bescheidenes weißes Holzhaus und stattete es ähnlich wie sein großer Kollege mit einem Swimmingpool und einem Arbeitszimmer aus, das er selbst Irrenhaus nannte. In der St. Mary Star of the Sea Catholic Church an der Truman Avenue soll sich der Schriftsteller, der mit ›Endstation Sehnsucht‹ und ›Die Katze auf dem heißen Blechdach‹ weltberühmt wurde, in nicht ganz nüchternem Zustand taufen lassen haben.

Anhänger von Robert Frost (1874–1963), einem der bedeutendsten amerikanischen Lyriker des 20. Jh., finden das ehemalige Cottage des Dichters beim Jessie Porters Heritage House Museum. Frost, in dessen Werk es häufig um die Natur Neuenglands ging, kehrte seiner Heimat Vermont in zahlreichen Wintern in den 1930er-Jahren den Rücken, um die kalte Jahreszeit im karibisch angehauchten Key West zu verbringen.

Horror, Krimi, Fantasy

Mit seinen Gruselgeschichten gilt Edgar Allan Poe gemeinhin als Begründer der ›Gothic Novel‹, wie in den USA das Genre der Schauerromane genannt wird. Wegbereiter war aber genau genommen der Schriftsteller und Journalist Charles Brockden Brown (1771–1810), der in Werken wie dem 1798 erschienenen Buch ›Wieland oder Die Verwandlung‹ effektvolle Elemente und Stilmittel einsetzte, wie sie später auch bei Poe und Nathaniel Hawthorne auftauchten.

In jüngerer Vergangenheit haben zahlreiche amerikanische Autoren das Horror-, Science-Fiction- und Fantasy-Genre für sich entdeckt, damit weltweit Millionenauflagen erzielt und haarsträubende Stoffe für einschlägige Filme produziert. Den Titel ›König des Horrors‹ trägt der 1947 in Portland (Maine) geborene Stephen King mit Stolz.

Mit dem Roman ›Carrie‹ schaffte der Englischlehrer 1973 den Durchbruch und wurde im ausgehenden 20. Jh. zu einem der kommerziell erfolgreichsten und produktivsten Schriftsteller seiner Zeit.

Marion Zimmer Bradley (1930–1999) beschäftigte sich offenbar schon während ihrer Schulzeit in Albany, der Hauptstadt des Bundesstaats New York, mit fantastischer und Science-Fiction-Literatur. Wurde sie Anfang der 1970er-Jahre mit einem Zyklus über den imaginären Planeten ›Darkover‹ zur Kultautorin einer damals noch bescheidenen Lesergemeinde, landete sie ein Jahrzehnt später mit den Romanen ›Die Nebel von Avalon‹ über die Zeit von König Artus und ›Die Feuer von Troja‹ zwei Erfolge, die ihren Namen international bekannt machten. Allein in Deutschland wurden von ihr mehrere Millionen Bücher verlegt.

Erfahrungen als ehemalige Polizeireporterin und Computeranalytikerin in der Gerichtspathologie kommen Patricia Cornwell zugute, die es mit Romanen wie ›Staub‹, ›Das fünfte Paar‹, ›Blendung‹, ›Blut‹ und ›Knochenbett‹ zu einer der erfolgreichsten Thrillerautorinnen der Welt brachte. In ihren Büchern spielt die Gerichtsmedizinerin Kay Scarpetta die Hauptrolle. Als Kulisse dient u. a. Richmond in Virginia, wo die 1956 in Miami geborene Schriftstellerin seit den 1980er-Jahren lebt.

Musik und Kunst

Musicalhimmel Broadway

Was im Allgemeinen unter dem Begriff Broadway verstanden wird, ist das Theaterviertel um den New Yorker Times Square, das sich zwischen 41st und 53rd Street sowie Sixth und Nineth Avenue ausdehnt. Jahraus, jahrein zeigen in dieser Gegend viele große und kleine Theater ihre Produktionen.

Broadwayproduktionen werden in drei unterschiedlichen Kategorien angeboten. ›On-Broadway‹-Stücke kommen in den gut drei Dutzend großen Theatern des Viertels auf die Bühne, die über 500 Zuschauerplätze haben. Was etwa im Majestic Theatre, im Astor Place

Architektur und Kunst

Theatre, im Palace Theatre und Winter Garden Theatre gezeigt wird, sind aufwändige und anspruchsvolle Inszenierungen bekannter Regisseure, die ebenso bekannte Schauspieler, Sänger, Tänzer, Bühnen- und Kostümbildner und Choreographen auf die Bühne bringen.

In etwa 50 kleineren Theatern mit weniger als 500 Plätzen bekommt das Publikum weniger spektakuläre ›Off-Broadway‹-Schauspiele und -Musicals zu sehen, in denen vor allem Nachwuchskünstler, manchmal auch die Stars von morgen, ihr Können beweisen. Einfachste Kategorie sind ›Off-Off‹-Broadway-Theater, in der Regel kleinere Häuser, Kellertheater, Clubs und eher experimentelle und avantgardistische Bühnen, auf denen es nicht weniger professionell zugehen muss als an den bekannten Theatern.

Countrymusic

Neben Kultur- und Museumshochburgen existiert im östlichen Teil der USA noch eine weitere uneinnehmbare Festung – die Bastion der Countrymusic in Nashville (Tennessee). Seit in den 1920er-Jahren Radiosender ›Cowboymusik‹ über den Äther schickten, befindet sich die Country- und Westernmusic auf einem Siegeszug durch überfüllte Konzerthallen und nur auf diese Musikrichtung getrimmte Radio- und Fernsehstudios. Nach und nach beeinflusste die einst als Hinterwäldlerunterhaltung verschmähte Musik auch andere Richtungen und schwang sich vor allem in den 1960er-Jahren zu ungeahnten Höhen auf. Damals waren Loretta Lynn, Johnny Cash, Patsy Cline, Don Williams und Dolly Parton die Stars. Heute sind George Strait, Taylor Swift, Kenny Chesney, Luke Bryan und Lee Ann Womack die Zugpferde.

Countrymusic ist kein homogener Musikstil, sondern setzt sich aus unterschiedlichen Richtungen zusammen, die zum Teil regional, ethnisch oder vom Zeitgeist geprägt sind. Bekannte Richtungen sind etwa Bluegrass, Honkytonk, Rockabilly, Countrygospel, Nashville Sound, Western Swing und der hauptsächlich im Südwesten der USA verbreitete Tex-Mex-Stil.

Bildende Kunst

In den USA hat die bildende Kunst, wenn man einmal von den indianischen Ureinwohnern des Landes absieht, erst relativ spät eine eigene Identität gefunden. Bis über die Mitte des 18. Jh. hinaus handelte es sich überwiegend um Kolonialkunst, was sich auch in der Bezeichnung der Stilepoche vor 1776 als Colonial Period ausdrückt. In der Malerei etwa entdeckt man erste spezifisch amerikanische Züge bei den Künstlern der so genannten Hudson River School wie Thomas Cole, Frederick E. Church, Asher B. Durand und John F. Kensett, die seit etwa 1825 die Landschaften des Hudson Valley im Bundesstaat New York detailgetreu in einem sich zwischen Romantik und Realismus bewegenden Stil auf Leinwand bannten. Die Bildhauerei der damaligen Zeit hingegen stand eher in der Tradition des Klassizismus, wie etwa die Skulpturen von Horatio Greenough (1805–1852) verdeutlichen, der George Washington als Zeus darstellte.

Neben der politischen begann sich im 20. Jh. auch die kulturelle Hegemonie der USA so stark zu etablieren, dass Kritiker am Ende den Begriff vom amerikanischen Jahrhundert prägten. US-Künstler stellten sich gegen alt eingesessene Traditionen und nach ihrer Meinung überkommene Vorstellungen von Kunst und gründeten nach dem Zweiten Weltkrieg mit dem abstrakten Expressionismus die erste echt amerikanische Malereibewegung, zu der etwa Jackson Pollock und Willem de Koonig gehörten. Auf sie folgte eine wiederum neue, an anderen Vorstellungen festhaltende Künstlergeneration, zu deren Einflussstärksten Kräften Robert Rauschenberg, Jasper Johns und Roy Lichtenstein gehörten. Sie komponierten ihre Werke aus unterschiedlichen alltäglichen Objekten vom Zeitungsausschnitt bis zur Getränkedose und vom Papierfoto bis zum Haushaltsgegenstand und trugen mit einer für sie typischen spielerischen Ironie neue Ideen zur Diskussionen darüber bei, was ihrer Meinung nach unter Kunst überhaupt zu verstehen ist. Zum bekanntesten Vertreter dieser Pop-Art wurde Andy Warhol.

Essen und Trinken

Gourmetwüste USA? Amerika hat in den letzten Jahren kulinarisch im internationalen Vergleich viel Boden gut gemacht. Ob im Toprestaurant in New York, bei der Dinner Show in Orlando, im Food Court in einer x-beliebigen Mall oder im Supermarkt um die Ecke: USA-Reisende können sich vernünftig, gesund und preiswert ernähren.

Hartnäckig lebt in manchen Köpfen das Klischee fort, Amerikaner ernährten sich ausschließlich von Junkfood. Wer schon einmal in den USA unterwegs war, weiß es besser. Heute gibt es gerade in Großstädten zum Teil hervorragende Restaurants, in denen renommierte Chefs den Kochlöffel schwingen. Der kulturelle Pluralismus macht auch vor der Küchentür nicht Halt. Nationale und ethnische Küchen prägen die kulinarische Landkarte.

Sterne am Gourmethimmel

Die Nachricht ließ aufhorchen. Der renommierte Michelin-Verlag produziert den ersten außereuropäischen Restaurant- und Hotelführer – und zwar über New York. Dass diese gastronomische Bibel schon vor Jahren auch die USA erreichte, kommt nicht von ungefähr. An der Ostküste haben sich gleich dutzendweise Gourmetlokale etabliert, welche die amerikanische Küche in ein neues Licht rücken. Für hohe Qualität sorgt seit 1946 das Culinary Institute of America (CIA) in Hyde Park im Hudson Valley, die älteste und renommierteste Kochschule der USA, an der sich jedes Jahr etwa 2000 Studierende einschreiben (s. S. 198). Auch die James Beard Foundation trägt u. a. mit Stipendien zur ständigen Qualitätsverbesserung bei. Der jährlich in unterschiedlichen Kategorien vergebene ›James Beard Foundation Award‹ gilt als Oscar der Gastronomie.

Die Garde amerikanischer Spitzenköche, die ihr Handwerk in der Regel in vielen Ländern der Welt erlernten und ihre ›globalen‹ Erfahrungen in ihre heutige Küchenkunst einbringen, füllt Bücher. Das gilt besonders für den kulinarischen Olymp New York, wo Starkoch Charlie Palmer mit mehreren Toprestaurants vertreten ist. Der Absolvent des Culinary Institute of America (CIA) eröffnete mit dem Aureole (heute One Bryant Park) 1988 in New York sein erstes Toplokal, dem andere in Manhattan, Washington D. C. und Las Vegas folgten. Palmer gewann viele Preise. 2011 wurde er zum Präsidenten des CIA gewählt.

Nicht nur in seiner Heimatstadt New Orleans ist der Name Emeril Lagasse für Kenner der Inbegriff von Spitzenküche. Der Grund dafür ist, dass der begnadete Küchenkünstler seit Jahren mit Kochsendungen im Fernsehen auftritt und eine riesige Fangemeinde hinter sich weiß. In Anbetracht seiner Popularität nannte ihn ein Promimagazin die ›gastronomische Version von Elvis Presley‹. Lagasse betreibt in den USA mehrere Restaurants, eines davon in den Universal Studios in Orlando.

Mit innovativen Interpretationen der klassischen französischen Küche, die er gelegentlich thailändisch verfeinert, hat sich Jean-Georges Vongerichten seit den späten 1980er-Jahren in die Herzen einer internationalen Gourmetgemeinde gekocht. Neben mehreren Restaurants in New York ist er auch in London und Hongkong vertreten. Seine

Der Tribeca Grill in Manhattan pflegt eine innovative amerikanische Küche

beiden französischen Lehrmeister Paul Hae-
berlin und Paul Bocuse sind eine Gewähr für
die Qualität seiner Küche.

Ana Sortun gehört zu den jüngeren Sternen am kulinarischen Himmel über Amerika.
Die aus Seattle stammende Starköchin
machte ihr Diplom in Paris und arbeitete dann
in Barcelona, der Türkei und Italien, ehe sie
in Cambridge (Massachusetts) mit dem
›Oleana‹ (134 Hampshire St., www.oleana-
restaurant.com) ihr erstes eigenes Restaurant
eröffnete, dessen türkisch beeinflusste Küche von Kritikern über alle Maßen gelobt wird.

Kulinarische Klassiker

Knapp 100 Mio. auf amerikanischem Boden
grasende Rinder machen die USA geradezu
zwangsläufig zu einem Land der Fleisches-
ser. Kurzbratstücke wie Steaks kommen in
ganz unterschiedlichen Arten auf den Tisch.
Das saftige T-Bone-Steak wird vom Schlach-
ter direkt an der Wirbelsäule abgetrennt und

inklusive des t-förmigen Knochens gebraten.
Beim Sirloin-Steak handelt es sich um ein
sehr zartes Lendensteak, das gern mit ge-
bratenen Zwiebeln und Knoblauchbutter,
zum Teil auch auf Toast, gegessen wird. Andere Variationen sind das ca. 200 g schwere
Rib-Eye-Steak aus dem mageren Kern der
Hochrippe mit einem Fettkern, dem Auge
(engl. *eye* = Auge), oder das Tenderloin Steak,
ein Filetsteak. Festtage kommen kaum ohne
den Klassiker Prime Rib aus, ein saftiger Bra-
ten aus dem vordersten Stück der Hochrippe
(engl. *prime* = erste).

Vermutlich ist das Barbecue (BBQ) aus
zwei Gründen in den USA der kulinarische
Familienspaß schlechthin: Erstens kann man
den Holzkohlegrill wegen der Rauchent-
wicklung nur im Freien in Betrieb nehmen,
was der amerikanischen Vorliebe für Aktivitäten unter freiem Himmel entgegenkommt;
zweitens handelt es sich bei vorzugsweise
mariniertem und gegrilltem Fleisch wie Spareribs (Schälrippchen vom Schwein) um einen deftigen Gaumenschmaus, der als Fin-

gerfood der amerikanischen Vorliebe, mit den Fingern zu essen, entgegenkommt. BBQs finden im Sommer häufig in öffentlichen Parks oder Freizeitanlagen als kulinarische Wettbewerbe statt.

Neben Fleisch und Geflügel steht an der Atlantikküste Seafood hoch im Kurs. Schaffen es in Florida Austern aus der Bucht von Apalachicola und rund um die Chesapeake Bay Blue Crabs (Blaue Schwimmkrabben) häufig auf den Speisezettel, gehören an der Küste von Maine Lobster (Hummer) fast zum Alltäglichen. In vielen Orten und selbst auf dem Land werden die Schalentiere in sogenannten Lobster Pounds im Freien in großen Behältnissen gekocht. Häufig handelt es sich um Fischerkooperativen, die um ihre Bootsschuppen herum ein paar Holztische aufstellen, an denen die fangfrischen Leckerbissen auf Plastiktellern mit zerlassener Butter als Fingerfood serviert werden.

Eine andere Spezialität kommt auch aus Neuengland: Ahornsirup. Der Zuckerahorn macht im Indian Summer mit seinen Blättern nicht nur die Wälder bunt, sondern sorgt mit seinem honiglichen Saft für die unverzichtbare Zutat zu Frühstück-Pancakes oder heißen Waffeln. Ahornbäume werden ähnlich wie Gummibäume angezapft, damit der wässrig aussehende Saft in einen Eimer tropfen kann. Die Bernsteinfarbe bekommt er erst nach ca. zehn Stunden Kochzeit, wenn ein Großteil des Wassers verdampft ist.

Dinieren als Abenteuer

Amerika wäre nicht Amerika, hätte es nicht auch für hungrige Besucher jede Menge Überraschungen parat. Umgeben von einem 750 000 l-Bassin lassen sich Gäste des Aquarium Restaurants in Nashville (TN) frischen Fisch oder Steaks schmecken. Das Ambiente schafft eine Atmosphäre, als befände man sich irgendwo auf dem Meeresboden, weil sich im Wasserbecken über 100 unterschiedliche Arten von tropischen Fischen tummeln, wie sie sonst nur in der Karibik, im Südpazifik und dem Indischen Ozean vorkommen.

Einen anderen Kick bekommt man in New York, wo sich im Reispudding-Restaurant Schleckermäuler verführen lassen. Hinter dem verheißungsvollen Namen ›Rice to Riches‹ verbirgt sich eine Milchreisbar, deren kunstvolle Kreationen nicht minder artistische Namen wie ›Understanding Vanilla‹ oder ›Forbidden Apple‹ tragen. Die süßen Träume kommen in drei Größen auf den Tisch: Solo (1 Person), Sumo (5 Personen) und Moby (10 Personen). Wer sich mit einer Portion zufrieden gibt, bezahlt je nach Topping ab 6 $ (s. S. 193).

In Orlando und Umgebung kann man sich während des Essens gut unterhalten lassen. Dinner Show heißt das Zauberwort, ein Spaß, für den man 40–50 $ berappen muss.

Thema Alkohol

Die USA sind traditionell ein Land der Biertrinker. Vor allem Dosenbier steht hoch im Kurs, seit 1935 in Richmond (Virginia) der Gerstensaft erstmals in einer speziell beschichteten Metalldose auf den Markt kam. Seit damals hat das Sixpack seinen weltweiten Siegeszug angetreten. Dosen- und Flaschenbier gibt es in vielen Sorten und Größen. Neben amerikanischen Marken haben sich auch Importbiere aus aller Welt etabliert. Sehr beliebt, wenn auch etwas teurer als amerikanische Markenware, ist mexikanisches Importbier. In Bierkneipen, Bars und Restaurants wird das helle oder dunkle Kühle auch vom Fass gezapft, ohne Schaumkrone. Der Alkoholgehalt liegt in der Regel unter 4,5 %, weil höherprozentiges Bier nur noch als *malt liquor* verkauft werden darf. Bei Leichtbieren liegt der Alkoholgehalt unter 0,5 %. In den vergangenen Jahren sind im ganzen Land Klein- und Kleinstbrauereien wie Pilze aus dem Boden geschossen und machen den Riesenkonzernen mit eigenen Produkten hauptsächlich lokal und regional Konkurrenz.

War Wein vor einigen Jahrzehnten noch ein Getränk für Exoten, hat das internationale Savoir-vivre mit der Gourmetwelle auch das Weintrinken populär gemacht. Es gilt als schick und als Zeichen von Kultur, zum

Essen und Trinken

Abendessen ein Glas Roten oder Weißen zu genießen. Aus Kalifornien, Washington und Oregon beziehen die Oststaaten zum Teil hervorragende Weine, denen gegenüber auch die Tropfen aus dem Piemont in Virginia in den letzten Jahren aufgeholt haben.

Gesundheitswelle

Längst ist die Gesundheitswelle in den USA über Joggingprogramme und Aerobic-Kurse hinausgeschwappt und hat den Sektor Ernährung überschwemmt. Gesunde Küche ist der neue Imperativ in einem Land, das unter 60 % Fettleibigen in seiner Bevölkerung ächzt. Der US-Filmemacher Morgan Spurlock drehte den provokanten Dokumentarfilm ›Super Size Me‹ über einen heroischen Selbstversuch: Er verzehrte 30 Tage lang nur Hamburger einer führenden Imbisskette und nahm nach eigenem Bekunden 12 kg zu.

Schon lange vorher wurde die leichte Küche in Amerika zum Thema. Die vegetarische Ernährung war ohnehin schon in aller Munde. Dann kam als ›Erfindung‹ der Westküste die Californian Cuisine aus frischen Zutaten nach dem Motto ›Salat und Gemüse statt Hamburger mit Pommes‹ hinzu. Wer sich nach dieser Devise ernähren will, stößt in den USA auf keine Probleme, weil entsprechende Gerichte in vielen Lokalen angeboten werden. Im neuesten Ernährungstrend heißt die Zauberformel *low carb* – wenig Kohlenhydrate. Die ›schlanke Küche‹ empfiehlt Gerichte mit hochwertigem Eiweiß aus Fleisch, Fisch, Eiern und Milchprodukten, Hülsenfrüchten und Nüssen und verdammt Brot, Kartoffeln, Nudeln, Reis und sogar einige Gemüse als Dickmacher vom Speiseplan.

Eine Institution: der Diner

In den USA gibt es ca. 195 000 Restaurants, Filialen von Hamburgerketten und andere Fastfood-Tempel nicht mitgerechnet. In diesem riesigen Angebot hat eine Kategorie einen ganz besonderen Platz: der Diner. Diese uramerikanische Institution genau zu definieren, ist schwierig. Am besten bekannt ist sie aus den Petticoat- und Musikboxzeiten der 1950er-Jahre, als amerikanische Teens den Diner zum Kulttreff und das Ange-

Typischer Diner aus den 1950er-Jahren in den Universal Studios in Orlando

bot an Milchshakes, Ice-cream Sundaes und Burgern zum kulinarischen Nonplusultra des American Way of Life machten.

Diners waren häufig Edelstahlwaggons mit Neonschmuck, ausgestattet mit roten Kunstledersitzecken und Plastiktischen. Die Idee soll auf einen gewissen Walter Scott aus Rhode Island zurückgehen, der seit 1872 aus einem Pferdewagen Essen an Fabrikarbeiter verkaufte. Im Lauf der Zeit wurden solche Wagen fest installiert und mit Küche und Sitzgelegenheiten ausgestattet. In der Wirtschaftskrise der 1930er-Jahre kamen erstmals ausrangierte Bahnwaggons in Mode, die bodenständige Gerichte wie Hackfleischbällchen, Burger, Salate, Rippchen und das unverzichtbare 24-Stunden-Frühstück zu fairen Preisen anboten. Dieses Konzept ist bis heute unverändert geblieben. Es erscheint logisch, dass es nach wie vor gerade in Rhode Island zahlreiche Diners gibt (Haven Brothers Diner, Fulton St. in Providence, 11th Street Diner, 11th St. & Washington Ave. in Miami Beach, Modern Diner, 364 E. Ave. in Pawtucket).

Verhalten im Restaurant

Wie es bei einem Abendessen in einem Restaurant zugeht, lässt sich am besten an einem konstruierten Beispiel zeigen. In Anbetracht des ›Ereignisses‹ verzichten Sie an diesem Abend auf Badesandalen und Strandkleidung und haben sich dezenter gewandt – mit Schlips und Jackett wäre ein Herr nicht ›overdressed‹ (zu gut angezogen). Auf die Krawatte kann man aber auch durchaus verzichten. Bei Ihrer Ankunft mit dem Mietwagen erwartet Sie ein Angestellter vor dem Restaurant neben einem Schild mit der Aufschrift ›Valet Parking‹. Das bedeutet, dass der Angestellte Ihren Wagen auf den Parkplatz fährt und Ihnen einen nummerierten Parkschein aushändigt. Das obligatorische Trinkgeld von einem oder zwei Dollar bezahlen Sie aber erst, wenn sie den Angestellten nach dem Restaurantbesuch um Ihren Wagen bitten.

In der Lobby fordert Sie das Schild ›Wait to be seated‹ auf zu warten, bis Sie an Ihren Tisch gebracht werden. Dabei spielt es keine Rolle, ob das Lokal zu diesem Zeitpunkt von Menschenmassen gestürmt wird oder ob im Gastraum gähnende Leere herrscht. Sich selbst ungefragt einen Tisch seiner Wahl auszusuchen, entspricht nicht der in den USA üblichen Etikette. Dass man bei diesem Prozedere der Platzanweiserin gegenüber trotzdem seine Platzwünsche äußern kann, versteht sich eigentlich von selbst.

Wie man bestellt

Sobald Sie Platz genommen haben, wird sich der ›Waiter‹ bzw. die ›Waitress‹ (Bedienung) namentlich bei Ihnen vorstellen (›Good evening, folks, my name is Linda‹) und Ihnen die Menükarte reichen. Bei der Bestellung des Hauptgangs wird Ihnen Linda eine Reihe von Optionen anbieten. Erste Frage ist meist ›Soup or salad?‹ (Suppe oder Salat?). Falls Sie Salat wählen, kommt die nächste Frage ›What kind of dressing do you prefer?‹ (Was für eine Salatsauce möchten Sie gern?). Gängige Geschmacksalternativen sind French, Italian, Thousand Islands, Ranch und Blue Cheese. Essen Sie Fleisch, will Linda wissen, wie Sie Ihr Steak gebraten haben möchten (›How would you like your steak cooked? Medium, well done or rare?‹ Wie möchten Sie Ihr Steak? Medium, ganz durch oder blutig?). Danach geht es um die Beilagen, wiederum nach dem Multiple-Choice-System: *baked potatoe* (eine Ofenkartoffel im Alufolienmäntelchen), *rice* (Reis), *french fries* (Pommes frites), *vegetables* (Gemüse). Die Nachspeise *(dessert)* besteht in den USA meist aus etwas Süßem, einem Eis oder vielleicht einem Stückchen Kuchen. Kaum hat man den letzten Bissen geschluckt, tritt Linda auch schon mit der letzten Frage des Abends an Ihren Tisch: ›Anything else you want tonight?‹ (Möchten Sie noch etwas?).

Bis man die Rechnung *(check)* auf dem Tisch hat, vergehen nur noch Sekunden. Nach dem Essen bei einem Glas Wein am Tisch sitzen zu bleiben, ist in den USA nicht üblich, Drinks ordert man an der Restaurant-Bar oder man sucht sich in der Nachbarschaft ein entsprechendes anderes Lokal.

Kulinarisches Lexikon

Im Restaurant

all you can eat	für einen Einheits-preis isst man, so viel man will
appetizer	Vorspeise
breakfast	Frühstück
check/bill	Rechnung
... cheers!	... auf Ihr Wohl!
dinner	Abendessen
... may I have a doggy bag?	höfl. Umschreibung, den Rest des Essens bitte einzupacken
dressing	Salatsauce
entrée	Hauptgang
... for here or to go?	Zum Hieressen oder zum Mitnehmen?
help yourself	bedienen Sie sich selbst
lunch	Mittagessen
menu	Speisekarte
order	Bestellung
please wait to be seated!	Bitte warten Sie, bis Sie zu einem Tisch geleitet werden.
restroom/bathroom/ ladies, mens room	Toilette
tip	Trinkgeld
tax	Steuern
waiter/waitress	Kellner/Kellnerin

Fisch und Meeresfrüchte

bass	Barsch
clam chowder	Venusmuschelsuppe
cod	Kabeljau
calamari	Tintenfisch
crabs	Krebse/Krabben
flounder	Flunder
haddock	Schellfisch
halibut	Heilbutt
lobster	Hummer
mackerel	Makrele
mussels	Miesmuscheln
oysters	Austern
prawns	Riesengarnelen
salmon	Lachs
scallops	Jakobsmuscheln
shellfish	Schalentiere
shrimps	Krabben
sole	Seezunge
swordfish	Schwertfisch
trout	Forelle
tuna	Tunfisch

Fleisch

bacon	Frühstücksspeck
beef	Rindfleisch
(rare, medium, well done)	(innen blutig, rot, rosa, durch)
ground beef	Hackfleisch vom Rind
gravy	Bratensauce
ham	Schinken
porc chops	Schweinekoteletts
prime rib	saftige Rinderbraten-scheibe
sausages	Würstchen
veal	Kalbfleisch
spare ribs	Schälrippchen

Geflügel/Wild

chicken	Hähnchen
drumstick	Hähnchenkeule
duck	Ente
pigeon	Taube
quail	Wachtel
rabbit	Kaninchen
roast goose	Gänsebraten
turkey	Truthahn
venison	Reh bzw. Hirsch
wild boar	Wildschwein

Gemüse

beans	Bohnen
cabbage	Kohl
carrot	Karotte
cauliflower	Blumenkohl
cole slaw	Krautsalat
cucumber	Gurke
eggplant	Aubergine

garlic	Knoblauch
lentils	Linsen
lettuce	Kopfsalat
mushrooms	Pilze
peppers	Paprika
peas	Erbsen
potatoes	Kartoffeln
squash; pumpkin	Kürbis
sweet corn	Mais
onion	Zwiebel

Süßspeisen

blueberry muffin	Rührteiggebäck mit Blaubeeren
donut	Spritzkuchenring
honey	Honig
icecream	Speiseeis
cereals	unterschiedliche Getreideflocken
maple sirup	Ahornsirup
muffin	Kleingebäck, Muffin
oat meal	warmer Haferbrei
pancake	Pfannkuchen
sundae	Eisbecher mit unterschiedlichen Zutaten
sweetener	Süßstoff
waffle with strawberries	Waffel mit Erdbeeren
whipped cream	Schlagsahne

Zubereitung

baked	im Ofen gebacken
boiled	gekocht
boiled egg	hartes Ei
broiled	gegrillt
deep fried	frittiert (meist mit Panade)
eggs, sunny side up	Spiegeleier (Eigelb nach oben)
eggs, over easy	Spiegeleier (beidseitig gebraten)
fried	in Fett gebacken (oft paniert)
hot	scharf
stuffed	gefüllt

Typische Gerichte

Boston Baked Beans	getrocknete, mit Schweinefleisch und Melasse gekochte braune Bohnen
Boston Cream Pie	Süßspeise aus Eiercreme und Schokolade
Fry Bead	in schwimmendem Fett gebackener Fladen, wird mit Honig, Salat, Fleisch oder Fisch gegessen (Spezialität der Seminolen-Indianer)
Key Lime Pie	Limettentorte (Florida Keys)
Philly Cheese Steak	italienisches Brötchen mit Füllung aus dünn in Streifen geschnittenem Steak, Zwiebeln und Käse
crab cake	Frikadelle aus Krabbenfleisch
lobster roll	Sandwich mit Füllung aus Hummerfleisch, Mayonnaise, Sellerie und Estragon (Neuengland)

Getränke

cream	Kaffeemilch/Sahne
draught beer (on tap)	Bier vom Fass
icecube	Eiswürfel
iced tea	Tee über Eissplittern
juice	Saft
light beer	alkoholarmes Bier
liquor	Spirituosen
mineral water	Mineralwasser
pitcher	Krug (Bier)
wine	Wein
sparkling wine	Sekt
soda water	Mineralwasser mit Kohlensäure

Atlantas Skyline bei Nacht

Wissenswertes für die Reise

Amerikas Osten im Internet

Das Internet ist eine geradezu unerschöpfliche Informationsquelle. Nachfolgend sind einige lohnende Webadressen aufgelistet.

www.state-maps.org: Über diese Internetseite kann man Straßen- und topografische Karten über sämtliche US-Bundesstaaten und die jeweiligen Landkreise ansehen. Außerdem sind Basisdaten über die jeweiligen Staaten aufgelistet.

http://german.germany.usembassy.gov: Umfangreiche, deutschsprachige Informationen über die USA von Geschichte über Regierung und Politik, Sport, Wissenschaft und Wirtschaft bis zu Reisen.

www.discoveramerica.com/de: Informative offizielle deutschsprachige Reise- und Tourismus-Website der USA.

www.airtran.com; www.spiritair.com; www. flyfrontier.com; http://de.delta.com; www. southwest.com; www.jetblue.com: Auch in den USA gibt es Billigfluglinien, die an der Ostküste viele Verbindungen zwischen Großstädten bedienen.

www.romwell.com/travel/advisory/atract festi/amerfest.shtml: Informationen über Attraktionen und Reisemodalitäten in allen US-Bundesstaaten.

www.usa.de: Online-Reiseportal von DER-TOUR GmbH über sämtliche US-Bundesstaaten mit relevanten Informationen.

www.fremdenverkehrsamt.com/usa.html: Adressen von Tourismusvertretungen der US-Bundesstaaten in Deutschland oder in den USA mit Link zur Info-Bestellung.

http://www.studieren-in-usa.de: Hilfreiche deutschsprachige Seite für Leute, die in den USA studieren oder ein Praktikum absolvieren wollen.

http://museumlink.com/states.htm: Übersichtliche Seite mit bedeutenderen Museen, aufgelistet nach Bundesstaaten und verschiedenen Kategorien.

http://usacitylink.com: Jede Menge Information über alle US-Bundesstaaten und die wichtigsten Städte inkl. Sehenswürdigkeiten, Museen, Nationalparks und Universitäten.

Auskunftsstellen

... in Deutschland

In Hamburg, Köln, Kiel, München, Heidelberg, Stuttgart, Freiburg, Nürnberg, Saarbrücken und Tübingen haben Deutsch-Amerikanische Kulturinstitute ihren Sitz. In Berlin, Düsseldorf, Frankfurt, Hamburg, Leipzig und München gibt es Information Resource Centers (IRC) der US-Botschaft, die Anfragen per E-Mail, Telefon oder Brief beantworten (U.S. Embassy Berlin, Information Resource Center, Clayallee 170, 14195 Berlin, Tel. 030 83 05 22 13, ircberlin@state.gov).

Capitol Region: Virginia, Washington und Maryland
Claasen Communication
Hindenburgstr. 2
64665 Alsbach
Tel. 06257 687 81
www.capitalregionusa.de

Neuengland
Discover New England
Get It Across Marketing & PR
Neumarkt 33, 50667 Köln
Tel. 0221 476 712 11
www.neuenglandusa.de

Massachusetts
(s. Neuengland)
www.massvacation.com/international/german.php

Great Lakes, Georgia, Florida-Nordküste
c/o Travel Marketing Romberg TMR GmbH
Schwarzbachstr. 32
40822 Mettmann

Tel. 0 21 04 79 74 51
www.greatlakes.de, www.travelmarketing.de

North Carolina
c/o Wiechmann Tourism Service GmbH
Scheidswaldstr. 73
60385 Frankfurt/Main
Tel. 069 25 5 38 260
http://de.visitnc.com

Tennessee
Tennessee Tourism Wolfgang Streitbörger
Horstheider Weg 106a
33613 Bielefeld
Tel. 0521 986 04 15
http://de.tnvacation.com

Orlando
Orlando Tourism Bureau
c/o Rukhsana Timmis Tourism Marketing
Angelbergstr. 7, 56076 Koblenz
Tel. 0261 973 06 73
www.orlandoinfo.com/de
In Deutschland und Österreich gebührenfreie
Info-Line 0800 100 73 25, in der Schweiz ge-
bührenpflichtig unter Tel. 041 6027 40 11 07.

Florida Keys
c/o get it across Marketing
Neumarkt 33, 50667 Köln
Tel. 0221 2 33 64 51, www.fla-keys.de

Florida St. Petersburg/Clearwater
c/o MSWolf Marketing
Postfach 1806, 61288 Bad Homburg
Tel. 06172 38 80 94 80
www.visitstpeteclearwater.com/intl/de

Palm Beach County
c/o Circle Solution
Seeleitn 65, 82541 Münsing
Tel. 081 779 98 95 09, www.palmbeachfl.de

Pennsylvania/Philadelphia
c/o Wiechmann Tourism Service GmbH

Scheidswaldstr. 73, 60385 Frankfurt/Main
Tel. 069 255 38-250, www.visitpa.de

South Carolina
South Carolina Tourism Office
c/o ESTM E. Sommer Tourismus Marketing
Postfach 1425, 61284 Bad Homburg
Tel. 06172 92 16 04
www.discoversouthcarolina.com

... in den USA

Jeder größere Ort verfügt über ein Informa-
tionsbüro (Visitor Center) oder auch eine
Chamber of Commerce (Handelskammer),
wo man Näheres über den Ort und darüber
hinaus Adressen von Hotels und Restaurants erfährt. Zuweilen werden auch Hotelzimmer vermittelt. Wo Interstates Staatsgrenzen überqueren, liegen meist Welcome
Centers der jeweiligen Staaten, in denen
man sich über Übernachtungsmöglichkeiten
informieren und mit praktischen Informationen, Straßenkarten und Broschüren versorgen kann.

Diplomatische Vertretungen

Botschaften der USA
In Deutschland
Pariser Platz 2, 14191 Berlin
Tel. 030 830 50
http://germany.usembassy.gov
Adresse der Visa-Abteilung:
Clayallee 170,
14191 Berlin.

In der Schweiz
Sulgeneckstr. 19
3007 Bern
Tel. 031 357 70 11
http://bern.usembassy.gov
Ein amerikanisches Generalkonsulat gibt es
in Zürich.

In Österreich
Botschaft der USA
Boltzmanngasse 16, 1090 Wien
Tel. 01 31 33 90
http://austria.usembassy.gov

Botschaften in den USA

Deutsche Botschaft
4645 Reservoir Rd NW
Washington, D. C. 20007
Tel. 1-202-298-4000
www.germany.info
Deutsche Generalkonsulate gibt es in New York, Miami, Boston und Atlanta.

Österreichische Botschaft
3524 International Court NW
Washington D. C. 20008
Tel. 1-202-895-6700, www.austria.org
Ein österreichisches Generalkonsulat gibt es in New York City.

Schweizer Botschaft
2900 Cathedral Ave. NW
Washington D. C. 20008
Tel. 1-202-745-7900
www.eda.admin.ch/washington
Schweizer Generalkonsulate gibt es in New York und Atlanta.

Karten

Zur allgemeinen Routenplanung ist der ›Marco-Polo-Reiseatlas USA, Alaska, Südliches Kanada‹ empfehlenswert. Für die Reise ist er allerdings ziemlich unhandlich und schwer. Am besten kauft man eine Regionalkarte in größerem Maßstab über das zu bereisende Gebiet und besorgt sich in den USA bei Touristeninformationen oder Welcome Centers entlang der Interstates an den Staatsgrenzen Gratiskarten über die jeweiligen Bundesstaaten. ADAC-Mitglieder erhalten bei Vorlage der ADAC-Karte in den Filialen der AAA (American Automobile Association) kostenlos Straßenkarten und Info-Material.

Lesetipps

Roth, Philip: Verschwörung gegen Amerika, Hamburg 2007. Was wäre passiert, wenn 1940 der antisemitische Fliegerheld Charles A. Lindbergh anstelle von Franklin D. Roosevelt US-Präsident geworden wäre?

Hawthorne, Nathaniel: Das Haus mit den sieben Giebeln, Zürich 2004. Schauplatz des Romans ist die historische ›Hexenhochburg‹ Salem in Massachusetts.

Cornwell, Patricia: Blut, München 2013. In Savannah (Georgia) geht wegen eines vermuteten Rachefeldzugs im Hochsicherheitstrakt der örtlichen Haftanstalt die Angst um.

Berendt, John: Mitternacht im Garten der Lüste, Gütersloh 1999. Alles dreht sich um tödliche Schüsse in der feinen Gesellschaft von Savannah. Der Täter ist bekannt, sein Motiv gibt Rätsel auf. Der Roman hat Savannah in den USA berühmt gemacht.

Ames, Jonathan: Henry und Louis, Hamburg 2002, z. Zt. nur antiquarisch. Über den liebenswürdigen Überlebenskampf zweier sympathischer, wenn auch ziemlich schräger Typen im Moloch New York City.

Starr, Jason: Twisted City, Zürich 2006. Der schwarzhumorige Psychothriller beschreibt, wie ein New Yorker Angestellter durch eher banale berufliche und private Probleme aus dem Alltagstrott gebracht wird und schließlich auf die schiefe Bahn gerät.

Moore, Michael: Stupid White Men, München 2004. Bittere Gesellschaftskritik aus der Feder des Regisseurs, Autors und Fernsehmoderators Michael Moore über Amerika unter George W. Bush.

Bender, Peter: Weltmacht Amerika – Das Neue Rom, München 2005. Sind die Amerikaner die Römer unserer Zeit?

Dass der US-Osten bei Besuchern aus der Alten Welt so hoch im Kurs steht, hat Gründe. Die einen fühlen sich gut aufgehoben, weil die Ost-Amerikaner in Mentalität und Lebensweise doch in vielem mit Europäern vergleichbar sind. Die anderen machen sich auf den Weg, um in der Neuen Welt das zu finden, was es in Europa nicht gibt, wie etwa das ›Vom Winde verweht‹-Flair in den Südstaaten, die Karibikatmosphäre auf den Florida Keys, den Vergnügungskosmos in Orlando, die Ländlichkeit des Pennsylvania Dutch Country, Naturlandschaften und von Wolkenkratzerarchitektur geprägte Weltstädte.

Die wichtigsten Sehenswürdigkeiten

Highlights im Norden

Jeder Neuankömmling in **New York,** ob Erstbesucher oder ›Wiederholungstäter‹, sieht der fantastischen Wolkenkratzer-Skyline der Weltstadt mit klopfendem Herzen entgegen. Am besten sieht man sie von der Staten Island Ferry aus, die in Sichtweite der Freiheitsstatue zwischen Battery Park und Staten Island hin und her pendelt.

Wer den Besuch auf den Herbst verlegt hat, reist vom Big Apple meist weiter in Neuenglands ›flammende‹ Wälder, die sich im **Indian Summer** von ihrer schönsten Seite zeigen. Eine längere Stippvisite hat auf diesem Weg Neuenglands geschichtsträchtige Metropole **Boston** verdient. In der blätterbunten Jahreszeit trifft man viele Touristen in den Wäldern von Neuengland. Im Hochsommer zieht es Zehntausende an das grandiose Naturwunder **Niagarafälle** an der amerikanisch-kanadischen Grenze.

Mittlere Atlantikküste

Wo die Wiege Amerikas stand, finden sich bedeutsame Spuren der US-Geschichte wie im Independence National Historic Parc mitten in **Philadelphia.** Das reizende Open Air Museum Colonial Williamsburg in **Virginia** inszeniert die Vergangenheit des Landes mit denkmalgeschützten Bauten aus der Kolonialzeit und kostümierten Schauspielern. Eine Schatztruhe nicht nur der Geschichte, sondern aller Wissensbereiche sind die berühmten Museen an der ›National Mall‹ in **Washington D. C.** Wer nach so viel Historie und Kultur bei Leichtverdaulichem verschnaufen will, ist auf der Kasinomeile am Boardwalk in **Atlantic City** gut aufgehoben.

Perlen des Südens

Mit zauberhaften Stadtpalästen, Plantagen und Eichenalleen schaffen die beiden Städte **Charleston** (SC) und **Savannah** (GA) ein einzigartiges Südstaatenflair. Nicht um Vergangenes, sondern Zukünftiges geht es auf dem Weltraumbahnhof **Kennedy Space Center** in Florida, das Fernsehzuschauer von weltweit übertragenen Shuttle-Starts zur Internationalen Raumstation kennen. In einer guten Autostunde ist von dort das riesige Vergnügungspark-Paradies bei **Orlando** erreichbar. Im Stadtteil South Beach in **Miami Beach** geht es nur Puristen allein um die Architektur des größten amerikanischen Art-déco-Distrikts. Andere genießen auch das neonbeleuchtete Nachtleben unter Palmen am Ocean Drive. Fast genauso elektrisierend geht es in der Künstler- und Literaturhochburg **Key West** am Ende der Florida Keys zu.

Vorschläge für Rundreisen

Der gesamte Osten der USA ist für eine einzige Reise zu groß, es sei denn, man hätte mehrere Monate zur Verfügung. Für Urlauber mit begrenztem Zeitbudget bieten sich kürzere Touren an, die sich aus den in diesem Buch beschriebenen Kapiteln zusammensetzen lassen.

Das Portland Head Light zählt zu den schönsten Stationen an der Küste von Maine

Zweiwöchige Rundreise

Eine etwa 14-tägige Rundreise mit **Startpunkt New York** kann die neuenglische Küste entlang über Cape Cod nach **Boston** führen. Von dort fährt man immer in Küstennähe weiter bis zum **Acadia National Park** in Maine und biegt über Bangor Richtung Westen ab in die White Mountains in New Hampshire bzw. zum **Lake Champlain** in Vermont. In südlicher Richtung erreicht man von dort auf dem Boden des Staates New York die Hauptstadt Albany und kehrt über das **Hudson Valley** an den Ausgangspunkt zurück.

Drei bis vier Wochen

Wer sich für meernahe Ferien entschieden hat, kann von **Atlanta** in Georgia über die Großstadt **Jacksonville** die Ostküste von Florida entlangfahren, wobei man einen Abstecher nach **Orlando** in das Imperium der Vergnügungsparks einplanen sollte. Schnellere Reisende können von **Miami** aus die subtropische Inselkette der **Florida Keys** besuchen. Andere fahren auf dem kürzeren Weg quer durch die südliche Florida-Halbinsel weiter nach **Naples** und folgen von dort in nördlicher Richtung der Küste des Golfes von Mexiko bis in den westlichen **Panhandle,** wo man von **Pensacola** mehr oder weniger auf direktem Weg nach Atlanta zurückkehren kann.

Individualreisen

Der Osten ist ein Land des Individualverkehrs. Öffentliche Transportmittel sind bei weitem unpopulärer als in Europa. Am einfachsten ist man mit einem Mietauto unterwegs. Das spart Zeit, weil auch abgelegene, nicht ans öffentliche Verkehrsnetz angebundene Ziele leicht erreichbar sind, ist aber nicht die kostengünstigste Variante.

... mit dem Mietwagen

Mietwagen reserviert man am besten schon im Heimatland (s. S. 65). Die meisten Vermieter bieten **Pauschalarrangements** mit unbegrenzter Meilenzahl und Versicherung an.

Wer eine Mietwagenreise durch den amerikanischen Osten unternehmen will, sollte sich überlegen, ob ein Auto tatsächlich vom ersten bis zum letzten Tag angemietet werden muss. Viele Reisende beginnen einen Amerikaurlaub etwa mit einem mehrtägigen Aufenthalt dort, wo sie landen. Wer etwa nach New York fliegt und zwei oder drei Tage in der Stadt bleibt, ist gut beraten, vom Flughafen mit öffentlichen Transportmitteln in die Stadt zu fahren und den Wagen erst dann zu übernehmen, wenn die Überlandreise tatsächlich beginnt.

Kostensparend ist auch, wenn man eine Stadtbesichtigung am Abflugort ans Ende der Reise legt, weil man dann den Wagen früher zurückgeben kann. Bei einer mehrtägigen Reiseunterbrechung ein Mietauto abzugeben und vor der Weiterfahrt wieder ein neues anzumieten, kann unter Umständen wegen der höheren Einwegmieten teurer kommen, als das Fahrzeug die ganze Zeit über zu behalten.

... mit dem Campmobil

Wer sich per Campmobil (RV = Recreation Vehicle) auf den Weg durch den Osten der USA machen will, sollte darauf achten, ein Mietfahrzeug keinesfalls mit der maximal möglichen Personenzahl zu belegen, sondern eher die nächstgrößere Kategorie zu wählen. Vor allem auf Reisen mit Kindern sollte man dafür Sorge tragen, dass im Innenraum ausreichend Platz vorhanden ist, weil sonst Konflikte vorprogrammiert sind. Auch bei der Planung der zu fahrenden Meilen geht man eher großzügig vor. Die mit nichts in Europa zu vergleichende Weite des Landes wirkt erfahrungsgemäß verführerisch und lädt zu spontanen Abstechern und Ausflügen ein.

... mit Zug und Bus

Für den Personenzugverkehr ist in den USA seit 1971 die halbstaatliche Gesellschaft **Am-**trak zuständig. Sie bedient die meisten großen Städte des Ostens mit einer Ausnahme: Die Hauptstadt von Tennessee, Nashville, hat keinen Bahnanschluss. Amtrak-Passagiere haben mehrere Möglichkeiten, zu reduzierten Preisen zu reisen. Von Dienstag bis Freitag bietet die Gesellschaft auf ihrer Webseite bestimmte Routen an, auf denen man bei Online-Bestellung der Tickets bis zu 70 % sparen kann (http://tickets.amtrak.com >Reservation Options>Smart Fares, s. S. 64). Für normale Bahnreisen ist das Reservierungssystem der Eisenbahngesellschaft Amtrak im Internet nützlich (http://deutsch.amtrak.com).

Die **Busgesellschaft Greyhound Lines** (www.greyhound.com) bedient ein umfangreiches Netz im ganzen Land, verkehrt aber hauptsächlich zwischen größeren Städten. Lokale und regionale Bustouren werden in vielen Städten von Hunderten Gesellschaften angeboten, nach denen man sich in den jeweiligen Visitor Informations vor Ort erkundigen kann (s. S. 64).

Straßen-Kategorien

Autofahrer bekommen es mit zahlreichen Straßen-Kategorien wie **Highways, Boulevards und Avenues** zu tun, die sich nur wenig voneinander unterscheiden. **Turnpikes und Tollways** sind mautpflichtige Schnellstraßen. Deutschen Autobahnen entsprechen am ehesten **Freeways** und quer durch den Kontinent führende **Interstates,** die in Nord-Süd-Richtung ungerade, in Ost-West-Richtung gerade Nummern tragen. **Expressways** sind Schnellstraßen mit Kreuzungen. Vorwiegend dem Freizeitverkehr dienende Straßen ohne Güterverkehr heißen **Parkways.**

Bei Pannen zeigt die hochgeklappte Kühlerhaube, dass Hilfe benötigt wird. Notrufsäulen sind in den USA dünn gesät. Dafür sind auf den amerikanischen Straßen mehr Streifenwagen unterwegs.

Pauschalreisen

Pauschalarrangements

Bequem reisen lässt es sich unter professioneller Führung. Das hat den Vorteil, dass man sich um nichts kümmern muss und Sprachbarrieren kein Hindernis sind. Der Nachteil ist, dass man einem fest gefügten Reiseplan folgt und wenig Möglichkeiten hat, den Reiseablauf individuell zu beeinflussen.

Studiosus Reisen in München bietet Reisen in die Metropole New York City, in den herbstlich-bunten Indian Summer in Neuengland und die gesamte Ostküste entlang bis nach Miami in Florida an (Riesstr. 25, 80992 München, Tel. 089 50 06 00, www.studiosus.com).

Ikarus Tours legen ihren Schwerpunkt an der Ostküste auf den pulsierenden Big Apple (New York City) und die schönsten Landschaften bzw. Attraktionen in Neuengland mit den Weltstädten Washington D. C., Philadelphia, Boston und Toronto sowie den Niagarafällen (Am Kaltenborn 49–51, 61462 Königstein, Tel. 06174 290 20, www.ikarus.com).

Auf den 16-tägigen Neuenglandtouren von **Wikinger-Reisen** besichtigen die Teilnehmer neben der Großstadt Boston auch die Ferieninsel Cape Cod, die zerklüftete Küste von Maine, den Arcadia National Park und die White Mountains in New Hampshire. Eine 16-tägige Reise mit Wanderungen führt an die Atlantikküste von Georgia und ins nördliche Florida (Kölner Str. 20, 58135 Hagen, Tel. 02331 90 46, www.wikinger-reisen.de).

Motorradreisen

Nicht nur im Westen der USA sind Motorradreisen populär. Auch der Sonnenstaat Florida steht bei manchen Bikefans hoch im Kurs, nicht zuletzt der berühmten Bike Week in Daytona Beach wegen, die Jahr für Jahr Zweiradverrückte aus der ganzen Welt anzieht. Verschiedene Motorradreisen nach Florida haben **AM-Tours** im Programm (Wernerstr. 103, 71636 Ludwigsburg, Tel. 07141 48 84 95, www.am-tours.com).

Reisen mit Handicap

Viele Hotels und Motelketten verfügen über behindertengerechte Räume etwa mit größeren Badezimmern und breiteren Türen. In großen Museen und Vergnügungsparks sind Rollstühle eine Selbstverständlichkeit, und öffentliche Einrichtungen sind mit Rampen ausgestattet. Informationen finden Behinderte auf der englischsprachigen Internetseite der Society for Accessible Travel & Hospitality (SATH), einer gemeinnützigen Organisation für Behinderte auf Reisen (http://sath.org). Mietwagenfirmen können bei längerfristiger Reservierung speziell ausgerüstete Fahrzeuge zur Verfügung stellen.

Reisen mit Kindern

Ist der Nachwuchs groß genug, um längere Autofahrten nicht als quälend zu empfinden, ist das kinderfreundliche Amerika ein geradezu ideales Reiseland für die ganze Familie. Kinder bis zu 18 Jahren können kostenlos im Zimmer der Eltern untergebracht werden. Viele Museen stellen für kleine Besucher Ausstellungen zum Anfassen parat, so wie Zoos und Aquarien über eigens für Kinder eingerichtete *touch tanks* verfügen, offene Becken, in denen man Meerestiere berühren kann.

Für Familien bieten sich weniger stressige Großstädte, attraktive Landschaften und Strände an. Hauptsächlich im Süden wie etwa in Florida kommen kleine Wasserratten auf ihre Kosten – dort gibt es flach abfallende und damit sichere Strände. Da viele Strände abseits von bewohnten Gebieten liegen, muss man rechtzeitig für Essen und Trinken sorgen. Kleine Kinder nackt baden zu lassen, verstößt in den USA gegen die Sitten.

Einreisebestimmungen

Deutsche, Österreicher und Schweizer, auch Kinder und Babys, benötigen für einen Aufenthalt bis zu 90 Tagen einen eigenen maschinenlesbaren Reisepass. Nach dem 25. Oktober 2005 ausgestellte Pässe müssen über ein digitales Lichtbild verfügen wie die bordeauxfarbenen maschinenlesbaren deutschen Reisepässe (Europapässe). Nach dem 25. Oktober 2006 ausgestellt, müssen sie zusätzlich mit biometrischen Daten in Chipform (sog. E-Passport) ausgestattet sein. Jeder Reisende ist bei der Einreise zu digitalen Fingerabdrücken und einem digitalen Porträtfoto verpflichtet. Eine elektronische Einreiseerlaubnis ist spätestens 72 Stunden im Voraus zwingend erforderlich (beim Reiseveranstalter oder aber im Internet unter https://esta. cbp.dhs.gov >Deutsch). Wer ohne Visum mit dieser ESTA-Erlaubnis einreist, muss 14 $ (ca. 10,90 €) Einreisegebühr bezahlen. Die Zahlung ist über das offizielle ESTA-Formular per Kreditkarte möglich. Außerdem müssen Buchungen bis spätestens 72 Stunden vor Abflug neben dem vollständigen Namen auch Geburtsdatum und Geschlecht des Reisenden enthalten. Die Regelung gilt für alle internationalen Flüge in die und aus den USA sowie für inneramerikanische Strecken.

Erste Aufenthaltsadresse

Aktuelle Bestimmungen für die Einreise in die USA schreiben vor, dass neben den persönlichen Daten auch die erste Aufenthaltsadresse in den USA (z. B. Hoteladresse oder im Falle der Anmietung eines Autos die Adresse der Mietwagenstation) angegeben werden muss. Die entsprechenden Daten werden von den Fluggesellschaften erhoben und noch während des Flugs an die US-Behörden übermittelt. Unter der Webadresse www.dertour.de/static/PDF/apis-formblatt. pdf kann man ein entsprechendes Formular downloaden.

Reisevorbereitung

Reisegepäck

Alle Gepäckstücke werden vor dem Abflug auf Explosivstoffe durchleuchtet. Koffer sollte man wegen möglicher manueller Nachkontrollen nicht abschließen. Einige Fluggesellschaften haben ihre Freigepäckregeln geändert. Zur Sicherheit sollte man sich rechtzeitig bei der jeweililgen Fluglinie erkundigen. Taschenmesser und andere spitzen Gegenstände sind im Handgepäck verboten.

Haustiere und Wareneinfuhr

Für Haustiere benötigt man ein amtsärztliches Zeugnis. Die Einfuhr von 200 Zigaretten, 1 l Alkohol sowie Geschenken, deren Wert 100 $ nicht übersteigt, ist für Erwachsene von mindestens 21 Jahren zollfrei. Geldsummen über 10 000 $ müssen deklariert werden. Die Einfuhr von frischem, getrocknetem oder in Dosen eingemachtem Fleisch und Fleischprodukten ist nicht gestattet. Dasselbe gilt für Pflanzensamen. Bäckereiprodukte und haltbar gemachter Käse sind erlaubt. Die Einfuhr von Waffen ist verboten.

Anreise

... mit dem Flugzeug

Reisende aus Europa kommen im Osten der USA mit dem Flugzeug normalerweise in New York (JFK), Boston (BOS), Philadelphia (PHL), Washington Dulles International (IAD), Atlanta (ATL), Miami (MIA), Tampa (TPA) oder Orlando (MCO) an. Fort Lauderdale (FLL) und Fort Myers (RSW) wurden in den letzten Jahren als Charterziele verstärkt angeflogen. Da in den USA das Flugzeug u. a. wegen der gewaltigen Entfernungen ein populäreres Transportmittel ist als in Europa, ist gerade der Osten von einem dichten Netz von Flugverbindungen überzogen. In der Hauptsaison des jeweiligen Zielgebiets sind Flüge teurer. Ein Schnäppchen kann man mit einem Air Pass machen. Große US-Fluggesellschaften bieten die Möglichkeit, in Verbindung mit einem Transatlantikflug mindestens drei inneramerikanische Flüge zu buchen, deren Abflugorte und Ziele vorab festgelegt werden müssen. Mehrere Fluglinien wie die Lufthansa und Chartergesellschaften wie LTU bieten Fly & Drive-Programme inklusive Flug und Mietwagen an. Über das Reisebüro oder das Internet (in Suchmaschine Fly & Drive eingeben) kann man solche Angebote ebenfalls buchen.

... mit dem Schiff

Das einzige Schiff, das derzeit regelmäßig die Transatlantikroute zwischen Europa und der amerikanischen Ostküste befährt, ist der riesige Luxusliner Queen Mary II. Die meisten Abfahrten finden in Southampton (Großbritannien), einige aber auch in Hamburg statt. Ziel ist in der Regel New York City, einmal pro Jahr auch Fort Lauderdale in Florida. Überfahrten finden zwischen April und November statt und dauern jeweils 6 Tage (Informationen: Cunard Line, www.cunard.com).

Verkehrsmittel im Land

Inlandsflüge

Ähnlich wie in Deutschland bewegen sich auch am amerikanischen Himmel immer mehr **Billigflieger** (Internetadressen s. S. 56 ›Infos im Internet‹), die in absehbarer Zeit auch die Nordatlantikroute zwischen Europa und den USA bedienen sollen. Inneramerikanisch fliegt der Discounter **JetBlue Airways** (www.jetblue.com) viele Städte im Osten an, darunter Boston, New York, Washington D. C. und Fort Lauderdale. Einen einfachen Flug zwischen New York City und Fort Lauderdale (FL) kann man bei diesem Anbieter schon für 142 $ bekommen. Von der Basis Fort Lauderdale fliegen **Spirit Airlines** (www.spirit.com) Ziele an der amerikanischen Ostküste

wie Myrtle Beach, Washington D. C., Atlantic City, New York City und Boston an. Ein engmaschiges Liniennetz besitzt im Osten auch **AirTran** (www.airtran.com).

Bahn

Im Land des Individualverkehrs spielen Züge bei der Personenbeförderung eine weit geringere Rolle als in Europa. Die am stärksten befahrene Region ist der Nord-Ost-Korridor zwischen Washington D. C. und Boston, wo mit dem **Acela-Express** ein auf dem französischen TGV basierender superschneller Zug verkehrt (Fahrtdauer 6 Std.). Andere Hauptstrecken führen von New York, Boston und Washington D. C. etwa nach Cleveland (OH), Pittsburgh (PA) und Miami (FL). Natürlich sind von den großen Metropolen im Osten der USA auch die meisten anderen Städte in den westlichen Landesteilen erreichbar.

Mit dem **Amtrak USA Rail Pass** können Nichtamerikaner in den einzelnen Regionen der USA bzw. im ganzen Land am preisgünstigsten fahren. Den jeweiligen Pass muss man vor Antritt der Reise kaufen (North America Travel House CRD International, Stadthausbrücke 1–3, 20355 Hamburg, Tel. 040 300 61 60, oder MESO Reisen, Wilmersdorfer Str. 94, 10629 Berlin, Tel. 0800-200 60 88, www.meso-berlin.de). Die Kosten hängen davon ab, ob man in der Hauptsaison (Mai–Sept. und Weihnachten) oder in der Nebensaison reist.

Bus

Die Linie **Greyhound** unterhält Busverbindungen sowohl im Nah- wie im Fernverkehr. **Peter Pan Bus Lines** (1776 Main St., Springfield, MA 01103, Tel. 1-800-343-99 99, http://peterpanbus.com) verkehren im Linienverkehr zwischen vielen Städten im Nordosten und in der Region Mittlerer Atlantik, bieten aber auch Chartertouren an. Zahlreiche Charter-Bus-Linien bieten im Osten Bustouren an. Das gilt auch für Pauschaltouren inklusive

Übernachtung ab Boston durch die bunt verfärbten Wälder in Neuengland im Indian Summer: **Atlas Cruises & Tours** (8895 N. Military Trail, Suite 102-E, Palm Beach Gardens, FL 33410, Tel. 1-800-942-3301, www.atlastravelweb.com), **Collette Tours** (162 Middle St., Pawtucket, RI 02860, Tel. 1-800-340-5158, ww.collettevacations.com).

Mietwagen

Mietwagen reserviert man am besten schon im Heimatland. Wer noch nicht 25 Jahre alt ist, sollte abklären, ob die jeweilige Firma ein Mindestalter verlangt. In den meisten Bundesstaaten ist die gesetzlich vorgeschriebene Haftpflichtversicherung eingeschlossen. Das gilt auch für den *collision damage waiver*, den Ausschluss der Selbstbeteiligung bei Fahrzeugschäden. Zum Anmieten eines Fahrzeugs sind Führerschein und Kreditkarte unabdingbar. An den Flughäfen und in größeren Städten sind **Alamo** (www.alamo.com), **Avis** (www.avis.com), **Budget** (www.budget.com), **Dollar** (www.dollar.com), **Hertz** (www.hertz.com) und **National** (www.nationalcar.com) vertreten. **Rent-a-Wreck-Filialen** (www.rentawreck.com) findet man nur in Städten. Sie vermieten keine Autowracks, wie der Name vermuten lassen könnte, sondern ältere Modelle zu günstigeren Preisen. Bei **Holiday Autos** (Tel. 01805 17 91 91, http://holidayautos.de) kostet ein Kleinwagen z. B. ab Washington D. C. mit Klimaanlage ›all inclusive‹ etwa 135 €/Woche. Vermietfirmen bieten (mit zum Teil saftigen Aufschlägen) Einwegmieten, bei denen man das Auto etwa in New York anmietet und in Miami abgibt.

Tanken

Der Spritpreis in den USA liegt zur Zeit bei 3,50–4,50 $ pro Gallone, zwischen den Bundesstaaten gibt es starke Schwankungen. Selbst an einer Straßenkreuzung kann man zuweilen zwei Tankstellen mit einer Preisdifferenz von 15 Cent pro Gallone finden. Vor allem in abgelegenen Gebieten muss man mit extremen Preisen rechnen. Sie beziehen sich immer auf eine Gallone, d. h. 3,785 l. Mit Mietwagen tankt man ausnahmslos *unleaded,* also bleifrei. An vielen Zapfsäulen zahlt man per Kreditkarte. Hie und da muss man beim Tankwart eine Kreditkarte oder eine entsprechende Summe hinterlegen, bevor gezapft werden kann.

Verkehrsregeln

In den USA gibt es Verkehrsregeln, die von denen in Europa abweichen. So darf man in vielen Staaten selbst bei roter Ampel rechts abbiegen und auf mehrspurigen Straßen rechts überholen. Außer in New Hampshire besteht in allen Staaten **Anschnallpflicht.** Für Höchstgeschwindigkeiten gibt es keine einheitliche Regelung, auf Landstraßen sind meist 55, auf Interstates 65 Stundenmeilen erlaubt. Zur **Verkehrskontrolle** setzt die Polizei mobile Radargeräte ein. Wenn Kinder aus gelben Schulbussen ein- und aussteigen, ruht der Straßenverkehr in beiden Richtungen. Kreuzungen sind häufig mit Stoppschildern an jeder Straße versehen. Wer als Erster anhält, fährt auch als Erster weiter.

Von Staat zu Staat können sich Verkehrsregeln z. B. hinsichtlich Höchstgeschwindigkeit, Anschnallpflicht und Rechtsabbiegeregelung unterscheiden. Verbreitet sind sogenannte ›Left Turn Center Lanes‹, d. h. zentrale Linksabbiegespuren. Auf größeren Ein- und Ausfallstraßen kann man auf ihnen, ohne den fließenden Verkehr zu behindern, abbiegen. Auf mehrspurigen Straßen ist häufig eine Spur mit ›**Car Pool Lane**‹ bezeichnet, d. h. zur Rushhour darf diese Spur nur von Fahrzeugen mit einer Mindest-Insassenzahl benutzt werden. Verstöße können sehr teuer werden. Teuer wird beispielsweise das Parken in **Tow-away-Zonen**, aus denen sofort abgeschleppt wird. Was Alkohol am Steuer anbelangt, so herrscht eine strikte Regel: ›Don't drink and drive‹.

Die ausgezeichnete touristische Infrastruktur macht das Reisen im Osten leicht. Bei Unterkünften unterscheidet man zwischen Hotels (meist in der Stadt), Motels (praktisch, weil man direkt vor der Tür parkt), Inns (Häuser mit dem Charakter von Landgasthöfen) und Bed & Breakfast (Privatunterkünfte, meist in sehr gepflegten Häusern).

In amerikanischen Unterkünften wird dem Schlafkomfort gemeinhin hohe Priorität eingeräumt. Betten mit einer Breite von 90 cm oder 1 m wie hierzulande begegnet man in den USA nirgendwo. Gäste haben in besseren Hotels und Motels die Wahl zwischen ›Queen Size‹-Betten, was der Breite von ca. 1,40 m entspricht, und ›King Size‹-Betten, die sich als wahrlich königliche Liegewiesen mit Maßen von 2 x 2 m erweisen. Unter *twin beds* versteht man zwei Einzelbetten im Queen-Size-Format.

Praktisch sind in vielen Motels aufgestellte Waschmaschinen und Trockner, die man mit ein paar Münzen in Betrieb nehmen kann. Waschpulver zieht man aus Automaten oder bekommt ein Päckchen an der Rezeption. Notfalls muss man sich in den nächsten Supermarkt begeben. Münzwäschereien (Coin Laundries) findet man auch in jedem größeren Ort, da in den USA längst nicht jeder Haushalt mit einer eigenen Waschmaschine ausgestattet ist. In besseren Unterkünften gehören Bügeleisen, Bügelbrett und Kaffeemaschine oft zur Grundausstattung. Immer mehr Hotels bieten ihren Gästen neben in den nördlicheren Landesteilen beheizten Innen- bzw. Außenpools auch Fitness-Studios mit mehr oder weniger großem ›Maschinenpark‹ an. Sind Zimmer mit Minibars ausgestattet, informiert man sich vor einem Griff ins Volle besser über die Preise, die nicht selten ein Vielfaches dessen betragen, was man für ein Getränk oder einen Schokoriegel im Supermarkt bezahlt. Wertgegenstände bringt man im eigenen Safe im Zimmer unter oder kann sie an der Rezeption in Verwahrung geben.

Häufig trifft man in den USA auf Unterkünfte, die Zimmer inklusive mehr oder weniger gut ausgerüsteter Küchen vermieten. Je nach Hotelkategorie sind die zur Verfügung gestellten Utensilien sauber bzw. verwendbar. Küchenbenutzungen rentieren sich in der Regel nur bei mehrtägigen Aufenthalten, da sich der Einkauf von Putzmitteln (die oft nicht vorhanden sind) für einen einmaligen Gebrauch kaum lohnt.

Ist man in den USA gegen Abend auf der Suche nach einem Zimmer, stellt sich eine typisch amerikanische Praxis als sehr hilfreich heraus: Viele Hotels und Motels schalten nach 18 Uhr Leuchtreklamen mit der Aufschrift ›Vacancy‹ oder ›No Vacancy‹ an, sodass man schon vom Auto aus ohne auszusteigen sehen kann, ob Zimmer noch verfügbar sind oder ein Motel ausgebucht ist.

Hotelkategorien

Discount-Motels: Am preisgünstigsten sind die großen Motelketten wie Motel 6 (www.motel6.com), Super 8 (www.super8.com), Red Roof Inns (www.redroof.com), Econo Lodge, Comfort Inn, Quality Inn, Sleep Inn, Rodeway Inn (alle unter www.choicehotels.com) und Days Inn (www.daysinn.com), die in der Regel ordentliche Zimmer mit normalem Komfort anbieten.

Mittelklasse: Etwas teurer, dafür auch besser ausgestattet, sind Unterkünfte von Ketten wie Travelodge (www.travelodge.com), Howard Johnson (www.hojo.com), Best Western (www.bestwestern.de), Embassy Suites (http://embassysuites3.hilton.com), Hampton Inn (http://hamptoninn3.hilton.com), Holiday Inn Express (www.ihg.com) sowie La Quinta (www.lq.com) und Ramada (www.ramada.com).

Luxushotels: Für anspruchsvolle Reisende eignen sich die Hotels von Hyatt (www.hyatt.com), Marriott und Courtyard by Marriot (www.

Fürstliches Ambiente im Bed & Breakfast Foley House Inn in Savannah

marriott.com), Hilton (www3.hilton.com), Radisson (www.radisson.com), Westin und Sheraton (www.starwoodhotels.com), Ritz-Carlton (www. ritzcarlton.com) und Fairmont Hotels (www.fairmont.com).

Bed & Breakfast

Bed & Breakfast-Unterkünfte sind im US-Osten stark verbreitet. Häufig handelt es sich um Privathäuser der gehobenen Kategorie mit antik oder plüschig eingerichteten Zimmern, in denen man TV oder andere Errungenschaften der modernen Technik meist vergeblich sucht. Dafür kann man in Himmelbetten schlummern, für traditionsfixierte Amerikaner Sinnbilder der guten alten Zeit. Nicht selten sind diese Unterkünfte luxuriös

ausgestattet und kosten ein halbes Vermögen. In ländlichen Gegenden kann man aber auch preisgünstige Häuser finden. Manche B & Bs beherbergen nur Nichtraucher. Wer sich auf Englisch verständigen kann, wird seinen Spaß dabei haben, mit anderen Hausgästen beim Frühstück über Gott und die Welt zu plaudern.

Ferienhäuser und Ferienwohnungen

Urlaubern steht in den USA ein gewaltiges Angebot an Ferienhäusern und -wohnungen zur Verfügung – von rustikalen Cottages für romantische Zweisamkeit bis zu luxuriösen Villen für mehrere Familien. Auch an Anbietern herrscht keine Not. Am besten gibt man in Internet-Suchmaschinen seine bevorzugten Ziele (Bundesstaat, Ort, Zeit) ein und sucht sich unter den Angeboten das adäquate heraus (z. B. bei www.fewo-direkt.de/urlaub-ferienwohnung-ferienhaus/usa/r2067).

Reservierungen

Reserviert man ein Zimmer telefonisch, wird es nur bis 18 Uhr freigehalten. Fest buchen kann man über eine Kreditkartennummer. Dann muss allerdings bezahlt werden, auch wenn man die Reservierung verfallen lässt. Doppelzimmer können gegen einen geringen Preisaufschlag von mehr als zwei Personen bewohnt werden. Die Preise gelten immer für ein Zimmer und werden nicht nach Personen berechnet.

Was die Zimmerreservierung anbelangt, gilt die Faustregel: in Großstädten besser vorab buchen. Findet zum Zeitpunkt des Besuches ein Kongress oder ein wichtiges Sportereignis statt, kann man mit spontanen Hotelsuchen Pech haben. In ländlichen Gegenden ist diese Gefahr gering, sodass man sich auf eigene Faust auf die Suche machen und dabei noch versuchen kann, über Coupons oder Sonderangebote ein paar Dollars herauszuschlagen (s. S. 25). Vorteilhaft ist es auch, dort wo man in den USA mit dem Flugzeug ankommt, ein Zimmer vorab zu buchen, da sich die Hotelsuche nach einem langen Flug als unangenehme und eventuell zeitraubende Aufgabe erweisen kann. Geltende Einreisebestimmungen machen die Angabe einer ersten Aufenthaltsadresse (etwa Hoteladresse) ohnehin zwingend notwendig (s. S. 63).

Jugendherbergen

Wer mit kleinem Budget reist, kann durch Übernachtungen in Jugendherbergen (hostels) viel Geld sparen. In Großstädten sind diese Unterkünfte häufig rund um die Uhr geöffnet (ca. 30–40 $/Bett), während sie auf dem Land tagsüber geschlossen sind und erst spätnachmittags öffnen (ca. 15 $/Bett). In der Regel werden Betten in Schlafsälen angeboten, manchmal auch etwas teurere Privatzimmer. In den amerikanischen Hostels kommen nicht nur Rucksackreisende, sondern ganze Familien unter. In den meisten Häusern ist ein eigener dünner Stoffschlafsack obligatorisch (Hostelling International-USA, 8401 Colesville Rd., Suite 600, Silver Spring, MD 20910, Tel. 1-240-650-2100, http://hiusa.org).

Camping

Private, staatliche oder kommunale Campingplätze oder Stellplätze für Recreation Vehicles (RV = Campmobil) gibt es wie Sand am Meer. Vor allem die Anlagen des National Park Service und Forest Service sind preisgünstig (ca. 5–10 $), wenn auch längst nicht so gut ausgestattet wie etwa die entlang der gesamten Ostküste verteilten privaten KOA-Kampgrounds (20–40 $/Nacht, www. koa.com), auf denen man auch Cabins anmieten kann. Bei diesen Cabins handelt es sich um Holzhäuschen mit einem oder zwei Räumen für bis zu 6 Personen, die je nach Lage zum Teil mit AC bzw. Heizung ausgestattet sind. Komfortabler sind Camping Lodges und Camping Cottages inklusive voll ausgestatteter Küche, Klimaanlage und Bad. Schlafsack und Küchenutensilien muss man selbst mitbringen. Für ein Cottage für 2 Personen muss man pro Nacht inklusive Stellplatz für ein Auto mit ca. 50–60 $ rechnen.

Wer mit dem Campmobil unterwegs ist, darf nicht an der Straße übernachten, sondern muss auf einen Campingplatz fahren. Die Chambers of Commerce sowie die Visitors Bureaus halten kostenlose Verzeichnisse über sämtliche Campinganlagen bereit.

Baden

Die makellosesten Badestrände mit dem wärmsten Wasser liegen in Florida auf den Florida Keys sowie an der südlichen Atlantik- und Golfküste. Viele Strände sind flach und auch für Kinder geeignet. Manche wie in Daytona Beach dürfen gegen eine Gebühr mit dem Auto befahren werden. Myrtle Beach (SC), eine im Sommer stark frequentierte Badehochburg, ist eher für junge Leute und Camper geeignet. Das gilt etwa auch für die hippe Partylocation Panama City Beach im Panhandle von Florida.

Golfen

Fabelhafte Voraussetzungen zum Golfen existieren 365 Tage im Jahr vor allem in Florida. Aber auch in anderen Staaten findet man hoteleigene oder öffentliche Anlagen, auf denen man spielen kann. Golfausrüstungen kann man im Allgemeinen leihen. Wer sich Geräte kaufen will, bezahlt in den USA weniger als in Deutschland.

Tauchen

Seit Sir Walter Raleighs Flaggschiff ›Tiger‹ im Jahr 1585 aufgrund lief, sanken vor den Outer Banks (NC) über 1000 Schiffe, u. a. die deutschen U-Boote U-85 und U-701, und machten diese Region zu einem der größten Schiffsfriedhöfe der Welt. Tauchausflüge organisiert **Dive Hatteras** (Saxon Cut Drive, Hatteras Village NC, Tel. 1-703-517-3724, www.divehat teras.com).

Die Florida Keys mit einem Korallenriff auf der Atlantikseite und zahlreichen künstlichen Riffs sind ein Taucherparadies. Besonders reizvoll machen das Unterwasservergnügen die Wracks alter spanischer Segelschiffe. Viele Tauchläden etwa in Key Largo und im John Pennekamp Coral Reef State Park bieten Ausrüstung und Führungen. Im Park kann man auch schwimmen, schnorcheln, campen und picknicken. Zum Angeln benötigt man eine Saltwater-Fishing-Lizenz. Glasbodenboote fahren übers Korallenriff (Mile Marker 102,5, Tel. 1-305-451-6300, http://penne kamppark.com).

Wandern

Ein beliebter Fernwander-Klassiker ist der über 4000 km lange Appalachian Trail durch die Appalachen, die man von den White Mountains in New Hampshire bis in die Great Smoky Mountains in North Carolina durchwandern kann (Informationen: **Appalachian National Scenic Trail NPS Park Office,** Harpers Ferry Center, Harpers Ferry, WV 25425, Tel. 1-304-535-6278, www.nps.gov/appa). Ein weiterer viel frequentierter Fernwanderweg ist der Long Trail in Vermont (Informationen beim **Green Mountain Club,** 4711 Waterbury-Stowe Rd, Waterbury, VT 05677, Tel. 1-802-244-7037, www.greenmountainclub. org). Der zwischen 1910 und 1930 angelegte Weg folgt über 430 km Länge dem Kamm der Green Mountains von der Staatsgrenze zwischen Massachusetts und Vermont bis zur kanadischen Grenze.

Wellness und Fitness

Viele größere Hotels bieten ihren Gästen ein Fitness-Studio zum Teil in Verbindung mit einem Wellness-Bereich an, um der steigenden Nachfrage nach gesundheitsfördernden Freizeitaktivitäten entgegenzukommen. Spas gibt es wie Sand am Meer. Die jeweiligen Angebote umfassen unterschiedliche Massagen, Behandlungen von Maniküre bzw. Pediküre bis Aromatherapien, Ayurveda und Haarentfernung.

Wanderer auf dem Gipfel des Mount Washington in New Hampshire

Wildwasser-Rafting

Vor allem in den Appalachen gibt es ›feuchte‹ Herausforderungen allererster Güte wie etwa den Chattooga River in South Carolina mit seinen wilden Stromschnellen. Die besten Verhältnisse herrschen im Frühjahr und Frühsommer bei hohen Wasserständen. Kinogänger kennen den ungestümen Fluss aus dem 1972 gedrehten Film ›Deliverance – Beim Sterben ist jeder der Erste‹ mit Burt Reynolds (**Wildwater Ltd.,** P. O. Box 309, Long Creek, SC 29658, Tel. 1-866-319-8870, http://wildwaterrafting.com).

Im Südosten von Tennessee wählten die Veranstalter der Olympischen Sommerspiele 1996 den Ocoee River als Austragungsort für die Wildwasserwettbewerbe (kommerzielle Anbieter: **Cherokee Rafting Service,** Hwy 64, P. O. Box 111, Ocoee, TN 37361, Tel. 1-800-451-7238, www.cherokeerafting.com, März–Okt.; **Nantahala Outdoor Center,** 13077 Hwy 19 W., Bryson City, NC 28713–9165, Tel. 1-828-366-7502, www.noc.com, März–Okt.).

Wintersport

Von der kanadischen Grenze im Norden bis nach Connecticut im Süden liegen in den sechs Neuengland-Staaten Dutzende Skigebiete. Die besten Voraussetzungen und die größte Schneesicherheit für das weiße Vergnügen bieten Vermont, New Hampshire und Maine, wo der Betrieb auf Abfahrts- und Snowboarding-Pisten, Langlaufloipen und Schneeschuh-Trails von November bis April/Mai traditionell ein einträgliches Geschäft ist. Neben den ›klassischen‹ Disziplinen spielt auch das Snowmobiling eine bedeutende Rolle, für das in ganz Neuengland Tausende von Kilometern zur Verfügung stehen.

Populäre Skizentren in den White Mountains sind von der I-93 leicht erreichbar wie **Bretton Woods** (Bretton Woods, Tel. 1-603-278-1000, http://brettonwoods.com), **Waterville Valley** (Campton/New Hampshire, Tel. 1-603-236-8311, www.waterville.com), **Loon Mountain** (Lincoln, Tel. 1-603-745-8111, www.loonmtn.com).

Shopping

USA-Kenner reisen mit leichtem Gepäck über den Atlantik, haben aber eine zusätzliche Tasche im Koffer, um auf der Rückreise die Einkäufe verstauen zu können. Zweierlei macht das Shopping im Osten so attraktiv: erstens das riesige Angebot, zweitens die günstigen Preise.

Factory Outlet Malls

Mancherorts bilden Factory Outlet Malls ganze Stadtteile mit fußballfeldgroßen Parkplätzen zwischen den Verkaufsstellen einzelner Firmen bzw. Marken. In Freeport (Maine) war L. L. Bean (www.llbean.com) als Hersteller von Freizeitmode Pionier in Sachen Fabrikverkauf und öffnete das erste ganzjährig und rund um die Uhr geöffnete Shopping Center. Was auf dem Bekleidungsmarkt Rang und Namen hat, folgte bald. Inzwischen haben sich selbst internationale Firmen etabliert. Heute reihen sich an der Main Street Dutzende Geschäfte aneinander, die Marken wie Levis, Tommy Hilfiger, Reebok, Wrangler und Calvin Klein weit unter Normalpreis verhökern (www.freeportusa.com). Ein weiteres Eldorado ist die Stadt Reading in Pennsylvania (www.gogreaterreading.com >Things to do>Shopping>Outlet) mit einem riesigen Angebot aus fast allen Branchen. Die in den Outlets angebotene Mode ist allerdings nicht immer der ›letzte Schrei‹. Häufig werden Modelle aus älteren Kollektionen angeboten.

Die größte Kette von Fabrikverkaufszentren sind die Premium Outlets (www.premium outlets.com) mit landesweit über 50 Standorten hauptsächlich in den östlichen Bundesstaaten, allein sieben davon in Florida. Eine zweite Kette nennt sich Simon Malls (www.simon.com) und ist ebenfalls schwerpunktmäßig im Osten mit über 40 Outlet Malls vertreten. Die Internetseite von OutletsOnline (www.outletsonline.com) gibt einen Überblick auch über andere derartige Shopping Malls.

Fabrikverkauf gibt es im Übrigen nicht nur für Mode. Auch Schuhe, Reisegepäck, Haushaltswaren, Schokolade, Nüsse, Salzbrezeln, Bibeln und Gourmetdesserts, um nur einige Beispiele zu nennen, kommen zu reduzierten Preisen auf den Ladentisch.

Souvenirs

Baseballmützen, Autokennzeichen mit Symbolen und Mottos sowie Orts- und Straßenschilder sind in vielen Souvenirläden die unübersehbaren Renner unter den Reiseandenken. In Indianerreservaten werden Schmuck und anderes Kunsthandwerk wie dekorative Decken und Körbe angeboten. Nashville ist für seine Westernmode und insbesondere für aufwendig verzierte Lederstiefel bekannt. Grundsätzlich sollte man beim Kauf von Reisemitbringseln etwa aus exotischen Fellen oder Tierhäuten aus Artenschutzgründen Vorsicht walten lassen.

Verkaufsaktionen und Steuern

Auf Sommer- oder Winterschlussverkauf braucht man in den USA nicht zu warten. Sonderverkäufe (sales) und spezielle Feiertagsaktionen gibt es das ganze Jahr über. Schaufenster und Waren sind für die permanente Rabattschlacht unübersehbar ausgezeichnet. Nicht nur die Wirtschaft, auch der Staat versucht den Privatkonsum voranzutreiben. New Hampshire erhebt generell keine staatliche Verkaufssteuer und in Massachusetts, Pennsylvania und New Jersey ist Bekleidung steuerfrei. Dasselbe gilt in Delaware für alle Waren außer Automobilen. Wer größere Anschaffungen tätigen will, sollte sich überlegen, in welchem Bundesstaat eingekauft wird. Mit kostenlosen Einkaufskarten etwa von Supermärkten spart man viel Geld.

Während in ländlichen Gebieten nicht selten schon nach Sonnenuntergang ›die Gehsteige hochgeklappt werden‹, erweisen sich viele Städte im Osten der USA als Paradiese abendlicher bzw. nächtlicher Unterhaltung. Die gastronomische Szene setzt sich in Weltstädten wie etwa New York, Philadelphia und Miami aus Lokalen aller Preiskategorien zusammen und gestaltet sich durch eine Vielzahl ethnischer Küchen sehr abwechslungsreich. Häufig treffen sich Beschäftigte nach Dienstschluss in Kneipen und Bars zum After-Work-Drink, was zeitlich meist in die Happyhour zwischen etwa 16 und 19 Uhr fällt, in der Drinks und kleinere Gerichte zum halben Preis serviert werden.

Nachtschwärmer können in großen Städten aus einem kaum zu überbietenden Angebot an Schauspiel- und Musical-Theatern, Konzerten mit klassischer und moderner Musik, Comedy Clubs, Kabaretts, TV-Shows und Diskotheken aussuchen, in denen in der Regel erst nach Mitternacht Stimmung aufkommt, die bis in die Morgenstunden anhält. Selbst manche Museen und Kunstgalerien halten an bestimmten Werktagen ihre Ausstellungen bis um 22 Uhr geöffnet.

In Orlando schließen die großen Themenparks zwar relativ früh am Abend. Aber etwa die Universal Studios schufen außerhalb des Parkeingangs in der Nähe der großen Hotels mit City Walk ein Viertel, in dem Kneipengänger zwischen dem Nascar Cafe im Rennsportdesign, der Bob-Marley-Bar oder dem Hard Rock Café mit Memorabilien berühmter Rocklegenden aussuchen können.

Ein spezielles Vergnügen sind die zahlreichen Spielkasinos, für die im Osten in erster Linie das Gambling-Mekka Atlantic City berühmt ist. Sie sorgen für Unterhaltung rund um die Uhr: mit Spieltischen, Automaten, Shows und ›All-you-can-eat‹-Büfetts.

Go-go-Tänzerinnen in Mango's Tropical Café am Ocean Drive in Miami Beach

Maße, Gewichte und Temperaturen

Längenmaße

1 inch (in.) – 2,54 cm
1 foot (ft.) – 30,48 cm
1 yard (yd.) – 0,9144 m
1 mile (mi.) – 1,609 km

Flächenmaße

1 sq mile – 2,5899 qkm
1 acre – 0,4047 ha
1 sq foot – 0,092903 m^2
1 sq inch – 6,452 cm^2

Hohlmaße

1 pint (pt.) – 0,473 l
1 quart (qt.) – 0,946 l
1 gallon (gal.) – 3,785 l
1 fluid ounce – 29,5735 ml

Gewichte

1 ounce (oz.) – 28,35 g
1 pound (lb.) – 453,592 g (16 oz.)

Temperaturen

Sie werden in Grad Fahrenheit gemessen (°F). Für die Umrechnung gilt die Formel: Fahrenheit minus 32 dividiert durch 1,8 = Grad Celsius. Umgekehrt: Celsius multipliziert mit 1,8 plus 32 = Grad Fahrenheit.

Öffnungszeiten

Die Öffnungszeiten von Geschäften variieren stark, da es in den USA kein Ladenschlussgesetz gibt. Kleinere Läden sind Mo–Sa von 9.30 bis 17, Supermärkte oft bis 21 Uhr geöffnet. Vor allem in Großstädten gibt es zahlreiche Geschäfte, in denen man rund um die Uhr einkaufen kann. Doch auch in ländlichen Gegenden werden Öffnungszeiten nicht selten sehr unkonventionell gehandhabt.

Trinkgeld

Unter *tip* und *gratuity* versteht man in den USA Trinkgeld. Gepäckträger erhalten pro Gepäckstück einen Dollar. Taxifahrer erwarten ca. 15 % des Fahrpreises. In Restaurants ist ebenfalls ein Tip von 15 % auf die Rechnungssumme obligatorisch, falls das Bedienungsgeld im Preis nicht enthalten ist. Ein Blick auf die Rechnung genügt. Auch der Zimmerservice erwartet einen Obolus von ca. 1 $ pro Nacht. Trinkgeld ist in den USA nicht nur eine Anerkennung für freundlichen Service, sondern ein fester Bestandteil des Lohnes, mit dem das Personal rechnet.

Zeit

Der amerikanische Osten liegt in zwei Zeitzonen. Der größte Teil des Reisegebiets fällt in die Eastern Time Zone (MEZ minus 6 Stunden). Lediglich das westliche Tennessee mit Nashville und der Panhandle in Florida gehören zur Central Time Zone (MEZ minus 7 Stunden). Vom zweiten Sonntag im März bis zum ersten Sonntag im November gilt in allen östlichen Bundesstaaten die Sommerzeit *(daylight saving time)*. Im Unterschied zu früher wurde sie im Jahr 2006 um zwei Wochen nach vorne verlegt und endet 14 Tage später als vor der Änderung.

Der Tag in den USA ist nicht in 24 Stunden, sondern in zweimal 12 Stunden eingeteilt. Zwischen Mitternacht und 12 Uhr mittags wird der Uhrzeit ein AM (vor Mittag) hinzugefügt, in der übrigen Zeit ein PM (nach Mittag). Auch was die Schreibweise des Datums anbelangt, gibt es Unterschiede. In den USA wird zuerst der Monat, dann der Tag und schließlich das Jahr genannt. Für den 5. Oktober 2014 würde das also bedeuten: 10/5/2014. Etwa bei Reservierungssystemen von US-Hotels muss dies unbedingt beachtet werden.

Währung und Geld

Banknoten (wegen der grünlichen Farbe auch *greenbacks* genannt) gibt es im Wert von 1, 2, 5, 10, 20, 50, 100, 500 und 1000 Dollar. Zwei-Dollar-Noten tauchen so gut wie nie auf und sind deshalb beliebte Sammlerobjekte. Die Scheine werden mittlerweile zum Teil auch farbig gedruckt. 100-Dollar-Noten werden wegen der Falschgeldgefahr argwöhnisch betrachtet bzw. gelegentlich gar nicht akzeptiert. Bringt man von zu Hause Dollars mit, sollte man gleich beim Kaufen auf der Bank Wert auf kleinere Scheine legen.

Als Münzen gibt es 1 Cent, 5 Cents *(nickel)*, 10 Cents *(dime)*, 25 Cents *(quarter)*, 50 Cents und das seltene Ein-Dollar-Stück.

Schecks und Kreditkarten

Dollar-Reiseschecks existieren noch, kommen aber im Zeitalter von Kredit- und Bankkarten immer mehr außer Mode und werden von manchen heimischen Banken gar nicht mehr ausgegeben. Kreditkarten machen das Bezahlen in vielen Geschäften, Hotels, Restaurants und sogar beim Tanken einfach, da man häufig direkt an der Zapfsäule die Kreditkarte einstecken kann. Ohne ›Plastikgeld‹ ist etwa das Anmieten eines Fahrzeuges unmöglich, zumindest umständlich, weil man eine größere Summe als Garantie hinterlegen muss. Auch wer von unterwegs telefonisch etwa ein Hotel fest reservieren will, muss die Nummer seiner Kreditkarte angeben. Besonders verbreitet sind Visa, Mastercard und American Express. Mit einer PIN-Nummer *(personal identification number)* kann man an Geldautomaten *(ATM – automatic teller machines)* Bargeld abheben. Verwendet man dazu eine Kreditkarte, werden hohe Gebühren fällig. Wer in den USA seine Bankkarte beim Shoppen oder Geldabheben einsetzen will, sollte sich bei seiner Bank nach eventuellen Einschränkungen durch EMV-Chips auf den Karten bzw. V-Pay-Karten erkundigen.

Auf eine USA-Reise Euro-Währung mitzunehmen und unterwegs in amerikanische Dollar umzuwechseln, bringt keine Vorteile, sondern birgt nur das Risiko, dass man ständig viel Bargeld mit sich herumträgt. Außerdem kann man mit der Situation konfrontiert werden, dass etwa kleinere Banken auf dem Land die ausländischen Devisen gar nicht akzeptieren. Euroschecks haben ihre ursprüngliche Bedeutung als Zahlungsmittel längst verloren. In den USA kann man nichts mit ihnen anfangen.

Wer etwa von früheren USA-Reisen noch amerikanisches Münzgeld besitzt, tut gut daran, eine Handvoll Quarters (25-Cent-Münzen) bzw. ein paar kleine Dollarscheine einzustecken. Sie können das Ankommen erleichtern, wenn man Geld etwa zum Telefonieren oder für Kofferträger benötigt.

Falschgeld

Falschgeld ist nicht nur in der Euro-Zone, sondern auch in Amerika ein heißes Thema. Viele Geschäftsleute scheuen 100-Dollar-Noten wie der Teufel das Weihwasser. Seit geraumer Zeit gibt es in den USA aber auch neue 20-Dollar-Noten, bei denen man nach Meinung von Experten verstärkt mit Fälschungen rechnen muss, da die technischen Fertigkeiten von ›Blütenstellern‹ mit der digitalen Technik gestiegen sind. Am besten achtet man auf die drei zentralen Sicherheitsmerkmale der Scheine: Wasserzeichen, Sicherheitsfaden und eine 20 an der unteren rechten Ecke der Frontseite, deren Farbe beim Neigen des Scheins changiert.

Preisniveau

Seit der der Einführung des Euros im Januar 2002 verhält sich dessen Wechselkurs im Verhältnis zum US-Dollar alles andere als stabil. Grundsätzlich jedoch profitieren europäische Touristen während ihres Aufenthalts in den

USA beim Einkaufen und Bezahlen der Reisekosten davon, dass die Kurve des Euros – trotz mehrfacher Rückschläge – langfristig nach oben zu verlaufen scheint. Allerdings hat sich der Euro seit längerer Zeit von Höchstständen um 1,60 $ verabschiedet und pendelt nun grob zwischen 1,20 $ und 1,40 $, d. h. USA-Reisen sind nicht mehr spottbillig, aber immer noch vergleichsweise günstig.

In den USA sind manche Waren bzw. Dienstleistungen um einiges preisgünstiger als in Deutschland, andere sind teurer. Niedrigere Preise bezahlt man etwa für Benzin (momentan liegt der durchschnittliche Preis bei 3,50–4,50 $ pro Gallone = 3,8 l, die regionalen Schwankungen können stark sein), Textilien, insbesondere Jeans, sowie Schuhe und Obst. Besuche guter Restaurants, Eintrittsgebühren für Museen und Vergnügungsparks, Alkoholika und manche Lebensmittel wie etwa Frischmilch sind kostspieliger. Im Supermarkt kommt ein Pack mit 12 Dosen Budweiser auf 8 bis 9 $. Ein Päckchen Zigaretten ist in New York City, wo Spitzenpreise gelten, kaum unter 12 $ zu haben. Am günstigsten bekommt man Raucherwaren in einigen Indianerreservationen.

Sperrung von Bank- und Kreditkarten o. Ä. bei Verlust oder Diebstahl*:

01149-116 116

oder 01149-30 4050 4050
(* Der Notruf ist weltweit die erste zentrale und einheitliche Rufnummer zum Sperren unterschiedlicher elektronischer Berechtigungen wie Kreditkarten, Online-Banking-Zugängen, Handykarten oder der elektronischen Identitätsfunktion des neuen Personalausweises, 24 Std. am Tag, aus dem Ausland gebührenpflichtig. Bitte halten Sie Ihre Bank- oder Kreditkartennummer samt IBAN und SWIFT bzw. Handy- oder Ausweisnummer bereit!)

Auswärts essen

Für ein Frühstück in einem Coffee Shop muss man zwischen 6 und 8 $ veranschlagen. Fällt die Wahl auf ein schnuckelig aussehendes Café neben einem großen Hotel, kann sich die Rechnung auf das Doppelte belaufen. Ein Mittag- oder Abendessen in einem Food Court ist inklusive einem nicht-alkoholischen Getränk für ca. 5 bis 7 $ zu haben. Für 7 bis 10 $ kann man auch an den Lunchbüfetts mancher Schnellrestaurants einkehren. Eine Flasche Bier kostet in einer normalen Bar etwa 3 bis 4,50 $. Ein Abendessen in einem ordentlichen amerikanischen Restaurant schlägt inklusive einem Getränk mit ca. 20 bis 30 $ zu Buche. Günstiger sind chinesische Restaurants oder Büfetts, wo man für die Hälfte speisen kann.

Selbstverpfleger können sich an den heißen Theken großer Supermärkten mit gekochtem Essen für ca. 5 bis 8 $ pro warmer Mahlzeit versorgen. Auch heißen Kaffee bekommt man dort für ca. 1,80 $, also erheblich billiger als im regulären Café.

Fahrtkosten

Fährt man mit dem Greyhound-Bus von Washington D. C. nach New York oder von New York nach Boston, kostet das mit Online-Ticket jeweils rund 18 $. Mit der Bahn bezahlt man für dieselben Strecken mindestens 83 $. Für ein Taxi vom Airport in Miami in die Lincoln Road in Miami Beach sind ca. 32 $ fällig, die Fahrt vom JFK Flughafen New York nach Manhattan kostet 52 $. Wer etwa mit einem durstigen Wohnmobil (der Verbrauch liegt bei diesen Fahrzeugen zwischen 22 und 28 l pro 100 km) in den USA unterwegs sein will, sollte bei der Reiseplanung Benzin- und Dieselpreise berücksichtigen. Sie liegen zwar niedriger als in Europa, aber im Riesenland USA neigt man dazu, große Strecken zurückzulegen. Außerdem spart man, wenn man mit vollem Tank in abgelegene Gegenden fährt, wo die Benzinpreise oft höher sind.

Reisezeit und Reiseausrüstung

Amerikas Hauptreisezeit liegt zwischen Memorial Day (letztes Maiwochenende) und Labor Day (erstes Septemberwochenende). In diesen Zeitraum fallen die Sommerferien der meisten Schulen, und viele Familien nutzen diese Monate zum Ausspannen. Aus diesem Grund sind in der Hauptsaison Sehenswürdigkeiten und landschaftlich interessante Gegenden wie Nationalparks und State Parks ebenso wie Badeorte dem Ansturm einheimischer Touristen ausgesetzt.

Die besonderen klimatischen Verhältnisse im südlichen Florida verschieben die Hauptreisezeit dort auf November bis April. Einige Breitengrade weiter nördlich, etwa im Panhandle von Florida, in Georgia und den Carolinas, ist von Mai/Juni bis Oktober sogenannte *Peak Season*. In Neuengland, New York State und dem nördlichen Pennsylvania muss man bereits ab Ende September bei tagsüber noch warmem Wetter mit kühlen Nächten rechnen, die den Indian Summer mit den bunt verfärbten Laubwäldern ankündigen. Diese Jahreszeit mit ihrem einzigartigen Naturschauspiel löst in Neuengland nach dem Hochsommer eine zweite Hochsaison aus, in der es fast noch turbulenter zugeht.

Kleidung und Ausrüstung

Wer im Herbst an die nördliche Ostküste reist, tut gut daran, warme Kleidungsstücke mitzunehmen. Die kann man mitunter selbst im Hochsommer im südlichen Florida gebrauchen, weil in manchen Lokalen und Einkaufsmärkten die Klimaanlagen zuweilen für arktische Temperaturen sorgen. Grundsätzlich ist in den USA legere Freizeitkleidung üblich. Konzerte oder ähnliche Kulturveranstaltungen und gehobene Restaurants sollte man aber auch im unkonventionellen Amerika nur adäquat bekleidet besuchen.

Wichtige Reiseausrüstungen besorgt man zu Hause, um im Urlaub keine wertvolle Zeit zu vertrödeln. Da die Stromspannung in den USA 110 Volt beträgt, sind manche von zu Hause mitgebrachten Geräte nur zu betreiben, wenn sie von 220 Volt auf 110 Volt umgestellt werden können oder sich automatisch umstellen (wie etwa Laptops). Ein Adapter aus dem Fachhandel ist auf jeden Fall notwendig, da deutsche Stecker nicht in US-Steckdosen passen. Ständig benötigte Medikamente gehören ins Handgepäck, falls der Koffer auf dem Flug verloren geht. Muss man besondere Medikamente einnehmen, die in den USA eventuell als Drogen eingestuft werden könnten, ist es hilfreich, ein ärztliches Attest oder ein Rezept bei sich zu haben.

Wetter

Die amerikanische Ostküste dehnt sich zwischen Kanada und Karibik über eine Distanz von fast 3000 km in Nord-Süd-Richtung aus. Für das Klima einzelner Regionen ist dies von ausschlaggebender Bedeutung und macht für alle Landesteile gültige Angaben über das Wetter so gut wie unmöglich. Aussagekräftiger sind Werte über den Norden, die Mitte und den Süden der Ostküste. Als Faustregel gilt: Je weiter nördlich man sich befindet, desto kühler sind die Lufttemperaturen und desto ungemütlicher wird das Baden im Meer. Die im Jahresdurchschnitt höchsten Temperaturen herrschen folglich am südlichen Ende der Florida Keys, wo das ganze Jahr über auch angenehme Badetemperaturen vorzufinden sind.

Der Norden

In den sechs Neuenglandstaaten sowie den benachbarten Gebieten herrscht Kontinentalklima mit meist sehr frostigem Winter und schwül-warmen Sommertemperaturen, wobei sich die Klimawechsel in der Regel viel schneller vollziehen als etwa in Europa und meist auch extremer ausfallen. Die günstigste

Reisezeit dauert von Mitte Mai bis Mitte Oktober, wobei gerade die Herbstmonate zwischen Mitte September bis in den beginnenden November hinein prächtiges Wetter und vor allem grandiose Laubverfärbungen mit sich bringen können. Kein Wunder, dass der Indian Summer in Neuengland zur Hauptsaison zählt. Trotz der nördlichen Lage herrschen im Hochsommer in Neuengland nicht selten hohe Tagestemperaturen mit unüblicher Luftfeuchtigkeit. Der Grund: Da es keine in Ost-West-Richtung verlaufenden Gebirgszüge an der Ostküste gibt, können aus dem Süden schwül-warme Luftmassen ungestört bis in den hohen Norden vordringen. Umgekehrt kommt es in der kalten Jahreszeit hin und wieder vor, dass aus Kanada kommende Kaltluft an den Appalachen entlang bis in den Süden vorstößt. Solche Kaltlufteinbrüche bescheren der mittleren und südlichen Atlantikküste hin und wieder stattliche Schneemengen und dezimierten in Florida seit Beginn der Wetteraufzeichnungen schon mehrfach Teile der im Zentrum der Halbinsel liegenden Zitrusfruchtplantagen.

Die Mitte

An der mittleren Atlantikküste herrschen von April bis Oktober überwiegend moderate Temperaturen. Dennoch steigen die sommerlichen Höchsttemperaturen nicht selten auf über 30 °C, während die Mindesttemperaturen kaum jemals unter 20 °C sinken. Die Winter sind im Grunde genommen mit der kalten Jahreszeit in Deutschland vergleichbar, weil häufig mehr Regen als Schnee fällt und die Temperaturen zwischen dem Gefrierpunkt und ca. 8 °C pendeln. Trotzdem kann es gelegentlich zu heftigen Schneefällen kommen, die das öffentliche Leben hauptsächlich in den Großstädten manchmal temporär lahm legen.

Wer sich an der mittleren Atlantikküste auf Städtetouren konzentriert, ist mit dem Früh- bzw. Spätsommer sicherlich besser beraten als mit dem Hochsommer, wenn die Häuserschluchten von Metropolen wie Washington D. C. und Philadelphia hin und wieder in schwüler Hitze schmachten und die Einwohner an den Wochenenden an die Meeresküste flüchten.

Klimadaten New York

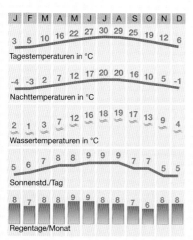

Klimadaten Miami

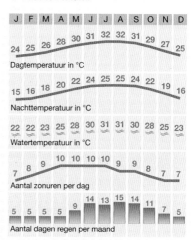

Die Golfküste von Florida ist für ihre dramatischen Sonnenuntergänge bekannt

Der Süden

Florida ist der südlichste Staat der Vereinigten Staaten. Im Sommer wie im Winter mäßigt das Meer Extremtemperaturen an den Küstensäumen. Grundsätzlich existieren auf der Halbinsel zwei Klimazonen mit sehr unterschiedlichen Wetterbedingungen, wobei die Trennlinie etwa auf Höhe von Orlando verläuft. Im nördlichen Landesteil herrscht gemäßigtes Klima, doch können Juli und August ebenso heiß werden wie im Süden. Im Winter fällt in den höheren Lagen des Panhandle gelegentlich Schnee, der aber höchstens wenige Stunden liegen bleibt. Südlich von Orlando herrschen subtropische Wetterbedingungen mit milden Temperaturen und wenig Feuchtigkeit von November bis April, der Hauptsaison. Von Mai bis Oktober sind die Tagestemperaturen höher, aber durch die Einflüsse des Meeres häufig sogar niedriger als beispielsweise in New York City. Diese Jahreszeit ist im Süden durch hohe Luftfeuchtigkeit und Gewitter bzw. Stürme durchschnittlich an jedem zweiten Tag gekennzeichnet. Mit den teils ausgiebigen Gewitterregen ist in der Regel ein Temperatursturz um mehrere Grade verbunden, was Sommertage sehr angenehm gestalten kann. Vor allem Hurrikans machen von sich reden, die Jahr für Jahr zwischen Juni und November über diesen Landesteil herfallen und zum Teil katastrophale Verwüstungen hinterlassen.

www.wetter.net >Welt>USA: Unter dieser Internetadresse bekommt man Wetternachrichten über die USA insgesamt oder über zahlreiche Städte inkl. Vorhersagen für die folgenden vier Tage.

Gesundheit und Sicherheit

Das amerikanische Gesundheitswesen befindet sich auf hohem Standard, die Kosten stehen dem in nichts nach. Bei **medizinischer Versorgung** ist Vorauskasse üblich, was schnell sehr teuer werden kann. Gesetzliche Krankenkassen übernehmen keine in den USA anfallenden Arztkosten, sodass der Abschluss einer Auslandskrankenversicherung sinnvoll ist. Dabei sollte man auf die Konditionen achten und zudem dafür Sorge tragen, dass auch eventuelle Rücktransporte im Versicherungskatalog enthalten sind. In den Gelben Seiten der Telefonbücher stehen die Adressen von Ärzten *(physicians)*, Zahnärzten *(dentists)* und Krankenhäusern *(hospitals)*. Auch große Hotels oder die Telefonvermittlung (Tel. 0) helfen gern bei der Adressensuche.

Mückenschutz ist in den USA wichtig, seit bekannt ist, dass der West-Nil-Virus von Stechmücken auf Menschen übertragen werden kann. Infektionen verlaufen in 80 % der Fälle harmlos. Bei Kindern, alten und geschwächten Menschen kann es zu Komplikationen kommen. Einzige Prophylaxe ist wirkungsvoller Schutz vor Stichen. Wer sich zwischen Juni und November in den USA aufgehalten hat, darf wegen einer potenziellen Virus-Übertragung nach der Rückkehr vier Wochen lang kein Blut spenden.

Bei der Einreise sind keine **Impfnachweise** notwendig. Eine Tetanus-Impfung sollte allerdings zum Standard gehören. Rezepte amerikanischer Ärzte werden in Pharmacies oder Drugstores angenommen, die sich oft in Supermärkten befinden. Dort bekommt man auch manche Medikamente, die hierzulande nicht frei verkäuflich sind.

Im Sonnenstaat Florida taucht vielerorts eine Baumart namens Gumbo auf. Einheimische sprechen gerne vom ›Touristenbaum‹, weil seine Stämme und Äste rötlich gefärbt sind und sich schälen. Um trotz intensiven Sonnenbadens nicht mit diesem Baum verglichen zu werden, bedarf es im Sommer einiger Vorsichtsmaßnahmen gegen **Sonnenbrand**. Am kräftigsten scheint die Sonne zwischen 10 und 15 Uhr. Wer sich zu dieser Tageszeit an den ungeschützten Strand begibt, sollte Sonnenschutz mit einem Faktor von mindestens 15 verwenden (wer schon Vor-Bräune hat, benötigt einen geringeren Schutzfaktor). Selbst bei dunstigem Wetter sollte man sich vorsehen, da sich ultraviolette Strahlen durch Dunst nicht abhalten lassen. Auch Wasser schützt nicht vor Sonnenbrand.

Beim **Schwimmen im Meer** muss man mit Gefahren wie Strömungen und Gezeitenunterschieden rechnen. Gegen Strömungen anzukämpfen, bringt außer Kraftverlust in der Regel wenig. Besser lässt man sich in diesem Fall wegziehen, weil sich die Strömungsverhältnisse oft auf relativ geringen Distanzen verändern und man dann die Möglichkeit hat, diagonal auf das Ufer zuzuschwimmen.

Zu manchen Jahreszeiten tauchen an der Küste des Golfes von Mexiko, aber auch an manchen Atlantikabschnitten **Quallen** auf. Kommt man mit ihnen in Kontakt, kann man sich Hautverbrennungen zuziehen. Ein Profimittel zur Linderung: die betroffene Hautstelle erst mit einer Hand voll Sand abbrubbeln, dann Fleischweichmacher, den man vorsorglich von zu Hause mitbringt, daraufstreuen.

Vorsicht! Wie in vielen Großstädten der Welt gibt es auch in den Ballungsräumen an der US-Ostküste Stadtteile mit sozialen Brennpunkten, die man meiden sollte, auch weil es dort in der Regel keine lohnenden Sehenswürdigkeiten gibt. In Städten gilt: Autofenster geschlossen halten, Autotüren grundsätzlich von innen verriegeln.

Notruf: 911
Die Notrufnummer gilt landesweit. Ein Telefonist *(dispatcher)* verbindet mit Polizei, Feuerwehr oder Krankenwagen.

Post

United States Postal Service (USPS) ist der Hauptanbieter neben zahlreichen privaten Firmen wie UPS, Fedex, Airborne und DHL, bei denen Kunden mit einem eigenen Konto Prozente bekommen. Das Porto unterscheidet sich nach der gewünschten Zustelldauer. So kostet bei USPS ein Standardbrief innerhalb der USA 0,49 $, bei größerem Umschlag 0,91 $. Eine Postkarte muss mit 0,34 $ frankiert werden, internationale Briefe und Postkarten mit 1,15 $. Briefmarken bekommt man in Filialen von Zustellfirmen, an Hotelrezeptionen und in Souvenirshops.

Die meisten Niederlassungen von USPS sind von 8.30 bis 17.30 Uhr geöffnet, in großen Städten manchmal rund um die Uhr. Postfächer vermietet die US-Post nur an Kunden mit Wohnsitz im Land. Private Postanbieter bieten Postfächer auch Nicht-US-Bürgern an, sofern man das Fach im Voraus bezahlt. USPS befördert Postkarten/Briefe per Luftpost nach Europa in ca. einer Woche. Per Express geht es schneller, ist aber auch teurer.

Telefonieren

Das Telekommunikationsgeschäft liegt in Händen verschiedener Firmen. Um vom Hotelzimmer oder öffentlichen Telefon zu telefonieren, gibt es mehrere Möglichkeiten. Die preiswerteste sind **Prepaid Phone Cards.** Diese sind so groß wie Kreditkarten und werden von unterschiedlichen Anbietern in Supermärkten, Souvenirshops, an Tankstellen und vielen anderen Läden verkauft, wobei sich der Preis nach gekauften Einheiten richtet. Die preiswerteste ist für 5 $ zu haben. Wie viele Einheiten telefoniert werden können, steht auf der Rückseite, allerdings bezogen auf nationale Einheiten. Man wählt die aufgedruckte 1-800- oder 1-888-Telefonnummer und wird dann aufgefordert, die ebenfalls auf der Karte frei-

gerubbelte Geheimzahl einzugeben. Danach folgt wie bei einem normalen Telefongespräch die Nummer des gewünschten Teilnehmers.

Will man sich im Lande vom **Telefondienst** *(operator)* vermitteln lassen, wählt man Tel. 0. Für Auslandsgespräche gilt folgende Nummernfolge: 011 + Ländercode + Vorwahl (ohne 0) + Rufnummer (Ländercodes: Deutschland 49, Schweiz 41, Österreich 43). 800- bzw. 888-Nummern sind kostenlose Firmennummern etwa von Hotels, Bed-&- Breakfast-Unterkünften und Restaurants. Man kann sie nur innerhalb der USA anwählen, muss aber grundsätzlich zuerst eine ›1‹ wählen. Manche Hotels verlangen mittlerweile auch für das Anwählen dieser Nummern Gebühren.

Mobil telefonieren

Um in den USA mobil telefonieren zu können, benötigt man wegen der unterschiedlichen US-Frequenzen entweder ein Triband- oder ein Quadband-Handy. Mit dem Triband-Handy (1900 MHz) hat man meist nur in wenigen Großstädten Netzempfang. Empfehlenswerter sind Quadband-Handys, die außer den europäischen Frequenzen auch die beiden amerikanischen (1900 und 850 MHz) unterstützen. Wer in den USA den deutschen Mobilfunkanschluss nutzt, muss mit hohen Roaminggebühren rechnen. Abhilfe schafft eine für USA-Reisende entwickelte kostenlose Cellion USA-SIM-Karte der BlueBell Telecom AG (www.cellion.de). Übrigens: in den USA spricht man nicht von ›Handy‹, sondern von *cell phone* oder *mobile phone*.

Eine zweite ›Handy‹-Variante ist der Kauf eines Prepaid-Telephone ohne Vertrag, ohne Aktivierungsgebühr, inklusive Gesprächsguthaben ab 30 Minuten. Über eine Codenummer kann man die Geräte nachladen. Das funktioniert aber auch, indem man in Fachgeschäften eine neue Karte mit einer Codenummer nachkauft, wenn das integrierte Einheitenguthaben abtelefoniert ist. Solche Karten und passende Handys bekommt man in

Filialen großer Computergeschäfte bzw. Radio- und TV-Fachgeschäfte wie CompUSA, Best Buy, Office Depot, Office Max, Radio Shack und AT&T Wireless Stores.

Internetzugang mit Notebook, Tablet etc.

Im Hotel

Längst ist die Hotellerie auf die Kommunikationsbedürfnisse ihrer Kunden eingestellt, die im Urlaub oder auf Geschäftsreisen auf Neuigkeiten aus dem Internet oder auf einen E-Mail-Zugang nicht verzichten wollen. Selbst Discount-Motels werben mit WiFi, wie in den USA die kabellose Internetverbindung WLAN genannt wird. Mit einem Laptop, Smartphone oder Tablet kann man sich entweder auf dem eigenen Zimmer oder zumindest in der Hotellobby einloggen. Manche Unterkünfte stellen solche Verbindungen kostenlos zur Verfügung, andere lassen sich dafür bezahlen. In der Regel benötigt man einen bestimmten Code, um über seinen Browser eine Verbindung mit dem Internet herzustellen. Je nach Reisegebiet bzw. Hotelkategorie handelt es sich um eine schnelle oder eher ›gemütliche‹ Verbindung in ein normalerweise ungeschütztes Netz. Also: Vorsicht mit sensiblen Daten!

Unterwegs

In den meisten Städten gibt es Cybercafés und Internetcafés, in denen man gegen wenig Geld online gehen kann. Gelegentlich handelt es sich dabei um normale Cafés, die einen Internetzugang besitzen, den man mit dem eigenen Laptop bzw. Tablet nutzen kann. Kostenlosen Internetzugang bieten öffentliche Bibliotheken und große Computerzentren an. Auch zahlreiche Fastfoodketten und Flughäfen verfügen mittlerweile über WLAN-Hotspots, über die man per Laptop Kontakt aufnehmen kann.

Die Website www.wififreespot.com führt massenhaft WLAN-Spots von Flughäfen, Hotels und Campingplätzen auf. Auf der Internetseite www.worldofinternetcafes.de (>Internet Cafe Nordamerika>Internet Cafe USA) sind Internetcafés in allen US-Bundesstaaten aufgelistet. Die Cafékette Starbucks bietet in allen Filialen einen Highspeed-Wireless-Internetservice an. Was Gäste selbst mitbringen müssen, ist ein mit einer Wi-Fi (802.11b) Wireless Card ausgestattetes Notebook, ein Smartphone oder ein Tablet. Möglichkeiten für einen kostenlosen Zugang zum Internet bieten auch die Niederlassungen der Buchhandelskette Barnes & Noble, FedEx-Büros sowie die Filialen von McDonald's. Das Gerät muss man jeweils selbst mitbringen.

Wer in seiner Netzkommunikation unabhängig sein will, kann sich für eine bestimmte Zeit einen WLAN-Mini-Hotspot für den mobilen Internetzugang mieten (1 GB-Paket für zwei Wochen, ausreichend für E-Mail, Facebook usw. 62 €, Infos unter www.fonecards.de >USA WLAN Mini HotSpot).

Zeitungen/Zeitschriften

Zu den am weitesten national verbreiteten Zeitungen gehört ›USA Today‹, die man entweder an Zeitungskiosks oder an Münzautomaten kaufen kann. Neben anderen überregionalen Zeitungen wie etwa ›New York Times‹ oder ›Washington Post‹ gibt es viele lokale und regionale Blätter, in denen man meist vergeblich nach Weltnachrichten sucht. In großen Städten und auf internationalen Flugplätzen werden ausländische Tageszeitungen und Magazine in meist nur bescheidener Auswahl verkauft. Auch in den USA hat sich die Situation der Printmedien stark verändert. Zeitungen sind zunehmend der Konkurrenz durch TV und andere elektronische Medien ausgesetzt und vertrauen deshalb immer mehr auf eine Plattform im Internet.

Vom Cadillac Mountain fällt der Blick auf die atemberaubende weite Landschaft des Acadia National Park

Unterwegs im Osten der USA

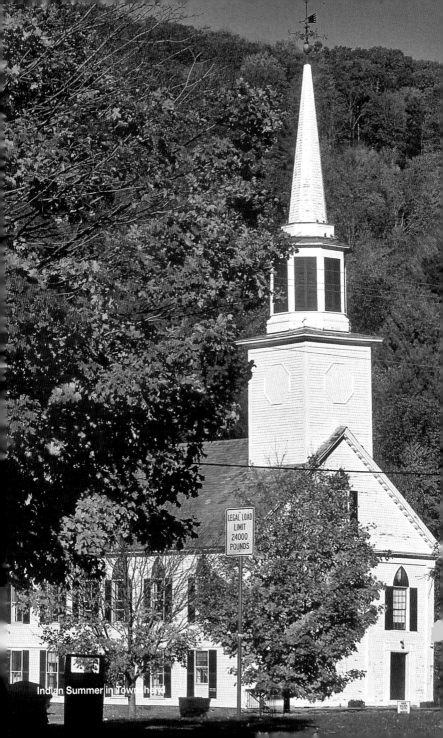

LEGAL LOAD
LIMIT
24000
POUNDS

Indian Summer in Townshend

Kapitel 1

Neuengland

Blitzsaubere Dörfer mit weiß getünchten Holzhäusern inmitten von bunt verfärbten Laubwäldern: Die sechs Bundesstaaten im Nordosten kommen ihrem Bilderbuchimage in der Wirklichkeit sehr nahe.

Landschaft, Klima und Vegetation Neuenglands sind wegen des eher nordeuropäischen Charakters Besuchern aus der Alten Welt geradezu vertraut. Das gilt auch für die Mentalität der Menschen, deren europäische Vorfahren vor fast 400 Jahren den Nordosten kolonisierten. Erste Colleges und Universitäten wie Harvard und Yale markierten Amerikas geistiges Zentrum, lange bevor um die Mitte des 18. Jh. die amerikanische Revolution Konturen anzunehmen begann. Besucher stoßen fast überall auf historische Spuren, von den Hexenprozessen in Salem bis zur literarisch von Herman Melville verewigten Walfangindustrie am Cape Cod und von den ersten Schüssen des Unabhängigkeitskriegs bis zur berühmten Boston Tea Party, mit der Amerika einen wichtigen Schritt zur Abkopplung vom Mutterland England signalisierte. Dennoch ist Neuengland nicht in der Vergangenheit stecken geblieben. Die gar nicht so heimliche Hauptstadt Boston zählt zu den modernen Metropolen des Landes mit vibrierendem City

Life. Die Mischung aus gestern und heute, aus Städten voller Vitalität und Historie mit einer malerischen Naturszenerie macht die Region zu einem Reiseziel, das als ›Einstieg‹ in Sachen Amerika passender nicht sein könnte.

Auf einen Blick
Neuengland

Sehenswert

1 **Boston:** Der Freedom Trail im Zentrum der Metropole führt zu den bedeutenden historischen Stätten der Stadt (s. S. 88).

2 **White Mountains:** New Hampshires ›flammende‹ Wälder ziehen im *Indian Summer* in ihren Bann (s. S. 109).

Nubble Light: Der bei York an der Küste von Maine liegende Leuchtturm hat schon immer Maler und Fotografen fasziniert (s. S. 140).

Mystic Seaport: Das größte Seefahrtsmuseum der USA lässt mit seinen Oldtimer-Schiffen eine Atmosphäre wie in längst vergangenen Zeiten aufkommen (s. S. 160).

Schöne Routen

Kancamagus Highway: Die Strecke in den White Mountains von New Hampshire folgt einem alten Indianerpfad und verbindet Conway und Lincoln. Im Indian Summer gilt sie als eine der schönsten Routen in Neuengland (s. S. 113).

Rund um Cape Cod: Die Straße um die Insel Cape Cod zeigt das Ferienparadies als auf drei Seiten vom Meer umspülten Küstenflecken mit typisch neuenglischen Ortschaften und naturbelassenen Stränden (s. S. 121). Abstecher auf die Inseln Martha's Vineyard (s. S. 122) und Nantucket (s. S. 125) bieten sich an.

Von Boston zum Acadia National Park: Die Küstenroute (s. S. 133), teils direkt an der Küste verlaufend, erlaubt Abstecher an das malerische Cape Ann (s. S. 137), die zerklüftete Steilküste im Bundesstaat Maine und in stimmungsvolle Fischer- und Ferienorte (s. S. 140).

Meine Tipps

Gipfelsturm auf den Mount Washington: Ein unvergessliches Erlebnis ist eine Fahrt mit der Cog Railway oder mit dem Auto auf den nur 1917 m hohen, aber abenteuerlichen Berg (s. S. 111).

Kein Restaurant wie jedes andere: Seit Jahren versuchen die Offiziellen des Ortes vergeblich, das Lokal in Rockland zu schließen, weil ihnen nicht nur der Besitzer, sondern auch sein Etablissement ein Dorn im Auge sind. Aber Conte's hält sich, unter anderem wegen der unvergleichlichen Qualität seiner Fisch- und Meeresfrüchtespeisen (s. S. 148).

Ausflug in die indianische Vergangenheit: Interaktive Ausstellungen führen die Besucher auf einer spannenden Reise durch die 18 000-jährige Geschichte der lokalen Indianer im Mashantucket Pequot Museum & Research Center (s. S. 160).

aktiv unterwegs

Zu Fuß durch Bostons Klein-England: Ein Spaziergang durch den Stadtteil Beacon Hill kommt einer Tour durch ein typisch englisches Wohnviertel mit Backsteinhäusern und putzigen Gärten gleich (s. S. 96).

Strampeln in der Meeresbrise: Kaum eine Küste in Massachusetts eignet sich besser für erfrischende Radausflüge als Cape Cod (s. S. 126).

Fahrradtour durch Newports Millionärswinkel: In der zweiten Hälfte des 19. Jh. ließen sich Schwerreiche bei Newport (Rhode Island) Paläste bauen, die heute noch von einem noblen Lebensstil zeugen (s S. 158).

Die inoffizielle Hauptstadt der Region als die ›Grande Dame‹ von Neu-england zu bezeichnen, trifft den Charakter der 637 000-Seelen-Metro-pole. Natürlich sieht man ihr das würdevolle Alter an und spürt ihre bewegte Vergangenheit auf Schritt und Tritt. Dennoch ist sie jung und lebhaft geblieben und hat gelernt, mit dem Zeitenwechsel zu leben.

Blaue Stunde am Rande des Boston Com-mon. Untergehakte Pärchen schlendern über die Fußwege am Schwanenteich. Ein Händ-ler mit Irokesenfrisur schiebt seinen mit Stars & Stripes geschmückten Hot-Dog-Stand nach Hause. In einer Ecke des Parks lümmeln sich junge Leute auf dem Rasen und lauschen einer schwarzen Band, die gegen moderne Formen der Sklaverei anspielt. Transparente mit politischen Slogans flattern zwischen den Bäumen, als gelte es, die jahrhundertealte Rolle der Parkanlage als Ort politischer Kund-gebungen und Demonstrationen neu zu bele-ben. Schon im 17. Jh. funktionierten die Bos-tonians die ehemalige Kuhweide in ein Ver-sammlungsfeld um, auf dem die Geschicke des Landes diskutiert wurden.

Wer nach Boston kommt, will etwas über die geschichtliche Rolle der um 1630 von Pu-ritanern gegründeten Stadt erfahren. Der lo-kale ›Strich‹ hilft dabei. Unübersehbar mar-kiert eine rote Linie auf dem Straßenpflaster den Freedom Trail, an dem sich über ein Dut-zend Originalschauplätze der Entstehungs-geschichte der USA wie in einem Openair-Museum aneinander reihen. Der Reiz des ›Pfades‹ besteht darin, dass er mitten durch das Herz Bostons führt und seinen Absolven-ten erlaubt, den Ausflug in die wechselvolle Vergangenheit der Stadt hin und wieder mit einem ›Seitensprung‹ in eine Boutique oder ein gemütliches Straßencafé zu verbinden.

Abseits des Freedom Trail hält Boston wei-tere historische Preziosen bereit wie den aus Ziegelbauten bestehenden Stadtteil Beacon

Hill oder die altehrwürdige Harvard Univer-sity in Cambridge. Auch die Museumsszene braucht den Vergleich mit anderen Städten nicht zu scheuen.

Über all der Geschichte und Kultur könnte man fast vergessen, dass Boston auch eine Stadt zum Flanieren ist, in der die meisten Sehenswürdigkeiten und interessanten Stadt-teile so kompakt beieinander liegen, dass man sie zu Fuß erreichen kann. Ohne auf-dringlich zu wirken, macht es die stilvolle ›Grande Dame‹ von Neuengland ihren Besu-chern leicht, sie zu mögen.

Der Freedom Trail

Cityplan: S. 90

Boston empfängt Besucher mit europäi-schem Charme, ohne den amerikanischen Akzent zu verbergen. Nicht nur Amerikaner wandeln andächtig über den gut 4 km langen **Freedom Trail** (Pfad der Freiheit, www.the freedomtrail.org), an dem über ein Dutzend geschichtlich bedeutende Stätten liegen. Bostons bekannteste Stadttour beginnt am **Boston Common** 1, dem ältesten öffentli-chen Park der USA, an dessen östlicher Flan-ke das **Visitor Center** an der Tremont Street hilfreiche Freedom-Trail-Pläne für eine Er-kundung auf eigene Faust bereithält. Nach der Stadtgründung im Jahr 1630 hatte die grüne Oase zahlreiche Funktionen. Bis 1830 grasten dort Kühe lokaler Farmer, und bis 1817 wurden auf der Wiese zum Tode Verurteilte in aller Öffentlichkeit dem Strang übergeben. Aber auch die Bürger der Stadt nutzten die weitläufige Grünanlage, um gegen die britische Politik zu demonstrieren, weil dort seit jeher Rede- und Versammlungsfreiheit herrschte. So wurde der Park mit seinen an den Unabhängigkeits- und Sezessionskrieg erinnernden Denkmälern über die Jahrhunderte zu einer unantastbaren Institution, seit der Amerikanischen Revolution getränkt mit dem Herzblut der örtlichen Bevölkerung.

State House ❷

Am nördlichen Rande des Boston Common hat am Hügelaufstieg in das Viertel Beacon Hill das **State House** seinen Platz, Regierungssitz und Parlament des Bundesstaats Massachusetts. Als das nach Plänen von Charles Bulfinch errichtete Gebäude am 11.

Januar 1798 eingeweiht wurde, besaß es die beiden Seitenflügel noch nicht, sie wurden erst später angebaut.

Auffälligstes Merkmal ist die ursprünglich mit Holzschindeln gedeckte Kuppel, die später mit Kupferblech aus der Werkstatt der Revolutionslegende Paul Revere (s. S. 93) überzogen und 1874 vergoldet wurde. Im Innern ist die Doric Hall mit Statuen und Gemälden bedeutender historischer Persönlichkeiten wie George Washington und John Hancock ausgestattet.

In der Lobby fallen gleich die zehn dorischen Säulen ins Auge, die ursprünglich aus Pinienholz bestanden, später dann aber durch feuersichere, mit Gips verkleidete Eisenträger ersetzt wurden (Beacon St./Park St., kostenlose Führungen Mo–Fr 10–15.30 Uhr, eine Voranmeldung ist obligatorisch un-

Das Old State House am Freedom Trail inmitten von Wolkenkratzern

Boston

Sehenswert
1. Boston Common
2. State House
3. Park Street Church
4. Old South Meeting House
5. Old State House
6. Faneuil Hall
7. Quincy Market
8. Paul Revere Church
9. Old North House
10. Bunker Hill Monument
11. USS Constitution
12. Museum of Science
13. New England Aquarium
14. Boston Tea Party Ship
15. Institute of Contemporary Art
16. Otis House Museum
17. Museum of Afro-American History
18. Nichols House Museum
19. Louisburg Square
20. Acorn Street
21. Copley Square
22. Prudential Center
23. Christian Science Church
24. Museum of Fine Arts
25. Isabella Stewart Gardner Museum

Übernachten
1. Boston Harbor Hotel
2. Colonnade Hotel
3. Lenox Hotel
4. Newbury Guest Hotel
5. Copley Square Hotel
6. Constitution Inn
7. Buckminster Hotel
8. Beacon Inn 1087
9. Copley House
10. HI-Boston Hostel

Essen & Trinken
1. Durgin Park
2. La Famiglia Giorgio's
3. Union Oyster House
4. Marliave
5. Beacon Hill Bistro
6. Market Boston
7. Lala Rokh
8. Sonsie
9. Deli One
10. Panificio

Einkaufen
1. Copley Place
2. Prudential Center

Abends & Nachts
1. Bull and Finch Pub/Cheers
2. The Estate

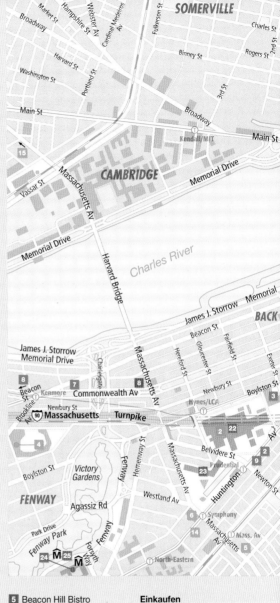

Legend

3 Royale
4 Who's on First
5 Wally's Café
6 Boston Symphony Orchestra
7 Hatch Shell
8 Boston Lyric Opera

9 Colonial Theatre
10 Opera House
11 Shubert Theatre
12 Wang Theatre
13 Wilbur Theatre
14 Huntington Theatre
15 Loeb Drama Center

Aktiv

1 Historic Tours of America/ Ghosts & Gravestones
2 Boston Whale Watch

Boston

Kirchen mit Vergangenheit

Blickt man von der Tremont Street Richtung Stadtzentrum, erkennt man vor der Hochhaus-Skyline den nadelspitzen Turm der 1809 erbauten **Park Street Church** 3, in der heute noch Gottesdienste stattfinden. Der filigrane, 66 m hohe Turm der Kirche, der häufiger als andere Gebäude auf Postkarten zu sehen ist, wurde zu einer Art Wahrzeichen von Downtown Boston (Park/Tremont St., Mitte Juni/Aug. Di–Sa 9.30–15 Uhr, sonst nach Voranmeldung).

Bevor die Park Street Church gebaut wurde, stand an Ort und Stelle ein Kornspeicher, der dem angrenzenden **Old Granary Burial Ground** den Namen gab. Im Schatten der Baumkronen liegen die Gräber von Patrioten der amerikanischen Revolution: drei Unterzeichnern der Unabhängigkeitserklärung, John Hancock, Robert Treat Paine und Samuel Adams, sowie acht Gouverneuren. Eine Plakette am Zaun um den Friedhof besagt, dass dort auch Paul Revere seine letzte Ruhestätte gefunden hat (Tremont St., tgl. 10–17 Uhr, Eintritt frei).

Kein Gebäude der Stadt spielte in der Revolutionsgeschichte zu Beginn der zweiten Hälfte des 18. Jh. eine so bedeutende Rolle wie das backsteinerne **Old South Meeting House** 4 von 1729. Ursprünglich eine Kirche, wurde aus dem Ziegelbau in den 70er-Jahren des 18. Jh. eine revolutionäre Keimzelle, von der wichtige Impulse für den Unabhängigkeitskampf ausgingen.

Am 16. Dezember 1773 fand in und vor dem Gebäude eine Versammlung statt, bei der ca. 5000 Bürger unter Führung von Samuel Adams ihrem Zorn über die von London erhobene Teesteuer Luft machten. Als Indianer verkleidet, stürmten 90 Demonstranten zum Hafen, enterten die dort liegenden britischen Schiffe und kippten Tee im Wert von 18 000 Pfund Sterling ins Hafenbecken – eine Protestaktion, die der Geschichte Amerikas eine entscheidende Wende gab. Mit der legendären *Boston Tea Party* begann der aktive, schließlich zum Unabhängigkeitskrieg führende Widerstand der Kolonisten gegen England. Im Innern wurde die ganz in Weiß gehaltene Kirche in ein Museum umgewandelt, das sich – natürlich – mit den Ereignissen um die Boston Tea Party beschäftigt (310 Washington St., Tel. 1-617-482-6439, April–Okt. tgl. 9.30–17, sonst 10–16 Uhr).

Old State House 5

Bostons ältestes öffentliches Gebäude, das **Old State House** (Abb. S. 89) diente nach seiner Fertigstellung im Jahr 1713 zunächst als Amtssitz des britisch-königlichen Gouverneurs und beherbergte dann die Regierung des Staates Massachusetts, bis 1798 das neue State House bezogen werden konnte.

In den Räumlichkeiten hat die Bostonian Society Ausstellungen zur Geschichte der Stadt und des Staates Massachusetts eingerichtet. Vor dem Gebäude zeigen Markierungen die Stelle an, an der beim Boston Massacre fünf Zivilisten erschossen wurden. Sieben für das Blutbad verantwortliche britische Soldaten mussten sich später vor Gericht verantworten. Fünf wurden freigesprochen, zwei wegen Mordes verurteilt (State/Washington St., Tel. 1-617-720-1713, Mitte April–Ende Okt. 9.30–17.15, sonst bis 16.15 Uhr).

Faneuil Hall 6

Gegenüber vom hoch aufragenden Government Center mit dem festungsähnlichen Rathaus liegt an der Congress Street die als Markt- und Versammlungshalle genutzte **Faneuil Hall** aus dem Jahre 1742. Am Vorabend der Revolution fanden im oberen Stockwerk, das bei Führungen besichtigt werden kann, zahlreiche Zusammenkünfte statt, bei denen über das Vorgehen gegen die Briten verhandelt wurde. Mit Schlachtengemälden und militärischen Utensilien dient das im Georgian Style erbaute Gebäude heute als Reliquienschrein des Unabhängigkeitskriegs (Faneuil Hall Marketplace, Tel. 1-617-242-5642, tgl. 9–18 Uhr, Gratisführungen 9.30–16.30 Uhr alle 30 Minuten).

Im North End

Cityplan: S. 90

Neben der Faneuil Hall dehnt sich Bostons populärstes Touristenzentrum aus. Rund um den **Quincy Market** ⁊, eine lang gezogene Markthalle mit Säulenfassade, brodelt im Sommer das Leben. An Verkaufsständen gibt es Baseball-Mützen und Erdbeer-Käsekuchen-Eis, Luftballons oder Souvenirs, die wahrscheinlich aus Fabriken in Fernost stammen. In der Halle selbst wetteifern Seafood-Küchen und Pizzabäcker, fernöstliche Imbisse und Austerntheken um die Gunst des Publikums, das vor allem um die Mittagszeit den Quincy Market belagert, als seien im Rest der Stadt die Nahrungsmittel zur Neige gegangen (Faneuil Hall Marketplace, Öffnungszeiten hängen von einzelnen Geschäften ab, www.faneuilhallmarketplace.com).

Hinter dem quirligen Quincy Market teilte früher eine hässliche, völlig überlastete Schnellstraße die Innenstadt. Heute in Tunnels verlegt erstreckt sich darüber der 2 km lange **Rose Fitzgerald Kennedy Greenway** mit Rasenflächen, Blumenbeeten, sprudelnden Brunnen, einem Kinderkarussell, öffentlicher Kunst und Bäumen, in deren Schatten die Leute ihr Lunchpaket verzehren, Yogaübungen absolvieren oder über das kostenlose WLAN E-Mails bearbeiten.

Nordöstlich der ehemaligen Central Artery dehnt sich der Stadtteil North End aus. Einst von Iren bevorzugtes Wohn- und Geschäftsviertel, übernahmen in den vergangenen Jahrzehnten Italiener mit Läden, Restaurants und Cafés die Regie in diesem Teil Bostons. Revolutionsheld Paul Revere (1734–1818) kaufte dort 1770 das damals schon 90 Jahre alte, heute unter dem Namen **Paul Revere House** ⁸ bekannte Anwesen, das als ältestes Privathaus in Boston gilt. Revere war Silberschmied und stellte vom Silberlöffel bis zum Teeservice so ziemlich alles her, was man sich vorstellen kann. 1788 eröffnete er eine Eisengießerei und produzierte Metallteile für örtliche Schiffswerften, Kanonen und Glockengeläute. Am Abend des 18. April 1775 wurde er beauftragt, nach Lexington und Concord (s. S. 107) zu reiten und die dort versteckten Revolutionäre Samuel Adams und John Hancock vor ihrer bevorstehenden Verhaftung durch die Briten zu warnen. Der sogenannte Midnight Ride inspirierte Henry Wadsworth Longfellow 1860 zu seinem berühmten Gedicht ›Paul Revere's Ride‹, das ein Jahr später im ›Atlantic Monthly‹ veröffentlicht wurde und aus dem bis dahin anonymen Handwerker über Nacht einen Nationalhelden machte. Das zum Museum umfunktionierte Haus sieht innen aus wie Ende des 17. Jh., als Paul Revere es verkaufte (19 North Sq., Tel. 1-617-523-2338, Mitte April–Ende Okt. 9.30–17.15, sonst bis 16.15 Uhr, Mo und Jan.–März geschlossen).

Nur etwa 40 Jahre jünger als das Haus von Paul Revere ist die im Georgian Style 1723 erbaute backsteinerne Episkopalkirche **Old North Church** ⁹. Das älteste Gotteshaus in Boston besitzt einen ähnlich spitzen Turm wie die Park Street Church, der während der Amerikanischen Revolution von den Patrioten als Signalturm zweckentfremdet wurde. Eine dort aufgehängte Laterne bedeutete ›Briten nähern sich zu Land‹, zwei Laternen hieß ›Briten nähern sich zu Wasser‹. Das im Turm befindliche Geläut aus fünf Glocken stammt aus England und soll das älteste auf amerikanischem Boden sein. Von der Kanzel dieser Kirche predigte Ende des 17. Jh. Pastor Increase Mather, der zusammen mit seinem Sohn Cotton zu den geistigen Vätern der Hexenhysterie in Salem gehörte (193 Salem St., tgl. 9–18 Uhr).

Jenseits des Charles River

An der Mündung des Charles River in den Atlantik, wo die Charlestown Bridge von North End ins benachbarte Charlestown hinüberführt, siedelte sich im 17. Jh. ein gewisser Reverend William Blackstone an und führte ein Einsiedlerdasein. In den 30er-Jahren des 17. Jh. kam er mit einer Gruppe von Puritanern in Kontakt, die auf der Suche nach einem Siedlungsplatz waren. Der Geistliche bot den Pionieren an, zunächst einmal auf seinem Grund und Boden zu bleiben. Es dauerte nicht lange, bis er den Neuankömmlingen sein

Boston

Grundstück verkaufte, die Flucht vor ihrer Intoleranz ergriff und damit quasi den Grundstein für die Gründung von Boston legte.

Auch später machte die Gegend um die Flussmündung noch Geschichte, wie der letzte Abschnitt des Freedom Trail mit dem **Bunker Hill Monument** 10 beweist. Nach einem Aufstieg über die 294 Stufen einer Wendeltreppe genießt man von der 60 m hohen Aussichtsplattform des Granitobelisken einen prächtigen Blick auf die Stadt und den Hafen. Das Monument erinnert an die erste größere Schlacht der Revolution vom 17. Juni 1775, bei der die schlecht ausgerüsteten und kaum ausgebildeten kolonialen Truppen den übermächtigen britischen Angreifern trotzten, bis ihnen die Munition ausging (tgl. 9–17 bzw. bis 18 Uhr, kostenloser Aufstieg).

Letzter Besichtigungspunkt entlang des Freedom Trail ist am Jachthafen von Charlestown die **USS Constitution** 11, das älteste noch intakte, 1797 in Boston vom Stapel gelaufene Kriegsschiff der USA. Es gehörte zu einer aus sechs Schiffen bestehenden, von George Washington in Auftrag gegebenen Flotte, deren Aufgabe in der Sicherung von Amerikas wachsenden maritimen Interessen bestand. Anlässlich ihres 200. Geburtstages im Jahr 1997 setzte sie zum ersten Mal nach über 100 Jahren Liegezeit Segel, schipperte eine Stunde lang übers Meer und verabschiedete sich mit einem donnernden Kanonensalut von den begeisterten Zuschauern.

Eine ähnliche Zeremonie wiederholt sich jedes Jahr am amerikanischen Unabhängigkeitstag. Aus diesem Anlass wird der imponierende Dreimaster von Schleppern unter dem Jubel der Bostoner Bevölkerung durch den Hafen gezogen und dann wieder an der Liegestelle vertäut, wo der National Park Service ein Museum über die Geschichte des

Das Museum of Science ist nicht nur für Technik-Begeisterte ein Erlebnis

Schiffs unterhält (Constitution St., Tel. 1-617-779-8198, Nov.–März Do–So 10–16, April–Sept. Di–So 10–18, Okt. Di–So 10–16 Uhr, Führungen 10.30–15.30 Uhr).

Im **Museum of Science** 🔢 könnte man, ohne dass es langweilig wird, Tage verbringen. Fast 600 interaktive Einrichtungen zum Experimentieren und Präsentationen zum Thema Naturwissenschaften machen das Museum zu einem kurzweiligen Vergnügen. Besucher können sich in der Computerabteilung über Hightech-Oldtimer und neueste Entwicklungen wundern, ein Saurierskelett studieren oder eine Reise durch den menschlichen Körper unternehmen (O'Brien Hwy, Rte 28, Tel. 1-617-723-2500, www.mos.org, Sa–Do 9–19, Fr bis 21 Uhr, Erw. 23 $).

Ein paar Schritte vom Freedom Trail entfernt machen im **New England Aquarium** 🔢 über 20 000 Lebewesen aus allen Weltmeeren den historischen Sehenswürdigkeiten Konkurrenz, darunter Papageientaucher, Pinguine, Haie, Schildkröten und Muränen. Kernstück der Ausstellungen ist ein riesiger, zylinderförmiger Tank mit über 700 000 l Salzwasser samt Korallenriff und exotischen Bewohnern. Um den vier Stockwerke hohen Tank wurde eine Besichtigungsrampe gebaut. Mit dem Haupthaus ist ein Pavillon verbunden, in dem Delfine, Seelöwen und Seehunde Kunststücke vorführen. Das benachbarte IMAX-Theatre zeigt beeindruckende Naturdokumentationen (Central Wharf, Tel. 1-617-973-5200, www.neaq.org, im Sommer Mo–Fr 9–17, Sa/So 9–18 Uhr, im Winter kürzer, Erw. 24,95 $, Kinder 3–11 J. 17,95 $; IMAX-Theatre tgl. 9.30–22.30 Uhr, Erw. 9,95 $, Kinder 3–11 J. 7,95 $).

Am Inner Harbor

Südlich der Rowes Wharf überspannen mehrere Brücken mit dem Fort Point Channel einen Seitenarm des Boston Inner Harbor. An der Congress Street Bridge liegt mit dem schwimmenden **Boston Tea Party Ship & Museum** 🔢 eine geschichtsträchtige, aus den beiden nachgebauten Schiffen Eleanor und Beaver bestehende Einrichtung, die in der US-Historie eine große Rolle spielte und heute im touristischen Angebot der Stadt zu den Hauptattraktionen zählt. Ihre Popularität verdankt die Sehenswürdigkeit u. a. der Tatsache, dass ihr kostümierte Schauspieler Leben einhauchen wie anno dazumal (306 Congress St., Tel. 1-617-338-1773, www.boston teapartyship.com, 30-minütige Führungen tgl. 10–17 Uhr, Erw. 25 $, Kinder 15 $).

Am Abend des 16. Dezember 1773 stürmte nach einer Bürgerversammlung im Old South Meeting House (s. S. 92) eine Gruppe von als Mohawk-Indianer verkleideten Männern zur Griffin's Wharf, wo drei mit Tee der englischen East India Company beladene amerikanische Schiffe lagen. In einer Blitzaktion gegen die britische Teesteuer enterten die Männer die Schiffe, schlugen mit Äxten 342 Teekisten auf und warfen sie in den Hafen. Die britische Regierung reagierte mit der Schließung des Bostoner Hafens und der Einschränkung von Freiheiten auf diese Provokation, was wiederum eine Sanktionspolitik der amerikanischen Kolonien zur Folge hatte. Im April 1775 gipfelte der Konflikt im Ausbruch des Unabhängigkeitskriegs.

Nur wenige Schritte trennen im Stadtteil North End den Freedom Trail von der **Waterfront,** die sich am Inner Harbor entlangzieht. Heute besteht sie aus zehn Kais, die allesamt vom Ende des 19. Jh. stammen und in jüngerer Vergangenheit modernen Bedürfnissen angepasst wurden. Blaue Schilder kennzeichnen den Harbor Walk (www.boston harborwalk.com >Places to go), der nach seiner Fertigstellung auf 47 Meilen Länge von East Boston im Norden bis nach Quincy im Süden führen und der Bevölkerung Gelegenheit geben soll, auf verkehrsberuhigten Fußwegen an der Waterfront entlangzuflanieren.

Seit fast 100 Jahren ist das **Institute of Contemporary Art** 🔢 das erste neue Museum in Boston. In dem größtenteils aus Glas bestehenden Bau sind Werke nationaler und internationaler zeitgenössischer Künstler zu sehen. Im Water Café stärkt man sich mit essbaren Kunstwerken (100 Northern Ave., Tel. 1-617-478-3100, www.icaboston.org, Di/Mi und Sa/So 10–17, Do/Fr 10–21 Uhr, Erw. 15 $, Do 17–21 Uhr und Kinder unter 17 J. gratis).

aktiv unterwegs

Zu Fuß durch Bostons Klein-England

Tour-Infos

Start: Massachusetts State House
Länge: ca. 1,5 Meilen (2,4 km)
Dauer: 2–3 Stunden
Cityplan: s. S. 90

Fleißige Lieschen in Rosa und Weiß ducken sich in handtuchschmalen Vorgärten hinter schmiedeeisernen Zäunen und backsteinbraunen Mauern. Geranien tupfen die Fensterbänke grün und rot. Bronzene Türbeschläge glänzen. Das Wohnviertel **Beacon Hill** mit vornehmen Ziegelgebäuden und engen Gässchen ist ein romantischer Idyllwinkel, im Grunde eine mitten in der Großstadt liegende Kleinstadt, die in manchen Straßenzügen fast englischer wirkt als das Original.

Wenn Einwohner Rudel von Rassehunden Gassi führen und aus Garagen die verchromten Kühlergrills europäischer Nobelkarossen lugen, weiß man, dass man es mit einer Oase der gut situierten, ein bisschen versnobten Gesellschaft von Boston zu tun hat. Das Wohnviertel entstand zwischen 1800 und 1850. In den Ziegelbrennereien von Massachusetts müssen über Jahrzehnte lukrative Aufträge aus diesem Stadtgebiet eingegangen sein. Nicht nur die Reihenhäuser wurden aus Backsteinen errichtet, auch Straßen, Wege und Gartenmäuerchen bestehen nach wie vor aus rotbraunen Ziegeln.

Am besten beginnt man einen Rundgang beim **State House** (s. S. 89), das sich mit seiner vergoldeten Kuppel zu erkennen gibt. Nördlich davon erstreckt sich Bostons malerisches Klein-England bis zur Cambridge Street, an der das **Otis House Museum** 16 von 1796 mit einer rotbraunen Ziegelfassade auf sich aufmerksam macht. Besitzer Harrison Gray Otis, Kongressabgeordneter und Bürgermeister von Boston, kam durch Bodenspekulationen zu Wohlstand. Sein auf-

wendiger Lebensstil ist heute noch an den wertvollen Tapeten im Haus, an Gemälden in schweren Rahmen und antikem Mobiliar ablesbar (141 Cambridge St., Tel. 1-617-227-39 56, Mi–So 11–17 Uhr, Führungen zur halben u. vollen Stunde, Erw. 10 $).

Die Nordflanke von Beacon Hill führte als ehemaliges Wohnviertel von Sklaven und Bediensteten lange ein Schattendasein. Erst nach der Schaffung des Black Heritage Trail in den 1970er-Jahren erfuhr die Gegend eine touristische Aufwertung. Zu Beginn des 19. Jh. lebte dort eine große schwarze Gemeinde, deren Geschichte Hauptthema dieser Route und auch des **Museum of Afro-American History** 17 ist. Sein Mittelpunkt ist das umfunktionierte **African Meeting House,** das älteste afroamerikanische Gotteshaus in den USA. Die Ausstellungen beschäftigen sich überwiegend mit der Antisklavereibewegung, in der Boston bis zum Ende des Bürgerkriegs 1865 eine zentrale Rolle spielte. Damals besaß die Stadt, die sich schon 1783 von der Sklaverei abgekehrt hatte, die größte freie Gemeinde von Afroamerikanern in den USA. Zum Museum gehört auch die Abiel Smith School, an der seit 1835 schwarze Kinder unterrichtet wurden (46 Joy St., Tel. 1-617-720-2991, www.afroammuseum.org, Mo–Sa 10–16 Uhr, Erw. 5 $).

Ziel vieler Besucher und Amateurfotografen ist die **Mount Vernon Street,** wo Efeu die Hauswände hinaufklettert und das Licht in den Gaslaternen auch tagsüber flackert. Der Schriftsteller Henry James (1843–1916) bezeichnete sie als »die einzige respektable Straße in Amerika«. Hier wie anderswo in Beacon Hill sind die meisten Häuser privat bewohnt und können nur von außen angeschaut werden. Eine Ausnahme bildet das **Nichols House Museum** 18, das zeigt, wie die bessere Gesellschaft des Viertels um die Wende vom 19. zum 20. Jh. lebte (55 Mt. Vernon St., Tel. 1-617-227-6993, www.nichols housemuseum.org, April–Okt. Di–Sa, Nov.– März Do–Sa jeweils 11–16 Uhr, Erw. 8 $).

Der Preis für ein Haus am **Louisburg Square** 19 ist selbst für Mitglieder der Bostoner High-Society kein Pappenstiel. Das ist umso erstaunlicher, als diese Gegend ein wenig einladendes Rotlichtviertel war, ehe Bostons soziale Aufsteiger das zeitlose Flair des Platzes entdeckten und ihn mit viel Aufwand in eine romantische, viktorianische Puppenstube verwandelten. Von 1885 bis 1888 lebte die bekannte Jugendbuchautorin Louisa May Alcott (1832–1888) in Haus Nr. 10. Seit Jahren besitzt Außenminister John Kerry am Louisburg Square eines der hübschen Häuser. Im Kontrast zu diesem Edelviertel steht die romantische **Acorn Street** 20 mit einem Pflaster aus kokosnussgroßen Kieselsteinen, über das sich kein Autofahrer traut. Früher eine schmale Gasse durch ein von Künstlern und Händlern bewohntes Viertel, gilt die Acorn Street heute als die am häufigsten fotografierte Straße in ganz Boston.

Zum Flanieren lohnt die reizvolle **Chestnut Street,** in der die sogenannten **Swan Houses** (Nr. 13, 15 und 17) auffallen, die Hepzibah Swan als Hochzeitsgeschenke für ihre drei Töchter nach Plänen des Architekten Charles Bulfinch errichten ließ.

An der **Charles Street,** die Beacon Hill im Westen begrenzt, liegen u.a. Kunstgalerien, Restaurants, Blumen- und Antiquitätenläden. Damit macht diese kommerzielle Meile wett, was es an Geschäften im restlichen Beacon Hill nicht gibt. Wer ein Plätzchen für eine kleine Stärkung sucht, wird sich im Delikatessengeschäft **Panificio** 10 (144 Charles St, s. S. 104) bei einem Frühstück oder einem kleinen Gericht wohlfühlen.

Der Weg durch Beacon Hill führt an charakteristischen Backsteinbauten vorbei

Die Skyline von Boston vom Charles River aus gesehen

Back Bay und Umgebung

Cityplan: S. 90

Verlässt man den Stadtteil Beacon Hill Richtung Boston Common bzw. Public Garden, überquert man die verkehrsreiche Beacon Street, für die meisten Fernsehzuschauer in den USA eine bekannte Adresse. Im Bull & Finch Pub, wo frisch gezapftes Bier in ›typisch englischem‹ Kneipenambiente serviert wird, entstanden die Außenaufnahmen der erfolgreichen TV-Serie ›Cheers‹. In der Nähe beginnt die **Newbury Street,** Bostons bekannteste und teuerste Einkaufsstraße mit exklusiven Boutiquen, Antiquitätenläden, Bräunungsstudios und Galerien. Auf der Konsummeile gelten zwei Gesetzmäßigkeiten: Je weiter man westlich in Richtung Massachusetts Avenue gelangt, desto ausgeflippter werden die Läden; und je weiter man sich dem Ritz-Carlton Hotel an der Arlington Street

nähert, desto teurer und exklusiver wird das Warenangebot.

Copley Square 🔟

Herzstück des Stadtteils Back Bay ist der **Copley Square,** auf dem Konsumentenherzen höher schlagen, seit der Platz Ende der 1980er-Jahre neu gestaltet und mit einer glitzernden Shopping Mall ausgestattet wurde. Seit Anfang der 1970er-Jahre ragt am Rande des Platzes der 62 Stockwerke hohe **John Hancock Tower** in den Himmel, das mit 241 m höchste Gebäude in Neuengland. Die Glasfassaden und die sich darin spiegelnden Gebäude der Nachbarschaft nehmen dem Riesen, der von Star-Architekt I. M. Pei entworfen wurde, etwas von seiner Wucht, hauptsächlich an wolkenlosen Tagen, wenn das Gebäude vor dem blauen Himmel fast durchsichtig wirkt. Die schönste Spiegelung auf den Fassaden des Hancock Tower

stammt von der **Trinity Church.** Ihr verlieh Architekt Henry Hobson Richardson 1877 ein neoromanisches Äußeres, das in reizvollem Kontrast zum modernen Nachbarn steht. Auffallend ist der relativ niedrige Turm. Da das gesamte Back- Bay-Gebiet früher ein sumpfiges Areal war und erst durch Auffüllung zum Baugebiet wurde, musste die Turmhöhe aus statischen Gründen bescheiden ausfallen.

Boston Public Library

Auf der Westseite des Copley Square fügt die 1848 eröffnete **Boston Public Library** mit einer Fassade im Renaissance-Revival-Stil einen dritten Baustil zum Gesamtbild des Platzes hinzu. Sie war die erste öffentliche Bibliothek der USA, an der es möglich war, Bücher auszuleihen. Zu ihren Beständen gehört die umfangreichste amerikanische Sammlung von gegen die Slaverei gerichteten Publikationen und Dokumenten.

Einige der bekanntesten Maler der damaligen Zeit wie der aus Lyon stammende Puvis de Chavannes (1824–1898), Edwin Abbey (1852–1911) aus Philadelphia und der amerikanisch-italienische Gesellschaftsmaler John Singer Sargent (1856–1925) schmückten das Gebäude mit Wandmalereien. Auch ein Blick in die Bates Hall, den 66 m langen und 15 m hohen, von einem Gewölbe überspannten Lesesaal lohnt sich. Für eine Pause bietet sich das elegante Restaurant Courtyard oder das Map Room Café im Gebäude an (700 Boylston St., Copley Sq., Tel. 1-617-536-5400, www.bpl.org, Mo–Do 9–21, Fr, Sa 9–17, So 13–17 Uhr, Gratisführungen zum Thema Architektur Mo 14.30, Di und Do 18, Mi, Fr, Sa 11, So 14 Uhr).

An einem verregneten Tag ist **Copley Place** ein ideales Ziel, um trockenen Fußes ein paar Stunden Stadtluft zu schnuppern und vielleicht einzukaufen, falls das Budget

Erholsame Kunstpause im lichtdurchfluteten Café des Museum of Fine Arts

dadurch nicht überstrapaziert wird. Denn Copley Place gibt sich betont luxuriös, mit entsprechenden Preisen. Aber auch mit einem sehr gediegenen Interieur und Filialen wohlklingender Namen wie Tiffany & Co., Armani, Gucci, Louis Vuitton, Hugo Boss und Christian Dior. Anspruchsvolle Bostonbesucher können sich im Westin Hotel oder im Boston Marriott Copley Place einmieten und den gebotenen Luxus der Einkaufsmall genießen (100 Huntington Ave., Mall Mo–Sa 10–21, So 11–18 Uhr).

Prudential Center 22

Aus den 1960er-Jahren stammend, wurde der lange von der Bostoner Bevölkerung als hässlicher Riese abgelehnte Büro-, Hotel- und Shopping-Koloss 1993 umgebaut und erfuhr so eine Aufwertung. Zur Imagebildung trägt zumindest um die Weihnachtszeit auch der größte Weihnachtsbaum der Stadt bei, den das **Prudential Center** traditionell von der kanadischen Atlantikprovinz Neuschottland geschenkt bekommt und reich geschmückt und illuminiert auf der Plaza an der

Huntington Avenue aufstellt. Der Komplex bildet quasi eine eigene Kleinstadt mit Hotels, Kaufhäusern und über 100 Geschäften bzw. Boutiquen. Für das leibliche Wohl sorgt der Tower mit sieben Restaurants und einem Food Court. Auf der 50. Etage des Gebäudes haben Besucher vom **Skywalk Observatory** aus einen grandiosen Panoramablick über die Stadt und bei klarem Wetter bis zu 120 km weit ins Umland (800 Boylston St., www.prudentialcenter.com >Shop by Category >Attractions, im Sommer 10–22, im Winter bis 20 Uhr, Erw. 16 $, Kinder unter 12 J. 11 $).

Christian Science Church 23

›Gebet in Stein‹ nannte die Gründerin der Christian-Science-Kirche, Mary Baker Eddy (1821–1910), die 1894 erbaute **Christian Science Church,** damals noch ein bescheidenes Gotteshaus. Der Um- und Ausbau führte 1906 zu einer kolossalen Basilika mit einer knapp 70 m hohen Kuppel im Stil der Neorenaissance. Trotz umgebender Anlagen mit akkurat gestutzten Bäumen, Blumenrabatten, Brunnen und einem über 200 m langen und

Bostons berühmter Sohn: John F. Kennedy

Thema

Die U-Bahn-Haltestelle heißt Coolidge Corner und liegt im gutbürgerlichen Vorort Brookline. Von dort ist die vier Straßenblocks entfernte Beale Street zu Fuß zu erreichen, in der das grünblaue, zweistöckige Holzhaus Nr. 83 Besucher aus der ganzen Welt anzieht. In diesem bescheidenen Anwesen kam am 29. Mai 1917 der spätere US-Präsident John F. Kennedy zur Welt.

Seine Eltern hatten das Anwesen drei Jahre zuvor für 14 000 Dollar erstanden. 1921 von einem Privatmann erworben, kaufte die Kennedyfamilie den Besitz 1966 zurück, um darin eine Erinnerungsstätte an den 1963 ermordeten Präsidenten einzurichten. Dieser Aufgabe verschrieb sich JFK's Mutter Rose mit Haut und Haaren, auch weil sich viele originalen Möbel und Memorabilien noch in ihrem Besitz befanden, darunter ein Piano, das Rose und ihr Mann Joseph als Hochzeitgeschenk bekommen hatten, ein von allen kleinen Kennedys getragenes Taufkleidchen und ein Holzkasten mit Karteikarten, auf dem die Größen und Krankheiten aller Kinder penibel vermerkt wurden. Natürlich fehlen in diesem Schrein auch die bevorzugten Kinderbücher und der Lieblingsteddy von JFK nicht (John Kennedy National Historic Site, 83 Beale St., Brookline, Tel. 1-617-566-7937, www.nps. gov/jofi, Mi–So 9.30–17 Uhr, Führungen alle 30 Min., 15.30–15.30 Besichtigung ohne Führung möglich).

John verbrachte die ersten Jahre seines Lebens in seinem Geburtshaus bzw. einer zweiten Wohnung in Brookline, ehe die Familie 1926 nach New York City zog. Zehn Jahre später kehrte er in seine Geburtsstadt zurück, um bis 1940 an der Harvard University Politische Wissenschaften zu studieren. Bereits einen Monat nach seinem Studienabschluss veröffentlichte er seine Diplomarbeit über die Politik Großbritanniens unter dem Titel ›Why England Slept‹ (Warum England schlief) und verkaufte von diesem Buch 40 000 Exemplare. Nach einer Militärkarriere im Südpazifik und den ersten Schritten in der Politik hatte JFK von 1953 bis 1960 in Boston das Amt eines Senators des Staates Massachussetts inne, ehe er am 8. November 1960 zum Präsidenten der USA gewählt wurde. Am 22. November fiel er in einem offenen Wagen sitzend auf einer Fahrt durch Dallas/Texas einem Attentat zum Opfer. Bis heute kursieren verschiedene Verschwörungstheorien über dieses Attentat, das in der ganzen Welt Bestürzung auslöste.

In Boston erinnert neben dem Geburtshaus auch die John Fitzgerald Kennedy Library an den 35. Präsidenten der USA. Schon von weitem erkennt man die riesige US-Flagge, die den Standort der Bibliothek nahe am Wasser markiert. Der international bekannte Stararchitekt I. M. Pei entwarf den Komplex, den man durch eine gläserne Lobby betritt. Ausgestellt sind unter den vielen Dokumentationen auch zahlreiche Memorabilien von Amerikas bis heute jüngstem Präsidenten. Um Besucher auf das auch heute noch interessante Thema J.F. Kennedy einzustimmen, zeigt die Bibliothek einen halbstündigen Film, der viele offiziellen Anlässe und Begebenheiten aus der Amtszeit des Präsidenten in Erinnerung ruft (Columbia Point, Tel. 1-617-514-1600, www.jfk library.org, tgl. 9–17 Uhr, Erw. 14 $).

Tipp: Der Boston CityPass

Der Pass kostet 54 $ und gewährt Eintritt zu fünf großen Sehenswürdigkeiten, die regulär das Doppelte kosten würden. Man bekommt den Pass etwa im New England Aquarium, dem Museum of Science und dem Museum of Fine Arts (Onlineverkauf unter www.city pass.com/boston).

30 m breiten *Reflecting Pool* wirkt die bombastische Anlage seltsam karg und leblos. Die gesundheitlich schon als Kind angeschlagene Mary Baker Eddy hob ihre Glaubensgemeinschaft 1879 aus der Taufe und gründete später mehrere Tageszeitungen, darunter den heute noch aufgelegten Christian Science Monitor (http://christianscience. com).

Bedeutende Museen

Über eine Million Besucher jährlich statten dem ›Flaggschiff‹ der Bostoner Museumsszene eine Stippvisite ab, das allein durch seine Dimensionen beeindruckt. Die Qualität der Ausstellungen steht dem in nichts nach. Schon lange zählt das **Museum of Fine Arts** 24 zu den führenden Kunstmuseen der Welt mit einer ständigen Ausstellung, die Skulpturen, Gemälde, Drucke, Zeichnungen, Fotografien und Textilien umfasst. Dabei reichen die Epochen vom Altertum bis zur Gegenwart und die geografischen Schwerpunkte von Amerika über Europa bis nach Asien. Neben der islamischen und fernöstlichen Abteilung verdient v. a. die Antikensammlung Aufmerksamkeit. Im Bravo Restaurant oder der Garden Cafeteria kann man seine Eindrücke verdauen (465 Huntington Ave., Tel. 1-617-267-9300, www.mfa.org, Mo, Di, Sa und So 10–16.45, Mi–Fr 10–21.45, 25 $).

Einen ganz anderen Eindruck als das Museum of Fine Arts macht das **Isabella Stewart Gardner Museum** 25. Der einem venezianischen Palazzo nachempfundene Bau mit Galerien um einen Innenhof imponiert nicht mit schieren Dimensionen, sondern mit einem eher gemütlich-verstaubten, etwas geheimnisvollen Flair, das den Wohnsitz der namengebenden, 1924 verstorbenen Kunstmäzenin noch heute erahnen lässt. Gemälde, Skulpturen und sonstige Utensilien lassen in ihrer Anordnung einen unorthodoxen Museumsstil erkennen. In der Nacht des 18. März 1990 drangen als Polizisten verkleidete Diebe in das Museum ein und entwendeten 13 Gemälde, darunter drei Werke von Rembrandt und fünf von Degas. Trotz einer Belohnung in Höhe von 5 Mio. Dollar sind die Raritäten bis heute nicht aufgetaucht (25, Evans Way, Tel. 1-617-566-1401, www.gardner mu seum.org, Mi–Mo 11–17, Do bis 21 Uhr, Erw. 15 $, Kinder unter 18. J. frei).

Cambridge

Ähnlich wie ›Rive Gauche‹ in Paris pflegt auch Bostons ›Left Bank‹ einen Ruf als von Studenten quirlig gemachter, eher der Gegenkultur zugeneigter Stadtteil. Gemeint ist damit **Cambridge** am linken Ufer des Charles River.

Harvard University

Mitten im geschäftigen Stadtkern von Cambridge dehnt sich der Campus der weltberühmten **Harvard University** aus, einer der ältesten und renommiertesten Universitäten der USA. Über das parkähnliche Gelände verteilen sich 400 Gebäude, die mit ihren zum Teil von Efeu begrünten Fassaden deutlich machen, warum Harvard zum Kreis der sogenannten Ivy League (Efeu-Liga) gehört, wie der ›Klub‹ der alten ostamerikanischen Spitzenuniversitäten auch genannt wird.

Ältestes Gebäude auf dem Harvard Yard ist die **Massachusetts Hall** von 1720. Heute teilen sich Verwaltung und neu eingeschriebene Studenten den Bau.

In der **Widener Library,** einer der weltweit größten Universitätsbibliotheken, sind über 7,5 Mio. Bücher untergebracht. Die Freitreppe ist ein beliebter ›Logenplatz‹, um dem Betrieb auf dem Campus zuzusehen (1350 Massachusetts Ave., Tel. 1-617-495-1573, www. harvard.edu, einstündige kostenlose, von

Studenten geführte Touren ab Smith Campus Center, Mo–Fr 10–16 Uhr).

Der Schwerpunkt der anthropologischen Sammlungen des **Peabody Museum of Archaeology and Ethnology** liegt auf Nord- und Mittelamerika (11 Divinity Ave., Tel. 1-617-496-1027, www.peabody.harvard.edu, tgl. 9–17 Uhr, 12 $). Der Eintritt gilt auch für das **Harvard Museum of Natural History** (26 Oxford St., Tel. 1-617-495-3045, www.hmnh.harvard.edu, tgl. 9–17 Uhr).

Longfellow National Historic Site

Für Literaturfreunde ist der ehemalige Wohnsitz des Dichters Henry W. Longfellow ein Muss. Das Anwesen diente 1775/76 General George Washington während der Belagerung von Boston als Kommandozentrale (105 Brattle St., Tel. 1-617-876-4491, www.nps.gov/long, Gratisführungen tgl. 10–16 Uhr).

Massachusetts Institute of Technology

Harvard muss den Weltruhm mit dem 1861 gegründeten **Massachusetts Institute of Technology (MIT)** teilen, der weltbekannten Kaderschmiede mit Schwerpunkt auf Hightechforschung und -lehre sowohl im zivilen wie militärischen Bereich. 2005 machten die beiden Elite-Institute von sich reden, als es unter ihrer Federführung einem internationalen Forscherkonsortium gelang, das Schimpansen-Genom zu entziffern. Die ca. 11 000 Studenten, darunter mehrheitlich Frauen, können sich auch in Fachbereichen wie Architektur, Sozialwissenschaften und Medizin einschreiben. Im MIT wurde u. a. die Radartechnik entwickelt (77 Massachusetts Ave., Tel. 1-617-253-4795, http://web.mit.edu >About>Visiting, Gruppen ab 15 Pers. nach Res., Mo–Fr 11–15 Uhr).

Infos

Greater Boston Convention & Visitors Bureau: 2 Copley Pl., Suite 105, Boston, MA 02116-6502, Tel. 1-617-536-4100, www.bostonusa.com. Eine Filiale gibt es am Boston Common, 139 Tremont St.

Übernachten

Laut Gesetz gibt es in Boston nur noch Nichtraucherhotels. In Downtown sind die meisten Unterkünfte sündhaft teuer – kaum ein Zimmer ist unter 100 $ zu haben. Preiswertere Motels finden Autofahrer an den Exits entlang der I-95.

Luxus und Komfort ▶ **Boston Harbor Hotel** **1**: 70 Rowes Wharf, Tel. 1-617-439-7000, www.bhh.com. Ein Top-Hotel mit 230 sehr komfortabel ausgestatteten Zimmern, alle mit Blick auf den Hafen oder die Skyline von Boston. Zum Haus gehört ein Businesscenter. Ab ca. 380 $.

Schick und günstig gelegen ▶ **Colonnade Hotel** **2**: 120 Huntington Ave., Tel. 1-617-424-7000, www.colonnadehotel.com. Das Glanzstück des Hotels ist ein Pool auf dem Dach. Ab 340 $.

Nobles Traditionshotel ▶ **Lenox Hotel** **3**: 61 Exeter St., Tel. 1-617-536-5300, www.lenoxhotel.com. Über 100 Jahre alte Nobelherberge für Gäste, die eine gediegene Atmosphäre und eher konservativ ausgestattete Zimmer schätzen. Hier logierte Enrico Caruso und standen Tony Curtis, Ali MacGraw und Ryan O'Neil vor der Kamera. Ab ca. 260 $.

Viktorianische Behaglichkeit ▶ **Newbury Guest House** **4**: 261 Newbury St., Tel. 1-617-670-6000, www.newburyguesthouse.com. Im Innern modernes B & B im viktorianischen Stil aus dem Jahr 1882. Ab 260 $.

Stadthotel mit gutem Service ▶ **Copley Square Hotel** **5**: 47 Huntington Ave., Tel. 1-617-536-9000, www.copleysquarehotel.com. Bostoner Traditionshotel von 1891, in dessen Jazzclub Ella Fitzgerald und Billie Holiday auftraten. Es gibt ein hauseigenes Businesscenter und Wireless-Internet-Zugang auf jedem Zimmer. Ab 240 $.

Für Reisende mit schmalem Budget ▶ **Constitution Inn** **6**: 150 Third Ave., Charlestown, Tel. 1-617-241-84 00, www.constitutioninn.org. Modernes Haus mit klimatisierten Gästezimmern, Swimmingpool und Fitnesscenter. Ab ca. 200 $.

Traditionell und preiswert ▶ **Buckminster Hotel** **7**: 645 Beacon St., Tel. 1-617-236-7050, www.bostonhotelbuckminster.com. Ho-

Boston

tel mit 67 Zimmern, darunter 49 Suiten mit etwas angejahrter Ausstattung, an der U-Bahn gelegen. Ab 160 $.

Erschwinglich ▶ Beacon Inn 1087 8: 1087 Beacon St., Tel. 1-617-566-0088, www.beaconinn.com. 5 km von der City entfernt in Brookline. B & B mit Gratis-WLAN in jedem Zimmer. DZ ab 140 $.

Gutes Preis-Leistungs-Verhältnis ▶ Copley House 9: 239 W. Newton St., Tel. 1-617-236-8300, www.copleyhouse.com. Dreigeschossiges Stadthaus, mit Studios und Zimmern inkl. kleiner Küche. Ab 140 $.

Für Rucksackreisende ▶ HI-Boston Hostel 10: 19 Stuart St., Tel. 1-617-536-9455, www.hiusa.org >USA Hostels>HI-Boston. Moderne, umweltfreundliche Unterkunft in Innenstadtlage, TV-Zimmer, Küche. Im Schlafsaal ab 42 $.

Essen & Trinken

Ganz besonderer Beliebtheit erfreuen sich die verschiedenen Spezialitätenstände im **Quincy Market** 7 mit Meeresfrüchten und weiteren Seafood-Spezialitäten. Man kann an Tischen im ersten Obergeschoss oder im Freien essen.

Für ganz Hungrige ▶ Durgin Park 1: 340 Faneuil Hall Marketplace, Tel. 1-617-227-2038, www.durgin-park.com, tgl. 11.30–21 Uhr. Hier gibt es Seafood-Gerichte sowie traum-

Tipp: Union Oyster House

Das **Union Oyster House** 3 in Boston von 1826 gilt als ältestes Restaurant ganz Amerikas. Das Gästebuch strotzt vor prominenten Namen, unter denen sich Sir Laurence Olivier über Präsident Kennedy bis Luciano Pavarotti finden. Die Zwei-Personen-Vorspeise Hot Oyster House Sampler mit gegrillten Austern, Muscheln und zudem Shrimps für 28,95 $ macht Appetit auf mehr, etwa auf fangfrische Jakobsmuscheln für 24,95 $ (41 Union St., Tel. 1-617-227-2750, www.unionoysterhouse.com, tgl. ab 11 Uhr, So Brunch bis 15 Uhr).

hafte Desserts wie Indian Pudding aus Molasse und Maismehl mit einer Krone aus Vanilleeis. 15–35 $.

Italiener mit großen Portionen ▶ La Famiglia Giorgio's 2: 112 Salem St., Tel. 1-617-367-6711, www.lafamigliagiorgio.com, Mo–Sa ab 11, So ab 12 Uhr. Kleines Lokal mit bodenständiger italienischer Küche wie Parmesan-Hühnchen und großer Auswahl an Pasta-Gerichten. 15–30 $.

Hochgelobt ▶ Marliave 4: 10 Bosworth St., Tel. 1-617-422-0004, www.marliave.com, tgl. 11–1 Uhr. Top-Traditionslokal mit Bar und Speiseraum, in dem vor allen Dingen Austern- und Muschelliebhaber auf ihre Kosten kommen. Hauptgerichte ca. 20–30 $.

Frankreich lässt grüßen ▶ Beacon Hill Bistro 5: 25 Charles St., Tel. 1-617-723-7575, www.beaconhillhotel.com, tgl. Frühstück, Lunch, Dinner, So Brunch. Lokal im Beacon Hill Hotel, die Speisekarte für das Abendessen ist französisch geprägt. Ab 20 $.

Für den kleinen und den großen Hunger ▶ Market Boston 6: 21 Broad St., Tel. 1-617-263-0037, www.mktboston.com, Mo–Fr 15–2, Sa 17–2 Uhr. Im Trend liegende Bar mit DJ-Musik Fr und Sa. Speisen wie Sirloin Steak und gegrilltes Lamm. Ab 20 $.

Persische Gaumenfreuden ▶ Lala Rokh 7: 97 Mt. Vernon St., Tel. 1-617-720-5511, www.lalarokh.com, Lunch Mo–Fr 12–15, Dinner tgl. 17.30–22 Uhr. Iranische Küche wie Chelo Kabob, ein einfaches, sehr schmackhaftes Gericht, aus mariniertem Rindfleisch mit Basmati-Reis. Hauptspeisen ab 18 $.

Solide ▶ Sonsie 8: 327 Newbury St., Tel. 1-617-351-2500, www.sonsieboston.com, tgl. ab 11.30 Uhr. Fleisch- und Fischgerichte, Lammkoteletts mit Wassermelone, Pfeffersteak, Pasta und Pizzen. Ab ca. 15 $.

Qualität und Preis stimmen ▶ Deli One 9: 85 Arch St., Tel. 1-617-292-7825, Mo–Fr 5.30–15, Sa 6–11 Uhr. Üppiges Frühstück und zum Lunch tolle Sandwiches, griechische Platten, Pastagerichte und knackige Salate. Im Durchschnitt unter 8 $.

Delikatessen ▶ Panificio 10: 144 Charles St., Tel. 1-617-227-4340, www.panificioboston.com, Mo–Fr 8–22, Sa, So 9–22 Uhr.

Der Boston Marathon ist das wichtigste sportliche Ereignis der Stadt

Einkaufen

Boston bietet sich für ein Shopping-Abenteuer an: Für Mode im Wert von bis zu 175 $ bezahlen Kunden keine Verkaufssteuer.

Einkaufszentren ▶ **Copley Place** 1: 100 Huntington Ave., www.simon.com, Mo–Sa 10–20, So 12–18 Uhr. Elegante Boutiquen unter einem Dach, Edelmarken wie Gucci, Tiffany, Louis Vuitton und das Nobelkaufhaus Neiman Marcus. **Prudential Center** 2: 800 Boylston St., Tel. 1-617-236-3100, www.prudentialcenter.com, Mo– Sa 10–21, So 11–18 Uhr. Mehrere Dutzend Shops mit allem, was der Mensch so braucht.

Shoppen im Museum ▶ **Isabella Steward Gardner Museum** 25: s. S. 102. Im Souvenirgeschäft des Museums werden neben einschlägiger Literatur, Bildbänden und hübschen Mitbringseln auch dekorative Drucke und handgefertigter Schmuck verkauft.

Abends & Nachts

Legendäre TV-Kneipe ▶ **Bull and Finch Pub/Cheers** 1: 84 Beacon St., Tel. 1-617-227-9605, www.cheersboston.com, tgl. ab 11 Uhr. Die viel besuchte Bar bildete die Kulisse der anfänglich auch dort gedrehten TV-Serie ›Cheers‹.

Treffpunkt zum Tanzen ▶ **The Estate** 2: 1 Boylston Pl., Tel. 1-617-351-7000, Do–Sa ab 22 Uhr. Disco mit hipper Musik und etwas höheren Preisen.

Populäre Disco ▶ **Royale** 3: 279 Tremont St., Tel. 1-617-338-7699, http://royaleboston.com, Do–Sa ab 22 Uhr. Disco mit elegantem Interieur.

Sportbar ▶ **Who's on First** 4: 19 Yawkey Way, Tel. 1-617-247-3353, tgl. 11–2 Uhr. In der Bar treffen sich Fans der Red Sox vor und nach dem Baseball-Spiel.

Jazz für Kenner ▶ **Wally's Café** 5: 427 Massachusetts Ave., Tel. 1-617-424-1408, www.wallyscafe.com, Mo–So tgl. 14–2 Uhr. Seit 1947 bestehendes Jazz-Lokal.

Klassik vom Feinsten ▶ **Boston Symphony Orchestra** 6: 301 Massachusetts Ave., Tel. 1-888-266-1200, www.bso.org, Kartenvorverkauf Mo–Fr 10–18, Sa 12–18 Uhr. Weltbekanntes Orchester, dessen Spielsaison alljährlich von September bis Mai dauert.

Boston

Konzerte unter freiem Himmel ▶ Hatch Shell 7: Esplanade am Charles River, Tel. 1-617-626-1250. Konzertmuschel für viele kostenlose Sommerkonzerte, Filmvorführungen, und Tanzabende.

Für Opernfreunde ▶ Boston Lyric Opera 8: 265 Tremont St., Tel. 1-617-482-9393, www.blo.org. Aufführungen im Shubert Theatre, Saison von Okt.–Mai.

Theater ▶ Boston besitzt eine reiche Theaterszene mit zahlreichen Häusern, die Schauspiele, Musicals oder Broadway-Stücke aufführen:

Colonial Theatre 9, 106 Boylston St., Tel. 1-617-482-9393; **Opera House 10,** 539 Washington St., Tel. 1-617-259-3400; **Shubert Theatre 11,** 265 Tremont St., Tel. 1-617-482-9393; **Wang Theatre 12,** 270 Tremont St. (Tel. 1-617-482-9393), **Wilbur Theatre 13,** 246 Tremont St., Tel. 1-617-248-9700; **Huntington Theatre 14,** 264 Huntington Ave., Tel. 1-617-266-7900; und das **Loeb Drama Center 15,** in Cambridge (64 Brattle St., Cambridge, Tel. 1-617-547-8300).

Aktiv

Gruseltouren ▶ Historic Tours of America/Ghosts & Gravestones 1: Tel. 1-888-920-8687, www.ghostsandgravestones.com. 2-stündige nächtliche ›Frightseeing‹-Touren über Bostons Friedhöfe und zu anderen Gruselorten. Eine Reservierung ist obligatorisch.

Walbeobachtung ▶ Boston Whale Watch 2: 1 Long Wharf, Tel. 1-617-227-4321, www.bostonharborcruises.com. Walbeobachtungstouren über mehrere Stunden ab Boston mit Erfolgsgarantie.

Termine

Boston Marathon: Jeweils im April findet mit dem Boston Marathon das bekannteste internationale Sportereignis von Neuengland statt, bei dem sich über 20 000 Läufer auf die 42,195 km lange Strecke machen.

St. Patrick's Day Celebrations: März. Traditionelles irisches Fest, bei dem sich halb Boston in Grün kleidet. Außer einer Parade gibt es Konzerte und Restaurants bieten spezielle Menüs an.

Der amerikanische **Unabhängigkeitstag** am 4. Juli wird in Boston ab dem 28. Juni zusammen mit dem einwöchigen **Harborfest** (www.bostonharborfest.com) mit Konzerten, Hafenrundfahrten, dem kulinarischen Chowderfest und selbstverständlich auch mit großem Feuerwerk gefeiert.

Boston Landmarks Orchestra: Tel. 1-617-987-2000, www.landmarksorchestra.org. Das Orchester veranstaltet jeweils im Juli–Aug. eine Reihe klassischer Konzerte in öffentlichen Parkanlagen, Motto: ›Music Under the Sky & Stars‹.

Verkehr

Flugzeug: Der Logan International Airport liegt 5 km östlich von Downtown jenseits des Boston Inner Harbor (www.massport.com/logan-airport). Er ist der bedeutendste Flughafen in Neuengland und wird von vielen internationalen und US-Linien angeflogen. Die schnellste und billigste Verbindung in die Stadt ist die Blue Line der U-Bahn (tgl. 5.30–0.30 Uhr). Kostenlose Shuttlebusse fahren von den Terminals zur U-Bahn. Man kann auch mit dem Bus (Tel. 1-800-235-6426) oder dem Wassertaxi Harbor Express fahren (Tel. 1-617-222-6999, www.mbta.com >Schedules & Maps >Boats, Mo–Fr 5.45–23.25, Sa, So 8–22.15 Uhr, einfache Fahrt 13,75 $, Anlegestelle Long Wharf). Taxis in die Innenstadt kosten 25–45 $.

Bahn: Die Amtrak-Schnellzüge Acela aus bzw. nach New York, Philadelphia und Washington D. C. bzw. die Züge über Cleveland nach Chicago benutzen die South Street Station (Atlantic Ave./Summer St.) und die Back Bay Station, 145 Dartmouth St., Tel. 1-800-872-7245, www.amtrak.com. Die Züge der Massachusetts Bay Transportation Authority (MBTA, Tel. 1-617-222-3200, www.mbta.com) ab North Station (126 Causeway St., Tel. 1-800-392-6100) sind Regionalbahnen, etwa nach New Hampshire und Maine.

Bus: Die South Street Station (siehe Bahn) ist der zentrale Bahnhof für die Greyhound-Busse, Tel. 1-617-439-9831, www.greyhound.com. Die Busse der Peter-Pan-Linien fahren ab Logan Airport in unterschiedliche Regionen von Neuengland (http://peterpanbus.com).

New Hampshire und Vermont

Ikonen der US-Geschichte liegen auf dem Weg nach New Hampshire, das im Indian Summer mit den White Mountains zu den attraktivsten Reisezielen in Neuengland zählt. ›Flammende Wälder‹ dekorieren in dieser Jahreszeit auch die Naturszenerien im Nachbarstaat Vermont – für Outdoor-Fans ein wahres Paradies.

Eigentlich müsste der Bostoner Freedom Trail bis an den nordwestlichen Rand des urbanen Ballungsraumes verlängert werden. Denn die beiden dort liegenden Gemeinden Lexington und Concord waren nicht nur bedeutende Meilensteine im amerikanischen Unabhängigkeitskrieg. Sie wurden zu Synonymen für Freiheit und Vaterlandsliebe, in einem patriotisch geprägten Land wie den USA ein besonders angesehenes Prädikat. In den beiden Landgemeinden begann 1775 mit einigen Scharmützeln der Unabhängigkeitskrieg gegen England.

Auf Betreiben der beiden Revolutionsführer Samuel Adams und John Hancock, die beide auf den Fahndunglisten der Engländer ganz oben standen, hatten die Kolonisten begonnen, geheime Waffenlager anzulegen. Als die Briten anrückten, um Adams und Hancock dingfest zu machen und die Waffenlager auszuheben, waren die Amerikaner von Paul Revere schon gewarnt worden und hatten ihre kleine Freiwilligenarmee aufgestellt. Um keine historischen Schauplätze, sondern um grandiose Naturszenerien geht es in den White Mountains von New Hampshire, wo der Tourismus schon lange eine Rolle spielt. Bestes Anzeichen dafür ist der 1869 vollendete Bau von Amerikas erster Zahnradbahn auf den zwar nicht einmal 2000 m hohen, aber im Permafrost liegenden Gipfel des Mount Washington – bis heute eines der spektakulärsten Reiseziele in Neuengland.

Ähnlich wie die Berge des nördlichen New Hampshire sind auch die Landschaften im kleinen Vermont Symbole unverdorbener Natur, in der bäuerliche Gehöfte, Dörfer und Kleinstädte das Bild bestimmen, in der es keine großen Städte gibt und qualmende Industrieanlagen dünner gesät sind als anderswo. Als der französische Entdecker Samuel de Champlain 1609 durch diesen Teil von Neuengland zog, fiel ihm angesichts der sattgrünen Berge nur eine Bezeichnung ein: ›Les Verts Monts‹ (Grüne Berge), was später zum heutigen Namen anglisiert wurde.

Lexington und Concord

Lexington (MA) ▶ 1, N 2

Wo sich im Stadtzentrum Massachusetts Avenue und Bedford Street kreuzen, steht auf einem aufgeschichteten Steinhaufen die berühmte, vom Bildhauer Henry Kitson in Bronze gegossene **Minuteman-Statue.** Sie stellt Captain John Parker dar, den Anführer einer aus 80 Mann bestehenden Bürgerwehr, die am 19. April 1775 in der sogenannten Schlacht von Lexington in die erste blutige Auseinandersetzung des amerikanischen Bürgerkriegs verwickelt war. Briten und Amerikaner hatten sich bereits darauf geeinigt, keine Waffen sprechen zu lassen, als plötzlich ein Schuss fiel. Wer ihn abfeuerte, wurde nie geklärt. Ein Schusswechsel folgte, den acht Minutemen

New Hampshire und Vermont

(Freiwillige, die innerhalb einer Minute kampfbereit sein mussten) nicht überlebten.

Vor dem Scharmützel hatte sich die Bürgerwehr zwecks Beratung in ihrem Hauptquartier **Buckman Tavern** getroffen (1 Bedford St., Tel. 1-781-862-1703, www.lexington history.org, April–Okt. tgl. 10–16 Uhr, alle 30 Min. Führungen von Guides in historischen Kostümen, 7 $).

Die britischen Soldaten zogen sich nach dem ersten Schusswechsel in die **Munroe Tavern** zurück, wo sie ein Feldlazarett und das Hauptquartier von General Earl Percy einrichteten (1332 Massachusetts Ave., Tel. 1-781-862-1703, www.lexingtonhistory.org, April– Ende Mai Sa/So, Ende Mai–Okt. tgl. 12–16 Uhr, 7 $, Kombiticket 12 $).

Concord (MA) ▶ 1, N 2

Nach den Ereignissen in Lexington marschierten die britischen Truppen Richtung Westen nach Concord, um von den Kolonisten gehortete Waffen und Munition zu konfiszieren. Als die britischen Rotröcke an der **Old North Bridge** über den Concord River ankamen, hatten sich dort bereits etwa 400 Minutemen verschanzt. Der idyllische Fluss, der sich durch ein waldreiches Gebiet windet, lässt nicht vermuten, dass an dieser Stelle die erste richtige Schlacht des amerikanischen Unabhängigkeitskriegs stattfand. Die Rebellen gewannen in dem Gefecht die Oberhand, die britischen Truppen mussten sich nach Boston zurückziehen.

Im **North Bridge Visitor Center** auf einem Hügel über dem Concord River wurde ein kleines Museum mit vielen Erinnerungsstücken wie Waffen und Uniformen eingerichtet (Minute Man National Historical Park, 174 Liberty St., Tel. 1-978-369-6993, www.nps. gov/mima, tgl. 9–17 Uhr, 5 $).

Ausstellungen zum Beginn der Amerikanischen Revolution sind auch im **Concord Museum** zu sehen, weiterhin Erinnerungsstücke an Henry David Thoreau und Ralph Waldo Emerson (Lexington Rd., Tel. 1-978-369-9763, www.concordmuseum.org, Jan.–März Mo– Sa 11–16, So 13–16 Uhr, April–Dez. Mo–Sa 9–17, So 12–17, Juni–Aug. So 9–17 Uhr, 10 $).

Concord machte nicht nur Revolutionsgeschichte. Im 19. Jh. bildete sich dort eine bedeutende Literatenkolonie heraus. Nur einige Schritte von der Old North Bridge entfernt steht mit **The Old Manse** ein Anwesen, das der Großvater des Philosophen und Dichters Ralph Waldo Emerson (1803–1882) im Jahr 1770 bauen ließ und in dem Emerson einige Jahre seiner Kindheit verbrachte. Zwischen 1842 und 1845, als der frisch verheiratete Schriftsteller Nathaniel Hawthorne eine Zeit lang in den Einfluss der Transzendentalisten geriet, hatte das Anwesen mit ihm einen weiteren prominenten Bewohner (269 Monument St., Tel. 1-978-369-3909, www.thetrustees. org >Places To Visit >List Of Reservations >Old Manse, Ende Mai–Ende Okt. Di–So 12–17, sonst kürzer, 8 $).

Von 1835 bis 1882 bewohnte Emerson mit dem **Emerson House** ein zweites Anwesen in Concord, das noch so ausgestattet ist wie zu Lebzeiten des ehemaligen Hausherrn (28 Cambridge Turnpike, Tel. 1-978-369-2236, Führungen Mitte April–Okt. Do–Sa 10–16.30, So 13–16.30 Uhr).

Zum Kreis um Emerson gehörte auch Henry David Thoreau (1817–1862), der mit dem 1854 erschienenen Essayzyklus ›Walden oder Leben in den Wäldern‹ Berühmtheit erlangte. In seinen Schriften plädierte er für das Recht und die Pflicht des Einzelnen, seine Entscheidungen frei von jeder Konvention und nur allein an der Natur orientiert zu treffen. In dem Werk verarbeitete er Erfahrungen, die er 1845 während eines freiwilligen Exils in einer selbst gebauten Holzhütte am **Walden Pond** bei Concord machte. Wo er zwei Jahre lang sein ›Daseinsexperiment‹ durchführte, steht heute ein Nachbau seiner einstigen Behausung (915 Walden St., Tel. 1-978-369-3254, www. mass.gov >Transportation & Recreation >Tourism MassParks >Find a Park, tgl.)

Einzige Frau der Literatenkolonie in Concord war Louisa May Alcott (1832–1888). Im **Orchard House** verfasste sie ihren zweiteiligen Roman ›Kleine Frauen‹, in dem sie ein typisches Bild des damaligen Familienlebens in den Neuenglandstaaten zeichnete (399 Le

xington Rd., Tel. 1-978-369-4118, www.loui
samayalcott.org, April–Ende Okt. Mo–Sa 10–
16.30, So 13–16.30 Uhr, sonst kürzer).

Alle genannten Literaten fanden ihre letzte
Ruhestätte auf dem **Sleepy Hollow Ceme-
tery,** der aus diesem Grunde den Beinamen
›Author's Ridge‹ trägt (Rte 62 W.).

Infos

Concord Visitor Center: 15 Walden St.,
Concord, MA 01742, Tel. 1-978-369-3120,
http://concordchamberofcommerce.org.

Essen & Trinken

Von Van Gogh inspiriertes Interieur ▶
Vincenzo's Ristorante: 1200 Main St., Tel.
1-978-318-9800, www.vincenzosrestaurant.
com, Lunch Do–Fr, Dinner tgl. Feine italienische Speisen, serviert in farbenfroher Umgebung. Ab 10 $.

Eiscreme vom Feinsten ▶ **Bedford Farm
Ice Cream:** 68 Thoreau St., www.bedford
farmsicecream.com, im Sommer 12–21.30
Uhr. Erstklassige Eisspezialitäten.

② White Mountains

Concord (NH) ▶ 1, N 1

Die Hauptstadt von New Hampshire liegt
am Merrimack River, eine gerade mal
42 000 Einwohner große Gemeinde gänzlich
ohne Metropolen-Allüren. Das ändert sich
nur alle vier Jahre, wenn in diesem Bundesstaat traditionsgemäß die ersten Entscheidungen im Vorwahlkampf zur Präsi-
dentschaftswahl fallen und die ganze Nation
auf den neuenglischen Winzling mit seinen
ca. 1,3 Mio. Einwohnern blickt. Es gilt als
ungeschriebenes Gesetz, dass jener Kandi-
dat ins Weiße Haus einzieht, der in New
Hampshire die ›Primary‹ gewinnt.

Das 1819 erbaute **Statehouse** ist das älteste Parlamentsgebäude der USA, in dem
sowohl Senat als auch Repräsentantenhaus noch in ihren ursprünglichen Räumlichkeiten tagen. Der repräsentative Bau
steht in einer Parkanlage voller Bäume,
Sträucher und Denkmäler, die an berühmte

Söhne des Landes erinnern. Im Innern gibt
sich das Gebäude bescheidener als andere
State Capitols, von einem Mosaik über historische Ereignisse in der Senat Chamber
abgesehen (107 N. Main St., Tel. 1-603-271-
1110, www.nh.gov, Mo–Fr 8–16.30 Uhr).

Im **Museum of New Hampshire History**
können an der Geschichte des Staates interessierte Besucher vieles über dessen bewegte Vergangenheit erfahren, vom großen
Indianerhäuptling Passaconaway bis zum
Astronaut Alan Shepard, der als fünfter
Mensch im Rahmen der Apollo 14-Mission
1971 den Mond betrat (30 Park St., Tel.
1-603-228-6688, www.nhhistory.org >Mu-
seum, Di–Sa 9.30–17 Uhr, kostenloser Eintritt,
Führungen 4 $).

Infos

Chamber of Commerce: 49 South Main
St., Concord, NH 03301, Tel. 1-603-224-
2508, www.concordnhchamber.com.

Übernachten

Helle, saubere Zimmer ▶ **Best Western
Concord Inn & Suites:** 97 Hall St., Tel. 1-603
228-4300, http://concordbestwestern.com.
66 Zimmer mit Kühlschrank, Kaffeemaschine,
Mikrowelle sowie Whirlpool, Schwimmbad
und Fitnessraum, Zeitung und Frühstück inbegriffen. Ab 110 $.

Ordentlich ▶ **Comfort Inn:** 71 Hall St., Tel.
1-603-226-4100, www.comfortinnconcord.
com. Ordentliche Standardzimmer mit WLAN,
Frühstück. Außerdem Pool, Sauna, Fitnessraum. Ab 110 $.

Essen & Trinken

Große Auswahl an guten Gerichten ▶ **The
Red Blazer:** 72 Manchester St., Tel. 1-603-
224-4101, www.theredblazer.com, tgl., So
Frühstücksbüfett. Bodenständiges Lokal, in
dem neben amerikanischer Küche zahlreiche
Biersorten serviert werden. Ab ca. 12 $.

Authentische mexikanische Küche ▶ **Her-
manos Cocina Mexicana:** 11 Hills Ave., Tel.
1-603-224-5669, www.hermanosmexican.
com, So–Do 11.30–21, Fr, Sa 11.30–22 Uhr.
Von Nachos mit Chili, Guacamole und Boh-

New Hampshire und Vermont

nen bis zum Chimichanga, dazu werden süffige Margaritas serviert. In der Lounge So–Do Live-Jazz. Ab 12 $.

North Conway ▶ 2, G 3

Eine Sehenswürdigkeit ist der Ort mit seinen 2400 Einwohnern beileibe nicht. Die Qualitäten von **North Conway** liegen auf zwei anderen Gebieten: Es eignet sich hervorragend als Ausgangspunkt für Touren in die White Mountains und es bildet in diesem eher provinziellen Teil von New Hampshire das bedeutendste Wirtschaftszentrum. Entlang des Highway 16 reihen sich Motels aller Preiskategorien, Bed & Breakfast Inns, Cottages, Resorts, Restaurants, Shopping Malls und Supermärkte wie in einer mittelgroßen Stadt aneinander. Dazwischen verteilen sich Outlets mit Dutzenden Fabrikverkäufen für Textilien, Schuhe und Haushaltswaren.

Mitten im Ort am Village Green hält der 1874 erbaute, gelb getünchte Bahnhof mit roten Dächern die Erinnerung an vergangene Zeiten lebendig. Heute dient er als Station für die nostalgische, mit Dampf- und Diesellokomotiven ausgerüstete **Conway Scenic Railroad**, mit der jedes Jahr Tausende von Ausflüglern eine Fahrt nach Bartlett im Saco River Valley oder nach Conway unternehmen (Rte 16, 38 Norcross Circle, Tel. 1-603-356-5251, http://conwayscenic.com, April–Jan.).

Infos

Mount Washington Valley Chamber of Commerce: 2617 White Mountain Hwy, P. O. Box 2300, North Conway, NH 03860-2300, Tel. 1-603-356-5947, www.mtwashington valley.org.

Übernachten

An der Durchgangsstraße von North Conway gibt es viele Unterkunftsmöglichkeiten aller Preiskategorien.

Themenzimmer ▶ **Adventure Suites:** 3440 White Mountain Hwy, Tel. 1-603-356-9744, www.adventuresuites.com. Originelles Hotel mit ›Themen‹-Suiten, die Wahl zu treffen fällt schwer: Auswahl zwischen römischem Spa mit Rundbett, Baumhaus mit Zeltunterkunft

für Kids, ›Motorcycle Madness‹ mit integrierter Motorradgarage für Harley-Fans, Jacuzzi für 7 Personen und Toilettenpapierhalter im Harley-Look, ›Love Shack‹ mit Wasserbett und Deckenspiegel und darüber hinaus diverse andere Themen. Alle Suiten haben Jacuzzis. Ab 119 $.

Empfehlenswerte Bleibe ▶ **North Conway Grand Hotel:** Rte 16 beim Settler's Green Outlet, Tel. 1-603-356-9300, www.northcon waygrand.com. Großes Hotel mit Innen- und Außenpool, Fitnessraum, in Ideallage zum Einkaufen. So–Do ab 99 $, Fr–Sa 149 $.

Stilvoll in schöner Lage ▶ **White Mountains Hostel:** 36 Washington St., Tel. 1-603-447-1001, www.whitemountainshostel.com. Einfache Herberge in einem umgebauten Farmgebäude mit 10 Schlafsälen und 28 Betten sowie 5 Privatzimmern für jeweils 5 Personen. Ab 25 $ pro Person.

Essen & Trinken

Selbst großer Hunger wird gestillt ▶ **Delaney's Hole in the Wall:** 2966 White Mountain Hwy, Tel. 1-603-356-7776, www.dela neys.com, tgl. 11.30–23 Uhr. Der Nachfahre eines Mitglieds der Gang von Butch Cassidy und Sundance Kid stellt alles unter das Motto der ›Hole in the Wall-Gang‹. Spezialitäten sind Salate, Wings, Ribs und Chicken. Jeden Mittwoch Live-Musik. Ab 9 $.

Gemütlich ▶ **Moat Mountain Smokehouse:** 3378 White Mountain Hwy, Tel. 1-603-356-6381, www.moatmountain.com, tgl. 11.30–24 Uhr. Restaurant mit eigener Brauerei und üppigen Portionen. Barbecue-Ribs und Holzofenpizza gehören zu den Hausspezialitäten. Ab 9 $.

Einkaufen

Outlets ▶ North Conway ist ein wahres Einkaufsparadies für Shopping-Begeisterte und bietet in seinen rund 100 Fabrikverkaufsstellen mit Mode, Schuhen und Accessoires, u. a. von Nike, L. L. Bean, Polo Ralph Lauren und GAP, nahezu alles. Da New Hampshire keine Verkaufssteuer verlangt, ist Einkaufen hier preiswerter als anderswo. **Settlers' Crossing:** 1500 White Mountain Hwy., Mo–Sa 10–

Tipp: Gipfelsturm auf den Mount Washington

Arktische Wetterbedingungen und eine museal anmutende Oldtimer-Lokomotive machen die Fahrt mit der **Mount Washington Cog Railway** auf den nicht einmal 2000 m hohen Gipfel des **Mount Washington** zu einem echten Abenteuer. Häufig toben auf dem im Permafrost liegenden Gipfel Orkane, weil der Berg im Schnittpunkt dreier Sturmschneisen liegt.

Am 12. April 1934 wurde ein Weltrekord dokumentiert – eine danach nie mehr auf der Erdoberfläche gemessene Windgeschwindigkeit von 371,75 km/h.

Manchem Höhenwanderer, der den ›Hügel‹ falsch einschätzte, sind die extremen Klimaverhältnisse schon zum Verhängnis geworden. Auf jedem Bergausflug verschlingt das ›Schnauferl‹ 1 t Kohle und wandelt während des eineinhalbstündigen ›Gipfelsturms‹ 4000 l Wasser in heißen Dampf um. Steilster Streckenabschnitt ist die Jakobsleiter mit 37,4 %. Wenn man die Fahrt im Herbst unternimmt, beginnen sich die fast graslosen Flächen entlang der Schienentrasse bald durch Raureif zu ›verzuckern‹. Auf dem Gipfel herrscht schneidende Kälte, sodass sich Besucher lieber ins geheizte Sherman Adams Building flüchten, um die weiße Pracht durch die Fensterscheiben zu bewundern (Talstation hinter dem Mount Washington Hotel, Tel. 1-603-278-5404, www.thecog.com, Mai–Okt. tgl. 9–15 Uhr, ab 13 J. 66 $).

Auch mit dem Auto lässt sich der Berg bequem erklimmen. An seiner Ostflanke beginnt in Pinkham Notch 14 Meilen nördlich von Glen mit der Mount Washington Auto Road eine 8 Meilen lange kurvige Mautstraße. Von Mitte Mai bis Mitte Oktober ist sie zwar grundsätzlich offen, Wettereinbrüche können sie aber jederzeit unpassierbar machen (Tel. 1-603-466-3988, http://mtwashingtonauto road.com, im Hochsommer tgl. 7.30–18 Uhr, sonst kürzer, Pkw und Fahrer 28 $, zusätzliche Personen 8 $).

In Eis und Schnee erstarrter Gipfel des Mount Washington

New Hampshire und Vermont

21, So 10–18 Uhr. **Settler's Green Outlet:** Rte 16, Mo–Sa 9–21, So 10–18 Uhr, www.settlers green.com.

Aktiv

Urlaub im Sattel ▶ **Stables at the Farm by the River:** 2555 West Side Rd., Tel. 1-603-356-6640, www.farmbytheriver.com. Es sind hier sowohl ein Reitstall für Ausritte vorhanden als auch Ponys für Kinder, und auch Ausfahrten mit dem Pferdewagen werden angeboten. Übernachtet wird im gemütlich altmodischen B & B, ab 115 $.

Bretton Woods ▶ 2, F 3

Aus der Entfernung könnte man meinen, am Fuß des Mount Washington sei ein weißes Traumschiff in einem Ozean aus Wäldern und Wiesen auf Grund gelaufen. Seit 1902 bestimmt das **Omni Mount Washington Resort** das Bild des Dorfes und verhalf ihm 1944 sogar in die Schlagzeilen der Weltpresse. In den noblen Sälen fand 1944 auf Einladung von Präsident Franklin D. Roosevelt eine wichtige Weltwährungs- und Finanzkonferenz statt. Drei Wochen dauerten die Verhandlungen der 700 Delegierten aus

Am Kancamagus Highway zeigt sich der Indian Summer von seiner schönsten Seite

44 Ländern. Dann war ein Internationaler Währungsfonds zur Stabilisierung der nationalen Währungen und zur Förderung des Welthandels geschaffen. Das Personal an der Rezeption hört nicht gerne, dass Horror-Autor Stephen King die Idee zu seinem Roman ›The Shining‹ offenbar nach einem Besuch im Mount Washington Hotel hatte. Umso erstaunlicher ist, dass das Management Starregisseur Stanley Kubrik 1980 dann doch erlaubte, einige Szenen der Verfilmung des Romans in Bretton Woods' Nobeladresse zu drehen.

Übernachten

Nobel ▶ Omni Mount Washington Resort: Rte 302, Tel. 1-603-278-1000, www.omnihotels.com. Nobles Traditionshotel mit dicken Teppichen und schweren Kronleuchtern in der Lobby, das Weltgeschichte machte. 18-Loch-Golfplatz, Tennisanlagen, Reitstall, Massage. Nur mit Halbpension, ab 300 $.

Am Fuß des Mt. Washington ▶ Omni Bretton Arms Inn: 173 Mt. Washington Hotel Rd., Tel. 1-603-278-1000, www.mtwashington.com. 34 Gästezimmer bzw. großzügige Suiten, Highspeed-Internet, Kabel-TV. DZ ab 110 $.

Guter Campingplatz ▶ Twin Mountain KOA: Twin Mountain, 372 Rte 115, Tel. 1-603-846-5559, www.twinmountainkoa.com, 20. Mai–16. Okt. Bewaldet. Cabins ca. 55 $.

Essen & Trinken

Gute Küche in Pubatmosphäre ▶ Fabyan's Station: Rte 302, Tel. 1-603-278-2222, tgl. 11.30–21 Uhr. Einfaches Restaurant in einem ehemaligen Bahnhof. Auf der Karte: Nachos, Burgers, Ribs. Ab 10 $.

Kancamagus Highway ▶ 2, F 3

Zwischen Conway und Lincoln stellt der **Kancamagus Highway** eine 33 Meilen lange Ost-West-Verbindung durch die White Mountains her. Die Route durch die Berglandschaft gehört zu den attraktivsten Strecken von Neuengland. Vom Tal des Swift River, in dem schon im ausgehenden 18. Jh. Holzfäller siedelten, steigt der Panorama-Highway zum 872 m hohen Kancamagus-Pass an.

Namen entlang der Route wie der des verlassenen Dorfes Passaconaway oder der Sabbaday Falls gehen auf indianische Ursprünge zurück. Mitte des 17. Jh. waren die White Mountains Jagdgebiet mehrerer Indianergruppen. Häuptling Passaconaway (Bärenkind) vereinte im Jahr 1627 über ein Dutzend dieser Stämme in der Penacook-Konföderation. Die Panoramaroute ist nach dem Enkel des großen Häuptlings benannt.

Lincoln ▶ 2, F 3

Der Kancamagus Highway endet im kleinen Touristenzentrum **Lincoln** an der westlichen

New Hampshire und Vermont

Flanke der White Mountains. Der Ferienort hat es als Ausgangspunkt für Touren in die nahe Bergwelt zu Ansehen gebracht, weil das Städtchen günstig an der großen Nord-Süd-Verbindung I-93 liegt und es vor Ort alles gibt, was ein Etappenziel braucht: Unterkünfte, Gastronomie und Einkaufsgelegenheiten.

Vom Ortsrand führt eine 2 km lange Gondelbahn zum **Loon Mountain Park,** in dem Outdoor-Fans ihre Wochenenden gerne beim Reiten, Mountain Biking oder Wandern auf einem der Pfade verbringen, die zu von Gletschern ausgehobelten Höhlen führen. Von einem Aussichtsturm im Park hat man einen grandiosen Blick über die Umgebung (Gondelbahn, Tel. 1-603-745-8111, www.loonmtn. com, Betrieb Mitte Juni–Mitte Okt. tgl., Ende Mai–Mitte Juni Sa, So).

Mit der **Hobo Railroad** können Familien eineinhalbstündige Rundfahrten entlang dem Pemigewasset River unternehmen und dabei die idyllische Landschaft zwischen Lincoln und Franconia Notch kennenlernen (Hobo Junction Station, Rte 112, Tel. 1-603-745-2135, www.hoborr.com, Mai–Okt., Erw. 16 $).

Infos

Lincoln-Woodstock Chamber of Commerce: Rte 112, Tel. 1-603-745-6621, Lincoln, NH 03251, www.lincolnwoodstock.com.

Übernachten

Freundlich ▶ **Woodwards Resort:** 527 US-Rte. 3, Tel. 1-603-745-8141, www.woodwardsresort.com. Im Herzen der White Mountains gelegen, mit vielen Sportmöglichkeiten und gutem Restaurant, Innen- und Außenpool, Sauna, Tennisplätzen. Ab 120 $.

Erstklassiges Motel ▶ **Franconia Notch Motel:** 572 Rte. 3, Exit 33 von der I-93 North, Tel. 1-603-745-2229, www.franconianotch. com. Motel auf einem bewaldeten Gelände am Ufer des Pemigewasset River . Ab 60 $.

Tolle, entspannende Anlage ▶ **Country Bumpkins Family Campground:** Rte 3, Tel. 1-603-745-8837, www.countrybumpkins.com, April–Okt. Platz mit warmen Duschen und beheizbaren Cabins mit TV und eigener Dusche. Cabins ab 65 $.

Essen & Trinken

Gutes Hotelrestaurant ▶ **Profile Dining Room:** 664 Rte 3, Tel. 1-603-745-8014, www. indianheadresort. com, tgl. 7–21 Uhr. Restaurant des Indian Head Resort mit guter Küche und einer großen Auswahl an Steaks, Seafood und Pasta. Ab 14 $.

Empfehlenswertes Lokal ▶ **Gypsy Café:** 117 Main St., Tel. 1-603-745-4395, tgl. Lunch und Dinner. Leckere amerikanisch, asiatisch, mexikanisch und italienisch inspirierte Gerichte. Ab ca. 10 $.

Aktiv

Elchbeobachtung ▶ **Pemi Valley Excursions:** Rte 112 gegenüber McDonalds, Tel. 1-603-745-2744, www.moosetoursnh.com, Ende Mai–Mitte Okt., ab ca. 18 Uhr. Touren unbedingt reservieren! Erw. 28 $, Kinder 18 $.

Freizeitpark ▶ **Whale's Tale Water Park:** Water Park Rte 3, Tel. 1-603-745-8810, www. whalestalewaterpark.net, Mitte Juni–Anfang Sept. tgl. 10–18 Uhr, Wasserpark mit Rutschen und Pools. 35 $, ab 15 Uhr 21 $.

Franconia Notch ▶ 2, F 3

Nördlich von Lincoln führen die I-93 und die parallel dazu verlaufende Route 3 durch die Franconia Notch, ein zum Teil enges Tal, in dem die hauptsächlichen Sehenswürdigkeiten im **Franconia Notch State Park** unter Schutz stehen. Die **Flume Gorge** ist eine 12 km lange, von Gletschern gegrabene Schlucht zwischen der Franconia und der Kinsman Range und wird von hohen, vor Nässe glänzenden Steilwänden eingerahmt. Durch den engen Canyon befördert der Wildbach Flume sein Wasser in zahlreichen Kaskaden talwärts. Selbst im Hochsommer poliert das eiskalte Nass die übereinander gestürzten Granitbrocken und schafft ein Klima wie im Kühlhaus, weil kaum einmal ein Sonnenstrahl in die steile Schlucht fällt. Ein teilweise aus Brettersteigen bestehender Pfad führt durch dieses Naturwunder (Visitor Center, Tel. 1-603-745-8391, www.nhstateparks. com/franconia.html, Mitte Mai–Ende Okt. tgl. 10–17, im Hochsommer bis 17.30 Uhr, Erw. 12 $, Kinder 6–12 Jahre 8 $).

In der Franconia Notch fährt die 80 Personen fassende **Cannon Mountain Aerial Tramway** zum 1250 m hohen Gipfel des Cannon Mountain, auf dem man wandern und die fabelhafte Fernsicht genießen kann (Tel. 1-603-823-8800, www.cannonmt.com >Attractions>Aerial Tramway, Ende Mai–Mitte Okt. tgl. 9–17 Uhr, Erw. ab 13 J. 16 $, 6–12 J. 13 $).

Green Mountains

Montpelier ▶ 2, E 3

Wer sich die Staatsmetropole von Vermont als urbanen Ballungsraum vorstellt, irrt. Mit gut 7800 Einwohnern, weiß getünchten Holzhäusern und liebevoll gepflegten Vorgärten sieht **Montpelier** eher wie ein verschlafenes Landstädtchen aus.

Es überrascht nicht, dass manche das 1859 im Greek-Revival-Stil erbaute **Kapitol** auf den ersten Blick für ein aus der alten Zeit stammendes Luxushotel halten. Dorische Säulen zieren die graue Granitfassade, über der sich eine goldgedeckte Kuppel mit einer Statue von Ceres, der römischen Getreidegöttin, wölbt. In der Eingangshalle ist außer den Porträts der beiden aus Vermont stammenden US-Präsidenten Calvin Coolidge und Chester Arthur eine Büste von Abraham Lincoln zu sehen, die als Modell für eine viel größere Skulptur auf seinem Grab in Springfield (Illinois) diente (115 State St., Tel. 1-802-828-2228, www.vtstatehouse.org >Tours, kostenlose Führungen Juli–Mitte Okt. Mo–Fr 10–15.30, Sa 11–14.30 Uhr. Freier Zugang zum Gebäude Mo–Fr 8–16 Uhr).

Infos

Vermont Dept. of Tourism: 1 National Life Dr., Montpelier, VT 05620-0501, Tel. 1-800-VERMONT. Informationen über Urlaub oder Besichtigungen auf dem Bauernhof unter www.vtfarms.org.

Barre ▶ 2, E 3

Der größte Teil des Baumaterials für das Kapitol in Montpelier stammt aus **Barre,** genau genommen aus dem Steinbruch **Rock of Ages.** Seit 1885 sägen sich in diesem größten Granitsteinbruch der Welt Maschinen in eine Bergflanke und lösen Quader um Quader aus einem inzwischen 150 m tiefen Einschnitt heraus. In einer Fabrik gleich nebenan wird das tonnenschwere Rohmaterial zugeschnitten, poliert und etwa zu Bodenplatten weiterverarbeitet. In der ganzen Welt findet der sogenannte Bethel-Granit aus Vermont Verwendung, von der Island Centre Plaza in Hongkong bis zum Rheinpark in Wiesbaden (Graniteville, Tel. 1-802-476-3119, www.rockofages.com, der Steinbruch kann nur bei einer Führung besucht werden, Mai–Sept., Mo–Sa 9–17 Uhr).

Burlington ▶ 2, D 2

Lebhaftes Flair, das sich in Straßencafés, Restaurants und Kneipen vor allem entlang der zentralen Church Street bemerkbar macht, bringen die 10 000 Studenten der 1791 gegründeten University of Vermont in die Stadt. Und natürlich Kultur. Denn neben Ausstellungen und Kammermusikkonzerten veranstaltet die Universität alljährlich im Sommer ein viel beachtetes Mozart-Festival und im Royal Tyler Theatre von Anfang Juli bis Mitte August zahlreiche Bühnenaufführungen. Mit 43 000 Einwohnern ist Burlington die größte Stadt im Staat, die ihren Reiz vor allem der Lage am Ufer des **Lake Champlain** und ihrem Zentrum mit Häusern aus dem frühen 19. Jh. verdankt.

Nahe dem Hafen, in dem Fischerboote und Jachten vertäut liegen, beschäftigt sich das **ECHO Lake Aquarium** als Mischung von Aquarium und Wissenschaftszentrum mit Natur, Ökologie, Kultur und Geschichte der Region um den Lake Champlain mit fünf Dutzend unterschiedlichen Fischarten, Amphibien und Reptilien, aber auch mit interaktiven Einrichtungen (1 College St., Tel. 1-802-864-1848, www.echovermont.org, tgl. 10–17 Uhr, Erw. 13,50 $, Kinder 3–17 J. 10,50 $).

Infos

Chamber of Commerce: 60 Main St., Suite 100, Burlington, VT 05401, Tel. 1-802-863-3489, www.vermont.org.

Fletcher Free Library: 235 College St., www. fletcherfree.org. Kostenloser Internetservice.

Übernachten

Stadthotel mit gutem Service ▶ **Hilton Burlington:** 60 Battery St., Tel. 1-802-658-6500, www3.hilton.com. Hotel mit beheiztem Schwimmbad und Whirlpool, schöner Blick auf den See. Ab 180 $.

In schöner Lage ▶ **Anchorage Inn:** 108 Dorset St., South Burlington, Tel. 1-802-863-7000, http://anchorageinnvt.com. Unterkunft mit Pool, Whirlpool, Sauna. Ab 51 $.

Campingplatz ▶ **North Beach Campground:** 60 Institute Rd., Tel. 1-802-862-0942, Zelt- und RV-Platz mit Sandstrand am Lake Champlain.

Essen & Trinken

Ansprechende Gerichte ▶ **Chef's Table:** 118 Main St., Tel. 1-802-229-9202, www.ne ci.edu/chefs-table/index, tgl. 8–21 Uhr. Renommiertes Lokal des New England Culinary Institute mit leckeren Gaumenfreuden von der Vorspeise bis zum Dessert, ab ca. 20 $.

Super Essen ▶ **Leunig's Bistro:** 115 Church St., Tel. 1-802-863-3759, http://leunigsbistro. com, Mo–Fr ab 11, Sa/So ab 9 Uhr. Freundliches Café im französischen Stil. Ab 8 $.

Einkaufen

Einkaufszentrum ▶ **Burlington Town Center:** 5 Burlington Sq., Mo–Sa 10–21, So 13–18 Uhr. Über 40 Geschäfte sind hier unter einem Dach.

Alles unter einem Dach ▶ **University Mall:** 155 Dorset St., South Burlington, Tel. 1-802-863-1066, www.umallvt.com, Mo–Sa 9.30–21, So 10–18 Uhr. Größtes Einkaufszentrum von Vermont mit Modeboutiquen, Elektronikshops, Sportgeschäften, Restaurants und drei Kaufhäusern.

Aktiv

Dampfertouren ▶ **Spirit of Ethan Allen:** 348 Flynn Ave., Perkins Pier, Tel. 1-802-862-8300, www.soea.com. Ausflüge mit einem Schiff für 363 Passagiere, Fahrbetrieb Ende Mai bis Mitte Okt.

Verkehr

Fähre: Lake Champlain Ferries, King St. Dock, Tel. 1-802-864-9804, www.ferries.com, Juni–Okt., Autofähre nach Port Kent, NY, Überfahrt 1 Std.

Bahn: Von Essex Junction besteht mit dem ›Vermonter‹ der Amtrak Verbindung nach Boston und New York (29 Railroad Ave., Essex Jct., VT 05452).

Stowe ▶ 2, E 2

In der kalten Jahreszeit wird Burlington zum ›Basislager‹ von Wintersportlern, die in den Green Mountains Gelegenheit zum alpinen Skisport oder zum Skilanglauf finden.

Der wahre Skizirkus spielt sich um den 1340 m hohen Mount Mansfield östlich von Burlington ab, wo die Ortschaft **Stowe** auf eine jahrzehntelange Wintersporttradition zurückblickt. Schon in den 1930er-Jahren ›importierte‹ die lokale Tourismusbehörde mit Skilehrern aus Österreich alpenländische Atmosphäre in die Neue Welt, die sich heute in dem einen oder anderen Hotelbetrieb oder in ausgesuchten gastronomischen Angeboten leicht erkennen lässt (Stowe Area Association, P. O. Box 1320, 51 Main St., Stowe, VT 05672, Tel. 1-802-253-7321, www.gos towe.com).

Middlebury ▶ 2, D 3

Seit über 200 Jahren besitzt die Kleinstadt mit dem **Middlebury College** eine Lehranstalt, an der über 2500 Studenten eingeschrieben sind (www.middlebury.edu).

Einen noch weiter über die Orts- und Staatsgrenzen hinausgehenden Ruf besitzt die **UVM Morgan Horse Farm,** auf der Experten mit dem Morgan-Pferd seit über 100 Jahren das für Stärke und Schnelligkeit bekannte Symboltier des Staates Vermont züchten. Die Anfänge gehen auf den Lehrer Justin Morgan zurück, der im ausgehenden 18. Jh. anstelle des Geldes für eine ausstehende Schuld ein Fohlen bekam, von dem das erste Morgan-Pferd abstammen soll (74 Battell Dr., Tel. 1-802-656-3131, www.uvm. edu/morgan, Führungen durch die Stallungen Mai–Okt. tgl. 9–16 Uhr).

Das idyllisch am Lake Champlain gelegene Burlington hat viele reizvolle Plätze

Lake Champlain ▶ 2, D 2

Eine stimmungsvolle, historische Enklave bildet südlich von Burlington in Shelburne das **Shelburne Museum.** Auf einem parkähnlichen Gelände stehen über drei Dutzend Gebäude vorwiegend aus dem 19. Jh. Architektonischen Raritätenwert besitzt eine dreistöckige, runde Scheune, durch die man das Freilichtmuseum betritt. Eine winzige Station der Küstenwache, Bahnhof, Schmiede, Postkutschenstation, Gefängnis und der 1906 vom Stapel gelaufene, längst ausgemusterte Raddampfer ›SS Ticonderoga‹ bilden ein nostalgieträchtiges Idyll, in dem auch eine gedeckte Brücke nicht fehlt und Handwerker in alten Trachten ihre Fertigkeiten zeigen. In zahlreichen Gebäuden sind Ausstellungen amerikanischer Volkskunst zu sehen. Kern des Museums bilden die Sammlungen der Museumsgründerin Electra Havemeyer Webb mit Skulpturen und Gemälden berühmter französischer Impressionisten wie Edgar Degas, Claude Monet und Edouard Manet (Rte 7, Tel. 1-802-985-3346, http://shelburnemuseum.org, Mitte Mai–Mitte Okt. tgl. 10–17 Uhr, Erw. 22 $).

Ein Schaufenster in die ländliche Vergangenheit sind die **Shelburne Farms.** Der Bauernhof entstand 1886 als Sommersitz eines Industriellen. Heute demonstrieren kostümierte Bewohner, wie man Käse herstellt, Möbel anfertigt oder mit Kleinvieh umgeht (Harbor/Bay Rd., Tel. 1-802-985-8686, www.shelburnefarms.org, Ende Mai–Mitte Okt. Führungen tgl. 9.30–15.30 Uhr, Erw. 8 $).

Ziel vieler Familien mit Kindern ist die **Vermont Teddy Bear Company,** in der Besucher eine Führung durch eine Fabrik machen können, in der in zahlreichen Arbeitsgängen Teddybären in allen Farben und Formen entstehen (6655 Shelburne Rd., Tel. 1-802-985-3001, www.vermontteddybear.com, tgl. Winter 9–17, Sommer 9–18 Uhr).

Jedes Jahr im Frühsommer zieht Pulverdampf über die mächtigen Mauern des **Forts Ticonderoga** an der Staatsgrenze zwischen Vermont und New York, wenn bis zu 200 Soldaten in traditionellen Uniformen eine Schlacht aus dem Siebenjährigen Krieg nachspielen. Als die Franzosen die Anlage 1755 auf einem schmalen Isthmus zwischen Lake Champlain und Lake George erbauten, trug sie noch den

New Hampshire und Vermont

Namen Fort Carillon. Sie sollte den Wasserweg zwischen Kanada und den amerikanischen Kolonien sichern und den britischen Expansionsgelüsten einen Riegel vorschieben. Das gelang nur bis 1759, als englische Truppen die Anlage eroberten und auf den heutigen Namen umtauften. Im Jahr 1775 brachten amerikanische Revolutionstruppen das Fort in einem unblutigen Handstreich in ihre Gewalt, ehe den Briten zwei Jahre später die Rückeroberung glückte. Das abgebrannte Fort Ticonderoga, das zu Beginn des 20. Jh. nach alten französischen Plänen neu entstand, ist heute ein Museum mit Waffen und Ausrüstungsgegenständen, vor allem aber Memorabilien einfacher Soldaten, die in der Festung Dienst taten (Tel. 1-518-585-2821, http://www.fortticonderoga.org, Mai–Okt. tgl. 9.30–17 Uhr, 17,50 $).

Killington (VT) ▶ 2, E 4

Unter den bekanntesten Ski- und Wanderparadiesen in den östlichen USA hat der nach dem 1292 m hohen **Killington Peak** benannte Ort einen klingenden Namen. Dutzende Lifte und Gondelbahnen, darunter eine der schnellsten der Welt zum Skye Peak (1158 m) erschließen die Gegend mit Bergen wie Snowdon Mountain (1095 m), Rams Head Mountain (1100 m) und Pico Mountain (1209 m) und über 200 zum Teil schwierigen Abfahrten. Im Sommer blicken Wanderer der Fernwanderwege Appalachian Trail und Long Trail, die sich auf dem Killington Peak kreuzen, bei guter Sicht vom zweithöchsten Gipfel in Vermont in fünf Nachbarstaaten. Im ›Kunstort‹ selbst, der nach dem Zweiten Weltkrieg aus dem Boden gestampft wurde und deshalb eine typisch neuenglische Atmosphäre vermissen lässt, sorgen eine Eislauf- und Rodelbahn, Tennisplätze, Golfanlagen und zahlreiche Veranstaltungen für die Unterhaltung der Urlauber. Wer in den Ferien eine Spur mehr Abenteuer schätzt, kann auf dem Mad River in ein Kanu oder Kajak steigen.

Infos

Chamber of Commerce: 2319 Rte 4, Killington, VT 05751-9607, Tel. 1-802-773-4181, www.killingtonchamber.com. Viele Informationen über das Gebiet.

Übernachten

Große Klasse ▶ **Birch Ridge Inn:** 37 Butler Rd., Tel. 1-802-422-4293, www.birchridge. com. Manche Zimmer mit Whirlpool, manche nur mit Dusche. Es gibt ein hauseigenes Restaurant. Ab 130 $.

Reizendes Inn ▶ **Greenbrier Inn:** 2057 Rte 4, Tel. 1-802-775-1575, www.greenbriervt. com. Geräumige Zimmer mit Farb-TV und Kühlschrank, Außenpool. Ab ca. 103 $.

Lohnender Stopp ▶ **Butternut on the Mountain Motor Inn:** Killington Rd., Tel. 1-802-422-2000, butternt@together.net. Ruhig gelegene, Motel-ähnliche Unterkunft mit einfachen Zimmern und Restaurant. Ab 70 $.

Essen & Trinken

Nicht nur Nudeln ▶ **Pasta Pot:** 5501 U.S. 4, Tel. 1-802-422-3004, www.pastapotvt.com, tgl. 17–22 Uhr. Auf einer Schiefertafel stehen neben Pastaspezialitäten auch Kalbsfleisch- und Geflügelgerichte sowie Pizzen.

Unkomplizierte amerikanische Gerichte ▶ **Charity's Restaurant:** Killington Rd., Tel. 1-802-422-3800, Mo–Do ab 15, Fr–So ab 12 Uhr. Rustikales Lokal in einer umgebauten Scheune. Große Portionen, lockere Atmosphäre. Ab 6 $.

Abends & Nachts

Essen und Entertainment ▶ **Wobbly Barn:** 2229 Killington Rd., Tel. 1-802-422-6171, www.wobblybarn.net. Steakhouse mit Nachtclub (oder umgekehrt), seit über 40 Jahren eine lokale Institution, tgl. ab 16 Uhr.

Von Plymouth bis Bennington

Plymouth ▶ 2, E 4

Am 4. Juli feiern die Einwohner von **Plymouth** zwei Ereignisse: den amerikanischen Unabhängigkeitstag und den Geburtstag ihres ehemaligen Mitbürgers Calvin Coolidge (1872–1933), der von 1923 bis 1929 als 30.

Präsident im Weißen Haus in Washington D. C. regierte. Mit der **President Calvin Coolidge State Historic Site** wird die Erinnerung an den bekanntesten Sohn von Plymouth aufrechterhalten. Zentrum dieser Stätte ist das ehemalige Wohnhaus der Coolidge-Familie, in das der junge Calvin im Alter von vier Jahren einzog und in dem einige Jahre später seine Mutter und zwei seiner Geschwister starben. Die meisten Räume des Anwesens sehen heute noch so aus wie ursprünglich oder wurden mit viel Liebe zum Detail wieder in diesen Zustand versetzt, wie etwa die ehemalige Küche der Familie zeigt, die aussieht, als seien die Bewohner heute noch im Haus (3780 Rte 100 A, Tel. 1-802-672-3773, http://historicsites.vermont.gov/directory/coolidge, Ende Mai–Mitte Okt. tgl. 9.30–17 Uhr, 9 $).

Weston ▶ 2, E 4

Nur etwa 500 Einwohner leben in **Weston** im oberen Tal des West River, und doch ist das Bilderbuchdorf vielen Amerikanern ein Begriff. Der Grund dafür sind weniger die hübschen neuenglischen Holzhäuser als vielmehr der 1946 eröffnete **Vermont Country Store,** ein Laden aus Urgroßmutters Zeiten mit der längsten Süßigkeitentheke im Land. Von der Schubkarre bis zum Oberhemd, von Bohnen in Tomatensauce bis zur Rolle Stacheldraht verkauft das museale Geschäft so ziemlich alles, was das Herz begehrt. Ein modischer Renner war in den 40er- und 50er-Jahren des 20. Jh. der Tangee-Lippenstift, der vielen heutigen, etwas älter gewordenen Kundinnen nach deren Eingeständnis zum ersten Kuss verhalf. Später vom Markt verschwunden, ist der nostalgieträchtige Kosmetikartikel in Weston weiterhin ein Verkaufsschlager. Nach wie vor betreibt der Laden seinen Versandhandel und macht damit 100 Mio. Dollar Umsatz im Jahr (Rte 100, Mo–Sa 9–17, im Hochsommer bis 18 Uhr, Tel. 1-802-824-3184, www.vermontcountrystore.com).

Ein weiterer Uraltladen aus dem Jahr 1891 ist der **Weston Village Store** mit einem Riesenangebot vielfältiger Geschenken, Büchern, Kerzen und T-Shirts (660 Main St., www.westonvillagestore.com, tgl. 9–17, Juli/Aug. bis 20 Uhr, Tel. 1-802-824-5477). In Weston erinnern, das **Old Mill Museum,** eine ehemalige Getreidemühle, und das **Farrar-Mansur House** im Stil des 19. Jh. an alte Zeiten (Tel. 1-802-824-5294, www.weston-vermont.com >Museums, Ende Juni–Mitte Okt. Sa–So 14–17 Uhr).

Bennington ▶ 2, D 5

Der Patriotismus der knapp 16 000 Einwohner erwacht alljährlich Mitte August, wenn die Bürger zum x-ten Male in der *Battle of Bennington* in historische Uniformen schlüpfen und gegen feindliche britische Truppen ins Feld ziehen. Wie das Gefecht ausgeht, lehrt die Geschichte: Am 16. August 1777 errangen die amerikanischen Kolonisten den Sieg über eine britische Einheit. Dem Ereignis zu Ehren errichtete die Stadt 14 Jahre später das 94 m hohe **Bennington Battle Monument.** Ein Aufzug bringt Besucher zum Aussichtsdeck, von wo der Blick 60 km weit in die angrenzenden Staaten Massachusetts und New York reicht (15 Monument Circle, Tel. 1-802-447-0550, www.benningtonbattle monument.com, April–Okt. 9–17 Uhr, 5 $).

Neben historischen Artefakten, Möbelkollektionen, Puppen, Waffen und Uniformen besitzt das **Bennington Museum** eine große Sammlung von naiver Malerei der Volkskünstlerin Grandma Moses (1860–1961), in deren ehemaliger Schule viele Memorabilien an sie ausgestellt sind (75 Main St., Tel. 1-802-447-1571, www.bennington museum.org, Juli–Okt. tgl., sonst Do–Di 10–17 Uhr, 10 $).

Die 1805 erbaute **Old First Church** ist die älteste Kirche in Vermont und gleichzeitig ein sehenswertes Beispiel postkolonialer Architektur. Auf dem benachbarten Friedhof ist der Dichter und zweimalige Pulitzerpreisträger Robert Frost (1874–1963) beerdigt (Rte 9/Monument Ave., Tel. 1-802-447-1223, www.oldfirstchurchbenn.org).

Nur wenige Meilen südlich von Bennington verläuft die Staatsgrenze von Massachusetts. Gleich dahinter liegt im ehemaligen Industriestandort und Eisenbahnknotenpunkt North Adams mit dem **Massachusetts Museum of Contemporary Art** in

Fungiert als Trendsetter: das Massachusetts Museum of Contemporary Art

einer leer stehenden Fabrikanlage ein interessantes Kunstmuseum mit einem anspruchsvollen Programm für Sonderausstellungen. Häufig werden hier auch richtungweisende Werke moderner europäischer Künstler präsentiert wie der Neuen Leipziger Schule, aber auch Arbeiten internationaler Maler und Bildhauer ausgestellt, die nicht bzw. noch nicht Teil des etablierten Kunstbetriebs sind (1040 Mass Moca Way, Tel. 1-413-662-2111, www.massmoca.org, im Sommer tgl. 10–18, sonst 11–17 Uhr, 18 $).

Infos

Bennington Visitors Center: 100 Veterans Memorial Dr., Bennington VT 05201, Tel. 1-802-447-3311, www.bennington.com.

Übernachten

Viktorianische Romantik ▶ **South Shire Inn:** 124 Elm St., Tel. 1-802-447-3839, www.southshire.com. In einem Garten gelegenes viktorianisches Anwesen, nur für Nichtraucher. Ab 130 $.

Preis und Leistung stimmen ▶ **Best Western New Englander:** 220 Northside Dr., Tel. 1-802-442-6311, http://book.bestwestern.com. Die Zimmer sind freundlich eingerichtet; Pool, Jacuzzi. Ab 80 $.

Essen & Trinken

Vornehm ▶ **Four Chimney's:** 21 West Rd., Tel. 1-802-447-3500, www.fourchimneys.com, Di, Do und Fr geschl. Dort speiste schon Elizabeth Taylor. Ab 35 $.

Einkaufen

Traditionelle Lederwaren ▶ **Mahican Moccasins:** Rte 7, Pownal Center, 5 Meilen südlich von Bennington, Tel. 1-802-823-5294. Factory Outlet für traditionelle handgearbeitete Mokassins aus Reh- wie aus Elchleder. Auf Wunsch werden sie auch nach Maß angefertigt.

Deutscher Discounter ▶ **Aldi:** Am nördlichen Stadtausgang an der Rte 7, Filiale der deutschen Supermarktkette mit US-Waren zu Discountpreisen.

Cape Cod

Für Neuengländer ist Cape Cod so etwas wie Sylt für Deutsche: Garant sonniger, unbeschwerter Badeferien in einer vom Meer umspülten Landschaft. Hübsche, maritim geprägte Orte, Sandstrände, Dünenlandschaften, Wälder und zwei Inseln machen den Reiz der bizarr geformten Landzunge aus, die ein bekanntes Revier für Walbeobachtung ist.

Unter Badeferien verstehen Neuengländer meist einen Urlaub am Cape Cod (Kap Kabeljau), dem vom warmen Golfstrom gestreichelten Topferienziel in Massachusetts. Der erst vor 12 000 Jahren am Ende der letzten Eiszeit bizarr geformte Küstenzipfel ist von rund 500 km Stränden und Dünen gesäumt, auf denen dünner Strandhafer versucht, die Sandkörner in der manchmal steifen Brise festzuhalten. Kleine Seen und Tümpel, Marschlandschaften und salzige Wiesen, Wäldchen und typisch neuenglische Ortschaften mit Holzhäusern und nach Fisch riechenden Wasserfronten, an deren Anlegestellen sich die Shrimps-Kutter knarrend aneinander reiben, machen Cape Cod zu einem Freizeitrefugium. Für viele Besucher sind die beiden Inseln Martha's Vineyard und Nantucket der Hauptgrund für einen Abstecher ans Kap, weil sich dort trotz Kommerz und Schickeria noch naturbelassene Strände und zivilisationsferne Flecken finden lassen.

Zum idyllischen Bild gehören Windmühlen, mit denen früher Meerwasser zur Salzgewinnung in Verdunstungsbecken gepumpt oder Korn und Salz gemahlen wurde. Heute geben die flügelschlagenden Bauwerke wie etwa die Dexter Grist Mill in Sandwich oder die Mühle auf dem Village Green in Eastham attraktive Fotomotive ab. Das gilt auch für die Leuchttürme, die seit dem 18. Jh. Schiffe um die trügerischen Gewässer des Kaps leiteten, wie die beiden Türme im Cape Cod National Seashore oder das malerische Nobska Light bei Woods Hole. Schon im 19. Jh. war Cape Cod

ein Küstenabschnitt, der die reichsten Familien Amerikas anzog.

Damals machte die Wohlstandselite des Landes noch auf einer Halbinsel Urlaub. Das änderte sich 1914. In diesem Jahr wurde ein privater, gebührenpflichtiger Kanal fertig gestellt, der heute knapp 12 km lang, 147 m breit und 10 m tief ist. Ungefähr 20 000 Schiffe durchfahren jährlich den künstlichen Wasserweg, weil er die Wasserroute zwischen Boston und New York beträchtlich abkürzt und einige gefährliche Abschnitte meidet. Heute gelangen Cape-Cod-Touristen über zwei Brücken vom Festland über den Kanal: zwischen Buzzards Bay und Bourne sowie bei Bournedale an der Schnellverbindung von Boston nach Provincetown, die erst 1938 fertiggestellt wurde.

Von Bourne nach Woods Hole ▶ 1, O 3

Karte: S. 123

Auf der Inselseite des Cape-Cod-Kanals liegt mit **Bourne** eine Ortschaft, in die viele Besucher zum Einkaufen im Outlet Center oder im September zum kulinarischen Bourne Scallop Festival kommen. Außerhalb der Stadt liegt in einem Waldstück aber eine historische Rarität, die einen Besuch genauso verdient. 1627 gründeten die Pilgerväter dort mit dem **Aptucxet Trading Post 1** den ersten Laden auf US-Boden. Ein tief heruntergezogenes Schindeldach schützt den aus dunklem Holz

New Hampshire und Vermont

rekonstruierten Bau, in dem die englischen Kolonisten mit den Holländern in New Amsterdam, dem heutigen New York, Waren tauschten. Neben indianischen Artefakten ist der geheimnisvolle ›Bourne-Stein‹ ausgestellt, eine Granitplatte mit zwei Runenreihen. Der Stein soll von Wikingern graviert worden sein, die ihre Schiffe vielleicht in bewährter Manier auf Baumstämmen über die Landenge zwischen Festland und Cape Cod transportierten, um die Seereise um das Kap zu vermeiden (24 Aptucxet Rd., Tel. 1-508-759-8167, Ende Mai–Mitte Okt. Di–Sa 10–17, Juli–Aug. auch Mo).

Die Straße 28 führt an der Buzzards Bay entlang nach **Falmouth 2**, mit 31 500 Einwohnern die zweitgrößte Stadt von Cape Cod. Vor 150 Jahren roch es noch streng nach Tran, schallten die Hinterhöfe vom Gehämmer der Werften wider und karrten die Bauern ihr Gemüse auf den Markt, das sie dem mageren Boden abgerungen hatten. Heute drängt sich an Sommerwochenenden der Urlauberverkehr im Stop-and-go-Rhythmus durch die von hübschen Bed-&-Breakfast-Häusern gesäumten Straßen.

Für die meisten Besucher ist Falmouth nur eine Zwischenstation auf dem Weg nach **Woods Hole 3** im äußersten Südwesten von Cape Cod. Der Fischereihafen ist zugleich An- und Ablegestelle der Fähren zur Insel Martha's Vineyard. Seine Attraktivität hat auch mit der Woods Hole Oceanographic Institution zu tun. Das Interesse daran stieg gewaltig, nachdem der am Institut tätige amerikanische Tiefseeforscher Robert D. Ballard mit dem in Woods Hole entwickelten Tauchboot ›Alvin‹ 1985 die gesunkene ›Titanic‹ entdeckt hatte. Vier Jahre später kam ein neuer Erfolg mit der Ortung des 1941 nach einem Seegefecht gesunkenen deutschen Schlachtschiffs ›Bismarck‹ in 4800 m Tiefe hinzu. Über die Arbeit der renommierten Forschungseinrichtung kann man sich vor Ort informieren (Information Office, 93 Water St., Tel. 1-508-289-2252, www.whoi.edu).

Bevor man Woods Hole den Rücken kehrt, lohnt sich ein Abstecher zum 1829 erbauten Nobska Light am Nobska Point an der Südspitze des Orts. Die malerische Station der Küstenwache bekam ihren Turm erst 1876. Im Jahr 1985 verließ der letzte Leuchtturmwächter die Station, als sie auf automatischen Betrieb umgestellt wurde. Von ihrem Standort aus hat man einen schönen Blick auf den Vineyard Sound und die zahlreichen Inseln.

Verkehr

Mit dem Auto: Inselbesuchern wird empfohlen, Fahrzeuge in Cape Cod stehen zu lassen und sich auf den Inseln mit öffentlichen Transportmitteln oder per Fahrrad zu bewegen. Vorteil: Als Passagier ohne Auto muss man nicht reservieren und setzt viel billiger über.

Fähren: Steamship Authority, Reservierungen Tel. 1-508-477-8600, www.steamship authority.com. Täglich mehrere Autofähren nach Martha's Vineyard (45 Min.), Passagiere pro Überfahrt 8 $, Auto je nach Länge und Saison ab 43,50 $, Fahrräder 4 $.

Island Queen: Falmouth Harbor, Mai–Mitte Okt., Tel. 1-508-548-4800, www.islandqueen. com, Passagiere ohne Auto von Falmouth nach Oak Bluffs in 35 Min., keine Reservierung notwendig, Hin- und Rückfahrt Erwachsene 20 $.

Falmouth/Edgartown Ferry: 278 Scranton Ave., Falmouth, Ende Mai–Mitte Okt., Tel. 1-508-548-9400, www.falmouthedgartownferry. com. Fähre von Falmouth nach Edgartown auf Martha's Vineyard, nur Passagiere ohne Auto, Dauer 45 Min., Reservierung obligatorisch, Hin- und Rückfahrt Erwachsene 50 $.

Martha's Vineyard ▶ 1, O 4

Karte: rechts

Nach ca. 45 Min. Fahrt legen die Fähren von Woods Hole In Oak Bluffs oder in Vineyard Haven auf der etwa 170 km² großen, von 15 000 Menschen bewohnten Insel **Martha's Vineyard 4** an.

Das von wildem Wein überwucherte ländliche Eiland mit menschenleeren Stränden, auf dem 1974 der Film ›Der weiße Hai‹ gedreht wurde, ist häufiges Urlaubsziel von

Cape Cod

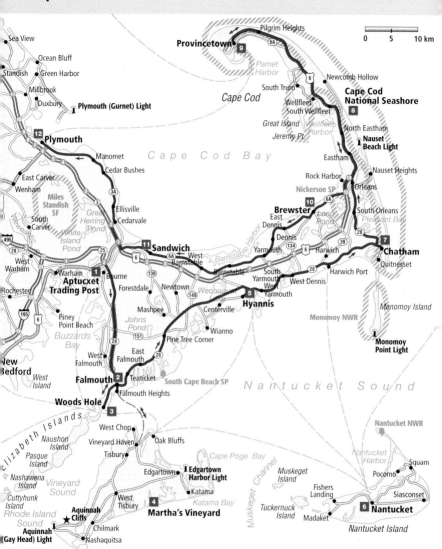

US-Präsidenten von Bill Clinton bis Barack Obama.

An der Hafenfront von **Oak Bluffs** reihen sich viktorianische Holzhäuser aneinander, vor denen bunte Boote und Jachten im Wasser dümpeln. Im Ort präsentieren sich ›Pfefferkuchenhäuschen‹ mit hübschen Verzierungen in bonbonfarbenem Anstrich. Im Westen von Oak Bluffs liegt **Vineyard Haven,** das kommerzielle Inselzentrum, das ebenfalls von Fähren angelaufen wird. In der William Street hat die Ortschaft ihr früheres Gesicht teilweise beibehalten. Am besten lernt man die Insel per Fahrrad kennen. Es gibt mehrere

Cape Cod

Verleiher, bei denen man neben einem Zwei-rad oder einem Motorroller auch einen Insel-plan zur Orientierung bekommt. Bei **Edgar-town** findet man eine dicke Markierung auf der Karte. Der Ort verdient diese Würdigung als wahres Schmuckstück. Die eleganten Herrenhäuser, die alt gediente Seebären vor-zugsweise an der North oder South Water Street bauten, stammen aus der ersten Hälfte des 19. Jh., als sich der Ort zu einem Zen-trum des Walfangs entwickelte. Östlich des Hafens liegt **Chappaquiddick Island,** das per Pendelfähre erreichbar ist.

Die einzige befestigte Straße führt nach **Wasque** mit einem Naturschutzgebiet und ei-nem wenig frequentierten Strand. Das Tou-ristenzentrum von Martha's Vineyard liegt im äußersten Westen, wo die Insel die Form ei-nes dicken Stiefels hat. Zwei flache Seen kennzeichnen die Landschaft an diesem **Gay Head** genannten Zipfel. Schon vor 5000 Jah-ren lebten dort die Wampanoag-Indianer, denen im Jahr 1987 ein Teil ihres früher ent-eigneten Stammesgebiets zurückerstattet wurde. Die Natur zeigt sich an der Stiefel-spitze mit über 50 m hohen Klippen aus ver-schiedenfarbigen Sedimenten von ihrer dra-matischen Seite.

Schöne Strände

Viele Küstenabschnitte befinden sich in Pri-vatbesitz, aber es gibt öffentlich zugängliche Strände. **South Beach** (Katama Beach) liegt 6 km südlich von Edgartown an der Katama Road. Der Strand wird von Surfern wegen der hohen Wellen geschätzt. Manche Abschnitte werden überwacht. Hier und da gibt es öf-fentliche Toiletten. Am 3,5 km langen **Lobs-terville Beach** am Gay Head ist das Wasser flach und gut für Kinder geeignet. Es gibt aber keine öffentlichen Parkplätze. Deshalb sollte man zum Strand radeln. Der schöne **Moshup Beach**, ebenfalls beim Gay Head, ist teil-weise FKK-Strand.

Infos

Chamber of Commerce: Vineyard Haven, Beach Rd., MA 02568, Tel. 1-508-693-0085, www.mvy.com.

Übernachten

Für eine Übernachtung auf Martha's Vineyard bezahlt man im Sommer durchweg gesalzene Preise, inklusive 11,7 % Kurtaxe.

Schönes viktorianisches Hotel ▶ **Wesley Hotel:** 70 Lake Ave., Oak Bluffs, Tel. 1-508-693-6611, www.wesleyhotel.com. Direkt am Hafen mit 95 freundlich eingerichteten Räu-men bzw. Suiten, alle mit Klimaanlage, nur Mai–Anfang Okt. Im Sommer ab 265 $.

Hübsch und gemütlich ▶ **Nashua House:** 9 Healy Way, Oak Bluffs, Tel. 1-508-693-0043, www.nashuahouse.com. Kleines Hotel mit ein-fachen Zimmern, die meisten mit Zugang zum durchlaufenden Balkon im 2. Stock. Etagen-bad. Im Sommer ab 109 $.

Freundliches Inselrefugium ▶ **Edgartown Inn:** 56 N. Water St., Tel. 1-508- 627-4794, www.edgartowninn.com. Zentral gelegenes Inn mit 12 Zimmern, einige davon ohne eige-nes Bad, gegen Aufpreis wird im Garten ein herzhaftes Frühstück serviert. 75–275 $.

Camping ▶ **Martha's Vineyard Family Campground:** 569 Edgartown Rd., Vineyard Haven, Tel. 1-508-693-3772, https://camp mv.com, 15. Mai bis 15. Okt. Einziger Cam-pingplatz auf der Insel, auch mit Cabins für bis zu 4 Pers. 140 $.

Essen & Trinken

Mit Charme ▶ **Among the Flowers Café:** Mayhew Ln., Edgartown, Tel. 1-508-627-3233, Juli–Aug. tgl. 8–22 Uhr. Straßenlokal in Hafennähe mit ausgezeichnetem Frühstück und ebenso gutem Dinner. Ab 12 $.

Ältester Inselpub ▶ **The Newes from Ame-rica:** 23 Kelley St., Edgartown, Tel. 1-508-627-4397, tgl. ab 11.30 Uhr. Pub mit Brauerei. Auf der Speisekarte stehen Clam Chowder, Burri-tos, Wings und Shrimps. Gerichte 6–11 $.

Aktiv

Radverleih ▶ **Martha's Bike Rental:** 4 La-goon Pond Rd., Vineyard Haven, Tel. 1-508-693-6593, www.marthasvineyardbikes.com

Verkehr

Fähren: Steamship Authority, Tel. 1-508-477-8600, www.steamshipauthority.com, Pendelverkehr per Autofähre von Woods Hole nach Vineyard Haven bzw. Oak Bluffs in 45 Min., unbedingt im Voraus reservieren. Hy-Line, 220 Ocean St. Dock, Hyannis, Anfang Juni–Mitte Sept., Tel. 1-508-778-2600, www.hyline cruises.com, Passagierfähre (keine Autos), z. B. von Oak Bluffs nach Nantucket (2 Std. 15 Min.) sowie Schnellfähre nach Martha's Vineyard (55 Min.).

Von Hyannis nach Nantucket ▶ 1, O 3

Karte: S. 123

Hyannis 5

Schon vor Jahren wuchs das 20 000 Einwohner große **Hyannis** wegen seiner verkehrsgünstigen Lage als Fährhafen für Martha's Vineyard und Nantucket zu einem stattlichen Ferienzentrum heran. Die beiden Inseln sind von dort in gut zwei Stunden erreichbar. Hyannis bietet sich mit Unterkünften, Restaurants und Einkaufsgelegenheiten zudem als Ausgangspunkt für Touren zu den meisten Sehenswürdigkeiten am Cape Cod an und bildet mit modernen Malls die beste Gelegenheit, etwa einen Regentag beim Shopping zu verbringen. Viele Sommer verbrachte US-Präsident John Kennedy mit seiner Familie den Urlaub in Hyannis. Heute erinnert das **John Kennedy Museum** mit über 80 Fotos aus den Jahren 1934–1963 und mit einem Video daran (397 Main St., Tel. 1-508-790-3077, www.jfkhyannismuseum.org, Mitte April–Okt. Mo–Sa 9–17, So 12–17 Uhr, 9 $).

Die mit dem Meer aufs Engste verbundene Geschichte von Cape Cod wird im **Cape Cod Maritime Museum** dokumentiert; u.a. wird das Thema behandelt, wie sich die Bevölkerung im Laufe der Zeit vom Ackerbau verabschiedete und sich der Fischerei zuwandte (135 South St., Tel. 1-508-775-1723, www.capecodmaritimemuseum.org, Di–Sa 10–16, So 12–16 Uhr, 5 $). Zur Popularität von **Hyannis** trugen auch die Strände in der Umgebung bei, unter denen Craigville Beach westlich der Stadt der längste ist. An Sommer-

wochenenden findet man schon am späteren Vormittag keinen freien Parkplatz mehr, weil der auch als ›Muscle Beach‹ bekannte und hauptsächlich bei jungen Leuten beliebte Strand ein Beach-Mekka ist.

Nantucket 6

Das hufeisenförmige Eiland **Nantucket,** dessen indianischer Name weit abgelegene Insel bedeutet, war Mitte des vergangenen Jahrhunderts neben New Bedford das berühmteste Walfangzentrum der USA. Der dort produzierte Tran rückte europäische Wohnstuben im Sinne des Wortes ›ins rechte Licht‹, bevor 1859 in Pennsylvania entdecktes Petroleum als Brennmaterial auf den Markt kam und das Naturprodukt verdrängte. An die alten Zeiten knüpft das **Whaling Museum** in Nantucket Town in einer ehemaligen Kerzenfabrik von 1848 an. Sehenswert sind vor allem die zahlreichen Scrimshaw-Stücke, kunstvolle Schnitzarbeiten aus Walzähnen oder -knochen, die an der neuenglischen Küste zu den typischen Mitbringseln zählen. An alte Walfängerzeiten erinnern neben Harpunen und Ausrüstungsgegenständen ein Walfängerboot und das Skelett eines 13 m langen Finnwals (13 Broad St., Tel. 1-508-228-1894, www.nha.org, Mai–Okt. tgl. 10–17, sonst kürzer, Erw. 20 $, Kinder 6–17 Jahre 5 $).

Das **Nantucket Shipwreck & Lifesaving Museum** zeigt historische Fotos, Zeitungsausschnitte über spektakuläre Aktionen und Gerätschaften, die in der Vergangenheit bei der Rettung von Schiffbrüchigen eingesetzt wurden (158 Polpis Rd., Tel. 1-508-228-1885, www.nantucketshipwreck.org, Mitte Mai–Mitte Okt. tgl. 10–17 Uhr, 6 $).

An der Ostküste von Nantucket macht sich der Zeitenwechsel von Jahr zu Jahr stärker bemerkbar. Saßen in **Siasconset** früher unaufdringliche Millionäre und Großindustrielle in durchgewetzten Jeans und alten Pullovern in den Kneipen, so gilt das ehemalige Fischerdorf heute als Künstlerkolonie und Treffpunkt von Bohemiens, denen gutes Benehmen ein ebenso überflüssiger Wert zu sein scheint wie guter Geschmack. Die Straßenmode wird von ›Sex and the City‹-Epi-

aktiv unterwegs

Strampeln in der Meeresbrise

Tour-Infos

Start: Route 134 in South Dennis
Länge: 25 Meilen (40 km)
Dauer: ca. 2–3 Stunden
Radverleih: Barb's Bike Shop, 430 Rte 134, South Dennis, Tel. 1-508-760-4723, www.barbsbikeshop.com – Brewster Bike, 442 Underpass Rd., Brewster, Tel. 1-508-896-8149, www.brewsterbike.com

Am **Cape Cod** strampelt man in frischer Salzbrise, braucht keine großen Steigungen zu bewältigen und fährt (bis auf zwei kurze Strecken) abseits von Straßen, die man mit Autos teilen müsste. Was früher der 1873 fertiggestellte Schienenweg der Old Colonial Railroad zwischen Boston und Provincetown war, ist heute der asphaltierte **Cape Cod Rail Trail,** der populärste Radweg am Kap. Er beginnt südlich von Dennis auf einem Parkplatz an der Kreuzung der Straßen 134 und 6 und führt zunächst zu den **Ponds Hinckley, Seymour** und **Long,** drei von den letzten Eiszeit geschaffenen Seen, die sich zum Bootfahren oder für eine Badepause anbieten. Einen weiteren Halt kann man im **Nickerson State Park** in East Brewster einlegen. In diesem bewaldeten Naturschutzgebiet liegen acht Forellenweiher, die weder Zu- noch Abflüsse haben, sondern nur durch Niederschläge und Grundwasser gespeist werden. Man kann campen, wandern oder auf befestigten Wegen einen Abstecher mit dem Rad machen. Durch Marschland und Cranberry-Felder radelt man weiter durch die 7000-Seelen-Ortschaft **Orleans** zum **National Seashore Salt Pond Visitor Center,** dessen ausgezeichnetes Museum Sammlungen zur Natur- und Kulturgeschichte des Kaps zeigt. Über 65 km makelloser Sandstrand, Salzmarsche, glasklare Süßwasserteiche, viele Tier- und Pflanzenarten, Leuchttürme und Dünenhäuschen finden sich in dem Naturreservat. Vom Besucherzentrum führt mit dem **Nauset Marsh Trail** ein Bikepfad 1,5 Meilen (2,4 km) weiter in den Park. Der Rail Trail endet im Norden in der Ortschaft **Wellfleet,** die durch Guglielmo Marconi (1874–1937) berühmt wurde. Der italienische Pionier der drahtlosen Telekommunikation ließ auf einer hohen Klippe Anfang des 20. Jh. einen Funkturm errichten, um drahtlos Funksignale aus den USA nach Europa zu senden. Dort empfing er 1912 auch die Notrufe der untergehenden Titanic. Von den ursprünglichen Einrichtungen ist nichts mehr übrig, weil die starke Brandung die Küste mittlerweile über 100 m weit abgegraben hat. Nur eine Gedenktafel erinnert an die geschichtsträchtige Stelle.

gonen beherrscht, die Kommunikation von penetrant in allen Tonlagen klingelnden Handys, die schon in den 1990er-Jahren auf die Insel herniederkamen, als E-Business-Könige mit Privatjets einschwebten und die Chauffeure der Jet-Set-Mogule deren Luxuskarossen von den Fähren fuhren. Trotzdem gibt es noch viele lohnende Ecken, die an das alte Nantucket erinnern, traumhafte Strände und stille Buchten.

Zum Baden bietet Nantucket zwei unterschiedliche Strandkategorien. Im Norden gibt sich die Brandung am Jetties Beach oder am Dionis Beach vergleichsweise ruhig, während im Süden Strände wie Surfside Beach, Cisco Beach und Miacomet Beach eher zum Surfen geeignet sind.

Infos

Chamber of Commerce: Zero Main St., Nantucket, MA 02554, Tel. 1-508-228-1700, www.nantucketchamber.org.

Übernachten

Wie in Martha's Vineyard reißen auch hier Hotelübernachtungen große Löcher in den Reiseetat.

Super Bed & Breakfast ▶ Cliff Lodge: 9 Cliff Rd., Tel. 1-508-228-9480, www.clifflodgenantucket.com. Stilvolles Haus aus dem Jahr 1771 etwas außerhalb des Zentrums, das Frühstück wird auf der Veranda serviert. Ab 195 $, Nebensaison ab 145 $.

Adrette Zimmer ▶ Sherburne Inn: 10 Gay St., Tel. 1-508-228-4425, www.sherburneinn.com. Gepflegtes Drei-Sterne-B & B im historischen Zentrum mit 8 klimatisierten Gästezimmern inkl. WLAN. DZ ab ca. 200 $.

Essen & Trinken

Viele Restaurants akzeptieren keine Kreditkarten, sondern nur Bargeld.

Einfallsreiche Küche ▶ Black-Eyed Susan's: 10 India St., Tel. 1-508-325-0308, www.black-eyedsusans.com, April–Okt., Frühstück tgl. 7–13, Dinner Mo–Sa 18–22 Uhr. Schickes Bistro mit wechselndem Menüs. Alkohol sollte man selbst mitbringen gegen 2 $ Korkgebühr. Hauptgang 30–40 $.

Abends & Nachts

Eine Inselinstitution ▶ Chicken Box: 16 Dave St., Tel. 1-508-228-9717, www.thechickenbox.com, tgl. geöffnet. Reggae, Funk und Rock ab 10 Uhr, mit ›Smoking-Deck‹.

Aktiv

Walbeobachtung ▶ Shearwater Excursions: Nantucket Town, Tel. 1-508-228-7037, www.explorenantucket.com. Diverse Touren, u. a. 6-stündige Walbeobachtungen.

Strände ▶ Jetties Beach (North Shore): gut ausgestattet mit Umkleideräumen, Duschen, Toiletten und Sportanlagen. **Dionis Beach:** hinter Dünen, mit ruhigem, für Kinder geeignetem Wasser, Toiletten und Lifeguard.

Surfermekka ▶ Surfside Beach (South Shore): hier sind die Surfer in ihrem Element.

Radverleih ▶ Island Bike Company: 25 Old South Rd., Nantucket Town, Tel. 1-508-228-4070, www.islandbike.com. **Young's Bicycle Shop:** 6 Broad St., Nantucket Town, Tel. 1-508-228-1151, www.youngsbicycleshop.com.

Anti-Stress-Programm ▶ Tresses & The Day Spa: 117 Pleasant St., Tel. 1-508-228-0024, http://nantucketspa.com, Mai–Juni Mo–Sa 9–18, Ende Juni–Anfang Sept. Mo–Sa 9–19, So 10–18 Uhr. Im Angebot sind unterschiedliche Massagen, Aromatherapien und Wassertherapien.

Nordöstliches Cape Cod
▶ 1, P 3

Karte: S. 123

Chatham [7]

Lebte die 6600 Einwohner große Ortschaft früher vom Fischfang, Schiffsbau und der Salzherstellung, so hat sich **Chatham** heute in einen ruhigen, romantischen Flecken verwandelt, der vielen aus dem aktiven Arbeitsleben ausgeschiedenen Menschen als neue Heimat dient.

An alte Zeiten erinnert die 1797 erbaute **Old Godfrey Windmill,** die beinahe ein Jahr lang von Fachleuten originalgetreu restauriert wurde und seit ihrer Wiederbelebung Korn mahlen kann. Wer sich für den Oldtimer interessiert, kann sich im Sommer an Führungen durch den Mühlenbetrieb beteiligen (Mo, Mi und Fr 11–15 Uhr).

Im 130 Jahre alten Bahnhof der Chatham Railroad Company stellt das **Railroad Museum** die Überbleibsel der Eisenbahngesellschaft aus, deren Züge von 1887 bis 1937 Cape Cod bedienten. Die Ausstellungen mit Waggons, Modellen und alten Fotos sind ebenso sehenswert wie das viktorianische Bahnhofsgebäude mit einem Turm, dessen Stil manche als ›Eisenbahngotik‹ bezeichnen (153 Depot Rd., www.chathamrailroadmuse um.com, Mitte Juni–Mitte Sept. Di–Sa 10–16 Uhr, frei).

Cape Cod National Sea Shore **8**

Die dem Atlantik zugewandte Ostküste von Cape Cod wurde 1961 auf Betreiben von Präsident John Kennedy als **Cape Cod National Seashore** dem National Park Service unterstellt. Die 40 Meilen lange Sanddünen- und Strandlandschaft mit Salzwassermarschen, Felsen und Wäldern ist am besten vom **Salt Pond Visitor Center** in Eastham zugänglich, weil dort Parkplätze angelegt wurden und Informationen über das Naturschutzgebiet zu erhalten sind. Außer diesem Zugang gibt es noch zahlreiche Richtung Meer führende Stichstraßen, die von der nach Provincetown führenden Route 6 abbiegen. Neben elf Wanderwegen und mehreren zum Teil beaufsichtigten Badeständen (Mückenspray nicht vergessen!) können Outdoor-Fans im National Seashore einen speziell ausgewiesenen Bereich nutzen, der für Off-Road-Fahrzeuge freigegeben ist. Man muss sich jedoch vor einem Abstecher ins nicht asphaltierte Abseits im Besucherzentrum eine entsprechende Genehmigung *(permit)* holen (Salt Pond Visitor Center, Rte 6 in Eastham, Tel. 1-508-255-3421, www.nps.gov/caco, tgl. 9–16.30 Uhr, im Hochsommer länger, Pkw 15 $, Radfahrer 3 $).

Provincetown **9**

Größer könnten die Unterschiede zwischen früher und heute kaum sein. 1620 setzten im äußersten Norden von Cape Cod tugendhafte und gottesfürchtige Pilgerväter erstmals Fuß auf amerikanischen Boden, ehe sie in Plymouth eine Kolonie gründeten. Heute ist das exzentrische **Provincetown** Neuenglands ungekrönte Hauptstadt von Schwulen und Lesben mit Transvestitenshows, Karaokebars und Bierkneipen und eine im Sommer aus den Nähten platzende Urlauberhochburg. Zwei Dutzend Galerien lassen erkennen, dass ›P-town‹ zu Beginn des 20. Jh. von Malern, Schriftstellern und deren Tross entdeckt wurde und sich seit damals von einem Fischereizentrum in eine Künstlerkolonie verwandelte. Die maritime Tradition halten heute neben immer noch vorhandenen Fischerbooten in erster Linie Ausflugsschiffe hoch, die Walbeobachtungstouren zur Stellwagen Bank anbieten. Die etwa 10 km von der Stadt entfernte Sandbank umfasst samt Umgebung einen etwa 2000 km^2 großen, geschützten Meeresabschnitt, der wegen sei-

nes reichen Nahrungsangebotes eines der bekanntesten Walreviere an der Atlantikküste ist. Neben Buckel-, Mink-, Zwerg- und Finnwalen lassen sich dort von April bis November auch Delfine und Tunfische beobachten.

Auf dem Monument Hill erinnert das 77 m hohe **Pilgrim Monument** an die erste Landung der Pilgerväter in der Neuen Welt. Nach 116 Stufen wird man auf der Spitze des Turms mit einer wunderbaren Aussicht über den gesamten Norden von Cape Cod belohnt. Das zugehörige **Provincetown Museum** erzählt mit seinen Präsentationen Geschichten über die Zeiten der Walfänger und havarierten Schiffe, die vor den Küsten von Provincetown ein feuchtes Grab fanden (Tel. 1-508-487-1310, tgl. 9–17 Uhr, 12 $).

Infos

Chamber of Commerce: 307 Commercial St. P. O. Box 1017, Provincetown, MA 02657, Tel. 1-508-487-3424, http://ptownchamber.com.

Übernachten

Für bescheidene Ansprüche ▶ Cape Colony Inn: 280 Bradford St., Tel. 1-508-487-1755, www.capecolonyinn.com. Moderne Zimmer mit Bad, Klimaanlage und TV, beheizter Pool. Ab 129 $.

Ohne Schnickschnack ▶ Breakwater Motel: 716 Commercial St., nur Mai–Okt., Tel. 1-508-487-1134, www.breakwatermotel.com. Schlichtes Motel. Im Sommer ab 135 $.

Für den einfachen Geschmack ▶ White Horse Inn: 500 Commercial St., Tel. 1-508-487-1790. Anwesen aus dem späten 18. Jh. Die vielen Gemälde und der Discountpreis machen das karge Mobiliar der Zimmer wett. Mit Etagendusche ab 80 $.

Abends & Nachts

Für die Vergnügungssüchtigen ▶ Atlantic House: 6 Masonic Pl., Tel. 1-508-487-3169, www.ahouse.com, tgl. 21–1 Uhr. Heteros beiderlei Geschlechts offen stehende

Die Dünenlandschaft im Nordosten der Landzunge Cape Cod

Schwulenbar mit Tanzfläche. In der Macho Bar im Obergeschoss dominieren Lack und Leder. Fr Themenparty. Cover Charge 10 $.

Party-Mekka ▶ Boatslip Beach Club: 161 Commercial St., Tel. 1-508-487-1669, www.boatslipresort.com. In diesem Gay-Lokal findet der ortsbekannte Tea Dance statt, eine Openair-Party.

Gutes Frühstück ▶ Governor Bradford: 312 Commercial St., Tel. 1-508-487-2781, tgl. ab 11 Uhr. Das Lokal gehört zu den dünn gesäten Treffpunkten für nicht homosexuelle Gäste. Gelegentlich gibt es hier Live-Musik.

Aktiv

Walbeobachtung ▶ Dolphin Fleet Whalewatch of Provincetown: Tel. 1-508-240-3636, www.whalewatch.com, Abfahrt zu 3- bis 4-stündigen Touren ab Mac-Millan Pier, das Ticketoffice befindet sich am Ende des Piers.

Portuguese Princess Excursions: 70 Shank Painter, Tel. 1-508 487-2651, www.province townwhalewatch.com. Von professionellen Naturschützern kommentierte Walbeobachtungstouren. Wer wider Erwarten keine Wale zu sehen bekommt, erhält eine Gratisfahrt.

North Shore

Unter **North Shore** verstehen die Einheimischen die Südküste der Cape Cod Bay zwischen Orleans und Sagamore. Die Nebenstraße 6 A bummelt durch kleinere Gemeinden wie Brewster, Dennis und Sandwich, deren Ortskerne den Straßen- und Städtebau der vergangenen Jahrzehnte weitgehend unbeschadet überstanden. Das 9800 Einwohner große **Brewster** 🔟 wird von vielen als der malerischste Ort am Cape Cod bezeichnet. In der ›Stadt der Hochseekapitäne‹ stehen stattliche Villen, die diese sich im 19. Jh. hatten bauen lassen und die heute als romantische Inns von Flitterwöchnern gerne für die schönsten Tage im Leben genutzt werden.

Im Jahr 1639 gegründet, ist **Sandwich** 🔟 die älteste Stadt am Cape Cod und deshalb auch die mit den meisten historischen Sehenswürdigkeiten. Schon wenige Jahre nach der Stadtgründung entstand mit der **Dexter Grist Mill** eine Kornmühle, vor deren Nach-

bau sich heute noch ein hölzernes Wasserrad dreht und den Mahlstein im Innern in Bewegung hält (am Shawme Pond, Tel. 1-508-888-4361, im Sommer tgl. 10–16 Uhr). Nur Schritte entfernt setzen historische Anwesen wie das 1741 errichtete Dunbar House (1 Water St.) und das Hoxie Tea Room von 1675 (18 Water St.) architektonische Akzente.

In die Ära der Glasherstellung führt das **Sandwich Glass Museum,** das von 1825 bis 1888 in Betrieb war und dessen Produkte in ganz Amerika hoch geschätzt waren. Im Museumsshop werden Reproduktionen von originalen Stücken wie Krüge und Schalen, aber auch im eigenen Studio gefertigte Produkte verkauft (129 Main St., Tel. 1-508-888-0251, www.sandwichglassmuseum.org, Febr.–März Mi–So 9.30–16, April–Dez. tgl. bis 17 Uhr, 8 $).

Heritage Museums & Gardens ist in Sandwich die populärste Sehenswürdigkeit, eine Mischung aus Open-Air-Museum, Autoausstellung, Park und Kunstgalerie. Früher einmal eine unrentable Farm, verwandelte der Besitzer Charles Dexter das weitläufige Gelände schon vor Jahrzehnten in eine Touristenattraktion. Ende Mai reisen Besucher zur Rhododendron-Blüte an, die Mitte Juli von der Lilienblüte abgelöst wird. Im Nachbau einer runden Shaker-Scheune sind Oldtimer-Autos ausgestellt. Neben einem Museum für Volkskunst besitzt das Museum mit der Old East Mill eine der schönsten Windmühlen am Cape Cod (67 Grove St., Tel. 1-508-888-3300, www.heritagemuseumsandgardens.org, April–Okt. tgl. 10–18 Uhr, Nov./Dez. kürzere Zeiten, Jan.–März geschlossen, Erw. 18 $, Kinder 3–12 Jahre 8 $).

Plymouth ▶ 1, O 3

Karte: S. 123

Nur 20 Meilen trennen die Ortschaft Sandwich vom 51 700 Einwohner großen **Plymouth** 🔟, das zwar nicht mehr auf dem Boden von Cape Cod liegt, aber von dort gut erreichbar ist. In dieser Küstenstadt nahm Mitte Dezember 1620 die Geschichte von Neuengland ihren Anfang. Nach zweimonatiger

Reise gingen damals an dieser Stelle 102 Emigranten an Land, die ihrer englischen Heimat den Rücken gekehrt hatten, um mit dem Schiff ›Mayflower‹ über den Nordatlantik zu segeln und in der fremden Welt ein neues Leben in religiöser Freiheit zu beginnen.

Mayflower und Pilgrim Hall Museum

Dieses historische Ereignis hat Plymouth bekannt gemacht. Jedes Jahr strömen Besuchermassen zum Hafen der Stadt, wo ein offener Säulentempel an der Water Street über jenem Stein errichtet wurde, auf dem die Pilgerväter angeblich amerikanischen Boden betraten.

In der Nähe dümpelt der Nachbau des ursprünglichen Pilgerväterschiffs unter dem Namen ›**Mayflower II**‹ im Hafen, ein imponierender Dreimaster mit auffallend hohen Aufbauten und einer Takelage, wie man sie aus alten Seefahrerfilmen kennt. Kostümierte Bootsleute und Pilgerväter berichten an Bord von der 66 Tage dauernden Überfahrt, als seien sie selbst dabei gewesen. Bereits 1926 war aufgrund historischer Dokumente ein Modell der originalen ›Mayflower‹ angefertigt worden, das neben vielen Dokumenten im **Pilgrim Hall Museum** ausgestellt ist (75 Court St., Tel. 1-508-746-1620, www.pilgrimhall.org, tgl. 9.30–16.30 Uhr, Jan. geschl., 8 $). Im Auftrag der britischen Regierung fertigte 1957 eine englische Werft die ›Mayflower II‹ als Geschenk an die Vereinigten Staaten an. Das Schiff segelte auf seiner einzigen Transatlantikfahrt nach historischem Vorbild von Plymouth in England nach Plymouth in Massachusetts und liegt seitdem im Hafen als Museumsschiff vor Anker – von einigen wenigen Reisen abgesehen wie etwa 1992, als der Oldtimer vier Monate lang in den Küstengewässern von Florida unterwegs war (tgl. 9–17.30 Uhr, Tel. 1-508-746-1622, www.plimoth.org >What To See>Mayflower II, Kombiticket mit Plimoth Plantation 35 $).

Plimoth Plantation

Die Neuankömmlinge aus England erwartete ein harter Winter. Bis zum Frühjahr des folgenden Jahrs war bereits die Hälfte an Krankheit, Hunger oder Erschöpfung gestorben. Wie die Nachfahren der wenigen Überlebenden ihr Dasein fristeten, demonstriert außerhalb von Plymouth das sehenswerte Open-air-Museum **Plimoth Plantation.** Sobald man das Tor zum von Palisadenzäunen umgebenen Village durchschritten hat, taucht man ein in die Welt des 17. Jh. Frauen sitzen in knöchellangen Kleidern vor strohgedeckten, aus schweren Holzdielen gebauten Häusern und pellen Erbsen aus Schoten oder trennen die Spreu vom Weizen. Authentizität hat oberste Priorität. Kommt man mit ›Einwohnern‹ ins Gespräch, merkt man schnell, dass sie ihre Rolle konsequent dem 17. Jh. anpassen und von der späteren Welt nichts wissen.

Alle Häuser sind mit gestampften Lehmböden ausgestattet wie zur Gründerzeit der Kolonie. In Bauerngärten schauen Sonnenblumen über Bretterzäune. Im Store House lagern Fässer und Kisten voller Nahrungsmittel, die in Gärten und auf Äckern produziert wurden, um auch im Winter überleben zu können. Felle und Häute wurden nach England verschifft, um Schulden zu bezahlen oder Waren zu kaufen, die es in der Neuen Welt nicht gab. Auf einem Feld außerhalb des Palisadenzaunes ist eine Gruppe von abenteuerlich ausgerüsteten Männern zum militärischen Waffendrill angetreten, um das Dorf notfalls gegen Angreifer schützen zu können (137 Warren Ave., Tel. 1-508-746-1622, www.plimoth.org, tgl. 9–17 Uhr, Kombinationsticket mit ›Mayflower‹ 35 $). Die Pilgerväter kamen 1620 in kein menschenleeres Land. Vielerorts lebten Indianerstämme wie die Wampanoag (Menschen des Morgengrauens). Zur Plimoth Plantation gehört mit der Hobbamock's Homesite die kleine Siedlung von Hobbamock und seiner Familie. Er half den ersten Siedlern über den ersten Winter und brachte ihnen bei, mit den an der Ostküste vorhandenen natürlichen Ressourcen zu überleben.

Infos

Destination Plymouth: 130 Water St., Plymouth, MA 02360, Tel. 1-508-747-7525, www.seeplymouth.com.

Pilgerfrau in historischer Tracht im Openair-Museum Plimoth Plantation

Übernachten

Gut ausgestattet ▶ **John Carver Inn & Spa:** 25 Summer St., Tel. 1-508-746-7100, www.johncarverinn.com. Unweit der Mayflower gelegenes Motel mit 80 geräumigen Gästezimmern und eigenem Bad, Spa und Pool. Ab ca. 110 $.

Viktorianisch ▶ **Hall's Pilgrim B & B:** 3 Sagamore St., Tel. 1-508-746-2835, www.bandb plymouthmass.com. Romantisch ausgestattete Zimmer mit Etagenbad in einem ruhig gelegenen Anwesen von 1872. 70–90 $.

Campingplatz ▶ **Pinewood Lodge Campground:** 190 Pinewood Road, Tel. 1-508-746-3548, http://pinewoodlodge.com. Bewaldet, modern ausgestattet, an einem Seeufer mit Bademöglichkeit.

Essen & Trinken

Steak und Shrimps ▶ **Isaac's on the Waterfront:** 114 Water St., Tel. 1-508-830-0001, http://isaacsdining.com, tgl. 11.30–22.30 Uhr. Bouillabaisse, Hummer, Prime Rib. Ab 25 $.

Was die amerikanische Küche hergibt ▶ **Hearth & Kettle Family Restaurant:** 25 Summer St., Tel. 1-508-747-7405, tgl. 7–22 Uhr, www.hearthnkettle.com. Seafood-Spezialitäten, Prime-Rib, Brathähnchen, Käsekuchen. Ab 14 $.

Lokaler Favorit ▶ **Lobster Hut:** 25 Town Wharf, Tel. 1-508-746-2270, tgl. Lokal im Stil einer Cafeteria, serviert werden Hummer, Shrimps und Fish and Chips. 10–20 $.

Aktiv

Walbeobachtung ▶ **Captain John Boats:** 10 Town Wharf, Tel. 1-508-746-2643, captjohn.com. Moderne Flotte für Walbeobachtungstouren (4 Std.), Hafenrundfahrten, Hochseeangeln; Transfer nach Provincetown.

Stadttouren ▶ **Colonial Lantern Tours of Plymouth:** 51 Liberty St., Tel. 1-774-320-5132, www.lanterntours.com. 90-minütige Touren mit tragbaren Laternen in die Vergangenheit der Stadt.

Weinprobe ▶ **Plymouth Bay Winery:** 114 Water St., Tel. 1-508-746-2100, www.ply mouthbaywinery.com. Kostenlose Touren und Weinproben mit Cranberry- sowie Fruchtweinen werden angeboten.

Neuenglands Hummerküste

Über die gut 250 km lange Strecke durch drei Bundesstaaten verteilt sich ein echtes Kontrastprogramm: Hexenmuseum, Kapitänsvillen als Erinnerung an das Zeitalter des Überseehandels, Badeorte, historische Freilichtmuseen, Dichterklausen – von der abwechslungsreichen Küstenlandschaft mit Inseln und Traumstränden ganz zu schweigen.

Wenn Erholung suchende Einwohner von Boston an sengenden Sommerwochenenden die vor Hitze flimmernde Metropole hinter sich lassen, schlagen sie, falls Cape Cod nicht in Frage kommt, vorzugsweise einen nördlichen Kurs Richtung North Shore ein, wie der Atlantiksaum nahe der New-Hampshire-Grenze heißt. Wie eine Beinahe-Insel tastet sich dort Cape Ann mit Sandstränden und Buchten in den offenen Atlantik hinaus – ein ideales Ziel, um den Blick von gläsernen und stählernen Wolkenkratzerfassaden auf zerklüftete Steilküsten und Taucher in Neopren-Anzügen umzuprogrammieren, die mit kapitalen Hummern am Gürtel von ihren Beutezügen aus dem Meer auftauchen.

In einer halben Autostunde ist von Cape Ann aus der nördliche Nachbarstaat New Hampshire erreichbar. Von allen ans Meer grenzenden US-Bundesstaaten besitzt er den kürzesten Atlantikabschnitt mit gerade mal 18 Meilen. Wer auf dem Schild, das nördlich des Merrimack River die Staatsgrenze markiert, den Beinamen ›Granitstaat‹ entdeckt, wird sich auf der Küstenroute wundern, weil dort in erster Linie Sandstrände zu sehen sind. Aus Granit sind die Appalachen weiter im Landesinnern geformt. Am Küstensaum ist das Strandleben jenseits ausgedehnter Salzwiesen notgedrungen auf wenige Badeorte wie Seabrook, Hampton Beach und Rye beschränkt. An Hafenpromenaden reihen sich Motels, Hotels, Imbissstuben, Restaurants, Cafés und Bars aneinander, in denen im Sommer Hochbetrieb

herrscht, obwohl die Übernachtungspreise vergleichsweise hoch sind. Nicht zu vergessen die vielen Restaurants, in denen Spezialitäten wie erstklassige Jakobsmuscheln, cremige Clam Chowders (Muscheleintöpfe mit Kartoffeln) und tadellose Hummer signalisieren, was Reisende auch weiter nördlich zu erwarten haben.

Nimmt man den Fuß nicht rechtzeitig vom Gas, hat man die Grenze zu Maine, dem größten Staat Neuenglands, überquert, bevor man sich dessen bewusst wird. In Kittery belagern Outlet Malls die Durchgangsstraße, ehe hinter dem Badeort York am Cape Neddick die umwerfende Postkartenansicht des Nubble Light auftaucht, als habe Walt Disney an diesem Landvorsprung für eine typisch neuenglische und vor allem fotogene Leuchtturmkulisse gesorgt.

Salem ▸ 1, N 1

Jahr für Jahr feiert die 42 000-Einwohner-Stadt im Juli/August mit dem **Salem Maritime Festival** ihr maritimes Erbe und ihre mit dem Meer verbundenen Traditionen. Bei dieser populären Veranstaltung öffnet der National Park Service gratis die Tore der **Salem Maritime National Historic Site,** die eingerichtet wurde, um die Seefahrtsgeschichte von Neuengland zu bewahren und zu interpretieren. Die Bevölkerung hat bei diesem Fest Gelegenheit, einen originalgetreuen Nachbau des historischen Dreimasters

In Salem hat man es nicht nur an Halloween mit dem Übernatürlichen zu tun

›Friendship‹ zu besichtigen, der nach seinem Stapellauf 1797 rund 15 Jahre lang die Handelsrouten nach Indien, China, Südamerika, Russland und Europa befuhr und der Stadt zu beträchtlichem Wohlstand verhalf, der heute noch in Salem sichtbar ist.

Ein Beweis für das goldene Zeitalter des Seehandels ist auch das 1762 erbaute **Derby House,** das einer der erfolgreichsten Kaufleute der Stadt und einer der ersten Millionäre der USA für seinen Sohn als Hochzeitsgeschenk bauen ließ. Hinter den grauen Holzfassaden des **West India Goods Store** von 1804 lagerten damals Waren aus aller Welt, und heute noch gehen dort mit Kaffee, Gewürzen und Tee Produkte über den Tresen, die einst per Segelschiff über die Weltmeere nach Salem transportiert wurden (Salem Maritime National Historic Site, 160 Derby St., Tel. 1-978-740-1650, www.nps.gov/sama, tgl. 9–17 Uhr, kostenlos).

Peabody Essex Museum

Dass sich dieses älteste Museum Amerikas, das noch nie für längere Zeit geschlossen war,

neben der Seefahrertradition auch mit Kunst und Kultur aus aller Welt beschäftigt, liegt nahe. Zu Zeiten des weltumspannenden Überseehandels gelangten exotische Kostbarkeiten aus aller Herren Länder nach Salem, sodass 1799 die Eröffnung eines Museums fast zwingend war. Heute ist der Komplex ein Schaufenster in die Kulturen der Welt. Die Asienabteilung besitzt etwa ein komplettes Haus aus der Spätzeit der chinesischen Qing-Dynastie (1644–1911). Afrika ist mit frühen Werken von der Ost- und Westküste, mit Kunstgegenständen der Zulu und der Christen Äthiopiens aus dem 16. bis 20. Jh. wie Ikonen und Metallarbeiten vertreten. Zu den ältesten Stücken aus der Gründerzeit des Museums stammen Skulpturen und dekorative Gegenstände aus Ozeanien, die seit damals auf über 20 000 Stücke von 36 Inselgruppen in Polynesien, Melanesien und Mikronesien angewachsen sind. Zum Verschnaufen bieten sich das Gartenrestaurant oder das Atrium Cafe an (East India Sq., Tel. 1-978-745-9500, www.pem.org, Di–So 10–17 Uhr, Erw. 18 $, Kinder unter 16. J. gratis).

Witch Museum und Witch House

Gerüchte und Verleumdungen führten 1692 zu einer Massenhysterie und in der Folge zu zahlreichen Hexenprozessen, in die über 160 Personen verwickelt waren, die zum Teil inhaftiert und ihres Besitzes beraubt wurden. 25 Frauen kostete die kollektive Paranoia das Leben. Einige junge Mädchen beschuldigten Mitbürgerinnen und Mitbürger, mit dem Satan im Bund zu stehen und sie verhext zu haben. Die Anschuldigungen richteten sich hauptsächlich gegen wohlhabende, alleinstehende Frauen, deren Lebensweise den Dogmen der puritanischen Gesellschaft widersprach. Salem ›zehrt‹ noch heute von seinem Ruf als ›Hexenhauptstadt‹ der USA und vermarktet die wenig rühmliche Ära nach besten Kräften. Aufklärungsarbeit mit historischen Fakten kommt dabei nicht selten zu kurz, weil es hauptsächlich um Sensationsmache geht mit dem Ziel, Besuchern eine Gänsehaut zu bescheren.

Das **Witch Museum** präsentiert neben unzähligen Dokumenten und Exponaten aus der Zeit der Hexenjagd eine audio-visuelle Show über die damaligen Ereignisse (Washington Sq., Tel. 1-978-744-1692, www.salemwitch museum.com, tgl. 10–17, Juli/Aug. bis 19 Uhr). Vor dem Museum steht eine vom Bildhauer Henry Kitson geschaffene düstere Skulptur des Stadtgründers Roger Conant, die ins Bild passt.

Das einzige original erhaltene Gebäude, das in Beziehung zu den Hexenprozessen steht, ist das **Witch House.** Über 40 Jahre lang lebte in diesem Anwesen aus dem 17. Jh. Richter Jonathan Corwin, der während der Hexenprozesse 19 Frauen an den Galgen schickte (310 Essex St., Tel. 1-978-744-8815, www.salemweb.com/witchhouse, Führungen Mai–Nov. tgl. 10–17 Uhr, 10,25 $).

House of the Seven Gables

Die Hexenhysterie von 1692 bzw. die Werte- und Vorstellungswelt der neuenglischen Puritaner schlägt sich auch in den Werken des in Salem geborenen Schriftstellers Nathaniel Hawthorne (1804–1864) nieder, dessen Urgroßvater zu den Richtern der damaligen Prozesse gehörte. In einem schönen, geheimnisvoll anmutenden Garten liegt das von 1668 stammende, tatsächlich mit sieben Giebeln ausgestattete **House of the Seven Gables,** das Hawthorne im gleichnamigen Roman literarisch verewigte. Wegen seiner verwinkelten Bauweise wirkt das fast schwarz getünchte Gebäude mysteriös. Führungen vermitteln Einblicke in das Leben im 19. Jh. Auf dem gleichen Gelände steht auch Hawthornes Geburtshaus, das ebenfalls zu besichtigen ist (54 Turner St., Tel. 1-978-744-0991, www.7gables.org, tgl. 10–17, Ende Juni–Nov. bis 19 Uhr, sonst bis 17 Uhr, Erw. 12,50 $).

Infos

Salem Office of Tourism and Cultural Affairs: 93 Washington St., Salem, MA, Tel. 1-978-744-3663, http://salem.org/german.

Übernachten

Rundum empfehlenswert ▶ **Coach House Inn:** 284 Lafayette St., Tel. 1-978-744-4092, www.coachhousesalem.com. 1879 erbaute ehemalige Kapitänsresidenz mit 11 Zimmern, hohe Decken, Mobiliar im Stil des 19. Jh., kleines Frühstück inkl. Ab 135 $.

Gastfreundliches Haus ▶ **Hawthorne Hotel:** 18 Washington Sq., Tel. 1-978-744-4080, www.hawthornehotel.com. Traditionsreiches Hotel in Downtown, geschmackvoll eingerichtet. WLAN im Preis inbegriffen. Ab 130 $.

Die Übernachtung lohnt sich ▶ **Suzannah Flint House:** 98 Essex St., Tel. 1-978-744-5281, www.innsite.com/inns/A004031.html. Hübsches, fast 200 Jahre altes B & B mit klimatisierten Zimmern. Ab 120 $.

Essen & Trinken

Hochgelobte Küche ▶ **The Grapevine Restaurant:** 26 Congress St., tgl., Tel. 1-978-745-9335, www.grapevinesalem.com, tgl. 17.30–22 Uhr. Hervorragendes italienisches Restaurant mit schönem Innenhof. Menü ca. 50 $.

Exzellentes Menü ▶ **Nathaniel's:** 18 Washington Sq., im Hawthorne Hotel, Tel. 1-978-825-4311, www.hawthornehotel.com >Dining

Nathaniel. Tgl. gegrillter Schwertfisch, Kalbsfrikassee oder Ravioli aus Wildpilzen – alles schmackhaft zubereitet. Am Sonntag gibt es einen Jazz-Brunch für 20 $.

Einkaufen

Kitschig und witzig ▶ **Broom Closet:** 203 Essex St., Tel. 1-978-740-9555, tgl. außer Di. Geschenkeladen zum Thema ›Hexen‹.

Schwarze Magie ▶ **Crow Haven Corner:** 125 Essex St., Tel. 1-978-745-8763, www.crowhavencorner.com. Hier können sich ›Hexen‹ mit dem Notwendigsten ausstatten, vom schwarzen Umhang bis zur Kristallkugel.

Verkehr

Bahn: Der gegenüber dem Bus etwas schnellere Vorortzug benötigt ab North Station in Boston ca. 35 Min. Infos unter www.mbta.com.

Bus: Von Boston fährt Bus Nr. 450 vom Haymarket in ca. 50 Min. nach Salem.

Von Cape Ann nach Hampton Beach

Die weit in den Atlantik hineinreichende Halbinsel **Cape Ann** ist die Antwort von North Shore auf Cape Cod weiter im Süden. Felsige Küsten wechseln sich ab mit langen Sandstränden, vor denen alljährlich unterschiedliche Walarten, Delfine und seltener sogar Orcas auftauchen, was Walbeobachtungstouren auch hier zu einem schwunghaften Geschäft gemacht hat.

Gloucester ▶ 1, O 2

Das knapp 30 000 Einwohner zählende, auf Thatcher Island liegende Städtchen mit dem ältesten Hafen der USA gehört zu den beliebtesten Ferienzielen am Kap.

Der Ortsteil Rocky Neck avancierte um 1850 zur Künstlerkolonie, in der u. a. Edward Hopper in den 1920er-Jahren häufig den Sommer verbrachte und Zeichnungen und

Das beliebteste Fotomotiv im Hafen von Rockport am Cape Ann

Aquarelle von lokalen Häusern anfertigte (www.rockyneckartcolony.org).

Auch anderen Ankömmlingen gefiel der Küstenflecken, wie etwa dem Erfinder und Kunstsammler John H. Hammond, der südöstlich von Gloucester 1928 das **Hammond Castle** errichten ließ, ein mit Zugbrücke und mittelalterlichen Türmen versehenes Anwesen. Er stattete es darüber hinaus mit bemerkenswerten Arbeiten römischer, mittelalterlicher und aus der Renaissancezeit stammender Kunst aus, die man besichtigen kann (80 Hesperus Ave., Magnolia, Tel. 1-978-283-2080, www.hammondcastle.org, Mai–Sept. Di–So 10–16 Uhr, Uhr, Erw. 10 $).

Gloucester machte im Jahr 2000 Leinwandkarriere mit dem Film ›Der Sturm‹ des deutschen Regisseurs Wolfgang Peterson. Er erzählt nach der Romanvorlage von Sebastian Junger die auf Tatsachen beruhende Geschichte des Fischerbootes ›Andrea Gail‹, das im Oktober 1991 in den Hurricane Grace geriet und versuchte, seinen Heimathafen in Gloucester zu erreichen. Im Film spielt die örtliche Bar **Crow's Nest** eine Rolle, die allerdings nur im Innern dem Filmset gleicht (334 Main St., http://crowsnestgloucester.com).

Infos

Gloucester Visitor Center: 9 Hough Ave., Gloucester, MA 01930, Tel. 1-978-281-8865, www.gloucesterma.com.

Übernachten

Schnuckelig ▶ **Julietta House:** 84 Prospect St., Tel. 1-978-281-2300, www.juliettahouse.com. Mit viel Liebe zum Detail eingerichtete Gästezimmer im viktorianischen Stil inkl. Frühstück. Ab 150 $.

Freundlich und komfortabel ▶ **Sea Lion Motel:** 138 Eastern Ave., Tel. 1-978-283-7300, www.sealionmotel.com. Saubere, klimatisierte Zimmer mit Bad, Cottages und Unterkünfte inkl. Küche. Ab 109 $.

Campingplatz ▶ **Cape Ann Camp Site:** 80 Atlantic St., West Gloucester, Tel. 1-978-283-8683, http://capeanncampsite.com. Jeder der 200 Stellplätze hat einen Picknicktisch und eine Feuerstelle.

Aktiv

Walbeobachtung ▶ Cape Ann Whale Watch: 415 Main St., Tel. 1-800-877-5110, www.caww.com. Walbeobachtungstouren zur Stellwagen Bank, April–Nov.
Captain Bill's Whale Watch, 24 Harbor Loop, Tel. 1-978-283-6995, www.captbillandsons. com. Mai–Okt. zwei Walbeobachtungstouren tgl., Erw. 48 $.

Rockport ▶ 1, O 2

Im Jahr 2002 brachte die amerikanische Post eine 34-Cent-Briefmarke heraus, auf der hinter einem Schriftzug mit den Worten ›Greetings from Massachusetts‹ ein Bild vom Inner Harbor in **Rockport** samt einem rot getünchten Fischerschuppen zu sehen war. Der U.S. Postal Service hatte mit dieser Wahl ein glückliches Händchen, weil er damit ein symbolträchtiges Motiv aussuchte, das weit über die Grenzen des Bundesstaats hinaus bekannt ist. Schon lange ist besagter Fischerschuppen unter dem Namen **Motif No. 1** bekannt, weil kein Fotograf und kein Maler daran vorbeikommt. 1978. fegte zwar ein Sturm das wohlproportionierte ›Denkmal‹ von der Hafenmauer. Der berühmte Blickfang wurde jedoch schnellstmöglich wieder aufgebaut.

Rockport ist ein idyllischer, auf drei Seiten vom Meer umgebener Flecken, bei dem es nicht verwundert, dass er sich schon vor Jahrzehnten zum Fischerort mit Ambitionen einer Künstlerkolonie entwickelte, zumal die Überfischung dem traditionellen Broterwerb nach und nach das Handwerk legte. An heißen Sommertagen sind die Straßen des Orts leer gefegt, weil die Bevölkerung am kleinen Sandstrand Abkühlung sucht.

Essex ▶ 1, O 2

Das 4000-Seelen-Städtchen ist ein alter Werftenstandort, in dem das **Essex Shipbuilding Museum** an glorreiche alte Zeiten erinnert. Es besteht aus einem Komplex von Gebäuden am Essex River und stellt über 3000 historische Fotografien, Manuskripte, Dokumente über den Schiffsbau und über 500 alte Schiffsbauwerkzeuge aus. Glanzstück ist der auf dem Gelände ausgestellte Schoner ›Eve-

lina M. Goulart‹ von 1927, der als eines von über 500 Schiffen in Essex vom Stapel lief (66 Main St., Tel. 1-978-768-7541, http://essex shipbuildingmuseum.org, Mai–Okt. Mi–So 10–17, Nov.–Mai Sa/So 10–17 Uhr, 7 $).

Vielen Einheimischen ist Essex heute besser bekannt als Antiquitäten-Mekka mit etwa fünf Dutzend einschlägigen Geschäften, die sich auf ca. 2 km Länge an der Durchgangsstraße entlangziehen. Zu den bekanntesten zählt der von außen überladen, aber trotzdem attraktiv wirkende **White Elephant Shop,** in dem man so ziemlich alles bekommt, was der Mensch nicht unbedingt braucht: Schaukelstühle, Porzellanfigürchen, Töpfereien, Musikinstrumente, Spielzeug, amerikanische Flaggen, gebrauchte Bücher und Postkarten … Viele Gegenstände werden auch im Internet versteigert (32 Main St., Tel. 1-978-768-6901, www.whiteelephantshop.com, Mo–Sa 11–17, So 12–17 Uhr).

Hampton Beach ▶ 1, O 1

Am Atlantiksaum von New Hampshire gelegen, bietet der Badeort mit seinem kilometerlangen Strand ungetrübte Badefreude, besonders für Familien. Im August wird eigens für Kinder das eine Woche dauernde Hampton Beach Children's Festival mit Zauberern, Clowns und einer abschließenden Kinderparade veranstaltet. Schon einen Monat früher können zukünftige Architekten und Landschaftsdesigner beim jährlichen Wettbewerb im Sandburgenbauen ihre Fantasie beweisen.

Findet kein Fest und kein Konzert auf der Seashell Stage am Strand statt, kommt als Vergnügungsbühne der drei Meilen lange Boardwalk ins Spiel. In über einem Dutzend Imbissbuden und Schnellrestaurants liefern sich Besucher Zuckerwatte- und Pizzaschlachten, schlendern durch Spielsalons oder plündern Eiscremeläden.

Portsmouth ▶ 2, G 4

Der Bundesstaat New Hampshire besitzt nur ein einziges maritimes Tor zur Welt: den knapp 21 400 Einwohner großen Seehafen

Portsmouth am Piscataqua River. Zahlreiche elegante Anwesen dokumentieren die bedeutende wirtschaftliche und politische Rolle, welche die Stadt zunächst als Werftenstandort, dann als Überseehafen und Verwaltungszentrum spielte.

Historische Anwesen

William Whipple, einer der Unterzeichner der Unabhängigkeitserklärung, lebte im **Moffatt-Ladd House.** Die vornehme, mit einigem wertvollem Mobiliar aus dem 18. Jh. ausgestattete Villa wurde im Jahre 1763 von Whipples Schwiegervater John Moffat erbaut, der durch den Überseehandel ein Vermögen erworben hatte. Das Dach schmückt ein typischer Widow Walk, ein balkonartiger begehbarer Umlauf des Schornsteins (154 Market St., Tel. 1-603-436-8221, www.moffattladd.org, Mitte Juni–Mitte Okt. Mo–Sa 11–17, So 13–17 Uhr, 7 $).

Noch herrschaftlicher präsentiert sich das **Governor John Langdon House** von 1784. Der einstige Hausherr, der seine Unterschrift unter die Verfassung der USA setzte, hatte für drei Amtsperioden den Posten des Gouverneurs von New Hampshire inne (143 Pleasant St., Tel. 1-603-436-3205, www.historicnewengland.org, Führungen Juni–Mitte Okt. Fr–So 11–17 Uhr, 6 $).

Das backsteinerne **Warner House** im Georgian Style stammt von 1716 und gehörte einem Schiffskapitän. Ein Besuch lohnt sich wegen der beeindruckenden Wandmalereien u. a. mit den Darstellungen zweier Indianerhäuptlinge des Mohawk-Stammes und der noblen Einrichtung (150 Daniel St., Tel. 1-603-436-5909, www.warnerhouse.org, Juni–Okt. Mi–Mo 11–16 Uhr, Erw. 6 $).

Strawbery Banke

Wie in einem typisch neuenglischen Fischerdorf fühlt man sich im Hafen am Piscataqua River, wo Schaluppen und kleine Fischkutter vor der Kulisse bunt getünchter Holzhäuser im Wasser dümpeln. Dort ließen sich 1630 die ersten englischen Siedler am Flussufer nieder, das mit wilden Erdbeeren bewachsen war – ihr Dorf nannten sie daher Strawbery

Banke. Drei Jahre später, als Schiffsbau und Holzindustrie bereits eine Rolle spielten, änderte das Städtchen seinen Namen in Portsmouth. Die alten Pionierzeiten sind an dieser Stelle im **Strawbery Banke Outdoor Museum** noch sehr lebendig. 46 Häuser aus der Zeit zwischen 1695 und 1820 halten heute auf dem Areal die Erinnerung an die frühen Jahre von Portsmouth wach.

Als Kulisse für einen Film über die Geschichte Neuenglands würde sich das gepflegte Museumsterrain mit den kostümierten Dorfbewohnern bestens eignen. In einigen ihrer Holzhäuser wird anschaulich gezeigt, wie einst mit einfachen Werkzeugen Boote gebaut, Töpferwaren hergestellt und Dachschindeln angefertigt wurden (14 Hancock St., Tel. 1-603-433-1100, www.strawberybanke.org, Mai–Okt. tgl. 10–17 Uhr, sonst 90-minütige Führungen Sa, So 10–14 Uhr, Erw. 17,50 $).

Umgebung von Portsmouth

Außerhalb des Stadtzentrums von Portsmouth überspannt die Memorial Bridge das breite Bett des Piscataqua River, in dem **Badger Island** wie ein Stützpfeiler liegt. Am Nordufer des Flusses beginnt der Bundesstaat Maine. Von rauer Schönheit und einsamen Steilküsten ist zunächst nichts zu sehen. Dafür weisen riesige Schilder den Weg in die **Kittery Outlets,** die sich an der Durchgangsstraße auf fast 2 km Länge unübersehbar aufreihen. Über 120 Geschäfte von Levi's bis Liz Claiborne, Calvin Klein bis Timberland und Eddie Bauer, Puma und Reebok verscherbeln Markenartikel direkt aus der Herstellung (www.thekitteryoutlets.com, Mo–Sa 9–21, So 10–18 Uhr).

Infos

Discover Portsmouth Center: 10 Middle St., Portsmouth, NH, Tel. 1-603-436-8433, http://portsmouthhistory.org und www.portsmouthnh.com, April–Dez. tgl. 10–17 Uhr.

Übernachten

Viktorianischer Charme ▶ **Hotel Portsmouth:** 40 Court St., 603-433-1200, www.thehotelportsmouth.com. Haus im Queen-Anne-

Neuenglands Hummerküste

Stil (19. Jh.) mit 34 schönen Gästezimmern. Ab 180 $.

Komfortabel ▶ **Martin Hill Inn:** 404 Islington St., Tel. 1-603-436-2287, www.martinhill inn.com. Aus zwei Gebäuden bestehendes B & B mit dekorativen Nichtraucher-Zimmern. Hochsaison 170–210 $.

Essen & Trinken

Italiener mit Pfiff ▶ **Ristorante Massimo:** 59 Penhallow St., Tel. 1-603-436-4000, www.ristorantemassimo.com, tgl. 7–22 Uhr. Ein sehr gepflegtes italienisches Lokal im historischen Stadtkern mit einer Top-Küche. Ab ca. 26 $.

Gute Gerichte, reelle Preise ▶ **Blue Mermaid:** 409 The Hill, Tel. 1-603-427-2583, http://bluemermaid.com, Mo–Sa 11.30–21, So 10–21 Uhr. Innovative Gerichte wie Lachs in einer Kruste von schwarzem Mais mit Mango-Vinaigrette. Weniger Waghalsigen bleiben Alternativen wie Pizza und Burger. Lunch ca. 10 $, Dinner ca. 20–25 $.

Aktiv

Sightseeingtour ▶ **Portsmouth Harbor Trail:** Touristenroute mit den wichtigsten Sehenswürdigkeiten, Führungen Mo und Do–Sa 10.30 und 17.30, So 13.30 Uhr, Informationen bei Discover Portsmouth (s. o.).

Hafenrundfahrt ▶ **Portsmouth Harbor Cruises:** Ceres St. Dock, Tel. 1-603-436-8084, www.portsmouthharbor.com. Kommentierte Hafenrundfahrten Mai–Okt.

Kajaktouren ▶ **Portsmouth Kayak Adventures:** 185 Wentworth Rd., Tel. 1-603-559-1000, www.portsmouthkayak.com. Begleitete Kajaktouren und Kajakkurse im Piscataqua River Basin. Auch Kajakverleih.

Für Bierliebhaber ▶ **Portsmouth Brewery, Smuttynose Brewing Company:** Brauereibesichtigungen, bei denen man sich auch mit Mahlzeiten stärken kann. Infos beim Chamber of Commerce.

Verkehr

Innerstädtischer Verkehr: Von Juli bis Ende Aug. fährt ein Trolley die wichtigsten Punkte in Portsmouth an, Erw. 0,50 $.

Die Küste von Maine

York und Cape Neddick
▶ 2, G 4

Die malerische Küste von Maine beginnt erst in dem aus drei Ortsteilen bestehenden Städtchen **York** mit zahlreichen Häusern aus dem 18. und 19. Jh. An der Promenade drängen sich Kneipen, Restaurants und Discos aneinander, die im Sommer die Nacht zum Tag machen, wenn junge Leute an Wochenenden ihre Korsos fahren und aus jedem Lokal die neuesten Hits schallen. Nördlich von York biegt sich die Küstenlinie um eine sanfte Bucht, in der das Wasser selbst im Hochsommer einige Grade kälter ist als etwa am Cape Cod. Kleine Straßen führen über das bewaldete **Cape Neddick,** das wie eine Felskanzel in den Atlantik hinausragt. An der äußersten Spitze thront auf einer vom Festland durch eine schmale Passage getrennten baumlosen Insel mit **Nubble Light** eines der meist fotografierten Motive von Neuengland.

Ogunquit ▶ 2, G 4

Der indianische Name des Orts bedeutet ›schöner Platz am Meer‹. Schon im 19. Jh. verstanden Investoren dies offensichtlich als Empfehlung, um an Ort und Stelle ein Ferienzentrum aufzubauen, das **Ogunquit** bis heute geblieben ist. Geschäfte mit Tand und Trödel, mit Mode und Markenartikeln säumen die gewundenen Straßen, in denen sich über zwei Dutzend Restaurants, Galerien und Hotels verstecken.

Ähnlich lebhaft geht es südlich der Ortschaft in **Perkins Cove** zu, wo eine Zugbrücke für Fußgänger den Hafeneingang überspannt und viele Besucher nur auf ein Segelboot mit hohem Mast warten, damit die Brücke hochgezogen wird. Kunstgalerien, Modeboutiquen und freundliche Restaurants gibt es wie Sand am Meer.

Eine Attraktion ist der kilometerlange, durch die Mündung des Ogunquit River vom Festland getrennte Ogunquit Beach. In der Verlängerung der Beach Street kann man zwar über eine Brücke zum Strand fahren. Die nervenaufreibende Parkplatzsuche kann

Schlupfwinkel der Panzerknacker

Thema

Nicht zu Unrecht hat sich für den sturmgepeitschten Atlantiksaum des Bundesstaats Maine der Beiname ›Hummerküste‹ eingebürgert. Die Jagd auf die Krustentiere besitzt dort eine lange Tradition, und Lobster, wie die Amerikaner die Leckerbissen nennen, gehören seit eh und je zu den ›Grundnahrungsmitteln‹ der Küstenbevölkerung.

Hummer werden in den meisten Restaurants entlang der Küste serviert. Am originellsten sind aber nicht durchgestylte Lokale, sondern für den Bundesstaat Maine typische Einrichtungen: Lobster Pounds. Das sind sehr einfache Imbisse oder Fischereischuppen, in denen fangfrische Hummer abgekocht werden. Und zwar in Meerwasser – übrigens eine sehr schnelle Todesart. Sobald die braun-schwarzen Scherenträger im kochenden Sud liegen, verfärben sie sich attraktiv rot. Nach etwa einer Viertelstunde sind sie gar und werden traditionell mit heißer, zerlassener Butter gegessen. Um das Drumherum kümmern sich die Küchenmeister der Einfachlokale nicht. Die Leckerbissen werden auf Plastiktellern serviert, entsprechendes Werkzeug zum Brechen der Panzer inklusive.

Bei Überlandfahrten entdeckt man am späteren Vormittag oder am frühen Abend nicht selten neben einfachen Schuppen aufsteigende Dampffahnen – untrügliche Anzeichen dafür, dass man es mit einem Lobster Pound zu tun hat. Häufig befinden sich die ›Küchen‹ im Freien und bestehen aus einfachen, aus Ziegeln gemauerten Öfen mit Einsätzen für die Riesenbottiche, in denen die Krustentiere in einem Netz versenkt werden.

In Maine wird der Hummerfang ausschließlich mit Hummerkörben betrieben

man sich jedoch auch ersparen, wenn man vom Ortszentrum den Trolley zum Strand nimmt. Weiter nördlich überquert ein hölzerner Steg den Fluss zum Footbridge Beach, an dem es geruhsamer zugeht.

Kennebunkport ▶ 2, G 4

Zwar ist der knapp 4000 Einwohner große Ort das ganze Jahr über ein Urlauberziel, doch herrscht im Hochsommer der größte Betrieb um den **Dock Square** mit seinen malerischen Holzhäuschen, wenn schon am frühen Vormittag Busse aus der ganzen Umgebung Neugierige ankarren.

Der nicht direkt an der Küstenlinie, sondern weiter landeinwärts am Kennebunk River gelegene Ort galt vielen Amerikanern schon vor Jahrzehnten als ein stadtfernes Refugium zum Ausspannen. Auch Maler und Schriftsteller schätzten die ruhige Atmosphäre um den Hafen. Eine neue Dimension nahm der Massentourismus in den 1980er-Jahren an – und zwar gewissermaßen aus politischen Gründen. Am Rand von Kennebunkport liegt am **Cape Arundel** direkt am Meer die Ferienresidenz der Bush-Dynastie, von welcher der Tourismus in Kennebunkport zusätzlichen Aufschwung erhielt. Ex-Präsident George Bush hatte dort im Juli 2007 den russischen Präsidenten Wladimir Putin zu Gast.

Kennebunkports Badestrände heißen **Gooch's Beach, Middle Beach** und **Mother's Beach** und liegen südlich des Kennebunk River, wo die Beach Street ans Meer führt. Die beiden erstgenannten Strände werden vorwiegend von jungen Leuten frequentiert, während Mother's Beach ein Tummelplatz für Familien mit Kindern ist.

Infos

Chamber of Commerce: 16 Water St., Kennebunkport, ME 04043, Tel. 1-207-967-0857, www.visitthekennebunks.com.

Übernachten

Neuenglisches Juwel ▶ **Captain Lord Mansion:** 6 Pleasant St., Tel. 1-207-967-3141, www.captainlord.com. Heute luxuriös ausgestattetes B & B, früher das Anwesen eines Kapitäns mit geschmackvollen Suiten in diversen Stilen. Ein Fest fürs Auge. Ab 269 $.

Super Urlaubsoase ▶ **Fontenay Terrace Motel:** 128 Ocean Ave., Tel. 1-207-967-3556, www.fontenayterrace.com. In dem Gebäude wohnt man in einfachen, klimatisierten Zimmer mit Bad, das Motel ist von einer schönen Gartenanlage umgeben. Ab 112 $.

Rundum bequem ▶ **Ocean Woods Resort:** 71 Dyke Rd., Tel. 1-207-967-1928, www.

Idyllische Marschlandschaft im Hinterland der Küste bei Biddeford Pool

oceanwoodsresort.com. Resort mit 32 klimatisierten, geräumigen Gästezimmern, alle mit eigenem Bad, Kabel-TV, Badewanne, Dusche, Föhn und Kaffeemaschine. Ab ca. 110 $, im Sommer fast doppelt so teuer.
Campingplatz mit guter Ausstattung ▶ Yankeeland Campground: etwa 10 Meilen westl. an der Old Alfred Rd. (Rte 35), Tel. 1-207-985-7576, www.yankeelandcampground.com, Mai–Okt. Mit Pool, Laden, Sport- und Sanitäranlagen.

Essen & Trinken

Exzellent ▶ **White Barn Inn:** 37 Beach Ave., Tel. 1-207-967-2321, www.whitebarninn.com, tgl. 18–21.30 Uhr, Jan. geschl. Toprestaurant mit Tophotel, das zu den besten in Amerika gehört, Herren brauchen ein Jackett, kein Krawattenzwang. Nur 4-Gänge-Menü zu 109 $.
Prima Hausmannskost ▶ **Alisson's Restaurant:** 11 Dock Sq., Tel. 1-207-967-4841, www.alissons.com, tgl. 11–22 Uhr, Pub bis 24 Uhr: Bei Einheimischen beliebt. Ab 8 $.

Von Biddeford Pool bis Portland ▶ 2, G 4 – H 3

Biddeford Pool besteht aus einigen Dutzend am Küstenstreifen verstreuten Häusern. Das Meer ist von gelblichen, rund geschliffenen Felsen gesäumt, die wie schlafende Fabeltiere im Wasser liegen – ein wunderschönes Plätzchen, um nach einer anstrengenden Fahrt Ruhe und salzige Luft zu genießen. Im Hinterland der Küste dehnt sich eine sattgrüne Marschlandschaft aus, auf deren Wasserflächen sich die Schäfchenwolken am Himmel spiegeln.

Wer sich danach wieder ins Strandleben stürzen möchte, muss nur nach **Old Orchard Beach** weiterfahren. Im Sommer bildet der 12 km lange Badestrand einen ausgelassenen Rummelplatz mit der einzigen aus Holz gebauten Achterbahn des Bundesstaats, einem Wasserpark, einem Riesenrad und jeden Donnerstag einem Feuerwerk. Von dem auf mächtigen Holzflöcken stehenden, 150 m ins Meer reichenden Pier mit Verkaufsständen und Imbissbuden kann man den Strandbetrieb wie von einem Logenplatz aus verfolgen.

Auf der Fahrt nach Portland bietet sich ein kleiner Umweg über Cape Elizabeth an. Das **Portland Head Light** ist seit 1791 so malerisch auf einem zerklüfteten Felsvorsprung platziert, dass der Leuchtturm nicht nur Fotobände und Reiseführer, sondern auch Briefmarken und Packungen von Frühstücksflocken schmückt (1000 Shore Rd., Tel. 1-207-799-2661, www.portlandheadlight.com, tgl. geöffnet von Sonnenauf- bis Sonnenuntergang, Museum tgl. 10–16 Uhr, Erw. 2 $).

Portland ▶ 2, H 3

Gewundene Pflasterstraßen, einladende Restaurants hinter viktorianischen Fassaden, adrette Boutiquen, hier und da eine in Malzgeruch gehüllte Minibrauerei, Kunst- und Antiquitätengalerien, Kaffeegeschäfte und an einer Wand ein überdimensionales Gemälde, das an die maritime Vergangenheit der Stadt erinnert. In den 1970er-Jahren war die Stadtverwaltung das heruntergekommene Hafenviertel **Old Port** mit halb zerfallenen Ziegelhäusern leid und verwandelte es nach und nach in ein einladendes Viertel, das nicht nur Besucher, sondern auch Einheimische anlockt. Vom 1807 erbauten **Portland Observatory,** einem ehemaligen Signalturm, überblickt man das reizvolle Ensemble (Erw. 9 $).

Auf der gegenüberliegenden Seite der Commercial Street verläuft die Waterfront mit Lagerhallen, Schiffsanlegestellen, modernen Apartmentanlagen, Fischmärkten und Parkplätzen für Stadtbesucher, die an Bord von Ausflugsschiffen die reizvolle, von Inseln und winzigen Eilanden übersäte Casco Bay erkunden. Der Geruch von Teer, Salzwasser und Fisch beweist, dass die Wasserkante nicht nur das meerverbundene Schaufenster der Stadt, sondern gleichzeitig Herz und Seele der nur 66 000 Einwohner zählenden Stadt ist.

Victoria Mansion

Zwei Querstraßen von der Waterfront entfernt erlaubt das einem italienischen Palazzo ähnelnde **Victoria Mansion** von 1860 einen Blick ins viktorianische Zeitalter. Besitzer Ruggles Morse hatte es im Hotelgewerbe zu einem Vermögen gebracht und wusste, wie man ein Haus mit edlem Mobiliar, Treppengeländern aus Mahagoni, Teppichen, Buntglasfenstern mit den Staatswappen von Maine und Louisiana und Gemälden in einen Palast verwandelt. Im Empfangsraum fällt neben einem Porträt des bärtigen Hausherrn ein offener, mit weißem Marmor verblendeter und mit grazilen Figuren von Tänzerinnen verzierter Kamin auf. Der im Innern von Trompel'œil-Malereien in ein Zelt verwandelte Turm des Gebäudes steht Besuchern nur bei speziellen Anlässen offen (109 Danforth St., Tel. 1-207-772-4841, www.victoriamansion. org, Mai–Okt. Mo–Sa 10–16, So 13–17 Uhr, Nov./ Dez. Mo geschlossen, 15 $).

Wadsworth Longfellow House

Der Stadtkern ist nicht so groß, dass man ihn nicht bequem zu Fuß erkunden könnte. Das eigentliche Zentrum liegt um den **Monument Square,** von dem man einen Abstecher zur reich verzierten **City Hall** machen kann. Auch der in einer Halle eingerichtete **Public Market** mit einem üppigen Angebot an Obst und Gemüse befindet sich gleich um die Ecke.

In entgegengesetzter Richtung gelangt man über die Congress Street zum bekanntesten Gebäude der Stadt, dem 1785 errichteten, heute mit zeitgenössischem Mobiliar ausgestatteten **Wadsworth Longfellow House,** in dem Henry Wadsworth Longfellow (1807–1882) seine Jugend verbrachte. Auf Führungen sehen Besucher u. a. Longfellows Schreibpult und einen originalen Kasten, in dem der Dichter Papier und sein Schreibgerät aufbewahrte (489 Congress St., Tel. 1-207-774-1822, www.mainehistory.org/house _overview.shtml, Führungen Mai–Okt. Mo–Sa 10.30–16 Uhr, Erw. 12 $, Sen. 10 $).

Arts District

Das **Portland Museum of Art,** das größte Kunstmuseum des Bundesstaats, wurde 1882 gegründet und ist seit 1983 in einem architektonischen Meisterbau des international bekannten Architekten I. M. Pei beheimatet. Es präsentiert eine umfangreiche Sammlung amerikanischer Malerei des 18. bis 20. Jh., darunter Werke von Edward Hopper, Winslow Homer, Rockwell Kent, Andrew Wyeth und John Singer Sargent. In der Abteilung für europäische Kunst sind Arbeiten u. a. von Degas, Monet, Renoir, Picasso, Munch und Magritte zu sehen. Neben den Gemälden sind Skulpturen, Drucke, Fotografien sowie Arbeiten aus Glas und Keramik einen Besuch wert. Zum Museum gehört auch das 1801 im Federal Style errichtete McLellan House (7 Congress Sq., Tel. 1-207-775-6148, www.portlandmuseum.org, tgl. 10–17, 3. Do im Monat und Fr bis 21 Uhr, 12 $, ab 17 Uhr freier Eintritt).

Desert of Maine

Vor 11 000 Jahren luden Gletscher nördlich von Portland bei **Freeport** Sandberge ab, die sich lange unter Gras und anderen Pflanzen versteckten. 1797 begann ein gewisser William Tuttle mit dem nicht ganz fachgerechten Anbau von Kartoffeln und setzte damit einen Erosionsprozess in Gang. Überweidung der Grasflächen tat ein Übriges, sodass schließlich ganze Areale freigelegt wurden und nach und nach die **Desert of Maine** entstand. Als einziges Gebäude blieb von Tuttles Farm eine Scheune aus Schindelholz mit einem kleinen Museum übrig. In die Dünenlandschaft eingebettet liegt ein Campingplatz (Exit 19 oder 20 von der I-95, Desert Rd., Tel. 1-207-865-6962, www.desertof maine.com, Mai–Okt. tgl. 9–17 Uhr, 10,50 $).

Infos

Greater Portland Convention and Visitors Bureau: 14 Ocean Gateway Pier, Portland, ME 04101, Tel. 1-207-772-5800, www.visit portland.com. Im Flughafen gibt es einen Informationsstand.

Übernachten

Fabelhaft ▶ **Pomegranate Inn:** 49 Neal St., Tel. 1-207-772-1006, www.pomegranateinn. com. Edles, mit modernen Gemälden dekoriertes Bed & Breakfast mit großzügigen Gemeinschaftsräumen und stilvollen Zimmern. Im Carriage House kommt man in einer originell dekorierten kleinen Wohnung unter. Im Sommer ab 210 $, sonst ab 130 $.

Nur mit dem Nötigsten ausgestattet ▶ **Knights Inn:** 634 Main St., South Portland, Tel. 1-207-773-5722, www.knightsinn.com. Das einfache Motel verfügt über Standardzimmer. Ab 85 $.

Camping ▶ **Wassamki Springs Campground:** 855 G. Saco St., Scarborough, Tel. 1-207-839-4276, www.wassamkisprings.com, 1. Mai–15. Okt. Bewaldeter Campingplatz westlich von Portland gelegen, in State-Park-Nähe, mit guter Ausstattung.

Essen & Trinken

Portland ist für seine Vielzahl guter Restaurants bekannt.

Erfüllt die Erwartungen ▶ **Fore Street:** 288 Fore St., Tel. 1-207-775-2717, www.fore street.biz, So–Do 17.30–22, Fr, Sa bis 22.30 Uhr. Edle Küche in einem ehemaligen Lagerhaus, der Chefkoch ist ein Fan frischer Zutaten und wird von Gourmetzeitschriften ge-

Boothbay Harbor gehört zu den Schmuckstücken der Küste von Maine

lobt. Viel Fisch, aber auch Steaks und sogar Pizza. Ab 25 $.

Amerikanische Hausmannskost ▶ Becky's Diner: 390 Commercial St., Tel. 1-207-773-7070, www.beckysdiner.com, tgl. ab 4 Uhr. Idealer Frühstücksplatz für Frühaufsteher und Fischer, auch Lunch und Dinner sind gut und sehr preiswert. Ab 5 $.

Einkaufen

Einkaufszentrum ▶ Maine Mall: 364 Maine Mall Rd., South Portland, www.mainemall.com, Mo–Sa 10–21, So 11–18 Uhr. Über 140 Geschäfte, Restaurants, Imbissketten, Food Court.

Aktiv

Stadtausflüge ▶ Portland Discovery: Long Wharf, 5 Moulton St., Tel. 1-207-774-0808, www.portlanddiscovery.com, Mai–Okt. Trolley-Touren durch Stadt und Umgebung sowie zum Portland Head Light (s. S. 144).

Päckchen und Passagiere ▶ Casco Bay Lines: P. O. Box 4656, Tel. 1-207-774-7871, www.cascobaylines.com, Mitte Juni–Anfang Sept. tgl. 10 und 14.15, Mo–Fr auch 7.45, sonst nur 10 und 14.45 Uhr. Dreistündige Fahrten durch die Casco Bay per Postboot, 16 $.

Wale ▶ Odyssey Whale Watch: Long Wharf, Commercial St., Tel. 1-207-775-0727, www.odysseywhalewatch.com, Walbeobachtungstouren Ende Mai–Okt. Darüber hinaus auch Dinnertouren.

Verkehr

Flugzeug: Portland International Jetport, Tel. 1-207-874 8877, www.portlandjetport.org. Der Flughafen liegt 15 Autominuten südwestlich der Stadt. Zehn US-Fluglinien fliegen New York City, Philadelphia, Atlanta, Washington D. C., Pittsburgh, Chicago, Boston wie auch Cleveland an. Für Fahrten vom Flughafen ins Stadtzentrum stehen öffentliche Busse (Tel. 1-207-774-0351) sowie Taxis zur Verfügung, die etwa 17 $ kosten. Alle größeren Mietwagen-firmen sind vertreten.

Bahn: Amtrak Terminal, 100 Thompson's Point Rd., Portland Transportation Center, Tel. 1-800-872-7245, www.amtrak.com. Zwischen Portland und Boston verkehrt der Downeaster. Fahrtdauer 2 Std., 25 $.

Bus: Greyhound Station, 950 Congress St., Tel. 1-207-772-6588, www.greyhound.com. Verbindungen in alle größeren Orte.

Zum Acadia National Park

Von Freeport bis Boothbay Harbor ▶ 2, H 3

Freeport steht mit 170 Fabrikverkaufsstellen, Designer Shops, Modeboutiquen und Lagerhallen voller Schuhe, Hosen, Blusen und Hemden für ungebremste Kauflust. Noch heute ist der 1911 eröffnete L. L. Bean's Store Herzstück des im Stil eines neuenglischen Dorfes angelegten Konsumparadieses. Dass etwa Textilien des Modekultlabels Banana Republic in einem hübschen Haus aus rotbraunen Ziegeln mit weißen Fensterumrandungen verkauft werden und hungrige Shopper im ›Azure Café‹ unter roten und grünen Sonnenschirmen Lobster Fettuccine Alfredo vertilgen, stattet die Main Street mit einem Flair aus, das man von einem Outletzentrum eigentlich nicht erwartet (die meisten Shops sind im Sommer Mo–Sa 10–21, So 10–19 Uhr, im Winter kürzer geöffnet). Eine interaktive Karte mit allen Geschäften, Restaurants und Hotels findet man unter http://freeport usamap.com.

Längst lebt das Städtchen **Wiscasset** nicht mehr vom Fischfang, Werften oder der Holzindustrie, sondern vom Tourismus. Wo sich früher Einwohner in altmodischen Läden mit dem Notwendigsten versorgten, stellen heute Antiquitätenshops und Kunstgalerien ihre Schätze aus. Besucher stromern über die mit Ziegeln gepflasterten Gehsteige, um sich die Beine zu vertreten oder im bekannten **Sarah's Cafe** einen BBQ Turkey Burger zu vertilgen (Main/Water St., Tel. 1-207-882-7504, www. sarahscafe.com, im Sommer tgl. 11–14 Uhr,

im Winter kürzer, ab 4 $). An langen Warteschlangen gemessen ist **Red's Eats** ein noch populärerer Zwischenstopp. Der kleine Imbiss an der Durchgangsstraße nicht weit von der Brücke über den Sheepscot River verkauft die besten Lobster Rolls weit und breit, d. h. mit Hummerfleisch belegte Brötchen, die man entweder mitnimmt oder vor dem Imbiss auf Gartenstühlen verzehrt (41 Water St., Tel. 1-207-882-6128, tgl. ab 11 Uhr).

Um die Wasserkante stehen in **Boothbay Harbor** zu Restaurants umfunktionierte ehemalige Lagerschuppen auf Pfählen im Wasser. Besucher flanieren über grobe Dielenstege an bunt getünchten Holzhäuschen vorbei, Naturfreunde besichtigen gerne die Coastal Maine Botanical Gardens im benachbarten Boothbay, in denen ca. 1200 vor allem im Sommer blühende Pflanzenarten gedeihen (132 Botanical Gardens Dr., Tel. 1-207-633-4333, www. mainegardens.org, tgl. 9–17 Uhr, 14 $).

Um ein 1847 errichtetes Rathaus sammeln sich im **Boothbay Railway Village** 28 Gebäude inklusive Kapelle und Feuerwehrstation, die ein richtiges Dorf bilden. In mehreren umgebauten Scheunen sind entweder Oldtimer-Lokomotiven und Waggons untergebracht, darunter auch in Kassel gebaute Loks, oder Automobile aus dem gesamten 20. Jh. Um das Gelände herum führt eine Schmalspurbahn, mit der man im Sommer eine Runde um das Village drehen kann (586 Wiscasset Rd., Tel. 1-207-633-4727, www.railway village.org, Juni–Okt. tgl. 9.30–17 Uhr, 10 $).

Rockland ▶ 2, J 3

Jedes Jahr im Juli und August fallen Zehntausende über den Ort an der Penobscot Bay her, um mit Pauken und Trompeten das örtliche **Maine Lobster Festival** zu feiern. Regelmäßig geht der Küstenflecken mit dem selbst gewählten Beinamen ›Hummerhauptstadt der Welt‹ bei diesem Großevent in den roten Schalen der gekochten Leckerbissen unter. In den letzten Jahren kamen im Durchschnitt 90 000 Besucher und verzehrten beachtliche 30 000 Pfund Krustentiere.

Kunstliebhaber schätzen das **Farnsworth Art Museum & Wyeth Center,** das Werke

Tipp: Kein Restaurant wie jedes andere

Kein Küchenregisseur liebt das Chaos so wie der Besitzer des Restaurants **Conte's 1894**. Den Titel ›Küchenchef‹ empfindet er als Beleidigung und nennt sich lieber ›Fischhändler‹. Und was für einer! Betritt man das einem unaufgeräumten Fischerschuppen ähnelnde Lokal bei Opernmusik, ist John Conte gut drauf, was sich auf seine Kochkunst niederschlägt. Tönt Led Zeppelin durch das nautische Gerümpel, könnte ein Besuch zwischen 17 und 20 Uhr schwierig werden. Mit Zeitungen gedeckte Tische, eine Schiefertafel als Speisekarte, Brotlaibe und Weingläser in XXL machen den Besuch zum Abenteuer (148 S. Main St., kein Schild, kein Telefon, keine Kreditkarten, ab ca. 12 $).

amerikanischer Künstler wie Gilbert Stuart, Thomas Sully, Thomas Eakins, Frank Benson, Childe Hassam und Maurice Prendergast ausstellt. Außerdem widmet das Haus der Künstlerfamilie Wyeth eine eigene Abteilung und stellt mehrere Skulpturen der Bildhauerin Louise Nevelson aus (16 Museum St., Tel. 1-207-596-6457, www.farnsworthmuseum.org, im Sommer tgl. 10–17, Mi und 1. Fr im Monat bis 20 Uhr, im Winter kürzer, Erw. 12 $, ab 17 Uhr und Kinder bis 16 J. Eintritt frei).

Infos

Penobscot Bay Regional Chamber of Commerce: Harbor Park, 1 Park Dr., Rockland, ME 04841, Tel. 1-207-596-0376, http://mainedreamvacation.com.

Übernachten

Wunderschönes B & B ▶ **Captain Lindsey House Inn:** 5 Lindsey St., Tel. 1-207-596-7950, www.lindseyhouse.com. Das Haus wurde im Jahre 1835 errichtet, heute ist das B & B eine hübsche Mischung aus Alt und Neu, alle Räume mit TV und WLAN. Ab 179 $. Ordentliche Unterkunft ▶ **Navigator Motor Inn:** 520 Main St., Tel. 1-207-594-2131,

www.navigatorinn.com. Direkt am Fährhafen gelegenes preisgünstiges Motel, alle Räume mit Kühlschrank. Im Winter geschl. Ab 99 $.

Essen & Trinken

Positive Erfahrung ▶ **Primo:** 2 S. Main St., Tel. 1-207-596-0770, www.primorestaurant.com, Öffnungszeiten s. Webseite. Die Senkrechtstarterin Melissa Kelly begeistert bereits seit einigen Jahren ihre Gäste mit raffinierten Fischgerichten oder Pasta und Pizza. Menü ab 38 $.

Aktiv

Inselausflug ▶ **Maine State Ferry Service:** 517A Main St., Tel. 1-207-596-5400, bis zu 6 Fahrten pro Tag, hin und zurück 17,50 $. Die Fähren setzen Besucher von Rockland auf die Insel Vinalhaven über. Das Auto kann man zwar mitnehmen, aber zweckmäßiger ist es, sich beim Spaziergang durch den Inselort – vorbei an Geschäften, zwei Inns und einem Leuchtturm – auf die eigenen Beine zu verlassen.

Camden ▶ 2, J 2

Gibt sich die Landschaft entlang der mittleren Küste von Maine im Großen und Ganzen ziemlich flach, so ändert sich dies dort, wo sich die Camden Hills bis fast ans Meer vortasten und der Blick vom Gipfel des **Camden Hills State Park** an klaren Tagen weit über die Küste und die vorgelagerten Inseln reicht. Selbst wenn Nebelfetzen oder tiefe Wolken an den bewaldeten Hügelflanken hängen, verliert das Städtchen Camden seinen landschaftlichen Reiz nicht. Die hübschen Ziegelhäuser scharen sich um den malerischen Hafen, der zu den bekanntesten Seglerzielen an der nördlichen Atlantikküste zählt. Mel Gibson drehte vor Ort ›Der Mann ohne Gesicht‹, und Schauspielerkollegen John Travolta und Kirstie Alley sollen ebenso wie die Onassis-Familie auf der vor der Küste verstreuten Inseln ihre Sommersitze verstecken.

Übernachten

Fürstliches Frühstück ▶ **The Belmont:** 6 Belmont Ave., Tel. 1-207-236-8053, www.the

belmontinn.com. Inn vom Ende des 19. Jh. mit 6 romantischen Zimmern. Ab 179 $.

Mit Blick aufs Meer ▶ **Birchwood Motel:** Rte 1, Tel. 1-207-236-4204, www.birchwood motel.com. Einfaches Motel, Frühstück inkl. 80–125 $.

Essen & Trinken

Typisch Maine ▶ **Cappy's Chowder House:** 1 Main St., Tel. 1-207-236-2254, www.cappys chowder.com, tgl. 11–23 Uhr. In dem urgemütlichen Lokal bekommen die Gäste unten den Augen eines ausgestopften Elches keineswegs nur Cappy's bekannte Chowder serviert. Ab 8 $.

Aus biologischem Anbau ▶ **Francine:** 55 Chestnut St., Tel. 1-207-230-0083, www.fran cinebistro.com, Dinner Di–Sa 17.30–22 Uhr. Charmantes Lokal im Stil eines französischen Bistros. Ab 25 $.

Einkaufen

Alles aus Leder ▶ **The Leather Bench:** 34 Main St., Tel. 1-207-236-4688. Der Laden bietet eine hervorragende Auswahl von Ledergürteln und Taschen.

Aktiv

Für Radsportler ▶ **Ragged Mountain Sports:** 20 Barnestown Rd., Tel. 1-207-236-6664. Radverleih für Ausflüge.

Outdoor-Touren ▶ **Riverdance Outfitters:** P. O. Box 1072, Tel. 1-207-763-3139. Hikingtouren, Insel-Biking, Kajakmeerestouren.

Mount Desert Island ▶ 2, K 2

Knapp 300 km^2 rauer Granitfels, grüne Wälder aus Balsamtannen und Buchten mit Jachthäfen machen fast die gesamte Fläche des Eilands aus, auf dem der Acadia-Nationalpark liegt. Eiszeitliche Gletscher gruben sich mit ihren kalten Krallen tief in die Küstenlinien der Insel und zerfransten sie mit tief eingeschnittenen Buchten, während im Inselinnern Seen wie Eagle Lake und Jordan Pond in Gletscherkuhlen zurückblieben. Fast zwei Dutzend abgerundete, beinahe vegetationslose Hügelkuppen aus Granit erheben sich über das dicht bewaldete Umland.

Acadia National Park ▶ 2, K 2

Höchster Berg des Nationalparks und gleichzeitig höchste Erhebung an der gesamten US-amerikanischen Atlantikküste ist der 466 m hohe **Cadillac Mountain.** Dauerregen, Nebel und Wolken hüllen ihn häufig ein. Wenn jedoch an klaren Sommertagen die Morgensonne, die an dieser Stelle auf den ersten Punkt der USA fällt, die gewaltigen Granitplatten auf dem Gipfel erwärmt, reicht der Blick unter einem azurblauen Himmel über eine grandiose Naturkulisse aus Misch- und Nadelwäldern, Bergen, Seen und Inseln. Markierte Wanderwege von 200 km Länge sowie Rad- und Reitpfade durchkreuzen das Naturreservat, in dem Besucher mit etwas Glück auf Biber, Waschbären und Maultierhirsche treffen können.

Infos

Hulls Cove Visitor Center: Rte 3, Hulls Cove, P. O. Box 177, Bar Harbor, ME 04609, Tel. 1-207-288-3338, www.nps.gov/acad, 15. April–Juni 8–16.30, Juli–Aug. bis 18, Sept–Okt. bis 17 Uhr, 20 $ pro Pkw. Alle Infos über den Park – inkl. kurzem Film – auch in Deutsch. Rangeraktivitäten wie Wandertouren und Bootsausflüge Mitte Juni–Okt. Die Parkzeitung ›Beaver Log‹ informiert über alle Aktivitäten.

Übernachten

Camping ▶ **Acadia National Park:** Es gibt im Park keine Hotels oder Motels (s. Bar Harbor), sondern nur zwei Campingplätze, Outdoorvergnügen pur. Reservierung erforderlich unter Tel. 1-1-877-444-6777 oder www. recreation.gov: Blackwoods (ganzjährig, keine Hook-ups, fließend kaltes Wasser); Seawall (Mitte Mai–Ende Sept., hauptsächlich für Camper mit Zelten, fließend kaltes Wasser); Duck Harbor (Mitte Mai–Mitte Okt., Inselcampingplatz, per Auto nicht erreichbar).

Aktiv

Hiking-Abenteuer ▶ **Sieur de Monts Nature Center:** www.acadia.ws >Nature Center. 3 Meilen südlich von Bar Harbor an der Rte 3, Rangerführungen mit unterschiedlichen Themen.

Neuenglands Hummerküste

Die wildromantische Küste bei Camden in Richtung Mount Desert Island

Felsklettern über dem Meer ▶ **Otter Cliff:** am Otter Point südlich von Bar Habor ist eine unter Felskletterern beliebte, 33 m hohe Klippe mit zum Teil schwierigen Passagen; Informationen und Ausrüstung bei: Acadia Mountain Guides Climbing School, 228 Main Str., Bar Harbor, Tel. 1-207-288-8186, www.acadiamountainguides.com.

Bar Harbor ▶ 2, K 2

Einzig größerer Ort auf Mount Desert Island ist das lebhafte, im Hochsommer überlaufene **Bar Harbor.** Das trotz Tourismus familiär gebliebene Städtchen mit 4400 ständigen Einwohnern liegt an der Ostküste der Insel, die schon in den 1880er-Jahren von wohlhabenden Industriellen und Bankiers entdeckt wurde. In den folgenden Dekaden gab sich an der Frenchman Bay die damalige Schickeria ein Stelldichein. Ein Großfeuer vernichtete 1947 den Inselflecken. Der Brand zerstörte nicht nur die vornehmsten Villen, sondern auch den Ruf der Millionärsenklave. Inzwischen haben Gäste mit schmaleren Brieftaschen die Superreichen ersetzt und einer einträglichen Touristenindustrie auf den Weg geholfen. Badevergnügen bieten die häufig steinigen Küstenabschnitte nur für ganz Verwegene. Selbst im Hochsommer wird das Wasser nicht wärmer als 13 °C.

Mit über 50 000 Exponaten dokumentiert das **Abbe Museum** die Geschichte der vergangenen 10 000 Jahre der im Bundesstaat Maine lebenden Native Indians. Bei den Exponaten handelt es sich um Töpferarbeiten, aus Stein und Knochen gefertigte Werkzeuge und archäologische Funde, die Aufschluss über die Kultur der Passamaquoddy-, Penobscot-, Micmac- und Maliseet-Stämme geben (Downtown, Tel. 1-207-288-3519, www. abbemuseum.org, im Sommer tgl. 10–17, im Winter Do–Sa 10–16 Uhr, 8 $).

Infos

Bar Harbor Chamber of Commerce: 2 Cottage St., Bar Harbor, ME 04609, Tel. 1-207-288-5103, www.barharborinfo.com.

Übernachten

In Bar Harbor gibt es Unterkünfte wie Sand am Meer. An Sommerwochenenden oder im Indian Summer sollte man unbedingt rechtzeitig reservieren.

Wunderschön, stimmungsvoll ▶ Coach Stop Inn: 715 State Hwy 3, Tel. 1-207-288-9886, www.coachstopinn.com. Ehemalige Postkutschenstation von 1804, heute B & B. Ab 145 $.

Ruhiges Refugium ▶ Bar Harbor Cottages & Suites: Tel. 1-207-288-4571, www. barharborcottages.com. An der Salisbury Cove gelegene, weißgetünchte Holzhäuschen mit überdachter Terrasse sowie einem oder zwei Schlafzimmern, kleiner Küche und TV. Im Sommer ab 109 $.

B & B mit Charakter ▶ Llangolan Inn & Cottages: 865 State Hwy 3, Tel. 1-207-288-3016, www.llangolaninn.com. Etwa 7 Meilen von Bar Harbor entfernt mit 5 freundlichen Zimmern (4 mit Gemeinschaftsbad) und Cottages inkl. Küche für 2–5 Personen. Zimmer ab 52 $, Cottages ab 80 $.

Camping ▶ Bar Harbor Woodlands KOA: 1453 State Hwy 102, Tel. 1-207-288-5139, http://koa.com >Campgrounds>Bar Harbor Woodlands. Gut ausgestatteter Platz mit Spiel- und Sportanlagen. **Hadley's Point Campground:** 33 Hadley Point Rd., 8 Meilen von Bar Harbor, Tel. 1-207-288-4808, www. hadleyspoint.com, Mai–Okt. Nur einen Katzensprung vom Strand, jeder Platz verfügt über Grill und Picknicktisch, zahlreiche Cabins.

Essen & Trinken

Nicht nur himmlische Desserts ▶ La Bella Vita: 55 West St., Tel. 1-207-288-5033, www. labellavitaristorante.com, tgl. Lunch und Din-

ner. Hier genießt man Seafood, Steak und Pasta bei schönem Hafenblick. Ab 20 $.

Prima Essen ▶ Poor Boys Gourmet: 300 Main St., Tel. 1-207-288-4148, www.poorboysgourmet.com, Juni–Sept., tgl. ab 16.30 Uhr. Chicken und Pasta-Gerichte, ›All you can eat‹-Pasta-Büfett mit 9 Gerichten für je 12 $.

Prima Tagesanfang ▶ 2 cats: 130 Cottage St., Bar Harbor, Tel. 1-207-288-2808, www. 2catsbarharbor.com. Kreativer Frühstücksplatz mit großer Auswahl an Speisen. Man kann etwa sein Hummeromelette auch draußen essen. Ab ca. 10 $.

Abends & Nachts

Treff für junge Leute ▶ Carmen Verandah: 119 Main St., Tel. 1-207-288-2886, www.carmenverandah.com, April–Nov., Restaurant und Bar tgl. ab 12 Uhr. Jeden Abend ab 21.30 Uhr ist etwas los: Live-Musik von Blues bis Rock oder Musik vom DJ zum Tanzen.

Aktiv

Trolleytouren ▶ Oli's Trolley: Acadia & Island Tours, 1 West St., Harbor Pl. Bldg., Tel. 1-207-288-9899, www.olistrolley.com, Mai–Okt. ab 10 Uhr. Die reizvollen Besichtigungstouren auch in den Nationalpark dauern eine Stunde bzw. 2,5 Stunden.

Kajaktouren ▶ Coastal Kayaking Tours: 48 Cottage St., Tel. 1-207-288-9605, www. acadiafun.com. Kajaktouren, auch für Anfänger geeignet.

Hiken und Biken ▶ Carriage Roads: John D. Rockefeller Jr. ließ vor Jahrzehnten 45 Meilen unbefestigte Wege bauen, um sich mit Pferd und Kutsche durch den Acadia-Park bewegen zu können. Heute teilen sich Hiker, Biker und Reiter die autofreien Wege mit wunderbarer Aussicht.

Wanderer können von Juli bis Columbus Day (2. Mo im Okt.) den kostenlosen Island Explorer Bus nutzen, der auf sieben unterschiedlichen Routen verkehrt.

Mountainbiker starten ihre Tour meist am Haupteingang oder lassen sich die Räder dorthin bringen, etwa vom Ausstatter Acadia Bike. Bar Harbor, 48 Cottage St., Tel. 1-207-288-9605, www.acadiabike.com.

Rhode Island und Connecticut

Alte Walfängerzeiten und atombetriebene U-Boote, religiöse Toleranz und puritanische Engstirnigkeit, High-Society-Lebensstil und bäuerliches Ambiente, Provinznester und Universitätszentren prägen das Gesicht des Bundesstaaten-Duos. Zwischen Boston und New York gelegen, lernen Besucher in dieser Region das südliche Ende von Neuengland auf sehr abwechslungsreiche Weise kennen.

Neuengland geht südlich von Boston mit zwei Bundesstaaten zu Ende. Little Rhody, wie der Bundesstaat Rhode Island von den gut 1 Mio. Einwohnern liebevoll genannt wird, ist mit 3144 km² der kleinste Staat der USA. Dafür verfügt er über den längsten offiziellen Namen: State of Rhode Island and Providence Plantations. Er leitet sich – so jedenfalls eine Version – von der Insel Rhode Island in der Narragansett Bay ab.

Im Jahr 1524 kreuzte der italienische Seefahrer Giovanni da Verrazano in diesen Gewässern und fühlte sich durch das Eiland an Rhodos erinnert. Damals war das Land von unterschiedlichen Indianerstämmen bewohnt, deren Erbe heute in vielen geografischen Namen fortlebt. Mit Stolz trägt der amerikanische ›Däumling‹ den Beinamen ›Land der Toleranz‹. Denn im Unterschied etwa zu Connecticut ließen sich dort Siedler nieder, denen das puritanische Klima in Massachusetts nicht zu liberal, sondern nicht liberal genug war. Wirtschaftlich gründete sich der Aufstieg von Rhode Island auf den internationalen Handel, bei dem vor allem die beiden Häfen Newport und Providence eine Rolle spielten.

Landschaftliches Herz von Rhode Island ist die verzweigte, von Inseln durchsetzte Narragansett Bay um den exklusiven Seglerhafen Newport. In diesem fabelhaften Seglerrevier mit tief eingeschnittenen Buchten, Inseln und Halbinseln wurde 1930 erstmals das berühmte Rennen um den America's

Cup ausgetragen. Die reizvolle Küste war im 19. Jh. für die reichsten Leute des Landes Grund genug, sich dort Sommerpaläste und Residenzen von feudalem Zuschnitt bauen zu lassen.

Der Bundesstaat Connecticut spielte in der industriellen Entwicklung Amerikas wegen zahlreicher Erfindungen und neuer Produktionsmethoden eine bedeutende Rolle. Heute gehört er zu den großen Industrieregionen mit einem der höchsten Pro-Kopf-Einkommen der USA. In manchen städtischen Gebieten recken sich zwar Fabrikschlote in den Himmel, doch besitzt das Land speziell am Atlantiksaum auch sehenswerte Landschaften.

Die Küstenroute zwischen Mystic und der Universitätsstadt New Haven mit der berühmten Yale University gehört zu den besonders malerischen Abschnitten. Sie führt durch Ortschaften mit weißen Holzhäusern, hohen Kirchtürmen und gepflegten Gartenanlagen.

Providence ► 1, N 3

Cityplan: S. 154

Manche unter den heute rund 178 000 Einwohnern der Stadt erzählen, sie seien vor 20 Jahren noch froh gewesen, nach einem langen Arbeitstag der drögen, unattraktiven Stadt den Rücken kehren zu können. Seit damals intensivierte stadtkosmetische Pro-

Passanten bei einer Ruhepause vor dem Rathaus

gramme haben daran viel verändert. Heute mögen die im größten Ballungsraum von Rhode Island lebenden Menschen ihre Stadt, und wer sie nur von früher kennt, wird sich verwundert die Augen reiben.

Die nach Boston und Worcester drittgrößte Stadt in Neuengland wurde 1636 von Roger Williams gegründet. Der Freidenker hatte die von Puritanern dominierte Massachusetts Bay Colony wegen seiner liberalen Auffassungen verlassen müssen. Zusammen mit anderen Verbannten ließ er sich unweit Grenze von Massachusetts am Providence River nieder, wo er in einer hügeligen Landschaft die erste Siedlung in Rhode Island aufbaute. Während sich in manchen Teilen Neuenglands im 17. Jh. ein Klima der Intoleranz ausbreitete, herrschte in Rhode Island eine liberale und aufgeschlossene Atmosphäre. Viele Pioniere und Siedler, die mit den religiösen Eiferern in ihren eigenen Kolonien nicht zurechtkamen, flüchteten nach Rhode Island.

Stadtrundgang

Bekanntestes Gebäude ist das 1901 aus weißem Georgia-Marmor erbaute **State House** **1** unter einer Riesenkuppel, die nach dem Petersdom die zweitgrößte der Welt sein soll. Auf ihr erhebt sich mit der mehr als 200 kg schweren und über 3 m hohen Bronzestatue Independent Man das staatliche Symbol von Freiheit und Toleranz, das an die Gründung von Rhode Island erinnert. Zu den bedeutendsten Dokumenten, die zu sehen sind, gehört eine 1663 vom englischen König Charles II. ausgestellte Charta, in der den Rhode-Island-Siedlern das Recht auf freie Religionsausübung verbrieft wird (82 Smith St., Tel. 1-401-222-3983, http://sos.ri.gov >Public Information>State House Tours, 50-minütige Führungen stdl. Mo–Fr 9–14, außer 12 Uhr).

Das **Roger Williams National Memorial** **2** ist dem Stadt- und Staatsgründer gewidmet. Mit ihm und seiner Ära beschäftigt sich im Memorial Visitor Center eine Ausstellung. Wo sich die kleine Parkanlage mit dem Brun-

Providence

nen ausdehnt, standen einst die ersten Häuser der Stadt (282 N. Main St., Tel. 1-401-521-7266, www.nps.gov/rowi, tgl. 9–17 Uhr).

Jüngster Beweis für die bauliche Renaissance von Providence ist der **Waterplace Park** 3 mit dem Riverwalk und einem Amphitheater für Konzerte, gepflasterten Wegen und Brücken, die zusammen mit den Gondeln auf dem Woonasquatucket River der Anlage venezianischen Charme verleihen sollen (am Memorial Boulevard).

Südlich des Kapitols liegt das Geschäftszentrum der Stadt um die fußgängerfreundlich umgestaltete Kennedy Plaza, deren Südwestseite von der monumentalen **City Hall** 4 mit der Stadtverwaltung dominiert wird. Die graue Granitfassade unter dem patinagrünen Dach macht einen geradezu wehrhaften Eindruck. Ältere Häuser säumen die Westminster Street mit vielen kleineren Geschäften. Nur wenige Schritte entfernt verbirgt sich hinter der aus dem Jahre 1828 stammenden, klassizistischen Säulenfassade der **Arcade** 5 die erste überdachte Shopping Mall der USA, die in einen modernen Geschäfts- und Wohnkomplex mit eleganten Lofts umgewandelt wurde (65 Weybosset St.).

Im Stadtteil **Federal Hill** 6 westlich der I-95 um die Atwells Avenue wurden in den letzten Jahren zahlreiche restaurierte Häuser und Lokale zum Anziehungspunkt für Einheimische und Besucher. Der Grund: In diesem Teil von Providence gibt es viele Restaurants aller Kategorien und Geschmäcker. Dass die Stadt als Hochburg der Gastronomie gilt, hat sie u. a. diesem Viertel und einigen dort liegenden Toplokalen zu verdanken.

Die ältesten Wohnviertel der Stadt mit historischen Häusern liegen auf der Ostseite des Providence River. Parallel zum Fluss verläuft die Benefit Street, die ›historische Meile‹ von Rhode Island. Von den 22 lokalen Baptistenkirchen ist die **First Baptist Church** 7 von 1775 die älteste (75 N. Main St., Tel. 1-401-454-3418, www.fbcia.org, Mo–Fr 9.30–15.30 Uhr). Auch die Rhode Island School of Design mit dem **Museum of Art** 8 und dem Chace Center hat dort ihren Standort und bildet mit japanischen Drucken, Gemälden europäischer Meister wie etwa französischer Impressionisten, amerikanischen Kunstwerken und orientalischen Kollektionen ein Ziel für Kunstliebhaber (224 Benefit St., Tel. 1-401-454-6500, www.risdmuseum.org, Di–So 10–17 Uhr, 12 $).

Der wohlhabende und einflussreiche Kaufmann John Brown verlieh der **Brown University** 9 ihren Namen, die 1764 als siebte Universität in den USA unter dem Namen Rhode Island College in der Ortschaft Warren gegründet und sechs Jahre später nach Providence verlegt wurde. Die Hochschule mit ihren rund 8000 Studenten gehört damit zu den ältesten und einflussreichsten Lehranstalten im Lande, den sogenannten Ivy League Universities (Tel. 1-401-863-1000, www.brown.edu, Campustouren Mo–Fr 9–15 Uhr). Im Besitz der 1904 gegründeten **John Brown Library** sind ca. 40 000 Druckerzeugnisse aus der Zeit vor

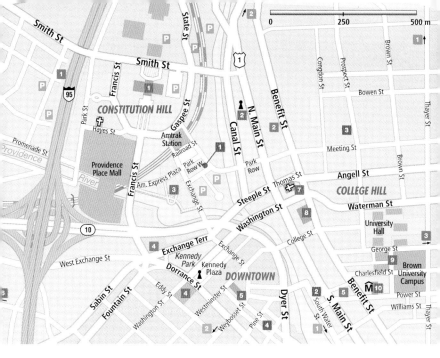

Beginn des 19. Jh. mit dem Schwerpunkt auf amerikanischer Geschichte. Eine echte Kostbarkeit unter den Raritäten ist neben uralten Landkarten die Erstausgabe eines Bandes mit Briefen von Christoph Kolumbus an Königin Isabella, aus denen die Monarchin von der Entdeckung der Neuen Welt erfuhr (Tel. 1-401-863-2725, Mo–Fr 8–17, Sa 9–12 Uhr). Das 1786 aus Ziegeln im sogenannten Georgian Style erbaute **John Brown House Museum** 10 lässt im Innern den immensen Reichtum des ehemaligen Hausherrn erkennen. Neben wertvollem historischem Mobiliar ist eine Sammlung von Silberwaren zu sehen. John Brown brachte es als gewiefter Kaufmann im Chinageschäft zu einem riesigen Vermögen, von dem er beträchtlichen Einfluss auf die Geschicke der Stadt ableitete (52 Power St., Tel. 1-401-273-7507, www.rihs.org, April–Nov. Führungen Dez.–März Fr, Sa 10.30–15, sonst Di–Fr 13.30–15, Sa 10.30–15, Uhr, 10 $).

Infos

Visitor Information Center: 1 Sabin St., Providence, RI 02903, Tel. 1-401-751-1177, 1-800-233-1636, www.goprovidence.com, Mo–Sa 9–17 Uhr.

Rhode Island Tourism Division: 315 Iron Horse Way, Suite 101, Providence, RI 029 08, Tel. 1-800-556-2484, www.visitrhodeisland.com, Informationsstelle für den Bundesstaat Rhode Island.

Übernachten

Reizendes Bed & Breakfast ▶ Christopher Dodge House 1: W. Park St., Tel. 1-401-351-6111, www.providence-hotel.com. Viktorianisches B & B in einem Haus von 1865 mit betulich eingerichteten Zimmern. Ab 149 $.

B & B im historischen Viertel ▶ Old Court B & B 2: 144 Benefit St., Tel. 1-401-751-2002, www.oldcourt.com. Haus mit viktorianischer Ausstattung, aber mit modernen Betten. Im Sommer ab 145 $, im Winter ab 115 $.

B & B zum Wohlfühlen ▶ Annie Brownell House 3: 400 Angell St., Tel. 1-401-454-2934, www.anniebrownellhouse.com. Haus vom Ende des 19. Jh., etwa vier Querstraßen von der Universität entfernt, Nichtraucherzimmer ohne TV. 120–170 $.

155

Rhode Island und Connecticut

Mitten im Zentrum ▶ Courtyard by Marriott 4: 32 Exchange Terrace, Tel. 1-401-272-1191, www.courtyard.com/pvddt. Komfortables Stadthotel, Innenpool, Fitnesscenter. Ab 139 $.

Prima Lage ▶ Ledbetter B & B 5: 326 Benefit St., Tel. 1-401-351-4699. Zentrales Gästehaus mit fünf Zimmern, zwei davon mit eigenem Bad. 95–115 $.

Essen & Trinken

Hochgelobte Küchenzauberei ▶ The Capital Grille 1: 1 Union Station, Tel. 1-401-521-5600, www.thecapitalgrille.com, Lunch Mo–Fr 11.30–15, Dinner tgl. ab 17 Uhr. Porterhouse Steaks, Lamm oder auch gegrillter Schwertfisch … alles vom Feinsten. Hauptgericht ab 25 $.

Italienisches Weinrestaurant ▶ Bacaro 2: 262 S. Water St., Tel. 1-401-751-3700, www.bacarorestaurant.net, So, Mo geschl. Der Speisesaal war einst eine Lagerhalle, Gerichte mit italienischer Note. 20–30 $.

Steaks und Sushi ▶ Ten Prime Steak & Sushi 3: 55 Pine St., 1-Tel. 1-401-453-2333, www.tenprimesteakandsushi.com, Lunch Mo–Fr 11.30–16, Dinner tgl. 16–22 Uhr. Japanisch-amerikanische Küche in einem exotisch-exklusiven Ambiente, Topküche. Hauptgericht ab ca. 20 $.

Lokal mit dem gewissen Etwas ▶ Red Fez 4: 49 Peck St., Tel. 1-401-861-3825, Di–Sa 17–1 Uhr. Nicht sehr großer Gastraum für kleine Speisen mit darüber liegender, sehr dunkler Bar. Ab ca. 8 $.

Einkaufen

Bauernmarkt ▶ Farmers' Market 1: Im Lippitt Park am Schnittpunkt von Hope St. und Blackstone Blvd., Sa 9–13, Mi 15–18 Uhr. Obst, Gemüse, Blumen, Brot und Backwaren, Seafood, Geflügel frisch aus dem Umland.

Outlet-Center ▶ Wrentham Village Premium Outlets 2: 1 Premium Outlets Blvd., Wrentham, www.premiumoutlets.com/wrentham, Mo–Sa 10–21, So 12–18 Uhr. Riesiges Zentrum von 170 Fabrikverkaufsstellen für Markenmode.

Abends & Nachts

Hipper Treff für junge Leute ▶ Hot Club 1: 575 S. Water St., Tel. 1-401-861-9007, http://hotclubprov.com, tgl. ab 12 Uhr. Der Club mit Restaurant befindet sich in einem ehemaligen Kraftwerk. Dort wurden Szenen des Films ›There's Something About Mary‹ mit Cameron Diaz, Matt Dillon und Ben Stiller gedreht.

Populäre Abendunterhaltung ▶ Providence Performing Arts Center 2: 220 Weybosset St., Tel. 1-401-421-2787, www.ppacri.org. Abwechslungsreiches Programm mit Broadway-Shows, Theateraufführungen und Konzerten.

Aktiv

Stadtbesichtigung ▶ Banner Trail: Touristenpfad durch Providence, an dem die meisten Sehenswürdigkeiten der Stadt liegen. Stadtpläne mit dem eingezeichneten Fußweg sind bei der Touristeninformation und allen Informationskiosks erhältlich (www.woonsocket.org/river/provtour.htm).

Termine

Gallery Night: Jeden dritten Do im Monat (März–Nov.) veranstaltet die Stadt Providence zusammen mit Kunstmuseen und über zwei Dutzend Kunstgalerien von 17–21 Uhr die Gallery Night (Tel. 1-401-490-2042, www.gallerynight.info). Kunstfreunde können in dieser Zeit alle beteiligten Ausstellungen kostenlos besuchen und sich mit dem Art Trolley auch noch gratis von einer Sehenswürdigkeit zur nächsten fahren lassen.

Verkehr

Bahn: Bahnhof, 100 Gaspee St., Tel. 1-800-872-7245, www.amtrak.com. Hochgeschwindigkeitsverbindungen mit dem Accla Express nach New York City, Boston und andere Ostküstenmetropolen. Von Providence nach Boston ab 15 $.

Öffentlicher Nahverkehr: Das Nahverkehrssystem umfasst in Providence u. a. einen Trolley zu allen Sehenswürdigkeiten, Einzelfahrt 2 $, City Pass für alle Trolley- und Busverbindungen innerhalb der Grenzen von

Jachten im Seglerhafen des Städtchens Newport

Rhode Island für einen Tag 6 $, Rhode Island Public Transit Authority: 265 Melrose St., Tel. 1-401-781-9400, www.ripta.com.

Newport ▶ 1, O 4

An der lebhaften **Bowen's Wharf** dümpeln im Sommer Dutzende Jachten im Wasser, von denen jede gut und gern so viel wert ist wie ein Zweifamilienhaus. Die Fischer, die an den Piers ihren Fang an Land schaffen, sind den Anblick von messingbeschlagenen Superseglern und Nachbauten aus glänzendem Mahagoni gewohnt. An Sommerwochenenden geht es um den Hafen zu wie auf einem Rummelplatz.

Auf einer Anhöhe über dem Hafen thront mit der weiß getünchten **Trinity Church** mit 1726 das weithin sichtbare Wahrzeichen des Städtchens (Queen Anne Sq., www.trinitynew port.org, tgl. 10–16 Uhr).

Das **Newport Art Museum** bietet amerikanischen Kunstschaffenden eine Bühne, um Gemälde, Skulpturen und Fotografien einer breiteren Öffentlichkeit zugänglich zu machen (76 Bellevue Ave., Tel. 1-401-848-8200, www. newportartmuseum.org, Di–Sa 10–16, So 12–17 Uhr).

Die Tennisgeschichte seit ihren frühesten Anfängen dokumentiert die **International Tennis Hall of Fame & Museum.** Natürlich haben neben vielen internationalen Stars auch die deutschen Helden des weißen Sports, Steffi Graf und Boris Becker, Eingang in die Ruhmeshalle gefunden (194 Bellevue Ave., Tel. 1-401-849-3990, www.tennisfame. com, tgl. 9.30–17 Uhr, 13 $).

Infos

Visitor Information Center: 23 America's Cup Ave., Newport, RI 02840, Tel. 1-401-845-9123 oder 1-800-976-5122, www.disco vernewport.org.

157

aktiv unterwegs

Fahrradtour durch Newports Millionärswinkel

Tour-Infos

Start: The Elms Mansion (367 Bellevue Ave.)
Länge: ca. 15 Meilen (24 km)
Dauer: 3 Stunden – ein halber Tag
Radverleih: Ten Speed Spokes, 18 Elm St., Newport, RI 02840, Tel. 1-401-847-5609, www.tenspeedspokes.com, 7 Std. ca. 35 $
Wichtige Hinweise: Das Newport-Mansions-Experience-Ticket gewährt verbilligten Eintritt zu fünf Mansions der eigenen Wahl (Erw. 31,50 $, Kinder 10 $).

Zu den reizvollsten Besichtigungsrouten außerhalb von Newport gehört der **Ten Mile Drive** um die Südspitze von Rhode Island, an der feudale Großbürgerpaläste und viktorianische Residenzen wie Perlen auf einer Kette aufgereiht sind.

Man beginnt die Radtour (alternativ natürlich die Autotour) bei **The Elms 1**, einem herrschaftlichen Anwesen aus der Mitte des 18. Jh., dessen Entwurf sich an das französische Château d'Asnières bei Paris anlehnte.

Der ehemalige Besitzer, der im Kohlegeschäft ein riesiges Vermögen machte, ließ das Innere mit Keramiken, venezianischen Gemälden und orientalischer Jadekunst ausstatten.

Am Ende der Narragansett Avenue führen die **Forty Steps 2** zu einer gemauerten Aussichtsplattform direkt am Meer. Über die Treppe erreicht man auch den 3,5 Meilen langen **Cliff Walk,** der an der Ostküste von Rhode Island bis zum Ende an der südlichen Bellevue Avenue führt. Bei **Fairlawn Mansion 3**, einem ca. 150 Jahre alten Anwesen aus Ziegeln und Holz, gelangt man auf den Campus der privaten, römisch-katholischen **Salve Regina University 4**, der zu den landschaftlich schönsten in den USA zählt.

In der Nachbarschaft steht das 1852 vollendete **Chateau-sur-Mer 5**, heute als museales Relikt den viktorianischen Lebensstil der Geldaristokratie demonstrierend. Unumstrittener Glanzpunkt im Villenwinkel ist **The Breakers 6**, ein direkt an der Steilküste liegender, 70 Zimmer großer Palast, den Cornelius Vanderbilt 1895 errichten ließ. Die Fa-

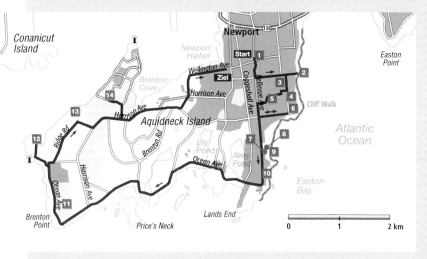

milie hatte es im Schiffs- und Eisenbahnbau zu einem riesigen Vermögen gebracht. Architekt Richard Morris Hunt baute nach dem Vorbild eines Genueser Schlosses aus dem 16. Jh. ein nobles Anwesen, das Besucher jede in der High Society angesiedelte Seifenoperkulisse vergessen lässt.

Rosecliff Mansion 🔟 musste 1994 als Kulisse für den Film ›Der große Gatsby‹ herhalten. **Beechwood Mansion** 🔟 ließ der Hausherr und Oracle-Gründer Larry Ellison in ein Kunstmuseum umbauen. Ähnlich wie andere Prachtbauten in Newport wurde auch **Marble House** 🔟 einem französischen Vorbild nachempfunden, in diesem Fall dem Petit Trianon in Versailles. **Belcourt Castle** 🔟 wurde umfassend renoviert, nachdem es 2012 in den Besitz von Carolyn Rafaelian, der Gründerin des Schmuckimperiums Alex and Ani, übergegangen ist (www.belcourt.com).

Vom südlichen Ende der Bellevue Avenue führt die Route auf der Ocean Avenue immer in Küstennähe in westlicher Richtung zum großen **Brenton Point State Park** 🔟, der sich mit Fußwegen und Picknickstellen für eine kleine Wanderung oder aber eine Verschnaufpause anbietet. Will man gepflegt rasten, steht die bewirtschaftete Terrasse des viktorianischen **Castle Hill Inn** 🔟 zur Verfügung, von wo man die weißen Segelschiffe in der Narragansett-Bucht beobachten kann. Auf der Ridge Road geht es weiter zur Harrison Avenue, die in einiger Entfernung an der **Hammersmith Farm** 🔟 vorbeiführt. Im September 1953 fand dort der Hochzeitsempfang von John F. Kennedy und seiner Frau Jacqueline statt, nachdem die beiden in der St. Mary's Kirche in Newport den Bund der Ehe geschlossen hatten. Letzte Station auf der Rundtour ist **Fort Adams** 🔟, die größte Küstenfestung der USA. Das nach dem US-Präsidenten John Adams benannte Fort, 1799 fertiggestellt, wurde seither erneuert.

Übernachten

Eine lohnende Entdeckung ▶ Mill Street Inn: 75 Mill St., Tel. 1-401-849-9500, www.millstreetinn.com. Boutique-Hotel in einer restaurierten Sägemühle von 1815 mit eleganter Ausstattung. Ab 140 $.

Etwas ganz Besonderes ▶ Spring Street Inn: 353 Spring St., Tel. 401-847-4767, www.springstreetinn.com. Liebevoll hergerichtetes B & B im viktorianischen Stil, Zimmer mit romantischen Himmelbetten. 130–299 $.

Ordentliche Budget-Zimmer ▶ Motel 6: 249 Connell Hwy, Tel. 1-401-848-0600, www.motel6.com. Unterkunft in einfachem Kettenmotel. Ab 40 $.

Essen & Trinken

Tolle Lage, gutes Essen ▶ Black Pearl: Bannister's Wharf, Tel. 1-401-846-5264, tgl. Lunch und Dinner. Im Sommer sitzt man draußen, beobachtet die Jachten im Hafen und genießt Schwertfisch mit Basilikumbutter (20 $) oder ein Filet Mignon (24 $).

Ziemlich touristisch ▶ Wharf Pub & Restaurant: 37 Bowens Wharf, Tel. 1-401-619-5672, www.thewharfpubnewport.com, tgl. 11.30–23 Uhr. Mini-Brauerei im touristischen Epizentrum mit schmackhafter amerikanischer Küche. Ab 15 $.

Abends & Nachts

Spaß und Glücksspiel ▶ Newport Grand: 150 Admiral Kalbfus Rd., Tel. 1-401-849-5000, www.newportgrand.com, tgl. 10–1 Uhr. Entertainmentkomplex mit Spielautomaten, Videowänden für Übertragungen von Sportereignissen, Restaurant.

Lockere Kneipe ▶ Rhino Bar & Grill: 337 Thames St., Tel. 1-401-846-0707. Karaoke, Live-Musik, Tanz.

Bier und Essen ▶ Buskers Irish Pub & Restaurant: 178 Thames St., Tel. 1-401-846-5856, www.buskerspub.com. Irischer Pub für Biertrinker; gutes Essen.

Aktiv

Stadtbesichtigung ▶ Newport History Tours: 127 Thames St., Tel. 1-401-841-8770, http://newporthistorytours.org. Geführte Tou-

Tipp: Ausflug in die indianische Vergangenheit

Neben dem eher leichten Vergnügen in den Indianercasinos (s. u.) kommt auf dem Gebiet der Mashantucket Pequot Tribal Nation mit dem **Mashantucket Pequot Museum & Research Center** auch die Kultur nicht zu kurz. Zu den größten Indianermuseen der USA zählend, beschäftigen sich die Ausstellungen mit rund 18 000 Jahren Geschichte der Native Americans und mit Naturkunde. Selbst für Museumsmuffel dürften die Multimedia-Ausstellungen ein Highlight sein (Tel. 1-800-411-9671, www.pequotmuseum.org, Mi–Sa 9-17 Uhr, 20 $).

ren mit verschiedenen Schwerpunkten zu Fuß durch Newport.

Termine

Folk Festival (Juli/Aug.): Seit 1959 gehört das Newport Folk Festival zu den bedeutendsten Folkmusikveranstaltungen der USA. Aus der Taufe hob den Event Albert Grossman, der spätere Manager von Bob Dylan. Viele Stars der Szene traten in den vergangenen Jahren in Newport auf wie Joan Baez, Marc Cohen, Elvis Costello, Bob Dylan, James Taylor und Leonard Cohen (www.newportfolk.org).

Die Küste von Connecticut ▶ 1, M 4

Mystic

Im 2000-Seelen-Ort **Mystic** ist mit **Mystic Seaport** das größte Seefahrtsmuseum der USA die zugkräftigste Besucherattraktion. Während der Walfangzeit legten an diesem Küstenstreifen Flotten an, die man bei entsprechender Windrichtung schon riechen konnte, bevor man sie zu Gesicht bekam. Diese wenig romantischen Zeiten lassen sich an Bord der über 150 Jahre alten ›Charles W. Morgan‹ nachvollziehen, dem letzten nicht

motorgetriebenen Walfängerschiff unter US-Flagge. Vor Anker liegen u. a. auch das 1882 erbaute Ausbildungsschiff ›Joseph Conrad‹ und der Schoner ›L. A. Dunton‹, die man ebenfalls besichtigen kann. Das Freilichtmuseum besteht aus einem romantischen Fischerdorf, in dem kostümierte Einwohner den Sommer über altes Handwerk demonstrieren und Besuchern das Leben im 18. und 19. Jh. vor Augen führen (75 Greenmanville Ave., Tel. 860-572-0711, www.mysticseaport.org, April–Okt. 9–17, sonst 10–16 Uhr, Erw. 24 $, Kinder 6–17 Jahre 15 $). Das **Mystic Aquarium** zeigt über 3500 Meerestiere in Lebensräumen wie einem subtropischen Mangrovensumpf oder einer Eismeerinsel. Bei Shows im Marine Theater sind Seelöwen die Stars. Eine populäre Ausstellung beschäftigt sich mit der untergegangenen ›Titanic‹, von der ein 6 m langes Modell ausgestellt ist (55 Coogan Blvd., Tel. 1-860-572-5955, www.mysticaquarium.org, Exit 90 von der I-95, tgl. 17, Winter 10–17 Uhr, Erw. 30 $). Wer Seaport und das Aquarium besucht, spart mit der Mystic Pass Card (50 $) und bekommt Hotelzimmer günstiger (www.mysticaquarium.org/visit/tickets).

Eingefleischte Kinofans entdecken mit der Pizzeria **Mystic Pizza** (56 W. Main St., www.mysticpizza.com) die Kulisse des gleichnamigen Films von 1987.

Indianerkasinos

Nördlich von Mystic liegen bei Uncasville auf indianischem Territorium die beiden riesigen Hotelkasinos **Mohegan Sun Resort** (1 Mohegan Sun Blvd., Uncasville, Tel. 1-888-226-7711, http://mohegansun.com) und **Foxwoods Resort Casino** (39 Norwich Westerly Rd., Mashantucket, Tel. 1-800-369-9663, www.foxwoods.com). Diese Spielhöllen expandierten letzthin beträchtlich, stockten ihre Hotelkapazitäten auf und gestalteten ihr ohnehin schon vielfältiges Unterhaltungsangebot noch abwechslungsreicher.

Am Thames River

Groton am Thames River ist Hauptstützpunkt der amerikanischen U-Boot-Flotte im Atlantik. Deshalb liegt nahe, dass nirgends in Amerika mehr U-Boote, mehr Dokumente und Fotografien zu sehen sind, die mit U-Booten in Verbindung stehen.

Im **Submarine Force Museum** kann man über andere Typen hinaus auch die ›USS Nautilus‹ besichtigen, das erste atombetriebene U-Boot der Welt, das zudem als erstes am 3. August 1958 bei einer spektakulären Fahrt unter dem Nordpol hindurchtauchte (1 Crystal Lake Rd., Tel. 1-860-694-3174, www.ussnautilus.org, im Sommer 9–17, sonst bis 16 Uhr, Di Ruhetag).

New London

Im Elternhaus von Eugene O'Neill (1888 bis 1953), in dem der spätere Dramatiker von 1888 bis 1917 lebte, ist ein kleines Museum mit zahlreichen Memorabilien eingerichtet. Das viktorianische Anwesen mit überdachter Terrasse trägt den Namen **Monte Cristo Cottage,** weil O'Neills Vater Schauspieler war und für seine Rolle als Edmond Dantès in Alexandre Dumas Stück ›Der Graf von Monte Christo‹ bekannt wurde (325 Pequot Ave., Tel. 1-860-443-5378, www.theoneill.org >Monte Cristo Cottage, Do–Sa 12–16, So 12–15 Uhr, 7 $). Am Hafen sitzt der in Bronze gegossene Eugene auf einem Felsblock und beobachtet die ein- und auslaufenden Schiffe.

Im Hinterland

Der bei Old Lyme ins Meer mündende **Connecticut River** war in der ersten Hälfte des 17. Jh. eine Lebenslinie für die Bewohner im Küstenhinterland, die sich an seinen Ufern niederließen.

Der Fluss entspringt nahe der kanadischen Grenze und mündet nach einer 650 km langen Reise durch vier neuenglische Staaten in den Atlantik. Eine Sandbank an der Mündung verhinderte die Entstehung eines Tiefseehafens und die Entwicklung größerer Städte am Unterlauf. So blieb das Tal bis heute, was es schon vor 100 Jahren war: eine abgelegene Provinz mit kleinen Städtchen und ländlichem Flair.

Essex ▶ 1, O 4

An die Ära des Schiffsbaus und die Binnenschifffahrt auf dem Connecticut River erinnert das **Connecticut River Museum,** wo neben nautischen Exponaten und Ausstellungen zur Geschichte des Flusstales eine Rekonstruktion des ersten, von David Bushnell erbauten U-Bootes ›Turtle‹ aus dem Jahr 1775 zu sehen ist (Main St., Tel. 1-860-767-8269, www. ctrivermuseum.org, im Sommer tgl. 10–17 Uhr, Erw. 9 $, Kinder 6–12 Jahre 6 $).

Einen kleinen Urlaub vom Auto erlaubt die **Valley Railroad,** die Touristen zwischen Essex und Chester befördert. Die Dampfloks und Waggons im Bahnhof, der aus einem restaurierten Depot samt Fahrkartenschalter besteht, stammen aus der Pionierzeit des Eisernen Pferdes. Die Eisenbahnfahrt kann man mit einer Dampfertour auf dem Connecticut River zwischen Deep River und East Haddam verbinden (Tel. 1-860-767-0103, www.essexsteamtrain.com, Mai–Okt. Fahrten per Zug und Schiff).

Hartford ▶ 1, M 3

Während sich der Stadtkern ziemlich unauffällig präsentiert, zieht im Bushnell Park mit über 120 unterschiedlichen Baumarten das monumentale **State Capitol** mit seiner Zuckerbäckerarchitektur unter einer goldenen Kuppel die Blicke auf sich. Im dekorativ ausgestatteten Innern des 1876 fertiggestellten Marmor- und Granitgebäudes sind unter anderem eine Statue des Revolutionshelden Nathan Hale und das Feldbett von General Lafayette ausgestellt. Richtung Stadtzentrum am Rande des Bushnell Park erinnert der 30 m hohe und 10 m breite **Soldiers and Sailors Memorial Arch** an die Gefallenen des Bürgerkriegs (210 Capitol Ave., Tel. 1-860-240-0222, www.cga.ct.gov/capitoltours, Mo–Fr 9.15–13.15, Juli/Aug. bis 14.15 Uhr kostenlose Führungen).

Das **Old State House,** 1796 nach Plänen von Charles Bulfinch erbaut, diente als Regierungssitz, bevor das Kapitol 1878 fertiggestellt war. Die Tagungsräumlichkeiten der ehemaligen Abgeordneten wurden in ihren ursprünglichen Zustand versetzt. Eine Multi-

Rhode Island und Connecticut

media-Präsentation erzählt die Geschichte der Stadt und des Gebäudes. Auf einer Etage sind neben Gemälden kuriose Gegenstände wie etwa ein Kalb mit zwei Köpfen und ein von der Decke hängender Riesenalligator zu bestaunen (800 Main St. Tel. 1-860-522-6766, www.ctosh.org, im Sommer Di–Sa, sonst Mo–Fr 10–17 Uhr, Erw. 6 $, Kinder 3 $).

Hartford war lange Zeit Heimat zweier bedeutender Schriftsteller. Das zweigeschossige **Harriet Beecher Stowe Center** im Cottage-Stil des 19. Jh. ist nach Harriett Beecher Stowe (1811–1896), der Sklavereigegnerin und Schriftstellerin, benannt, unter deren 30 Werken sich mit ›Onkel Toms Hütte‹ ein Welterfolg befindet (77 Forest St., Tel. 1-860-522-9258, www.harrietbeecherstowe.org, Mo–Sa 9.30–17, So 12–17 Uhr, letzter Eintritt 16.30 Uhr, Erw. 10 $, Kinder 5–16 J. 7 $).

Nachbar von Harriet Beecher Stowe war 17 Jahre lang Mark Twain, der von 1874 bis 1891 das 19 Zimmer große viktorianische **Mark Twain House** bewohnte. Obwohl er eine Generation jünger war als seine Nachbarin, pflegten die beiden einen freundschaftlichen Kontakt und besuchten sich gelegentlich. Das Haus ist urgemütlich eingerichtet und zeigt in vielen Räumen mittelöstliche und asiatische Einflüsse, was auf die Firma Tiffany zurückgeht, die mit der Ausstattung des Interieurs beauftragt war (351 Farmington Ave., Tel. 1-860-247-0998, https://www.marktwain house.org, Mo–Sa 9.30–17.30, So 12–17.30 Uhr, Jan.–März Di geschl., 18 $).

Zu den bekanntesten Töchtern der Stadt zählte die Schauspielerin Katherine Hepburn, die 1907 in Hartford geboren wurde und nach ihrem Tod am 29. Juni 2003 auf dem Cedar Hill Cemetery zur letzten Ruhe gebettet wurde. Auf der Grabstelle des Stars von über 75 Filmen steht ein grob zugehauener Granitblock, in den nur der Nachname eingraviert ist (453 Fairfield Ave., tgl. 7–17 Uhr, Westseite der Sektion 10).

Infos

Connecticut Office of Tourism: One Constitution Plaza, Second Floor, Hartford, CT 06103, Tel. 1-888-288-4748, www.ctvisit.com.

Übernachten

Praktisches Stadthotel ▶ **Holiday Inn Express:** 440 Asylum St., Tel. 1-860-246-9900, www.holidayinnexpress.com. Downtown-Hotel mit 99 Zimmern, Business Center und Fitness-Studio. Ca. 120 $.

Bleibe für Bescheidene ▶ **Super 8 Motel:** 57 W. Service Rd., Tel. 1-860-246-8888, www.super8.com. Das an der I-91 gelegene Kettenmotel bietet passable Standardzimmer. Ab 75 $.

Essen & Trinken

Durch und durch amerikanisch ▶ **Black Eyed Sally's:** 350 Asylum St., Tel. 1-860-278-7427, http://blackeyedsallys.com, Lunch und Dinner an sieben Tagen in der Woche, an manchen Abenden Blues & Jazz. BBQs und Gerichte im Cajun-Stil von Louisiana. 10–20 $.

East Haddam

Neben der Zugbrücke über den Connecticut River steht das auf Musicals spezialisierte **Goodspeed Opera House** etwas verloren in der Landschaft. Früher ließen sich die Reichen und Schönen per Dampfschiff von New York in diesen Musentempel fahren, um Abwechslung vom Großstadtleben zu genießen. Heute testet das Haus neue Musical- und Ballett-Inszenierungen, die bei Erfolg später am Broadway auf die Bühne kommen. Bislang gelang dies immerhin 16 Produktionen (6 Main St., Tel. 1-860-873-8668, www.good speed.org, Spielsaison April–Nov.).

Südöstlich von East Haddam fließt der Connecticut River am **Gillette Castle** vorbei, das auf einem bewaldeten Bergrücken hoch über dem Ufer fast wie eine Loreley-Burg liegt. Der Schauspieler William Gillette hatte es um die Jahrhundertwende vor allem in der Rolle des Sherlock Holmes zu einem beträchtlichen Vermögen gebracht, das er 1914 in diesen exzentrischen Bau investierte. Viele Einrichtungsgegenstände brachte der Mime

Zuckerbäckerarchitektur im Bushnell Park von Hartford: das State Capitol aus dem Jahr 1876

Rhode Island und Connecticut

von Auslandstourneen mit (67 River Rd., Tel. 1-860-526-2336, www.stateparks.com/gillette_castle.html, tgl. 10–16.30 Uhr).

New Haven   ▶ 1, L 4

Mit Cafés, schattigen Alleen und kleinen Geschäften strahlt der Kern der 130 000 Einwohner großen Stadt eine Atmosphäre aus, wie man sie von einer Studentenhochburg erwartet. Wie in vielen anderen Orten Neuenglands bildet auch in New Haven das **Green** den Stadtkern – ein von Bäumen bestandener Stadtpark, der ursprünglich tagsüber als Marktplatz und nachts als Viehweide diente.

Yale University

Im Jahr 1638 gegründet, erlebte New Haven zu Beginn des 18. Jh. sein wichtigstes Ereignis, als mit der Collegiate School der Vorgänger der weltberühmten **Yale University** entstand. Die Elite-Universität gilt als Kaderschmiede vor allem für Studenten, die später eine diplomatische Laufbahn einschlagen wollen.

Verspielte kleine Türme und Bauschmuck wie kunstvolle Inschriften und Figürchen prägen die Gebäude im unübersehbar britisch wirkenden Universitätsviertel. Einige davon lassen auf den ersten Blick mittelalterliche Ursprünge vermuten. In der Tradition des neogotischen Gothic Revival wurde zu Beginn der 1920er-Jahre der mit einem Glockenspiel ausgestattete **Harkness Tower** errichtet, das Wahrzeichen von Yale. Das älteste Bauwerk ist die unscheinbare **Connecticut Hall** aus dem Jahre 1752 auf dem alten Campus (Mead Visitor Center, 149 Elm St., Tel. 1-203-432-2300, www.yale.edu/visitor, kostenlose Campusführungen Mo–Fr 10.30 und 14, Sa, So 13.30 Uhr).

Museen

Die Universitätsstadt gibt sich mit einigen Museen als Hort von Kunst und Kultur zu erkennen. In den klimakontrollierten Räumen der **Beinecke Rare Book and Manuscript Library** lagern 500 000 Raritäten und mehrere Millionen Manuskripte und Dokumente von zum Teil unschätzbarem Wert, die nur innerhalb des Hauses eingesehen werden dürfen (121 Wall St., Tel. 1-203-432-2977, www.library.yale.edu/beinecke, Mo–Do 9–19, Fr 9–17, So 12–17 Uhr).

Etwa 1900 Gemälde und 100 Skulpturen umfassen die Sammlungen des **Yale Center for British Art,** das sich insbesondere auf britische Kunst spezialisiert hat und sich dabei u. a. auf die Arbeiten von William Hogarth, Thomas Gainsborough, Joshua Reynolds, George Stubbs, Joseph Wright of Derby, John Constable und J. M. W. Turner stützen kann. Zu den ausgestellten Künstlern und Künstlerinnen des 20. Jh. gehören Stanley Spencer, Barbara Hepworth, Ben Nicholson, Rachel Whiteread und Damien Hirst (1080 Chapel St., Tel. 1-203-432-2800, http://britishart.yale.edu, Di–Sa 10–17, So 12–17 Uhr, Eintritt frei).

Meteoriten und Mineralien, Saurierknochen und indianische Artefakte, Pflanzen und Tiere aus Neuengland sowie Exponate auch aus Ägypten und dem pazifischen Raum sind die Schätze des **Yale Peabody Museum of Natural History** (170 Whitney Ave., Tel. 1-203-432-5050, www.peabody.yale.edu, Mo–Sa 10–17, So 12–17 Uhr, 9 $).

Münzen aus der Zeit von Alexander dem Großen, römische Skulpturen aus vorchristlicher Zeit, afrikanische Skulpturen aus Guinea, Burkina Faso und Benin, Sammlungen von amerikanischem Mobiliar und Silber, Gemälde von Rubens, Manet und Picasso sowie Kunstgegenstände aus Asien und dem präkolumbischen Amerika machen den Besuch in der **Yale University Art Gallery** zu einem kurzweiligen Vergnügen (1111 Chapel St., Tel. 1-203-432-0600, www.artgallery.yale.edu, Di–Fr 10–17, Sa, So 11–18 Uhr, Sept.–Juni Do bis 20 Uhr).

Infos

Info New Haven Visitor Center: Ecke College und Chapel St., New Haven , CT 06400, Tel. 1-203-773-9494, www.infonewhaven.com.

Übernachten

Günstige Lage bei der Uni ▶ Courtyard New Haven at Yale: 30 Whalley Ave., Tel. 1-203-777-6221, www.marriott.com. Über 200 renovierte Nichtraucherzimmer mit Gratis-WLAN in direkter Campusnähe. Ab 140 $.

Rundum empfehlenswert ▶ The Study Hotel at Yale: 1157 Chapel St., Tel. 1-203-503-3900, www.studyhotels.com. Beim Campus gelegenes Haus mit traditioneller Einrichtung und freundlichen Zimmern. Ab 120 $.

Kettenmotel-Standard ▶ Red Roof Inn: 10 Rowe Ave., Milford, Tel. 1-203-877-6060, www.redroof.com. Außerhalb gelegenes Kettenmotel mit einfachen, sauberen Zimmern. Ab 65 $.

Preisgünstig ▶ Motel 6: I-95 at Main St., Exit 55, Branford, Tel. 1-203-483-5828, www.motel6.com. Kettenmotel mit Standardzimmern außerhalb der Stadt. Ab 50 $.

Essen & Trinken

Pizza und Pasta gibt es in den Restaurants von Little Italy rund um den **Wooster Square.**

Typisches Soul Food ▶ Southern Hospitality Soul Food: 427 Whalley Ave., Tel. 1-203-785-1575, tgl. Lunch und Dinner. Ungewohnte Küche des amerikanischen Südens: nahrhaft, einfach, nicht gerade kalorienarm. Ab 12 $.

Italienisches Traditionslokal ▶ Leon's Restaurant: 344 Washington Ave., North Haven, Tel. 1-203-562-5366, Lunch und Dinner. Gerichte mit italienischer Note in zwei Speiseräumen. Ab 12 $.

Berühmter Imbiss ▶ Louis's Lunch: 263 Crown St., Tel. 1-203-562-55 07, www.louislunch.com, Di, Mi 11–16, Do–Sa 12–2 Uhr. Hier soll 1900 der erste Hamburger verkauft worden sein. Die handgemachten Varianten stellen das Fastfood heutiger Hamburgerketten weit in den Schatten. Ab 6 $.

Einkaufen

Bücher ▶ Barnes & Nobles: 77 Broadway, Tel. 1-203-777-8440. Auch in diesem Haus der in ganz Nordamerika präsenten riesigen Buchhandelskette hat man nicht nur eine große Auswahl an ausländischen Büchern und Zeitungen, sondern kann auch einen Kaffee trinken.

Flohmarkt ▶ Boulevard Flea Market: 500 Ella T. Grasso Blvd., Rte 10, ganzjährig Sa, So 7–16 Uhr, ältester Flohmarkt in Connecticut mit über 100 Händlern.

Abends & Nachts

New Haven besitzt renommierte Einrichtungen der darstellenden Kunst wie Long Wharf Theatre, Yale Repertory Theatre, Shubert Performing Arts Center, Yale University Theatre, Yale Cabaret, Lyman Center for the Performing Arts und das New Haven Symphony Orchestra (Informationen über die jeweiligen Spielpläne gibt es beim New Haven Visitor Center (s. S. 164).

Treff nach Sonnenuntergang ▶ Bar: 254 Crown St., Tel. 1-203-495-1111, Unterhaltungskomplex mit Restaurant, mehreren Bars, Billard und Tanzfläche.

Wo Promis spielen ▶ Toads' Place: 300 York St., Tel. 1-203-624-8623, www.toadsplace.com. Mi–Sa Live-Musik mit wechselnden regionalen Rock- und Pop-Größen.

Verkehr

Bahn: Shore Line East, State St. Station zwischen Court und Chapel St., Tel. 1-203-777-7433, www.shorelineeast.com. Ein Nahverkehrszug verkehrt nach New London und New York City.

Amtrak, Union Station, 50 Union Ave., Tel. 1-800-872-7245, www.amtrak.com. New Haven liegt an der Bahnstrecke New York–Boston und wird u. a. vom Hochgeschwindigkeitszug Acela Express bedient. Die Fahrkarte für die Strecke New Haven–New York Penn Station kostet ab 39 $.

Bus: Greyhound Lines, Union Station, 50 Union Ave., Tel. 1-203-772-2470, www.greyhound.com. Regelmäßige Verbindungen in alle größeren Städte, die Fahrkarte für die Strecke New Haven–New York City kostet online 25 $.

Öffentlicher Nahverkehr: CTTRANSIT, Tel. 1-203-624-0151, www.cttransit.com, ist für den innerstädtischen Busverkehr zuständig.

Über der nächtlich erleuchteten Skyline von Downtown Manhattan steht ein prächtiger Vollmond am Himmel

Kapitel 2

Zwischen Atlantik und Großen Seen

Im Städtedreieck New York City, Cleveland und Pittsburgh begann im 18. Jh. die Industrielle Revolution in Amerika. Urbane Ballungsräume mischen sich mit beschaulichen Provinzflecken, spektakulären Naturwundern, historischen Stätten und den Uferlandschaften des größten Süßwasserspeichers der Erde, den Großen Seen.

Dies ist das Amerika der unentwirrbaren Schnellstraßenknäuel und der allgegenwärtigen Hochspannungsleitungen, der futuristischen Wolkenkratzeroasen aus Stahl, Beton und Glas und der brodelnden Industriereviere um Cleveland in Ohio, der einzigartigen Stadtgiganten wie New York City, aber auch der unverwechselbaren Mentalitäten, die von Forschern und Demoskopen einhellig als typischer für Amerika eingeschätzt werden als sonst irgendwo zwischen Atlantik und Pazifik.

Hier leben nicht nur Konzernbosse und Citysüchtige, sondern auch die kleinen Leute, die in aufgeräumten Kleinstädten ihren Vorgartenrasen stutzen, Wohltätigkeitsbasare organisieren und an Halloween mit ihren als Monster verkleideten Kindern um die Häuser ziehen.

Obwohl der Region im Großen und Ganzen die landschaftliche Dramatik anderer Teile Amerikas fehlt, hat das Riesengebiet zwischen Atlantik und Großen Seen seine Highlights wie die weltbekannten Niagarafälle, das Hudson Valley und nicht zuletzt die gewaltigen Wildnisgebiete wie die Adirondack Mountains.

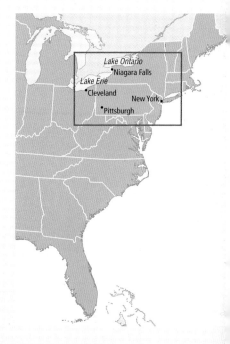

Auf einen Blick

Zwischen Atlantik und Großen Seen

Sehenswert

3 **Manhattan:** Der Wolkenkratzerkern der
▼ Weltstadt New York City beeindruckt mit
seiner unverwechselbaren Skyline (s. S. 170).

4 **Niagarafälle:** Die größten Wasserfälle
▼ Nordamerikas liegen auf der Grenze zwischen den USA und Kanada (s. S. 203).

Cleveland: Längst hat die ehemalige Koh-
lenpottmetropole ihr Negativimage abgewor-
fen und ist zu einer lebhaften, kulturbeflisse-
nen Großstadt geworden (s. S. 215).

Pittsburgh: Beim Blick auf das lichterglän-
zende Zentrum ist nurmehr schlecht vorstell-
bar, dass die Stadt einmal ein rußschwarzer
Industriestandort war (s. S. 225).

Schöne Routen

Durch das Hudson Valley: Die Route durch
das Hudson Valley ähnelt auf verblüffende
Weise einer Fahrt durch das Rheintal (s.
S. 195).

Schlucht des Niagara River: Die Aussichts-
straße auf der US-Seite des Flusses führt entlang der Schlucht, die der Niagara River auf
seinem Weg vom Erie-See zum Lake Ontario
in den Felsgrund grub (s. S. 204).

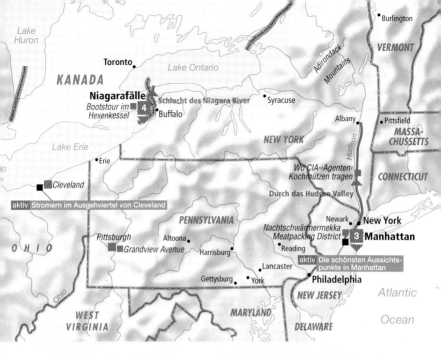

Meine Tipps

Nachtschwärmermekka Meatpacking District: Die Gegend um den Gansevoort Market in New York hat sich zum hippen Ausgeh- und Shoppingviertel entwickelt (s. S. 181).

Wo CIA-›Agenten‹ Kochmützen tragen: Am Culinary Institute of America (CIA) kann man sich von angehenden Kochstars bestens verpflegen lassen (s. S. 198).

Bootstour im Hexenkessel: Die Niagarafälle sind von den Aussichtspunkten ein grandioses Erlebnis. Ihre ungeheure Dynamik zeigt sich aber erst auf einer Bootsfahrt mitten im tosenden Hexenkessel der Horseshoe Falls (s. S. 208).

Grandview Avenue: Die Panoramastraße auf dem Mount Washington in Pittsburgh bietet einen fantastischen Blick auf die Stadt (s. S. 229).

aktiv unterwegs

Die schönsten Aussichtspunkte in Manhattan: Im Sinne des Wortes hoch im Kurs stehen in New York City Aussichtspunkte, von denen man die geballte Größe und urbane Wucht von Big Apple sehen und hautnah erleben kann (s. S. 185).

Stromern im Ausgehviertel von Cleveland: Die Flats haben sich von einem ehemals schäbigen Schwerindustriestandort in ein populäres Ausgehviertel mit Kneipen, Restaurants und Nachtclubs verwandelt (s. S. 221).

Der Blick von der Staten Island Ferry auf Manhattan ist atemberaubend. Man wundert sich, warum die Insel unter dem Gewicht der gigantischen Wolkenkratzer nicht längst untergegangen ist. In der Stadt, die niemals schläft, gibt es nichts, was es nicht gibt. New York City und ganz besonders Manhattan sind ein eigener Kosmos.

Manhattan ist schon mit vielem verglichen worden. Mag man sich über die Prädikate dieser Riesenstadt auch streiten, eines ist sie auf jeden Fall: einmalig. An keinem anderen Flecken der Welt ist man versucht, sich so sehr im Mittelpunkt der menschlichen Zivilisation, deren Errungenschaften und deren Auswüchsen zu fühlen wie in den steinernen und gläsernen Canyons von Manhattan. Wie ein gigantisches, von wuselnden Menschenmassen und endlosen Autoschlangen betriebenes Uhrwerk schiebt dieser urbane Moloch die Zeit vor sich her.

Dieses Uhrwerk setzte am 11. September 2001 (in den USA auf die Kurzform 9/11 gebracht) eine Zeit lang aus. Unmittelbar nach dem fürchterlichen Terroranschlag war der Pulsschlag von Big Apple nicht mehr zu spüren. Aber schon Stunden nach der Katastrophe änderte sich das Bild. Mit den Staubwolken über Manhattan verflüchtigte sich allmählich der tiefe, kollektive Schock, der die Stadt nach dem Einsturz der Zwillingstürme des World Trade Centers lähmte. Stockend kehrten die Lebensgeister des Epizentrums amerikanischer Urbanität zurück wie die zeitweilig gestörte Vitalfunktionen eines Schwerstverletzten. Heute ist New York wieder Boomtown, Megacity, Kulturmetropole, die City, die niemals schläft, ein alles bündelndes Brennglas. Mit dem unerschütterlichen Selbstvertrauen in die eigene Überlebenskraft ist auch die Normalität in die Stadt zurückgekehrt.

In New York City könnte man Monate verbringen und hätte immer noch nicht alles gesehen. Die wichtigsten Stadtteile mit den bekanntesten und lohnendsten Sehenswürdigkeiten liegen zwischen dem Battery Park an der Südspitze von Manhattan und dem Central Park, der grünen Oase der Stadt. Vor allem die südlichen Teile von Manhattan um das ehemalige World Trade Center haben sich nach 9/11 merklich verändert. Dort liegt das Finanzzentrum der Stadt, das den gesamten Stadtteil prägt. Weiter nördlich schließen sich das exotische Chinatown, das immer mehr eingeengte Litte Italy, das im Trend liegende Tribeca, die Künstleroase SoHo und das fast kleinstädtisch wirkende Greenwich Village an. Im Gegensatz dazu steht Midtown mit den großen Bahnhöfen von Manhattan, eleganten Einkaufsstraßen wie der Fifth Avenue, mit Luxushotels und vielen Sehenswürdigkeiten vom Empire State Building bis zum Museum of Modern Art. Östlich des Central Park sammeln sich die bedeutendsten Kunstmuseen der Stadt.

Der Süden von Manhattan

Cityplan: S. 174

Der Süden der Insel Manhattan, **Lower Manhattan** genannt, reicht vom Battery Park bis zur Houston Street. In diesem Stadtteil legten niederländische Pioniere im 17. Jh. mit der Gründung von Nieuw Amsterdam die Fundamente für das heutige New York. Ursprünglich nahm Manhattans Südzipfel ein viel kleineres Territorium ein. Anfang des

19. Jh. begann die Stadtverwaltung, durch Auffüllen dringend benötigten Baugrund zu schaffen – eine bis heute praktizierte Art der Landgewinnung.

Castle Clinton 1

Castle Clinton, eine ehemals kanonenbestückte Verteidigungsanlage zum Schutz des Hudson River, war nach seiner Fertigstellung im Jahr 1807 noch von Wasser umgeben und nur über einen Damm erreichbar. Ein kleines Museum dokumentiert in der Anlage die Einwanderungsgeschichte der Stadt (Battery Park, Tel. 1-212-344-7220, www.nps.gov/cacl, tgl. 7.45–17 Uhr, Eintritt frei). Gleichzeitig werden dort die Tickets für die Fähre nach Ellis Island und zur Freiheitsstatue auf Liberty Island verkauft. Beide Inseln liegen in der Bucht von New York und sind nur per Fähre erreichbar (Statue Cruises, Tel. 1-877-523-9849, Online-Tickets unter www.statuecruises.com >Plan Your Trip >Buy Ticketss, Erw. 18 $, ab 62 J. 14 $, Kinder 4–12 J. 9 $).

Liberty Island und Ellis Island

Für viele New-York-Besucher ist die Fahrt zur berühmtesten Dame der Stadt ein absolutes Muss. Auf dem winzigen **Liberty Island** 2 ragt die mit grüner Patina überzogene, 46 m hohe und 225 t schwere Freiheitsstatue weithin sichtbar empor. ›Miss Liberty‹ entstand 1885 nach Plänen des Colmarer Bildhauers Frédéric Auguste Bartholdi. Heute ist die Fackel tragende Gigantin mit einem stützenden Rückgrat von Gustave Eiffel nicht nur ein unverwechselbares Symbol der USA, sondern auch das weltbekannte Wahrzeichen von New York.

Wer das Innere bzw. die Krone der **Freiheitsstatue** aus der Nähe sehen will, muss die Besichtigung vorab zusammen mit dem Kauf des Fährtickets buchen. Wer zur Krone der Statue aufsteigen will, wird ohne langfristige Reservierung an kein Ticket herankommen, weil die Nachfrage extrem groß ist und die Tickets etwa im Sommer schon sechs Monate im Voraus ausgebucht sind.

Karten gibt es nicht am Schalter, sondern nur im Internet (www.nps.gov/stli >Plan Your Visit).

Bis in die 1980er-Jahre bröckelten die Gebäude des ehemaligen Einwanderzentrums auf **Ellis Island** 3 vor sich hin, ehe der National Park Service das **Ellis Island Museum of Immigration** einrichtete. Zwischen 1892 und der Schließung von Ellis Island als Einwandererzentrale 1954 betraten rund 12 Mio. Immigranten auf dieser Insel erstmals amerikanischen Boden. Allein 1907 kamen knapp 1,3 Mio. durch diese ›Schleuse‹ ins Land. Sie wurden medizinischen Untersuchungen sowie politischen Befragungen unterzogen. Ein im Museum gezeigter Dokumentarfilm lässt so manches Einwandererschicksal wieder aufleben. In den Ausstellungen erfährt man anhand von Fotos, Plakaten und Gebrauchsgegenständen Interessantes über die Jahrzehnte der Einwanderung und kann an Computern nach ausgewanderten Verwandten forschen. Außerhalb des Museums sind in die **Wall of Honor** die Namen von Hunderttausenden Immigranten eingraviert (Ellis Island kann man zusammen mit der Freiheitsstatue per Schiff besuchen, s. o.).

Einen für Fußgänger kostenlosen Schiffsausflug in der Bucht von New York bietet ab Battery Park die **Staten Island Ferry** 4. Von der kostenlosen Passagierfähre, die in einiger Distanz an Ellis Island und der Freiheitsstatue vorbeifährt, präsentiert sich die Wolkenkratzerlandschaft von Manhattan wie auf einer überdimensionalen Panoramapostkarte. Die Fähre transportiert jedes Jahr 22 Mio. Passagiere auf der 8,3 km langen Strecke (Abfahrten Whitehall Terminal, Battery Park, 24-Std.-Service, tgl. ca. alle 30 Min.).

Rund um den Battery Park

Vom Battery Park sind es nur wenige Schritte zum klassizistischen US Customs House mit säulengeschmückter Fassade aus Marmor und bemalter Rotunde im Innern. Das dort untergebrachte **National Museum of the American Indian** 5 der berühmten Smithsonian Institution dokumentiert mit einer Million Objekten von Kleidung und Schmuck bis zu religiösen und zeremoniellen Gegenständen das Leben und die Kultur der Ureinwohner sowohl des süd- als auch des nordamerikanischen Kontinents von den präkolumbi-anischen Anfängen bis in die Gegenwart. In einem Videozentrum werden Filme über unterschiedliche Epochen der indianischen Geschichte gezeigt (One Bowling Green, Tel. 1-212-514-3700, http://nmai.si.edu >Visit >New York, tgl. 10–17, Do bis 20 Uhr, Eintritt frei).

Zu den neueren Museen der Stadt zählt das **Skyscraper Museum** 6, das sich mit dem beschäftigt, was New York so einmalig gemacht hat: seine gewaltige Ansammlung an Vertikalen. Dabei geht es natürlich um die bekanntesten Bauwerke der Stadt, vom 1902 von Daniel Burnham erbauten Flatiron Building über das Chrysler Building bis zum Empire State Building, das nach 2001 zwischenzeitlich wieder das höchste Gebäude der Stadt war (39 Battery Pl., Tel. 1-212-968-1961, www.skyscraper.org, Mi–So 12–18 Uhr, 5 $).

Zu den rekonstruierten historischen Bauten in Lower Manhattan gehört die ursprünglich 1719 errichtete **Fraunces Tavern** 7. Dort eröffnete Samuel Fraunces 1762 eine Schenke. 20 Jahre später verabschiedete George Washington im Long Room nach dem Ende des Unabhängigkeitskriegs seine Offiziere. Das Museum im Obergeschoss zeigt Dokumente zur Geschichte der Taverne und Einrichtungsgegenstände aus dem 18. und 19. Jh. Das im Erdgeschoss befindliche Restaurant ist mit Dielenböden und rustikalem Holzmobiliar ausgestattet und serviert typische US-Küche (54 Pearl St., Tel. 1-212-968-1776, http://frauncestavernseum.org, tgl. 12–17 Uhr, Erw. 7 $, Sen./Kinder 4 $).

Im Zentrum von Südmanhattan

Unumstrittener Nabel der amerikanischen Wirtschaft ist die **New York Stock Exchange** 8. Hier lag das Epizentrum der finanziellen Erdbeben, die im Oktober 1929 mit katastrophalen Erschütterungen die Weltwirtschaftskrise auslösten und im Herbst 2008 die globale Bankenwelt ins Wanken brachten. Die größte Börse der Welt verbirgt sich hinter einer neoklassizistischen Säulenfassade von 1903, die deutlich macht, wie sehr die Architektur zur damaligen Zeit antiken Vorbildern nacheiferte. Denn viele renommierte Architekten hatten ihr berufliches Rüstzeug an der École des Beaux-Arts in Paris erworben, so auch der Börsenbaumeister George B. Post (gegenwärtig ist die Börse aus Sicherheitsgründen für die Öffentlichkeit nicht zugänglich. Das kann sich aber jederzeit ändern).

Bis zum Beginn der Wolkenkratzerära hielt der Turm der 1846 erbauten **Trinity Church** 9 den Höhenrekord in der Stadt. Ein kleines Museum dokumentiert die Geschichte der Kirche. Auf dem Friedhof haben Prominente wie Finanzminister Alexander Hamilton (1757–1804), der bei einem Duell ums Leben kam, und Robert Fulton (1765–1815), der Erfinder des Dampfschiffs, ihre letzte Ruhestätte gefunden (89 Broadway/Ecke Wall St., www.trinitywallstreet.org, Mo–Fr 7–18, Sa 8–16, So 7–16 Uhr).

Mitten im Wolkenkratzerkern von Südmanhattan, wo sich früher das 420 m hohe World Trade Center (WTC) erhob, entstand nach dem Terroranschlag vom 11. September 2001 (Kurzform 9/11) ein neues Ensemble von mehreren Wolkenkratzern, die zum Teil schon fertiggestellt sind. Kernstück des gesamten Neubaukomplexes bildet das vom Architekten David Childs entworfene neue **One World Trade Center** 10 (1WTC), das mit einer Höhe von 1776 Fuß (541,3 m) an das Jahr der amerikanischen Unabhängigkeitserklärung erinnert – es ist das höchste Gebäude auf dem Boden der USA und der vierthöchste Turm der Welt. Für Besucher soll 1WTC 2015 zugänglich werden (Infos unter oneworldobservatory.com). Rund um die 100. Etage wird es eine Aussichtsplattform und ein Panoramarestaurant geben.

Für das Publikum geöffnet ist bereits das **9/11 Memorial and Museum** mit Eingängen an den Kreuzungen Liberty St. und Greenwich St., Liberty St. und West St. bzw. West St. und Fulton St., das als Gedenkstätte verstanden werden will. Im frei zugänglichen Memorial (tgl. 7.30–21 Uhr) markieren zwei Pools

Auf einem Ausflugsboot vor der Skyline des südlichen Manhattan

mit Wasserfällen den ehemaligen Standort der zerstörten Zwillingstürme. Der Entwurf wurde aus 5200 Vorschlägen aus 63 Ländern ausgewählt. In die Kupferumrandungen der beiden Becken sind die Namen aller Getöteten eingraviert, die bei den beiden radikalislamistischen Terroranschlägen der Jahre 1993 und 2001 ihr Leben verloren. Unter dem Straßenniveau liegen zwei **Gedenkräume,** in die durch die Wasserfälle gefiltertes Licht fällt. Zentrale Bestandteile des Museums sind drei Ausstellungen, die sich mit dem Tag des Terroranschlags, dem Tag davor und dem Tag danach beschäftigen. Exponate und Dokumentationen nehmen sowohl Bezug auf die Ereignisse im Vorfeld von 9/11 als auch auf die Hintergründe des mysteriösen Flugs 93 bzw. auf den Anschlag auf das Pentagon (21. Mai–21. Sept. tgl. 9–21, 22. Sept.–Ende Dez. tgl. 9–19 Uhr, Erw. 24 $, Senioren ab 65 J. 18 $, Kinder 7–17 J. 15 $, Di 17–19 Uhr kostenloser Eintritt).

Westlich der Neubauten schließt sich das beim Einsturz des WTC beschädigte **Brookfield Place** an. Es besteht aus mehreren Gebäuden und entstand als World Financial Center seit Ende der 1970er-Jahre am Ufer des Hudson River als Teil von Battery Park City durch Aufschüttungen aus dem Aushub des WTC, wodurch sich die Fläche von Lower Manhattan um knapp 40 ha vergrößerte. Schaustück des Büro- und Geschäftskomplexes ist der verglaste Winter Garden, eine Mischung aus botanischem Garten und Atrium. Unter dem gewölbten Glasdach schaffen ebenmäßig gewachsene Palmen ein geradezu exotisches Flair (http://brookfield placeny.com). Jeden Donnerstag findet vor dem Brookfield Place der Greenmarket mit frischem Obst und Gemüse, Milchprodukten, Fleisch und Blumen statt (Liberty St. und South End Ave., Do 8–18 Uhr).

In der 1766 errichteten **St. Paul's Chapel** **11** nahm schon George Washington an Gottesdiensten teil. Den Terroranschlag auf das WTC überstand das Gebäude auf wundersame Weise, weil eine gewaltige Platane den vom Zusammenbruch der Twin Towers verursachten ›Regen‹ aus Schutt und Glas abschirmte. In den Tagen nach der Katastrophe wurde der ganz in Weiß gehaltene Innenraum spontan in ein Hilfszentrum verwandelt, das acht Monate lang in Betrieb war (Church St., Tel. 1-212-602-0800, www.trinitywallstreet.org

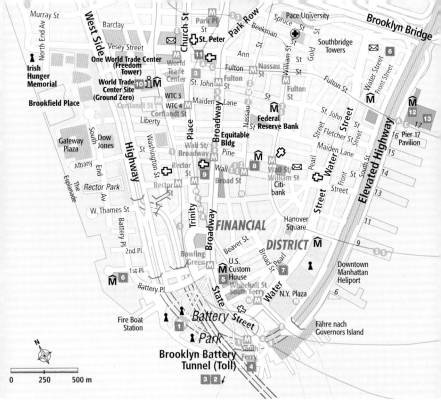

>St Paul's Chapel, Mo–Sa 10–18, So 7–18 Uhr, häufige Konzerte).

Am East River

Die Gegend um die Water Street muss im letzten Viertel des 19. Jh. besonders verrufen gewesen sein – ein Stadtteil mit billigen Absteigen für Seeleute, miesen Spelunken und Bordellen. Das seemännische Flair ist nur noch durch das **South Street Seaport Museum** erhalten, ein Freilichtmuseum mit über einem Dutzend historischer Gebäude, darunter eine ehemalige Druckerei und das Titanic Memorial Lighthouse, das an die Toten des Schiffsunglücks von 1912 erinnert. Zahlreiche Restaurants, Galerien und Geschäfte locken vor allem Touristen an. Historischer Kern des Viertels ist die Schermerhorn Row, ein Häuserblock aus Beginn des 19. Jh. Große Schiffe wie der Viermaster ›Peking‹ von 1911 und die 1885 vom Stapel gelaufene ›Wavertree‹ liegen

vor Anker und können besichtigt werden (12 Fulton St., Tel. 1-212-748-8600, http://south streetseaportmuseum.org, Jan.–März Do–So 10–17, April–Dez. Mi–So 11–17 Uhr, der Eintritt von 12 $ gilt für das Museum und für die Schiffe am Pier 16).

Der Laden- und Restaurantkomplex **Pier 17** wurde 2012 ebenso wie das Seaport-Viertel vom Hurrikan Sandy schwer in Mitleidenschaft gezogen und soll 2015 in neuer Gestalt wiedereröffnet werden.

Unter den Wahrzeichen von New York hat auch die **Brooklyn Bridge** einen Stammplatz. Mit ihren beiden steinernen Pfeilern und dem Schwung der stählernen Trossen mutet die fotogene Konstruktion über den East River geradezu mittelalterlich an. John Roebling, aus Thüringen stammend, schuf damit ein technisches Wunderwerk, das nach dem Tod des Ingenieurs 1869 von seinem Sohn Washington vollendet wurde. Auf einer von Autos getrenn-

174

Südspitze Manhattan

ten Ebene kann man zu Fuß oder per Rad unbehelligt von Blechlawinen den East River überqueren – ein ›Muss‹ für Besucher. Beim Brückenaufgang steht ein von Frank Gehry entworfener Wolkenkratzer mit raffiniert geschlängelten Fassaden (8 Spruce St.).

African Burial Ground 15

Seit die Holländer im 17. Jh. die spätere Metropole New York City kolonisierten, spielten im Wirtschaftsgefüge der Stadt afro-amerikanische Arbeitskräfte eine wichtige Rolle. Allein 1776 lebten ca. 25 000 von ihnen vor Ort, darunter viele Sklaven. Über die Jahrzehnte fanden Tausende in Manhattan ihre letzte Ruhestätten in bald vergessenen Gräbern. Nachdem 1991 bei Bauarbeiten in der Nähe des City Hall Park ein solcher ehemaliger Friedhof entdeckt wurde, entschlossen sich die Verantwortlichen fast 20 Jahre später, die Stätte als Hommage an die afro-amerikanischen Zwangsarbeiter in das **African Burial Ground National Monument** zu verwandeln und ein Besucherzentrum mit interaktiven Einrichtungen errichten zu lassen. In New York City wurde die Sklaverei 1827 beendet (290 Broadway, Tel. 1-212-637-2019, www. nps.gov/afbg, Mo–Sa 9–17 Uhr, Eintritt frei).

TriBeCa, Chinatown, Little Italy und SoHo

Zwischen Chambers und westlicher Canal Street gelegen, gehörte **TriBeCa** 16 (Triangle Below Canal Street) bis vor einigen Jahren zu den steilen Aufsteigern unter den Neighbor-

hoods in Manhattan. Ein teures In-Viertel ist die Gegend immer noch. Aber im Trend liegendes Nachtleben und hippe Geschäfte haben sich in den letzten Jahren zunehmend weiter im Norden im Meatpacking District (offiziell Gansevoort Market Historic District; s. S. 181) angesiedelt.

Östlich von TriBeCa beginnt mit **Chinatown** 17 eine andere Welt. Ältere Ziegelgebäude säumen die Canal Street und deren Umgebung, wo Gehsteige voll gepackt sind mit Sonnenbrillenauslagen, Kunstlederhandtaschen und Baseballmützen ambulanter afrikanischer Händler und den Straßenständen chinesischer Obst- und Gemüseläden. Auf Ladentischen türmen sich bemalte Suppenschüsseln und Berge von Porzellanlöffeln, knollige Ginsengwurzeln und Meeresgetier, das seine langen Fühler spielen lässt. Fremde Gerüche von Jasmin und Lotus, exotische Schriftzeichen und ein nicht identifizierbares Stimmengewirr schaffen ein Flair, das eher an Schanghai oder Hanoi als an Manhattan erinnert. Neben chinesischen Lokalen gibt es vietnamesische, kambodschanische sowie thailändische, und selbst die Kochkunst der Einwanderer aus dem Reich der Mitte ist unterschiedlich, je nachdem, ob sie kantonesische Gerichte zubereiten oder Hunan-, Sechuan- oder Fujian-Spezialitäten anbieten.

Das rasante Wachstum von Chinatown wurde durch die Rückgabe der englischen Kronkolonie Hongkong an China 1997 vorprogrammiert. Am stärksten bedrängt wird durch die Ausbreitung der leistungsorientier-

New York/
Manhattan

Sehenswert

38 Museum Mile
39 American Museum of Natural History
40 Dakota
41 Lincoln Center
42 Columbus Circle
43 Interpid Sea Air & Space Museum
44 Roosevelt Island Tram

Übernachten

1 Inter-Continental The Barclay
2 Washington Square Hotel
3 Courtyard & Residence Inn
4 Stanford
5 SoHotel
6 Belleclaire Hotel
7 Off Soho Suites
8 Days Inn
9 Bowery's Whitehouse Hotel

Essen & Trinken

1 Duane Park Café
2 Marea
3 Ai Fiori
4 Sardi's

Fortsetzung S. 178

177

New York/Manhattan

ten chinesischen Gemeinde **Little Italy 18**, wo sich früher die aus Sizilien und Neapel eingewanderten Italiener sammelten. Die rot-weiß-grüne Ära scheint aber zu Ende zu gehen, denn der italienische Stadtteil schrumpft im gleichen Maß, wie der asiatische sich ausdehnt. Ähnlich wie Chinatown glänzt auch Little Italy mit einer Restaurantszene, die sich vor allem entlang der Mulberry Street konzentriert. Den Sommer über sind die Gehwege in Straßencafés umfunktioniert, über denen Spruchbänder in den italienischen Nationalfarben im Wind flattern.

Von der Lower East Side führt die Houston Street nach Westen und markiert an der Kreuzung mit dem Broadway die Nordgrenze des Viertels **SoHo 19** (= **So**uth of **Ho**uston Street, s. S. 179). Aus bescheidenen Anfängen hat sich SoHo zum Viertel der Trendsetter, Avantgardisten und Überlebenskünstler gemausert. Modedesigner und Musiker, Maler und Literaten haben sich hinter den gusseisernen Fassaden der teils aus der zweiten Hälfte des 19. Jh. stammenden, denkmalgeschützten Cast-Iron-Häuser eingemietet und die Preise deutlich in die Höhe getrieben. Im Zentrum des Viertels liegt die Spring Street, eine Adresse, die jedem echten Flaneur und jedem überzeugten Snob das Herz höher schlagen lässt. Galerien wechseln sich dort mit im Souterrain versteckten Feinschmeckerlokalen und sündhaft teuren Edelboutiquen ab. An seiner außergewöhnlichen Architektur ist das **New Museum** leicht erkennbar. Hier findet zeitgenössische Kunst eine adäquate Bühne (235 Bowery, Tel. 1-212-219-1222, www.newmuseum.org, Mi–So 11–18, Do bis 21 Uhr, Erw. 16 $).

Greenwich Village

Cityplan: S. 176

Ein Spaziergang durch **Greenwich Village** könnte vermuten lassen, der Stadtteil liege weit von der Glas- und Steinwüste des Wolkenkratzerkerns von Manhattan entfernt. Das Village gibt sich zwar nicht dörflich, wie der Name vermuten lässt, wirkt aber mit Reihenhäusern aus roten Ziegeln, winzigen Vorgärten und schmalen Gehsteigen im Schatten von Bäumen wie ein kleinstädtisches Idyll mit dem Charme des Gestrigen. Zum Flair trägt auch bei, dass die Straßenmuster nicht dem üblichen Schachbrettsystem entspricht, sondern mit krummen Häuserzeilen eher auf europäische Ursprünge schließen lässt.

Soziales Zentrum des Village ist der **Washington Square 20**, im ausgehenden 18. Jh. ein Friedhof für die Opfer ständig wiederkehrender Gelbfieber- und Typhusepidemien. Später wurden auf dem Platz Paraden veranstaltet und öffentliche Hinrichtungen vorgenommen, ehe die Stadtverwaltung einen Park anlegen ließ. Heute ist die Anlage insbesondere eine Begegnungsstätte, Jogginggelände und Freiluftbühne für öffentliche Konzerte und Straßenkünstler. ›Wahrzeichen‹ des Platzes ist der **Washington Memorial Arch,** der anlässlich des 100. Jahrestags der Amtseinführung des ersten US-Präsidenten George Washington 1889 aufgestellt wurde – den hölzernen Bogen ersetzte man später durch einen Nachbau aus weißem Marmor. In der Nähe erinnert eine Skulptur an den spanischen Dichter Miguel de Cervantes (1547–1616), Verfasser des Romans ›Don Quijote‹. **Washington Square North** begrenzt den

Cast-Iron Historic District in SoHo | Thema

Im Jahr 1973 ›entdeckte‹ die New York City Landmark Commission mitten in Manhattan ein Juwel: die weltweit größte Ansammlung an Gebäuden mit gusseisernen Fassaden, die überwiegend aus der zweiten Hälfte des 19. Jh. stammen. Seit damals stehen mehrere Straßenzüge als Cast-Iron Historic District unter Denkmalschutz.

Mit Dampf- und Sandstrahlern bewaffnet rücken Bataillone von Arbeitern, in Schutzanzüge gehüllt wie Astronauten, Schmutz und Ruß zu Leibe, der seit Dekaden die alten Häuser trist und unansehnlich macht. Im ›In‹-Viertel SoHo ist Stadtkosmetik angesagt. Es lohnt sich, alte Lagerhäuser und Kontore mit aufwendig ornamentierten gusseisernen Fassaden aufzupolieren und in luxuriöse Lofts oder in Galerien zu verwandeln.

Schon um die Mitte des 19. Jh. ließen sich wohlhabende Kaufleute in SoHo Geschäftshäuser errichten, die den geschäftlichen Erfolg der Bauherren widerspiegeln und deshalb möglichst repräsentativ wirken sollten. Dementsprechend war der Aufwand, der für die Gestaltung der Fassaden betrieben wurde. Neben Sandstein und Marmor zogen Architekten vor allem einen neuen Baustoff heran: Gusseisen.

Gusseisen besteht aus einer Eisenlegierung mit Kohlenstoff- und Siliziumanteilen, der Mangan, Schwefel, Phosphor, Chrom oder Nickel beigegeben wird. Der hohe Kohlenstoffanteil macht das Material resistent gegen Korrosion, verhindert Verbiegungen und lässt Gusseisen hohem Auflagedruck standhalten. In Formen gegossen wird im Prinzip jede Art von Dekoration möglich, wie sie bis dahin nur bei Steinmetzarbeiten üblich war. Aber Gusseisen als Baustoff hat nicht nur Freunde. Schon 1949 verfasste der englische Schriftsteller, Maler, Kunsthistoriker und Sozialphilosoph John Ruskin (1819–1900) mit dem Werk ›The Seven Lamps of Architecture‹ einen bedeutenden Beitrag zur Architekturtheorie, in dem er gusseiserne Ornamente als kalt, klobig und vulgär bezeichnete.

Finanzkräftige Investoren betrachten den Cast-Iron Historic District schon seit Jahrzehnten mit anderen Augen und machten ihn in den vergangenen Jahren zu einem im Trend liegenden Wohn- und Geschäftsviertel, das besonders bei Modelagenturen, Künstlern und Galeristen, aber auch bei bekannten Persönlichkeiten aus Film und Fernsehen hoch im Kurs steht. Mit beträchtlichem Aufwand wurden ganze Etagen in Millionen Dollar teure Lofts verwandelt, denen vom Fußboden bis zu den hohen Decken reichende Fenster ein ganz besonderes Aussehen verleihen.

Wohnflächen von über 500 m^2 sind nichts Außergewöhnliches in diesen Lofts, die häufig von bekannten Designern nach den Extrawünschen von Besitzern oder Mietern ausgestaltet werden. In vielen Erdgeschossen quartierten sich Boutiquen, Cafés und Restaurants ein, in denen man sich einen Eindruck von der Innenarchitektur der Cast-Iron-Häuser verschaffen kann. Äußerlich beziehen die größtenteils zwischen 1860 und 1890 entstandenen ehemaligen Lagerhäuser und Handelskontore ihre Attraktivität aus gusseisernen, schön mit Säulen, Türstürzen, Simsen, Portalen und Bögen verzierten Fassaden die wie durch Stadtsmog eingeschwärzte Steinmetzarbeiten aussehen.

179

Park im Norden. Um 1830 war The Row, wie die Straße auch genannt wird, eine der exklusivsten Wohngegenden der Stadt mit prächtigen Häusern im damals modernen klassizistischen Stil. Im Haus Nr. 3 schrieb John Dos Passos ›Manhattan Transfer‹ (1925), in dem der Schriftsteller ein Bild der vielschichtigen und immer in Bewegung befindlichen Bevölkerung der Riesenstadt entwarf, deren sozialen und moralischen Niedergang er als unausweichlich betrachtete.

Die Umgebung des **Sheridan Square** 21, benannt nach dem Bürgerkriegsgeneral Philip Sheridan, und der nahe **Christopher Park** machten Ende der 1960er-Jahre Geschichte. Schwule und Lesben begannen damals, sich gegen die fortwährende Diskriminierung durch die Polizei zur Wehr zu setzen. Wie sehr sich in den nachfolgenden Jahren die Einstellung der Öffentlichkeit den Gays gegenüber änderte, zeigt die Tatsache, dass Schwule 1994 die ersten Gay Games in der Stadt veranstalteten, die von 40 000 homosexuellen Sportlern und Sportlerinnen besucht wurden.

Einige Häuser um **St. Luke's Place** 22 haben Filmgeschichte geschrieben. Audrey Hepburn drehte im Haus Nr. 4 1967 den zum Klassiker gewordenen Thriller ›Warte, bis es dunkel ist‹. Im Haus Nr. 16 saß Theodore Dreiser (1871–1945) über dem Manuskript

seines 1925 erschienenen Hauptwerks ›Eine amerikanische Tragödie‹. Von 1984 bis 1992 gehörte die ›Bill Cosby Show‹ zu den beliebtesten Fernsehserien der USA. Darin ging es um die afroamerikanische Familie des Frauenarztes Doktor Huxtable, als deren Heim im Vorspann des Films jeweils das Haus Nr. 10 am St. Luke's Place gezeigt wurde.

Im Nordwesten grenzt an Greenwich Village der **Meatpacking District** an, der sich zwischen Gansevoort Street und West 15th Street erstreckt. In der Nachbarschaft entstand ein Szene-Mekka (s. S. 181).

Ähnlich wie der Meatpacking District war auch der nördlich anschließende Stadtteil **Chelsea** einem tief greifenden Wandel unterworfen. In seine Backsteinbauten zogen neue Geschäfte und seit Mitte der 1990er-Jahre vermehrt Galerien und Künstlerstudios ein. Hinzu kamen das auf Kunst aus dem Himalaya-Gebiet spezialisierte **Rubin Museum of Art** (150 W. 17th St., www.rubinmuseum.org, Mo, Do 11–17, Mi 11–21, Fr 11–22, Sa, So 11–18 Uhr, Erw. 15 $, Fr 18–22 Uhr Gratiseintritt). Dass das Viertel schon früher ein Magnet für kreative Geister war, beweist das temporär geschlossene **Chelsea Hotel** (222 W./23rd St., www.hotelchelsea.com), in dem populäre Berühmtheiten wie Vladimir Nabokov, Ernest Hemingway, Bob Dylan, Janis Jo-

Noch immer ein Stadtteil mit besonderem Flair: Greenwich Village

Tipp: Nachtschwärmermekka Meatpacking District

Die Gegend um den **Gansevoort Market** hat sich im Zuge der Sanierung des Viertels zum hippen Ausgeh- und Shoppingviertel entwickelt. Wo sich früher Schlachthäuser, Lagerschuppen, zweifelhafte Spelunken und illegale Bordelle aneinander reihten, entstand über die Jahre ein neuer Brennpunkt für vergnügungsfreudige Nachtschwärmer und konsumorientierte Shopper. Zwischen W. 17th St. im Norden, W. 12th St. im Süden, dem

High Line Park im Westen und Hudson St. bzw. 9th Ave. im Osten sind die Straßen gesäumt von Kneipen, Restaurants, Clubs, Galerien, Kosmetikshops und Beauty-Salons. Als konzentriertes Einkaufsparadies präsentiert sich hauptsächlich die West 14th Street mit zahlreichen Modeboutiquen. Zur kulturellen Bereicherung trägt eine Filiale des Whitney Museums (s. S. 187) bei, die 2015 eröffnen soll (www.meatpacking-district.com).

plin und Jim Morrison nächtigten und in dem 1953 der Schriftsteller Dylan Thomas starb. Die **Chelsea Piers,** vier ehemalige Landungsbrücken zwischen 17th und 23rd Streets, hat man in einen riesigen Sport- und Unterhaltungskomplex umfunktioniert. Gegenwärtig wird die längst stillgelegte **High Line** zwischen Gansevoort und 30th Streets, eine ehemalige Hochbahntrasse für Frachtzüge, in eine 2 Meilen lange attraktive Parkzone verwandelt, die gegenwärtig Richtung Norden bis zu den West Side Rail Yards verlängert wird (www.thehighline.org).

Midtown

Cityplan: S. 176
Ein Bündel breiter Arterien führt in das Herz von New York City, den **Times Square** 23 (s. S. 182). Der Platz erhielt seinen Namen Anfang des 20. Jh., als die ›New York Times‹ dort ihre Redaktionsbüros einrichtete. Neongirlanden, Laufschriften mit Weltnachrichten, Theaterreklamen und Werbewände für Musicals machen den zwischen Wolkenkratzerfassaden liegenden Straßenabschnitt des Broadway zwischen 47th und 42nd Street zu einer aufregenden Großstadtbühne. Gleich um die Ecke wuseln am Abend Menschenmengen um die bekannten Bühnen im Theaterdistrikt. In Schnellimbissen hocken hungrige Passanten über Plastiktabletts, auf den Straßen konkurrieren Betreiber kleiner Brezel- und Hot-

Dog-Stände miteinander, und aus Subway-Eingängen dringt der unverwechselbare Geruch der U-Bahnen. Nach Einbruch der Dunkelheit verwandeln Werbeflächen, gleißende Straßenlaternen, Bürofenster und Autoscheinwerfer den Großstadt-Canyon in ein gigantisches Amphitheater, in dem Nacht für Nacht ein von Polizeisirenen und dröhnenden Motoren untermaltes hektisches Großstadtschauspiel über die Bühne geht. Publikum dieser Riesenshow bilden Schaulustige aus aller Welt, die sich mit einheimischen Geschäftsleuten, T-Shirt-Verkäufern und langen Schlangen von Theaterfreunden mischen, die für die Tickets anstehen. Vor einigen Jahren beschloss die Stadtverwaltung, den Times Square teilweise in eine Fußgängerzone umzuwandeln und mit Sitzgelegenheiten auszustatten. Mittlerweile ist die 7th Avenue die einzige durchgängige Autostraße, während auch der Broadway flanierenden Fußgängern und Schaulustigen vorbehalten ist.

Bryant Park und Public Library

Verglichen mit dem Times Square ist der **Bryant Park** eine grüne Oase. Im Sommer treffen sich dort Leute zum Lunch, falls sie ihren Stammplatz nicht auf den Stufen der 1911 im Beaux-Arts-Stil errichteten **New York Public Library** 24 um die Ecke haben. Dort beobachten die beiden flankierenden Löwen aus Tennessee-Marmor ›Patience‹ (Geduld) und ›Fortitude‹ (Standhaftigkeit) das Gewusel von Menschen und Autos vor der Säulenfassade.

Das pulsierende Herz im Zentrum Manhattans: der Times Square

Die Präsenzbibliothek verfügt über 6 Mio. Bücher und 17 Mio. Dokumente, darunter Raritäten wie eine Gutenberg-Bibel und eine Abschrift von Thomas Jeffersons Entwurf der amerikanischen Unabhängigkeitserklärung. Hinter der Eingangshalle glänzt die **Gottesman Exhibition Hall** mit wechselnden Ausstellungen unter einer wunderschönen Decke (Fifth Ave./42nd St., Tel. 1-917-275-6975, www.nypl.org, Mo und Do–Sa 10–18, Di, Mi 10-20 Uhr, So geschlossen).

Rockefeller Center 25

Einige Straßenblocks weiter nördlich auf der eleganten Fifth Avenue breitet sich das **Rockefeller Center** aus. Die ›Stadt in der Stadt‹ entstand zwischen 1931 und 1940, als Amerika von den Auswirkungen der Weltwirtschaftskrise geschüttelt wurde, viele Städter ihre Jobs verloren, die Mieten nicht mehr aufbringen konnten und jedes fünfte Schulkind in Manhattan an Unterernährung litt. In diesen Zeiten größter Not erschien Investoren das Rockefeller Center als adäquates Zeichen, um der Metropole die Zukunftsangst zu nehmen. 19 Bürohochhäuser umgeben die **Lower Plaza,** eine unterhalb der Straßenebene gelegene Fläche mit einem Café im Sommer und einer Eislauffläche im Winter. Ihr Symbol ist die vergoldete, 1934 aufgestellte Prometheus-Statue des Bildhauers Paul Manship. Kern des Zentrums mit über 6500 Beschäftigten ist das 70 Stockwerke hohe **General Electric Building** mit Verwaltungsbüros und Studios des Fernsehsenders NBC. Der Entertainer David Letterman begann dort mit der ›Late Show‹, die er heute im Ed Sullivan Theater (1697 Broadway) für den Sender CBS produziert. Nicht nur über der Erde lohnt das Rockefeller Center einen Besuch (s. S. 185). Auf unterirdischen Etagen verteilen sich Läden, Restaurants aller Preis- und Qualitätsklassen sowie ein Postamt.

Auch die 1932 eröffnete **Radio City Music Hall** gehört zum Rockefeller Center. Außen beeindruckt sie mit Art déco-Architektur, im Innern kann man neben den in Goldbronze gefassten Gipsdekorationen die Dimensionen bewundern, die sie einst zum größten geschlossenen Theater der USA machten. Bei den Eröffnungsfeierlichkeiten der Radio City Music Hall im Dezember 1932 waren Charlie Chaplin und Clark Gable mit von der Partie. In den folgenden Dekaden hatte der Lichtspielpalast geradezu ein Abonnement auf Filmpremieren. Seit dem Umbau Ende der 1970er-Jahre werden große Konzerte und Shows veranstaltet (1260 Sixth Ave., Tel. 1-212-247-4777, www.radiocity.com).

Fifth Avenue und Umgebung

Schräg gegenüber vom Rockefeller Center ragen die beiden 1888 erbauten neogotischen Türme der römisch-katholischen **St. Patrick's Cathedral** 26 in den Wolkenkratzerhimmel von Manhattan. Mit einer Höhe von 100 m waren die Zwillingstürme einst das Nonplusultra der New Yorker Hochbauten. Heute wirken sie im mehr als doppelt so hohen Hochhauskern der Stadt fast wie Miniaturen. Über die Hälfte der Buntglasfenster der Kirche wurde in Frankreich angefertigt.

An der Modehochburg Cartier vorbei gelangt man auf der Fifth Avenue zum **Museum of Modern Art** 27, das nach einem umfassenden Umbau und einer Erweiterung auf etwa das Doppelte der ursprünglichen Ausstellungsfläche neu eröffnet wurde. Trotz der Vergrößerung kann das Museum nur einen Teil seiner Bestände ausstellen, die aus ca. 150 000 Gemälden, Zeichnungen, Skulpturen, Drucken, Fotografien, Architekturmodellen und Designstücken bestehen. Hinzu kommen Filme, Videos und Multimediapräsentationen, Filmdrehbücher und historische Dokumente. In der Bibliothek des Hauses warten über 300 000 Bücher, Zeitschriften und Magazine auf Leser. Kern der Ausstellungen bilden über 3000 Werke der modernen Kunst seit dem Ende des 19. Jh. mit Arbeiten etwa von Paul Cézanne, Vincent van Gogh, Fernand Léger, Willem de Kooning, Auguste Rodin, Paul Gauguin, Henri Matisse, Georges Braque, Pablo Picasso, Lyonel Feininger, Claes Oldenburg, Yves Klein und Andy Warhol (11 W. 53th St., Tel. 1-212-708-9400, www.moma.org, tgl. 10.30–17.30, Do, Fr bis 20 Uhr, Erw. 25 $, Senioren ab 65 J. 18 $, Kinder bis 16 J. und Fr 16–20 Uhr frei).

Hinter der Fassade im Renaissancestil der weltberühmten **Carnegie Hall** 28 traten seit dem Eröffnungskonzert unter der Leitung von Peter Tschaikowsky 1891 von Opernstars bis Rockgrößen, von Instrumentalsolisten bis Sinfonie-Orchestern die Besten ihres Genres auf, darunter David Bowie, Liza Minelli, Leonard Bernstein, Luciano Pavarotti, die Beatles. In jüngerer Vergangenheit wurde das Gebäude im Innern verändert und auf drei Konzertsäle erweitert, unter denen das Isaac Stern Auditorium mit 2800 Plätzen der größte ist (154 W. 57th St., Tel. 1-212-903-9765, www.carnegiehall.org, Touren tgl. während der Konzertsaison Okt.–Juni, Erw. 15 $, Kinder 5 $).

Mit dem 202 m hohen **Trump Tower** 29 ließ sich der um Selbstdarstellung bemühte Milliardär Donald Trump 1984 ein Denkmal errichten. Schaufenster des Riesenbaus ist ein sechs Etagen hohes, mit Bronzedekor und Wasserfall ausgestattetes Atrium aus lachsfarbenem Brecchia-Marmor, in dem Edelboutiquen und ein Café untergebracht sind. In den oberen Stockwerken wurden über 260 Luxusapartments eingerichtet (725 Fifth Ave., Tel. 1-212-832-2000, Mo–Sa 10–18, So 12–17 Uhr).

Klassiker der Hochhausarchitektur

Halten sich in New York Staatsgäste auf, kommt für sie in der Regel nur ein Hotel in Frage: die edle und renommierte, vom Hilton-Konzern betriebene Nobelherberge **Waldorf-Astoria** 30. Neben gekrönten Häuptern aus aller Welt, Präsidenten, Wirtschaftsführern und Supersportlern stand das Hotel natürlich auch den Stars aus Film- und Showbusiness schon immer besonders nahe. Im Gästebuch stehen neben Diana Ross, Frank Sinatra und Ginger Rogers zig klingende Namen. Früher besaß das inzwischen um zwei Türme erweiterte Hotel noch einen eigens eingerichteten unterirdischen Bahnzugang, sodass die Prominenz im privaten Bahnwaggon anreisen konnte. Der Art déco-Stil des Hotels kommt am schönsten in der Lobby zur Geltung (301 Park Ave., Tel. 1-212-355-3100, http://waldorfastoria3.hilton.com, ab ca. 300 $).

Der wirklich internationale Hotspot von New York City sind die **United Nations** 31. Der Sydney-Pollack-Film ›Die Dolmetscherin‹ mit Nicole Kidman und Sean Penn rückt die Einrichtung ins Blickfeld des internationalen

Kinopublikums. Die Anlage wirkt von außen trotz einiger Kunstwerke wie eine Sammlung anonymer Büroklötze. Das Gebäude der Vollversammlung, das der Öffentlichkeit im Rahmen von Führungen zugänglich ist, lohnt einen Besuch. Unter den zahlreichen Kunstwerken, die man dort bewundern kann, verdienen die Gemälde des französischen Malers Fernand Léger und die Buntglasfenster von Marc Chagall besondere Beachtung. Begrenzte Zahlen von Besuchern werden zu den Sitzungen der Vollversammlung, des Sicherheitsrats und zu anderen Veranstaltungen zugelassen (1st Ave., Tel. 1-212-963-8687, http://visit.un.org, auch deutschsprachige Touren, Mo–Fr 9.15–16.15 Uhr, 18 $, Tickets nur online).

Um ein Architekturdenkmal der besonderen Art handelt es sich beim 1929 im Art déco-Stil errichteten **Chrysler Building 32**, das nach seiner Fertigstellung mit 319 m kurze Zeit das höchste Gebäude der Welt war. Dieser schönste Wolkenkratzer in New York besticht vor allem durch einen kunstvollen Turmaufbau und eine Eingangshalle aus afrikanischem Marmor. Einen Tag vor dem sogenannten Schwarzen Donnerstag, als am 24. Oktober 1929 mit einem Kurssturz an der New Yorker Börse die Weltwirtschaftskrise begann, erlebte das Chrysler Building seinen Höhepunkt. In einer ›Nacht-und-Nebel-Aktion‹ schafften Arbeiter und Techniker das vorgefertigte Material für die 26 t schwere Spitze des Wolkenkratzers auf die 65. Etage. Dort wurden die Teile zusammengesetzt und innerhalb von nur eineinhalb Stunden zu einer 37,5 m hohen Krone montiert, mit der das Bauwerk den Eiffelturm überragte, der 40 Jahre lang das höchste Gebäude der Welt gewesen war (405 Lexington Ave.).

An Wochentagen wird der 1913 im Beaux-Arts-Stil fertiggestellte **Grand Central Terminal 33** zum Ameisenhaufen, denn täglich strömen über eine halbe Million Pendler mit Regionalzügen aus den Vororten und aus dem benachbarten New Jersey zur Arbeit nach Manhattan. Dass es sich in den Augen der Bevölkerung bei diesem Terminal um mehr als nur um einen Bahnhof handelt, zeigte sich in den 1970er- und 1980er-Jah-

ren, als die 114 m lange und zwölf Stockwerke hohe Bahnhofshalle abgerissen werden sollte. Prominente New Yorker vereitelten diesen Plan und sorgten dafür, dass der Terminal unter Denkmalschutz gestellt und in den 1990er-Jahren gründlich renoviert wurde. In der mit mächtigen Kronleuchtern und spiegelnden Marmorfußböden ausgestatteten Haupthalle wähnt man sich deshalb eher in einer überdimensionalen Hotellobby (www.grandcentralterminal.com).

Eine wortwörtlich ›herausragende‹ Sehenswürdigkeit ist das **Empire State Building 34**, mit 381 m Höhe allerdings schon lange nicht mehr das höchste Gebäude der Welt. Doch der 1930 bis 1931 in nur 19 Monaten aus 365 000 Tonnen Baumaterial inklusive 60 000 t Stahl, 30 000 m^2 Marmor, 20 000 m^2 Glas für die 6500 Fenster und 10 Mio. Backsteinen errichtete Wolkenkratzerklassiker gehört noch immer zu den bekanntesten Bauwerken des Landes. Das mag mit der Rolle des Gebäudes in Dutzenden Filmen wie ›King Kong‹ zusammenhängen, in dem ein liebeskranker Gorilla auf der Suche nach der Dame seines Herzens die graue Granitfassade hinaufkletterte (s. S. 185).

Aus dem 1857 eröffneten Miniladen des ehemaligen Walfängers Rowland Hussey Macy wurde das nach eigenem Bekunden ›größte Kaufhaus der Welt‹. Selbst wenn man die amerikanische Neigung zu Superlativen in Rechnung stellt: **Macy's 35** ist tatsächlich ein gewaltiges Einkaufsparadies, das so ziemlich alles bietet, was Kunden brauchen: Damen-, Herren- und Kindermode, Kosmetika, Elektronik, Haushaltsartikel, Delikatessen und sogar Reproduktionen von Kunstwerken des Metropolitan Museum of Art (151 W. 34th St./ Broadway, Tel. 1-212-695-4400, www.macys.com, Mo–Fr 10–21.30, Sa 9–23, So 11 20.30 Uhr).

Rund um die Penn Station 36

Neben dem Grand Central Terminal ist die **Penn Station** das zweite große Drehkreuz der Stadt für Amtrak-Fernzüge in alle Teile der USA, Vorortbahnen und U-Bahnen. Speziell die Vorortverbindungen nach Long Island und

aktiv unterwegs

Die schönsten Aussichtspunkte in Manhattan

Tour-Infos

Start: Battery Park im Süden von Manhattan
Länge: ca. 9 Meilen (14 km)
Dauer: je nach Dauer der Aufenthalte ca. ein halber Tag. Wer nicht die Subway benutzt, sondern zu Fuß geht, braucht länger.
Citypläne: S. 174 und 176/177

In New York City könnte man Monate verbringen und hätte immer noch nicht alles Interessante zu Gesicht bekommen. Von Aussichtspunkten kann man die geballte Größe und urbane Wucht von Big Apple sehen und erleben.

Die größte Dachterrassenbar in ganz New York besitzt das **230 Fifth** ⓫. Über begrünte Pflanzenkübel hinweg hat man von schickem Holzmobiliar aus einen prächtigen Blick auf den Kern von Manhattan mit dem Empire State Building – vor allem abends ein Erlebnis (230 Fifth Ave., Tel. 1-212-725-4300, www.230-fifth.com/rooftop-garden.php, tgl. 16–4 Uhr, gehobene Preise).

Seit ca. 40 Jahren stellt die 945 m lange **Roosevelt-Island-Seilbahn** 🟥 einen wichtigen Zugang von der Upper East Side zur Roosevelt Island im East River her. Die roten Gondeln sind nicht nur Pendlerverbindung, sondern im Sinne des Wortes auch bewegende Aussichtspunkte auf die Wolkenkratzerlandschaft in Manhattan. Der westliche Terminal befindet sich an der 2nd Ave., Ecke E. 60th Street. Von dort steigen die Gondeln mit 10 km/h bis auf knapp 80 m Höhe und senken sich nach der Flussüberquerung auf die Insel hinunter zum Endterminal an der Main Street bei der Queensboro Bridge. Am schönsten ist die Aussicht morgens und abends (Ticket 2,50 $).

Das **Empire State Building** 🟥 gehört zweifellos zu den berühmtesten Wolkenkratzern der Welt und zu den spektakulärsten

städtischen Aussichtspunkten. Alljährlich lassen sich in diesem steinernen Riesen zehntausende Besucher von den Expressaufzügen aufs ›Dach‹ hieven, um vom offenen Observation Deck auf der 86. Etage (320 m Höhe) die grandiose 360-Grad-Aussicht über Manhattan in die Umgebung zu genießen. Es gibt eine wind- und wettergeschützte Zone, die im Winter geheizt und im Sommer gekühlt wird. Ein zweites, kleineres Aussichtsdeck auf der 102. Etage (381 m Höhe) ist rundum verglast. An Tagen mit einem hohen Besucheraufkommen wird diese Plattform manchmal geschlossen (350 5th Ave., Tel. 1-212-736-3100, www.esbnyc.com, tgl. 8–2 Uhr, Hauptdeck Erw. 29 $, Senioren ab 62 Jahren 26 $, Kinder 6–12 Jahre 23 $).

Außer dem Empire State Building gibt es im Zentrum von Manhattan mit dem **Top of the Rock Observation Deck** des **Rockefeller Center** 🟥 eine weitere Aussichtsplattform mit grandiosem Panoramablick über die Stadt. Sie nimmt das 67., 69. und 70. Stockwerk ein und entspricht an ihrer Höhe gemessen etwa dem 86. Stockwerk des Empire State Building. Das Design ist dem Deck eines Kreuzfahrtschiffes nachempfunden. Auf der 70. Etage hat man einen von Sicherheitsglas ungestörten Blick (30 Rockefeller Plaza, Tel. 1-212-698-2000, www.topofthe rocknyc.com, tgl. 8.30–24 Uhr, Erw. 29 $, Senioren ab 62 Jahren 27 $, Kinder 6–12 Jahre 18 $. Das Sun & Stars-Ticket für 42 $ erlaubt zwei Besuche an einem Tag).

Im **Metropolitan Museum of Art** 🟥 gibt es einen Roof Garden, in dem unter freiem Himmel zahlreiche Skulpturen aufgestellt sind. Manche Besucher zieht es aber auch noch aus einem anderen Grund dahin. Man hat einen wunderbaren Blick auf den in der Nachbarschaft gelegenen Central Park und natürlich auf die atemberaubende Skyline von Manhattan (1000 Fifth Ave./82nd St.).

New Jersey lassen das unterirdische Labyrinth während der Rushhour zu einem Bienenstock werden, in dem es chaotisch zugeht (33rd St., Tel. 1-800-622-5000, www.transitcenter.com). Teil des riesigen Bahnhofs ist der Port Authority Bus Terminal, dessen Busse nach New Jersey fahren (40th St. bis 42nd St., Tel. 1-212-564-8484). Dort halten Greyhound-Fernbusse (www.panynj.gov).

Der 20 000 Besucher fassende **Madison Square Garden** 5 über dem Bahnhof ist Manhattans größte Halle für Sport- und Musikevents (Touren tgl. 10.30–15 Uhr, Tel. 1-212-465-6741, www.thegarden.com).

Ein architektonisches Juwel liegt hinter der Penn Station. Eine Freitreppe und eine aus 20 korinthischen Säulen bestehende Fassade kennzeichnen das 1913 im Beaux-Arts-Stil erbaute **General Post Office.** Über dem Säulenwald zieht sich eine über 80 m lange Inschrift an der Vorderfront des Gebäudes entlang mit einer Beschreibung des Postdienstes im Persischen Reich durch Herodot. Der Palast soll in ferner Zukunft nach einem entsprechenden Umbau für Fernverbindungen der Amtrak-Eisenbahn genutzt werden. Wann die Eröffnung des Fernbahnhofs stattfinden soll, steht in den Sternen, weil bislang noch nicht einmal die gesamte Finanzierung gesichert ist.

Central Park und Umgebung

Cityplan: S. 176

Der Dichter und Journalist William Cullen Bryant verewigte seinen Namen nicht nur literarisch, sondern auch städtebaulich. Als Herausgeber der ›Evening Post‹ setzte er sich in den 1840er-Jahren dafür ein, dass die Stadt im damals noch unbebauten Norden von Manhattan ein über 2000 ha großes Stück Land erwarb und einen Wettbewerb für Landschaftsarchitekten ausschrieb, um einen Park zu gestalten. Frederick Law Olmsted und Calvert Vaux erhielten im Jahr 1858 den Zuschlag für ihren Entwurf. Jahre vergingen, bis Tausende von Bäumen gepflanzt, Teiche angelegt, Hügel aufgeschüttet und Freiflächen planiert waren. Als dann Ende des 19. Jh. einige reiche New Yorker begannen, ihre Häuser entlang der Parkgrenze zu errichten, werteten sie die neu geschaffene grüne Oase der Stadt zusätzlich auf.

Seither ist der 4 km lange und 0,5 km breite **Central Park** 37 den New Yorkern ans Herz gewachsen – nicht nur, weil er ein ideales Gelände zum Joggen, Radfahren und Rollschuhlaufen ist. An Wochenenden pilgern ganze Familien über die 59th Street, wo der Natur mitten im Häusermeer ein Reservat eingeräumt wurde. Außerdem finden im Park häufig Konzerte und andere Kulturveranstaltungen statt.

An der Spitze des flachen, von Weiden umgebenen **Pond** tummeln sich im Winter Eisläufer und solche, die es noch werden wollen, auf dem **Wollman Rink.** Eislaufschuhe kann man vor Ort ausleihen. Wer sich nicht aufs Eis traut, kann zumindest den fabelhaften Blick auf die Wolkenkratzer-Skyline genießen (Tel. 1-212-439-6900, www.wollmanskatingrink.com, Mitte Okt.–Ende März).

Eisbären, Seelöwen, Pinguine und Affen haben im **Central Park Zoo** eine adäquate Heimat gefunden. Eine besondere Attraktion ist der Seelöwenpool, wenn die Tiere ihre täglichen drei Mahlzeiten bekommen (11.30, 14, und 16 Uhr). Für die kleinsten unter den Besuchern bietet der **Tisch Children's Zoo** die Möglichkeit, Ziegen, Schafe und Hängebauchschweine aus nächster Nähe zu sehen; in einem Aviarium gibt es außerdem Frösche, Schildkröten und Vögel (830 Fifth Ave., Tel. 1-212-439-6500, www.centralparkzoo.org, tgl. 10–17 Uhr, Erw. 12 $, Kinder 3–12 J. 7 $).

Museumsmeile 38

Im Umkreis des Central Park ließen sich nicht nur betuchte Bürger nieder, sondern auch die renommiertesten Museen der Stadt, weshalb die Fifth Avenue in Parkhöhe auch **Museum Mile** genannt wird.

Die **Frick Collection** ist in der ehemaligen Residenz des Stahlindustriellen und Kunstsammlers Henry C. Frick (1849–1919) untergebracht, der diesen Stadtpalast 1914 im Stil von Louis XVI. erbauen ließ. Seit Jahrzehnten

Der weitläufige Central Park ist New Yorks grüne Lunge

ist der Prachtbau das Refugium unschätzbarer Werke von Boucher, Holbein, Tizian, Rembrandt, Veronese, Turner, van Dyck, Vermeer und El Greco.

Der Reiz dieser Ausstellung besteht nicht nur in der überragenden Qualität der dort zu sehenden Kunstwerke, sondern auch in der Präsentation in einem Wohnhaus, das diesen Charakter bewahrt hat (1st E./ 70th St., Tel. 1-212-288-0700, www.frick.org, Di–Sa 10–18, So 11–17 Uhr, Mo Ruhetag, 20 $).

Mit 12 000 Gemälden, Drucken, Skulpturen, Zeichnungen und Fotografien gehört das **Whitney Museum of American Art** zu den Museen der Welt mit dem umfangreichsten und repräsentativsten Bestand an amerikanischer Kunst des 20. Jh. Die schwerreiche Bildhauerin Gertrude Vanderbilt Whitney gründete den Musentempel 1931, der einen gewichtigen Teil zum Ruf New Yorks als Stadt der Kunst beigetragen hat. Alle großen Kunstschaffenden Amerikas sind vertreten, von Warhol über Rauschenberg, Jasper Johns, Wesselman, Pollock, de Kooning, Basquiat bis Haring (945 Madison Ave., Tel. 1-212-570-3600, www.whitney.org, Mi–So 11–18, 20 $, Fr bis 21, von 18–21 Uhr Eintritt nach eigenem Ermessen).

Haftete dem Haus früher der Ruf eines verstaubten Refugiums für verschrobene Historiker und Wissenschaftler an, hat sich das **Metropolitan Museum of Art** längst zum größten Museum in New York gemausert. Unter der Ägide des ehemaligen Direktors Thomas Hoving verwandelte es sich zwischen 1967 und 1977 in eine populäre Kulturinstitution und zu einem Kulturtempel von Weltformat. Zu Hovings Kabinettstückchen zählte der Erwerb des ägyptischen Tempels von Dendur, der in einem eigens errichteten Glastrakt untergebracht wurde. Kunst aus Amerika, Asien, Griechenland und dem Nahen Osten ist ebenso vertreten wie europäische Malerei (1000 Fifth Ave./82nd St., Tel. 1-212-535-7710, www.metmuseum.org >Visit, So–Do 10–17.30, Fr, Sa bis 21 Uhr, inkl. The Cloisters 25 $).

Zu den jüngeren Highlights der New Yorker Museumsszene gehört die **Neue Galerie/Museum for German and Austrian Art.** Auf zwei Stockwerken sind deutsche und österreichische Kunst und Kunstgewerbe des frühen 20. Jh. ausgestellt. Zu den Künstlern gehören u. a. Gustav Klimt, Egon Schiele, Oskar Kokoschka, Paul Klee, August Macke, Franz Marc, George Grosz, Otto Dix und

New York/Manhattan

Ludwig Mies van der Rohe. Im Museum-scafé Sabarsky offeriert man alpenländische Spezialitäten wie Strudel und Linzer Torte (1048 Fifth Ave., Tel. 1-212-994-9493, www.neuegalerie.org, Do–Mo 11–18, erster Fr im Monat 18–20 Uhr Gratiseintritt, 20 $).

Einem Schneckenhaus hat Architekt Frank Lloyd Wright das **Guggenheim Museum** nachempfunden, in dessen Innern sich die Etagen wie eine Spirale um ein bis unters Dach reichendes Atrium winden. Die Palette der ausgestellten modernen und avantgardistischen Künstler reicht von van Gogh bis Kandinsky, von Matisse bis Kokoschka und von Franz Marc bis Modigliani (1071 Fifth Ave./89th St., Tel. 1-212-423-3500, www.guggenheim.org, So–Mi, Fr 10–17.45, Sa 10–19.45 Uhr, 22 $, Sa ab 17.45 Gratiseintritt).

Mit rund 8000 Kunstwerken von ausschließlich amerikanischen Künstlern gilt das **National Academy Museum and School of Fine Arts** als eines der größten Museen der Welt dieser Art. Neben Sonderausstellungen zeigt das von Künstlern geleitete Haus auch eigene Bestände, etwa Werke bekannter ehemaliger Schüler der School of Fine Arts wie John Singer Sargent, Augustus Saint-Gaudens und Thomas Eakins (1083 Fifth Ave./89th St., Tel. 1-212-369-4880, www.nationalacademy.org, Mi–So 11–18 Uhr, Erw. 15 $, Senioren ab 65 J. 10 $, Kinder unter 12 J. frei).

Das erweiterte und renovierte **Cooper-Hewitt Smithsonian Design Museum,** das zum berühmten Smithsonian Institute gehört, beschäftigt sich überwiegend mit dekorativer Kunst. Zu den berühmtesten Stücken gehört der unsignierte Entwurf eines Kandelabers, den das Museum im Jahr 1942 zusammen mit vier anderen Zeichnungen von einem Londoner Händler für 60 $ erwarb. 2002 machte ein schottischer Kunstexperte eine sensationelle Entdeckung: Der bislang niemandem zugeschriebene Entwurf für diesen Kandelaber war von Michelangelo (2 E. 91st St., Tel. 1-212-849-8400, www.cooperhewitt.org, seit der Wiedereröffnung Ende 2014 gelten neue Öffnungszeiten und Ticketgebühren, s. Webseite).

Gemälde, Skulpturen, Fotografien, Drucke, Manuskripte und historische Objekte wie Münzen, zeremonielle Gegenstände und antike Fundstücke bilden im **Jewish Museum** eine der umfangreichsten und schönsten Sammlungen von Judaika in Amerika. Im Café Weissman können sich Besucher bei koscherer Küche eine Verschnaufpause gönnen (1109 Fifth Ave., Tel. 1-212-423-3200, www.thejewishmuseum.org, Fr–Di 11–17.45, Do 11–20 Uhr, 15 $).

Central Park West

Zwar machen große Teile des **American Museum of Natural History** 39 mit Ausstellungen von Mineralien und Reptilien, Saurierskeletten und Südseemuscheln, indianischen Artefakten aus Südamerika und Kulturerzeugnissen asiatischer Völker einen leicht angestaubten Eindruck. Aber das Museum hat ein zweites Gesicht. Zum Haus gehört das **Rose Center for Earth and Space,** in welches das modernisierte Hayden Planetarium mit technisch perfekten Multimediashows integriert wurde. Eine populäre und zugleich spannende Space Show nimmt die Zuschauer mit auf eine abenteuerliche Reise durch die Galaxien. Wer Schulklassen aus dem Weg gehen will, sollte einen Besuch spätnachmittags planen (Central Park West/79th St., Tel. 1-212-769-5100, www.amnh.org, tgl. 10–17.45 Uhr, Space Show: tgl. 10.30–17 Uhr alle 30 Min., Museum und Rose Center Erw. 22 $, Kinder 2–12 J. 12,50 $).

Stadteinwärts liegt das Apartmenthaus **Dakota** 40**,** das von außen wie eine elegante Festung wirkt. In diesem Haus drehte Roman Polanski 1968 den Gruselfilm ›Rosemary's Baby‹ mit Mia Farrow und John Cassavetes in den Hauptrollen. Noch bekannter wurde der Bau durch seine zahlreichen prominenten Bewohner, wie Boris Karloff, Lauren Bacall, Leonard Bernstein, Roberta Flack, Kim Basinger und John Lennon, der am 8. Dezember 1980 vor dem Haus von einem geistesgestörten Fan ermordet wurde.

Die Witwe von John Lennon, Yoko Ono, ließ 1983 für den berühmten Beatle die Erinnerungsstätte **Strawberry Fields** anlegen.

Ein schwarzweißes Mosaik schräg gegenüber vom Dakota Mansion markiert die Stelle am Rand des Central Park (zwischen 71st und 74th St.).

Dem in den 1960er-Jahren erbauten **Lincoln Center** 41 mussten nicht nur rund 1500 Einwohner, sondern auch ein ganzes Slumviertel weichen. Das Kulturzentrum besteht aus acht Einheiten, u. a. dem Metropolitan Opera House, dem New York State Theater und der Avery Fisher Hall, in der das **New York Philharmonic Orchestra** zu Hause ist. Das 1842 gegründete Orchester machte 2008 Schlagzeilen durch das erste Konzert eines amerikanischen Orchesters in Nordkorea. Die Konzertsaison dauert von September bis Juni (65th St./Columbus Ave., Tel. 1-212-875-5656, http://nyphil.org).

Noch berühmter ist die **Metropolitan Opera,** seit der Eröffnung 1883 eines der führenden Opernhäuser der Welt. Die Saison geht von September bis Mai. Wer sich genauer für die ›MET‹ interessiert, kann sich einer Backstage Tour anschließen (64th St./Columbus Ave., 1-212-870-4502, www.met opera.org >About The Met >Tour The Met, während der Spielsaison werktags 15 Uhr, So 10.30 und 13.30 Uhr, 22 $).

Auf dem einzigen runden Platz in Manhattan, dem **Columbus Circle** 42, steht auf einer knapp 22 m hohen Marmorsäule eine Statue von Christoph Kolumbus, die von der italienischen Gemeinde New Yorks der Stadt anlässlich des 400. Jahrestags der ›Entdeckung‹ Amerikas 1892 zum Geschenk gemacht wurde. Auf der Säule sind die drei Schiffe ›Nina‹, ›Pinta‹ und ›Santa Maria‹ dargestellt, die 1492 zur Flotte des aus Genua stammenden Seefahrers gehört hatten.

Die Doppeltürme des **Time Warner Center** haben die Umgebung des Columbus Circle markant verändert. Neben dem Mandarin Oriental Hotel beherbergt der Komplex Geschäfte, Büros des TV-Senders CNN, Restaurants und ein Auditorium für Jazz-Veranstaltungen. Die Nordseite des Platzes beherrscht das Trump International Hotel & Tower.

In der Nachbarschaft steht das **Museum of Arts & Design,** das sowohl in Hinblick auf das Gebäude als auch auf die Exponate von vielen sehr kritisch beurteilt wird (2 Columbus Circle, Tel. 1-212-299-7777, http://mad museum.org, Di–So 11–18, Do, Fr bis 21 Uhr, Erw. 15 $, Kinder unter 12 J. frei, Do, Fr ab 18 Uhr Eintritt nach Gutdünken).

Zum Museumsschiff umgebaut, hat am Ufer des Hudson River der 1943 in Dienst gestellte Flugzeugträger Intrepid, der im Zweiten Weltkrieg und im Vietnamkrieg im Einsatz war, im **Intrepid Sea Air & Space Museum** 43 seinen vorerst letzten Ankerplatz gefunden. Neben einer ausgedienten Überschall-Concord ist u. a. das 1976 erbaute Space Shuttle Enterprise ausgestellt (Pier 86, 12th Ave. & 46th St., Tel. 1-212-245-0072, www.in trepidmuseum.org, Mo–Fr 10–17, Sa, So 10–18, Nov.–März tgl. 10–17 Uhr, Erw. 31–42 $, ab 62 J. 27–38 $, Kinder 24–35 $).

Das nördliche Manhattan

Wo der Central Park im Norden auf Höhe des Cathedral Parkway bzw. der West 110th St. endet, beginnt mit Morningside Heights ein Stadtviertel, das vom Union Theological Seminary, dem Jewish Theological Seminary, dem Barnard College und vor allem von der Columbia University geprägt wird.

Columbia University

Diese wie Yale, Princeton und Harvard zur sogenannten ›Ivy League‹ gehörende Lehranstalt zählt zu den renommiertesten Privatuniversitäten des Landes und hat selbst über die Grenzen Amerikas hinaus einen hervorragenden Ruf. Unter dem Namen King's College durch königlichen Erlass von König Georg II. 1754 gegründet, können die dort eingeschriebenen 23 000 Studenten nach dem Grundstudium an über einem Dutzend Fakultäten studieren. Der Ruf der Columbia University beruht nicht zuletzt auf der Columbia Graduate School of Journalism, die in Fachkreisen auch ›das Journalisten-Harvard‹ genannt wird. Seit 1912 bekommt die schreibende Elite Amerikas an diesem von Joseph Pulitzer gegründeten Institut ihre akademischen Weihen. Man kann den Campus auf eigene Faust oder per Führung erkunden (2960 Broadway, Visitors Center, Zimmer 213 Low Library, Tel. 1-212-854-4900, www.columbia.edu >About >Visiting >Tourists & First-Time Visitors).

The Cloisters

Der Fort Tryon Park liegt zwar im äußersten Norden von Manhattan, ist aber wegen **The Cloisters** durchaus einen Besuch wert. Dieser in den 1930er-Jahren entstandene Komplex besteht aus vielen aus Europa importierten Gebäudeteilen, die zum Teil auf das 2. Jh. zurückgehen. Neben den aus fünf französischen Klöstern stammenden Hauptteilen wurde etwa die Fuentidueña-Kapelle in Spanien in Einzelteile zerlegt und in New York wieder aufgebaut. Im Innern sind die Gebäude ausschließlich mit europäischer Kunst des Mittelalters ausgestattet, z. B. mit Portalen französischer Klöster und Kirchen, Skulpturen und Gemälden aus dem 13. bis 16. Jh., Brüsseler Wandteppichen, Glasmalereien und religiöser Kunst wie Kelchen und Monstranzen, die in einer Schatzkammer gesammelt sind (Fort Tryon Park, Tel. 1-212-923-3700, www.metmuseum.org >Visit >Visit The Cloisters, tgl. 10–17.30, Fr, Sa bis 21 Uhr, inkl. Metropolitan Museum 25 $, Senioren 17 $).

Harlem

Mag **Harlem** und **East Harlem** noch immer der Ruf eines von Armut und Kriminalität heimgesuchten Schwarzenghettos anhaften: Tatsache ist, dass sich die Zeiten in diesem Stadtteil geändert haben. Touristen brauchen keinen Bogen mehr um das Zentrum von Harlem zu machen, das vor Jahren noch zu den ›No-Go‹-Gebieten zählte. Kulturell zeigte sich Manhattans schwarzes Herz schon immer äußerst lebhaft und kreativ.

Günstige Immobilienpreise setzten in den letzten Jahren einen dynamischen Gentrifizierungsprozess in Gang und leiteten eine Renaissance des Stadtteils ein, in dem abgelegene Straßenzüge nach wie vor wie zerbombt aussehen. Im Kern jedoch brach schon vor Jahren der Bauboom aus, und heute schießen neue Einkaufs- und Unterhaltungs-

zentren wie ›Harlem USA‹ mit Kinos und Modeboutiquen an der 125th Street wie Pilze aus dem Boden. Selbst der ehemalige US-Präsident Bill Clinton mietete sich nach seinem Ausscheiden aus dem Amt in einem Penthouse-Office im 14. Stock des Bürogebäudes 55 West 125th Street in Harlem ein. In seiner Nachbarschaft investierte der ehemalige Basketballheld Magic Johnson in ein Kino und eine Starbucks-Filiale.

Clubs und Theater

Zu den beliebtesten Musiklokalen gehörten früher der Sugar Cane Club und der heute noch existierende **Cotton Club,** in dem Größen wie Bill ›Bojangles‹ Robinson, Lena Horne, Count Basie und Duke Ellington ihre Karrieren starteten. In den 1920er- und 1930er-Jahren war der Club das berühmteste und exklusivste Nachtlokal Amerikas, in dem vorwiegend schwarze Künstler vor weißem Publikum auftraten. Der Club schaffte es 1984 sogar auf die Kinoleinwand in einer Verfilmung von Francis Ford Coppola unter dem Titel ›Cotton Club‹ mit Richard Gere und Nicholas Cage in den Hauptrollen (656 W. 125th St., Tel. 1-212-663-7980, www.cottonclub-newyork.com).

Hauptstraße und kommerzielle Hauptschlagader ist die Tag und Nacht belebte, mit Geschäften, Bars, Clubs und Restaurants ausgestattete 125th Street, die auch den Namen Martin Luther King Jr. Boulevard trägt. An ihr liegt mit dem **Apollo Theater** ein schon in den 1930er-Jahren populäres Unterhaltungszentrum, in dem später Größen wie B. B. King, James Brown, Ella Fitzgerald, Stevie Wonder und Michael Jackson auftraten. Schon lange ist am Mittwochabend im Apollo die Nacht der Nächte, wenn Amateure zu ihren Instrumenten greifen, um das musikversessene Publikum zu unterhalten (253 W. 125th St., Tel. 1-212-531-5300, www.apollotheater.com).

Gospels und Soul Food

Am Sonntagvormittag wird in Harlem vielerorts Halleluja gesungen. Die **Abyssinian Baptist Church** hat sich in den letzten Jah-

Großartiger Live-Jazz zählt zu den Hauptattraktionen von Harlem

ren zu einem touristischen Hotspot entwickelt, und man braucht sich nicht zu wundern, wenn im Hochsommer Touristen aus aller Welt in Bussen zu den Gottesdiensten anreisen und sich unter die überwiegend schwarzen Einheimischen mischen. Allerdings muss man sich auf lange Einlasszeiten einrichten (132 Odell Clark Pl., Tel. 1-212-862-7474, www.abyssinian.org, So 11 Uhr).

Neben Jazz-, Gospel- und Kunsthochburgen besitzt der Stadtteil Harlem auch kulinarische Highlights der besonderen Art wie etwa das Restaurant **Sylvia's,** wo typisches Soul Food im Stil der Südstaaten eine Besichtigungspause zu einem Event machen kann. Kalorienzähler machen am besten einen weiten Bogen um das Lokal, in dem Deftiges wie Spareribs, geschmorte Hähnchen und Bratfisch auf den Tisch kommen. Außer Hunger sollte man auch Zeit mitbringen. Meistens bilden sich lange Warteschlangen vor dem populären Esstempel, vor allem beim sonntäglichen Gospel-Brunch (328 Mal-colm X Blvd., zwischen 126th und 127th St., Tel. 1-212-996-0660, www.sylviasrestaurant.com, Mo–Sa 8–22.30, So 11–20 Uhr).

Infos

Visitor Information Center: 810 7th Ave. zwischen 52nd und 53rd St. Tel. 1-212-484-1222, www.nycgo.com, Mo–Fr 8.30–18, Sa, So 9–17 Uhr. Tickets für Touren und Veranstaltungen . Informationskioske in Chinatown (Kreuzung Canal, Walker und Baxter St.), bei der City Hall (Ecke Broadway and Park Row) und am Pier 15 (im Hornblower-Cruises-Büro).

Übernachten

Luxushotel ▶ **Inter-Continental The Barclay 1:** 111 E. 48th St., Tel. 1-212-755-5900, www.intercontinentalnybarclay.com. Elegantes Riesenhotel von 1927 mit 700 gediegenen Zimmern und ausgezeichnetem Service. Viele Prominente steigen hier ab. DZ ab ca. 320 $. Gemütlich und günstig gelegen ▶ **Washington Square Hotel 2:** 103 Waverly Pl.,

Tel. 1-212-777-9515, www.washingtonsqua rehotel.com (>Languages >Deutsch). Unterkunft im Herzen von Greenwich Village mit stilvoll dekorierten Zimmern und Art décoMobiliar inkl. Frühstück und kostenlosem Highspeed-Internetzugang. DZ ab 220 $.

An Wolken kratzend ▶ **Courtyard & Residence Inn** 3: 1717 Broadway, Tel. 1-212-324-3774, www.marriott.com. Höchstes Hotel der Stadt mit Superausblick auf den Central Park. DZ ab 212 $.

Sauber und zentral ▶ **Stanford** 4: 43rd W./32nd St., Tel. 1-212-563-1500, www.hotel stanford.com. Praktisch in Midtown gelegenes Hotel mit Karaoke-Bar, Coffeeshop und Fitnesscenter. Ab 210 $.

Ohne großen Komfort ▶ **SoHotel** 5: 341 Broome St., Tel. 1-212-226-1482, www.theso hotel.com. Unterkunft in SoHo mit vier Stockwerken ohne Aufzug und Zimmer nur mit dem Nötigsten ausgestattet. Ab 210 $.

Gutes Preis-Leistungs-Verhältnis ▶ **Belleclaire Hotel** 6: 250 W. 77th St., Tel. 1-212-362-7700, www.hotelbelleclaire.com. Helle, einfach eingerichtete Zimmer mit Bad. Ab 200 $.

Großzügige Apartments ▶ **Off Soho Suites** 7: 11 Rivington St., Tel. 1-212-979-9815, www.offsoho.com. Klimatisierte Zimmer, Küche und Bad wird mit der benachbarten Suite geteilt, falls sie belegt ist. Ab ca. 200 $.

Ordentlich ▶ **Days Inn** 8: 215 W. 94th St., Tel. 1-212-866-6400, www.daysinn.com. Hotel mit Fitnessraum und Flughafenshuttle, Zimmer mit TV, Dataport, Kaffeemaschine und Klimaanlage. Ab 180 $.

Zum Schlafen und Duschen reicht es ▶ **Bowery's Whitehouse Hotel** 9: 340 Bowery

Tipp: Fremdenführer

Über die Organisation **Big Apple Greeter** kann man sich von Amateur-Fremdenführern die Stadt zeigen lassen. Dazu füllt man ein Online-Formular aus (http://form.bigapple greeter.org/hello/hello/application.php). Erwartet wird eine Spende von ca. 25 $.

St., Tel. 1-212-477-5623, www.whitehouseho telofny.com. Unterkunft für junge Rucksacktouristen, einfache klimatisierte Zimmer für 1–3 Personen, Etagenbad. EZ ab 30 $.

Essen & Trinken

Unterhaltsam speisen ▶ **Duane Park Café** 1: 308 Bowery, Tel. 1-212-732-5555, Di–Do 19–1, Fr 20–3, Sa 18–3 Uhr, http://duanepark nyc.com. Nobelrestaurant mit edlem Interieur, guter Küche und Burlesque-Shows sowie Jazz. Ab 80 $.

Super Qualität ▶ **Marea** 2: 240 Central Park S., Tel. 1-212-582-5100, http://marea nyc.com, Lunch So–Fr ab 12, Dinner tgl. 17.30–23 Uhr. Hauptsächlich auf Fisch und Seafood spezialisiertes Lokal mit fabelhaftem Essen. Ab 50 $.

Super lecker ▶ **Ai Fiori** 3: 400 Fifth Ave., Tel. 1-212-613-8660, www.aifiorinyc.com, Mo–Fr 7–10.15, 12–14, 17–22, Sa, So 7–11, 17–22 Uhr. Gelungene Interpretationen traditioneller italienischer Küche. 30–50 $.

Für Opernfans ▶ **Sardi's** 4: 234 W. 44th St., Tel. 1-212-221-8440, www.sardis.com, Mo geschl. Beliebter Treff vor und nach dem Theaterabend mit exquisiter Küche. Ab 30 $.

Spanische Gerichte ▶ **Tertulia** 5: 359 Sixth Ave., zwischen Washington Pl. und W. 4th St., Tel. 1-646-559-9909, http://tertulia nyc.com, Mo–Fr 12–15 und 17.30–23.30, Sa, So 11–23 Uhr. Spanische Spezialitäten und tolle Tapas. Den passenden Wein gibt es auch dazu. Ab ca. 20 $.

Minilokal ▶ **Snack Taverna** 6: 63 Bedford St., Tel. 1-212-929-3499, http://snackny.com (>Restaurants), Mo–Fr 7.30–23, Sa, So ab 11 Uhr. Gute griechische Gerichte. Vorspeisen 4–11 $, Hauptspeisen 17–19 $.

Gut, aber touristisch ▶ **Katz's Delicatessen** 7: 205th E./Houston St., Tel. 1-212-254-2246, www.katzdell.com, So–Do 8–22 Uhr, Fr, Sa durchgehend. Koscheres Delikatessengeschäft mit Restaurant, Schauplatz einer Szene der Kultkomödie ›Harry und Sally‹ mit Meg Ryan und Billy Crystal; einsame Spitze: Corned Beef und heiße Pastrami. Ab 12 $.

Gut und reichlich ▶ **Bubby's** 8: 120 Hudson St., Tel. 1-212-219-0666, www.bubbys.

com, Di–So 24 Std., Sa, So Brunch 9–16 Uhr. Das Lokal ist stets gut besucht, weil nicht nur Insider die zwar einfache, aber ausgezeichnete Küche schätzen. 7–20 $.

Für Leckermäuler ▸ **Rice to Riches** 9: 37 Spring St. zwischen Mott und Mulberry St., Tel. 1-212-274-0008, tgl. ab 11 Uhr. Erster Reispuddingtempel Amerikas. Portionen ab 6 $.

Serendipity 3 10: 225 E./60th St., Tel. 1-212-838-3531, www.serendipity3.com. 7 Tage in der Woche, Fastfoodparadies, das für himmlische Nachspeisen bekannt ist. Ab 4 $.

Tolle Aussicht ▸ **230 Fifth** 11: 230 5th Ave., Tel. 1-212-725-4300 (s. S. 185).

Einkaufen

›Shop till you drop‹ (Einkaufen bis zum Umfallen): New York bietet beste Voraussetzungen. Vom edlen Outfit bis zur Ausrüstung für Spione – es gibt in dieser Stadt nichts, was es nicht gibt.

Bücher ▸ **Strand Book Store** 1: 828 Broadway, Tel. 1-212-473-1452, www.strandbooks.com. Riesiges Antiquariat mit Discountpreisen.

Kaufhäuser ▸ **Macy's** 35: 151 W. 34th St./Broadway, www.macys.com. Das größte Kaufhaus der Welt bietet immer etwas zum Sonderpreis an. **Saks Fifth Ave.** 2: 611 Fifth Ave., www.saksfifthavenue.com. Neun Stockwerke voller feinster Garderobe.

Designermode zum Discountpreis ▸ **Century 21** 3: 22 Cortlandt St., Tel. 1-212-227-9092, www.c21stores.com >Locations & Hours, Mo–Fr 7.45–21.30, Sa 10–21, So 11–20 Uhr. Mode für Klein und Groß, Kosmetik, Accessoires, Elektronik und Wäsche.

Abends & Nachts

Für Nachtschwärmer ▸ **Webster Hall** 1: 125 E./11th St., Tel. 1-212-353-1600, www.websterhall.com, Do–Sa 22–4.30 Uhr. Riesiger Nachtclub und Unterhaltungskomplex mit Bars, Tanzflächen und den heißesten DJs der Stadt.

Cooler Promi-Club ▸ **Opera** 2: 268 W. 47th St., Tel. 1-212-398-0044, Fr, Sa 22–4 Uhr. Populärer Club auf drei Stockwerken mit einer Dachterrasse in der Nähe des Times

Tipp: New York radelt

New York City besitzt mit **Citi Bike** ein öffentliches Verleihsystem für Fahrräder mit ca. 300 über die ganze Stadt verteilten Stationen – wahrscheinlich das größte im ganzen Land. Bereits 600 km Radwege sind ausgewiesen. Längst hat sich herumgesprochen, dass man mit dem Drahtesel in Manhattan schneller unterwegs ist als mit dem Auto. Wie man ein Fahrrad etwa für 24 Stunden oder auch eine ganze Woche anmietet, verrät die Internetseite www.citibikenyc.com >How it Works >German

Square. Unter den Gästen befinden sich häufig Prominente.

In die Jahre gekommen ▸ **The Bitter End** 3: 147 Bleecker St., Tel. 1-212-673-7030, www.bitterend.com, So–Do ab 19.30, Fr, Sa ab 20 Uhr. Legendärer Club, in dem u. a. Bob Dylan, Neil Diamond und Stevie Wonder ihre Karriere begannen. Auch heute beginnt dort hin und wieder die Laufbahn eines Stars.

Musikalische Hochburg ▸ **Lincoln Center for the Performing Arts** 41: 140 W. 65th, Tel. 1-212-875-5456, www.lincolncenter.org. In diesem Zentrum sind u. a. die berühmte **Metropolitan Opera** (Tel. 1-212-362-6000, www.metoperafamily.org) und das **New York City Ballet** (Tel. 1-212-870-5570, www.nycballet.com), das **New York Philharmonic Orchestra** (Tel. 1-212-875-5656, http://nyphil.org). Liebhaber klassischer Musik sei die Metropolitan Opera Shop empfohlen, wo ein umfangreiches Angebot unterschiedlicher CDs, Poster, Libretti und Musikliteratur zu finden ist.

Schwarze Bühnenkunst ▸ **Opera Ebony** 4: 2109 Broadway, Suite 1418, Tel. 1-212-877-2110, www.operaebony.org. Amerikas älteste afroamerikanische Operngesellschaft präsentiert ihre Produktionen, die als Mischung von Spirituals, Blues, Jazz und Oper bezeichnet werden, u. a. im Aaron Davis Performing Arts Center in Harlem.

Musicals, Broadway-Shows, Kabaretts und Kindertheater ▸ New Yorks diesbezügliches Angebot ist kaum zu überblicken. Orientierungshilfe bietet die Webseite www. nytheatre.com.

Rock & Pop ▶ **Madison Square Garden** **5**: (7th Ave./W. 33rd St., Tel. 1-212-465-6741, www.thegarden.com). Jahr für Jahr gehen ca. 600 Veranstaltungen mit 6 Mio. Zuschauern über die Riesenbühne. Neben Sportveranstaltungen gibt es auch Konzerte mit internationalen Stars.

Aktiv

Touren ▶ **Circle Line Tours** **1**: Tel. 1-212-563- 3200, www.circleline42.de, ab Pier 83, 42nd St. Ca. 90-minütige bis 3-stündige Schiffsrundfahrten um die Insel Manhattan.

On Location Tours, Touren zu Schauplätzen von TV-Serien oder Kinofilmen wie ›Spiderman‹ oder ›Manhattan‹, Tel. 1-212-683-2027. Infos auch über andere Thementouren unter http://onlocationtours.com.

Wellness ▶ **Oasis Day Spa** **2**: 1 Park Ave. zw. 32nd & 33rd St., Tel. 1-212-254-7722, www.oasisdayspanyc.com, Mo–Fr 10–22, Sa–So 9–21 Uhr. Beauty- und Wellnesscenter.

Juvenex Spa **3**: 32. St. zwischen 5th and 6th Ave., Tel. 1-646-733-1330, www.juvenex spa.com. Rund um die Uhr fernöstliche Massagen, Aromatherapie und Sauna im Jade-Iglu.

Termine

Chinesisches Neujahrsfest (erste Februarhälfte): Ganz Chinatown steht Kopf, Straßenparaden mit Drachen und Böllern.

St. Patrick's Day Parade (17. März): Fest des irischen Schutzpatrons mit Paraden, Bands und Dudelsackspielern – und viel Bier.

Independence Day (4. Juli): Riesenfeuerwerk, das von Barkassen auf dem East River abgefeuert wird.

New York Marathon (Anfang November): größter Marathonlauf der Welt durch fünf New Yorker Stadtteile.

Thanksgiving Day Parade (24. November): Erntedankparade.

New Year's Eve Ball Drop (31. Dezember): Amerikas größtes Silvesterfest auf dem Times Square.

Verkehr

Anreise mit dem Flugzeug: Von Europa kommend, landet man meist auf dem John Kennedy Airport (JFK) oder im benachbarten Newark (New Jersey). Mit dem AirTrain (5 $) erreicht man vom JFK die U-Bahnstation Howard Beach und steigt um in die Subway A (2,50 $) nach Manhattan. Für ein Taxi nach Manhattan bezahlt man ca. 52 $ plus Tunnelgebühren. Zudem gibt es einen Shuttle- (Tel. 1-800-258-3826) und Limousinenservice.

Anreise mit dem Auto oder Bus: New York City liegt an der Nord-Süd-Verbindung I-95 und ist von Westen über die I-80 erreichbar.

Anreise mit dem Zug: Per Hochgeschwindigkeitszug Acela Express ist Manhattan mit Großstädten wie Boston, Chicago, Philadelphia und Washington D. C. verbunden. Die Züge halten im Grand Central Terminal (42nd St./Park Ave., Tel. 1-800-872-72 45) oder in der Penn Station (7th Ave/33rd St., Tel. 1-800-872-7245), Greyhound-Busse am Port Authority Bus Terminal (Tel. 1-212-971-6300).

Öffentlicher Nahverkehr

Bus: Bushaltestellen befinden sich an Straßenkreuzungen und sind durch gelbe Bordsteinmarkierungen und ein Buszeichen mit der Liniennummer erkennbar. Man wirft das Fahrgeld in Höhe von 2,75 $ (Expressbusse 6 $) passend in eine Box, keine Pennies, keine Banknoten, die Fahrer haben kein Wechselgeld. Wer umsteigen muss, lässt sich ein Transferticket geben, das er im nächsten Bus vorzeigt. Busse halten alle zwei bis drei Blocks, solche mit dem Zeichen ›limited‹ seltener. Fahrpläne erhält man an Verkaufsstellen in Downtown Manhattan.

U-Bahn: Die Eingänge sind durch einen stilisierten Globus gekennzeichnet, grüne Zeichen bedeuten, dass die Station rund um die Uhr besetzt ist, rote Zeichen verweisen auf kürzere Öffnungszeiten. Eine Metrocard für eine unbegrenzte Strecke kostet 2,50 $. Infos im Internet: www.mta.info. Für unbegrenzte U-Bahn- und Busfahrten kann man die praktische 7-Day Unlimited Ride MetroCard für 30 $ (1 Monat 112 $) nutzen. Verkaufsautomaten gibt es an den Haltestellen.

Hudson Valley

Amerikas Wirtschafts- und Industriearistokratie ließ sich im Hudson Valley im 19. Jh. von den bekanntesten Architekten des Landes Residenzen und Paläste von fürstlichem Format bauen. Hier und da kommt in diesem schönen Flusstal, das mit bewaldeten Ufern an deutsche Rheinlandschaften erinnert, sogar Loreley-Atmosphäre auf.

Sobald der urbane Flächenfraß nördlich von New York City abreißt und die Ausläufer des riesigen Ballungsraums nach und nach zurückbleiben, schmücken Wälder, Wiesen und Felder die Hügellandschaften des breiten Hudson Valley. Kein Wunder, dass diese Gegend für romantische Landschaftsmaler der sog. Hudson River School wie Thomas Cole (1801–1848), David Johnson (1827–1908) und Thomas Doughty (1793–1856) in der ersten Hälfte des 19. Jh. zu einem attraktiven Sujet wurde, das sie mit strahlenden Farben und zum Teil mit geradezu übermütiger Fantasie auf Leinwand bannten. Damals war das Tal schon lange von weißen Einwanderern bewohnt, die sich dort schon im 17. Jh. niedergelassen und das Hudson Valley zu einem der ältesten Siedlungsräume im Osten der USA gemacht hatten.

Deutschen Immigranten fiel auf, dass das Tal in vielem dem Rheintal ähnelte, und noch heute wecken Ortsnamen wie Rhinebeck, Rhinecliff und New Paltz entsprechende Assoziationen. Doch statt trutziger mittelalterlicher Burgen blicken häufiger stolze Herrensitze und märchenhafte Paläste auf das Tal hinunter. Sie spiegeln das Leben und den unermesslichen Wohlstand amerikanischer Dynastien wie der Vanderbilts, Roosevelts und Rockefellers wider, die in den vergangenen Jahrhunderten an den Schalthebeln der wirtschaftlichen und politischen Macht in den USA saßen und im Hudson Valley Spuren hinterließen, denen Besucher heute mehr oder weniger neidisch folgen können.

Gut 500 km weit fließt der Hudson River von seinem Quellgebiet in den Adirondack Mountains im nördlichen Staat New York bis in die Bucht von New York City. Benannt wurde der Strom nach dem holländischen Entdecker Henry Hudson, der ihn im Jahr 1609 mit seiner ›Half Moon‹ befuhr. Er hatte sich von der mächtigen Mündung des Flusses beim heutigen New York in den Atlantik täuschen lassen und glaubte, auf diesem Seeweg die legendäre Nord-West-Passage in den Orient zu finden. In späterer Zeit war der Fluss eine wichtige Wasserstraße, an der die Ortschaften von der Schifffahrt profitierten, indem sie ihre Produkte leicht und schnell auf den Markt im boomenden New York City bringen konnten. Andererseits begannen die in und um Manhattan lebenden Menschen die Naturlandschaften an den Flanken des Tals zu entdecken, die auch heute noch mit ihren Wäldern reizvolle Erholungsräume und Sportgebiete im Sommer sind.

Südliches Hudson Valley

Lyndhurst und Tarrytown
▶ 1, K 4

Nur 30 Meilen vom hektischen Manhattan entfernt prägen Obstgärten und historische Anwesen die Ufer des Hudson River, der seine Wassermassen nach Süden schiebt. Mit **Lyndhurst** in Tarrytown baute dort 1838 der Architekt Alexander Jackson Davis einen neogotischen Palast, den gegen Ende des 19. Jh.

195

der Eisenbahnkönig Jay Gould zu seiner Residenz machte. Die edle Ausstattung des Anwesens, in dem das Jahr über viele Veranstaltungen stattfinden, wirft ein Licht auf den exquisiten Lebensstil der damaligen Highsociety (635 S. Broadway, Tel. 1-914-631-4481, www.lyndhurst.org, Gärten tgl. 8–19, Hausführungen Fr–So 10–16 Uhr, Erw. 12 $).

Das 11 000 Einwohner zählende **Tarrytown** liegt an der Stelle, wo die Tappan Zee Bridge als eine der wenigen Brücken das Hudson Valley überspannt. Südlich davon lebte in einem **Sunnyside** genannten Haus aus dem 17. Jh. der Schriftsteller Washington Irving (1783–1859), der hauptsächlich durch seine humorvollen, fantastisch-burlesken Erzählungen ›Die Sage von Sleepy Hollow‹ und ›Rip van Winkle‹ einer breiten Bevölkerung bekannt wurde. Kostümierte Guides führen Besucher durch das Haus (W. Sunnyside Ln., Tel. 1-914-591-8763, www.hudsonvalley.org >Historic Sites>Washington Irvings Sunnyside, Mai–Nov. Mi–Fr 10.30–15.30, Sa, So 10–15.30 Uhr, Erw. 12 $).

Sleepy Hollow ▶ 1, K 4

Im Jahr 1996 beschlossen die Einwohner von North Tarrytown, ihrem Heimatort einen neuen Namen zu geben und sich dabei auf die Erzählung von Washington Irving zu beziehen, der auf dem örtlichen Friedhof begraben liegt (www.sleepyhollowcemetery.org). So entstand die Ortschaft **Sleepy Hollow.**

Zu den bekanntesten Einwohnern gehörte die reiche Rockefellerfamilie, die sich im Jahr 1913 auf einem Hügel über dem Hudson den Landsitz **Kykuit** bauen ließ. Inmitten von Gärten und Skulpturensammlungen mit Werken von Pablo Picasso, Alexander Calder, Henry Moore und Isamu Noguchi, ist das Beaux-Art-Juwel heute ein Museum mit wertvollen Kunstschätzen wie Antiquitäten, Keramikarbeiten und Gemälden. In einer Scheune sind Oldtimer-Autos und ihre Vorgänger, Pferdekarren und -kutschen, untergebracht (381 N. Broadway, Sleepy Hollow, Tel. 1-914-631-3992, www.hudsonvalley.org >Historic Sites>Kykuit, zeitlich festgelegte Führungen Mai, Nov. Sa, So, Juni–Sept. Mi–So, Okt. Mi–Mo, 25–28 $).

Weniger elitär präsentiert sich **Philipsburg Manor,** ein aus dem frühen 18. Jh. stammendes Herrenhaus, auf dessen weitläufigem Gelände eine Mühle samt Mühlenweiher und eine Scheune für romantisches Flair sorgen. An Sommerwochenenden erwacht das Leben auf diesem Besitz, wenn ›Einwohner‹ in Kostümen altem Handwerk nachgehen und Mammis in langen Röcken und Rüschenhäubchen über offenem Feuer Leckerbissen aus der Kolonialzeit zubereiten (Rte 9, Tel. 1-914-631-3992, www.hudsonvalley.org >Historic Sites>Philipsburg Manor, zeitlich festgelegte Führungen Mai–Nov. Mi–So 10.30–15 Uhr, Erw. 12 $).

West Point ▶ 1, K 4

Drill und Disziplin haben im Hudson Valley eine exakte Adresse: **West Point.** In der dort befindlichen **United States Military Academy** wird seit 1802 die militärische Elite des Landes ausgebildet. Berühmte Generäle wie Grant, MacArthur und Eisenhower wurden in den im neogotischen wie Federalstil erbauten Ziegel- und Sandsteingebäuden dieser Militärakademie auf ihre Aufgaben vorbereitet. Im West Point Museum sind Uniformen, Flaggen, Waffen und Dokumente längst vergangener Kriege und militärischer Engagements der jüngeren Vergangenheit wie ›Desert Storm‹ ausgestellt (Tel. 1-845-938-3590, www.usma.edu, tgl. 10.30–16.45 Uhr).

Hyde Park ▶ 1, K 3

Neben Künstlern, Literaten und Wirtschaftsbossen fühlte sich im 19. und 20. Jh. auch die politische Elite des Landes zum Hudson Valley hingezogen. Bei **Hyde Park** erinnert das **Home of Franklin Delano Roosevelt** an den 32. US-Präsidenten (1882–1945), der sich häufig in seinem ›Springwood‹ genannten Landsitz von den Amtsgeschäften im Weißen Haus erholte, die er als einziger Präsident des Landes fast vier Amtszeiten lang von 1933 bis 1945 führte.

Besucher können durch das Anwesen flanieren und den ›Living Room‹ besichtigen,

Sozusagen vor der Haustür von New York City: das Hudson Valley

in dem Roosevelt gern saß und seinen liebsten Freizeitbeschäftigungen nachging: Briefmarken sammeln und Schiffsmodelle bauen. Das Schlafzimmer mit Büchern und Magazinen sieht noch genauso aus, wie bei seinem letzten Aufenthalt in Springwood im Frühjahr 1945 kurz vor seinem Tod (Rte 9, Tel. 1-845-229-5320, www.nps.gov/hofr, tgl. 9–17 Uhr, 18 $).

Die First Lady Eleonore Roosevelt war eine auf Distanz bedachte Frau und richtete sich ihr bescheidenes privates Refugium einige Kilometer östlich von Springwood ein, zumal außer ihrem Gatten, dem Präsidenten, auch dessen Mutter in ihrem gemeinsamen Heim wohnte. Die **Eleonore Roosevelt National Historic Site** trägt nach dem Ortsteil auch den Namen ›Val Kill‹ (Rte 9, Tel. 1-845-229-9422, www.nps.gov/elro, Mai–Okt., Führungen tgl. 9–17 Uhr, sonst Do–Mo, 10 $).

Kurz nachdem Frederick Vanderbilt sein Anwesen **Vanderbilt Mansion** Ende des 19.

Jh. hatte erbauen lassen, bezeichnete es ein Reporter der ›New York Times‹ als den schönsten Platz zwischen New York City und Albany. Etwa 60 Bedienstete kümmerten sich um die luxuriöse Riesenvilla, obwohl der Hausherr sich dort nur im Frühjahr und Herbst sowie gelegentlich im Winter für ein paar Tage sehen ließ. Das änderte sich mit dem Tod von Fredericks Ehefrau Louise im Jahr 1926. Von diesem Zeitpunkt an lebte er bis an sein Lebensende zwölf Jahre später zurückgezogen in Hyde Park und kümmerte sich um Garten und Bäume. So wie der im neogriechischen Stil erbaute Palast mit seinen Säulenfassaden aussieht, muss er ein Vermögen gekostet haben. Die geradezu königliche Innenausstattung jedoch soll den Baupreis des feuerfest gebauten Bauwerks um das Zweifache übertroffen haben. An Mobiliar, Dekoration und Kunst war das teuerste gerade gut genug, wodurch das ganze Anwesen in eine atemberaubend prunkvolle,

Tipp: Wo CIA-›Agenten‹ Kochmützen tragen

Im Städtchen **Hyde Park** im Hudson Valley beherbergt ein früheres Jesuitenkloster seit 1972 mit dem CIA keine Außenstelle des amerikanischen Geheimdienstes, sondern das weltberühmte Culinary Institute of America. Unter Kennern ist die Akademie auch unter dem Beinamen ›Harvard der Kochkunst‹ bekannt. Die Kochschule entwickelte sich seit 1946 zu einer renommierten Einrichtung, an der 2000 Studenten das Küchenlatein lernen.

Tagtäglich bereiten hier die Studenten Tausende Mahlzeiten zu, die in den drei Restaurants des CIA und einem Café unter den argwöhnischen Blicken der Lehrer auf den Tisch kommen. Das **American Bounty Restaurant** hat sich auf typisch amerikanische Gerichte mit frischen Zutaten aus der Umgebung spezialisiert, während das französisch inspirierte **Bocuse Restaurant** Spezialitäten einzelner Regionen wie ländlich-

deftige Provence-Mahlzeiten oder erlesene Pariser Gaumenfreuden zelebriert. Unter venezianischen Kronleuchtern können Gäste sich im **Ristorante Caterina de' Medici** mit italienischen Klassikern wie etwa Carpaccio vom Rind mit Limonensauce verwöhnen lassen. Durch die Fenster sieht man über den Kräuter- und Rosengarten auf den Hudson River.

Dass auch die Herstellung von Kuchen, Torten und süßen Teilchen in der CIA-Ausbildung nicht fehlt, beweist das duftende Schlaraffenland im **Apple Pie Bakery Café** (1946 Campus Dr., Hyde Park, NY 12538-1499, Di–Sa 11.30–13 und 18–20.30 Uhr, außer Apple Pie Bakery Café Mo–Fr 8–18.30 Uhr, Reservierung unter Tel. 1-845-452-9600 oder www.ciachef.edu). In allen Lokalen der CIA wird auf angemessene Kleidung Wert gelegt. Die Preise liegen in den Restaurants zwischen 20–50 $.

märchenhafte Kulisse verwandelt wurde (Rte 9, Tel. 1-845-229-7770, www.nps.gov/vama, tgl. 9–16 Uhr, 10 $).

Infos

Hyde Park Chamber of Commerce: 532 Albany Post Rd., Hyde Park, 125 38, Tel. 1-845-229-8612, www.hydeparkchamber.org.

Übernachten

Zimmer mit Standardausstattung ▶ **Quality Inn:** 4142 Albany Post Rd., Tel. 845-229-0088, www.choicehotels.com. Auf den freundlich eigerichteten Zimmern steht WLAN zur Verfügung, Frühstück inkl. Ab 85 $.

Einfach, aber ordentlich ▶ **Golden Manor Hotel:** 4100 Albany Post Rd., Tel. 1-845-229-2157, www.goldenmanorhydepark.com, Standardzimmer, Frühstück und Zeitung inkl. Ab 60 $.

Essen & Trinken

Unkomplizierte Küche ▶ **Hyde Park Brewing Company:** 4076 Albany Post Rd., Tel.

1-845-229-8277, www.hydeparkbrewing.moonfruit.com, Mo, Di 16–22, Mi, Do 11–22, Fr, Sa 11–24, So 11–21 Uhr. Lebhaftes Lokal, in dem man zu typischer amerikanischer Küche unter ca. ein Dutzend Biersorten auswählen kann. Ab ca. 10 $.

Nördliches Hudson Valley

Woodstock ▶ 1, K 3

In den hügeligen Ausläufern der Catskill Mountains kam das 6000 Einwohner zählende Städtchen **Woodstock** auf ungewöhnliche Weise zu Weltruhm. Während der Flowerpower-Ära strömten 1969 Hunderttausende zum Rock- und Popfestival, das etwa 50 Meilen vom Ort entfernt bei Bethel stattfand. Joan Baez, Jimi Hendrix, Joe Cocker, Blood, Sweat & Tears, Grateful Dead, Jefferson Airplane, Janis Joplin, Carlos Santana und Jethro Tull versuchten damals, mit ihren Protestliedern gegen die Gewalt in der Welt und gegen den Vietnamkrieg anzusingen. Auf dem ehemaligen Konzertgelände lässt nun ein neues Kultur- und Veranstaltungszentrum mit Freilichtbühne und Museum die Flowerpower-Ära noch einmal aufleben (200 Hurd Rd., Bethel, Tel. 1-866-781-2922, www.bethel woodscenter.org).

Flaniert man heute durch Woodstock, fallen nicht nur bunte Holzhäuser auf, sondern auch Dutzende von Souvenirläden, in denen T-Shirts mit dem aufgedruckten Konterfei von Bob Marley oder anderen Größen aus Rock und Pop verkauft werden.

Woodstock bildet einen günstigen Ausgangspunkt für Abstecher in die **Catskill Mountains.** Am Rand dieses Mittelgebirges gelegen darf man den Namen des örtlichen Bear Café und die nach **Bearsville** weisenden Straßenschilder durchaus als Hinweis darauf verstehen, dass man sich in dieser Gegend die Wege mit Schwarzbären teilen muss.

In der kalten Jahreszeit bilden in der Region die Skigebiete **Hunter** (www.hunter mtn.com) und **Windham** (www.windham mountain.com) sowie **Belleayre** (www.bel leayre.com) beliebte Wintersportziele.

Infos

Woodstock Chamber of Commerce & Arts: Rock City Rd., Tel. 1-845-679-6234, www. woodstockchamber.com. Eine Broschüre der Chamber of Commerce informiert über alle Ateliers, Galerien, Kunstausstellungen und Museen.

Übernachten

Klein, aber komfortabel ▶ **The Inn at Willow:** 95 Ostrander Rd., Tel. 1-845-679-6632, www.woodstockchamber.com >Lodging. Am Fuß der Catskill Mountains gelegenes Bed & Breakfast mit hübschen Gästezimmern in himmlischer Ruhe. Ab 195 $.

Für einen ruhigen Aufenthalt ▶ **Woodstock Inn on the Millstream:** 48 Tannery Brook Rd., Tel. 1-845–679–82 11, www.wood stock-inn-ny.com. Kleines Motel im Stil eines B & B, idyllisch am Fluss gelegen, einst übernachteten Bob Dylan und Van Morrison hier. Ab 137 $.

Essen & Trinken

Dinieren in entspannter Atmosphäre ▶ **New World Home Cooking:** 1411 Rte 212, Saugerties, Tel. 1-845-246-0900, www.ricor lando.com/nwhc, tgl. 17–22 Uhr. Die international eingefärbten Rezepte werden mit frischen Zutaten schmackhaft zubereitet, häufig Live-Musik. Etwa 16–34 $.

Fabelhafte Backwaren ▶ **Bread Alone:** 22 Mill Hill Rd., Tel. 1-845-657-3328, www.bread alone.com, tgl. 7–18 Uhr. In dem Café gibt es feines Holzofenbrot und gute Sandwiches. Ab 7 $.

Einkaufen

Souvenirs, Souvenirs ▶ **Not Fade Away:** 42 Mill Hill Rd., Tel. 1-845-679-8663, Mo–Sa 10–19 Uhr. T- Shirts von Rockidolen, Batikarbeiten, Memorabilien an Woodstock.

Annandale-on-Hudson   ▶ 1, K 3

Am 1860 gegründeten Bard College in **Annandale-on-Hudson** studieren die 1500 eingeschriebenen Studentinnen und Studenten zwar Tanz- und Theaterausbildung, allerdings könnte man meinen, die Lehranstalt habe sich auf moderne Baukunst spezialisiert. Denn Amerikas Stararchitekt Frank Gehry setzte mit dem **Fisher Center for Performing Arts** einen baulichen Akzent in die Landschaft, der offenkundig auch einer Millionenstadt bestens zu Gesicht stünde.

Der im typischen Gehry-Stil errichtete Bau erinnert einerseits an einen Gartenpavillon, könnte aber auch ein hochtechnisches Labor aus einem zukünftigen Zeitalter sein. Welche Assoziationen das Zentrum für darstellende Kunst auch immer weckt: Es ist fantastisch (Bard College, Tel. 1-845-758-68 22, www.bard.edu).

Saugerties   ▶ 1, K 3

Einmal im Jahr läuft das 5000-Seelen-Städtchen **Saugerties** am Hudsonufer zur Hochform auf, wenn am letzten Wochenende im September bis zu 50 000 Besucher zum berühmten Knoblauchfestival anreisen.

Bei diesem von Musik begleiteten kulinarischen Fest demonstrieren Köchinnen und

Das futuristische Fisher Center for Performing Arts nach Plänen von Frank Gehry

Köche, was man mit Knoblauch alles würzen kann: Pfannkuchen, Eiscreme, Kartoffelpüree, Pilze, Nudeln, Brezeln, Ravioli, Suppen, Popcorn und Seife, aber auch Biskuits für Hunde und Bonbons. Zu den einheimischen Spezialitäten zählen ›blooming onions‹, wobei große Zwiebeln auseinander gefaltet, in einen Teig getaucht und in Öl ausgebacken werden. Dass über dem Fest Knoblauchduft liegt, bedarf keiner besonderen Erwähnung (http://hvgf.org).

Albany ► 1, K 2

Die Hauptstadt des Bundesstaats New York ist mit 100 000 Einwohnern zwar nicht einmal so groß wie ein Stadtviertel von Manhattan, doch die selbstbewusste Kapitale versucht erst gar nicht, mit der ›großen Schwester‹ zu konkurrieren.

State Capitol und City Hall

Das **Kapitol** gehört zu den wenigen in amerikanischen Hauptstädten, die nicht dem Vorbild in Washington D. C. nachempfunden sind. Der Regierungssitz in Albany, erbaut zwischen 1865 und 1899, erinnert mit einer monumentalen Freitreppe, die von kleinen Seitenbalkonen und patinagrünen Laternen flankiert ist, eher an ein französisches Renaissanceschloss. Steinmetzarbeiten zeigen Szenen aus der Landesgeschichte und Gesichter, die Freunden und Verwandten der einstigen 500 Steinmetzen ähneln sollen. Am Treppenaufgang sitzt der in Albany geborene Bürgerkriegsgeneral Philip Henry Sheridan auf einem bronzenen Ross. Im Innern ist der Baustil mit Anleihen an Romanik, Gotik und Renaissance nicht einheitlich, was seinen Grund darin hat, dass der reizvolle Bau Ergebnis mehrerer Architektenpläne war. 1911 wurde das Kapitol durch ein Feuer teilweise zerstört

(Eagle St./Washington Ave., Tel. 1-518-474-2418, http://assembly.state.ny.us/Tour, einstündige Führungen Mo–Fr 10–15 Uhr). Vor dem Kapitol von Albany steht in der Eagle Street die **City Hall,** ein Werk des neuenglischen Architekten Henry Hobson Richardson (1838–1886), der eine Vorliebe für das Mittelalter hegte und seinen Bauten gern ein romanisches Aussehen gab. Mit dem angebauten quadratischen Turm sieht das Gebäude einer Kirche ähnlicher als einer Stadtverwaltung.

Empire State Plaza

Südlich des Kapitols dehnt sich zwischen State Street und Madison Avenue die **Empire State Plaza** aus, in deren Pool sich bei windstillem Wetter das Kapitol, die umliegenden Regierungsgebäude und kulturelle Einrichtungen spiegeln.

Futuristisch mutet das **Performing Arts Center** aus dem Jahr 1979 an, das aus einem bestimmten Blickwinkel betrachtet wie eine riesige Satellitenschüssel aus Stahlbeton den Himmel nach neuen Ideen abzusuchen scheint. Das vom Volksmund The Egg genannte Gebäude beherbergt zwei Theater, das 450 Plätze große Lewis A. Swyer Theatre für Kammermusikkonzerte, Kabaretts, Lesungen und Multimediapräsentationen und das knapp 1000 Plätze große Kitty Carlisle Hart Theatre für größere Konzerte und Musicals (Empire State Plaza, Tel. 1-518-473-1845, www.theegg.org).

Der aus Glas und Marmor bestehende **Corning Tower** ist mit seinen 44 Etagen das höchste Gebäude im Bundesstaat New York außerhalb von Manhattan. Auf dem 42. Stockwerk wurde ein Observation Deck eingerichtet, von dem man an klaren Tagen bis in die Adirondack Mountains und nach Massachusetts sieht (Empire State Plaza, Tel. 1-518-473-7665, Mo–Fr 10–15.45 Uhr, Kinder nur in Begleitung Erwachsener).

Am südlichen Ende der Plaza zieht der Riesenbau des **New York State Museum** mit schießschartenförmigen Fenstern den Blick auf sich. Das Museum versucht alles Wissenswerte über den Bundesstaat New York zu bündeln und auf spannende Weise durch Ausstellungen zu vermitteln, etwa über die Adirondack Wilderness im nördlichen Teil des Staats, die Kultur- und Naturgeschichte seit dem Ende der letzten Eiszeit vor 12 000 Jahren oder das Harlem der 1920er-Jahre. Außerdem gibt es eine beeindruckende Präsentation zum Terroranschlag auf das World Trade Center in Manhattan mit zerstörtem Feuerwehrgerät und Fundstücken wie einer völlig demolierten Aufzugstür und in der Hitze geschmolzenen Schlüsseln (Madison Ave., Tel. 1-518-474-5877, www.nysm.nysed.gov, Di–So 9.30–17 Uhr, Eintritt frei.

Institute of History & Art

Um Geschichte und Kunst des oberen Hudson Valley seit dem 17. Jh. geht es im **Albany Institute of History and Art,** das über ausgesprochen umfangreiche Sammlungen von Gemälden, Zeichnungen, Drucken, Skulpturen, Möbelstücken, Tafelsilber, Keramik, Kostümen und historischen Artefakten verfügt. Dabei liegt der Schwerpunkt bei den historischen Gegenständen auf Objekten, die von der Bevölkerung tatsächlich im Alltag benutzt wurden, vom Schaukelstuhl bis zur 130 Jahre alten Getränkeflasche (125 Washington Ave., Tel. 1-518-463-4478, www.albanyinstitute.org, Mi–Sa 10–17, So 12–17, Do auch 17–20 Uhr, Fei geschl., 10 $, ab 17 Uhr Eintritt frei).

Infos

Albany County Convention & Visitors Bureau: 25 Quackenbush Sq., Albany, NY 12207, Tel. 1-518-434-1217, www.albany.org. Startpunkt für die Stadtrundfahrten.

Übernachten

Bezauberndes Herrenhaus ▸ The Morgan State House: 393 State St., Tel. 1-518-427-6063, www.statehouse.com. Sehr schönes B & B in einem Stadthaus vom Ende des 19. Jh., elegante Lobby mit Holzfußböden und Stuck an den Wänden, große Küche, Terrasse im Hinterhof und geräumige, traditionell eingerichtete Zimmer inkl. Kabel-TV. 150–260 $.
Für Durchreisende ▸ Comfort Inn: 16 Wolf Rd., Tel. 1-518-459-3600, www.comfortinn.

Hudson Valley

com. Mit Swimmingpool, Preis inkl. Frühstück. Das Kettenhotel liegt in der Nähe von zahlreichen Restaurants und einem Einkaufscenter. Ab 75 $.

Essen & Trinken

Die **Lark Street**, für manche das Greenwich Village von Albany, ist ein für Shopper und Restaurantbesucher attraktiver Flecken: Ob indisch, mexikanisch, japanisch oder italienisch, hier findet jeder seine Lieblingsspeisen. Aber auch die **Central Avenue** bietet ein breites Spektrum an Lokalen.

Nette Wirtsleute, gute Küche ▶ **Beffs:** Everett St. 95 Everett St., Tel. 1-518-482-2333, www.beffs.com, Mo–Sa Lunch und Dinner, So nur Dinner. Es beeindrucken sowohl die umfangreiche Speisekarte als auch die riesigen Portionen der deftigen Küche mit Wings, Burgern, Sandwiches, Salaten und Pizzen, diverse Biersorten. Ab 7 $.

Einkaufen

Einkaufszentrum ▶ **Stuyvesant Plaza:** Western Ave., Ecke Fuller Rd., Tel. 1-518-482-8986, www.stuyvesantplaza.com, Mo–Fr 10–21, Sa bis 18, So 12–17 Uhr. Ein wahres Schlaraffenland für Konsumenten mit Mode, Musik und Elektronik, Kosmetik, Schmuck sowie Büchern; mehrere Restaurants, Imbisse und Cafés.

Abends & Nachts

Flotte Bierkneipe ▶ **Cafe Hollywood:** 275 Lark St.,Tel. 1-518-472-9043. Lebhaftes Musiklokal mit jungem Publikum.

Hipper Club ▶ **Sneaky Petes:** 711 Central Ave., Tel. 1-518-489-0000, www.clubsneakypetes.com, Do–Sa ab 22 Uhr. Dance Club, House & Techno, Hip Hop, jeder Tag hat seine spezielle Musikrichtung. Club mit Kleiderordnung: keine Kappen, keine Baggypants, keine Muscle-Shirts.

Abendstimmung auf der Empire State Plaza in Albany

›Donnerndes Wasser‹ nannten die Indianer die Niagarafälle auf der Grenze zwischen den USA und Kanada. Über die drei Wasserfälle stürzt mehr Wasser als über jeden anderen Wasserfall Nordamerikas. Zu Recht gehören sie zu den spektakulärsten amerikanischen Naturwundern, und wer das grandiose Schauspiel je gesehen hat, weiß auch warum.

Vom Lake Erie wälzt der breite, 36 Meilen lange Niagara River sein Wasser durch eine tiefe Schlucht in nördlicher Richtung zum Lake Ontario. Daran wäre nichts sonderlich Aufregendes, existierte zwischen den beiden Seen nicht ein Höhenunterschied von gut 50 m, den der Fluss auf spektakuläre Weise überbrückt: durch die Niagarafälle. Zwar sind sie nicht besonders hoch, doch zählen sie durch ihre Länge, ihre gewaltigen Wassermassen und ihre atemberaubende Form zu den schönsten Wasserfällen der Erde. Über eine mehrere hundert Meter lange Abbruchkante stürzen die brodelnden Wassermengen in drei einzelnen Fällen in einem weißen Gischtnebel donnernd in die Tiefe.

Zu aller landschaftlichen Dramatik kommt hinzu, dass es sich bei diesem grandiosen Naturschauspiel um einen echten ›Fall für zwei‹ handelt. Kanada und die USA teilen sich das nasse Wunder, weil die internationale Grenze zwischen den beiden Nachbarländern durch den Niagara River markiert wird und die Grenzlinie mitten durch die Fälle verläuft. Nur einen Katzensprung vom Ort des Geschehens entfernt überspannt die internationale Rainbow Bridge den Fluss, die weltweit zu den Brücken mit der grandiosesten Aussicht gehört. Sie stellt die Verbindung zwischen den beiden ungleichen Schwesterstädten Niagara Falls (USA) und Niagara Falls (Kanada) her.

Indianer hatten schon den ersten Europäern in der Neuen Welt von den ›donnernden Wassern‹ erzählt. Als erster Weißer bekam sie im Dezember 1678 der Jesuitenmissionar Louis Hennepin zu sehen. Ein Jahrhundert später kursierten Reisebeschreibungen, die es mit der Genauigkeit, wie sich in späteren Zeiten herausstellte, nicht allzu ernst nahmen. Galten die Fälle vor dem amerikanischen Bürgerkrieg noch als Symbol unverfälschter Natur, so änderte sich die Haltung der Menschen vor allem gegen Ende des 19. Jh. Im Zuge einer durch die fortschreitende Industrialisierung veränderten Weltsicht rückte eine Reihe von Industriebossen die Niagarafälle ins Zentrum utopischer Entwürfe zum Aufbau gigantischer Industriestandorte, die hydroelektrisch durch die Wasserkraft des Niagara River hätten versorgt werden sollen.

Die amerikanischen Fälle

Karte: S. 205

Seit vor etwa 12 000 Jahren die Eiszeit im Gebiet der Großen Seen zu Ende ging, grub sich der Niagara River rückschreitend eine tiefe Schlucht, in der die Wasserfälle rund 50 m in die Tiefe donnern. Bevor der Fluss zum Absturz ansetzt, wird er durch das auf US-Territorium liegende Goat Island in die amerikanischen und die kanadischen Fälle zweigeteilt.

Die **American Falls** **1** werden durch eine gerade, ca. 300 m lange Abbruchkante gebildet, über die etwa 10 Prozent der gesamten Wassermenge des Niagara River stürzen. Nördlich der Fälle dehnt sich der **Prospect**

Niagarafälle

Park **2** als Teil des 1885 eingerichteten Niagara Falls State Park aus, in dem zwischen Blumenrabatten Grasflächen in Gestalt der Großen Seen angelegt wurden. Im **Besucherzentrum** bekommt man alle Informationen und kann von dort aus mit dem **Niagara Falls Scenic Trolley** zu zahlreichen Sehenswürdigkeiten fahren (Abfahrten ab 9 Uhr alle 15 Min.). Mit dem im Visitor Center verkauften ›Niagara USA Discovery Pass‹ für 36 $ kann man bei Eintrittsgebühren bis zu 35 % sparen.

Den besten Blick auf die American Falls bietet der 80 m hohe, über die Abbruchkante der Schlucht hinaus gebaute **Observation Tower 3**. Seine gläsernen Aufzüge fahren nicht nur nach oben auf das Observation Deck, sondern auch nach unten auf den Talboden der Schlucht, wo die Exkursionsboote zu Ausflügen ablegen. Ein befestigter Weg und einige Stufen führen zum **Crow's Nest**, wo man den kalten Hauch der herabstürzenden Wasserkaskaden hautnah spürt.

Der südlichste Teil der American Falls ist durch die Felseninsel Luna Island von den übrigen Fällen abgetrennt und trägt den Namen **Bridal Veil Falls 4** (Brautschleierfälle), weil der Wind die Gischt manchmal wie ein weißes Brautkleid auseinander faltet. Diese Fälle sind von **Goat Island,** der größten Insel im Niagara River, erreichbar. Wo das Wasser nach einem Fall aus 55 m Höhe auf die Felsen aufschlägt, befand sich vor Jahren noch eine Höhle, die immer weiter erodierte und schließlich aus Sicherheitsgründen gesprengt werden musste. Geblieben ist der Name **Cave of the Winds** für befestigte Wege und Treppen, die per Aufzug erreichbar sind und in unmittelbare Nähe der tosenden Wassermassen führen. Damit dies nicht zu einer allzu feuchten Angelegenheit gerät, sind Regenponchos im Eintritt inbegriffen (im Hochsommer tgl. 9–21 Uhr, sonst kürzer).

Niagaraschlucht ▸ 1, D1

Karte: rechts

Nördlich der Rainbow Bridge folgt der Robert Moses Parkway der Schlucht des Niagara Ri-

ver. Von der Straße sind zahlreiche Sehenswürdigkeiten erreichbar.

Das **Aquarium of Niagara 5** fällt auf mehrfache Weise aus dem Rahmen. Weltweit war es das erste Haus, das seinen Meereslebewesen einen Lebensraum nicht in richtigem Salzwasser aus dem Ozean schuf, sondern das Salzwasser selbst auf synthetische Weise herstellte. Darüber hinaus gehört das Aquarium zu den wenigen auf amerikanischem Boden, die sich mit der Aufzucht von Peruanischen Pinguinen beschäftigen, die vom Aussterben bedroht sind. Von den ›Frackträgern‹ abgesehen, können sich Besucher über Seelöwen, Haie, Seepferdchen, Schildkröten, Piranhas, Robben und die in freier Natur selten gewordenen Seekühe aus Florida freuen (701 Whirlpool St., Tel. 1-716-285-3575, www.aquarium ofniagara.org, tgl. 9–18.30 Uhr, Erw. 10 $, Kinder 3–12 J. 6,50 $).

Im **Niagara Gorge Discovery Center 6**, einer Art Schaufenster der lokalen Natur- und Zivilisationsgeschichte, erfahren Besucher interessante Details über die geologischen Formationen, Fossilien und Mineralien der Niagaraschlucht. Auf einer 180°-Leinwand zeigt eine Präsentation wie sich der Fluss in den vergangenen 12 000 Jahren in die Landenge zwischen dem kanadischen Ontario und dem Erie-See grub (R. Moses Pkwy, Tel. 1-716-278-10 70, www.niagarafallsstatepark.com, tgl. 9–17 Uhr).

Teil des Zentrums ist das **Niagara Gorge Trailhead Building** als Ausgangspunkt für mehrere Pfade, die man zu Fuß oder per Fahrrad zurücklegen kann. Hier beginnen auch vier geführte Touren mit unterschiedlichen Zielen. Wer vorab seine Fitness testen will, hat dazu an einer 8 m hohen Kletterwand Gelegenheit.

Drucke, Fotografien, Gemälde, Zeichnungen und Skulpturen schaffen im **Castellani Art Museum 7** einen Überblick über die Entwicklung der modernen Kunst seit etwa Mitte des 19. Jh. mit Arbeiten von Dalí, Modigliani und Picasso. Das Hauptgewicht der Ausstellung liegt jedoch auf seit den 1970er-Jahren entstandenen Werken von Künstlern

Schlucht des Niagara River

Butterfly Conservatory **15**
Centennial Lilac Gardens

Power House

Power House

Niagara Power Project **8**

Niagara University

0   0,5   1 km

405

Reservoir

KANADA

School of Horticulture

Devil's Hole Rapids

Devil's Hole State Park

190   **265**

Reservoir State Park

61

104

The Whirlpool

Spanish Aero Car **16**

Whirlpool State Park

Niagara University

Castellani Art Museum **7**

College Av

31

31

61

USA

Niagara River

River Rd

Highland Av

Lewiston Rd

Lockport St

Ontario Av

Cleveland Av

Victoria Av

Niagara Falls (Kanada)

Niagara Falls (USA)

Hyde Park

Palmer Av

Main St

11th St

420

62A

62

62

Clifton Hill **13**

Niagara Gorge Discovery Center **6**

Aquarium of Niagara **5**

Rainbow Bridge **12**

Portage Rd

Hyde Park Blvd

Queen Victoria Park **11**

Skylon Tower **10**

Prospect Park **2**

American Falls **1**

Observation Tower **3**

Niagara St

Niagara St

61

Stanley Av

Murray Hill

Bridal Veil Falls **4**

Green Island

Rainbow Blvd

Buffalo Blvd

384

Marine-land **14**

Horseshoe Falls **9**

Niagara Res. State Park

Goat Island

Three Sisters Islands

Robert Moses Pkwy

Niagara River

Ausflugsschiff der ›Maid of the Mist‹-Flotte im Wassernebel der Niagarafälle

wie Basquiat, Borofsky, Gilliam, Pfaff, Garet, Salle, Benglis, Haring und Baselitz (Campus der Niagara University, Lewiston Rd., Tel. 1-716-286-8200, www.castellaniartmuseum.org, Di–Sa 11–17, So 13–17 Uhr, Eintritt frei).

Am Oberlauf des Flusses – noch vor den Wasserfällen – liegen zwei Wasserkraftwer-

ke, je eines auf der amerikanischen und auf der kanadischen Seite, die etwa die Hälfte des Wassers in ihre Turbinenanlagen abzweigen.

Ein weiteres Kraftwerk ist das **Niagara Power Project** 8 6 km nördlich der Wasserfälle, das allein etwa ein Sechstel des

über den Niagara River und das Wasserkraftwerk verschaffen (US 104, Tel. 1-716-286-6661, www.nypa.gov, tgl. 9–17 Uhr, Eintritt frei).

Infos

Official Niagara USA Visitor Center: 10 Rainbow Blvd., Niagara Falls, NY 14303, Tel. 1-716-282-8992, www.niagara-usa.com.

Übernachten

Eine größere Auswahl an Unterkünften gibt es auf der kanadischen Seite (s. S. 210).

Geräumige Gästezimmer ▶ **Hampton Inn Niagara Falls:** 501 Rainbow Blvd., Tel. 1-716-285-6666, http://hamptoninn3.hilton.com. Ein komfortabel ausgestattetes Hotel der Hilton-Kette. Im Preis inkl. ist ein warmes Frühstück. Ab ca. 90 $.

Exzellente Lage an den Fällen ▶ **Comfort Inn The Pointe:** One Prospect St., Tel. 1-716-284-6835, www.comfortinn.com (>Niagara Falls, NY, US). Nahe an den Fällen gelegen, gute Zimmer, teilweise mit Whirlpool. Im Hotel gibt es ein Restaurant, Frühstück inkl. Ab 90 $.

Einfache Zimmer ▶ **Motel 6:** 9100 Niagara Falls Blvd., Tel. 1-716-297-9902, www.motel6.com. Kaffee und WLAN sind in diesem einfachen Motel gratis. Ca. 80 $.

Camping ▶ **Niagara Falls Campground & Lodging:** 2405 Niagara Falls Blvd., Whitfield, Tel. 1-716-731-3434, www.niagarafallscampground.net. 6 Meilen von der Stadt entfernt in der Nähe der Fälle, schattige und sonnige Plätze, Swimmingpool und Cabins.

Essen & Trinken

Durchschnittlich ▶ **Como:** 2220 Pine Ave., Tel. 1-716-285-9341, www.comorestaurant.com, tgl. ab 11.30–22 Uhr. Familienrestaurant mit italienischen sowie amerikanischen Gerichten, So Brunch (Mai–Sept.). 7–18 $.

Fernost lässt grüßen ▶ **Chu's Dining Lounge:** 1019 Main St., Tel. 1-716-285-7278, www.chusdining.com, tgl. 11–23 Uhr. Eine große Auswahl an scharfen und weniger scharfen Gerichten für Liebhaber der fernöstlichen Küche. 7–11 $.

gesamten Strombedarfs im Bundesstaat New York deckt.

In zahlreichen Ausstellungen werden verschiedene Themen rund um die Stromproduktion und den -verbrauch anschaulich dargestellt. Von einer Aussichtsplattform aus können sich die Besucher einen Überblick

Tipp: Bootstour im Hexenkessel

Will man die Niagarafälle von ihrer abenteuerlichen Seite kennenernen, bietet sich entweder von amerikanischer oder kanadischer Seite ein halbstündiger Bootausflug mit den **Maid of the Mist Boat Tours** an. Jeder Passagier bekommt einen Regenponcho und kann die Fahrt zunächst vorbei an den American und Bridal Veil Falls mitten hinein in den tosenden Kessel der Horseshoe Falls wahlweise im Freien oder auch in der geschlossenen Kabine des Exkursionsbootes genießen. Bei dem sehr feuchten und dramatischen Erlebnis versucht der Kapitän, das in den Wirbeln und Strömungen des Flusses bockende Schiff so nahe wie möglich an die donnernde Wasserwand der Horseshoe Falls zu manövrieren.

An die Reeling geklammert, versteht man im Tosen der Kaskaden sein eigenes Wort nicht mehr. An warmen Hochsommertagen legen manche Passagiere ihre Ponchos freiwillig ab, um die spektakulärste Dusche ihres Lebens in vollen Zügen zu genießen (Prospect Point, Tel. 1-905-358-5781, www.maid ofthemist.com, Mitte Mai–Okt., 17 $).

Einkaufen

Outlet-Center ▶ Fashion Outlets: 1900 Military Rd., Tel. 1-716-297-2022, www.fa shionoutletsniagara.com, Mo–Sa 10–21, So 10–18 Uhr. 150 Outlets mit Fabrikverkauf – ein Konsumententraum.

Abends & Nachts

Konzerte ▶ Art Park: 450 S./4th St. Lewiston, Tel. 1-716-754-4375, www.artpark.net. Erholungspark und Amphitheater, im Sommer jeden Dienstagabend kostenlos Konzerte, 18.30–21.30 Uhr, 25–50 $.

Aktiv

Aus der Vogelschau ▶ Rainbow Air: 454 Main St., Tel. 1-716-284-2800, www.rainbow airinc.com. Flüge Mai–Okt. tgl., März, April,

Nov., Dez. nur Sa, So. Auch Nachtflüge über die illuminierten Fälle.

Zockerparadies ▶ Seneca Niagara Casino: 310 Fourth St., Tel. 1-716-299-1100, www.senecaniagaracasino.com. Großes Casino der Indianer mit ausgezeichneten Restaurants. ›All you can eat‹-Thunder Falls Büfett Mo–Fr ab 11, Sa, So ab 9 Uhr.

Die kanadischen Fälle

Karte: S. 205

Der sehenswerteste Teil der Niagarafälle sind die auf kanadischer Seite liegenden **Horseshoe Falls 9**, die ihren Namen von einer hufeisenförmig gebogenen, 671 m langen Abbruchkante ableiten. Sie bilden einen tosenden Kessel, in dem das Wasser unter einem gewaltigen Gischtschleier zu kochen scheint, der schon in vergangenen Jahrhunderten Entdecker und Missionare, Poeten und Schriftsteller zu geradezu mythischen Verklärungen des Naturschauspiels verleitete. Die unglaublichen Kaskaden treffen in der Tiefe mit so brachialer Wucht auf, dass sich dort eine 56 m tiefe Kuhle auf dem Talboden bildete. Jede Sekunde stürzen ca. 2 Mio. l Wasser über die Horseshoe Falls, je nach Jahreszeit kann es sogar noch mehr sein. Sowohl die kanadischen wie die amerikanischen Fälle werden im Sommer nachts beleuchtet.

Den besten Blick auf die Szenerie hat man vom kanadischen **Skylon Tower 10**, auf dessen 160 m hoher Plattform man sich wie bei einem Hubschrauberflug vorkommt. Die Sicht reicht über das Reich des tosenden Wassers auf die beiden Anrainerstädte und die sich nach Norden ziehende Schlucht des Niagara River (5200 Robinson St., Tel. 1-905-356-2651, www.skylon.com, tgl. 8–24 Uhr, Online-Ticket Erw. 10,79 Can-$).

Einige Schritte von der Basis des Turmes entfernt zieht sich der **Queen Victoria Park 11** an den Horseshoe-Fällen bzw. an der Kante der Niagaraschlucht entlang, der man auf einem Fußweg bis zur **Rainbow Bridge 12** folgen kann. Wem diese Annäherung an das Naturwunder immer noch zu distanziert ist, kann sich mit Ausflugsbooten sowohl vom kanadischen wie vom amerikanischen Ufer an den American und Bridal Veil Falls vorbei mitten in den Hexenkessel der Horseshoe Falls fahren lassen (s. Tipp S. 208).

Die Stadt Niagara Falls (Kanada)

Karte: S. 205

Während sich Niagara Falls (USA) den Charakter einer normalen amerikanischen Stadt erhalten und den Einstieg ins profitable Fremdenverkehrsgeschäft in den vergangenen Jahren verschlafen hat, vollzog Niagara Falls (Kanada) die Wende zum Touristenmekka mit Hurra. Um **Clifton Hill** 13 (www.cliftonhill. com) gruppieren sich Gruselkabinette, Eisdielen, ein Wachsfigurenmuseum und ähnliche Freizeiteinrichtungen, weiterhin Souvenirläden, deren Größe eher an Turnhallen denken lässt als an Geschäfte. Im Rainforest Café begrüßt ein aus Kunstnebel auftauchendes brüllendes Krokodil die Gäste, und Frankensteins Geisterbahn in der Nachbarschaft kommt auch nicht ohne Kirmesreize aus. Da passen Filialen von Mc-Donald's, Kentucky Fried Chicken, Planet Hollywood und Hard Rock Café bestens ins Bild. Um den im Sommer gigantischen Besucherandrang zu bewältigen, stampfte der Ort eine geradezu unglaubliche Anzahl von Motels und Hotels aus dem Boden.

Noch zugkräftiger als Clifton Hill hat sich die Spielkasinoszene erwiesen, die einen verführerischen Hauch Las Vegas an die Niagarafälle gebracht hat. Als erste Gamblinghochburg eröffnete 1998 das **Casino Niagara Falls** (http://casinoniagara.com), das weitere Investitionen der Privatwirtschaft und der öffentlichen Hand nach sich zog: Hotels, Restaurants, Parkanlagen, den Ozeanpark **Marineland** 14, den Schmetterlingsdom **Butterfly Conservatory** 15, botanische Gärten sowie Wander- und Fahrradwege. Die Stadt war in der Lage, die Zahl ihrer Besucher innerhalb eines Jahrzehnts von 8 auf 14 Mio. pro Jahr zu steigern. Während das bescheidenere Casino Niagara auf einheimische Gäste spekuliert, hat es das mondänere und luxuriösere **Falls View Casino Resort** auf eine internationale Klientel abgesehen und zielt mit der hauseigenen Wedding Chapel im Kasino darauf ab, Niagara Falls wieder zu dem zu machen, was es einmal war: ein attraktives, romantisches Ziel für verliebte *honeymooners* auf Hochzeitsreise.

Spanish Aero Car

Wo der Niagara River nördlich der Stadt einen fast rechtwinkligen Bogen schlägt, bildet der Fluss einen mächtigen Strudel mit dem Namen Whirlpool. Schon 1916 wurde an dieser Stelle eine Drahtseilbahn in Betrieb genommen, mit der man in einer offenen Kabine die Schlucht in 76 m Höhe überqueren und die sich dabei bildende Gänsehaut genießen kann. Da das heute noch existierende Oldtimer-Gefährt von einem spanischen Ingenieur konstruiert wurde, trägt es seitdem den Namen **Spanish Aero Car** 16. Bei schlechtem Wetter bzw. im Winter stellt die Bahn den Betrieb ein. Eine Ausstiegsmöglichkeit am anderen Ufer besteht nicht (3850 Niagara River Pkwy, Tel. 1-905-354-5711, Mo–Fr 9–17, Sa, So 9–18 Uhr, 13,50 Can-$).

Infos

Niagara Falls Tourism: 5400 Robinson St., Niagara Falls, Ontario, CA L2G 2A6, Tel. 1-905-356-6061, www.niagarafallstourism. com. Alle nachfolgend genannten Preise in US-$. Umrechnungskurs im Oktober 2014: 1 US-$ = 1,12 Can-$, 1 Can-$ = 0,89 US-$.

Tipp: Tagesausflug nach Kanada

Wer von den Vereinigten Staaten aus die kanadischen Fälle besuchen möchte, kann mit dem Auto oder auch zu Fuß problemlos nach Kanada einreisen. Man muss lediglich seinen Pass vorweisen und ein Zolldokument unterschreiben. An der Rainbow Bridge staut sich an Sommerwochenenden gelegentlich der Verkehr.

Die Niagarafälle

Übernachten

Vor allem entlang der Lundy's Lane liegen zahlreiche preisgünstige Motels.

Zimmer mit Aussicht ▶ **Fallsview Casino Resort:** 6380 Fallsview Blvd., Tel. 1-888-325-5788, www.fallsviewcasinoresort.com. Kasino mit luxuriösem 5-Sterne-Hotel, die Zimmer z. T. mit Blick auf die Fälle. Ab 220 $.

Klasse Hotel ▶ **Old Stone Inn:** 6080 Fallsview Blvd., Tel. 1-905-357-1234, www.old stoneinnhotel.com. Überwiegend antik eingerichtet, aber komfortabel mit 114 Zimmern und Suiten, Pool und Restaurant. Ab 120 $.

Gut und gastfreundlich ▶ **Rex Motel:** 6247 Mcleod Rd., Tel. 1-905-354-4223, www.rex motel.com. Angenehmes Familienmotel mit 15 Gästezimmern zu fairen Preisen. Kühlschrank und Mikrowelle gehören zur Grundausstattung. Ab ca. 60 $.

Essen & Trinken

In der Stadt gibt es Restaurants wie Sand am Meer. Qualität wird aber nicht sonderlich großgeschrieben, wenn man von einigen teuren Lokalen einmal absieht.

Ein Besuch lohnt sich ▶ **Beef Baron Restaurant:** 5019 Centre St., Tel. 1-905-356-61 10, www.beefbaron.ca, Mai–Okt. tgl. 16–23, Nov.–April tgl. bis 22 Uhr. Familienrestaurant mit Prime Rib, Pastagerichten und Seafood, auch Kinderportionen. Ab 13 $.

Gutes Familienlokal ▶ **Betty's Restaurant:** 8921 Sodom Rd., Tel. 1-905-295-4436, tgl. ab 8 Uhr. Bodenständiges Lokal, in dem niemand den Tisch hungrig verlässt. Ab 10 $.

Aktiv

Beobachtung von Schmetterlingen ▶ **Niagara Parks Butterfly Conservatory:** Niagara River Pkwy, Tel. 1-905-356-8119, www.nia garaparks.com, tgl. 9–17 Uhr. Glasdom mit Schmetterlingen aus aller Welt (12,40 $.)

Botanischer Garten ▶ **Niagara Parks Botanical Gardens:** 2565 Niagara Pkwy, Tel. 1-905-371-0254, www.niagaraparks.com, im Sommer 10–19 Uhr. Eine wahre Oase der Ruhe mit mehreren Hundert verschiedenen Baum- und Straucharten sowie Rosen- und Gemüsegärten (9,15 $).

Freizeitpark ▶ **Marineland Theme Park:** 7657 Portage Rd., Tel. 1-905-356-9565, www.marinelandcanada.com, tgl. 10–18 Uhr, Okt.–Mitte Mai geschlossen. Eine Mischung aus Meereszoo mit Orca-Shows, Zirkus und Volksfest, 39,25 $).

Gewinnen oder verlieren ▶ **Casino Niagara Falls:** 5705 Falls Ave., Tel. 1-905-374-3598, http://casinoniagara.com. Rund um die Uhr geöffnetes Spielkasino mit 2700 Automaten und 135 Spieltischen, vier Restaurants, darüber hinaus diverse Einkaufsmöglichkeiten.

Verkehr

Flugzeug: Nächstgelegener größerer Flughafen ist der Buffalo Niagara International Airport, Tel. 1-716-630-6000, www.buffaloair port.com. Er liegt ca. 10 Meilen östlich vom Zentrum von Buffalo und wird von mehreren amerikanischen Fluglinien frequentiert. Viele große Mietwagenfirmen haben dort Niederlassungen. Mit dem Jetways Shuttle kann man vom Buffalo-Flughafen auf die US-Seite der Niagarafälle fahren (Erw. 64 $). Ein kleinerer Regionalflughafen ist der Niagara Falls International Airport, Niagara Falls Blvd./ Porter Rd., www.niagarafallsairport.com.

Bahn: Amtrak Terminal (USA), 27th St./Lockport Rd., Tel. 1-800-872-7245, www.amtrak. com. Der internationale Zug Maple Leaf verkehrt zwischen New York und Toronto mit Halt in Niagara Falls.

Amtrak Terminal (Kanada), 4267 Bridge St., Niagara Falls (CN), Tel. 1-800-872-7245.

Bus: Greyhound Terminal, 303 Rainbow Blvd., Niagara Falls, NY, Tel. 1-800-858-8555, www.greyhound.com. Busverbindungen in die nähere und weitere Umgebung.

Öffentlicher Nahverkehr: Auf der US-Seite verkehren in der Stadt und Umgebung NFTA-Metro Busse (gestaffelte Fahrpreise je nach Entfernung ab 2 $, Tagespass 5 $, 7-Tagespass 25 $). Auf der kanadischen Seite fahren WEGO-Busse auf vier verschiedenen Linien alle Sehenswürdigkeiten und die Motelmeile Lundy Lane an (Mai–Okt. Tagespass 6,40 $, 2-Tages-Pass 10,50 $, Nov.–April reduzierte Preise).

Das Südufer des Lake Erie

Vor sich hin träumende Provinzflecken und dynamische Riesenstädte, verschlafenes Rebland und fetziges Stadtleben, biedere Kleinstadtviertel und mitreißende Kultur von Weltformat: die ›Südküste‹ am Lake Erie, dem zwölftgrößten See der Erde, präsentiert ein typisches, zugleich aber auch gegensätzliches Amerika.

Ist in den USA vom ›Kernland Amerikas‹ die Rede, so meinen die Menschen in der Regel neben dem mittleren Westen auch die Bundesstaaten Ohio, Pennsylvania und New York, die an das Südufer des Lake Erie angrenzen. Ohio, das 1803 Bundesstaat wurde, spielte bei der Besiedlung der Region eine Schlüsselrolle; Pennsylvania trägt nicht zu Unrecht den Beinamen ›Wiege der Nation‹ angesichts seiner historischen Bedeutung im Unabhängigkeitsprozess; und der Staat New York war schon zum Zeitpunkt der amerikanischen Unabhängigkeit 1776 ein wirtschaftliches Schwergewicht. Davon abgesehen hängt diesem Landesteil der Ruf einer typisch amerikanischen Region an, in der Mentalitäten, Werte und Verhalten der Menschen am ehesten US-Normen entsprechen.

Entscheidend geprägt wird die Gegend durch den Lake Erie, dem im deutschen Sprachraum Theodor Fontane mit seinem Gedicht ›John Maynard‹ ein literarisches Denkmal setzte. Der zwölftgrößte See der Welt ist 388 km lang und 92 km breit; im ›Fünfer-Club‹ der Großen Seen gehört er mit einer durchschnittlichen Tiefe von 19 m zu den flachsten. Über die Jahrzehnte hat er sich noch ein anderes ›Prädikat‹ erworben. Unter den Großen Seen ist er der größte Problemfall, weil seine Belastung mit Umweltgiften dazu geführt hat, dass sein Wasser u. a. wegen toxischer Algen nicht mehr konsumierbar ist.

Viele Gebiete am Ufer des Lake Erie sind eher provinziell, wie etwa am Purple Heart Highway in Pennsylvania oder am Chatau-

qua Wine Trail angesichts der Maisfelder und Weinanbaugebiete unschwer festzustellen ist. Am Südufer haben jedoch mit Buffalo, Erie und Cleveland auch drei Großstädte ihren Standort, die mit allen urbanen Prädikaten ausgestattet sind. Alle drei kamen durch den Güterverkehr auf den Großen Seen zu beträchtlichem Wohlstand. Cleveland entwickelte sich sogar zu einem der größten Zentren der Stahlproduktion in den USA: Den Energieträger Kohle bezog man aus dem Ohio Valley, der Rohstoff Eisenerz aus Minnesota. Hinzu kamen der Schiffsbau und die Aufarbeitung von Erdöl, das 1859 in Pennsylvania entdeckt worden war. Im 20. Jh. musste die Stadt Rückschläge einstecken, stieg in den letzten Jahren aber wie ein Phönix aus der Asche und wandelte sich in ein Touristenziel mit jährlich fast 10 Mio. Besuchern.

Buffalo ▶ 1, D 2

Der Industriestandort und Lake-Erie-Hafen **Buffalo** ist mit 261 000 Einwohnern die zweitgrößte Stadt des Staats New York und liegt im Kern eines urbanen Ballungsraums von etwa 1,15 Mio. Menschen. Im Sommer wird die Fußgängerzone um den Lafayette Square zur Flaniermeile, wo Leute auf dem Sockel des Soldiers and Sailors Monument in der Sonne sitzen und sporadische Open-Air-Konzerte genießen. Auf dem Niagara Square vor dem Rathaus erinnert ein Denkmal an den republikanischen US-Präsidenten William

211

Das Südufer des Lake Erie

McKinley, der in der Stadt 1901 einem Mordanschlag zum Opfer fiel.

City Hall

Wer sich einen Überblick über die Stadt verschaffen will, kann den Aufzug bis zum 28. Stock im **Buffalo City Hall Observation Tower** nehmen, wo der Blick von der Aussichtsplattform über die gesamte Umgebung bis nach Kanada reicht. Der 1932 eingeweihte Bau entstand im damals populären Art déco-Stil und weist an seinen zum Teil von Säulen geschmückten Fassaden Friese mit figürlichen Darstellungen auf. Auch ein Blick in die von einem Dom überwölbte Lobby mit zahlreichen Statuen lohnt sich (65 Niagara Sq., Tel. 1-716-852-3300, Mo–Fr 8.30–16 Uhr, Eintritt frei).

Albright-Knox-Gallery und Burchfield Penney Art Center

Die in einem Greek-Revival-Gebäude befindliche **Albright-Knox Art Gallery** spannt einen Bogen von der Kunst der Antike bis zur Gegenwart mit Repräsentanten abstrakter Kunst wie Polly Apfelbaum, Lynda Benglis, Arthuro Herrera, Piet Mondrian, Jackson Pollock, Gerhard Richter und Pae White. Daneben sind Werke von Picasso, Degas, Willem de Kooning, Henri Matisse und Roy Lichtenstein, aber auch Skulpturensammlungen zu sehen. Im AK Café kann man sich bei kleineren Gerichten stärken (1285 Elmwood Ave., Tel. 1-716-882-8700, www.albrightknox.org, Di–So 10–17 Uhr, Erw. 12 $, 1. Fr im Monat frei).

Vor allem Werke des US-Malers Charles E. Burchfield finden im **Burchfield Penney Art Center** eine Bühne (1300 Elmwood Ave., Tel. 1-716-878-6011, www.burchfieldpenney.org, Di–Sa 10–17, So 13–17, Do bis 21 Uhr, 10 $).

Buffalo Museum of Science

Mit Themen wie Raumfahrt, Naturgeschichte, Edelsteinen, Mineralien, Insekten, dem Leben im alten Ägypten, Geologie und Astronomie beschäftigten sich die Ausstellungen im **Buffalo Museum of Science**. Dazu gehört ein 3-D-Kino, in dem naturhistorische Filme u. a. über Dinosaurier und Ökoprobleme gezeigt werden (1020 Humboldt Pkwy, Tel. 1-716-896-5200, www.sciencebuff.org, So–Mi 9–17, Do–Sa 9–21 Uhr, Erw. 10 $, Sonderausstellungen kosten extra).

Infos

Buffalo Niagara Convention & Visitors Bureau: 617 Main St., Suite 200, Buffalo, NY 14203-1496, Tel. 1-800-283-3256, www.visitbuffaloniagara.com.

Übernachten

Nobelherberge ▶ Hyatt Regency: Two Fountain Plaza, Tel. 1-716-856-1234, www.buffalo.hyatt.com. Komfortable Zimmer, Pool auf der Dachterrasse, Fitnesscenter. Ab 160 $.

Mitten im Zentrum ▶ Best Western On the Avenue: 510 Delaware Ave., Tel. 1-716-886-8333, http://bestwesternnewyork.com. Downtown-Hotel mit freundlichen Zimmern. Ab 110 $.

Essen & Trinken

Exzellente Küche ▶ Rue Franklin: 341 Franklin St., Tel. 1-716-852-4416, www.ruefranklin.com, Di–Sa 17.30–22 Uhr. Spezialitäten in diesem Lokal sind Hummer und Lamm. 3-Gänge-Menü Di–Do 30–33 $.

Liebling der Einheimischen ▶ Andersons: 2634 Delaware Ave., Tel. 1-716-873-5330, tgl. 8–19 Uhr. Imbiss mit den hier beliebten ›Beef on Weck‹-Kümmelbrötchen mit Roastbeef und Meerrettich. Ab 5 $.

Einkaufen

Einkaufs- und Unterhaltungszentren ▶ McKinley Mall: 3701 McKinley Pkwy, Blasdell südlich von Buffalo, www.shopmckinleymall.com, Mo–Sa 10–21, So 11–18 Uhr. Riesiges Angebot fürs Shopping. **Easternhills Mall:** Williamsville, 4545 Transit Rd., www.shopeasternhills.com, Mo–Sa 10–21, So 12–17 Uhr. Mall mit 85 Läden, großem Food Court und zudem kostenlosem WLAN. **Walden Galleria:** Cheektowaga, 1 Walden Galleria, www.waldengalleria.com, Mo–Sa 10–21.30, So 10–19 Uhr. 200 Geschäfte zum ausgiebigen Shoppen, Food Court, darüber hinaus mehrere Kinos.

City Hall in Buffalo mit dem Denkmal für den ermordeten US-Präsidenten McKinley

Abends & Nachts

Shows und Musik ▶ **Club Marcella:** 622 Main St., Tel. 1-716-847-6850, www.clubmarcella.com. Heißester Nachtklub der Stadt mit zwei Tanzflächen, 3 DJs, Travestieshows.

Treff für Kneipengänger ▶ **Soho Burger Bar:** 64 West Chippewa St., Tel. 1-716-856-7646. Bei Einheimischen populärer Nachtschwärmertreff.

Vergnügungsviertel ▶ **Chippewa Entertainment District:** Chippewa St. Ca. 30 Bars und Nachtclubs sorgen für Abwechslung.

Bühnenkunst ▶ **Shea's Performing Arts Center:** 646 Main St., Tel. 1-716-847-1410, www.sheas.org. Darstellende Kunst mit Konzerten, Broadway-Shows und Musicals in einem restaurierten Kinopalast von 1927.

Aktiv

Bootstouren ▶ **Buffalo Harbor Cruises:** 79 Marine Dr., Tel. 1-716-856-6696, www.buffaloharborcruises.com, Mai–Okt. Di–So. Kommentierte Ausflüge entlang der Waterfront.

Vergnügen für Jung und Alt ▶ **Martin's Fantasy Island:** Grand Island, 2400 Grand Island Blvd., Tel. 1-716-773-7591, www.martinsfantasyisland.com, Juni–Aug. tgl. ab 11.30 Uhr, im Mai nur am Wochenende. Amüsier- und Wasserpark auf halber Strecke zwischen Buffalo und Niagara Falls (Erw. 27 $, Kinder 22 $).

Termine

Kulinarisches ▶ **National Buffalo Wing Festival** (1. Septemberwochenende): Bei dem Fest dreht sich vieles, aber längst nicht alles um die Buffalo Wings (scharf marinierte Hähnchenflügel) – es gibt ein breites kulturelles Beiprogramm (www.buffalowing.com).

Verkehr

Flugzeug: Buffalo Niagara International Airport, Tel. 1-716-630-6000, www.buffaloairport.com. Flughafen 10 Meilen östl. der Stadt, wird von allen größeren US-Fluggesellschaften, aber auch Billigfliegern wie JetBlue angeflogen. Shuttlebusse in die Stadt: ca. 18 $. Alle großen Mietwagenfirmen sind vertreten.

Bahn: Amtrak Terminal, 75 Exchange St., Tel. 1-800-USA-RAIL, www.amtrak.com. Buffalo liegt an der Bahnstrecke Boston–Chicago. Eine Linie führt nach Toronto (Kanada).

Das Südufer des Lake Erie

Bus: Greyhound Terminal, 181 Ellicott St., Tel. 1-716-855-7531, www.greyhound.com, oder New York Trailways, gleiche Adresse, Tel. 1-800-776-7548, www.trailways.com. Busse in alle größeren Städte.

Am Lake Erie   ▶ 1, A 3/D 2

Von Buffalo folgt der Highway 5 unter dem Namen **Seaway Trail** auf ca. 90 Meilen dem Südufer des Lake Erie bis zur Staatsgrenze von Pennsylvania. Landschaftlich besonders attraktiv ist die zweite Streckenhälfte ab **Silver Creek,** wo die Route durch das reizvolle, landwirtschaftlich intensiv genutzte Chautauqua County mit zahlreichen ausgedehnten Weingärten führt.

Lake Erie Wine Country

Nimmt man ab Silver Creek den parallel zur I-90 verlaufenden Highway 20, gibt es viele Möglichkeiten, weiter ins Landesinnere auszuweichen und den dort gelegenen Winzerbetrieben einen Besuch abzustatten. Kellereien wie **Roberian Vineyards** (2614 King Rd., Tel. 1-716-326-3100, zwischen Sheridan und Forestville), **Noble Winery** (8630 Hardscrabble Rd., Westfield, www.noblewinery.com), **Vetter Vineyards Winery** (8005 Prospect Station Rd., Tel. 1-716-326-3100, Westfield) und **Schloss Doepken Winery** (9177 Old Rte 20, Tel. 1-716-326-3636, Ripley) gehören zu einem guten Dutzend von Erzeugern, die alle an der Weinstraße zum Probieren einladen (www.lakeeriewinecountry.org).

Erie

Mit 102 000 Einwohnern drittgrößte Stadt von Pennsylvania ist **Erie** zugleich die unumstrittene Hafenmetropole des Bundesstaats am Lake Erie. Ihren Namen leitet sie von den Eriez-Indianern ab, die zu Beginn des 17. Jh. noch in dieser Gegend lebten. In seinem Kern wirkt Erie eigentlich nicht wie eine amerikanische Großstadt, weil die typischen Hochhäuser fehlen. Dafür spiegeln manche neoklassizistischen oder im Greek-Revival-Stil errichteten Gebäude die Vergangenheit wider, als

der betriebsame Hafen der Stadt profitable Geschäfte bescherte. Entlang der West Sixth und der State Street reihen sich eindrucksvolle Prachtbauten aneinander wie etwa das **Custom House** aus dem Jahr 1839, in dem das **Erie Art Museum** untergebracht ist. Hinter der mit dorischen Säulen geschmückten Fassade aus Vermont-Marmor verbirgt sich ein Fundus von 4000 Kunstwerken, darunter amerikanische Keramiken, tibetische Malereien, japanische Fotografien aus dem 19. Jh., etruskische Töpfereien sowie Bronzegegenstände aus Indien. Jedes Jahr organisiert das Museum Wechselausstellungen (441 State St., Tel. 1-814-459-5477, www.erieartmuseum.org, Di–Sa 11–17, So 13–17 Uhr, 7 $, Mi und 2. So im Monat Eintritt frei).

Das **Erie Maritime Museum** beschäftigt sich hauptsächlich mit den Großen Seen. Mittelpunkt der Ausstellungen ist die aus dem Jahr 1990 stammende originalgetreue Rekonstruktion des historischen Seglers ›US Brig Niagara‹, mit dem Kapitän Oliver Hazard Perry 1813 einen legendären Seesieg über die Briten errang (150 Front St., Tel. 1-814-452-2744, www.flagshipniagara.org, April–Okt. Mo–Sa 9–17, So 12–17 Uhr, Jan.–März nur Do–Sa, Erw. 10 $).

Westlich der Stadt ragt eine 11 km lange und 1300 ha große Halbinsel in den Erie-See hinein. Kilometerlange Sandstrände säumen das im **Presque Isle State Park** entstandene Ferien- und Freizeitparadies, durch das befestigte Wege zum Wandern, Skaten oder Radfahren führen. Insgesamt ein Dutzend Strände gibt es im Park, eine Marina für fast 500 Boote, Pavillons zum Picknicken, Angelplätze und ein großes Umweltzentrum mit Ausstellungen zu Flora und Fauna.

Infos

Erie Area Convention & Visitors Bureau: 208 E. Bayfront Pkwy, Suite 103, Erie, PA 16507, Tel. 1-814-454-1000, www.visiterie.pa.com.

Übernachten

Eine mustergültige Unterkunft ▶ **Spencer House B & B:** 519 West Sixth St., Tel. 1-814-

464-0419, www.spencerhousebandb.com. Architektonisches Juwel aus dem viktorianischen Zeitalter mit hohen Decken und viel handverarbeitetem Holz. An vielen Wochenenden zwei Nächte Minimum. Ab 95 $.

Sauber, ruhig, freundlich ▶ **Glass House Inn:** 3202 W. 26th St., Tel. 1-814-833-7751, www.glasshouseinn.com. Rustikales Motel mit unterschiedlich großen Zimmern inkl. Frühstück, Außenpool, am Zugang zur Presque Isle gelegen. Ab 69 $.

Campingplatz ▶ **Sara's Campground:** 50 Peninsula Dr., Tel. 1-814-833-4560, www.sarascampground.com. Mit allen Annehmlichkeiten ausgestattet, am See. Pro Nacht 25 $.

Essen & Trinken

Ordentlich ▶ **Safari Grille:** 2225 Downs Dr., Tel. 1-814-866-1390, www.visitscott.com >Restaurants>All Restaurants. Gutes Lokal im Hilton Hotel mit Seafood, Pasta, Steaks, kleineren Gerichten und Weinliste. Ab ca. 12 $.

Amüsante Atmosphäre ▶ **Quaker Steak & Lube:** 7851 Peach St., Tel. 1-814-864-9464, http://thelube.com >Locations>Pennsylvania >Erie, tgl. 11–23 Uhr. Lokal im Tankstellenlook mit Motorsportatmosphäre. Salate, Steaks, Buffalo Wings in Variationen. Ab 8,50 $.

Aktiv

Stadttouren ▶ **Historical Society:** 417 State St., Tel. 1-814-454-1813, Juni–Sept. Do 18.30, 19.30 Uhr. Trolleytouren mit Schwerpunkt auf der Geschichte der Stadt.

Tiger, Löwe & Co. ▶ **Erie-Zoo:** 3 Meilen nördl. der I-90, Exit 7, Tel. 1-814-864-4091, www.eriezoo.org, tgl. 10–17 Uhr. Der Zoo ist Heimat auch von Gorillas und Orang-Utans; eigener Abschnitt speziell für Kinder (Erw. 8 $, Kinder 5 $).

Freizeitpark ▶ **Waldameer Park & Water World:** am Zugang zum Presque Isle State Park, Tel. 1-814-838-3591, www.waldameer. com, Ende Mai–Anfang Sept., wechselnde Öffnungszeiten. Vergnügungspark mit Wasserbecken, Rutschen und Fahrbetrieben.

Golf ▶ In der Region um Erie liegen über zwei Dutzend Golfplätze unterschiedlicher Kategorien (www.eriegolfcourses.com).

Cleveland ▶ 1, A 3

Cityplan: S. 216

Mitten im Zentrum der 390 000 Einwohner großen Metropole **Cleveland** reckt sich mit dem zum **Tower City Center** [1] gehörenden Terminal Tower von 1927 das bauliche Wahrzeichen von Cleveland in den Himmel. Auf der 42. Etage gibt es ein Aussichtsdeck (April–Dez. Sa, So 12–14 Uhr, 6 $). Im Innern laden Geschäftszeilen und Etagen voller Boutiquen und Spezialitätenläden zum Konsum ein. In den letzten Jahren hat der Wolkenkratzer Gesellschaft bekommen. Selbst in seiner unmittelbaren Umgebung schraubten sich Konkurrenten wie der Key Tower respektlos in den Himmel, der mit 289 m zum höchsten Gebäude der Stadt wurde. Die Skyline ist allerdings nicht das einzige, was sich in der größten Hafenstadt des Bundesstaats Ohio verändert hat. Früher ein kohleschwarzer, wegen seiner Umweltsünden häufig gescholtener Industriestandort hat Cleveland sozusagen seine schmutzige Arbeitskleidung abgelegt, um sich für seinen Auftritt auf der Fremdenverkehrsbühne neu eingekleidet zu präsentieren.

Public Square

Auf dem zentralen **Public Square** [2] mitten in der City erinnert eine Statue an den Stadtgründer Moses Cleaveland. Er legte den Grundstein 1796 aber nicht auf diesem Platz, sondern am Ufer des Cuyahoga River in den sogenannten Flats. Mit dem im viktorianischen Stil errichteten Soldiers and Sailors Monument ist ein Denkmal den Teilnehmern des amerikanischen Bürgerkriegs gewidmet. Bis 2016 soll der bislang ziemlich langweilige Platz mit Grünflächen und Fußgängerzonen freundli-

Tipp: Gratis ins Museum

Jeden ersten Samstag im Monat kann man in Cleveland das Museum of Contemporary Art Cleveland (MOCA) kostenlos besichtigen (s. S. 218). Das Cleveland Museum of Art verlangt grundsätzlich keinen Eintritt (s. S. 218).

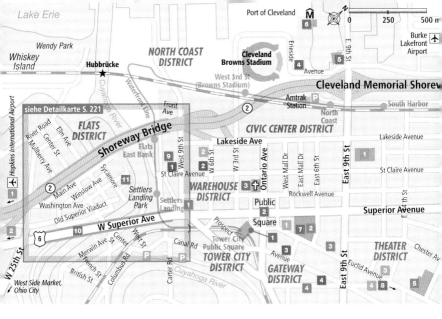

cher gestaltet werden. In starkem Kontrast zu den Wolkenkratzern um den Public Square steht die 1855 im neoromanischen Stil vollendete **Old Stone Church** , deren ganzer Stolz vier wunderschöne Tiffanyfenster und das Fenster des amerikanischen Künstlers John La Farge (1835–1910) sind.

Sehenswerte Museen

In der Nachbarschaft der Arena residieren im **Great Lakes Science Center** Wissenschaft und Technik. Auf mehreren Etagen können Besucher an über 400 interaktiven Einrichtungen technische Versuche anstellen, einen künstlichen Tornado erleben und alles über Luftschiffe erfahren. Im Filmtheater Omnimax werden OMNIMAX-Filme auf eine sechs Stockwerke hohe Leinwand projiziert (601 Erieside Ave., Tel. 1-216-694-2000, www.greatscience.com, tgl. 10–17 Uhr, Erw. 14 $).

Das deutlichste Zeichen städtischer Wiederbelebung setzte in den 1990er-Jahren die vom Stararchitekten I. M. Pei entworfene **Rock and Roll Hall of Fame**. In diesen Reliquienschrein können die Legenden des Rock 'n' Roll erst ein Vierteljahrhundert nach der Aufnahme ihrer ersten Musiktitel Eingang finden. Wie eine futuristische Wasser-

burg erhebt sich die Hall of Fame am Seeufer, ein fantastisches Ensemble aus Glas und Beton, aus Schrägen, Rundungen, Vertikalen, Horizontalen, aus Pyramiden, Zylindern und Würfeln, das dem Architekten nach die Energie des Rock 'n' Roll widerspiegelt.

In den heiligen Hallen sind sie alle verewigt: Chuck Berry, James Brown, Ray Charles, Fats Domino, Jerry Lee Lewis, Elvis Presley, Roy Orbison, Muddy Waters, die Beach Boys, Bob Dylan, Simon & Garfunkel, Percy Sledge, U2, Bob Seger und viele andere. Auf Monitoren kann man sich auf die Suche nach seinen Favoriten begeben, Lebensdaten und Lebenswerke abfragen und natürlich Probehören (1 Key Plaza, 1100 E 9th St., Tel. 1-216-781-7625, http://rockhall. com, tgl. 10–17.30, Mi bis 21 Uhr, 22 $).

Das **Steamship William G. Mather Maritime Museum** ist auf dem 1925 vom Stapel gelaufenen, 188 m langen Frachter William G. Mather untergebracht. Über 250 000 Arbeitsstunden investierten Freiwillige in die Restaurierung des 1980 außer Dienst gestellten Schiffs, das als eines der ersten auf den Großen Seen im Jahr 1946 mit Radar ausgerüstet worden war (Dock 32, Tel. 1-216-694-2000, www.greatscience.com, Mai und

Cleveland

Sept.–Okt. Sa, So, Juni–Aug. Di–So 11–17 Uhr, Erw. 8 $).

Downtown

Vom Public Square biegt nach Osten mit der Euclid Avenue eine der großen Straßen der Innenstadt ab und stellt eine Verbindung mit dem ca. 8 km entfernten University Circle um die Universität her. Nur Schritte vom Public Square entfernt steht mit der historischen **Cleveland Arcade** 7 ein glanzvolles, denkmalgeschütztes Gebäude, dem Europas größte Passage, die Galleria Vittorio Emanuele II. in Mailand, als Vorlage diente. Der Komplex aus zwei neunstöckigen und einem fünfstöckigen Trakt stammt aus dem Jahr 1890, als sich im Land eine wirtschaftliche Depression bemerkbar machte, das reiche Industrierevier Cleveland aber dank finanzstarker Investoren wie John D. Rockefeller trotzdem mit glanzvoller Architektur aufwarten konnte. Über dem fünfstöckigen Atrium mit umlaufenden Galerien wölbt sich ein Glasdach. Vor einigen Jahren zog das erste Hyatt Hotel der Stadt in die beiden Türme und die obersten drei Etagen des Atriums ein. Die beiden unteren Galerien stehen nach wie vor der Öffentlichkeit mit Ladengeschäften und einem Food Court zur Verfügung (401 Euclid Ave., http://theclevelandarcade.com, Mo–Sa 10–18 Uhr).

Als Hotspot der Kultur hat sich der **Playhouse Square District** (s. S. 220) einen Namen gemacht. Private Initiativen verhinderten den Abbruch der ehemaligen Theater und kümmerten sich um Investoren, die seit den 1980er-Jahren die Renovierung der märchenhaft anmutenden Paläste finanzierten (www.playhousesquare.org).

University Circle 8

Seinem ›Kohlenpott-Image‹ setzte Cleveland schon frühzeitig seine Kunstbeflissenheit entgegen. Ein halbes Hundert wissenschaftliche, kulturelle und medizinische Institutionen haben ca. 8 km östlich des Stadtzentrums ihren Sitz im **University Circle.**

Wenn das weltbekannte, 1918 gegründete **Cleveland Orchestra** (s. S. 220) in der 2000 Plätze großen Severance Hall Konzerte gibt, ist ein besonderer Kulturgenuss garantiert. Kritiker behaupten, schon Christoph von Dohnányi, der das Orchester fast 20 Jahre lang leitete, habe es geschafft, amerikanische Brillanz mit europäischer Tradition zu verbinden. Ähnliches gilt heute, da das Orchester

Das Südufer des Lake Erie

Hebebrücke am Cuyahoga River mit der Wolkenkratzer-Skyline von Cleveland

unter der Leitung des österreichischen Dirigenten Franz Welser-Möst steht (11001 Euclid Ave., Tel. 1-216-231-1111, www.cleve landorchestra.com).

Hinter anderen renommierten amerikanischen Museen braucht sich das 1916 eröffnete **Cleveland Museum of Art** nicht zu verstecken. Unter Kennern gehören die in einem neoklassizistischen Gebäude eingerichteten Sammlungen schon lange zu den führenden Ausstellungen der USA. Neben amerikanischen und europäischen Kunstwerken liegt ein Schwerpunkt auf asiatischer Kunst. In der europäischen Abteilung befinden sich Exponate aus der Zeit zwischen dem 14. und 20. Jh. mit Teilen des Welfenschatzes und Arbeiten von Riemenschneider, Dürer, Rembrandt, Velázquez, Turner, Picasso und Miró. Amerikanische Kunst spannt den Bogen vom 17. bis zum 20. Jh. Nach umfangreichen Umbaumaßnahmen wurden 2013 drei neue Gebäudeflügel samt interaktivem Lernzentrum eröffnet (11150 E. Blvd., Tel. 1-216-421-7350, www.clevelandart.org, Di und Do–So 10–17, Mi und Fr 10–21 Uhr, von Sonder-

ausstellungen abgesehen ist der Eintritt im Kunstmuseum frei).

Mit hervorragenden naturgeschichtlichen Exponaten hat sich das **Cleveland Museum of Natural History** nationale Reputation erworben. Es besitzt Galerien mit Dinosauriern und anderen prähistorischen Kreaturen, kann Erdbeben simulieren und zeigt archäologische und botanische Fundstücke aus der Vergangenheit. Um funkelnde Exponate geht es in der Wade Gallery, die über 1500 Edelsteine ausstellt und als besondere Attraktion ein Stückchen Felsen vom Mond zeigt, das von den Astronauten der Apollo-12-Mission mitgebracht wurde. Im Shafran Planetarium vermitteln Multimediashows den Zuschauern einen Eindruck von fernen Galaxien und den Erkenntnissen der Wissenschaft über den Mond (1 Wade Oval, Tel. 1-216-231-4600, www. cmnh.org, Mo–Sa 10–17, Mi bis 22, So 12–17 Uhr, 12 $; Planetarium: Tel. 1-216-231-1177, Mi 20.30–22 Uhr, 4 $ zusätzlich).

In den vergangenen Jahren hat sich das **Museum of Contemporary Art Cleveland (MOCA)** immer stärker zu einem Forum zukunftsweisender, zeitgenössischer, teilweise schon wieder etablierter moderner Kunst entwickelt. Zum Bestand gehören etwa Arbeiten von Lichtenstein, Warhol, Christo und Oldenburg. Große Einzelausstellungen wurden auch Berühmtheiten wie Frank Gehry, Yoshitomo Nara, Douglas Gordon, Ilya Kabakov, Jim Hodges und Rona Pondick gewidmet. Der viergeschossige Museumsneubau der aus dem Iran stammenden Architektin Farshid Moussavi steht auf einer sechseckigen Grundfläche und besteht im Wesentlichen aus Stahl und Glas (11400 Euclid Ave., Tel. 1-216-421-8671, www.moca cleveland.org, Di–So 11–17, Do bis 21 Uhr, Erw. 8 $, Senioren ab 65 J. 6 $, 1. Sa im Monat Gratiseintritt).

Clevelands älteste Kulturorganisation ist die Western Reserve Historical Society, die im Jahr 1867 gegründet wurde und mit ihrem Museum Einblicke in die Geschichte der Region und der Stadt gibt. Kern des **History Museum** sind 20 Räume, die in Mobiliar und dekorativer Kunst unterschiedliche Zeitabschnitte zwischen 1770 und 1920 widerspiegeln. Im selben Gebäudekomplex sind weitere Ausstellungen untergebracht, wie das **Crawford Auto-Aviation Museum** mit Oldtimern und Flugzeugen und der Chisholm Halle Costume Wing mit historischer Mode (10825 E. Blvd., University Circle, Tel. 1-216-721-5722, www.wrhs.org, Di–Sa 10–17, So 12–17 Uhr, jedes Museum 10 $).

Viertel zum Ausgehen

Wie in vielen europäischen Metropolen ist es in Amerika Mode geworden, alte Industrie- und Lagerhauskomplexe nicht abzureißen, sondern umzubauen und mit neuem Leben zu füllen. Cleveland folgte diesem Trend und verwandelte die rotbraunen Ziegelbauten im **Warehouse District** 9 über Jahre hinweg in Wohnungen, Lofts und ein attraktives Vergnügungsviertel (s. auch S. 220).

Überquert man in westlicher Richtung die den Cuyahoga River überspannende **Detroit-Superior Bridge** 10, reicht der Blick aus der Höhe über das alte Industriegebiet **The Flats,** das sich als Ausgehviertel etabliert hat (s. S.

221). Dort findet man auch das sehenswerte **Greater Cleveland Aquarium** 11 (2000 Sycamore St., Tel. 1-216-862-8803, http://grea terclevelandaquarium.com, tgl. 10–17 Uhr, Erw. 20 $, Kinder 14 $).

Infos

Cleveland Plus Visitors Center: Convention & Visitors Bureau of Greater Cleveland, 334 Euclid Ave., Cleveland, OH 44114, Tel. 1-216-875-6680, www.positivelycleveland.com.

Übernachten

Komfortable, geräumige Zimmer ▶ **Renaissance Cleveland Hotel** 1: 24 Public Sq., Tel. 1-216-696-5600, http://marriott. com. Beinahe 500 Zimmer großes Hotel für Anspruchsvolle mitten im Stadtzentrum mit allen Annehmlichkeiten. 180–260 $.

Renommiert ▶ **Hyatt Regency Cleveland at the Arcade** 2: 420 Superior Ave., Tel. 1-216-575-1234, http://cleveland.hyatt.com. Nobelhotel in der unter Denkmalschutz stehenden Cleveland Arcade für gehobene Ansprüche. Ab 200 $.

Zentrale Lage ▶ **Holiday Inn Express Cleveland Downtown** 3: 629 Euclid Ave., Tel. 1-216-443-1000, www.ihg.com. Das Hotel befindet sich in einem ehemaligen, komplett renovierten Bankgebäude von 1894. In den meisten Zimmer kostenloses WLAN. Ca. 150 $.

Super Preis-Leistungs-Verhältnis ▶ **Radisson Hotel Cleveland-Gateway** 4: 651 Huron Rd., Tel. 1-216-377-9000, www.radis son.com. Einladend eingerichtete Zimmer mit kostenlosem WLAN, Fitness-Studio und Morgenkaffee. Ab 100 $.

Standard ▶ **Comfort Inn Downtown** 5: 1800 Euclid Ave., Tel. 1-216-861-0001, www. comfortinn.com/hotel-cleveland-ohio-OH167. Motel mit sauberen Zimmern. Ab 85 $ inkl. Frühstück.

Essen & Trinken

Für Fleischliebhaber ▶ **Brasa Grill** 1: 1300 W. 9th St., Tel. 1-216-575-0699, www. brasagrillsteakhouse.com, tgl. 16–22 Uhr. Brasilianisches Steakhouse mit 16 unter-

Das Südufer des Lake Erie

schiedlich zubereiteten Fleischsorten, aber auch Seafood, Pasta und Geflügel. 31–50 $.

Man isst hervorragend ▶ Blue Pointe Grill 2: 700 W. St. Clair Ave., Tel. 1-216-875-7827, Lunch und Dinner, Sa, So nur Dinner ab 16 Uhr. Lokal mit nautischem Dekor und Seafood-Gerichten von bester Qualität. Ab 30 $.

Super Pizzen ▶ Vincenza's Pizza & Pasta 3: 603 Prospect Ave., Tel. 1-216-241-8382, http://vincenzaspizza.com, Mo–Fr 11–18.30 Uhr. Qualität, die überzeugt. Ab 8 $.

Lebhafte Kneipenatmosphäre ▶ Winking Lizard 4: 811 Huron Rd., Tel. 1-216-589-0313, http://winkinglizard.com, tgl. 11–24 Uhr. Sport-bar mit rustikalem Ambiente voller Monitore für Sportübertragungen. Deftige amerikanische Speisen und viel Bier. Ab 8 $.

Unterschiedliche Küchen ▶ Food Court 1: Galleria at Erieview, 1301 E. Ninth St., www.galleriaaterieview.com, Mo–Sa 10–20, So 11–18 Uhr. Ein halbes Dutzend internationale Restaurants auf einem Fleck. Ab 4 $.

Einkaufen

Einkaufszentren ▶ Galleria at Erieview 1: 1301 E. Ninth St., Tel. 1-216-861-4343, www.galleriaaterieview.com, Mo–Sa 10–20, So 11–18 Uhr. Architektonisch reizvolles Einkaufszentrum mit lichten Innenräumen und Läden für Mode und Accessoires. **Cleveland Arcade 7**: 401 Euclid Ave., http://theclevelandarcade.com, Mo–Sa 10–18 Uhr. Einkaufen in einem Atrium von 1890.

Abends & Nachts

Populäre Abendunterhaltung ▶ House of Blues 1: 308 Euclid Ave., Tel. 1-216-523-2583, www.hob.com/cleveland, Di–Fr 11.30–22, Sa 16–23 Uhr. Der Schauspieler Dan Ackroyd gehört zu den Mitbegründern des Musikzentrums, in dem sich musikalische Shows und die Küche des Südens (Voodoo Shrimps, Tennessee Back Ribs und Jambalaya) harmonisch miteinander verbinden.

Tolle Happy Hour ▶ Dive Bar 2: 1214 W. 6th St., Tel. 1-216-621-7827. Populäre Bar im quirligen Warehouse District mit vielen Biersorten, musikalischer Unterhaltung und Video-Sportübertragungen an den Wochenenden.

Kunst, Kultur, Amüsement ▶ Playhouse Square District 3: Stadtviertel mit zahlreichen Theatern für Broadway-Shows, Schauspielaufführungen, Komödien, Kabarett- und Ballettabende etc., mit Radio- und Fernsehstudios eines lokalen Senders, Restaurants, Cafés.

Klassik vom Feinsten ▶ Cleveland Orchestra 4: Das bekannte Orchester konzertiert in Cleveland in der Severance Hall (s. S. 218). Im Sommer weicht es ins Blossom Music Center nach Cuyahoga Falls 35 Meilen südlich von Cleveland aus.

Aktiv

Grüne Oasen ▶ Cleveland Metroparks 1: Sie bilden einen Grüngürtel um die Stadt mit speziellen Wander- und Radwegen, Joggingpfaden sowie Gelegenheiten zum Reiten, Angeln, Picknicken und Wintersport (tgl. 6–23 Uhr).

Zoo ▶ Cleveland Metroparks Zoo 2: 3900 Wildlife Way, Tel. 1-216-661-6500, www.clemetzoo.com, tgl. 10–17 Uhr. Die Welt der Tiere im Kleinen mit Arten aus allen Erdteilen (Erw. im Sommer 12,25 $, Kinder 2–11 J. 8,25 $).

Verkehr

Flugzeug: Cleveland Hopkins International Airport (CLE), Tel. 1-216-265-6000, www.clevelandairport.com. Der Flughafen liegt 10 Meilen südlich der Stadt. Der Shuttlebus braucht 25 Min. ins Zentrum, am günstigsten sind die Züge der roten RTA-Linie (Tel. 1-216-566-5100, www.riderta.com/pd_airport.asp, Ticket 2,25 $, Tagespass 5 $). Alle großen Mietwagenfirmen haben Büros am Flughafen. Taxis: Yellow Cab, Tel. 1-216-623-1500, ca. 25–28 $ bis ins Zentrum. Den regionalen Luftverkehr wickelt vor allem Cleveland Burke Lakefront Airport (BKL) ab, 1501 N. Marginal Dr., Tel. 1-216-781-6411.

Bahn: Amtrak Terminal, 200 Cleveland Memorial Shoreway, Tel. 1-216-696-5115, www.amtrak.com. Züge nach Chicago, New York, Washington D. C. und andere Großstädte.

Bus: Greyhound Station, 1465 Chester Ave., Tel. 1-216-781-0520, www.greyhound.com. Busverbindungen in viele größere Städte.

aktiv unterwegs

Stromern im Ausgehviertel von Cleveland

Tour-Infos

Start: Old River Road am östlichen Ufer des Cuyahoga River
Länge: ca. 1 Meile (1,6 km)
Dauer: je nach Aufenthalt in den Lokalen

Die **Flats** (s. S. 219) haben sich von einem ehemals schäbigen Schwerindustriestandort zu einem populären Ausgehviertel mit zahlreichen Kneipen, Restaurants und Nachtclubs entwickelt. Gab es früher auf der Ostseite des Cuyahoga River, der nicht weit entfernt in den Erie-See mündet, neben wenig einladenden Brachflächen noch kleinere Lokale und mehrere Clubs, so brach dort 2014 mit dem Bau eines neuen Viertels ein neues Zeitalter an. In **Flats East Bank** entstand der **Ernst & Young Tower** , in dem sich neben einem Dutzend Firmensitzen auch das Aloft Hotel mit drei Restaurants befindet: **Willey-ville** (1051 W. 10th St., Tel. 1-216-862-6422, www.thewilleyville.com, Mo–Fr ab 11, Sa ab 17 Uhr), das italienische **Lago** inklusive Cocktailbar (1091 W. 10th St., Tel. 1- 216-862-8065, http://lagoeastbank.com, tgl. 11–1.30 Uhr) und das Steakhouse **Ken Stewart's** (1121 W. 10th St., Tel. 1-216-696-8400, http://kenstewarts.com, Mo–Fr ab 11, Sa ab 17 Uhr).

Ein roter Backsteinbau beherbergt den **Improv Comedy Club** , in dem man während des Abendessens Auftritte von Kabarettisten, Witzeerzählern und Comedians erlebt. Der Besuch lohnt sich allerdings nur, wenn man gut Englisch versteht (Tel. 1-216-696-4677, www.clevelandimprov.com, Shows Do–So 19.30 Uhr).

Von knackigen Salaten und Pasta-Gerichten bis Seafood und Black Angus-Steaks bekommt man bei **Shooters** eine breite Palette von Speisen. Der Hit des Lokals ist die Lage am Ufer des Cuyahoga River, weil man von den im Freien stehenden Tischen dem Betrieb auf dem Fluss zusehen kann und im Hintergrund auf die Skyline der Stadt blickt. Auf der Bühne innen waren schon viele Rockgrößen zu Gast (1148 Main Ave., Tel. 1-216-861-6900, tgl. ab 11 Uhr).

Christie's Cabaret bezeichnet sich als Gentlemen's Club, in dem die weiblichen »Bühnenstars« ihre Hüllen fallen lassen. Das Lokal gehört zur größten Strip-Club-Kette der USA (1180 Main Ave., Tel. 1-216-574-6222, www.christiescabaret.com, Mo–Sa 11–2.30, So 16–2.30 Uhr).

Wer zum Tanzen viel Platz braucht und ein energiegeladenes Light- und Soundsystem schätzt, ist im **Metropolis Nightclub** an der richtigen Stelle. Die DJs legen Musik unterschiedlicher Richtungen auf – meist ist für jeden etwas dabei (2325 Elm St., Tel. 1-216-241-4007, Do–So ab 21.30 Uhr).

Und der **Diamond Club** ist ein weiteres Erwachsenenlokal, in dem die weiblichen Bediensteten viel nackte Haut zeigen. Wer sich nebenbei auch für Sport interessiert, kann auf großen TV-Screens die Übertragungen von aktuellen Sportereignissen verfolgen (1628 Fall St., Tel. 1-216-621-1840, Mo–Fr 15–2, Sa, So 18–2.30 Uhr).

Zwischen Cleveland und Pittsburgh

Mit Beharrlichkeit setzen ehemalige Industriemetropolen wie Cleveland, Akron und Pittsburgh ihrem überkommenen Negativ-Image ein neues Gesicht als Dienstleistungszentrum und Kulturmetropole entgegen. Während der Strukturwandel die großen Städte grundlegend verändert hat, ist die größte Amish-Gemeinde der USA ihren Werten und Traditionen seit 300 Jahren treu geblieben.

Die Region zwischen Cleveland (Ohio) und Pittsburgh (Pennsylvania) ist in Amerika als einer der bedeutendsten Schwerindustrie-korridore des Landes bekannt. Südlich von Cleveland hängen zwar immer noch Rauch- und Dampffahnen über dem ›Kohlenpott-revier‹, in dem 1868 das erste Stahlwerk eingeweiht wurde und John D. Rockefeller (1839–1937) zwei Jahre später mit der Standard Oil Company eine Erdölraffinerie gründete. Aber längst hat dort die traditionelle Industrieproduktion ihre führende Rolle eingebüßt, weil sich Cleveland in eine Stadt der Dienstleistungen und des Tourismus verwandelte.

Und Pittsburgh? Um 1850 läuteten dort Kohle, Erdöl und Erdgas ein neues Zeitalter ein. Stahlwerke und Hochöfen schossen wie Pilze aus dem Boden. In den 1870er-Jahren war Pittsburgh mit etwa der Hälfte der nationalen Produktion an Gas und Eisen einer der bedeutendsten Industriestandorte der USA. Die Fabriken wucherten wie Krebsge-schwulste über die Stadtgrenzen und schufen eine Region, über der sich die Sonne hinter einem dichten Nebel aus Staub und Dreck versteckte. Nach 1945 sctzte ein 500 Mio. Dollar teures Programm zur Luftver-besserung und Stadtsanierung ein. Gleich-zeitig machte der Strukturwandel aus dem ehemaligen Kohlen- und Eisenpott eine mo-derne Stadt mit Forschungseinrichtungen und Dienstleistungsunternehmen. Anfang des 21. Jh. waren 85 % der arbeitenden Be-völkerung in nichtindustriellen Berufen tätig. In jüngster Vergangenheit mauserte sich die City zu einem der größten Zentren von Fir-mensitzen in den USA.

Doch die industrielle Vergangenheit der Region ist nur die eine Seite der Medaille. Zwischen Cleveland und Pittsburgh wird mehr als die Hälfte des Bodens für den An-bau von Mais, Weizen, Hafer und Sojaboh-nen sowie zum Teil auch für Viehhaltung und Milchwirtschaft genutzt. Die dort angesie-delte größte Amish-Kolonie der USA bewirt-schaftet seit 300 Jahren die Böden und hat in den vergangenen Jahrzehnten mit ihrer alttestamentarischen Lebensweise dazu bei-getragen, die Gegend auch touristisch inte-ressant zu machen, was nicht zuletzt auch an den Reizen der abwechslungsreichen Landschaft liegt.

Im Süden von Cleveland

Nach dem amerikanischen Unabhängigkeits-krieg suchten viele Familien nach einem Fleckchen Erde, um sich anzusiedeln und dem Boden eine wenn auch magere Exis-tenzgrundlage abzuringen. Die Connecticut Land Company verkaufte damals in Ohio bil-liges Land an Neuengländer, die im ausge-henden 18. Jh. südlich von Cleveland die Ortschaft Wheatfield gründeten. Wie diese Ortschaft im Jahr 1848 aussah, zeigt das Freilichtmuseum **Hale Farm & Village,** in

dem Einwohner in alten Kostümen das All-
tagsleben der damaligen Zeit nachstellen
(I-77, Exit 143 Wheatley Rd., 2686 Oak Hill
Rd., Tel. 1-330-666-3711, www.wrhs.org
>Plan your visit, Juli–Aug. Mi–So 10–17,
Sept.–Okt. Sa, So 10–17 Uhr, Erw. 10 $, Kin-
der 3–12 Jahre 5 $).

Akron ▶ 1, A 4

Lediglich ein kurzer Weg trennt die ländliche
Idylle vom Industriestandort **Akron.** War die
200 000 Einwohner zählende Stadt in den
USA in erster Linie als Zentrum der Gummi-
und Reifenproduktion bekannt, so drängten
sich in den vergangenen Jahren und Jahrzehnten andere Industriezweige wie die Po-
lymer-Branche und Metall verarbeitende Industrien in den Vordergrund. Große Gum-
mikonzerne besitzen aber immer noch ihre
Hauptquartiere und Forschungseinrichtungen
in der Stadt. Akrons Wirtschaft kommt der
geografische Standort zugute, weil das Industrierevier quasi an der Schnittstelle zwischen den Industrieräumen der östlichen
USA und des mittleren Westens liegt.

Mit nationaler wie internationaler Kunst
ab Mitte des 19. Jh. beschäftigt sich das
Akron Art Museum, das bislang weniger als
ein Prozent seiner Sammlungen ausstellen
konnte. Eine größere Bühne verschafft der
Kunst eine um das Vierfache ausgeweitete
Ausstellungsfläche, auf der Bestände etwa
von Andy Warhol, Frank Stella und Helen
Frankenthal sowie zahlreiche Arbeiten berühmter Fotografen wie beispielsweise von
Margaret Bourke-White und Robert Frank
besser präsentiert werden können (One
South High, Tel. 1-330-376-9185, http://
akronartmuseum.org, Mi–So 11–17, Do bis
21 Uhr, 7 $, Do Eintritt frei).

Außer Löwen, Tigern und Bären zeigt der
Akron Zoological Park ca. 400 unterschiedliche Tierarten. Mit einigen beschäftigen sich
eigene Ausstellungen wie etwa mit dem
Weißkopfadler, dem amerikanischen Wap-
penvogel, und mit Pinguinen. Zu den selte-
neren Arten, die in Akron zu sehen sind, gehören aus Asien stammende Rote Pandas
(500 Edgewood Ave., Tel. 1-330-375-2550,
www.akronzoo.org, Mai–Okt. 10–17, Nov.–
April 11–16 Uhr, 11 $).

Infos

**Akron Summit Convention & Visitors Bu-
reau:** 77 E. Mill St., Akron, OH 44 308-1459,
Tel. 1-330-374-7560, www.visitakron-sum
mit.org.

Übernachten

Einwandfreie Unterkunft ▶ **Holiday Inn
Express:** 898 Arlington Ridge East, Tel. 1-
330- 644-5600, www.hiexpress.com. Hervorragend geführtes Stadthotel mit sauberen,
komfortablen Zimmern. Ab ca. 100 $.

Gute Ausstattung ▶ **Best Western Plus
West Akron Inn:** 160 Montrose West Ave., Tel.
1-330-670-0888, http://bestwesternohio.com.
Alle Zimmer mit kostenlosem Highspeed-In-
ternetzugang; Innenpool, Spa und rund um die
Uhr geöffnetes Business Center. Ab 80 $.

Essen & Trinken

Gute Steaks, gute Pasta ▶ **Ken Stewart's
Grille:** 1970 West Market St., Tel. 1-330-867-
2555. Von Steaks bis Seafood und von Salaten bis zu Desserts: Die Qualität ist durchweg
gut und der Service prompt. Ab ca. 18 $.

Einkaufen

Attraktives Kunsthandwerk ▶ **Don Drumm
Studios & Gallery:** 437 Crouse St., Tel. 1-
330-253-6268, www.dondrummstudios.com,
Mo-Fr 10–18, Sa 10–17 Uhr. Kein Geschäft
wie jedes andere: Artikel wie Vasen, Skulpturen, Puppen, Dekogegenstände von 500
Künstlern und Kunsthandwerkern.

Streng biologisch ▶ **Mustard Seed Market & Café:** 3885 W. Market St., Tel. 1-330-
666-7333. Ohios größter Ökoladen mit orga-
nischen Produkten, homöopathischen Mitteln
und Café.

In der Heimat der Amish
▶ 1, A 5

Südwestlich des Industriekorridors Cleve-
land-Akron beginnt eine Welt, die unterschiedlicher kaum sein könnte. Zu Beginn
des 18. Jh. siedelten sich im **Holmes County**

Zwischen Cleveland und Pittsburgh

in Ohio Anabaptisten an, die in Deutschland, Elsass-Lothringen und der Schweiz in der Ausübung ihres Glaubens immer stärker unter Druck geraten waren und sich deshalb für die Auswanderung in die USA entschieden hatten. Die sogenannten Amish verteilten sich über weite Teile Amerikas, bildeten aber in Ohio und dem benachbarten Pennsylvania die größten Gruppen heraus. Heute leben nirgendwo auf amerikanischem Boden mehr Amish als im Holmes County und den benachbarten vier Landkreisen mit mittlerweile 40 000 Menschen.

Nicht ihre große Anzahl macht das Besondere der Ohio-Amish aus, sondern ihre Lebensweise, die sich in den vergangenen 300 Jahren nicht grundsätzlich veränderte. Brüderlichkeit und kollektive Fürsorge sind ihre obersten Prinzipien. Staatliche Beihilfen wie Sozialhilfe oder Arbeitslosengeld lehnen sie kategorisch ab, weil sie sich lieber auf ihren Gemeinsinn und die gegenseitige Verantwortung verlassen. Was sie aber grundsätzlich von ihren Mitmenschen unterscheidet, ist ihre Ablehnung des technischen Fortschritts. Anstatt mit Autos fahren sie mit Pferdebuggies, und wenn man bei einer Fahrt übers Land irgendwo ein Gehöft entdeckt, zu dem weder Strom- noch Telefonleitungen führen, kann man sicher sein, dass es sich um eine Amish-Farm handelt.

Seit 1923 findet in der Ortschaft **Kidron** südwestlich von Canton wöchentlich eine Viehauktion statt, bei der nicht nur Amish, sondern auch deren amerikanische Nachbarn auf Kühe, Schafe und Ziegen bieten. Im größten Einkaufsladen ›Lehman's Hardware‹ (www.lehmans.com) wechseln Gerätschaften wie gasbetriebene Kühlschränke, Butterfässer für den Handbetrieb und Taschenlampen ohne Batterien ihre Besitzer, weil Amish keine Elektrogeräte kaufen. Vor dem Laden sind Parkplätze für Pferdebuggies ausgewiesen. Bei der Konkurrenz ›Kidron Town & Country‹ (www.kidrontownandcountry.com) gehen mit typischen Amish-Hüten, Schürzen, Rüschenhäubchen im Blümchendesign und Männerhosen mit Hosenträgern Waren über den Tresen, die nur noch bei den Amish Verwendung finden.

Schrock's Amish Farm & Village liegt in den sanften Hügeln bei **Berlin** und sieht aus wie ein Bilderbuchbeispiel einer Amish-Farm: ein weiß getünchter Holzbau mit Blumenbeeten und sorgfältig gestutztem Rasen ums Haus. Im Innern bekommen Besucher in den zwar karg, aber nicht unkomfortabel ausgestatteten Räumen Einblicke in die bescheidene Lebensweise der Amish, die ihren Alltag ohne Elektrizität, aber mit Hilfe vieler Geräte meistern, die entweder von Hand oder etwa mit Gas betrieben werden können. Ein Minizug fährt Besucher auf einer knapp 2 km langen Gleisstrecke über die Farm (4359 State Rte 39, Berlin, Tel. 1-330-893-3232, www.amishfarmvillage.com, tgl. 9–17 Uhr).

Besucher können auf der **Rolling Ridge Ranch** in **Millersburg** mit dem eigenem Auto über das Gelände fahren oder Tiere wie Zebras, Affen, Kamele und Rehwild von einem Pferdewagen aus füttern. In diesem Open-Air-Tiergehege versammeln sich über 400 Tiere aus allen Teilen der Welt. Zur Anlage gehört auch ein hauptsächlich bei Kindern beliebter Streichelzoo, in dem die kleinen Gäste die Tiere anfassen dürfen (3961 CR 168, Millersburg, Tel. 1-330-893-3777, www.visitrollingridge.com, tgl. außer So 9–16 Uhr, 17 $).

Beim überdachten **Holmes County Amish Flea Market** in **Walnut Creek** handelt es sich nicht um einen Flohmarkt im üblichen Sinn mit gebrauchten Gegenständen, sondern um ausgedehnte Markthallen mit über 500 Einzelständen, an denen Antiquitäten, Volkskunst, Möbel, Kleidungsstücke, Spielzeug und ebenfalls von Amish-Familien hergestellte Nahrungsmittel wie Marmelade, Kuchen, Käse, Nudeln sowie Dekorationen für die Wohnung angeboten werden. An Imbissständen kann man Amish-Kost probieren (SR 39 ca.1 km östlich von Berlin, Tel. 1-330-893-0900, www.holmesfleamarket.com, März–Dez. Mi–Sa 9–17 Uhr).

Infos

Holmes County Tourism Bureau: 35 N. Monroe St., Millersburg bei Berlin, OH 44654, Tel. 1-330-674-3975, www.visitamishcountry.com.

Amish-Bauern auf einem Parkplatz für Pferdekutschen in Berlin

Übernachten

Cowboyromantik ▶ **Mrs. Millers Cabins:** 4510 State Rte 557, Millersburg, Tel. 1-330-893-9899, www.mrsmillerscabins.com. Ca. 10 Meilen von Millersburg entferntes, rustikales Blockhaus. 185 $.

Eine ländliche Atmosphäre ▶ **Bluebird Inn Bed & Breakfast:** 5335 CR 626, Berlin, Tel. 1-330-893-2276, www.berlinohio.com >Lodging). Außerhalb von Berlin gelegenes Anwesen mit drei Gästezimmern, alle Zimmer haben Bad, TV und Klimaanlage, Frühstück inkl. Ab 120 $.

Wunderschön und gastfreundlich ▶ **The Barn Inn:** 6838 CR 203, Millersburg, Tel. 1-330-674-7600, www.thebarninn.com. Gästezimmer mit Himmelbetten in einer ehemaligen Scheune. Ab 120 $.

Essen & Trinken

Empfehlenswertes Büffet ▶ **Mrs. Yoder's Kitchen:** 8101 Ohio 241, Millersburg,, Tel. 1-330-674-0922, Mo–Sa 7–20 Uhr. Hier lässt man sich herzhafte Amish-Speisen und köstliche Kuchen schmecken. Ab 12 $.

Lecker und reichlich ▶ **Dutchmann:** 4967 Walnut St., Walnut Creek, Tel. 1-330-893-2981, Mo–Sa 7–20 Uhr. Truthahn, Schinken, Koteletts mit Kartoffelbrei, Beilagen und Desserts: Typische Amish-Kost zu fairen Preisen (keine alkoholischen Getränke). Ab 8 $.

Aktiv

Landausflüge und Schnuppertouren ▶ **Amish Heartland Tours:** 5568 Township Rd., Millersburg westlich von Berlin, Tel. 1-330-893-3248, http://amishheartlandtours.com. Mo–Sa halb- und ganztägige Touren, zum Teil inklusive Verpflegung in originalen Amish-Einrichtungen. Auf diesen Touren bekommen Teilnehmer alles zu sehen, was um Millersburg von Interesse ist. **Country Coach Adventures,** Tel. 1-1-877-359-5282, www.amishadventures.com. Organisierte Touren und Besuche in Amish-Häusern.

Pittsburgh ▶ 1, C 5/6

Cityplan: S. 227

Kaum eine andere amerikanische Großstadt hat in den letzten Jahrzehnten einen so dramatischen Wandel durchgemacht wie das 305 000 Einwohner große **Pittsburgh.** Durch die reichen Steinkohlevorkommen in der Region und die transporttechnisch hervor-

Pittsburgh

Sehenswert

1 Point State Park
2 Greater Pittsburgh Convention & Visitors Bureau
3 Market Square
4 PPG Place
5 Heinz Hall
6 Benedum Center for the Performing Arts
7 Consol Energy Center
8 Strip District
9 Andy Warhol Museum
10 Pittsburgh Children's Museum
11 National Aviary
12 Carnegie Science Center
13 Station Square
14 Monongahela Incline
15 Duquesne Incline
16 University of Pittsburgh

Übernachten

1 Westin Convention Center
2 Renaissance Pittsburgh
3 Sheraton Station Square Hotel
4 Holiday Inn Express
5 Springhill Suites North Shore

Essen & Trinken

1 1902 Nine on Nine
2 Jerome Bettis' Grill 36
3 Six Penn Kitchen
4 North Shore Deli

Einkaufen

1 Galleria at Pittsburgh Mills
2 Shops at Station Square

Abends & Nachts

1 31st Street Pub
2 Pittsburgh Opera
3 Pittsburgh Ballet Theatre
4 Diesel Club Lounge

ragende Lage am Zusammenfluss von Allegheny und Monongahela River zum Ohio River zur ›Steel City‹ Amerikas geworden, begann sich die Metropole schon vor Jahrzehnten im Zuge der Strukturkrise notgedrungen von Kohle und Stahl zu verabschieden – ein harter Weg, der sich am Ende aber auszahlte. Heute prägen Banken, Biotechnologie, Dienstleistungsgewerbe und vier Universitäten das moderne Gesicht von Pittsburgh, auf dem keine Rußflecken mehr zu erkennen sind.

Downtown Pittsburgh

Wo sich der Allegheny und der Monongahela River treffen und zum Ohio River vereinigen, stand im **Point State Park** 1 die Wiege der Stadt. In ihrer Geschichte spielte die militärstrategisch günstige Lage am sogenannten Golden Triangle eine ausschlaggebende Rolle. Im French and Indian War (1756–1763), wie der Siebenjährige Krieg in Amerika hieß, verdrängten die Briten ihre französischen Rivalen aus diesem Gebiet und bauten 1758 mit Fort Pitt den damals größten Militärposten in Nordamerika, aus dem sich Pittsburgh entwickelte.

In der Parkanlage mit einem großen Springbrunnen ist vom ehemaligen Fort nur noch das **Fort Pitt Blockhouse** übrig, das älteste Haus der Stadt. Im **Fort Pitt Museum** erinnern die Exponate an Zeiten, als Indianer, Franzosen,

Briten und Amerikaner um die Kontrolle im westlichen Pennsylvania kämpften. In den Ausstellungen wird auch die amerikanische Revolution thematisiert (Point State Park; Tel. 1-412-281-9285, www.heinzhistorycenter. org, tgl. 10–17 Uhr, 6 $).).

Das Stadtzentrum von Pittsburgh dehnt sich auf dem Landdreieck zwischen Allegheny River im Norden und Monongahela River im Süden aus und ist so kompakt, dass man Downtown bequem zu Fuß erkunden kann.

Vom Point State Park gelangt man stadteinwärts zum **Greater Pittsburgh Convention & Visitors Bureau** 2, wo Besucher alle Informationen über die Stadt, ihre Sehenswürdigkeiten, Hotels und Gastronomie bekommen können (120 Fifth Ave., Suite 2800, Tel. 1-412-281-7711, www.visitpittsburgh.com).

An der südwestlichen Flanke des **Market Square** 3 lässt eine Häuserzeile aus älteren Bauten erkennen, wie das Zentrum im ausgehenden 19. Jh. ausgesehen haben mag. Die Ostseite des Platzes zeigt hingegen, welche Entwicklung die City in den vergangenen Jahrzehnten erlebte. Bänke laden dazu ein, auf dem von Bäumen bestandenen Platz zu verweilen, sich auszuruhen oder das geschäftige Treiben in der Stadt zu beobachten. Zwischen Third und Fourth Avenue ragt seit den 1980er-Jahren **PPG Place** 4 in den Himmel, ein futuristisch anmutendes Ensemble

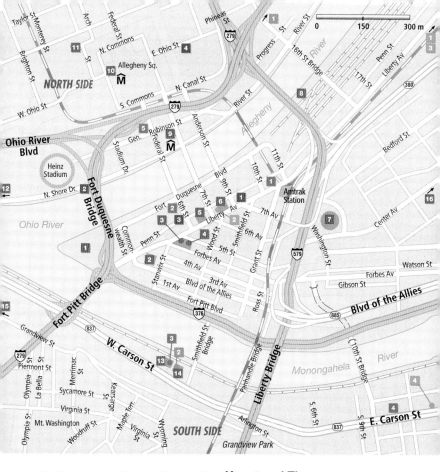

aus fünf einzelnen Gebäuden mit einer 40 Stockwerke bzw. 194 m hohen ›Kathedrale‹ – allesamt bestehend aus schwarzen, mit hellen Aluminiumrahmen gegeneinander abgesetzten Glasflächen. Nirgends sonst wurde der gotische Baustil so spektakulär in der Postmoderne wieder aufgenommen. Steht man inmitten dieser gläsernen Canyonlandschaft, wähnt man sich in einer obsidianschwarzen, extraterrestrischen Kolonie. Im Innern des Komplexes sind Büroräume, aber auch ein Dutzend Restaurants und viele Läden und Boutiquen untergebracht. Vor dem Gebäude wird jedes Jahr zur Weihnachtszeit eine Eislauffläche um einen prachtvoll geschmückten Weihnachtsbaum aufgebaut (One PPG Place, www.ppgplace.com).

Kunst und Theater

In der **Heinz Hall** 5 finden neben Konzerten des weit über die Stadtgrenzen hinaus bekannten Pittsburgh Symphony Orchestra auch Broadway-Shows sowie Rock- und Popveranstaltungen statt. Seit über 100 Jahren prägt das Orchester das kulturelle Leben der Stadt entscheidend mit. Auf Tourneen in vielen Teilen der Welt hat das Ensemble seine hohe künstlerische Qualität und Professionalität unter Beweis gestellt.

An 22 Wochen im Jahr bietet es Abonnementkonzerte und darüber hinaus Popkonzerte, Matineen, Kammerorchesterreihen, sogenannte Happyhour-Konzerte und mehrere über das ganze Jahr verteilte öffentliche Gratiskonzerte in diversen Stadtparks (600 Penn

Zwischen Cleveland und Pittsburgh

Alte und neue Architektur im Wolkenkratzerzentrum von Pittsburgh

Ave., Tel. 1-412-392-4900, www.pittsburgh symphony.org).).

Das heutige **Benedum Center for the Performing Arts** wurde 1928 als Kinopalast eröffnet und 1987 nach einer umfassenden Renovierung unter dem neuen Namen wieder eröffnet. Alle dekorativen Details, wie Spiegel, bronzene Handläufe und Beleuchtungsanlagen, wurden im Originalstil belassen, auch der über zwei Tonnen schwere zentrale Kristallleuchter, der im 2800 Plätze großen Auditorium von der Decke hängt. Am St. Patrick's Day 1936 war der Kulturtempel von einer schweren Überschwemmung heimgesucht worden, bei der mehrere Personen im Innenraum drei Tage lang von der Außenwelt abgeschnitten waren, ehe sie von der Wasserschutzpolizei per Boot gerettet werden konnten ((237 7th St., Tel. 1-412-471-6070, www.trustarts.org >Plan your Visit>Facilities and Spaces>Benedum Center). Das Benedum Center for the Performing Arts ist heute ständige Spielstätte für zwei Ensembles. Das **Pittsburgh Ballet Theatre** zeigt auf dieser Bühne klassisches Ballett und innovativen zeitgenösssischen Tanz. Die Saison dauert jeweils von Oktober bis April (2900 Liberty Ave., Tel. 1-412-281-0360, www.pbt.org).

Und ebenso trägt die hier spielende **Pittsburgh Opera** jedes Jahr zwischen September und Mai entscheidend zur Vielseitigkeit und zum hohen Niveau des städtischen Kulturbetriebs bei. Nicht zuletzt ihrer herausragenden Qualität wegen sind die Aufführungen über die Jahre hinweg weit über die Grenzen der Stadt hinaus bekannt geworden (2425 Liberty Ave., Tel. 1-412-281-0912, www.pittsburghopera.org).

Das im Jahr 2010 fertiggestellte **Consol Energy Center** bietet als Mehrzweckhalle – hauptsächlich für Sport- und Musikveranstaltungen – bis zu 20 000 Besuchern Platz. Es ist das Heimstadion der lokalen Eishockeystars Pittsburgh Penguins, wird aber auch von anderen Mannschaften genutzt. Hoch im Kurs stehen Konzerte, z. B. von Paul

McCartney, Fleetwood Mac, Lady Gaga und Katy Perry (1001 Fifth Ave., Tel. 1-412-642-1800, www.consolenergycenter. com).

Strip District 8

Mitte des 19. Jh. ein Wohngebiet für 12 000 Menschen, hatte sich der Stadtteil **Strip District** bis Ende des 19. Jh. in ein ziemlich heruntergekommenes, problembeladenes Viertel mit hoher Kriminalität verwandelt. Eine neuerliche Veränderung bedeutete der Zuzug von Firmen, Produktionsstätten und Versteigerungshallen im 20. Jh. Der Boom endete jedoch in den 1930er-Jahren mit der Weltwirtschaftskrise und der katastrophalen Überschwemmung im Jahr 1936, ehe der Zweite Weltkrieg begann. Die nächste Metamorphose machte das Viertel in den letzten beiden Jahrzehnten des 20. Jh. durch, als sich der Strip District nach und nach in ein Restaurant- und Kneipenviertel verwandelte. In ehemaligen Lagerhäusern wurden unterschiedlichste Restaurants eröffnet, frühere Warenhäuser wandelte man in Bars und Diskotheken um. Jeweils im Herbst findet in den Straßen ein buntes Oktoberfest mit Spezialitätenständen und Musikgruppen statt.

North Side

Von Downtown führen zahlreiche Brücken über den Allegheny River nach North Side. Bedeutendste Attraktion in diesem Teil von Pittsburgh ist das **Andy Warhol Museum** 9. In dieser Einrichtung für den berühmten Sohn der Stadt, der seinen Geburtsort an seinem 21. Geburtstag für immer verließ, sind auf sieben Etagen über 4000 Gemälde, Drucke, Zeichnungen, Skulpturen, Filme und Videobänder zu sehen, die den Pop-Art-Künstler selbst zeigen, von ihm angefertigt oder von ihm gesammelt wurden (117 Sandusky St., Tel. 1-412-237-8300, www.warhol.org, Di–So 10–17, Fr bis 22 Uhr, 20 $). Der Künstler wurde nach seinem Tod im Jahr 1987 auf dem St. John the Baptist Cemetery in Bethel Park südlich von Pittsburgh zur letzten Ruhe gebettet. Unter den Trauergästen waren u. a. seine Freunde Roy Lichtenstein, Liza Minnelli und Don Johnson.

Tipp: Fabelhafte Aussicht

Die Panoramastraße **Grandview Avenue,** die auf den Mount Washington südlich des Stadtzentrums von Pittsburgh führt, bietet einen fantastischen Blick auf das zwischen den beiden Wasserarmen Monongahela River und Allegheny River liegende Stadtzentrum. Vor allem am Abend, wenn die Wolkenkratzer beleuchtet sind, präsentiert sich die City atemberaubend. Man erreicht die Aussichtspunkte entlang der Grandview Avenue entweder mit dem Auto oder mit zwei historischen Bergbahnen (s. S. 230).

Das in einer ehemaligen Post eingerichtete **Pittsburgh Children's Museum** 10 überrascht junge Besucher etwa mit dem Gravity Room, in dem der um 25° geneigte Fußboden und die entsprechend verschobene Einrichtung für eine Desorientierung der sinnlichen Wahrnehmung sorgen. Auch der Animateering Room bietet Ungewöhnliches. Kinder können hier auf einem Monitor ihr eigenes Puppentheater mit selbst erfundenen Charakteren, eigener Musik und sogar eigenem Bühnenbild kreieren (10 Children's Way, Allegheny Sq., Tel. 1-412-322-5058, www. pittsburghkids.org, tgl. 10–17 Uhr, Erw. 14 $, Kinder 2–18 J. 13 $).

In die Welt der gefiederten Spezies taucht man im **National Aviary** 11 ein. Über 600 Vogelarten leben unter einem Dach, von riesigen Kondoren aus den südamerikanischen Anden bis zu winzigen Kolibris aus den Tropen und von bunten Papageien bis zu rosaroten Flamingos. Über den Tag verteilt können Besucher an Shows teilnehmen oder die Fütterung beobachten (Allegheny Commons West, Tel. 1-412-323-7235, www.aviary.org, tgl. 10–17 Uhr, Erw. 14 $, Senioren 13 $, Kinder 12 $, Extrakosten für Shows).

In der Nähe des Heinz Stadium liegt das **Carnegie Science Center** 12, in dem interessierte Besucher auf spielerische Weise mit Naturgesetzen, neuen Erfindungen und technischen Prinzipien vertraut gemacht wer-

Zwischen Cleveland und Pittsburgh

den. Kinofans bekommen Einblicke in Filmproduktionen und erfahren Wissenswertes über Spezialeffekte, Lasershows, Stunt-Choreografie und Schminktechniken. Zum Museum gehören ein Planetarium und am Flussufer die ›**USS Requin**‹, ein U-Boot aus dem Zweiten Weltkrieg (One Allegheny Ave., Tel. 1-412-237-3400, www.carnegiesciencecen ter.org, So–Fr 10–17, Sa 10–19 Uhr, Erw. 18,95, Kinder 3–12 Jahre 11,95 $).

South Shore

Am Südufer des Monongahela River wurde um einen ausgedienten Bahnhof der **Station Square**  angelegt, ein Einkaufs-, Restaurant- und Unterhaltungszentrum. Vor allem an Wochenenden pilgern viele Pittsburgher über die Smithfield Street Bridge, um mit einem der ›Mississippi-Dampfer‹ der Gateway Clipper Fleet eine Ausflugsfahrt zu unternehmen. Über die Jahre hat sich Station Square zu einem beliebten Ausgehviertel entwickelt, in dem man die Qual der Wahl zwischen 14 Restaurants, vier Schnellimbissen, 20 Cocktaillokalen und vier Nachtclubs hat. Dass dort andererseits die Industriegeschichte der Stadt festgeschrieben wird, zeigt der Bessemer Court mit einer Maschine, mit der in den 1930er-Jahren flüssiges Eisen in Stahl verwandelt wurde (www.stationsquare.com).

Die Bergbahn auf den 200 m über die Stadt hinaus ragenden Mount Washington wartet mit zwei Superlativen auf. 1869 in Betrieb genommen, ist die **Monongahela Incline** nicht nur die älteste seilbetriebene Bahn der USA, sondern auch die steilste. Mit einem relativ gemächlichen Tempo von 6 Meilen pro Stunde wuchtet sie in Oldtimer-Kabinen bis maximal 23 Personen pro Fahrt über die knapp 200 m lange Strecke zwischen Tal- und Bergstation (E. Carson St., Mo–Sa 5.30–0.45, So und feiertags 8.45–24 Uhr, hin und zurück 5 $).

Auch die aus den 1870er-Jahren stammende **Duquesne Incline**, eine zweite Bergbahn, steht unter Denkmalschutz. 1963 kam beinahe das Aus für den Oldtimer mit den roten Kabinen, doch bildete sich eine Bürgerinitiative, die dann selber zum Betrei-

ber der Bahn wurde und so die Stilllegung verhinderte. Zwischen den Bergstationen der beiden Bergbahnen führt die **Grandview Avenue** als Panoramastraße über den Mount Washington, von wo man an klaren Tagen und vor allem abends einen fantastischen Blick auf die Stadt hat, wenn das letzte Sonnenlicht die Spitzen der Wolkenkratzer einfärbt, während in den Häuserschluchten bereits die Lichter eingeschaltet werden (1220 Grandview Ave., Betriebszeiten und Preise wie Monongahela Incline).

Der Campus in Oakland

Im Stadtteil Oakland hat die **University of Pittsburgh** ihren Platz. Auf dem Campus der 1787 gegründeten Universität, an der rund

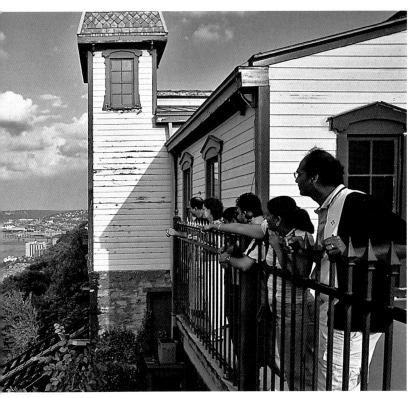

Blick von der Bergstation Duquesne Incline auf Pittsburgh und Monongahela River

35 000 Studenten eingeschrieben sind, liegen rund 70 zum Teil sehenswerte Gebäude.

Um ein wortwörtlich herausragendes Bauwerk handelt es sich bei der **Cathedral of Learning.** Der 163 m hohe neogotische Wolkenkratzer entstand 1926 bis 1937. Betritt man das mit 42 Etagen ›höchste Schulhaus der Welt‹ durch den Haupteingang am Bigelow Boulevard, führt eine Treppe in den vier Stockwerke hohen Commons Room, der die Atmosphäre einer gotischen Kathedrale ausstrahlt, in die durch Buntglasfenster wenig Licht fällt. Zwischen den Pfeilern stehen vereinzelte Tische, an denen Studenten ebenso arbeiten können wie in kleinen Nischen, die nur für ein Pult Platz haben (4200 5th Ave., Tel. 1-412-624-6000, tgl. ab 9, So ab 11 Uhr).

23 Nationalitätenräume, die einen Querschnitt durch viele Kulturen der Welt darstellen, wurden allesamt von den Angehörigen der Länder, die im Laufe der Geschichte nach Pittsburgh kamen, im Stil ihrer Heimat gestaltet. Unter einer steinernen Kuppel wirkt der armenische Raum spartanisch in seiner Ausstattung. Prächtig gestaltet hingegen ist der syrisch-libanesische Raum mit originalem Interieur samt Wand- und Deckenschmuck aus dem Mittleren Osten. Einige Buntglasfenster im deutschen Raum sind mit Darstellungen aus Grimms Märchen geschmückt.

Weitere Räume wurden im klassizistischen, byzantinischen, romanischen und barocken Stil ausgestaltet oder führen Besucher u. a. ins Zeitalter der Renaissance oder des Empire. Selbst so exotische Kulturen wie das westafrikanische Ashanti-Reich des 18. Jh. sind vertreten.

Im Kulturkomplex **The Carnegie** sind ein Konzertsaal mit 2000 Plätzen, die Carnegie Library mit über vier Mio. Büchern, Dokumenten und Tonträgern, das Carnegie Museum of Art mit Kunstwerken des 19. und 20. Jh. und ein interessantes Naturkundemuseum untergebracht.

Viele Besucher fasziniert im **Carnegie Museum of Natural History** vor allem die Saurierhalle, die im Jahr 2007 umgebaut und vergrößert wurde, um beispielsweise dem riesigen Fleischfresser Tyrannosaurus Rex und dem nach dem Museumsstifter benannten Diplodocus Carnegii mehr Raum zu verschaffen. In Fachkreisen zählen die Sammlungen von mehr als 100 000 Dinosaurierknochen und Fossilienfundstücken zu den besten weltweit (4400 Forbes Ave., Tel. 1-412-622-3131, www.carnegiemuseums.org, Mo–Sa 10–17, Do bis 20, So 12–17 Uhr, Weihnachten und Neujahr geschl.).

Die Schätze des **Carnegie Museum of Art** lassen sich in Kategorien wie Architektur, dekorative Kunst, Film und Video, Malerei und Skulptur einteilen. Zu den wertvollsten Gemälden zählen Arbeiten von Degas, van Gogh, Hopper, Abbey und Joan Mitchell. In speziellen Ausstellungen beschäftigt sich das Museum mit der Architektur von Frank Lloyd Wright oder mit der Fotografie von Luke Swank (1890–1944) (Adresse und Öffnungzeiten wie Carnegie Museum of Natural History, 18 $ für beide Museen).

In Gestalt einer Kapelle steht auf dem Universitätsgelände das größte ›Denkmal‹, das jemals einem amerikanischen Komponisten gewidmet wurde. Stilistisch der Cathedral of Learning angepasst, erinnert das **Stephan C. Foster Memorial** an den 1826 in Lawrenceville (Pennsylvania) geborenen berühmten Songwriter Stephan C. Foster, von dem Hits wie ›Beautiful Dreamer‹ und ›My Old Kentucky Home‹ stammen. In der Museumskapelle sind Musikinstrumente von Foster, Kopien seiner Kompositionen und Memorabilien wie eine Geldbörse mit 38 Cent ausgestellt –

der einzigen Habe des Musikers bei seinem Tod 1864 (Forbes Ave./Bigelow Blvd, Mo–Fr 9–16 Uhr).

Die kleine **Heinz Memorial Chapel** gibt sich durch einen nadelspitzen Turm zu erkennen. In dem mit über 20 m hohen Buntglasfenstern, einer Orgel, Holzschnitzereien und einem Altar aus Marmor ausgestatteten Gotteshaus finden regelmäßig Konzerte sowie andere Veranstaltungen statt (4200 5th Ave., Tel. 1-412-624-4157, www.heinzchapel.pitt.edu, Mo–Fr 9–16, So 13–17 Uhr).

Infos

Greater Pittsburgh Convention & Visitors Bureau: 120 Fifth Ave., Suite 2800, Pittsburgh, PA 15222, Tel. 1-412-281-7711, www.visitpittsburgh.org.

Übernachten

Toller Service ▸ Westin Convention Center 1: 1000 Penn Ave., Tel. 1-412-281-3700, www.westin.com/pittsburgh. Ein großes, elegantes Luxushotel in Downtown mit Sauna, beheiztem Innenpool und Businesscenter. Ab 240 $.

Top-Hotel ▸ Renaissance Pittsburgh 2: 107 6th St., Tel. 1-412-562-1200, www.renaissancepittsburghpa.com. Mitten in Downtown gelegenes Nobelhotel mit wunderschöner Lobby, Zimmer mit Bad oder nur Dusche, Fitnesseinrichtungen und Sauna. Ab 200 $.

Einwandfreies Stadthotel ▸ Sheraton Station Square Hotel 3: 300 West Station Square Dr., Tel. 1-412-261-2000, www.sheratonstationsquare.com. Einziges Hotel der Stadt am Wasser mit Innenpool, Whirlpool, Sauna, Fitness-Studio und sehr komfortablen Zimmern. Ab 160 $.

Gastfreundlich ▸ Holiday Inn Express 4: 20 S. 10th St., Tel. 1-412-488-1130, www.hiexpress.com. Größeres Hotel mit Innenpool, Fitnesscenter und Zimmern ohne großen Komfort. 115–180 $.

Tadellos sauber ▸ Springhill Suites North Shore 5: 223 Federal St., Tel. 1-412-323-9005, www.marriott.com. Angenehmes Hotel mit geräumigen Suiten, Swimmingpool und Fitnesscenter. 100–180 $.

Essen & Trinken

Gute Weinauswahl ▶ 1902 Nine on Nine
1: 900 Penn Ave., Tel. 1-412-338-6463,
www.nineonninepgh.com, Lunch Mo–Fr ab
11.30, Dinner Mo–Sa ab 17 Uhr. Schmackhaftes Essen in netter Atmosphäre. Ab 25 $.

Lebhafte Atmosphäre ▶ Jerome Bettis'
Grill 36 **2**: 393 North Shore Dr., Tel. 1-412-
224-6287, http://jeromebettisgrille36.g3res
taurants.com. Gutes Lokal für Sportfans.
Hauptgerichte ab 20 $.

Bodenständig ▶ Six Penn Kitchen **3**: 146
6th St., Tel. 1-412-566-7366, www.sixpennkit
chen.com, Mo–Do 11–23, Fr 11–24, Sa
16.30–24, So Brunch 10.30–14.30 Uhr. Ordentliche amerikanische Küche. Ab ca. 15 $.

Populärer Imbiss ▶ North Shore Deli **4**:
539 E. Ohio St., Tel. 1-412-231-2812, http://
northshoredeli.com. Delikatessengeschäft mit
Snacks für den kleinen Hunger. Ca. 5–7 $.

Einkaufen

Einkaufszentren ▶ Galleria at Pittsburgh
Mills **1**: 590 Pittsburgh Mills Circle, Tarentum,
www.pittsburghmills.com, Mo–Sa 10–21, So
12–18 Uhr. Über 200 Fabrikverkäufe und Boutiquen, Restaurants und Unterhaltungsmöglichkeiten. **Shops at Station Square** **2**: Station Sq., Mo–Sa 10–17, So ab 13 Uhr. Im alten
Bahnhof mit viele Geschäfte untergebracht.

Abends & Nachts

Die besten Viertel für Nachtschwärmer sind
der **Strip District** und der **Station Square** am
Südufer des Monongahela River.

Es geht deftig zu ▶ 31st Street Pub **1**:
3101 Penn Ave., Tel. 1-412-391-8334, www.
31stpub.com, Mi 15–21, Do, Fr 15–2, Sa 21–
2 Uhr. Hauptsächlich Biker fühlen sich in dieser Kneipe wohl. Jedes Wochenende und oft
auch wochentags Live-Music.

Klassik ▶ Pittsburgh Symphony Orches-
tra **5**: 600 Penn Ave., Tel. 1-412-392-4900,
www.pittsburghsymphony.org. Das Flaggschiff der Pittsburgher Musikszene veranstaltet die meisten Konzerte in der Heinz Hall.

Opernzauber ▶ Pittsburgh Opera **2**: 719
Liberty Ave., Tel. 1-412-281-0912, www.pitts
burghopera.org. Spielsaison: Sept.–Mai.

Große Bühnenkunst ▶ Benedum Center
for the Performing Arts **6**: 803 Liberty Ave.,
Benedum Center, Tel. 1-412-471-6070. Insbesondere Broadway-Shows.

Ballett ▶ Pittsburgh Ballet Theatre **3**:
2900 Liberty Ave., Tel. 1-412-281-0360, www.
pbt.org. Klassisches Ballett und zeitgenössischer Tanz.

Treff für Nachtschwärmer ▶ Diesel Club
Lounge **4**: 1601 East Carson St., Tel. 1-412-
431-8800, www.dieselclublounge.com >Pitts-
burgh. Hipper Club mit tollem Sound, der oft
gut besuchte Live-Konzerte für Heavy Metal-
Anhänger veranstaltet. Sonst legen DJs auf.

Aktiv

Flussfahrten ▶ Gateway Clipper Fleet **13**:
Station Square Dock, Tel. 1-412-355-7980,
www.gatewayclipper.com. Im Angebot sind
Tagesausflüge, Dinnertouren und Fahrten bei
Mondschein auf den Flüssen um Pittsburgh.

Termine

Carnegie International: Seit über 50 Jahren
jährlich veranstaltete Riesenschau über zeitgenössische Kunst mit bekannten Künstlern
aus aller Welt (Okt.–April, www.cmoa.org).

Verkehr

Flugzeug: Pittsburgh International Airport,
Airport Pkwy, 19 Meilen nordwestlich der
Stadt, Tel. 1-412-472-3525, www.pitairport.
com. Der Flughafen wird von den meisten
US-Gesellschaften frequentiert. Die beiden
Terminals sind durch zwei U-Bahnen mitei-
nander verbunden. Taxis und Shuttlebusse
fahren ins Zentrum

Zug: The Pennsylvanian Terminal, Liberty
Ave./Grant St., Tel. 1-412-471-6172, www.am
trak.com. Amtrak-Bahnhof für Verbindungen
etwa nach Philadelphia und New York City.

Bus: Greyhound Bus Lines, 990 2nd Ave., Tel.
1-412-392-6513, www.greyhound.com. Verbindungen in alle größeren Städte.

Öffentlicher Nahverkehr: Busse und U-
Bahn werden von der Hafenverwaltung (Port
Authority Transit, Tel. 1-412-442-2000) be-
trieben. Die kürzeste U-Bahn der USA ist in
Downtown kostenlos.

Pennsylvania und New Jersey

Kaum irgendwo sonst zeigt sich der amerikanische Osten so sympathisch provinziell wie zwischen Pittsburgh im südöstlichen Pennsylvania und der Atlantikküste bei Newark. Reisende lernen in diesem Gebiet nicht nur das Amerika der Kleinstädte kennen, sondern auch geschichtsträchtige Stätten, die in den USA jedem Schulkind geläufig sind.

Seit der Kolonialzeit gehört Pennsylvania zu den führenden Industriestaaten der USA. Reiche Kohle- und Erdöllager halfen einer riesigen Eisen- und Stahlherstellung auf die Beine. Hinzu kamen im Laufe der Zeit Produktionsstätten anderer Branchen wie Textil-, Leder-, Tabak-, Nahrungsmittel- und Holzindustrie. In der südlichen Hälfte des Landes ist von Großindustrie auf einer Fahrt von Pittsburgh nach Osten genauso wenig zu spüren wie in New Jersey: Statt an Fabrikschlote gewöhnen sich die Augen an bewaldete Hügel, und wo man vielleicht moderne Bürotürme erwartet hätte, verstecken sich in Wiesen und Feldern Farmhäuser und dekorative Scheunen. In der hügeligen Landschaft mit Wäldern, niedrigen Bergketten, kleinen Seen und vielen Flüssen zeigt sich, dass die Natur diesen Teil des Ostens großzügig bedacht hat, von spektakulären Naturwundern einmal abgesehen.

Große Städte sind dünn gesät. Gemeinden und Kleinstädte sind provinziell eingefärbt, was in gewissem Maß sogar auch auf die nur 50 000 Einwohner große Hauptstadt Harrisburg zutrifft, die nicht einmal den Versuch unternimmt, die Rolle einer Metropole zu spielen. Im Bundesstaat Pennsylvania leben ca. 12,7 Mio. Menschen. Allein die Hälfte davon entfällt auf das urbane Ballungsgebiet um Philadelphia. Berücksichtigt man darüber hinaus die beiden in der staatlichen Rangliste auf Platz 2 und 3 rangierenden Großräume Pittsburgh und Erie mit mehreren Millionen Einwohnern, wird deutlich, dass manche Landesteile von Pennsylvania relativ dünn besiedelt sind. Ähnliches gilt für das nordöstliche New Jersey.

Schnell wird klar, dass man sich nicht nur in einem unpreziösen Teil Amerikas bewegt, sondern sich auch abseits bekannter und stark frequentierter Touristenstraßen befindet. Das hat einen unschätzbaren Vorteil: Die Gegend kommt nicht gestelzt und gestylt daher, sondern gibt sich ganz unverkrampft als das zu erkennen, was sie tatsächlich ist: sympathische amerikanische Provinz.

Zuweilen macht der Süden von Pennsylvania Ausnahmen, vor allem dort, wo der Bundesstaat seinem Ruf als historische Schatztruhe gerecht wird. Gettysburg etwa war 1863 Schauplatz der entscheidenden Schlacht des amerikanischen Bürgerkriegs und ist mit einer Vielzahl von Gedenkstätten gepflastert – und in Anbetracht der historischen Bedeutung des Orts natürlich mit entsprechenden touristischen Einrichtungen. Historische Spuren findet man auch im Landstädtchen York und auf dem Staatsgebiet von New Jersey, wo der Morristown National Historic Park an den amerikanischen Revolutionskrieg erinnert.

York ▶ 1, G 6

Das 44 000 Einwohner große Städtchen **York** führt ein beschauliches Provinzdasein, blickt aber mit Stolz auf jene Phase seiner Geschichte zurück, als es 1777/78 ein halbes Jahr lang Hauptstadt der USA war. Die Mitglieder des Kontinentalkongresses waren damals vor den Briten aus Philadelphia geflohen und berieten im York County Colonial Courthouse die nächsten Schritte im Unabhängigkeitskampf. Seit damals ist zwar viel Zeit vergangen, die Ereignisse sind aber immer noch präsent. Ende des 20. Jh. beauftragte die Stadtverwaltung zahlreiche, zum Teil namhafte US-Künstler, Yorks bedeutende Historie in Dutzenden von großflächigen Wandgemälden zu thematisieren, die über das Stadtzentrum verteilt sind.

Golden Plough Tavern

Eine Reminiszenz an längst vergangene Zeiten ist das 1741 aus Fachwerk und Ziegeln erbaute, zum Teil mit Originalmobiliar ausgestattete ›Gasthaus zum Goldenen Pflug‹. Das Lokal spielte damals als gesellschaftliches Forum eine wichtige Rolle, weil Delegierte des Kongresses dort politische Probleme diskutieren konnten. Im benachbarten **Gates House,** das auf dem Gelände der Golden Plough Tavern steht, wohnte 1778 General Gates, der ein Jahr zuvor nach dem Willen hoher Nordstaatenmilitärs George Washington als Oberkommandierenden der Unionstruppen hätte ersetzen sollen. Dazu kam es jedoch nicht. Das **Bobb House** verschafft Besuchern einen Eindruck vom Leben in York um 1830 (Colonial Complex, 157 W. Market St., Tel. 1-717-848-1587, www.yorkheritage. org, Di–Sa 10–16 Uhr, Führungen finden stündlich zwischen 10 und 15 Uhr statt, 15 $).

Harley-Museum

Das Werksmuseum neben den Fertigungshallen zeigt die technische Entwicklung der Harley-Davidson-Motorräder seit 1903, als der ›Silent Gray Fellow‹ mit einem 3 PS starken Einzylinder-Viertakt-Motor mit 580 ccm auf den Markt kam. Jeder neue Typ wird mithilfe von Prospekten, Zeitungsartikeln und Fotos vorgestellt, sodass sich eine lückenlose Chronologie der Produktion bis in die Gegenwart ergibt (1425 Eden Rd., Tel. 1-717-848-1177, www.harley-davidson.com, Mo–Fr 9–14 Uhr, Juni–Mitte Aug. auch Sa. Kostenlose Führungen, Mindestalter 12 Jahre).

Infos

Downtown York Visitor Center: 149 W. Market St., York PA 17401, Tel. 1-717-852-9675, www.yorkpa.org.

Übernachten

Charme der Vergangenheit ▶ **Yorktowne Hotel:** 48 E. Market/Duke St., Tel. 1-717-848-1111, www.yorktowne.com. Altes Hotel (Altstadt) mit großen Zimmern und Suiten, Fitnesscenter. 120–135 $.

Sehr gepflegter Aufenthalt ▶ **Country Inn & Suites:** 245 St. Charles Way, Tel. 1-717-747-5833, www.countryinns.com >York, PA. Großer Innenpool, Fitnesseinrichtungen, einige Zimmer mit Whirlpool, kostenloser Internetzugang und Frühstück inkl. Ab 100 $.

Camping ▶ **Indian Rock Campground:** 436 Indian Rock Dam Rd., Tel. 1-717-741-1764, www.indianrockcampground.com, ganzjährig. Ruhiger Platz mit 70 Stellflächen.

Essen & Trinken

Gutes Essen ▶ **San Carlo's Restaurant:** 333 Arsenal Rd. Tel. 1-717-854-2028. Pasta, BBQ, Steaks, Schnitzel, Sandwiches. Zwei Tanzflächen und Bar im Freien, So, Di, Do Karaoke, tgl. 16–2 Uhr. Ab 10 $.

Für Jung und Alt ▶ **Isaac's Deli:** 2960 Whiteford Rd., Tel. 1-717-751-0515, Mo–Sa 10–21, So 11–21 Uhr. Riesige Auswahl an belegten Baguettes, Suppen und Salaten. Ab 6 $.

Einkaufen

Bauernmarkt ▶ **Central Market:** W. Philadelphia St., www.centralmarketyork.com, Di, Do, Sa 6–14 Uhr. Frisches Obst und Gemüse.

Aktiv

Farmbesuch ▶ **Perrydell Farm Dairy:** 90 Indian Rock Dam Rd., Tel. 1-717-741-3485, www.perrydellfarm.com, Mo–Sa 7–21, So 11–18 Uhr. Kostenloser Besuch einer Milchfarm.

Gettysburg ▶ 1, F 6/7

In der wahrscheinlich blutigsten Schlacht zwischen den Nord- und Südstaaten im Juli

Das Lincoln-Monument in Gettysburg, wo der Präsident eine berühmte Rede hielt

1863 wurden innerhalb von drei Tagen mehr als 50 000 Soldaten getötet, verwundet oder blieben vermisst. Seit damals genießt das 7600 Einwohner große Landstädtchen Gettysburg traurige Berühmtheit.

National Military Park

Die Schlachtfelder und Friedhöfe des Orts wurden im **Gettysburg National Military Park** zusammengefasst, durch den ein Rundweg führt. Man beginnt die Tour am besten im **Visitor Center,** wo die Schlacht in allen Details dokumentiert ist. Besucher können sich Rangerführungen anschließen oder etwa mit einer ausgeliehenen Tonkassette das Gelände mit seinen Monumenten, Gedenktafeln, alten Geschützen und Statuen auf eigene Faust erkunden. Kritische Anmerkungen über den Sinn des historischen Gemetzels findet man gar nicht. Umso präsenter sind Pathos und Heldenverehrung, wie man auch im 100 Mio. Dollar teuren Besucherzentrum feststellen kann. In diesen Komplex integriert wurde das **Cyclorama Center,** ein mehr als 100 m langes Wandgemälde über den Verlauf der Schlacht

von Gettysburg (1195 Baltimore Pike, Suite 100, Gettysburg, PA 17325-2804, Tel. 1-717-334-1124, www.nps.gov/gett, April–Okt tgl. 6–22, sonst 6–19 Uhr, 12,50 $).

National Cemetery

Auf dem **Soldiers' National Cemetery** befinden sich die Gräber von mehr als 6000 Soldaten, darunter 3512 Gefallene der Unionsarmee. Es dauerte vier Monate, ehe man die Toten nach der fürchterlichen Schlacht in der Umgebung gefunden und zur letzten Ruhe gebettet hatte. Bei der Einweihung des Friedhofs hielt der damalige US-Präsident Abraham Lincoln eine kurze Rede, die als ›Gettysburg Address‹ in die Geschichte einging. In der 3-minütigen Ansprache zu Ehren der Gefallenen legte Lincoln ein unerschütterliches Bekenntnis zum Fortbestand der amerikanischen Union ab (www.nps.gov/gett).

Eisenhowers Altersruhesitz

Nach seinem Ausscheiden aus dem höchsten Amt im Staat zog sich der 34. US-Präsident Dwight D. Eisenhower 1961 in die ländliche Atmosphäre seiner Farm in Gettysburg zurück. Gelegentlich brach auf dem Altersruhesitz Hektik aus, wenn sich hohe Staatsgäste wie Winston Churchill, Nikita Chruschtschow oder General de Gaulle zu einem Besuch ansagten. Das Wohnhaus und die umliegenden Farmgebäude wurden so erhalten, wie sie zu Zeiten des berühmten Hausherrn aussahen (Tel. 1-717-338-9114, www.nps. gov/eise, Zugang nur per Shuttlebus ab National Military Park, tgl. 9–16 Uhr, 7,50 $).

Infos

Gettysburg Convention and Visitors Bureau:
35 Carlisle St., Gettysburg, PA 17325, Tel. 1-717-334-6274, www.gettysburg.com, www.gettysburg.travel.

Übernachten

Für eine Kleinstadt ist Gettysburg mit Unterkünften aller Preiskategorien bestens ausgestattet.

Unauffällig ▶ **Best Value Inn:** 301 Steinwehr Ave., Tel. 1-717-334-1188, www.abvigettysburg.com. Motel mit Außenpool, Gratisfrühstück, Zimmer teils mit Küche. Ab 75 $.

Eher spartanisch ▶ **Blue Sky Motel:** 2585 Biglerville Rd., Tel. 1-717-677-7736, www.blueskymotel.com. Einfache, saubere Zimmer, Schwimmbad, Parkplatz vor der Tür, WLAN. Ab 55 $.

Campingplatz ▶ **Gettysburg KOA Kampground:** 20 Know Rd., Tel. 1-717-642-5713, http://koa.com >Campgrounds>Gettysburg, Mai–Okt. Platz mit Minigolf, Pool, Fahrradverleih, Cabins und komplett ausgestatteten Cottages.

Essen & Trinken

Zufriedenheit inklusive ▶ **Dobbin House Tavern und Springhouse Tavern:** 89 Steinwehr Ave., Tel. 717-334-2100, www.dobbinhouse.com, tgl. 11.30–21 Uhr. Candlelight Dinner in einer traditionsreichen Taverne aus dem Jahr 1776, die Bedienungen tragen historische Trachten. Ab 18 $.

Aufs Land ▶ **Hickory Bridge Farm:** Orrtanna, 9 Meilen westl. von Gettysburg, Tel. 1-717-642-5261, www.hickorybridgefarm.com,

Fr, Sa 17–20, So 12–15 Uhr. Üppiges Speisenangebot im Farmerstil in einer 150 Jahre alten Scheune mit vielen Antiquitäten. Menü inkl. alkoholfreie Getränke 25,50 $, eigenes Bier kann mitgebracht werden.

Einkaufen

Outlet ▶ **Outlet Shoppes at Gettysburg:** 1863 Gettysburg Village Dr., www.theoutletshoppesatgettysburg.com, Mo–Sa 10–9, So 10–18 Uhr. Über 70 Fabrikverkaufsstellen für Mode, Schuhe, Haushaltswaren, im Food Court kann man sich stärken.

Aktiv

Tierpark ▶ **Land of Little Horses:** 125 Glennwood Dr., Tel. 1-717-334-7259, www.landoflittlehorses.com, Mai–Okt. Mo–Sa 10–17, So 12–17 Uhr. Spaß für Kinder: Streichelzoo, Hühnerrennen, Ponys, Zwergesel, Lamas, Ziegen und diverse Tiervorstellungen jeweils 11 und 14 Uhr, 16 $).

Termine

Battle of Gettysburg Re-Enactment (Anfang Juli): Nachstellung der größten Schlacht im Unabhängigkeitskrieg (www.gettysburgreenactment.com).

Harrisburg ▶ 1, G 6

Die Hauptstadt von Pennsylvania zählt mit ca. 50 000 Einwohnern zu den kleinen Staatsmetropolen der USA. Im Jahr 1979 geriet die Stadt weltweit in die Schlagzeilen, als auf Three-Mile Island im Susquehanna River um ein Haar der Reaktorkern eines Atomkraftwerks geschmolzen wäre. Obwohl die ausgetretene radioaktive Strahlung eine sofortige Evakuierung der im Umkreis lebenden Menschen notwendig gemacht hätte, spielten die Betreiber den Vorfall herunter. Die folgenden Diskussionen über Sicherheitsfragen und gesundheitliche Schäden der Bevölkerung wie vermehrte Leukämiefälle veränderten die amerikanische Kernkraftpolitik nachhaltig.

Die Anfänge von Harrisburg gehen auf einen 1710 von John Harris gegründeten Handelsposten am Ufer des Susquehanna River zurück. Harris' Sohn John betrieb dort später eine Fähre über den Fluss, mit der er auf dem Weg nach Westen befindliche Pioniere übersetzte. Erst 1785 erfolgte die offizielle Gründung der Stadt, die Harris' Namen erhielt und 1812 zur Kapitale bestimmt wurde. Der sieben Jahre später erbaute erste Regierungssitz fiel 1897 einem Feuer zum Opfer. Aus der Anfangszeit der Hauptstadt stammen einige Häuser in der North Front Street (Governor's Row), die zwischen 1812 und 1840 erbaut wurden, darunter die Residenzen dreier ehemaliger Gouverneure.

State Capitol

US-Präsident Theodore Roosevelt beschrieb das **Kapitol** Pennsylvanias nach der Fertigstellung 1906 als »das schönste Gebäude, das ich jemals sah«. Tatsächlich ist der Eindruck berückend, wenn man in der Lobby unter der gewaltigen Kuppel steht und den Blick durch das marmorne Ambiente mit eleganten Treppen, Denkmälern und Skulpturen schweifen lässt. Der 83 m hohen Kuppel diente der Petersdom in Rom als Vorbild. Die zentrale Marmortreppe wurde durch den Aufgang zur Pariser Oper inspiriert. Zwei Skulpturengruppen des aus Pennsylvania stammenden Bildhauers George Grey Barnard flankieren den Haupteingang (Capitol Hill, Tel. 1-800-868-7672, www.pacapitol.com >Visitors Information/Tours, kostenlose Führungen Mo–Fr 8.30–16, Sa, So 9–15 Uhr).

Sehenswerte Museen

Unter den Museen der Stadt ist das **State Museum of Pennsylvania** das bedeutendste. Die Ausstellungen sind den Gebieten Kunst, Geschichte, Geologie, Archäologie, Völkerkunde, Wissenschaft, Industrie und Technologie zuzuordnen. Besonders interessant sind indianische Artefakte, die von prähistorischen Steinwerkzeugen bis zu den kulturellen Zeugnissen der Oklahoma-Delaware-Indianer reichen, deren Vorfahren früher u. a. im östlichen Pennsylvania lebten. Auch das fast komplett erhaltene, 12 000 Jahre alte Skelett eines Mastodons ist zu sehen, (300 N. St. beim Capitol, Tel. 1-717-787-4980, www.statemuseumpa.org, Mi–Sa 9–17, So 12–17 Uhr, Erw. 5 $. Shows im Planetarium Mai–Aug. Mi–So 14, Sa auch 12 Uhr).

Das **Whitaker Center** bietet Besuchern nicht nur naturwissenschaftliche Ausstellungen etwa über menschliche Bewegungen bei Tanz und Gymnastik, interaktive Einrichtungen und viele Ausstellungen über Technik, physikalische Phänomene und Mathematik. Im kulturellen Teil des Zentrums finden das ganze Jahr über Opern- und Theateraufführungen, Konzerte und Shows statt (222 Market St., Tel. 1-717-214-2787, www.whitakercenter.org; Di–Sa 9.30–17, So 11.30–17 Uhr, Science Center 16 $, IMAX-Filme 9,50 $).

Das **National Civil War Museum** bezeichnet sich selbst als das einzige Museum in den USA, das die Geschichte des amerikanischen Bürgerkriegs im Gesamten erzählt und dabei einen möglichst neutralen Standpunkt zwischen einer nord- und südstaatlichen Interpretation einzunehmen versucht. Es werden Waffen, Uniformen, Ausrüstungsgegenstände von Soldaten, Dioramen über das Leben an der Front und Schlachtenpläne gezeigt. Spezielle Abteilungen beschäftigen sich mit Sonderthemen wie Frauen im Krieg, dem ersten Schuss in Fort Sumter in South Carolina, Musik im Bürgerkrieg sowie der Schlacht von Gettysburg (1 Lincoln Circle at Reservoir Park, Tel. 1-717-260-1861, www.nationalcivilwarmuseum.org, Mo, Di und Do–Sa 10–17, Mi 10–20, So 12–17 Uhr, 11 $).

City Island

Auf Höhe der Walnut Street führt eine über 100 Jahre alte, für Autos gesperrte Eisenbrücke nach **City Island** hinüber. Die lang gezogene, vom Susquehanna River umspülte Insel wurde in den 1980er-Jahren von der Stadtverwaltung als Naherholungsgebiet erschlossen. Neben einem Badestrand, Picknickplätzen, Minigolf, Sportanlagen und Möglichkeiten zum Wassersport gibt es dort ein kleines Dorf mit Imbisslokalen und Souvenirläden sowie einen Schaufelraddampfer (10 N. 2nd St., Tel. 1-717-255-3020, www.visitpa.com/city-island-harrisburg-pa).

Das State Capitol bildet ein architektonisches Schmuckstück in Harrisburg

Infos

Hershey Harrisburg Regional Visitors Bureau: 17 South 2nd St., Harrisburg, PA 17101, Tel. 1-717-231-7788, www.visithersheyharris burg.org. Informationen über Pennsylvania unter www.visitpa.com.

Übernachten

Die meisten Hotels/Motels liegen außerhalb der Stadt nahe der Interstates.

Günstig gelegen, aber bejahrt ▶ **Crowne Plaza Harrisburg:** 23 S. Second St., Tel. 1-717-234-5021, www.cpharrisburg.com. Zentral gelegenes Hotel in Capitol-Nähe mit 261 komfortablen Zimmern, beheiztem Innenpool und Fitnessraum. Ab 160 $.

Ordentlich und bezahlbar ▶ **Comfort Inn Riverfront:** 525 S. Front St., Tel. 1-717-233-2172, www.comfortinnriverfront.com. Zentral gelegenes, gut ausgestattetes Hotel mit Pool und Fitness-Studio. Ab 80 $.

Kettenmotel ▶ **Red Roof Inn Harrisburg Hershey:** 950 Eisenhower Blvd., Tel. 1-717-939-1331, www.redroof.com. Ausgezeichnetes Preis-Leistungs-Verhältnis. Ab $ 65.

Essen & Trinken

Italienische Schmankerln ▶ **Subway Cafe:** 1000 Herr St., Tel. 1-717-412-7128, www.sub waycafepizza.com, Mo–Sa Lunch und Dinner. Typischer Italiener ›um die Ecke‹, bei dem es preiswerte Pizzas, Lasagne und Salate gibt. Ab 6 $.

Beachtliche Küchenqualität ▶ **Firehouse:** 606 N. 2nd St., Tel. 1-717-234-6064, www. thefirehouserestaurant.com, Mo–Sa 11.30–

Underground Railroad: ›Sklaveneisenbahn‹

Thema

Bedienungen in historischen Trachten tragen bei Kerzenschein üppige Dinnerplatten, knackfrische Salate und himmlische Desserts auf. In der Dobbin House Tavern in Gettysburg ging es nicht immer so vornehm zu. Im 18. und 19. Jh. diente die damalige Kneipe als Unterschlupf für entlaufene Sklaven auf dem Weg in die Freiheit.

Nach dem Unabhängigkeitskrieg Ende des 18. Jh. war das Leben der Schwarzen in den nördlichen USA zwar schwer, aber sie waren frei – im Gegensatz zu ihren versklavten Brüdern und Schwestern in den Südstaaten. Nicht selten wurden sie von ihren Besitzern so gequält, dass sie in ihrer Verzweiflung Selbstmord begingen. Eine Flucht vor ihren Peinigern schien hoffnungslos, zumal der Kongress 1793 mit dem Fugitive Slave Law ein Gesetz erlassen hatte, das Sklavenbesitzern erlaubte, im ganzen Land nach entlaufenen Leibeigenen zu suchen.

Trotzdem wagten immer wieder Mutige zu fliehen. Hauptsächlich junge Männer begehrten gegen ihr Schicksal auf. Einige Flüchtlinge schlossen sich zu Gemeinschaften zusammen, die man *maroones* nannte. Viele flüchtige Schwarze hatten das sklavenfreie Kanada als Ziel. Der Weg dorthin war lang und gefährlich. Sowohl weiße wie schwarze Fluchthelfer riskierten ihr Leben, um den entsprungenen Sklaven zu helfen.

Ein Netzwerk von Fluchtwegen und Verstecken hatte sich bereits Anfang des 18. Jh. entwickelt. Wahrscheinlich wurde der Begriff Underground Railroad im Jahr 1831 geprägt, als ein wütender Besitzer seinen geflohenen Sklaven suchte. Dieser schien wie vom Erdboden verschwunden zu sein und seine Flucht ›on some underground road‹ fortgesetzt zu haben. Das Wort machte die Runde und mit der Zeit wurde aus der road eine railroad. Die Eisenbahn, die Amerika erschloss,

wurde so zum Synonym für die Freiheit der Schwarzen. Verstecke wurden Stationen genannt, die Fluchthelfer waren Schaffner und die Fliehenden die Passagiere.

Viele Schwarze waren in dieser Organisation erfolgreiche ›Schaffner‹, am berühmtesten wurde Harriet Tubman aus Maryland. Als 19-jährige war sie nach Philadelphia geflohen, kehrte jedoch nach kurzer Zeit in ihre Heimat zurück, um ihre Schwester samt Kindern in die Freiheit zu holen. Um clevere Tricks war Harriet Tubman nie verlegen. Sie verkleidete ihre Mitreisenden, versteckte sie in doppelten Böden von Kutschen und nutzte auf raffinierte Weise gefälschte Sklavenpässe oder Freiheitspapiere.

Ständig waren Harriet Tubman Sklavenbesitzer oder bezahlte Häscher auf der Spur, die mit Hunden das wertvolle ›Menschenmaterial‹ jagten. Immerhin hatte ein junger und kräftiger Sklave einen Wert von 1000 bis 2000 $. Im Lauf der Zeit mehrten sich die Steckbriefe, die eine Belohnung in Höhe von bis zu 40 000 $ für die Ergreifung der Sklavenbefreierin Tubman versprachen. Sie schüttelte jedoch sämtliche Verfolger ab und starb im gesegneten Alter von 92 Jahren.

Der Erfolg der Underground Railroad – man schätzt die Zahl der Geflohenen zwischen 1810 und 1850 auf einige Zehntausend – machte sich auf den Farmen des Südens bemerkbar. Die Sklavenbesitzer bekamen den Verlust ihrer Arbeitskräfte empfindlich zu spüren.

22 Uhr. Lebhaftes Restaurant mit Bar in einer ehemaligen Feuerwache. Typische amerikanische Kost von Burgern über Sandwiches oder Calamares bis Salat. Ab 7 $.

Einkaufen

Bauernmarkt ▶ Broad Street Market: 1233 N. Third St., www.broadstreetmarket. org, Mi 7–14, Do, Fr 7–17, Sa 7-16 Uhr. Seit dem Jahr 1860 bestehender Bauernmarkt mit frischem Obst, Gemüse, Fleisch und Geflügel, verschiedene Imbissstände, u. a. auch deutsche Schnitzel.

Einkaufszentrum ▶ Harrisburg East: I-83/ Paxton St., http://shopharrisburgmall.com, Mo–Sa 10–21, So 12–18 Uhr. Die riesige Mall beherbergt über 90 Geschäfte und Supermärkte.

Abends & Nachts

Nicht nur für Nachteulen ▶ Ruby's Red Garter Saloon: 300 S. Hershey Rd., Tel. 1-717-545-2338, Di–Sa ab 11, Mo ab 16, So 13–20 Uhr. Rustikales Lokal mit großer Bier- und Weinauswahl und deftigen Gerichten.

Amüsante Nächte ▶ Eclipse Nightclub: 236 N. 2nd St., Tel. 1-717-221-0530, Mi–Sa 20–2 Uhr. In diesem stets gut besuchten Nachtclub tanzen nicht nur die Barkeeper auf dem Tresen.

Oper und mehr ▶ Harrisburg besitzt eine lebhafte **Kulturszene**. Das gilt für die darstellende Kunst (The Rose Herman Lehrman Arts Center, The Forum, Theater Harrisburg, Open Stage of Harrisburg, Harrisburg Ballet Theater) ebenso wie für musikalische Veranstaltungen (Harrisburg Symphony Orchestra, Harrisburg Civic Opera, Harrisburg Choral Society, Chamber Singers of Harrisburg, Market Square Concerts, Central Pennsylvania Friends of Jazz).

Aktiv

Wie auf dem Mississippi ▶ Pride of the Susquehanna: Market St. an der Brücke nach City Island, Tel. 717-234-6500, www. harrisburgriverboat.com, Mai–Okt. Ausflüge und Dinnerfahrten mit dem Raddampfer auf dem Susquehanna River.

Hershey ▶ 1, G 6

Zehn Meilen östlich von Harrisburg liegt Amerikas Schokoladenhauptstadt. Im Jahr 1903 gründete Milton S. Hershey dort eine Schokoladenfabrik, um die herum über Jahrzehnte eine 13 000 Einwohner große Stadt entstand. Heute ist die Hershey Company einer der weltgrößten **Schokoladenhersteller**. Der süße Duft aus den Produktionsanlagen erfüllt die Straßen, von denen einige sprechende Namen wie etwa Chocolate Avenue oder Cocoa Avenue tragen.

Das Hershey-Imperium

Das Schokoladenreich bietet mit mehreren Einrichtungen vielfältige Möglichkeiten zur Unterhaltung. Um einen typischen, aus unterschiedlichen Sektionen bestehenden Vergnügungspark mit vielen Fahrbetrieben handelt es sich bei **Hershey Park** (www.hershey park.com, Erw. 62 $, Kinder 3–8 Jahre 40 $), während es im **Zooamerica North American Wildlife Park** (www.zooamerica.com, 11 $)) um Nordamerikas Fauna und Flora geht. Die schönen **Hershey Gardens** (www.hershey gardens.org, 10,50 $) entstanden aus einem Rosengarten. Mit dem Leben, der Erfolgsgeschichte und dem Erbe des Firmengründers und Schokoladenkönigs Milton Hershey beschäftigt sich das **Museum The Hershey Story** (www.hersheystory.org, 10 $). Chromblitzende Oldtimer wiederum sind die Stars im **Antique Auto Museum at Hershey** (www.aa camuseum.org, 12 $).

Und wer schon immer ganz genau wissen wollte, wie Schokolade hergestellt wird, kann im Schokoladenimperium **Hershey's Chocolate World** eine Reise durch das Schokoladenimperium vom Kakaobohnenanbau bis zur Fabrikation unternehmen – probieren natürlich inklusive. Auf der Tour durch die Anlage bekommen Besucher u. a. eine 3-D-Show zu sehen und können an interaktiven Einrichtungen bei einer Produktionslinie selbst Hand anlegen (251 Park Blvd., Tel. 1-717-534-4900, www.hersheys.com/chocola teworld, tgl. 9–20 Uhr, im Sommer länger, Eintritt frei).

Essen & Trinken

Essen auch auf der Terrasse ▶ Hershey Pantry: 801 E. Chocolate Ave., Tel. 1-717-533-7505, www.hersheypantry.com, Mo–Sa 6.30–21 Uhr. Sehr beliebter Frühstückstreff, zum Lunch und Dinner gibt es Sandwiches, Salate, Pasta, Chicken, Fisch. Ab 6 $.

Nichts Süßes ▶ Devon Seafood Grill: 27 W. Chocolate Ave., Tel. 1-717-508-5460, www.devonseafood.com, tgl. ab 11 Uhr. Nach reichlich Schokolade bringt ein Fischgericht andere Geschmacksnuancen. Ab 27 $.

Von Reading bis Newark

Reading ▶ 1, H 6

Das 88 000 Einwohner große **Reading** besitzt im Zentrum entlang der Fifth Street ein historisches Viertel mit Kirchen und Stadthäusern aus dem 18. und 19. Jh. Vor allem der nördliche Abschnitt der Fifth Avenue samt Umgebung ist von Gebäuden mit Fassaden unterschiedlicher Stilrichtungen gesäumt. Was die Stadt aber bekannt gemacht hat, sind die zahlreichen Outlet Centers, in denen man zu Fabrikpreisen einkaufen kann.

Im **Reading Public Museum**, zu dem ein großer Garten mit seltenen Bäumen gehört, sind Ausstellungen zu Themen wie Kunst, Wissenschaft, Geschichte und Fotografie zu sehen. Unter den Gemälden befinden sich Werke von Künstlern wie Edgar Degas, Lyonel Feininger, Max Beckmann, Albert Bierstadt, Paul Cézanne, Salvador Dalí, Francisco de Goya, Käthe Kollwitz, Claude Monet und Pablo Picasso. Populär sind die abendlichen Lasershows im Planetarium (500 Museum Rd., Tel. 1-610-371-5850, www.readingpublic museum.org, tgl. 11–17 Uhr, Erw. 10 $, Senioren ab 65 J. und Kinder 3–18 J. 6 $).

Liebhaber fliegender militärischer und ziviler Oldtimer kommen in Flughafennähe im **Mid-Atlantic Air Museum** auf ihre Kosten (11 Museum Dr., Tel. 1-610-372-7333, www.maam.org, tgl. 9.30–16 Uhr, 8 $).

Östlich des Stadtzentrums steht auf dem Mount Penn eine siebenstöckige, 186 m hohe **japanische Pagode**, aus der eigentlich

ein Nobelhotel hätte werden sollen. Ein lokaler Geschäftsmann mit Kontakten nach Fernost baute die Anlage 1908 und stattete sie mit japanischen Antiquitäten aus, darunter einer über 250 Jahre alten Tempelglocke aus der Stadt Obama. Vom Aussichtsdeck reicht der Blick weit über die Stadt und das Schuylkill River Valley (Mount Penn, Fr–So 12–16 Uhr).

Einkaufen

Outlets ▶ VF Outlet Village: Hill Ave./Park Rd., Tel. 1-610-378-0408, www.vfoutletcen ter. com, Mo–Sa 9.30–21, So 10–18 Uhr. Riesiges Outlet u. a. mit den Marken Vanity Fair, Lee, Nautica, Wrangler, Lily of France. **Down East Outlet:** 916 N. Ninth St., Tel. 1-610-372-1144, http://members.tripod.com/downeast_ gkoutlet, Mo–Sa 9.30–17.30, So 12–17 Uhr. Sportkleidung. **Burlington Coat Factory:** 3050 N. Fifth St. Hwy, Tel. 1-610-929-0168, www.burlingtoncoatfactory.com, Mo–Sa 9.30–21.30, So 11–17 Uhr. Jacken, Mäntel, Babykleidung, Schuhe zum Fabrikpreis. Weitere Outlets: Van Heusen Factory Outlet, Pandora Fashion Outlet, Dooney & Bourke Factory Store und Totes Factory Outlet.

Allentown ▶ 1, H 5

Nördlich von Philadelphia zieht sich das Lehigh Valley am gleichnamigen Fluss entlang, der bei Easton in den Delaware River mündet. Die beiden größten Städte in diesem breiten Tal sind Allentown und Bethlehem mit zusammen etwa 200 000 Einwohnern. Seit den 1960er-Jahren hatte die Region zum Teil harte Zeiten zu überstehen, nachdem viele traditionelle Produktionsstätten dem Strukturwandel zum Opfer gefallen waren und sich die neue Dienstleistungsgesellschaft noch nicht voll etabliert hatte.

Allentown wurde 1762 vom Obersten Richter William Allen gegründet, dessen Sohn sich mit **Trout Hall** 1770 ein Sommerhaus bauen ließ, das während des Unabhängigkeitskriegs zum Wohnsitz der Familie wurde. Das Interieur des bescheidenen Gebäudes stammt größtenteils aus dem 18. Jh. und zeigt, wie die ›bessere‹ Gesellschaft in den damaligen Zeiten lebte (414 Walnut St.,

Tel. 1-610-435-1074, April–Nov. Di–Sa 10–16, So 12–16 Uhr).

Aus einer Stiftung erhielt das **Allentown Art Museum** 1960 eine Reihe von italienischen, deutschen und niederländischen Gemälden, die heute noch den Grundstock der Kollektionen bilden. Sehenswert sind auch Textilsammlungen mit Quilts aus dem Pennsylvania Dutch Country sowie Stickereien aus Südeuropa, Asien und dem mittleren Osten. Eine besondere Architektur bietet die ursprünglich zu einem 1912 erbauten Haus gehörende Bibliothek, die von keinem Geringeren als Frank Lloyd Wright entworfen wurde. Seit einer Erweiterung verfügt das Museum über eine erheblich vergrößerte Ausstellungsfläche (31 N. 5th St., Tel. 1-610-432-4333, www.allentownartmuseum.org, Mi–Sa 11–16, So 12–16 Uhr Eintritt frei).

Das Untergeschoss der **Zion's Church** ist für Amerikaner ein Wallfahrtsort. Im sogenannten **Liberty Bell Museum** wurde die heute in Philadelphia ausgestellte Freiheitsglocke 1777 vor den Briten versteckt, die alle verfügbaren Glocken zur Herstellung von Munition und Kanonen einschmelzen ließen. Die Liberty Bell, die man dort neben Exponaten über den Revolutions- und Bürgerkrieg besichtigen kann, ist eine Kopie (622 Hamilton/Church St., Tel. 1-610-435-4232, http://libertybellmuseum.org, Mo–Sa 12–16 Uhr, 2 $).

Infos

Lehigh Valley Visitor Center: 840 Hamilton St., Suite 200, Allentown, PA 18101, Tel. 1-610-882-9200 oder 1-800-747-0561, www.discoverlehighvalley.com.

Übernachten

Angenehm ▶ **Holiday Inn Allentown:** 904 Hamilton St., Tel. 1-610-433-2221, www.holidayinn.com >Allentown PA. Komfortables Hotel mit freundlichen Zimmern, eigenem Restaurant und Sauna. Ab 120 $.

Recht bescheidene Zimmer ▶ **Days Inn:** 3400 Airport Rd., Tel. 1-610-266-1000, www.daysinn.com. Zweigeschossiges Motel ohne Aufzug, manche Zimmer mit Whirlpool, beheizter Innenpool. Ab 90 $.

Erschwinglicher Komfort ▶ **Best Western Plus Allentown Inn:** 5630 W. Tilghman St., Tel. 1-610-530-5545, www.bwallentowninnsuites. com. Komfortable Zimmer für Urlauber und Geschäftsreisende. Ab ca. 90 $.

Essen & Trinken

Vom Feinsten ▶ **Henry's Salt of the Sea:** 1926 W. Allen St., Tel. 1-610-434-2628, www.henryssaltofthesea.com, Mo–Do 16.30–21, Fr, Sa bis 22 Uhr. Super Restaurant mit leckeren Seafood-Gerichten. Ca. 25–40 $.

Einfach ausgezeichnet ▶ **Bayleaf Restaurant:** 935 Hamilton St., Tel. 1-610-433-4211, www.allentownbayleaf.com, Mo–Fr 11.30–14 und 17–22, Sa ab 17 Uhr. Im eleganten Speiseraum kommen amerikanische und asiatische Gerichte auf den Tisch. Lunch ab 10 $, Dinner ab 20 $.

Aktiv

Freizeitpark ▶ **Dorney Park & Wildwater Kingdom:** 3830 Dorney Park Rd., Tel. 1-610-395-3724, www.dorneypark.com. Wasserpark mit Riesenrutschen, Vergnügungspark mit vielen Fahrbetrieben, Live-Shows und Themen-Restaurants. Online-Ticket 40 $.

Weinproben ▶ **Lehigh Valley Wine Trail:** An dieser Touristenroute nördlich und westlich von Allentown liegen neun Weingüter, in denen man Wein verkosten kann (www.lehighvalleywinetrail.com).

Bethlehem ▶ 1, H 5

Allentowns Nachbarstadt wurde 1741 von Anhängern der protestantischen Moravier-Sekte besiedelt, die aus Böhmen und Sachsen nach Pennsylvania eingewandert waren.

Im **Moravian Museum,** einem fünfgeschossigen Blockhaus, wird die rund 250-jährige Geschichte der Mährischen Kirche in der Neuen Welt nacherzählt. Die mit fast ebenso altem Mobiliar ausgestatteten Räume strahlen die kühle Distanz aus, welche die Sektenmitglieder bis heute dem diesseitigen Leben gegenüber wahren. Außer dem Museum kann man das **Nain-Schober House,** eine alte **Apotheke,** das **Goundie House** von 1810, eine **Schmiede** von 1750 und die historische **Burnside Plantation** besichtigen (66 W. Church St. Bethlehem, Tel. 1-610-691-6055, www.historicbethlehem.org, Fr–So 11–16 Uhr, 12–20 $).

Morristown ▶ 1, K 5

In der Nähe des 20 000 Einwohner zählenden Städtchens, wo im Winter 1779/80 die Revolutionstruppen unter George Washington ihr Lager aufschlugen, gründete die Regierung 1933 mit dem **Morristown National Historic Park** den ersten historischen Nationalpark der USA.

Im Mittelpunkt des Touristeninteresses stehen **Washington's Headquarters**. Eine Witwe hatte George Washington als Oberkommandierendem der Unionstruppen mit Ford Mansion ihr stattliches Anwesen als Hauptquartier überlassen. Unweit des Gebäudes steht in einer Parkanlage ein Museum mit historischen Ausstellungen. Dort wird auch ein 20-minütiger Film über die Ereignisse in und um Ford Mansion gezeigt. Nicht nur der beißende Jahrhundertwinter setzte damals der Armee zu, sondern auch die Tatsache, dass es den Soldaten angesichts gravierender Nachschubprobleme an Ausrüstung und Verpflegung fehlte (30 Washington Pl., Tel. 1-973-539-2016, Anschluss 210, www.nps.gov/morr, tgl. 9–17 Uhr, 4 $).

Den flächenmäßig größten Teil des Morristown Parks nimmt die **Jockey Hollow Encampment Area** ein, durch die eine zwei Meilen lange Autostraße führt. Über 10 000 Soldaten lagerten in dieser bewaldeten Gegend wochenlang bei 60 cm hohem Schnee in Zelten, bevor Blockhütten gebaut waren. Die Rundtour führt auf diesem parkähnlichen Gelände zu weiteren Sehenswürdigkeiten. Im **Wick House**, einer idyllischen Farm mit einem Bauerngarten, schlug Washingtons General Arthur St. Clair sein Hauptquartier auf. Auf dem weiteren Weg passiert man Blockhütten, die damals als Soldatenquartiere dienten sowie die Grand Parade, einen ehemaligen Parade- und Exerzierplatz mitten im Wald (südlich von Morristown an der Tempe Wick Rd., Jockey Hollow Visitor Center, Tel. 1-973-543-

4030, www.nps.gov/morr, tgl. 8 Uhr bis Sonnenuntergang, 12–13 Uhr geschl.).

Infos

Morristown County Visitors Center: 6 Court St., Morristown, NJ 07960, Tel. 1-973-631-5151, www.morristourism.org.

Übernachten

Stattliche Nobelherberge ▶ **Hyatt House:** 194 Park Ave., Tel. 1-973-971-0008, http://morristown.house.hyatt.com. Sehr gediegene Suiten mit einem oder zwei Zimmern. Ab 180 $.

Ruhig gelegen ▶ **Best Western Plus Morristown Inn:** 270 South St., Tel. 1-973-540-1700, www.hotelmorristown.com. Hotel mit geräumigen Zimmern, Sauna und Waschsalon, Frühstück inkl. Ab 125 $.

Essen & Trinken

Gediegen ▶ **The Bernard's Inn:** 27 Mine Brook Rd., in Bernardsville, Tel. 1-908-766-0002, www.bernardsinn.com, Mo–Sa 11.30–14.30, 17.30–23, So bis 21 Uhr. 4-Sterne-Restaurant mit großer Weinkarte, elegante Atmosphäre. Tasting Menü 95 $.

Sehr gutes Steakhouse ▶ **Rod's Steak & Seafood Grill:** 1 Convent Rd., im Madison Hotel, Tel. 1-973-539-6666, http://rodssteak.com, tgl. ab 11 Uhr, So kein Lunch. In viktorianischem Ambiente werden Steaks, gegrillte Lammkoteletts und Seafood serviert. Dinner ab 30 $.

Aktiv

Für Gartenliebhaber ▶ **Frelinghuysen Arboretum:** 353 E. Hanover Ave., Tel. 1-973-326-7601, www.arboretumfriends.org, tgl. 8–19 Uhr. Park mit seltenen Bäumen und herrschaftlichem Haus, Eintritt frei.

Wellness ▶ **Suzi's Salon:** 126 South St., Tel. 1-973-267-7750, www.suzissalonandspa.com. Spa mit Thai-Kräutermassagen, Reflexzonenmassagen, Vitamintherapien usw.

West Orange ▶ 1, K 5

In **West Orange** lebte und arbeitete einer der größten amerikanischen Erfinder, Thomas A.

Edison. Innerhalb von 44 Jahren ließ Edison 1093 Erfindungen patentieren, darunter so geniale und zweckdienliche Gebrauchsgegenstände wie Glühlampe und Batterie. Interessierten Besuchern wird im Museum eine ganz besondere Pionierleistung gezeigt: der 1903 gedrehte Film ›The Great Train Robbery‹.

Der **Edison National Historic Park** sieht in etwa noch so aus wie 1887, als der geniale Tüftler dort mit seiner Arbeit begann. In Holzschuppen und ehemaligen Fertigungshallen reihen sich alte Maschinen und Werkbänke. Daneben sind Produkte der Edison'schen Arbeitswut zu sehen, wie der ›Urahn‹ des heutigen Telefons oder Versionen von Kinematografen, mit denen die ›Bilder laufen lernten‹.

In der Nähe seines Laboratoriums kaufte Edison 1886 das auf einem Hügel gelegene **Glenmont Mansion**, eine rosafarbene Villa. Die 23 Räume sind größtenteils noch wie zu jener Zeit möbliert. Kurz vor dem Einzug hatte Edison die 19-jährige Tochter eines New Yorker Geschäftsmanns geheiratet. Edison und seine Frau Minna sind in einer einfachen Grabstelle auf dem Familiengrund bestattet. (211 Main St., Tel. 1-973-736-0550, Anschluss 11, www.nps.gov/edis, Laboratorien: Mi–So 9.30/10–16/17 Uhr; Villa Glenmont: Fr–So 11/11.30–16/17 Uhr, man braucht einen im Visitor Center ausgestellten Autopass, um zur Villa fahren zu können, beide Lokalitäten zusammen 7 $).

Newark ▶ 1, K 5

Größter urbaner Ballungsraum des Bundesstaats New Jersey ist mit 277 000 Einwohnern **Newark,** das nur acht Meilen von Manhattan entfernt liegt. Die Industriestadt, auf deren internationalem Flughafen jährlich etwa 25 Mio. Passagiere aus dem In- und Ausland abgefertigt werden, ist auch ein wichtiges Geschäfts- und Verkehrszentrum.

Zu den wenigen Sehenswürdigkeiten der Stadt zählt das ausgezeichnete **Newark Museum** mit amerikanischer Malerei, einem Skulpturengarten, Münzsammlungen, einer tibetanischen Abteilung, einem Minizoo und einem Planetarium. Zum Museum gehört auch das renovierte Ballantine House, ein restauriertes viktorianisches Anwesen aus dem Jahr 1885 (49 Washington St., Tel. 1-973-596-6550, www.newarkmuseum.org, Mi–So 12–17 Uhr, Erw. 12 $, Kinder/Senioren 7 $).

Übernachten

Etwas älter, aber gut ▶ **Meadowlands River Inn:** 250 Harmon Meadow Blvd., Secaucus, Tel. 1-210-867-4400, www.meadowlandsriverinn.com. Motel mit Sauna und Fitnesseinrichtung, Gratisfrühstück. Ab 120 $.

Günstiger Start für New-York-Touren ▶ **Red Roof Plus Meadowlands:** 15 Meadowlands Pkwy, Secaucus, NJ 07094, Tel. 1-201-319-1000, www.redroofinnsecaucus.com. Ordentliches Motel, Zimmer mit Bad oder Dusche. Ab 110 $.

Aktiv

Skaten ▶ **Branch Brook Park Roller Skating Center:** 7th and Clifton Ave., Tel. 1-973-482-8900, www.bbpskating.com, Mo–Fr ab 18, Sa ab 10.30, So ab 14 Uhr. Rollerskater-Zentrum, man kann Skates auch ausleihen.

Verkehr

Flugzeug: Newark Liberty International Airport (EWR), Tel. 1-973-961-6000, www.panynj.gov >Airports>Newark Liberty. Der Flughafen liegt 26 Meilen südwestlich von New York und wird von vielen Fluglinien angeflogen. Mehrere Busgesellschaften wie NJ Transit (Tel. 973-275-5555) bieten Zubringerdienste an. Mit dem Airtrain Newark fährt man von den Ankunftsterminals zur Rail Link Station und steigt dann um auf die Züge von NJ Transit oder Amtrak etwa zur Penn Station in Manhattan. Taxis nach Manhattan kosten 50–75 $. Alle großen Mietwagenfirmen sind auf dem Airport vertreten.

Bahn: Amtrak Terminal Penn Station, 1 Raymond Plaza W., Market St., Tel. 1-800-872-7245, www.amtrak.com. Newark ist Haltestelle des Hochgeschwindigkeitszugs Acela Express auf der Strecke Boston–New York City–Philadelphia–Washington D. C.

Bus: Greyhound Lines Terminal, Penn Station, 1 Raymond Plaza W., Market St., Tel. 1-973-622-4704, www.greyhound.com. Busverbindungen in alle Teile der USA.

Am Inner Harbor in Baltimore pulsiert das Leben
nicht nur an Sommerwochenenden

Kapitel 3

Die mittlere Atlantikküste

An der mittleren Atlantikküste ist der kräftige Pulsschlag des Ostens deutlich zu spüren. Der Reiz dieses Landesteiles besteht u. a. im relativ engen Nebeneinander von dynamischen Ballungsräumen auf der einen sowie abgeschiedenen Naturlandschaften und provinziellen Ortschaften auf der anderen Seite.

Die Metropolitan Areas von Philadelphia, Washington D. C. und Baltimore gehören zu den bevölkerungsreichsten Stadtgebieten der USA mit zusammen etwa 15 Mio. Einwohnern. Hinzu kommt die Rolle von Washington D. C. als politischer Schaltzentrale der Weltmacht USA und die historische und kulturelle Bedeutung von Philadelphia als Wiege der Nation. Umso erstaunlicher ist, dass man nur Autominuten von den städtischen Hotspots entfernt ursprüngliche Naturlandschaften, stille Meeresbuchten, von Salz und Sonne verwöhnte Badestrände, zerklüftete Küstenabschnitte, bewaldete Hiking Trails, fantastische Tropfsteinhöhlen, verschlafene Dörfer und Inseln findet. Doch neben Highlights in Stadt und Natur bietet die mittlere Atlantikküste historische Orte wie Sand am Meer. Sie führen vor Augen, was für eine Entwicklung die USA seit ihren frühesten Anfängen genommen hat.

Vor allem im Bundesstaat New Jersey verursachte der tropische Wirbelsturm Sandy im Oktober 2012 erhebliche Schäden, die vermutlich erst langfristig zu beheben sind.

Auf einen Blick
Die mittlere Atlantikküste

Sehenswert

⑤ Philadelphia: Mit dem geschichtsträchtigen National Historic Park (s. S. 256).

⑥ Atlantic City: Kasinomeile am Boardwalk (s. S. 278).

⑦ Washington D. C.: Die Museen an der National Mall (s. S. 286).

⑧ Williamsburg: Historisches Openair-Museum in Virginia (s. S. 310).

⑨ Luray Caverns: Fantastische Unterwelt in Virginia (s. S. 319).

Schöne Routen

Jamestown Discovery Trail: Die 40 Meilen lange Touristenstraße führt als Hwy 5 südlich von Richmond (Virginia) am James River entlang nach Süden bis nach Jamestown. Am Weg liegen mehrere historische Plantagen mit sehenswerten Herrenhäusern (s. S. 311).

Blue Ridge Parkway: Der 469 Meilen lange Parkway beginnt an der Südgrenze des Shenandoah National Park und führt auf dem lang gestreckten Rücken der Appalachen von Virginia durch North Carolina bis in den Great Smoky National Park auf der Grenze zum Bundesstaat Tennessee (s. S. 324).

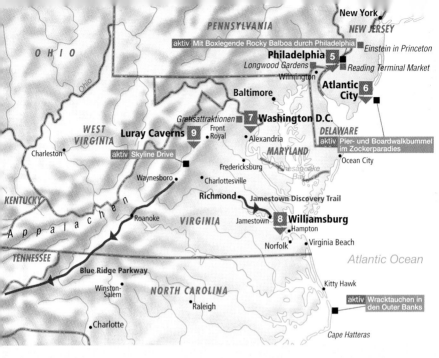

Meine Tipps

Einstein in Princeton: In einem kleinen, versteckt gelegenen Privatmuseum in Princeton werden Memorabilia des großen Physikers präsentiert (s. S. 252).

Reading Terminal Market: Die Markthalle in Philadelphia gehört zu den schönsten in den USA. Im nostalgisch anmutenden Ambiente kann man gut und preiswert essen (s. S. 262).

Longwood Gardens: Wer prächtige Gartenanlagen zu schätzen weiß, wird von diesem Park begeistert sein (s. S. 277).

Gratisattraktionen: Die bedeutendsten Museen in der amerikanischen Hauptstadt kann man kostenlos besichtigen (s. S. 291).

aktiv unterwegs

Mit Boxlegende Rocky Balboa durch Philadelphia: Kinofans können auf den Spuren von Rocky Balboa alias Sylvester Stallone wandeln und zahlreiche Schauplätze der sechs ›Rocky‹-Filme besichtigen (s. S. 264).

Pier- und Boardwalkbummel im Zockerparadies: Neben den großen Glücksspieltempeln sind in der Zockerhochburg Atlantic City der am Strand verlaufende Boardwalk und vier ins Meer hinausragende Piers die zugkräftigsten Attraktionen (s. S. 279).

Skyline Drive – der ›Königsweg‹ der Appalachen: Auf den Kammlagen der Appalachen verläuft der 105 Meilen lange Skyline Drive, an dem 75 Aussichtspunkte liegen (s. S. 318).

Wracktauchen in den Outer Banks: Ein ganzer Schiffsfriedhof lässt sich bei den Inseln erkunden (s. S. 328).

Durch das Zentrum von New Jersey

Universitäres Flair auf dem hübschen Campus der berühmten Universität in Princeton, wo über 20 Jahre lang Albert Einstein lebte, Kleinstadtatmosphäre in Trenton, der Hauptstadt von New Jersey, und historische Spuren am Delaware River, wo sich im Revolutionskrieg das Schicksal der USA vorentschied: Der Korridor zwischen Manhattan und Philadelphia hat seine ganz besonderen Reize.

Wer sich von New York City auf den Weg nach Philadelphia macht, wird sich schon unmittelbar hinter der Staatsgrenze von New Jersey über den Beinamen ›Gartenstaat‹ wundern. Von einer blumigen Naturoase ist im Herzen des Bundesstaats nichts zu sehen.

Seinen Ruf als Urlauberstaat – alljährlich kommen rund 50 Mio. vor allem amerikanische Besucher – verdankt New Jersey nicht seiner Funktion als Korridor zwischen New York City im Norden und Washington D. C. im Süden, sondern eher seinen ländlichen Gebieten in der südlichen Hälfte des Staatsgebietes und seinen langen Küstenabschnitten (s. S. 278). Annähernd 40 % der Staatsfläche sind bewaldet, so etwa nahezu das gesamte Gebiet Pine Barrens zwischen Camden und dem Atlantik. Aber auch das eher urbane New Jersey hat durchaus seine Reize, wie auf einer Reise durch den Korridor zwischen New York City und Philadelphia unschwer festzustellen ist.

Etwa 120 Meilen trennen diese beiden größten Städte des amerikanischen Ostens voneinander. Auf dem New Jersey Turnpike lässt sich die Distanz in gut zwei Stunden bewältigen, falls der meist dichte Verkehr ein entsprechendes Tempo zulässt. Außer Mautstationen, Tankstellen, überdimensionalen Verkehrsschildern und Truckstopps bekommt man entlang der Autobahn allerdings nicht viel zu sehen. Diese gebührenpflichtige Route gehört zu den am stärksten frequentierten Schnellstraßen der USA. Interessanter ist die Fahrt ab Elizabeth auf der ›US 27‹. Die Nebenstrecke kommt meist ohne Kolonnenverkehr aus und führt darüber hinaus durch kleinere Städte, in denen sich hier und da ein Stopp anbietet.

Ein Halt lohnt sich in Princeton, Trenton und Camden. Das hübsche Princeton ist Sitz der renommierten Princeton University, die einen Ruf ähnlich wie Harvard und Yale genießt. Über zwei Jahrzehnte lang forschte dort Albert Einstein am berühmten Institute for Advanced Studies. Trenton ist Hauptstadt des Bundesstaats New Jersey. Nordwestlich der Stadt im Washington Crossing State Park überstanden die von George Washington geführten amerikanischen Truppen im Revolutionskrieg gegen England eine kritische Phase. Und Camden verfügt am Delaware-Ufer mit seinem Aquarium über ein Schaufenster in die Welt der Meere.

Jersey City ▶ 1, K 5

Das 255 000 Einwohner große, 1630 von holländischen Siedlern gegründete **Jersey City** ist von Manhattan nur durch den Hudson River und die Staatsgrenze zwischen New York und New Jersey getrennt. Die zweitgrößte Stadt des ›Garden State‹ erstreckt sich über ein fast wie eine Halbinsel zwischen Hudson und Hackensack River bzw. Newark Bay liegendes Gebiet und bündelt zahlreiche große Verkehrsverbindungen, die sich aus dem Norden, Westen und Süden auf New York zu bewegen.

Südlich des Stadtzentrums zieht sich am Hudson-Ufer der **Liberty State Park** entlang. Auf einer Promenade kann man am Flussufer entlangspazieren und hat ständig die imposante Skyline von Manhattan, die Freiheitsstatue und Ellis Island vor Augen. Mit der Personenfähre können Besucher der Statue of Liberty und Ellis Island eine Stippvisite abstatten (Statue Cruises, Tel. 1-877-523-9849, www.statuecruises.com, die Fähren verkehren zwischen 9.30 und 17 Uhr).

Princeton ▶ 1, J 6

Die europäisch wirkende Kleinstadt verdankt ihren Bekanntheitsgrad der weltbekannten Universität, die hauptsächlich in den Fachbereichen Mathematik und Physik viele Nobelpreisträger hervorbrachte und in einem Atemzug mit Harvard und Yale genannt wird.

Im Jahre 1746 in Elizabeth als College of New Jersey gegründet, zog die Lehranstalt zehn Jahre später in die eben fertiggestellte **Nassau Hall** nach Princeton um, wo 1783 die Mitglieder des Zweiten Kontinentalkongresses tagten und den Ort ein halbes Jahr lang zur Hauptstadt der USA machten.

In der zunächst nur aus der Nassau Hall bestehenden, später um viele Einrichtungen erweiterten **Princeton University** bekamen viele Künstler und Schriftsteller wie T. S. Eliot und Scott Fitzgerald, spätere US-Präsidenten wie James Madison, Woodrow Wilson und Grover Cleveland und renommierte Wissenschaftler ihre akademischen Weihen. Thomas Mann übernahm 1938 eine Gastprofessur, bis er zwei Jahre später ins Exil nach Kalifornien übersiedelte.

Campus-Architektur
Neben der Nassau Hall, dem ältesten Gebäude auf dem Campus, gibt es einige andere architektonische Schaustücke wie etwa die 1892 fertiggestellte **Alexander Hall** mit Ecktürmchen, Dachgauben und einer mit Skulpturen geschmückten Fassade.

In der Nachbarschaft steht der **Blair Hall Tower** mit zwei achteckigen Türmen.

Der zwischen 1925 und 1928 im neogotischen Stil errichteten **University Chapel** mit einer französischen Kanzel aus dem Mittelalter und schönen Buntglasfenstern diente die Kapelle des King's College im britischen Cambridge als Vorbild.

Die über 60 000 Kunstwerke des **Art Museum** in Princeton stammen aus dem Zeitraum zwischen Antike und Gegenwart und konzentrieren sich geografisch auf den Mittelmeerraum, das westliche Europa, die USA und Lateinamerika (Campus der Universität, Tel. 1-609-258-3788, www.princetonartmuseum.org, Di–Sa 10–17, Do bis 22, So 13–17 Uhr, Eintritt frei).

Auf Einsteins Spuren
Albert Einstein war 1933 auf der Flucht vor dem Naziregime nach Princeton gekommen, wo er die letzten 22 Jahre seines Lebens am Institute for Advanced Studies forschte. Sein Wohnhaus in der Mercer Street Nr. 112 wurde auf Einsteins persönlichen Wunsch hin nicht in ein Museum verwandelt.

Überhaupt überrascht in der Stadt, dass es nur ein einziges, erst im Jubiläumsjahr 2005 aufgestelltes **Einstein-Denkmal** gibt. Es befindet sich im Princeton Town Hall Green (Stockton St.) und besteht aus einer Büste, die auf einem Granitsockel mit informativer Inschrift ruht.

Dass in Princeton vergleichsweise wenig an den ehemaligen Mitbürger erinnert, entspricht durchaus dem Willen Einsteins, dem jeder Personenkult zuwider war. Lediglich die **Historical Society of Princeton,** die im Bainbridge House ein **Heimatmuseum** unterhält, ist im Besitz einiger Möbelstücke, die dem genialen Denker gehörten (158 Nassau St., Tel. 1-609-921-6748, www.princetonhistory.org, Mi–So 12–16 Uhr, 4 $).

Infos
Princeton Chamber of Commerce: 182 Nassau St., Suite 301, Princeton, New Jersey 08542, Tel. 1-609-924-1776, www.princetonchamber.org.

Tipp:
Einstein in Princeton

Echte Einstein-Memorabilien finden sich dort, wo sie wohl kaum jemand vermuten würde: in der **Modeboutique Landau.** Besitzer Robert Landau hat Erinnerungsstücke, Dokumente und Fotos zusammengetragen und präsentiert sie im hinteren Ladenteil, als wolle er sein kleines Privatmuseum vor dem Rest der Welt verstecken (Landau's, 102 Nassau St., Tel. 1-609-924-3494, www.landauprince ton.com/einstein-museum, Mo–Sa 9.30–17.30, So 11.30–16.30 Uhr, Eintritt frei).

Übernachten

Gutes Hotel ▶ **Holiday Inn:** 100 Independence Way, Tel. 1-609-520-1200, www.holi dayinn.com. Mit Restaurant, Pool, Fitness-Studio und Internet. Ab 130 $.

Empfehlenswertes Haus ▶ **Hampton Inn:** 4385 US 1 South, Tel. 1-609-951-0066, http:// hamptoninn3.hilton.com. Alle Zimmer mit Schlafsofa, Schreibtisch, Mikrowelle, Kühlschrank, Kaffee- bzw. Teekocher sowie kostenlosem WLAN-Internetzugang. Ab 110 $.

Essen & Trinken

Top-Lokal ▶ **Blue Point Grill:** 258 Nassau St., Tel. 1-609-921-1211, http://bluepointgrill. com, tgl. 17–22 Uhr. Einsame Spitze bei Fisch und Seafood. Es gibt aber auch Pasta- und Geflügelspeisen. Hauptgerichte 19–38 $.

Die meisten Gäste sind zufrieden ▶ **Teresa Caffe:** 23 Palmer Sq., Tel. 1-609-921-1974, Mo–Fr 11–23, Sa/So 9–23 Uhr. Populäres Lokal mit italienischen Gerichten. Ab 9 $.

Einkaufen

Konsumtempel ▶ **Princeton Shopping Center:** 301 N. Harrison St., www.princeton shoppingcenter.com, Mo–Sa 9–20, So 12–18 Uhr. Über 50 Geschäfte, Boutiquen und zahlreiche ethnische Restaurants.

Mode und Accessoires ▶ **Honey West Boutique:** 63 Palmer Sq. W., Tel. 1-609-688-1914, Mo–Do 10–18, Fr, Sa bis 20.30, So 12–

18 Uhr. Schicke Mode von amerikanischen Designern.

Aktiv

Uni-Führungen ▶ **Orange Key Guide Service:** Frist Campus Center, Tel. 1-609-258-3060. Führungen ab Clio Hall über den Princeton University Campus, Infos unter www.princeton.edu/main/visiting/tours).

Verkehr

Bahn: Princeton selbst hat keinen Bahnanschluss, aber Princeton Junction ca. 4 Meilen südöstlich ist Haltestelle der Regionalzüge zwischen New York und Philadelphia. Der Schnellzug Acela Express hält dort nicht.

Trenton ▶ 1, J 6

Die Stadt am Ufer des Delaware River ist seit 1790 zwar Hauptstadt des Bundesstaats New Jersey, zählt aber eher zu den touristischen Randerscheinungen. Die wirtschaftliche Entwicklung ließ bis nach dem Bürgerkrieg auf sich warten, als Töpfereien, Stahl- und Gummifabriken die Produktion aufnahmen. Zu den Söhnen der Stadt zählt John Roebling, der die Pläne für die Brooklyn Bridge in New York ausarbeitete.

Das 1792 errichtete **State House** ist der zweitälteste ununterbrochen genutzte Regierungssitz in den USA. Allerdings erfuhr das Gebäude zahlreiche Veränderungen und Erweiterungen wie etwa nach einem Großbrand 1885. Führungen beginnen meist in der von Galerien umgebenen Rotunde, in der die gold-bronzenen Balustraden auf dekorative Weise mit den rotbraunen Wänden harmonieren (W. State St., einstündige Führungen Mo–Fr 10–15, 1. und 3. Sa im Monat 12–15 Uhr, Tel. 1-609-847-3150, www.njleg.state.nj.us >Welcome To The State House>Guided Tours).

In der Nachbarschaft des State House ist das **Old Barracks Museum** in einem U-förmigen, 1758 aus Feldsteinen errichteten Gebäude untergebracht. Wie vier ähnliche, nicht mehr existierende Anlagen wurde es während des French and Indian War als Unterkunft für britische Soldaten gebaut, da sich die amerikanischen Siedler weigerten, Engländer in ihren Häusern einzuquartieren. In den Räumen zeigen Führer in historischen Kostümen, wie die damaligen Soldaten ihren Dienst versahen und ihren Alltag verbrachten (Barrack/W. Front St., Tel. 1-609-396-1776, www. barracks.org, Mo–Sa 10–17 Uhr, 8 $).

Jahrzehnte älter als die Old Barracks und das State House ist die ehemalige Residenz von William Trent, nach dem die Stadt benannt wurde. **Trent House** wurde von 1716 bis 1719 erbaut, als die Region um den Delaware River noch unberührte Wildnis war. Der Hausherr brachte es durch den Betrieb einiger Mühlen und als Kaufmann zu Wohlstand, den er teilweise in den Aufbau der späteren Hauptstadt investierte. Die von einem kleinen Park umgebene Villa gibt Besuchern Einblick in das unbescheidene Leben der Geldaristokratie im kolonialen Zeitalter, besonders die Innenausstattung ist sehenswert. In späterer Zeit diente das Anwesen vier Gouverneuren von New Jersey als Wohnsitz (15 Market St., Tel. 1-609-989-3027, www.williamtrenthouse.org, geführte Touren Mi–So 12.30–16 Uhr, 5 $).

Um Archäologie, Dinosaurier, Malerei, Kulturgeschichte, Naturkunde und Mineralogie geht es im **New Jersey State Museum**. Zum Museum gehört ein Planetarium mit wechselnden Shows. Im 150 Plätze umfassenden Auditorium erleben Besucher Reisen durch das Sonnensystem (205 W. State St., Tel. 1-609-292-6464, www.njstatemuseum.org, Di–So 9–17 Uhr, 5 $, Planetarium 7 $).

Skulpturenpark

Östlich von Trenton stellen die **Grounds for Sculpture** moderne Skulpturen und Plastiken von Künstlern aus allen Teilen der Welt aus. Alle zwei Jahre werden die in einem Gartengelände aufgestellten Werke ausgetauscht, um möglichst vielen Bildhauern die Möglichkeit zu geben, ihre Arbeiten einer breiten Öffentlichkeit zugänglich zu machen. Zu den bisherigen ›Ausstellern‹ gehörten Patrick Dougherty, Sarah Haviland, J. Seward Johnson Jr., Brower Hatcher und Bruce Beasley.

Manche Werke sind in geschlossenen Galerien untergebracht (126 Sculptors Way, Tel. 1-609-586-0616, www.groundsforsculpture. org, März–Nov. Di–So 10–18 Uhr, Erw. 15 $).

Infos

Trenton Convention & Visitors Bureau: Lafayette & Barrack St., Trenton, NJ 08608, Tel. 1-609-777-1770, www.destinationtrenton. com.

Department of State, Division of Travel and Tourism: P. O. Box 460, Trenton, NJ 08625, Tel. 1-609-599-6540, www.visitnj.org. Informationen über New Jersey.

Übernachten

Die Stadt ist dafür ›berüchtigt‹, nur über wenige Hotels zu verfügen. Man muss eventuell in die Umgebung ausweichen.

Gutes Hotel, uninteressante Umgebung ▶ Wyndham Garden Trenton: 1 W. Lafayette St., Tel. 1-609-421-4000, www.wyndham. com. Großes, gepflegtes Hotel mit Fitnessraum und Businesscenter, Zimmer mit Bad oder nur Dusche. Ab 200 $.

Essen & Trinken

Die etwas andere Küche ▶ Blue Danube: 538 Adeline St., Tel. 1-609-393-6133, www. bluedanuberestaurant.net, Mo–Fr 11.30–22, Sa 17–22, So 15–21 Uhr. Deftige osteuropäische Küche mit Klassikern wie Gulasch und gefüllter Kohl. Ab ca. 20 $.

Iberische Gerichte ▶ Malaga Restaurant: 511 Lalor St., Hamilton Township, Tel. 1-609-396-8878, www.malagarestaurant.com, Mo–Fr und So ab 11.30, Sa ab 15 Uhr. Spanische Küche. Ab 20 $.

Washington Crossing Historic Park ▶ 1, J 6

In der eisigen Weihnachtsnacht des Jahrs 1776 überquerten in Pennsylvania stehende amerikanische Truppen den Delaware River bei Titusville, um die in Trenton lagernden Briten zu überraschen. Während der sogenannten ›Zehn kritischen Tage‹, die ausschlaggebend für den weiteren Verlauf des Unabhängigkeitskriegs waren, errangen die von George Washington geführten Revolutionstruppen erste Siege gegen die Briten. Im Visitor Center sind Schautafeln und Exponate aufgebaut, die über die Kämpfe detailliert Aufschluss geben. Die **Swan Collection** besteht aus rund 900 Uniformen, Orden und Waffen der damaligen Zeit.

Im Park stehen einige historische Gebäude wie das **Ferry House,** in dem Washington den Angriff auf Trenton geplant haben soll. Kostümierte Freiwillige bereiten über offenem Feuer einfache Gerichte nach Rezepten aus der Kolonialzeit zu. Südlich des Ferry House führt ein Holzsteg über die Route 29 und den parallel verlaufenden Delaware & Raritan Canal an das Ufer des Delaware River, wo die historische Flussüberquerung stattfand. Der in Schwäbisch Gmünd geborene, später in die USA ausgewanderte Maler Emmanuel Leutze (1816–1868) hielt die historische Szene in seinem berühmten Bild ›Washington überquert den Delaware‹ fest (River Rd., Tel. 1-215-493-4076, www.ushistory.org/washingtoncrossing, Do–So 10–16 Uhr, 6 $).

Camden (NJ) ▶ 1, J 6

Obwohl durch den mächtigen Delaware River vom Bundesstaat Pennsylvania getrennt, ist das rund 77 000 Einwohner zählende **Camden** Teil des Ballungsraumes Philadelphia, der sich in Richtung Osten bis nach Cherry Hill am New Jersey Turnpike erstreckt. Früher ein bedeutendes Industrie- und Transportzentrum für den Südwesten des Bundesstaats, verlor Camden diese Rolle im Laufe der Zeit, und ganze Stadtviertel versanken in Elend und Arbeitslosigkeit. Kein Wunder, dass in manchen Teilen die Kriminalitätsrate erschreckend hoch ist, weshalb Touristen diese besser meiden sollten.

Keine Sicherheitsbedenken müssen Besucher im Park am Delaware-Ufer haben. Anfang der 1990er-Jahre unternahm die Stadtverwaltung konzentrierte Anstrengungen, um das vom Verfall bedrohte Zentrum vor dem völli-

gen Niedergang zu retten und attraktiver zu gestalten. Ein erster Schritt war der Bau des Ulysses S. Wiggins Waterfront Park am Ufer des Delaware River, von wo man abends einen prächtigen Blick auf die lichterstrahlende, zum Greifen nahe Skyline von Philadelphia hat.

Am Ufer des Delaware

Teil des Waterfront Park ist das hervorragende **Adventure Aquarium** mit über 500 unterschiedlichen Arten von Meeresbewohnern. Kern des Aquariums bildet ein fast 2,5 Mio. Liter fassendes Becken, das mit einer vom Boden bis zur Decke reichenden Glasfassade an das Ocean Realm Theater grenzt, in dem man wie in einem Kino sitzend zusehen kann, wie Stachelrochen, exotische Fische und Meeresschildkröten ihre Runden drehen. Plätze werden dort regelmäßig knapp, wenn Taucher zur Fütterung der Meereslebewesen in das Becken steigen.

In einem der westafrikanischen Fauna gewidmeten Teil leben Flusspferde, Krokodile, Stachelschweine, Schildkröten, über 1000 Fische und frei fliegende Vögel. Um noch exotischere Lebewesen geht es in der Jules Verne Gallery mit fantastischen Quallen, Riesentintenfischen und Seedrachen. Haie besitzen ein eigenes 1,5 Mio. Liter großes Becken, durch das ein gläserner Haitunnel führt, von dem aus man die großen und kleinen Exemplare aus nächster Nähe bewundern kann. Zum Aquarium gehören Außenbereiche, wo in der warmen Jahreszeit regelmäßige Shows mit Robben stattfinden (an der Wasserfront, tgl. 10–17 Uhr, Tel. 1-856-365-3300, www.adventureaquarium.com, Erw. 26 $, Kinder 2–12 J. 19 $).

Zu den in den letzten Jahren geschaffenen Einrichtungen an der Waterfront kommt mit der **USS New Jersey** auch eine ältere Attraktion hinzu. Bereits seit Ende 1999 ist das ausgemusterte Schlachtschiff der US-Marine am Delaware-Ufer verankert, das sich im Zweiten Weltkrieg, im Korea- und im Vietnamkrieg Meriten verdiente (62 Battleship Pl., Tel. 1-856-966-1652, www.battleshipnewjersey.org, im Sommer tgl. 9–17 Uhr, sonst kürzer, Erw. 22 $).

Das Adventure Aquarium in Camden ist für Jung und Alt ein besonderes Erlebnis

Literaturinteressierte kommen nach Camden, um in die Fußstapfen einer amerikanischen Berühmtheit zu treten. Walt Whitman (1819–92) verbrachte die letzten 18 Jahre seines Lebens im **Walt Whitman House**. Dort sind außer Originalmobiliar viele Bücher, Manuskripte und Fotos des Dichters zu sehen, der auf dem Harleigh Cemetery an der Haddon Avenue bestattet wurde (330 Mickle Blvd., Tel. 1-856-964-5383, Mi–Sa 10–12, 13–16, So 13–16 Uhr, Eintritt frei).

Übernachten

... in Cherry Hill:

Östlich von Camden liegt der Stadtteil Cherry Hill mit einigen Hotels. Sie bieten sich an, wenn die Unterkünfte in Philadelphia zu teuer oder ausgebucht sind.

Ordentliche Ausstattung ▶ **Holiday Inn:** Rte 70/Sayer Ave., Tel. 1-856-663-5300, www.holidaycherryhill.com. Mit Innen- und Außenpool, Fitnesscenter und eigenem Restaurant. Ab 130 $.

Für einen romantischen Aufenthalt ▶ **Feathers Nest Inn:** Rt. 38 & Cuthbert Blvd., Tel. 1-856-663-0411, www.feathernestinn.com. Individuell eingerichtete Suiten bzw. Standardzimmer, alle mit TV. Ab ca. 95 $.

Essen & Trinken

Alles aus dem Meer ▶ **Red Lobster:** 2100 New Jersey 38, Tel. 1-856-321-1701. In der Restaurantkette werden Seafood-Gerichte serviert. Ab 14 $.

Für Nostalgiker ▶ **Cherry Hill Diner:** 2341 Rt. 38, Tel. 1-856-667-8255, www.cherryhilldiner.com, tgl. 24 Std. Suppen, Sandwiches, Burgers, Salate und Steaks in typischem Diner-Ambiente. Ab ca. 7 $.

Verkehr

Fähre: River Link Ferry, Tel. 1-215-925-5465, www.riverlinkferry.org, tgl. 9–18 Uhr. Pendelfähren zwischen Penn's Landing in Philadelphia und Waterfront Park in Camden, Hin- und Rückfahrtticket 7 $.

Nach New York City ist Metro-Philadelphia mit fünf Millionen Einwohnern der zweitgrößte urbane Ballungsraum im Osten der USA und der fünftgrößte im Lande. Zur Bedeutung der Metropole der ›brüderlichen Liebe‹ trägt neben ihrer historischen Rolle im Unabhängigkeitsprozess ihr Reichtum an Kunst- und Kultureinrichtungen bei.

Jeder US-Bundesstaat besitzt ein Motto. Für Pennsylvania steht unbescheiden ›America Starts Here‹ (Hier beginnt Amerika). 300 Jahre Geschichte belegen, dass der selbstbewusste Anspruch so vermessen gar nicht ist. Denn in der größten Stadt **Philadelphia,** griechisch für ›Stadt der brüderlichen Liebe‹, stand die Wiege der USA. Am 4. Juli 1776 proklamierte der Kongress vor Ort die Unabhängigkeit. Diese Erklärung, die neben der 1787 ebenfalls in Philadelphia verabschiedeten Verfassung zu den wichtigsten Dokumenten der US-Geschichte gehört, stand am Anfang der dynamischen Entwicklung des Landes zur Weltmacht.

Mit der Loslösung von Großbritannien läutete die berühmte Freiheitsglocke in Philadelphia eine neue Ära ein. Die junge Stadt hatte sich schon zuvor auf ihre eigenen Kräfte besonnen, wobei sich Männer wie Benjamin Franklin hervortaten. Er hatte 1731 die erste Leihbücherei der USA gegründet. Im Jahr 1740 entstand mit der University of Pennsylvania die erste Universität auf amerikanischem Boden, gefolgt 1790 von der ersten US-Börse.

Ganz entgegen der ursprünglichen Idee des Stadtgründers entwickelte sich Philadelphia im 19. Jh. nicht zu einer grünen Oase, sondern zu einem riesigen, qualmenden Standort der Schwerindustrie. Heute ist im Kern der Stadt davon nichts mehr zu sehen, weil Downtown in den 1990er-Jahren eine umfassende Sanierung erlebte. Die bedeutendsten historischen Stätten, in einem his-

torischen Nationalpark zusammengefasst, präsentieren sich in einem Zustand, der ihrer geschichtlichen Rolle im Staatsbildungsprozess entspricht.

Auch außerhalb der Stadt liegen interessante historische Sehenswürdigkeiten, aber auch die Siedlungsgebiete der alttestamentarischen Amish, die inmitten von technischem und zivilisatorischem Fortschritt seit Jahrhunderten an einer technikfeindlichen Einstellung festhalten und mit ihrer bibelfesten Lebensweise zu einer Touristenattraktion wurden.

Independence National Historical Park ▶ 1, J 6

Cityplan: S. 260

Philadelphias historische Schatztruhe ist der vom National Park Service verwaltete **Independence National Historical Park** mitten im Zentrum. Innerhalb der geschichtsträchtigsten Quadratmeile der USA stehen ca. 40 Gebäude für Besichtigungen offen. Im Mittelpunkt des Parks erstreckt sich zwischen Fifth und Sixth Street die Independence Mall mit den Meilensteinen der amerikanischen Unabhängigkeitsgeschichte.

Ikonen der US-Geschichte

Als erste Einrichtung dieser Art in Amerika beschäftigt sich das **National Constitution Center** ■ ausschließlich mit der Geschichte und Rolle der amerikanischen Verfassung und bedient sich dabei modernster Techni-

Blick über den Franklin Parkway auf den Rathausturm von Philadelphia

ken, wie etwa bei einer einführenden, stark patriotisch angehauchten Multimedia-Präsentation auf einer 360°-Leinwand. Von der Grand Hall des Zentrums reicht der Blick durch eine Glasfassade über die Independence Mall bis zur im Süden gelegenen Independence Hall, eine von den Architekten gewollte symbolische Sichtverbindung. In der Signer's Hall können sich Besucher unter die lebensgroßen Bronzeskulpturen der 41 Delegierten des Verfassungskonvents mischen, die am 17. September 1787 die amerikanische Verfassung unterzeichneten (525 Arch St., Independence Mall, Tel. 1-215-409-6600, http://constitutioncenter.org, Mo–Fr 9.30–17, Sa 9.30–18, So 12–17 Uhr, Erw. 14,50 $).

Das **Independence Visitor Center**  versteht sich nicht nur als zentrale Hauptanlaufstelle zur Orientierung über den Independence National Historical Park (INHP) und die Stadt Philadelphia. Neben einem Hotel- und Restaurant-Reservierungsdienst kann man Touch-Screens mit Beschreibungen von Aus-

flugszielen und Veranstaltungen in Anspruch nehmen und Tickets für örtliche Attraktionen kaufen. Im Videotheater bekommt man per Film einen Überblick über die Stadt und ihre Sehenswürdigkeiten (1 N. Independence Mall W., Tel. 1-800-537-7676, www.independence visitorcenter.com, tgl. 8.30–19 Uhr).

Mit dem **Liberty Bell Center** steht auf der Independence Mall ein Gebäude, das die wohl bedeutendste historische Ikone der Stadt beherbergt: die Freiheitsglocke (s. S. 258). In jüngerer Vergangenheit zog sie zum dritten Mal um und soll jetzt ihren endgültigen Platz in einem aus viel Glas bestehenden Pavillon gefunden haben, der das Geläut mit der Independence Hall im Hintergrund ohne störende moderne Bauten zeigt (Market St. zwischen 5th/6th St., www.nps.gov/inde/liberty-bell-center.htm, tgl. 9–19 Uhr, Eintritt frei).

Jenseits der Chestnut Street, an der Pferdekutschen für Stadtrundfahrten parken und ein George-Washington-Denkmal steht, erlebte die **Independence Hall** seit ihrer

Liberty Bell: eine nationale Reliquie

Thema

Für viele Amerikaner gibt es nur ein nationales Symbol für Freiheit und Unabhängigkeit: die Liberty Bell. Als Kopie schmückt sie zahlreiche Kapitole in den jeweiligen Bundesstaaten. Das Original ist im Independence National Historical Park in Philadelphia in einem eigens errichteten Pavillon ausgestellt.

Die knapp 1000 kg schwere, zu 70 % aus Kupfer, 25 % aus Zinn und kleineren Blei-, Arsen-, Zink-, Gold- und Silberanteilen bestehende *Liberty Bell* blickt auf eine wechselvolle Vergangenheit zurück. Im Auftrag der Stadtverwaltung von Philadelphia wurde 1752 in England eine Glocke mit der Aufschrift aus dem dritten Buch Mose »… und ruft Freiheit für alle Bewohner des Landes aus« gegossen. Kaum war die Glocke zum ersten Mal erklungen, wies sie einen dünnen Sprung auf, der ihren Ton beeinflusste. Zweimal wurde sie von den lokalen Glockengießern Pass & Stow unter Verwendung des ursprünglichen Materials nachgegossen – und sprang jedes Mal wieder.

Um sie vor den Briten in Sicherheit zu bringen, die Kirchenglocken zu Munition und Kriegsgerät umschmolzen, versteckten Philadelphias Bürger das Symbol ihrer Unabhängigkeit im Krieg gegen England im 60 Meilen entfernten Allentown (s. S. 243). Zum letzten Mal erklang die Freiheitsglocke anlässlich der Feierlichkeiten zum 114. Geburtstag von George Washington im Jahr 1846. Danach wurde sie in der Independence Hall ausgestellt.

Anlässlich der 200-Jahr-Feiern der amerikanischen Unabhängigkeit im Jahr 1976 bekam sie einen eigenen, wegen des großen Besucherandrangs aber zu kleinen Pavillon, ehe sie im Jahr 2003 endgültig im heutigen Liberty Bell Center ausgestellt wurde. Ihre in einem Stahlrahmen befestigte Aufhängung

besteht aus einem Joch aus Ulmenholz. Hatte die frühere ›Unterkunft‹ der Liberty Bell gerade einmal Platz genug für die Glocke selbst, ist der neue Pavillon mit einer zusätzlichen Ausstellung ausgestattet, die Wissenswertes und Interessantes über die Entstehungsgeschichte der Glocke und über ihre heutige Rolle als Freiheitssymbol vermittelt. Ausländische Besucher können sich in speziell eingerichteten Räumen in ca. einem Dutzend unterschiedlicher Sprachen über alle Exponate informieren und einen Film sehen, der im Auftrag des zuständigen National Park Service produziert wurde.

Landesweite, zum Teil heftige Diskussionen löste nach dem ›Umzug‹ der Freiheitsglocke die Tatsache aus, dass in der begleitenden Ausstellung auch Dokumente gezeigt werden, die unbequeme geschichtliche Tatsachen belegen und in offenkundigem Widerspruch zu den mit der Liberty Bell in Verbindung gebrachten Idealen von Freiheit und Brüderlichkeit stehen.

Beim Bau des neuen Pavillons waren Bauarbeiter auf Überreste des 1832 abgerissenen Robert Morris Mansion gestoßen. In diesem Anwesen hatten die US-Präsidenten George Washington und John Adams gewohnt, solange Philadelphia zwischen 1790 und 1800 Hauptstadt Amerikas gewesen war. Historiker machten darauf aufmerksam, dass George Washington in diesem Haus während seiner Zeit im höchsten Staatsamt von 1789 bis 1797 acht Sklaven beschäftigte.

Fertigstellung in der ersten Hälfte des 18. Jh. wahrhaft historische Ereignisse. Im Mai 1775 trat in der Assembly Hall der Zweite Kontinentalkongress zusammen und beschloss, in den einzelnen Kolonien Vorbereitungen für die Verteidigung gegen englische Truppen zu treffen. Einen Monat später ernannten die Kongressmitglieder George Washington zum Oberbefehlshaber der Kontinentalen Armee. Ein Jahr danach nahmen die Delegierten in diesem Gebäude die amerikanische Unabhängigkeitserklärung an. Ein ebenso tief greifendes Ereignis war die formale Verabschiedung der US-Verfassung durch die Federal Constitution Convention am 17. September 1787. Im Licht dieser historischen Ereignisse betrachtet trägt die Independence Hall ihren Ruf als nationaler Schrein zu Recht (Independence Mall, Tel. 1-215-965-2305, www. nps.gov/inde, tgl. 9–19 Uhr, Gratistouren, zeitgebundene Tickets obligatorisch).

Schatztruhen für Kunstkenner

Die **Library Hall** 5, heute Bibliothek der American Philosophical Society, besitzt unschätzbare Raritäten. Dazu gehören die originalen Reiseaufzeichnungen der Lewis & Clark-Expedition von 1804 bis 1806, die einen schiffbaren Wasserweg zwischen Mississippi und Pazifik und die Möglichkeiten einer zukünftigen Zivilisierung dieses Gebiets erkundete. Außerdem besitzt die Bibliothek die amerikanische Unabhängigkeitserklärung in einer von Thomas Jefferson handgeschriebenen Fassung (105 S. Fifth St., Tel. 1-215-440-3400, www.ushistory.org/tour/library-hall.htm, Mo–Fr 9–16.45 Uhr, Eintritt frei).

Neben der Library Hall präsentiert die **Second Bank of the United States** 6 ihre Greek-Revival-Säulenfassade. Das dem Parthenon nachempfundene ehemalige Bankgebäude aus dem Jahre 1824 besitzt eine erlesene Porträtsammlung von führenden Köpfen des Unabhängigkeitskriegs, der Unterzeichner der Unabhängigkeitserklärung und der amerikanischen Verfassung sowie Gemälde von hohen Militärs und Diplomaten der damaligen Zeit (420 Chestnut St., Tel. 1-800-537-7676, 11–17 Uhr, Eintritt frei).

Carpenter's Hall 7

Eine Videopräsentation gibt in der **Carpenters' Hall** Nachhilfeunterricht in amerikanischer Geschichte. In dem Gebäude trat 1774 der First National Congress zusammen, um über die zunehmende Bevormundung der amerikanischen Kolonien durch England zu beraten. Deren Forderungen nach mehr Selbstständigkeit wurden von der Krone meist abschlägig beschieden, sodass der Kongress auf eine gemeinsame politische Linie gegenüber dem britischen Mutterland drängte.

Unter Führung von John und Samuel Adams, die zu den einflussreichsten Anwälten der amerikanischen Unabhängigkeit gehörten, und inspiriert durch die flammenden Reden des Patrioten und späteren Freiheitskämpfers Patrick Henry, beschlossen die Delegierten aus zwölf Kolonien – Georgia fehlte – einen Boykott englischer Waren und die Errichtung von Import- und Exportsperren gegenüber England. Außerdem verlangten sie von der Krone die Streichung von Steuern und Abgaben, die nach dem Ende des Siebenjährigen Kriegs gegen Frankreich im Jahr 1763 erhoben worden waren, um die drückenden Kriegskosten auszugleichen und die britische Staatskasse wieder zu füllen (Chestnut St. zwischen 3rd und 4th St., Tel. 1-215-925-0167, www.carpentershall.com, Di– So 10–16 Uhr, Jan./Febr. nur Mi–So, Eintritt frei).

Auf den Spuren von B. Franklin

Jenseits der Chestnut Street errichtete das Multitalent Benjamin Franklin (1706–1790) im **Franklin Court** 8 im Jahr 1763 ein Haus, in dem der Drucker, Staatsmann, Autor, Erfinder, Diplomat, Philanthrop und Wissenschaftler die letzten fünf Jahre seines Lebens verbrachte. Sein Wohnhaus existiert seit 1812 nicht mehr, doch sind die Umrisse durch eine weiße Stahlkonstruktion markiert. Das **Benjamin Franklin Museum** erinnert mit Dokumenten, Computeranimationen, Bildern und interaktiven Ausstellungen an Leben und Lebensleistungen des großen Sohnes der Stadt (Eingang Market oder Chestnut St., www.

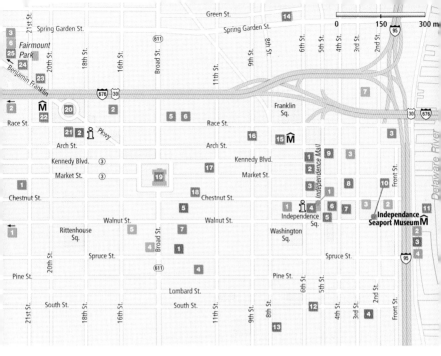

nps.gov/inde >Plan Your Visit>Benjamin Franklin Museum, tgl. 9–17, im Hochsommer bis 19 Uhr, Erw. 5 $). Eröffnet wurde das umgebaute Museum 2013 von Ralph Archbold, der in Philadelphia seit über 30 Jahren als Franklin-Imitator ein berühmtes Fotomotiv ist, weil er mit schulterlangem, schütterem Haar so aussieht, wie man Benjamin Franklin von alten Gemälden kennt.

Nach seinem Tod 1790 wurde Benjamin Franklin auf dem **Christ Church Burial Ground** zur letzten Ruhe gebettet. Als Erinnerung an seine berühmte Devise »Ein gesparter Penny ist ein verdienter Penny« liegen auf dem Grab, das er mit seiner Frau Deborah teilt, häufig Ein-Cent-Münzen. Auf dem historischen Friedhof wurden auch vier weitere Unterzeichner der amerikanischen Unabhängigkeitserklärung bestattet (Ecke Fifth/Arch St.).

City Tavern

Mit historischem Ambiente wartet die aus dem 18. Jh. stammende **City Tavern** auf. Zur Begrüßung tritt das Personal in originalgetreuen Kostümen aus damaliger Zeit an. Gäste schreiten über knarzende Dielenböden und nehmen in einem der zahlreichen Speisezimmer Platz, die sich auf zwei Etagen verteilen, wo sich früher Berühmtheiten wie George Washington, Benjamin Franklin und Paul Revere die deftigen Speisen schmecken ließen. Der aus Deutschland stammende Chef Walter Staib, der sich ›Kulinarischer Botschafter der Stadt Philadelphia‹ nennen darf, sorgt auch in der Küche für historische Korrektheit und serviert etwa Spezialitäten wie Süßkartoffel-Bisquits, ein Leibgericht von Thomas Jefferson (Second/Walnut St., Tel. 1-215-413-1443, www. citytavern.com, Lunch tgl. ab 11.30, Dinner tgl. ab 16, So ab 15 Uhr, Reservierung empfohlen, Dinner ab 30 $).

Penn's Landing

Am Ufer des Delaware River liegt mit **Penn's Landing** ein beliebtes Ausflugsziel innerhalb der Stadt. Hier soll William Penn im Jahr 1682 an Land gegangen sein. Auf dem Ufergelände verwandelt sich im Sommer der **Spruce**

Philadelphia

Sehenswert

Übernachten

Essen & Trinken

Einkaufen

Abends & Nachts

Aktiv

Street Harbor Park temporär in eine lebhafte Ausflugsoase mit Biergarten, Restaurant und schwimmenden Gärten (Juni–Sept.).

Schwimmende Historie kann man im **Independence Seaport Museum** besichtigen. Dort liegt der 1883 vom Stapel gelaufene portugiesische Segler ›Gazela‹ vor Anker, wenn er nicht gerade in seiner Funktion als ›schwimmender Botschafter von Philadelphia‹ auf Fahrt ist. Ein zweiter Oldtimer, die ›USS Olympia‹, war Flaggschiff von Admiral George Deweys Flotte in der Schlacht von Manila 1898 während des spanisch-amerikanischen Kriegs. Neueren Datums ist das U-Boot ›USS Becuna‹, das seit 1944 im Südpazifik Dienst tat, nach dem Zweiten Weltkrieg aber nur noch als Ausbildungsschiff genutzt wurde (211 S. Columbus Blvd., Tel. 1-215-413-8655, www.phillyseaport.org, So–Mi 10–17, Do–Sa 10–19 Uhr, Erw. 13,50 $, Kinder 10 $). Der außerhalb des Museums liegende, 1904 erbaute und nach wie vor seetüchtige Viermaster ›Moshulu‹ wurde schon vor Jahren zum Restaurantschiff umgerüstet.

Society Hill ▶ 1, J 6

Cityplan: oben

Südwestlich von Penn's Landing liegt der Stadtteil **Society Hill.** Er erhielt seinen Namen nach der Free Society of Traders, einer Gruppe von Geschäftsleuten, die auf Veranlassung von William Penn in Philadelphia ihre Unternehmen aufbauten. Zahlreiche Gebäude aus dem 18. und 19. Jh. verleihen Society Hill ein sympathisch-gestriges Ambiente. Um den Head House Square liegen einige traditionsreiche Restaurants. Früher verkauften auf diesem Platz die Bauern des Umlands ihre Erzeugnisse an die Städter.

Mit beinahe 500 Boutiquen, Galerien, Theatern, Nachtclubs, Cafés und Restaurants ist die **South Street** 12 ein beliebtes Szenevier-

Tipp: Reading Terminal Market

Der ›Bauch von Philadelphia‹ liegt mitten im Stadtzentrum in einem ehemaligen Bahnhof, dessen Terrain sich bis in die 1970er-Jahre ca. 100 Markthändler mit den Reisenden und Bahnhofsangestellten teilen mussten. Nach vielen Berg- und Talfahrten in den vergangenen Jahrzehnten hat sich der 1892 gegründete **Reading Terminal Market** 🔢 als gastronomischer Basar etabliert. Frankreichkenner fühlen sich zwischen Fleisch und Wurstangeboten, Vitrinen voller Brathähnchen, duftenden Bäckereiprodukten und Blumenständen an die alten Hallen in Paris erinnert. Zur Popularität des vor Aktivitäten strotzenden Marktes tragen hier die zahlreichen Imbisse bei. Von Mittwoch bis Samstag schlagen Amish-Bäuerinnen aus dem Pennsylvania Dutch Country ihre Stände auf und tragen mit handgestickten Quilts, selbst gebackenen Kuchen und anderen Amish-Spezialitäten aus der eigenen Küche zur Vielfalt des Marktangebots bei (12th/Arch St., Tel. 1-215-922-2317, www.readingterminal. org, Mo–Sa 8–18, So 9–17 Uhr).

tel insbesondere auch für Nachtschwärmer. In die Jahre gekommene Hippies mischen sich unter Schlips tragende Geschäftsleute, Skater mit gepiercten Nasenflügeln teilen sich die Kneipentresen mit platinblonden Kosmetikerinnen aus dem benachbarten Nagelstudio. Dass es im lebhaftesten Unterhaltungs- und Gourmetviertel von Philadelphia immer auch unkonventionell zugehen kann, machen Geschäftsnamen wie Crash Bang Boom, Erogenous Zone und Armed & Dangerous deutlich (Front bis 10th St. und Lombard bis Bainbridge St., www.southstreet.com).

Eine traditionelle, seit über 100 Jahren bestehende Institution in Society Hill ist der **Ninth Street Market** 🔢, der sich im Wesentlichen auf der Ninth Street abspielt. Auf überdachten Gehsteigen türmen sich Kisten mit Obst, Karrenladungen frischer Wassermelonen, Plastiktonnen mit frischem Fisch und Blue Crabs aus der Chesapeake Bay. Wochentags platzt der Markt am Vormittag aus allen Nähten und erinnert mit seinem Chaos und seinen Gerüchen an Palermo oder Neapel. Zwischen den Auslagen verstecken sich kleine Cafés und Blumenläden, Geschäfte für Haushaltsartikel und Unterwäsche. Zwar hat sich über die Jahrzehnte das früher strikt italienische Gesicht des Marktes durch den Zuzug anderer Nationalitäten gewandelt. Aber im Großen und Ganzen dominiert das Farbentrio Grün-Weiß-Rot (9th St., Di–Sa 9–17, So 9–14 Uhr, s. S. 265).

In die als Museum eingerichtete **Edgar Allan Poe National Historic Site** 🔢 zog der amerikanische Autor vermutlich zwischen Herbst 1842 und Sommer 1843, um sie im April 1844 schon wieder zu verlassen. Bei Führungen durch das Anwesen bemühen sich die Parkranger nicht ohne Erfolg um spannende Geschichten. Die Führung endet im Keller. An einer Wand befindet sich der Abzugsschacht eines Kamins. In ›Die schwarze Katze‹ mauerte der Ich-Erzähler, der seine Frau mit einer Axt erschlagen hatte, dort ihren Leichnam ein (532 7th/Spring Garden St., Tel. 1-215-597-8780, www.nps.gov/edal, Fr–So 9–17 Uhr, Eintritt frei).

Stadtzentrum ▶ 1, J 6

Cityplan: S. 260

Mit über 400 000 Ausstellungsgegenständen wie Dokumenten, Gemälden, Mobiliar, Fotografien, Büchern, Kleidung und Volkskunst informiert das **African American Museum** 🔢 über alle Aspekte des Lebens früherer afroamerikanischer Einwohner in Philadelphia – vom familiären Alltag bis zur Bürgerrechtsbewegung, von der medizinischen Versorgung bis zur Religion und von sportlichen Leistungen bis zu Kunst und Architektur. Häufig veranstaltet das Haus musikalische Veranstaltungen mit bekannten Interpreten (701 Arch St., Tel. 1-215-574-0380, www.aampmuseum.org, Do–Sa 10–17, So 12–17 Uhr, Erw. 14 $).

Wo sich heute **Chinatown** 16 ausdehnt, gab es in den 1860er-Jahren nur eine chinesische Wäscherei. Ungefähr zehn Jahre später eröffnete in der Race Street Nr. 913, wo heute eine Informationstafel steht, mit Mei-Hsian Lou das erste chinesische Restaurant, das in den nachfolgenden Jahrzehnten Dutzende von Nachbarn bekam. In jüngerer Vergangenheit wurde das Viertel durch die Eröffnung von vietnamesischen, burmesischen und japanischen Lokalen immer internationaler (9th bis 12th St./Vine bis Arch St.).

Die über 115 Jahre alte Markthalle **Reading Terminal Market** (s. S. 262) in Philadelphia gehört zu den schönsten in den USA. Im nostalgisch anmutenden Ambiente kann man nicht nur fabelhaft einkaufen, sondern auch gut und preiswert essen.

Eines der ältesten, 1861 gegründeten Kaufhäuser der USA, das heute unter dem Namen **Macy's Center City** 18 firmiert, baute im Jahr 1910 der Star-Architekt Daniel Burnham um und verwandelte es in einen Konsumtempel, der alles bis dahin Dagewesene in den Schatten stellte. Als der Palast seine Tore öffnete, stand die staunende Kundschaft in einer fünf Stockwerke hohen, von Galerien umgebenen und in Goldbronze glänzenden Lobby, die sich mit einer barock wirkenden Orgel aus 30 000 Pfeifen eher wie eine Kathedrale präsentierte (zwischen Market/Chestnut St. und 13th/Juniper St., Tel. 1-215-241-9000, www1.macys.com, Orgelkonzerte tgl. 12 und 17, Mi 19 Uhr).

Unübersehbar dominiert am Schnittpunkt der beiden wichtigen Verkehrsadern Market und Broad Street die zwischen 1871 und 1901 erbaute **City Hall** 19. Bis 1988 war es verboten, über die 167 m hohe Spitze des Rathauses hinaus zu bauen. Der Himmel über Philadelphia war für den Staats- und Stadtgründer William Penn reserviert, dessen 11 m hohe Statue in luftiger Höhe den Rathausturm krönt. Einen ähnlichen Ausblick wie der bronzene Penn genießen Besucher der City Hall von der Plattform des Turmes aus. Mit 642 Räumen gilt der im Stil der französi-

schen Renaissance errichtete Riesenbau als größtes städtisches Verwaltungsgebäude in den USA (Market/ Broad St., Observation Deck Mo–Fr 9.30–16.15 Uhr, 6 $, zeitgebundene Tickets obligatorisch).

Logan Square

Cityplan: S. 260

Die Indianerfiguren der Swann Memorial Fountain auf dem **Logan Square** 20 symbolisieren die drei bedeutenden Wasserwege der Stadt – Delaware River, Schuylkill River und Wissahickon Creek.

Auf der Südseite des Platzes liegt die **Academy of Natural Sciences** 21 mit zahlreichen lebenden Exponaten wie Reptilien und Eidechsen. Vor allem die Saurierausstellung zieht viele Besucher an (19th St./Benjamin Franklin Pkwy, Tel. 1-215-299-1000, www.ansp.org, Mo–Fr 10–16.30, Sa, So 10–17 Uhr, 16 $). Gegenüber kann man sich im **Sister Cities Park Visitor Center** über alle Sehenswürdigkeiten informieren und Tickets kaufen (200 N. 18th St.).

Von der Astronomie bis zur Militärtechnologie und vom überdimensionalen künstlichen Herzen bis zur Wetterkunde reicht die Spannweite des **Franklin Institute** 22 mit vielen technischen Einrichtungen zum Ausprobieren. Nicht nur für Bücherwürmer ist die Free Library of Philadelphia mit über 2 Mio. Bänden ein Anlaufziel. Im Dachcafé kann man sich eine Rast vom anstrengenden Kulturbetrieb gönnen. Zum Museum gehört neben einem Planetarium ein IMAX-Theater mit Filmen über die Löwen der Kalahari, den menschlichen Körper, Weiße Haie oder die Titanen der Eiszeit (271 N. 21st St., Tel. 1-215-448-1200, www2.fi.edu, tgl. 9.30–19 Uhr, Erw. 18,50 $, mit IMAX 24,50 $).

Museum-Highlights

Einen speziellen Genuss verspricht das Kunstmuseum **The Barnes** 23 mit Werken u. a. von Renoir, Cézanne, Matisse, Courbet, Picasso und Goya, aber auch afrikanischen Skulpturen und Mobiliar der in Pennsylvania lebenden

aktiv unterwegs

Mit Boxlegende Rocky Balboa durch Philadelphia

Tour-Infos
Start: Thomas Aquinas Catholic Church (1719 Morris St.)
Länge: ca. 15 Meilen (24 km)
Dauer: 3-4 Stunden

Im Jahr 1976 kam mit dem Boxerepos ›Rocky‹ ein Film des Regisseurs John G. Avildsen in die Kinos, der gegen alle Erwartungen zum kommerziell erfolgreichsten Film des Jahres wurde und im folgenden Jahr drei Oscars errang. Die Hauptrolle des in Philadelphia lebenden Boxers Rocky Balboa spielte Sylvester Stallone, der auch am Drehbuch mit arbeitete. Aus dem ersten Erfolg entwickelte sich eine Reihe von insgesamt sechs Rocky-Filmen, in denen Philadelphia als Drehort eine Hauptrolle spielte. Kinofans

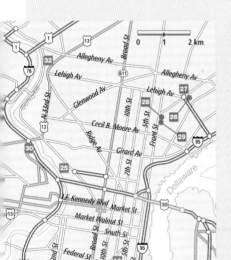

können zahlreiche Schauplätze des Boxerdramas besichtigen.

Bevor Rocky durch seine Faustkämpfe berühmt wird, bewohnt er eine mittlerweile als **Rocky's Apartment** 26 bekannt gewordene, ziemlich schäbige Wohnung im Stadtteil Kensington. Das zweigeschossige Haus Nr. 1818 in der Tusculum Street besitzt wie früher eine rote Ziegelfassade. Außer einer neuen Eingangstür und einem neuen Treppengeländer hat sich seit den Dreharbeiten nichts verändert.

Zahlreiche Szenen der ›Rocky‹-Filme beschäftigen sich mit Adrian, wie Stallone seine Freundin und spätere Frau Adrianna Pennino nennt. Als er die Schwester seines Freundes Paulie kennenlernt, wohnt sie zusammen mit ihm in **Adrian & Paulie's House** 27 (2822 Rosehill St.) und arbeitet in der ziemlich armseligen Zoohandlung **J & M Tropical Fish** 28, von der heute nur eine Ruine übriggeblieben ist (2146 N. Front St.).

Wenn er sich nicht im Freien stählt, trainiert Rocky in **Mickey's Gym** 29. Heute befindet sich in dem Gebäude ein kleiner Supermarkt (2147 N. Front St.).

Doch sowohl im Film ›Rocky‹ als auch in ›Rocky III‹ spielt im städtischen Trainingsprogramm des Boxers die breite Freitreppe vor dem **Philadelphia Museum of Art** 25 eine wichtige Rolle. Statistiker haben herausgefunden, dass er für die 72 Stufen nur gut zehn Sekunden benötigte, indem er jeweils vier Stufen auf einmal nahm. Der kurze Sprint ist für viele Nachahmer längst zum Symbol für Zähigkeit und Siegeswillen geworden.

Am oberen Ende der Treppe wurde als Hommage der bronzene Abdruck von Stallones Sportschuhen in den Zement eingelassen. Ein Boxerdenkmal steht ein paar Schritte abseits an der Nordflanke des Museums (26th St. & Benjamin Franklin Pkwy).

Seine morgendlichen Trainingsrunden durch die Stadt führen Rocky über den **Ninth Street Market** 13, einen sympatisch-chaotischen Straßenbasar aus wackligen Obst- und Gemüseständen, Schaufenstern voller geschlachteter Hühner und Schweinehälften, leeren Kartons und kulinarischen Köstlichkeiten (Ninth St.). In einer Folge kaufte er dort Vorräte für sein Restaurant ein. Im Film taucht auch der über 100 Jahre alte Obst- und Gemüseladen P & F Giordano auf, der nach wie vor existiert (1043 S. 9th St., Tel. 1-215-922-7819, http://italianmarketphilly.org).

In ›Rocky II‹ will Stallone von Adrian wissen, ob sie ihn heirate. Als Schauplatz für den Heiratsantrag wählte der Regisseur bezeichnenderweise das Raubtiergehege im **Philadelphia Zoo** 30 (3400 W. Girard Ave., 215-243-1100, http://www.philadelphiazoo.org). Adrian willigt ein. Einige Zeit später findet die nicht sehr prunkvolle Trauung in der **St. Thomas Aquinas Catholic Church** 31 statt, einer heute noch existierenden Pfarrei (1719 Morris St., Tel. http://staquinas.com). Nachdem seine Frau, die von Talia Shire dargestellt wird, an Krebs gestorben ist, trauert Rocky an ihrem Grab auf dem **Laurel Hill Cemetery** 32. Auf dem Promifriedhof wurden neben vielen Berühmtheiten auch einige Unterzeichner der amerikanischen Unabhängigkeitserklärung zur letzten Ruhe gebettet (3822 Ridge Ave., www.thelaurelhillcemetery.org).

In der letzten Folge der ›Rocky‹-Serie wird Balboa Besitzer des Restaurants Adrian's, in dem er zusammen mit seinem Freund Paulie Pennino (Burt Young) im Fernsehen einen Boxkampf ansieht. Die Szene wurde im Januar/Februar 2006 im **Victor Cafe** 33 gedreht, das wegen seines gemütlichen Flairs und der guten Küche nach wie vor zu den populären italienischen Lokalen der Stadt zählt (1303 Dickinson St., Tel. 1-215-468-3040, www.victorcafe.com).

Amish (2025 B. Franklin Pkwy, Tel. 1-215-278-7000, www.barnesfoundation.org, Mi–Mo 10–18, Fr bis 21, Sa bis 20 Uhr, 20–29 $).

Unverkennbares ›Wegzeichen‹ vor dem **Rodin Museum** 24 ist die berühmte Skulptur ›Der Denker‹. Die Sammlung der Kunstwerke des berühmten französischen Bildhauers Auguste Rodin (1840–1917) war ein Geschenk des Geschäftsmanns Jules E. Mastbaum an die Stadt Philadelphia, die seit 1929 die unschätzbar wertvolle Kollektion in diesem Gebäude ausstellt (22nd St./Benjamin Franklin Pkwy, Tel. 1-215-763-8100, www.rodinmuseum.org, Mi–Mo 10–17 Uhr, 10 $).

Der Franklin Parkway endet stadtauswärts mitten im antiken Griechenland – so könnte man zumindest meinen. Auf einer kleinen Anhöhe liegt wie ein gewaltiger Säulentempel das **Philadelphia Museum of Art** 25. In dem riesigen Komplex findet man neben Gemälden von Peter-Paul Rubens, Auguste Renoir und Vincent van Gogh auch Werke von Künstlern des 20. Jh. wie etwa Alexander Calder, dessen monumentales Mobile die Eingangshalle schmückt. Impressionistische Gemälde, ein buddhistischer Tempel, ein japanisches Teehaus, von Amish People hergestellte Möbel und Trachten sowie der Nachbau eines französischen Klosters aus dem 12. Jh. sind Stationen, die Besucher auf ihrer Reise durch die Welt der Kunst kennenlernen (Benjamin Franklin Pkwy, Tel. 1-215-763-8100, www.philamuseum.org, Di–So 10–17, Mi und Fr bis 20.45 Uhr, 20 $ inkl. Rodin Museum).

Infos

Independence Visitor Center: 1 N. Independence Mall W., Philadelphia, PA 19106, Tel. 1-215-925-6101, www.phlvisitorcenter.com.

Übernachten

Angenehmes Hotel, tadelloser Service ▶
Sonesta Hotel Philadelphia 1: 1800 Market St., Tel. 1-215-561-7500, www.sonesta.com/philadelphia. Stadthotel in idealer Lage zum Logan Square und zur Museumsmeile, eigenes Restaurant, Außenpool. Ab 220 $.

Philadelphia und Umgebung

Gutes Stadthotel ▶ **Sheraton Philadelphia Downtown 2**: 17th/Race St., Tel. 1-215-448-2000, www.starwoodhotels.com. Dem Nobelhotel mit 29 Stockwerken und 760 gut ausgestatteten Zimmern sind auch Steakhouse, Sauna, Sportanlagen und Fitnesscenter angeschlossen. Ab 160 $.

Empfehlenswert, aber etwas laut ▶ **Holiday Inn Express 3**: 100 N. Columbus Blvd., Tel. 1-215-627-7900, http://hiepennslanding.com. Eine der preiswerteren Unterkünfte in der Innenstadt von Philadelphia, Standardzimmer. 120–140 $.

Sympathische Stadtoase ▶ **Alexander Inn 4**: 12th/Spruce St., Tel. 1-215-923-3535, www.alexanderinn.com. Größeres Inn in der Nähe des Pennsylvania Convention Center mit Fitnessgeräten, Health Club und Spa, Frühstück inkl. 119–169 $.

Preis und Leistung okay ▶ **Hampton Inn Center City 5**: 1301 Race St., Tel. 1-215-665-9100, http://hamptoninn3.hilton.com. Auf 12 Stockwerke verteilen sich Zimmer mit Bad oder auch nur Dusche sowie Ein-Zimmer-Suiten. Whirlpool, beheizter Innenpool und Fitnesseinrichtungen ergänzen das Angebot. Ab 115 $.

Gute Lage ▶ **Days Inn 6**: 1227 Race St., Tel. 1-215-564-2888, www.daysinnphiladelphia.com. Zentral gelegenes Kettenmotel mit

Vielerorts schrill und bunt präsentiert sich das Szeneviertel South Street

50 ordentlichen Zimmern ohne großen Komfort. Ab 110 $.

Idealer Startpunkt für Besichtigungen ▶ **Rodeway Inn Center City** 7: 1208 Walnut St., Tel. 1-215-546-7000, www.rodewayinn. com. Manche Zimmer mit Bad, manche nur mit Dusche, Bügeleisen und Föhn auf dem Zimmer, Frühstück inkl. Ab 110 $.

Essen & Trinken

Original italienisch ▶ **Vetri** 1: 1312 Spruce St., Tel. 1-215-732-3478, www.vetriristorante.com, nur Dinner, So Ruhetag. Der mehrfach ausgezeichnete Chef Marc Vetri kocht italienisch. Eine seiner berühmten Nachspei-

Tipp: Philadelphia-Pass

Mit dem Pass können die Besucher sowohl Sehenswürdigkeiten, Museen und Theater der Stadt kennenlernen als auch geführte City-Touren unternehmen. Der Ein-Tages-Pass beinhaltet den Eintritt zu 40 Attraktionen der Stadt. Hinzu kommen Ermäßigungen in elf Restaurants.

Der Tagespass für Erwachsene kostet 55 $, für Kinder bis 12 J. 39 $, den Zwei-Tages-Pass gibt es für 80 bzw. 65 $, den Drei-Tages-Pass für 100 bzw. 85 $ oder den Fünf-Tages-Pass für 115 bzw. 98 $, www.philadelphiapass.com.

sen heißt ›Chocolate Polenta Soufflé‹. Es wird täglich nur ein fixes Probiermenü serviert – für 155 $ sehr teuer, aber jeden Bissen die Kosten wert.

Nobel und stilvoll ▶ **Fountain Restaurant** 2: Four Seasons Hotel, 1 Logan Sq., Tel. 1-215-963-1500, tgl. 6.30–14.30 und 17.45–23 Uhr. Elegantes Spitzenrestaurant mit hervorragender, einfallsreicher Küche. Am Abend ist Abendgarderobe obligatorisch. Ab 50 $.

Etwas anderes Restaurant ▶ **Moshulu** 3: 401 S. Columbus Blvd., Tel. 1-215-923-2500, www.moshulu.com, Mo–Sa ab 11.30, So Brunch ab 10 Uhr. Das Moshulu ist ein zum Restaurantschiff umgebauter, romantischer Viermaster mit einem exquisiten Speisen- und Weinangebot. 21–45 $.

Teures aus Nordafrika ▶ **Fez Maroccan Restaurant** 4: 620 S. Second St., Tel. 1-215-925-5367, www.fezrestaurant.com, So–Do 17–24, Fr, Sa bis 2 Uhr. Personen in Tracht servieren in einem marokkanischen Hochzeitszelt ausgezeichnete nordafrikanische Gerichte. 20–30 $.

Schmackhafte Latino-Küche ▶ **El Vez** 5: 121 S. 13th St., Tel. 1-215-928-9800, www.el vezrestaurant.com, Mo–Fr 11.30–24, Sa 12–24, So 10–15 Uhr. Mexikanisch-amerikanische Küche und verlockende Margaritas in einem sehr farbenfrohen Ambiente. Ab 16 $.

267

Philadelphia und Umgebung

Einkaufen

Schmuck ▶ Jewellers' Row 1: Sansom St. zwischen 7th/8th St. und 8th St. von Chestnut bis Walnut St. Seit mehr als 150 Jahren bestehender Schmuckdistrikt mit mehreren Hundert Juwelieren und Schmuck-designern.

Einkaufszentrum ▶ King of Prussia Mall 2: nordwestlich von Philadelphia in King of Prussia, 160 N. Gulph Rd., Mo–Sa 10–21.30, So 11–19 Uhr. Riesige Mall mit allem, was die Konsumentenherzen höher schlagen lässt.

Souvenirs ▶ Souvenir Philadelphia 3: 307 Arch St., Tel. 1-215-923-2565. Wer ein Reise-mitbringsel aus Philadelphia benötigt, wird hier sicher etwas finden. Die amerikanische Unabhängigkeitserklärung gibt es als Poster.

Abends & Nachts

Ruhig und cool ▶ World Cafe Live 1: 3025 Walnut St., Tel. 1-215-222-1400, http://philly.worldcafelive.com. Zum Abendessen gibt es tgl. wechselnde Live-Musik.

Heiße Rythmen ▶ Brasil's Nightclub 2: 112 Chestnut St., Tel. 1-215-432-0031, www.brasilsnightclub-philly.com, Mi, Fr–Sa ab 21 Uhr. Südamerikanisches Flair.

Spaß auf drei Etagen ▶ Blurr Nightlife 3: 27 Bank St., Tel. 1-215-922-3020, www.blurr philly.com. Club mit unterschiedlichen The-menveranstaltungen hauptsächlich an Wo-chenenden.

Darstellende Kunst ▶ Kimmel Center for the Performing Arts 4: 300 S. Broad St., Tel. 1-215-731-3333, www.kimmelcenter.org. Der futuristisch anmutende Bau unter einem Glasgewölbe ist in Philadelphia die bedeu-tendste Hochburg der darstellenden Kunst. Teil des Zentrums sind die **Verizon Hall** für unterschiedliche Veranstaltungen und das **Perelman Theater,** das nur eines von über einem Dutzend Theatern in der Stadt ist.

Opernabende ▶ Academy of Music 5: Broad/Locust St., Tel. 1-215-893-1999, www.academyofmusic.org. Philadelphias grandio-ses Opernhaus von 1857 bietet knapp 3000 Gästen Platz. Die Opera Company of Phila-delphia und das Pennsylvania Ballet nutzen diese Spielstätte gemeinsam.

Open-Air-Konzerte ▶ Mann Music Center 6: Fairmount Park, http://manncenter.org. In diesem Outdoor-Zentrum werden im Som-mer Konzerte veranstaltet.

Gratis-Kunst ▶ Old City Arts Association 7: www.oldcityarts.org/start.html. Die Orga-nisation veranstaltet jeden 1. Freitag im Mo-nat zwischen 17 und 21 Uhr einen Open-House-Abend, an dem 50 Mitglieds-Galerien und kulturelle Organisationen der Stadt kos-tenlos besucht werden können.

Aktiv

Stadttouren ▶ Ghost Tours of Philadel-phia 1: 5th/Chestnut St., Tel. 1-215-413-1997, www.ghosttour.com/philadelphia.html. Geistertouren mit nächtlichen Besichtigun-gen von Friedhöfen und historischen Bauten.

Independence Historic National Park 2: Visitor Center, kostenlose Parkranger-Füh-rungen zu unterschiedlichen Themen.

Aquarium ▶ Adventure Aquarium 2: Vom Ferry Dock (Penn's Landing) legen die River-Link-Fähren nach Camden (NJ) zum Aqua-rium ab (Tel. 1-215-925-5465, www.riverlink ferry.org, tgl. 9–18 Uhr), s. S. 254.

Golf ▶ Walnut Lane Golf Club 3: Walnut Lane und Magdalena St., Tel. 1-215-482-3370, www.walnutlanegolf.com. Der im Fair-mount Park gelegene Platz ist einer der bes-ten städtischen Golfanlagen in den USA.

Eislaufen ▶ Blue Cross River Rink 4: 201 S. Columbus Blvd., Tel. 1-215-925-7465, www.riverrink.com, Nov.–Febr. Mo–Do 18–21, Fr, Sa 12.30–22.30, So 12.30–21 Uhr. Bahn bei Penn's Landing mit Schlittschuh-verleih.

Termine

Equality Forum (April/Mai): Einwöchiges Gay-Fest, www.equalityforum.com.

Manayunk Arts Festival (Sept.): Großes Kunstfestival mit vielen Veranstaltungen im Freien, www.manayunk.com.

Philadelphia Folk Festival (Aug.): Fest der Folkmusik, www.pfs.org/folk-festival.

Puerto Rican Week Festival Parade (Sept.): Puerto-Ricaner-Straßenfest mit großer Kos-tümparade.

Amish-Kinder auf dem Heimweg von der Schule

Philadelphia Fringe Festival (Sept.): Kultur-fest, http://fringearts.com/programs/festival.
Annual German-American Steuben Parade (Sept.): Deutsch-amerikanische Parade mit Oktoberfest, www.steubenparade.com.
Columbus Day Parade (Oktober): Parade zu Ehren von Christoph Kolumbus.

Verkehr
Flugzeug: Philadelphia International Airport, Tel. 1-215-937-6937, www.phl.org. Der 8 Mei-len vom Zentrum entfernte Flughafen wird von allen US-Fluggesellschaften und vielen inter-nationalen Linien angeflogen. Der Nahver-kehrszug SEPTA bringt Reisende in ca. 30 Min. in die Stadt (8 $), ein Taxi kostet ca. 28,50 $.
Bahn: Amtrak Terminal, 30th/Market St., Tel. 1-800-USA-RAIL. Bahnhof für die Amtrak-Fernverbindungen in alle Teile der USA. Die Züge von NJ Transit fahren nach Atlantic City.
Bus: Greyhound Lines Terminal, 10th/Filbert St., Tel. 1-215-931-4075, www.greyhound.com.
Öffentliche Verkehrsmittel: Innerhalb der Stadt verkehren Busse, U-Bahnen und Trol-leys von SEPTA (Southeast Pennsylvania Transportation Authority, www.septa.org). Die SEPTA-Busse kosten 2 $ (exakt in bar) oder 1,55 $-Jeton. Mit dem Independence Pass (12 $) kann man einen Tag lang unbegrenzt alle Nahverkehrssysteme nutzen.

Historische Stätten
▶ 1, H 6

Karte: S. 271

Valley Forge
Der **Valley Forge National Historical Park** **1** hält die Erinnerung an den grimmigen Win-ter 1777/78 aufrecht, als George Washing-tons Kontinentalarmee am Ende ihrer Kräfte, schlecht ausgerüstet und von Hunger und Krankheit geplagt, die bitterste Phase des Unabhängigkeitskriegs durchmachte. Bar jeglicher Motivation kam Ende 1777 ein zer-lumpter Haufen von 12 000 amerikanischen Soldaten in dieser hügeligen Gegend an, um dort zu überwintern. Entlang der Straße, die

Philadelphia und Umgebung

sich durch den hügeligen Nationalpark windet, liegen wieder aufgebaute Blockhütten, die den Soldaten als Unterkunft dienten. George Washingtons damaliges Hauptquartier befand sich im Wohnhaus eines Mühlenbesitzers, in dem heute ein Museum eingerichtet ist. Daneben stehen aus Baumstämmen gezimmerte Cabins, in denen Washingtons Leibgarde logierte. An den großen General erinnert auch die Washington Memorial Chapel mit einem Läutwerk von 58 Glocken, die bei Brautpaaren als würdevolle Hochzeitskapelle sehr geschätzt wird (http://wmchapel.org, tgl. 10–17 Uhr).

Ende Februar 1778 zeichnete sich eine Wende ab. Zu diesem Zeitpunkt übernahm der preußische General Baron Friedrich Wilhelm von Steuben, der mit einem Empfehlungsschreiben des in Paris lebenden Diplomaten Benjamin Franklin in die USA gekommen war, die Ausbildung der Soldaten und machte aus ihnen innerhalb von kürzester Zeit eine schlagkräftige, disziplinierte und moralisch gestärkte Armee. Von Steuben sprach kaum Englisch. Er verfasste seine Exerzieranleitungen in Französisch und ließ sie, ins Englische übersetzt, an alle Truppen verteilen. Später wurden seine im ›Blue Book‹ zusammengefassten Regeln ein Kasernenhofklassiker.

Als Washingtons Armee am 19. Juni 1778 in Valley Forge aufbrach, um die von Philadelphia nach New York abziehenden britischen Truppen zu verfolgen, hatte sie in einer prekären Situation einen entscheidenden Sieg davongetragen – den Triumph über sich selbst. Von Steuben hatte daran großen Anteil. Als er im November 1794 einem Schlaganfall erlag, ließen die Amerikaner ihren Dank in seinen Grabstein meißeln: »Seine Dienste waren für die Erlangung der amerikanischen Unabhängigkeit unentbehrlich.«

Infos

Welcome Center: 1400 Outer Line Dr., King of Prussia, PA 19406, Tel. 1-610-783-1000, www.nps.gov/vafo, tgl. 9–17 Uhr. Man kann besprochene Kassetten für eine Fahrt durch den Nationalpark ausleihen, Eintritt frei.

Übernachten

Neu umgebaut ▸ **Best Western King of Prussia:** 127 S. Gulph Rd., King of Prussia, Tel. 1-610-265-4500, www.bwkop.com. Hotel mit beheiztem Außenpool, Spa, Fitnesseinrichtungen und Frühstück inklusive, in der Nachbarschaft der King of Prussia Mall. 120–150 $.

Ausstattung okay ▸ **Comfort Inn Valley Forge:** 550 W. DeKalb Pike, King of Prussia, Tel. 1-610-962-0700, www.comfortinn.com >Comfort Inn Valley Forge. Größeres Motel, Zimmer inklusive Minibar, Kühlschrank und Kaffeemaschine. Ab 90 $.

Essen & Trinken

Legendär ▸ **Morton's the Steakhouse:** 640 W. Dekalb Pike, King of Prussia, Tel. 1-610-491-1900, www.mortons.com/kingofprussia, tgl. Dinner 17–22 Uhr. Es gibt auch Seafood, aber die ausgezeichneten Steaks sind das Markenzeichen. Ab 25 $.

Für den großen Hunger ▸ **Peppers Italian Restaurant:** 239 Town Center Rd., King of Prussia, Tel. 1-610-265-2416, www.peppersitalianrestaurant.com, tgl. ab 11 Uhr. Italienische Küche mit reichlichen Portionen. Zu den Spezialitäten gehört Chicken Amaretto. Dinner ab ca. 20 $.

Hopewell Furnace

An Sommerwochenenden erwecken kostümierte Arbeiter und Bauersfrauen in alten Trachten **Hopewell Furnace National Historic Site** **2** zum Leben. In einem großen Schuppen dreht sich ein gigantisches Wasserrad, das über Transmissionsriemen vorsintflutliche Apparaturen bewegt. Am Waldrand arbeiten Köhler in undurchdringlichem Qualm an einem Holzkohlemeiler. Ins Bild passen auch Bauersfrauen in knöchellangen Kleidern mit putzigen Rüschenhauben, die in mittelalterlich anmutenden Küchen werkeln oder mit langen Holzlöffeln in Messingbottichen heißen Apfelsirup rühren.

Wo sich heute das stimmungsvolle Museumsdorf ausdehnt, wurde 112 Jahre lang mit einfachen, aber dem damaligen technischen Stand entsprechenden Verfahren Roheisen

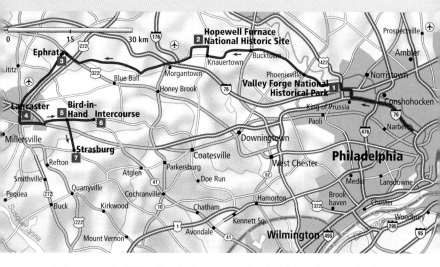

hergestellt, wobei die Blütezeit zwischen 1820 und 1840 lag. So wie die Produktionsstätte damals aussah, wurde sie für heutige Besucher hergerichtet. Neben dem Ironmaster's Mansion kann man mehrere Gebäude besichtigen wie eine Schmiede, Scheunen, Ställe und Unterkünfte für die Beschäftigten. Für Besuche am lohnendsten sind Sommerwochenenden, wenn traditionell gewandte Einwohner in das Dorf zurückkehren und demonstrieren, wie die Menschen früher ihren Alltag und die unterschiedlichen Arbeiten bewältigt haben (Second Mark Bird Ln., Elverson, Tel. 1-610-582-8773, www.nps.gov/hofu, tgl. 9–17 Uhr, Eintritt frei).

Pennsylvania Dutch Country ▶ 1, H 6

Karte: oben
Südlich der in Ost-West-Richtung verlaufenden Interstate 76 dehnt sich die Hügellandschaft des **Pennsylvania Dutch Country** mit weiß oder rot getünchten Bauernhöfen, schlanken Silos und Feldern zwischen Dörfern und Wäldern aus. In diesem Teil von Pennsylvania dominiert nicht hoch technisierte Agrarindustrie, sondern traditionelle bäuerliche Produktionsweise. Das ist vor allem den Amish People zuzuschreiben, die ihre Felder wie in alten Zeiten bewirtschaften.

Ein Film als Tourismusmotor
Seit Ende der 1980er-Jahre hat sich Pennsylvania Dutch Country in eine Touristenattraktion verwandelt – Tendenz steigend. Auslöser dieser Entwicklung war der 1985 in die Lichtspieltheater gekommene Kinofilm ›Der einzige Zeuge‹. Dem Regisseur diente seinerzeit eine echte Amish-Farm inmitten von Lancaster County als Kulisse für große Teile der Dreharbeiten.

Die Lebensweise der Amish
Die meist kinderreichen Amish-Familien – zehn Sprösslinge sind keine Seltenheit – führen ein einfaches Leben ohne Elektrizität oder Autos. Ihr traditionelles Transportmittel ist der Buggy, ein vierrädriger, meist geschlossener Pferdewagen, dessen Außenbeleuchtung – ein Tribut an die moderne Zeit – nachts von einer Batterie gespeist wird. Verheiratete Männer tragen häufig einen Vollbart und sind schwarz oder dunkelblau gekleidet, während die Frauen ihr langes Haar unter Hauben verbergen und in der Öffentlichkeit nur in knie- oder knöchellangen Röcken zu sehen sind.

Je näher man Lancaster kommt, desto idyllischer werden die sanft geschwungenen

271

Bibel oder Bier: Amish-Teens beim ›Rumspringa‹   Thema

Die Amish werden wegen ihrer tiefen Religiosität und ihres von vielen als vorsintflutlich empfundenen Lebenswandels gern in die Nähe von Heiligen gerückt. Dass diese Volksgruppe aber mit ähnlichen Problemen wie das übrige Amerika konfrontiert ist, beweist ein weithin unbekannter Amish-Brauch: das ›Rumspringa‹.

Amish People leben zurückgezogen ihren alten Traditionen und Wertvorstellungen verhaftet inmitten der amerikanischen ›Coca-Cola-Kultur‹ – und doch weit außerhalb davon. Sie verzichten auf Strom, fahren anstatt mit dem Auto per Pferdebuggy zum Verwandtenbesuch oder zum Einkaufen, bestellen ihre Felder mit echten Pferdestärken und kleiden sich in einfache Trachten, die mit Häkchen und Ösen anstelle von Reißverschlüssen oder Knöpfen zusammengehalten werden.

Umso erstaunlicher ist, wie die stark religiös geprägten Amish-Familien mit ihren heranwachsenden Kindern umgehen. Sobald Teens das 16. Lebensjahr vollendet haben, kommt für viele von ihnen die ›Rumspringa‹-Periode, eine zeitlich nicht festgelegte Phase, in der sie in die sonst verbotene Welt der amerikanischen Gesellschaft mit allen ihren Auswüchsen eintauchen dürfen, um nach eigenem Gutdünken zwischen Bibel und Bier, zwischen Sitte und Sex zu entscheiden. Mit Handys ausgestattet, verabreden sich Jugendliche beiderlei Geschlechts zu teilweise wilden Partys auf abgelegenen Farmen, in Wäldern und sogar in alten Minenstollen. Alkohol fließt dabei gelegentlich in Strömen, und was die jungen Wilden über das jeweils andere Geschlecht theoretisch wissen, kann ohne elterliche Vergeltungsmaßnahmen in der Praxis überprüft werden.

Hin und wieder ufern ›Rumspringa‹-Feten dermaßen aus, dass die Polizei dem enthemmten Treiben ein Ende bereiten muss.

In Leon (Ohio) musste sich der Sheriff bemühen, nachdem an einem Montagmorgen in einem Straßengraben außerhalb der Ortschaft ein totes Pferd und ein in Einzelteile zerlegter Buggy gefunden wurden. Im Laufe der Ermittlungen stellte sich heraus, dass es bei einem Pferdebuggyrennen zwischen drei Jugendlichen einen folgenschweren Crash gegeben hatte.

Wie lange die ›Rumspringa‹-Phasen dauern und was im Einzelnen alles erlaubt bzw. verboten ist, unterscheidet sich nicht nur nach den jeweiligen Familien, sondern auch nach ihrer religiösen Orientierung. Erhebungen zufolge soll die Rumtreiberphase bei den konservativsten Swarzentruber-Gruppen am ausgeprägtesten vollzogen werden. Weniger strenge New-Order-Gruppen mildern die Adoleszenzexzesse offenbar dadurch ab, dass von Gemeinden Sportveranstaltungen oder Konzerte arrangiert werden, bei denen sich Jugendliche kennenlernen dürfen.

Dass Amish-Eltern ihrem Nachwuchs große Freiheiten einräumen, hat einen guten Grund. Die Kinder sollen die Dekadenz der ›Außenwelt‹ kennenlernen und aus freiem Willen in den Schoß ihrer Gemeinschaft zurückkehren, um sich schließlich taufen zu lassen. Dann allerdings müssen sie sich dem strengen Reglement ihrer Gemeinden unterwerfen – und zwar für immer. Wer sich nach der ›Rumspringa‹-Zeit für die moderne Welt entscheidet, bricht mit Familie und Gemeinde – ebenfalls für immer.

Hügel, in denen Gehöfte, Tabakfelder sowie Viehweiden liegen. Amish-Farmer, deren Höfe durchschnittlich 25 ha groß sind, produzieren ihre Feldfrüchte weitgehend ohne Verwendung chemischer Hilfsmittel, was ihr Warenangebot für viele gesundheitsbewusste Kunden attraktiv macht. In der Regel sind Scheunen und Wohngebäude weiß getüncht und von amerikanischen Farmen dadurch zu unterscheiden, dass keine elektrischen Leitungen zu den Anwesen führen. Manche Farmer verkaufen ihre Produkte direkt an Kunden, die auf den Hof kommen und sich für selbst gemachte Marmelade, Getränke aus eigener Herstellung oder Quilts interessieren.

Ephrata

Im Jahr 1732 ließ sich in **Ephrata** 3 eine pietistische deutsche Gemeinschaft nieder und baute eine der frühesten religiösen Gemeinschaften der USA auf. Gegründet hatte diese Sekte der aus Eberbach am Neckar stammende Bäckersohn Conrad Beissel (1691–1768), der 1720 in die USA auswanderte, sich in Pennsylvania der Tunker-Sekte anschloss und vier Jahre später eine eigene Sekte und das **Ephrata Cloister** aus der Taufe hob. Dorthin folgten ihm 300 Anhänger, um in asketischer Enthaltsamkeit zu leben und zu arbeiten. Vor allem als Drucker, Buchbinder und Kalligraphen machten sich die mildtätigen Brüder und Schwestern einen Namen. Im Jahr 1748 brachten sie mit der 1200 Seiten starken Mennoniten-Bibel ›Martyrs' Mirror‹ das umfangreichste Buch der amerikanischen Kolonialzeit heraus. Im Klostergarten stehen restaurierte Holzgebäude, die grau und schmucklos ein Bild der Strenge des früheren Gemeinschaftslebens vermitteln. Zu Beginn des 19. Jh. existierte der Orden nicht mehr (632 W. Main St., Tel. 1-717-733-6600, www.ephratacloister.com, Mo–Sa 9–17, So 12–17 Uhr, 10 $).

Seit 1932 findet jeden Freitag am Ortsrand von Ephrata der **Green-Dragon-Markt** statt. Über 400 Bauern, Händler und Handwerker verkaufen auf diesem Wochenmarkt entweder in Markthallen oder im Freien ihre Produkte. Hin und wieder gibt es auch Viehversteige-

rungen (955 N. State St., Tel. 1-717-738-1117, www.greendragonmarket.com, Fr 9–21 Uhr).

Lancaster ▶ 1, G 6

Karte: S. 271

Bereits vor der amerikanischen Unabhängigkeit war **Lancaster** 4 ein wirtschaftliches und politisches Zentrum. Heute ist die Kleinstadt Agrarzentrum und Touristenmetropole des Pennsylvania Dutch Country. Zwar leben die Einwohner nicht in einem großen Freilichtmuseum, doch weit von den hektischen Metropolen der Ostküste entfernt folgen sie einem Lebensstil, dessen langsamerer Rhythmus auf Städter geradezu provokant beschaulich wirken muss.

Stadtrundgang

Spitze Kirchtürme, rote Ziegelmauern, bunt getünchte Haustüren und sogar ein Gefängnis, das mit seiner mittelalterlichen Burgarchitektur als das schönste im Land gilt, machen aus Lancaster ein Schaufenster in die Vergangenheit. Der 1889 im neoromanischen Stil errichtete **Central Market** ist an seinen wuchtigen, quadratischen Türmen schon von weitem zu erkennen und gehört zu den ältesten überdachten Märkten in den USA. Wie schon immer bieten dort die Bauern des Umlandes frische Produkte wie Fleisch, Käse, Backwaren, Kunsthandwerk und Blumen an (23 N. Market St., www.friendsofcentralmar ket.org, Di–Fr 6–16.30, Sa 6–14 Uhr).

Im Jahr 1770 eröffnet, ist der **Demuth Tobacco Shop** der älteste Tabakladen der USA und eine lokale Institution. Ein Blick in die Regale beweist, dass sich das Warenangebot seit damals nur unmerklich geändert hat: Pfeifen in allen Formen und Materialien, hübsche Aschenbecher für drinnen und draußen, dekorative leere Zigarrenschachteln mit exotischen Aufklebern und Zigarren und Zigaretten in Riesenauswahl (114–120 E. King St., Tel. 1-717-397-6613, www.demuthtobacco shop.com, Mo–Fr 9–17, Sa 9–15 Uhr).

Wie es in dem von deutschen Einwandern geprägten ländlichen Pennsylvania in der

Philadelphia und Umgebung

zweiten Hälfte des 19. Jh. zuging, ist bei einem Spaziergang durch das **Landis Valley Museum** leicht nachvollziehbar. Die Brüder Henry und George Landis trugen etwa 75 000 Ausstellungsstücke vom Blockhaus bis zum Waffeleisen zusammen, die ein Bild vom damaligen Leben vermitteln. Unter den originalen Gebäuden befinden sich eine Schenke, ein Schulhaus, eine Druckerei, ein Hotel und ein Bauernhaus, in dem eine Köchin Küchengeheimnisse aus Ururgroßmutters Zeiten ausplaudert (2451 Kissel Hill Rd., Tel. 1-717-569-0401, www.landisvalleymuseum. org, Mo–Sa 9–17, So 12–17 Uhr, Erw. 12 $).

Einen Einblick nicht nur in das traditionsverbundene Leben der Amish, sondern auch in deren Geschäftstüchtigkeit geben zahlreiche Häuser oder Gehöfte, die im Umkreis von Lancaster zur Besichtigung offen stehen. **The Amish Farm & House** besteht aus einem steinernen, über 200 Jahre alten Wohngebäude mit zehn Räumen. Küche, Schlafzimmer und Wohnzimmer sind so eingerichtet, als sei das Anwesen immer noch von einer Amish-Familie bewohnt. Das trifft zwar nicht mehr zu, aber wie eh und je leben Kleinvieh, Kühe und Pferde auf der Farm, die dadurch an Authentizität gewinnt (2395 Lincoln Hwy, Tel. 1-717-394-6185, www.amishfarmandhouse.com, April–Mai und Sept.–Okt. 9–17, Juni–Aug. 9–18, sonst kürzer, Erw. 9,25 $).

Infos

Pennsylvania Dutch Convention & Visitors Bureau: 501 Greenfield Rd., an der Rte 30, Lancaster, PA 17601, Tel. 1-717-299-8901, www.padutchcountry.com.

Übernachten

Tolles Hotel ▶ **Best Western Eden Resort Inn & Suites:** 222 Eden Rd., Tel. 1-717-569-6444, www.edenresort.com. Komfortables Hotel mit Pool, Sauna, Tennisplatz und Fitnessraum. Ab 130 $.

Rustikales Refugium ▶ **Pheasant Run Farm B & B:** 200 Marticville Rd., Tel. 1-717-872-0991, www.pheasantrunfarmbb.com. Altes Farmhaus von 1842 auf dem Gelände einer Mais- und Alfalfafarm. Die Zimmer sind meist mit antikem Mobiliar ausgestattet. 125–175 $.

Spartanisch ▶ **Lancaster Budget Host Inn:** 2100 Lincoln Hwy E., Tel. 1-717-397-7781, www.lancasterbudgethost.com. Alle Zimmer nur für Nichtraucher, mit Kaffeemaschine, manche mit Kühlschrank. Ab 75 $.

Camping ▶ **Outdoor World Circle M Camping Resort:** 2111 Millersville Rd., Lancaster, Tel. 1-717-872-0929. Großer Campingplatz mit gutem Freizeitangebot.

Essen & Trinken

Amish-Hausmacherkost ▶ **Plain & Fancy Farm:** 3121 Old Philadelphia Pike, Bird in Hand, Tel. 1-717-768-4400, www.plainandfancyfarm.com, tgl. 11.30–20 Uhr. Reichhaltige Menüs aus lokal produzierten Zutaten kommen für 19,95 $ auf den Tisch.

Hier kommen Schüsseln auf den Tisch ▶ **Good 'n Plenty:** 150 Eastbrook Rd., Smoketown, Tel. 1-717-394-7111, www.goodnplenty.com, tgl. außer So 11.30–17 Uhr. Für Amerika unüblich teilt man den Tisch mit anderen Gästen. Deftige und leckere Pennsylvania-Dutch-Kost gibt dem Namen des Lokals recht: gut und üppig. Dinner 9,95 $.

Opulentes Frühstück ▶ **Jennie's Diner:** Lincoln Hwy E. östlich der Kreuzung Rte 896 und Rte 30 E., Tel. 1-717-397-2507. Rund um die Uhr geöffnetes Diner. Ab 5 $.

Einkaufen

In Amish-Geschäften werden u. a. CDs mit kommentierten Führungen durch das Amish-Country angeboten. Zu beliebten Amish-Mitbringseln aus der Region zählen auch Spielzeug aus Holz sowie Quilts.

Bäuerliche Waren ▶ **Kitchen Kettle Village:** Rte 340, Intercourse östlich von Lancaster, Tel. 1-717-768-8261, www.kitchenkettle.com, Mo–Sa 9–17 Uhr. Ländlicher Komplex mit ca. 40 Läden, Amish-Geschäften und Restaurants.

Outlets ▶ **Rockvale Square Outlets:** Rtes 30/896, www.rockvaleoutletslancaster.com, Mo–Sa 9.30–21, So 11–17 Uhr. Shopping-Mall für Waren direkt ab Fabrik.

Umgebung von Lancaster

▶ 1, H 6

Karte: S. 271

Das Straßendorf **Bird-in-Hand** 🔳5 mit einer Hand voll älterer Gebäude ist bei Besuchern wahrscheinlich deshalb so beliebt, weil es die Atmosphäre einer alt und klein gebliebenen Landgemeinde ausstrahlt. An manchen Farmgebäuden fallen sogenannte Hexenzeichen auf, farbige, geometrische Symbole. Von der heutigen Landbevölkerung als Schmuckelemente verwendet, entstanden sie aus Emblemen, mit denen frühe deutschsprachige Einwanderer Geburtsurkunden und Textilien kenntlich machten. Amish-Farmer lehnen die Zeichen ab, weil sie darin Sinnbilder des Aberglaubens sehen (Old Philadelphia Pike, http://lancasterpa.com/bird-in-hand).

Nachbargemeinde ist mit **Intercourse** 🔳6 eines der bekanntesten Dörfer im Pennsylvania Dutch Country. Seine Popularität verdankt es nicht nur seinem außergewöhnlichen Namen (engl. *intercourse* = Geschlechtsverkehr), dessen Ursprung nicht eindeutig geklärt ist. Intercourse gehört zu den typischen Amish-Dörfern und diente deshalb auch für einige Szenen im Film ›Der einzige Zeuge‹ als Drehort. In hübsch hergerichteten Country Stores werden Amish-Produkte angeboten. Außerdem gibt es eine stattliche Anzahl von Restaurants und Unterkünften. Ein weiterer Beweis dafür, dass der Tourismus dort längst Fuß gefasst hat, ist eine kleine Band, die im Sommer populäre Melodien zum Besten gibt.

Zwei Meilen nördlich von **Strasburg** 🔳7 bildet das **Amish Village** mit Bauernhof und Nebengebäuden wie Räucherkammer, Ställen, Schmiede, Wassermühle und einer winzigen Schule ein hübsches Dorf, das auf anschauliche Weise das von Traditionen und althergebrachten Werten bestimmte Leben der Amish zeigt (199 Hartman Bridge Rd., Tel. 1-717-687-8511, http://theamishvillage.net, Sommer Mo–Sa 9–18, So 10–18 Uhr, sonst kürzer).

Mit der **Strasburg Rail Road** bringt sich das Eisenbahnzeitalter in Erinnerung. Neben wunderschönen, vor Lack und Chrom glänzenden alten und neueren Loks und Waggons sieht man einen rekonstruierten Bahnhof im Stil des frühen 20. Jh. Die Bahn unternimmt 45-minütige Fahrten mit Dampfloks durch die ländliche Umgebung. Auf den Ausflügen kann man sich an Bord auch kulinarisch verwöhnen lassen (Rte 741 E., Tel. 1-866-725-9666, www.strasburgrailroad.com).

Aktiv

… in Bird-in-Hand:

Exkursionen im Amish-Land ▶ **Aaron & Jessica's Buggy Rides:** 3121A Old Philadelphia Pike, Tel. 1-717-768-8828, www.amishbuggyrides.com. Von Mennoniten geführte Buggy-Touren mit 1 PS. **Abe's Buggy Rides:** Rt. 340, Tel. 1-717-392-1794, www.abesbuggyrides.com. Ausflüge mit dem Pferdebuggy. **Amish Country Tours:** Tel. 1-717-768-8400, www.amishexperience.com. Touren mit dem Kleinbus durch die Amish-Heimat.

Im Brandywine Valley

Chadds Ford ▶ 1, H 6

Im September 1777 musste die Kontinentalarmee bei **Chadds Ford** eine Niederlage gegen die Briten hinnehmen. Nach der gewonnenen Schlacht konnten die Engländer den Verteidigungsring um Philadelphia sprengen, was die Mitglieder des Zweiten Kontinentalkongresses dazu zwang, sich nach York abzusetzen. Das Feld der größten Schlacht des US-Unabhängigkeitskriegs steht Besuchern offen. Auf dem Gelände sind u. a. das Hauptquartier von General George Washington und das Quartier des jungen Marquis de Lafayette zu sehen, der in Chadds Ford erstmals mit dem Kriegsgeschehen in Kontakt kam (Brandywine Battlefield Park, Chadds Ford, Tel. 1-610-459-3342, http://brandywinebattlefield.org, Di–Sa 9–16, So 12–16 Uhr).

Das **Brandywine River Museum,** das teilweise in einer renovierten Mühle aus dem 19. Jh. und in neueren Trakten untergebracht ist, zeigt Werke von Edward Moran, Asher Durand und der Wyeth-Familie sowie Illustrationen von Thomas Nast, Maxfield Parrish

Malerische bäuerliche Landschaft mit sattgrünen Wiesen im Brandywine Valley

und Howard Pyle. Der Illustrator Pyle (1853–1911) hatte in Wilmington die Brandywine School of Painting gegründet und auch Newell Convers Wyeth unterrichtet, der sein Talent seinem Sohn Andrew und seinem Enkel Jamie vererbte. Am Fluss entlang führt ein Spazierweg vom Museum zum 1,5 km entfernten **John Chad House,** wo im 18. Jh. ein Schankwirt und ein Fährmann wohnten (US Rte 1, Tel. 1-610-388-2700, www.brandywine museum.org, tgl. 9.30–16.30 Uhr, Erw. 12 $).

Parks und Museen ▶ 1, H 6

Mit **Nemours Mansion and Gardens** lebte Alfred I. DuPont seine royalistischen Ambitionen aus, indem er im Jahr 1910 ein Schloss im Stil von Ludwig XVI. errichten ließ. Die Räume des renovierten Prachtbaus bilden ein Museum voller antiker Kostbarkeiten, orientalischer Teppiche, Gemälde alter Meister und schwerer, von Stuckdecken hängender Kristallleuchter. Die umgebende weitläufige Parkanlage orientiert sich am Vorbild der Gärten von Versailles (1600 Rockland Rd., Tel. 1-302-651-6913, www.nemoursmansion. org, Mai–Dez. Führungen Di–Sa 9.30, 12 und 15, So 12 und 15 Uhr, 15 $).

Mit dem **Winterthur Museum and Gardens**-Anwesen ließ sich der Kunstsammler Henry Francis DuPont eine Sommerresidenz erbauen, in der er von 1880 bis 1951 lebte. Der passionierte Sammler konzentrierte seine Leidenschaft vor allem auf Gegenstände, die zwischen dem 17. und 19. Jh. in Amerika gebraucht oder hergestellt wurden – Möbel, Textilien, Gläser, Porzellan und Teppiche. Nach seinem Tod wurde die aus 89 000 Exponaten bestehende Privatkollektion unter dem Namen Winterthur Museum and Gardens in ein Museum umgewandelt. Die Besichtigung der Gärten ist vor allem während der Blütezeit im Frühjahr ein Augenschmaus (Rte 52, Kennett Pike, Tel. 1-302-888-4600, www.winterthur.org, Di–So 10–17 Uhr, 20 $).

Wilmington ▶ 1, H 7

Die mit gut 70 000 Einwohnern größte Stadt im Bundesstaat Delaware machte in den frühen 1990er-Jahren negative Schlagzeilen als Drogenumschlagplatz und Verbrechensszene. Um die zunehmende Kriminalisierung trotz unterbesetzter Polizei in den Griff zu bekommen, war Wilmington die erste Stadt auf US-Boden, deren Zentrum quasi komplett mit Videokameras überwacht wird.

Stadtrundgang

Die am Ufer des Brandywine River gelegene Anlage **Hagley Museum and Library** spiegelt auf der einen Seite die Geschichte der berühmten DuPont-Familie wider, die Wilmington ihren Stempel aufdrückte. Sowohl Museum als auch Bibliothek machen den Lebensstil der damaligen Highsociety deutlich. Auf der anderen Seite dokumentieren die Ausstellungen mit Dampfmaschinen, Turbinen und Wasserrädern den industriellen Fortschritt, den das DuPont-Imperium vorantrieb und der Wilmington zur Chemiemetropole der USA machte (200 Hagley Rd., Tel. 1-302-658-2400, www.hagley.org, März–Jan. 9.30–16.30 Uhr, Erw. 14 $, Senioren 10 $, Kinder 6–14 Jahre 5 $).

Schweden, Niederländer und Engländer waren vor über 350 Jahren die ersten weißen Siedler, die sich am Delaware River mit **Fort Christina** einen Stützpunkt bauten. Heute erinnert an die 1638 errichtete Befestigungsanlage nur noch ein 1938 von der schwedischen Regierung gestiftetes Monument am Ende der 7th Street und der Nachbau eines Blockhauses. Von 1698 stammt die **Old Swedes Church,** die zu den ältesten Kirchen der USA zählt und immer noch ihrem ursprünglichen Zweck dient (www.oldswedes.org).

Das **Delaware Art Museum** beschäftigt sich mit amerikanischer Kunst seit dem 19. Jh. und zeigt Werke etwa von Thomas Eakins, John Sloan, Winslow Homer, Howard Pyle, Maxfield Parrish und der Wyeth-Familie. An der Gestaltung des neuen Museumsgebäudes hatten auch der Glaskünstler Dale Chihuly und der Beleuchtungskünstler James Turrell ihren Anteil (2301 Kentmere Pkwy, Tel. 1-302-571-9590, www.delart.org, Mi–Sa 10–16, So 12–16 Uhr, 12 $, So Eintritt frei).

Infos

Greater Wilmington Convention & Visitors Bureau: 100 W. 10th St., Tel. 1-800-489-6664, www.visitwilmingtonde.com.

Tipp: Üppiger Gartenzauber

Für Naturfreunde sind die im Auftrag der schwerreichen DuPont-Familie entstandenen **Longwood Gardens** ein Muss. Der wunderschöne Park mit zahlreichen Springbrunnen, die gewaltige Wasserfontänen in den Himmel steigen lassen, entfaltet im Mai und Juni eine schier unglaubliche Pracht, wenn sich Azaleen und Magnolienbäume von ihrer schönsten Seite zeigen. Ein Teil der mehr als 11 000 Pflanzen gedeiht in riesigen Gewächshäusern, sodass man die Gärten auch an Regentagen und in der kälteren Jahreszeit besichtigen kann (Rte 1, Kennett Sq., Tel. 1-610-388-1000, www.longwoodgardens.org, So–Do 9–18, Fr–Sa 9–22 Uhr, Erw. 18 $).

Übernachten

Älteres Anwesen ▶ **Best Western Plus Brandywine Valley Inn:** 1807 Concord Pike, Tel. 1-302-656-94 36, www.brandywineinn.com. Package-Angebot: Doppelzimmer mit Frühstück und Eintritt für Museen bzw. Gärten für 2 Personen 152 $.

Alles O.K. ▶ **Red Roof Plus:** 415 Stanton Christiana Rd., Newark, Tel. 1-302-292-2870, www.redroof.com. Ordentliches Nichtrauchermotel. Ab 75 $.

Essen & Trinken

Traditionslokal ▶ **Columbus Inn:** 2216 Pennsylvania Ave., Tel. 1-302-571-1492, Mo–Fr 11–1, Sa, So 10–1 Uhr. Fleischgerichte vom Angus-Rind und Seafood, stattliche Weinauswahl. Dinner 20–30 $.

Sonntags gibt's Prime Rib ▶ **Iron Hill Brewery & Restaurant:** 620 Justison St., Tel. 1-302-472-2739, www.ironhillbrewery.com, tgl. 11–23 Uhr. Gourmet-Pizzen, Texmex-Gerichte, Hähnchen. Dinner 15–20 $.

Termine

St. Anthony's Italian Festival und **Greek Festival** (Juni): Kultur- und Freizeitangebote. **Delaware State Fair** (Juli): Agrarmesse.

Die Küste von New Jersey

Seit das Gambling-Mekka Atlantic City wie ein Phönix aus Korruption, Skandalen und wirtschaftlichem Niedergang auferstanden ist, boomt der Tourismus an der Südküste von New Jersey intensiver denn je. Cape May mit seinem unvergleichlichen viktorianischen Ambiente und Badeorte mit breiten Sandstränden tragen ihren Teil zur Konjunktur bei.

Die 130 Meilen lange Atlantikküste von New Jersey erstreckt sich von der Lower New York Bay bis in den Süden des Staates an die Mündung des Delaware River, der die Grenze zum benachbarten Bundesstaat Delaware markiert. Über 60 Badeorte, Ferienzentren, Vergnügungsparks, Golfplätze, Marinas und unverbaute Sandstrände reihen sich dort aneinander und bilden eine maritim geprägte Urlauberregion. Touristisch betrachtet ist der Atlantikabschnitt von New Jersey zweigeteilt. Der nördliche Abschnitt beginnt mit der Halbinsel Sandy Hook in Sichtweite von Manhattan und reicht in südlicher Richtung bis in die Außenbezirke von Atlantic City. Dazwischen liegen Küstenorte wie Long Branch, dessen bessere Tage längst vorüber sind. Im 19. Jh. ein populärer Badeort, verlor der Flecken im 20. Jh. seine Anziehungskraft. Ein ähnliches Schicksal war anderen Gemeinden wie etwa Asbury Park beschieden. Der Ort erwachte allerdings im Sommer 2002 noch einmal aus seiner Lethargie, als Bruce Springsteen sein Album ›The Rising‹ vorstellte, wo er Ende der 1960er-Jahre im örtlichen Stone Pony Club seine Karriere begonnen hatte.

Im Gegensatz zur in einen Dornröschenschlaf verfallenen Nordküste boomte der Tourismus auf dem südlichen Abschnitt zwischen Atlantic City und dem wunderschönen, viktorianischen Cape May. Entscheidende Dynamik ging dabei von der größten Gambling-Metropole des Ostens, Atlantic City, aus. Im ausgehenden 19. Jh. war die Stadt eines der großen Seebäder im Osten der USA mit einem Ruf, den in Europa das französische Biarritz oder das englische Brighton genossen. Doch 40 Jahre später regierten am Atlantiksaum korrupte Stadtpolitiker. Die Stadt erholte sich und schwang sich mit am Ende zwölf Hotelcasinos zum ›Las Vegas des Ostens‹ auf. Im Oktober 2012 zwang der zerstörungswütige Hurrikan Sandy dem Glücksspiel eine einwöchige Pause auf. Das erwies sich jedoch als kleineres Übel. Die wachsende Casinokonkurrenz führte mittlerweile dazu, dass in der Stadt die Geschäfte längst nicht mehr so glänzend laufen und bereits vier Zockerparadiese schließen mussten.

6 Atlantic City ▶ 1, K 7

Das Spielermekka **Atlantic City** hatte bislang einen unschätzbaren Standortvorteil. Es liegt im Schnittpunkt der größten Metropolen der Ostküste und ist von Philadelphia in nicht einer und von New York City in zwei Autostunden erreichbar. Was bis in die jüngste Vergangenheit ein gewinnbringendes Plus war, stellt sich neuerdings als Nachteil heraus. Nicht nur auf indianischem Territorium schossen Casinos wie Pilze aus dem Boden. Viele Bundesstaaten verabschiedeten sich angesichts verlockender Einnahmen von ihrer Null-Casino-Politik und ließen den Bau von Glücksspieltempeln zu, die Atlantic City die Gäste abspenstig machen. Atlantic Club Casino, Showboat Casino, Trump Plaza Casino und das erst zwei Jahre alte Revel Ca-

aktiv unterwegs

Pier- und Boardwalkbummel im Zockerparadies

Tour-Infos

Start: Garden Pier östlich des Showboat Casinos

Länge: knapp 2 km

Dauer: 2 Stunden bis einen halben Tag

Keine Frage: die mächtigste Zugkraft strahlen in Atlantic City die großen Spielcasinos aus. Sehr verlockend präsentiert sich aber auch der in Ost-West-Richtung verlaufende Boardwalk – eine breite Flaniermeile, auf der man sich in der salzigen Meeresluft beim »people-watching« bestens amüsieren kann. Zur Attraktivität tragen vier historische, aber modernisierte Piers bei. Am östlichen Boardwalk reichte der **Garden Pier** 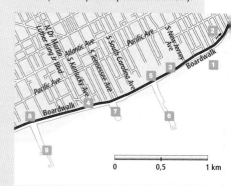 früher ins Meer hinaus. Im Ballsaal arbeitete Rudolph Valentino als Tanzlehrer, bevor er seine Leinwandkarriere begann. Heute liegen am Fuß des 2011 abgerissenen Piers das **Atlantic City Historical Museum** zur Geschichte der Stadt (Tel. 1-609-347-5839, www.acmuseum. org, tgl. 10–16 Uhr, Eintritt frei) und das **Atlantic City Art Center,** wo monatlich wechselnde Ausstellungen, Konzerte und Autorenlesungen stattfinden (Tel. 1-609-347-5837, www.acartcenter.org, Di–So 10–16 Uhr, Eintritt frei).

Den **Boardwalk** aus Holzdielen gibt es seit 1870. Heute sind von der Bretterstraße, über die man sich in rollenden Strandkörben schieben lassen kann, ein halbes Dutzend Casinos direkt erreichbar. Ein ständiger Strom von Schaulustigen pilgert an Imbissen, Cafés, Strandbars, Boutiquen und Shops vorbei.

Vor dem an orientalischen Fassaden erkennbaren **Trump Taj Mahal Casino** (s. S. 280) beginnt der **Steel Pier**. Früher zogen Attraktionen wie boxende Kängurus, Siamesische Zwillinge, ein Wasserski fahrender Hund und tanzende Tiger das Publikum an.

Am berühmtesten war die Zirkusnummer der blinden Reiterin Sonora Carver, die im Sattel sitzend mit ihrem Pferd von einem 12 m hohen Turm in ein Wasserbecken sprang. Auf dem heutigen, eher familiengerechten Rummelplatz haben moderne Fahrbetriebe, ein beleuchtetes Riesenrad, Hightech-Katapulte, Kletterwände, Wasserparks, Bungee-Jumping und Schnellimbisse die Regie übernommen (www.steelpier.com). Auf dem seit 1884 bestehenden **Central Pier** hat ebenfalls die moderne Technik mit Video- und Laserspielen und Einzug gehalten. Außerdem können Besucher auf einer Go-Kart-Rennbahn ihre Fahrküste überprüfen oder sich mit typischen Kirmesvergnügungen beschäftigen.

Mit einem Kostenaufwand von 145 Mio. US-Dollar entstand direkt vor dem **Caesar's Hotelkasino** der **Pier at Caesar's** als vierter und neuester Pier. Vier Stockwerke hoch und über eine Brücke mit dem Kasino verbunden, ragt als maritime Ableger 300 m in den Atlantik hinein. Restaurants bekannter Küchenchefs locken mit Menüs und schönem Panoramablick auf den Atlantik. Hinzu kommen 80 Edelboutiquen, ein Spa sowie eine Hochzeitskapelle. Höhepunkt ist eine Wasser-, Licht- und Sound-Show zur vollen Stunde (www.thepiershopsatcaesars.com).

Die Küste von New Jersey

sino waren durch die finanzielle Talfahrt bereits gezwungen, die Türen zu schließen und
Beschäftigte massenhaft zu entlassen.

Wie Atlantic City in Zukunft auf sinkende
Besucherzahlen und rückläufige Geschäfte
reagiert, wird sich zeigen. In den großen Casinos kreisen nach wie vor Roulettekugeln,
werden Black-Jack-Karten gemischt. Auf
dem Boardwalk sind immer noch Menschen
unterwegs, die Atlantic City für das schätzen,
was andere Spielermetropolen nicht zu bieten haben: eine attraktive Lage direkt am
Meer.

Die großen Kasinos

Donald Trump, Amerikas bekanntester Im-
mobilienzar, hat sich mit dem **Taj Mahal**
den extravaganten Traum eines exotischen
Glücksspielparadieses erfüllt, das selbst im
extrovertierten Atlantic City aus dem Rahmen
fällt. In dem mit Türmchen und Vorhallen,
steinernen Elefanten und ›byzantinischem‹
Schnickschnack geschmückten Monumen-
talbau werden die Gäste von einer Armee Be-
diensteter umsorgt, die mit bunten Turbanen
und wallendem Haremsdamen-Outfit ins Bild
passen. Außer einem Drachenraum und einem Sultanspalast versuchen selbst die Namen hauseigener Einrichtungen wie ›Cashba
Club‹ und ›Sultan's Feast Restaurant‹ ins ori-
entalische Bild zu passen (1000 Boardwalk,
Tel. 1-609-449-1000, www.trumptaj.com).

Ebenso wie das große Vorbild in Las Vegas hat sich auch **Caesar's Atlantic City**
dem Thema antikes Rom verpflichtet. In Hallen aus Marmor begegnet man Cäsar und
Kleopatra sowohl aus Marmor und Gips als
auch aus Fleisch und Blut, wenn das Pärchen
hin und wieder in filmreifer Kostümierung eine
Kasinorunde dreht. In Kasinotrakten wie ›Cleo-
patra's Garden‹ und ›Palace Court‹ jaulen die
Spielautomaten, während sich an der ›Toga
Bar‹ spielmüde Gäste mit Long Drinks wie
›Aphrodites Kuss‹ oder ›Evas Versuchung‹
wieder in Gambling-Stimmung bringen wollen. Wer nach einem Zockermarathon Hunger verspürt, kann sich in ›Nero's Chophouse‹
oder im ›Cafe Roma‹ stärken. Zum Shopping
begibt man sich in die Pier Shops, wo es vor

extravagantem Juwelenschmuck nur so glit-
zert. Selbst bis zum Parkhochhaus folgt einem
Julius Cäsar, der in zig-facher Betonkopie die
Fassaden schmückt (2100 Pacific Ave., Tel. 1-
609-348 4411, www.caesarsac.com).

Ein Hauch Las Vegas prägt auch den relativ neuen Einkaufs- und Vergnügungskom-
plex ›The Quarter‹ im **Tropicana Casino.** Das
275 Mio. US-Dollar teure Projekt verdeutlicht
besser als alles andere, wo die Kasinozu-
kunft liegen wird. Im Tropicana-›Quarter‹
herrscht auf drei Stockwerken voller Shops

Eine der originellsten Architekturen am Boardwalk: das exotische Taj Mahal

und Restaurants karibisches Flair: Unter einem künstlichen Himmel und über gepflasterte Straßen bummeln die Besucher an Palmen und Brunnen vorbei, die an die goldenen 1940er-Jahre in ›Old Havanna‹ erinnern sollen, als Kuba noch nicht zu den Erzfeinden der USA gehörte. Hemingway hätte sich in der ›Rum Bar‹ des ›Cuba Libre Restaurant‹ bei einer der 60 Rumsorten wohl gefühlt. Wer kubanische Speisen genießen und danach zu Latin Music tanzen will, sollte rechtzeitig erscheinen.

Epizentrum des Nightlife ist die populäre ›Planet Rose Karaoke Bar‹, wo bei frenetischer Anfeuerung des Publikums unter 20 Karaoke-Sängerinnen und -sängern der Tagessieger ermittelt wird (S. Brighton Ave./Boardwalk, Tel. 1-800-345-8767, www.tropicana.net).

Infos

Greater Atlantic City Convention & Visitors Bureau: 2314 Pacific Ave., Atlantic City, NJ 08401, Tel. 1-609-348-7100, www.atlanticcity nj.com und www.cityatlantic.com.

Tipp: Beach Bars

Atlantic City hat den Weg zur coolen Party-Town eingeschlagen. Bester Beweis dafür sind die in jüngster Vergangenheit aus dem Boden gestampften Strandbars, mit denen Atlantic City sein Image als Rentnerrefugium endgültig ablegen will. **Bally's Bikini Beach Bar,** wo die Kellnerinnen Margaritas in Bikinis servieren, **Backyard Bar at Caesars** und **LandShark Bar & Grill** liegen gleich neben dem Boardwalk und sind über kleine Brettersteige erreichbar. Wo früher die stetige Ozeanbrise nur Schritte von den Kasinoeingängen entfernt Dünenlandschaften hatte entstehen lassen, räkeln sich heute *young and beautiful people* in Strandstühlen und nippen an exotischen Long Drinks.

Übernachten

Wer in einem der Kasinohotels unterkommen will, spart Geld, wenn er von So–Do übernachtet. Freitags und besonders samstags kosten die Räume mindestens das Dreifache.
Bestens ausgestattet ▶ Harrah's Resort Atlantic City: 777 Harrah's Blvd., Tel. 1-609-441-5000, www.harrahsresort.com. Das über 2500 Zimmer große Hotelcasino bietet an Komfort und Unterhaltung alles, was man sich wünscht. Ab 44 $.
Zum Wohlfühlen ▶ Borgata Hotel, Casino & Spa: 1 Borgata Way, Tel. 1-609-317-1000, www.theborgata.com. Angenehm ausgestattete Räume und Suiten, in denen der angebotene Komfort nichts zu wünschen übrig lässt. Der Spa bietet ein Riesenprogramm an Behandlungen. Ansonsten Räume ab 109 $.
Freundliche Lage ▶ Golden Nugget: Huron & Brigantine Blvd, Tel. 1-609-441-2000, www.goldennugget.com/atlanticcity. Großes, etwas hellhöriges Hotelcasino am Hafen und nicht am Boardwalk. Ab 89 $.
Blick auf Strand und Meer ▶ Days Inn Atlantic City Boardwalk: Boardwalk/Morris St., Tel. 1-609-344-6101, www.daysinn.com. Standardmotel mit Außenpool, Frühstücksbüfett, direkt am Boardwalk. Ab 80 $.

Camping ▶ Blueberry Hill Campground: Port Republic, 283 Clarks Landing Rd., Tel. 1-609-652-1644, www.blueberryhillrvpark.com, Mai–Okt. 13 Meilen von Atlantic City.

Essen & Trinken

Wer sich nicht entscheiden kann, ist mit einem Besuch an einem Büffet nicht schlecht bedient. Ballys, Harrahs, Borgata, Caesar's, Harrah's, Taj Mahal und Tropicana bieten ›All-you-can-eat‹-Büfetts.
Im Stil des alten Havanna ▶ Cuba Libre Restaurant: 2831 Boardwalk, Tel. 1-609-348-6700, www.cubalibrerestaurant.com, tgl. 11–23 Uhr, Fr, Sa länger. Kubanische Speisen und Getränke mit Salsa-Musik. Ab 12 $.
Küchengrüße aus Fernost ▶ Pho Hoa Cali: 3808 Ventnor Ave., Tel. 1-609-340-0063, tgl. 10–21 Uhr. Feinste vietnamesische Nudelsuppen, Shrimps und Reisgerichte. 5–8 $.

Aktiv

Wellness ▶ Bluemercury Spa – The Quarter: Tel. 1-609-347-7778, www.bluemercury.com, tgl. 9–20 Uhr. Casinospa, das keine Wünsche offen lässt. Gesichtspflege ab 85 $, Schwedische Massage 95 $, für alle übrigen luxuriösen Bodytreatments fallen Kosten von 190 $ an.

Einkaufen

Atlantic City ist ein Shoppingparadies. Nicht nur, weil es in Casinonähe tolle Boutiquen gibt, sondern weil man Mode und Schuhe ohne Mehrwertsteuer einkaufen kann.
Outlets ▶ Tanger Outlets: 2014 Baltic Ave., Tel. 1-609-344-0095, www.tangeroutlet.com/atlanticcity, Mo–Sa 10–20, So 10–18 Uhr, im Winter kürzer. Großes Outlet-Center.
Für den gehobenen Geschmack ▶ The Quarter: 2801 Pacific Ave., www.tropicana.net. Schicke Läden in ›Old Havanna‹-Atmosphäre, u. a. Swarovski, Salsa Shoes mit Schuhen von Prada und Fendi.

Abends & Nachts

Nicht nur gediegene Casinoclubs, sondern auch die Beach Bars am Atlantikstrand haben bis lange nach Mitternacht geöffnet. Hippe

Bars gibt es in den Casinos **Borgata**, **Caesar's** und **Tropicana**.

Großveranstaltungen ▶ Atlantic City Boardwalk Hall: 2301 Boardwalk, Tel. 1-609-348-7000, www.boardwalkhall.com. Arena für 17 000 Zuschauer, die größten Konzerte und Sportveranstaltungen von Atlantic City.

Verkehr

Flugzeug: Atlantic City International Airport, Tel. 1-609-645-7895, www.sjta.com/acair port. 10 Meilen von Downtown entfernt in Egg Harbor Township, Exit 9 vom Atlantic City Expressway. Hertz, Avis, Enterprise und Budget sind vertreten. In die Stadt gelangt man mit dem Taxi oder dem Jitney Airport Shuttle (Tel. 1-609-344-8642).

Bahn: Es gibt Bahnverbindungen zwischen Philadelphia und Atlantic City und zwischen Atlantik City und New York City (Penn Station).

Bus: Greyhound Terminal, 1901 Atlantic Ave., www.greyhound.com.

Öffentlicher Nahverkehr: Die Minibusse von Jitney fahren diverse Strecken, die Tickets sind preiswert (1616 Pacific Ave., Tel. 1-609-344-8642, www.jitneyac.com).

Küstenorte

Margate City ▶ 1, K 7

Südwestlich von Atlantic City besitzt die Nachbargemeinde **Margate City** mit **Lucy**, dem Elefanten, eine häufig abgebildete Attraktion. Das sechs Stockwerke hohe, bemalte Rüsseltier aus Holz und Blech wurde 1881 von einer Immobilienfirma als Werbeträger und Geschäftsbüro errichtet. Schon seit längerer Zeit dürfen Kinder darin herumtollen (9200 Atlantic Ave., www.lucytheelephant.org, Mitte Juni–Anf. Sept. tgl. 10–20, April–Mitte Juni und Anf. Sept.–Ende Okt. Sa, So 10–16.30 Uhr, Erw. 8 $, Kinder bis 12 J. 4 $).

Ocean City ▶ 1, K 7

Unter den auf Familien eingerichteten Badeorten an der südlichen New-Jersey-Küste gehört **Ocean City** zu den bekanntesten. An der hölzernen Strandpromenade liegen Imbiss-stuben, Restaurants und Vergnügungsein-richtungen. Ganz bewusst versucht Ocean City, sich von der großen Schwesterstadt Atlantic City abzuheben. Statt Roulettetischen und Spielautomaten sind Strandspaß, Sonnenschirme und viele sommerliche Veranstaltungen von Venezianischen Nächten bis zum Wettbewerb im Sandburgenbauen ›in‹. Auf Höhe der Sixth Street liegt der Vergnügungspark **Gillian's Wonderland Pier** mit Riesenrad und Karussell. Nur ein paar Schritte entfernt garantiert **Gillian's Adentures Water Park** im Sommer Abkühlung mit Riesenrutschen (Plymouth Pl./Boardwalk, Tel. 1-609-399-7082, www.gillians.com, Juni–Aug. Mo–So 13–18.30 Uhr, Erw. 31 $, Kinder 27 $).

Viele der im **Historical Museum** ausgestellten Gegenstände stammen vom 1901 vor der Stadt gesunkenen Viermaster ›Sindia‹. Das Schiff lief auf dem Weg von Japan nach New York City auf Grund und tauchte bei Ebbe bis in die 1990er-Jahre aus dem Meer auf. Mittlerweile ist es ganz im sandigen Ozeanboden versunken (www.ocnjmuseum.org).

Dass Ocean City 1879 von vier Methodisten-Pfarrern als ›moralisches Küstenresort‹ gegründet wurde, geht dem Ort heute noch nach. Das jahrzehntelange Sonntagsbadeverbot wurde 1987 zwar gekippt. Aber bis heute sind im Ort Verkauf und Konsum von Alkohol verboten.

Infos

Ocean City Chamber of Commerce: 16 E. 9th St., Ocean City, NJ 082 26, Tel. 1-609-399-1412, www.oceancityvacation.com und www.ocnj.us.

Übernachten

Bleibende, gute Erinnerungen ▶ Brown's Nostalgia B & B: 1001 Wesley Ave., Tel. 1-609-398-6364, www.brownsnostalgia.com. Klein, einfach ausgestattet, nicht weit vom Boardwalk, nur für Nichtraucher. Ab 122 $.

Typisches Motor Inn ▶ Ocean 7: 7th St./Boardwalk, Tel. 1-609-398-2200, www.ocean7motel.com. Direkt am Boardwalk, beheizter Außenpool, Münzwäscherei, Zimmer und Suiten mit Küche. Ab 90 $.

Essen & Trinken

Preise und Speisen stimmen ▶ Cousin's:
104 Asbury Ave., Tel. 1-609-399-9462, Mai–
Okt. tgl. 16.30–21 Uhr. Suppen, Salate, italienische Spezialitäten, von 16.30 –17.30 Uhr
ermäßigte Preise. Ab 12 $.

Einfachere Kost ▶ Del's Grill: 934 Boardwalk, Tel. 1-609-399-3931, www.delsgrill.
com. Familienlokal für kleinere Gerichte wie
Salate, Sandwiches, Burgers. Ca. 8 $.

Wildwood ▶ 1, J 8

Der kleine Ort **Wildwood** mit 5400 Einwohnern wird in der Sommersaison von rund
250 000 Besuchern ›heimgesucht‹. Der 2,5
Meilen lange **Boardwalk** bildet das pulsierende Zentrum eines der größten Vergnügungsparks der Ostküste. Genau genommen
setzt sich diese Fun-Zone aus drei Wasserparks und den gewaltigen Morey's Piers mit
80 rasanten und zum Teil haarsträubenden
Fahrgeschäften zusammen, darunter Achterbahnen, die als ›schrei-therapeutische‹ Einrichtungen für sich werben. Hinzu kommen
Myriaden von Souvenirshops, Imbissen, Zuckerwatte-Pavillons, Pizza-Bäckereien, Hamburgerfilialen, Spielecenters und Minigolfanlagen. Um die Besucher bei Laune zu
halten, werden Wettbewerbe im Eiscreme-Essen, sommerliche Weihnachtsparaden,
Schönheitswettbewerbe für Babys, Profiboxkämpfe, Beach-Yoga-Stunden, Talentsuchen,
Wrestling-Abende, Gummienten-Regatten,
Flohmärkte, Comicheft-Ausstellungen, Meisterschaften im Papierdrachenfliegen sowie
Blues-Festivals veranstaltet. Übrigens: Einen
Strand besitzt Wildwood auch.

Cape May ▶ 1, J 8

Der südlichste Badeort in New Jersey unterscheidet sich nicht nur durch seine exponierte geografische Lage an der Spitze einer
Halbinsel von anderen Küstenflecken. Im Gegensatz etwa zu Wildwood zeichnet sich
Cape May durch ländliche Entrücktheit, unverbrauchten Charme und wunderschöne
viktorianische Straßenzüge aus.

Die einst von Leni-Lenape-Indianern bewohnte Gegend wurde 1623 unter Führung
des aus Manhattan stammenden Holländers Cornelius Mey besiedelt. Bald folgten
Fischer, Walfänger und Schiffsbauer, seit
Mitte des 18. Jh. auch die Highsociety aus
Großstädten wie Philadelphia und New York.
Nach einem verheerenden Großbrand 1878
war die Asche noch nicht erkaltet, als sich
die ersten Einwohner an den Wiederaufbau
machten, dem Cape May heute sein unvergleichliches viktorianisches Flair verdankt.
Über Jahre wurden die meisten der rund 600
›Painted Ladies‹, wie die Häuser auch genannt werden, restauriert. Vor allem an der
Columbia Avenue, der Hughes und Jackson
Street stehen schöne Bauten mit teils prächtigen Gärten und gemütlichen Terrassen.

Painted Ladies

Zu den schönsten Überbleibseln aus der viktorianischen Zeit zählen das **Wilbraham
Mansion** (133 Myrthle Ave.) aus dem Jahre
1840, das 1872 im italienischen Renaissance-Stil erbaute **Mainstay Inn** (635 Columbia Ave.) und **The Abbey** (34 Gurney St.),
das 1869/70 im neogotischen Stil entstand,
mit originalem Mobiliar ausgestattet ist und
heute wie viele andere viktorianische Schönheiten als B & B-Unterkunft geführt wird. Eine
Ausnahme macht das 1872 als privater Herrenclub erbaute **Emlen Physick Estate** (1048
Washington St.), das heute von einer gemeinnützigen Gesellschaft als Museum genutzt wird (www.capemaymac.org).

Die Südspitze von New Jersey ist durch
unverbautes Land vom historischen Viertel
getrennt. Seit 1859 wacht das **Cape May
Point Lighthouse** über den Schiffsverkehr.
199 Stufen führen zur Aussichtsplattform hinauf, von der man den Rundblick genießen
kann. Im Oil House neben dem Leuchtturm
ist ein kleines, maritimes Museum eingerichtet (www.capemaymac.org >Attractions>Cape
May Lighthouse, im Sommer 10–17 Uhr, 8 $).

Historic Cold Spring Village

Drei Meilen nördlich von Cape May gibt das
Village einen lebendigen Eindruck vom Leben

der Siedler im 19. Jh. Auf dem Gelände stehen über zwei Dutzend historische Anwesen, darunter eine Schmiede und ein Schulhaus. ›Einwohner‹ in historischen Kostümen verrichten Arbeiten wie anno dazumal und demonstrieren handwerkliche Fertigkeiten, die heute fast vergessen sind. Unter den Veranstaltungen ragen Sommerkonzerte und das im Juni stattfindende Celtic Festival mit Tänzen und musikalischen Darbietungen heraus (720 Rte 9, Tel. 1-609-898-2300, www. hcsv.org, Di–So 10–16.30 Uhr, kostenloser Parkplatz, Erw. 10 $, Kinder 3–12 Jahre 8 $).

Infos

Chamber of Commerce of Greater Cape May: 513 Washington St., Tel. 1-609-884-5508, www.capemaychamber.com.
Cape May Welcome Center: 609 Lafayette St., Tel. 1-609-884-5508, www.capemay.com.

Übernachten

Zum Verlieben ▶ **Southern Mansion:** 720 Washington St., Tel. 1-609-884-7171, www. southernmansion.com. Luxuriöses B & B in einer ehemaligen italienischen Villa von 1863, sehr geschmackvoll eingerichtet mit Antiquitäten. Nebensaison ab 145 $.

Wie aus dem Märchen ▶ **Gingerbread House:** 28 Gurney St., Tel. 1-609-884-0211, www.gingerbreadinn.com. Traditionell eingerichtete Unterkunft in einem viktorianischen Anwesen mit behaglichen, klimatisierten Zimmern, WLAN. 102–330 $.

Ein historischer Palast ▶ **Chalfonte Hotel:** 301 Howard St., Tel. 1-609-884-8409, www. chalfonte.com, geöffnet Ende Mai–Okt. Das Hotel empfängt seit 1876 Gäste. Zimmer mit und ohne eigenes Bad, alle ohne TV, Telefon und Klimaanlage. Familienzimmer, Cottages. Kinder haben einen eigenen Dining-Room. Man kann das Hotel inkl. Frühstück und Abendessen oder nur mit Frühstück buchen. 80–499 $.

Gute Ausstattung ▶ **Beachcomber Camping Resort:** 462 Seashore Rd., Cape May, Tel. 1-609-886-6035, www.beachcomber camp.com, April–Okt. Mit vielen Freizeiteinrichtungen, Cabins und Trailer zum Anmieten.

Camping ▶ **Cape Island Resort:** 709 Rte 9, Cape May, Tel. 1-609-884-5777, http://capeis land.com, Mai–Okt. Mit Pool, Tennisplätzen, Minigolf und Einkaufsmarkt.

Essen & Trinken

Ausgezeichnet ▶ **410 Bank Street:** 410 Bank St., Tel. 1-609-884-2127, tgl. außer Sa 17–22 Uhr. Spitzenrestaurant mit Cajun-, kreolischer und karibischer Küche. Ab 25 $.

Super Frühstück ▶ **Mad Batter:** 19 Jackson St., Tel. 1-609-884-5970, www.madbat ter. com, Febr.–Dez. tgl. 8–22 Uhr. Mit Terrasse, herzhaftes Frühstück, zum Lunch und Dinner gibt's gute Fisch- und Fleischgerichte, Spezialität des Hauses sind die Crab Cakes. Ab 10 $.

Aktiv

Alle Strände sind von Ende Mai bis Anfang September täglich von 10 bis 17 Uhr für Personen ab 12 Jahren kostenpflichtig. Die sogenannten *beach tags* bekommt man an jedem Strandeingang für 6 $ pro Tag bzw. 12 $ für drei Tage.

Touren ▶ **Atlantic Center for the Arts:** 1048 Washington St., Tel. 1-609-884-5404, www.capemaymac.org. Angeboten werden u. a. Touren zu Fuß bzw. mit dem Trolley durch die Altstadt, auch bei Mondschein.

Termine

Secret Garden Tours (April): Besichtigung von besonders schönen Privatgärten.
Das Frühjahrsfest **Cape May's Spring Festival** und findet im April statt.
Cape May Music Festival (Mai).
Victorian Weekend (Sept./Okt.): Besichtigungstouren und Antiquitätenverkauf.
Jazz Festival (Nov.)

Verkehr

Fähre: Cape May Terminal, Tel.1-800-643-3779, Lewes Terminal, Tel. 1-800-643-3779, www.capemaylewesferry.com. Zwischen Cape May und Lewes (Delaware) gibt es mehrmals tgl. eine Verbindung, die Überfahrt dauert 75 Min. Bei schlechtem Wetter können sich Abfahrten verschieben.

Sitz der mächtigsten Regierung der Welt, Standort nationaler und internationaler Vereinigungen und Organisationen, berühmte Museen und Kultureinrichtungen, Anziehungspunkt für Menschen aus aller Herren Länder: Die 600 000 Einwohner zählende US-Hauptstadt gibt sich selbstbewusst und mondän, ohne in Prahlerei zu verfallen.

Die Regierungs- und Schaltzentrale der Weltmacht USA in ihrem zwar kompakten, aber dennoch aufgelockert wirkenden Zentrum erinnert eher an europäische Großstädte. Keine Glas- und Betongiganten kratzen am Himmel, denn kein Gebäude, vom Washington Monument zu Ehren des ersten amerikanischen Präsidenten George Washington einmal abgesehen, darf höher sein als das Kapitol. Das ›unamerikanische‹ Bild ist dem französischen Architekten Pierre Charles L'Enfant, aber auch den Baumeistern der Denkmäler und architektonischen Wahrzeichen zuzuschreiben. Sie orientierten sich an Rom und Athen, als es darum ging, der Neuen Welt ein politisches Machtzentrum zu geben. Das Resultat war ein klassizistischer Rahmen aus weißem Marmor für das ›große Schaufenster‹ der USA.

Bis die Hauptstadt ihr heutiges Gesicht erhielt, vergingen fast 200 Jahre. Der US-Kongress tagte in acht verschiedenen Städten, bis sich Präsident George Washington 1790 für ein Areal am Ufer des Potomac River entschied. Da die Finanzen für das Projekt ›Hauptstadt‹ knapp bemessen waren, kam es schon bald zu Unstimmigkeiten zwischen dem großzügig planenden, selbstherrlichen französischen Architekten L'Enfant und seinen Auftraggebern. Zwei Jahre nach Beginn der Arbeiten hatte man den Franzose bereits seines Amtes enthoben.

Von Stadtentwicklung im eigentlichen Sinn konnte man erst in den 1870er-Jahren sprechen, als Washington D. C. durch den Zuzug Zehntausender befreiter Sklaven nach Ende des Bürgerkriegs schnell wuchs und der Ausbau der Regierungseinrichtungen zügig voranschritt. Damals war die National Mall samt umliegender Straßenzüge eine riesige Baustelle. Einige Wahrzeichen wie das Lincoln Memorial und das Jefferson Memorial entstanden erst im 20. Jh.

Washington D. C. ist keine Hauptstadt wie jede andere: Sie besitzt Sonderstatus. Die Abkürzung D. C. bedeutet District of Columbia, der von der US-Verfassung eigens geschaffen wurde, um die Institutionen des Bundes zu beherbergen und sie aus der Verwaltung von Einzelstaaten auszuklammern.

National Mall

Cityplan: S. 288

Die 3 km lange und drei Häuserblocks breite **National Mall** ist nicht nur Schaumeile der USA, sondern das politische und kulturelle Herz der Nation mit dem nationalen Parlament, dem Regierungssitz im Weißen Haus sowie den bedeutendsten Museen und Denkmälern des Landes.

Capitol Hill

Die National Mall beginnt im Osten auf dem **Capitol Hill**. Auf der kleinen Erhebung thront mit dem **Kapitol** **1** der Sitz des aus Repräsentantenhaus und Senat bestehenden Parlaments. Der mächtige Kuppelbau, dem Petersdom in Rom nachempfunden, diente

Das National Air and Space Museum: eine Hauptattraktion an der National Mall

vielen State Houses der einzelnen Bundesstaaten als architektonisches Vorbild. Nach
der Grundsteinlegung 1793 dauerte es bis
zum Bürgerkrieg, ehe die knapp 79 m hohe
Kuppel des Gebäudes fertiggestellt war. Die
Verzögerung hatte nicht allein in den man-
gelnden Finanzen ihre Ursache. Nachdem die
Briten das Bauwerk bei der Besetzung von
Washington 1814 in Brand gesteckt hatten,
war es höheren Instanzen zu verdanken, dass
Teile des Gebäudes durch einen heftigen
Platzregen vom Schlimmsten verschont blieben. Es bedurfte des Machtwortes von Abraham Lincoln, um 1863 die 4000 t schwere ei-
serne Kuppel fertig zu stellen und mit der fast
6 m großen Freiheitsfigur zu schmücken.

Ein riesiges Fresko mit Darstellungen aus
der amerikanischen Geschichte schmückt
die über 50 m hohe Kuppel im Zentrum des
Kapitols. Mehrere Künstler benötigten für die
Fertigstellung der Malereien über 75 Jahre.
Einige Gemälde in der Rotunde schuf John
Trumball, der die dargestellten Szenen selbst
als Adjutant von George Washington erlebt
hatte. In der Statuary Hall ehren die amerikanischen Bundesstaaten ihre bedeutend-

sten Persönlichkeiten mit 100 Statuen (Capitol Visitor Center, auf der Ostseite des Kapitols, Tel. 1-202-226-8000, www.visittheca
pitol.gov, nur Führungen Mo–Sa 8.50–15.20
Uhr; die ca. einstündigen Touren durch das
Kapitol, die mit einem 13-minütigen Orien-
tierungsfilm beginnen, sind zwar kostenlos,
müssen aber auf jeden Fall im Internet unter
der Adresse http://tours.visitthecapitol.gov
reserviert werden).

Für Amerikas 1935 fertiggestelltes höchstes Gericht, den **Supreme Court 2**, wählte
der Architekt Cass Gilbert ein klassizistisches
Design, das der Würde der Institution entsprechen sollte. Der Oberste Gerichtshof
setzt sich aus acht Richtern *(Associate Jus-
tices)* und einem Vorsitzenden *(Chief Justice)*
zusammen, die auf Vorschlag des US-Präsidenten auf Lebenszeit ernannt werden. Aufgabe des Gerichts ist es, über die Verfassung
bzw. die Verfassungsmäßigkeit von Gesetzen
sowie von Anordnungen der Exekutive zu
wachen und grundlegende Entscheidungen
etwa in Fragen wie Bürgerrechte, Abtreibung,
Sterbehilfe oder Todesstrafe zu treffen. Müssen die Richter etwas schriftlich dokumen-

Washington D. C.

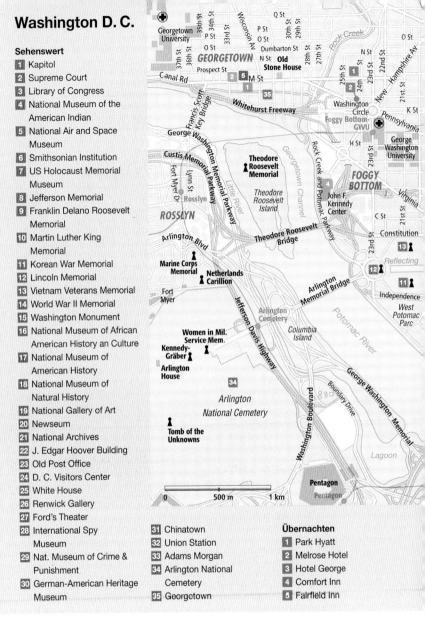

tieren, bedienen sie sich wie früher echter Federkiele. Im Erdgeschoss des Gebäudes wird ein Film über den Supreme Court gezeigt (1 First St. NE., Tel. 1-202-479-3000, www.supremecourtus.gov, Mo–Fr 9–16.30,

Besichtigungen nur auf eigene Faust, wenn das Gericht nicht tagt).

Alljährlich konsultieren über 800 000 Besucher die **Library of Congress** 3, das im Jahr 1800 gegründete ›Gedächtnis der Welt‹. In

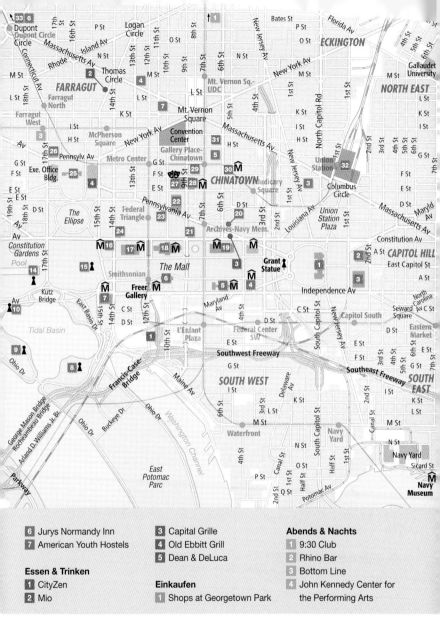

drei Gebäudeteilen sind auf 800 km Regalen über 120 Mio. Manuskripte, Bücher, Fotografien und Karten in 500 Sprachen untergebracht. Längst wurde der gesamte Bücher- und Zeitschriftenkatalog per Computer erfasst und elektronisch zugänglich gemacht. Die Sammlung seltener Ausgaben besteht aus 6000 Büchern, die vor Beginn des 16. Jh. gedruckt wurden, z. B. eine von nur noch drei existierenden Gutenberg-Bibeln aus dem Jahr

Washington D. C.

1455 (101 Independence Ave. SE., Tel. 1-202-707-8000, www.loc.gov, Führungen Mo–Fr 10.30–15.30, Sa bis 14.30 Uhr). Ein besonderer Ort für alle Bücherfreunde ist der großartige Lesesaal, über dessen Mamorwände sich eine kupfergedeckte Kuppel wölbt.

Berühmte Museen

Mit seinen rauen, geschwungenen Kalksteinfassaden erinnert das **National Museum of the American Indian** 4 an eine Klippe aus gelblichem Fels und fällt damit aus dem klassizistischen Architekturrahmen der National Mall. Die Kollektionen umfassen 800 000 Exponate, die 10 000 Jahre Geschichte von indianischen Kulturen in Nord-, Mittel- und Südamerika repräsentieren. Darunter sind ein geschnitzter Totempfahl der Tlingit, eine Bronzeskulptur der Pueblo-Indianer von New Mexico und Webarbeiten der Diné (Navajo). In den Ausstellungen geht es aber nicht nur um Kunst und Kultur, sondern auch um Präsentationen wie Our Lives, wo das Alltagsleben indianischer Gruppierungen im 21. Jh. vorgestellt wird (4th St./Independence Ave. SW., Tel. 1-202-633-1000, www.nmai.si.edu, tgl. 10–17.30 Uhr, Eintritt frei).

Nicht nur für technisch Interessierte ist das **National Air and Space Museum** 5 ein Glanzlicht. Die Exponate zur Geschichte der Fliegerei beginnen mit dem 1903 von den Gebrüdern Wright erbauten ›Flyer‹, mit dem die beiden Luftfahrtpioniere auf den Outer Banks von North Carolina die Tür zu einem neuen Zeitalter aufstießen. Die ›Spirit of St. Louis‹, mit der Charles Lindbergh als Erster den Atlantik überflog, ist ebenso zu sehen wie die Raumkapsel der Apollo-11-Mission. Die Zukunft wird von einem Originalmodell der ›Enterprise‹ aus der Fernsehserie ›Star Trek‹ repräsentiert. Im IMAX-Theater haben Besucher die Wahl zwischen vier spannenden Filmen auf Riesenleinwand (Independence Ave./4th St. SW., Tel. 1-202-633-2214, http://airandspace.si.edu, tgl. 10–17.30 Uhr, Eintritt frei).

Da das Museum aus Platznot der Öffentlichkeit nur einen Bruchteil seiner Ausstellungsstücke zugänglich machen konnte, entstand in der Nähe des Washington Dulles International Airport (Virginia) mit dem **Steven Udvar-Hazy Center** eine in einem gewaltigen Hangar eingerichtete Filiale. Dort sind über 200 Flugzeuge ausgestellt sowie das Space Shuttle Discovery, die berühmte B-29 Superfortress Enola Gay und die legendäre Concord (14390 Air & Space Museum Pkwy, Chantilly, Virginia 20151, Tel. 1-703-572-4118, http://airandspace.si.edu >Visit>Udvar Hazy Center, tgl. 10–17.30 Uhr, Eintritt frei, Parkplatz 15 $).

Die **Smithsonian Institution** 6, die 16 Museen und Galerien sowie einen Zoo umfasst, gehört zu den renommiertesten Kultureinrichtungen der Welt. Die Gründung geht auf den britischen Wissenschaftler James Smithson zurück. Zwar betrat er nie amerikanischen Boden, doch vermachte er sein Vermögen in Höhe von 500 000 Dollar der Hauptstadt der USA, um eine Einrichtung »zur Mehrung und Verbreitung des Wissens« zu schaffen. Drei Jahre nach der Gründung 1846 zog die Smithsonian Institution in das neoromanische Castle, inzwischen ein Informationszentrum, das von einer Parkanlage und Museen umgeben ist wie dem **Arts and Industries Building** mit dem **Discovery Theater** (http://discoverytheater.org), dem **Hirshhorn Museum** (www.hirshhorn.si.edu) mit über 6000 Gemälden und einem Skulpturengarten, der auf asiatische Kunst spezialisierten **Freer Gallery of Art** und der **Sackler Gallery** (www.asia.si.edu) mit chinesischen Sammlungen und dem **National Museum of African Art** (http://africa.si.edu) mit afrikanischer Kunst (950 Independence Ave., Tel. 1-202-633-4600, alle Museen tgl. 10–17.30 Uhr, Eintritt frei).

Gedenkstätten

Auf beklemmende Weise dokumentiert das **US Holocaust Memorial Museum** 7 die Tragödie von 6 Mio. Juden sowie 5 Mio. Romas, Zeugen Jehovas, polnischen und sowjetischen Kriegsgefangenen während der Nazi-Herrschaft in Deutschland. Auf drei Etagen werden Fotografien, Dioramen und Schautafeln als Zeugnisse der damaligen Zeit ausgestellt. Zu den bedrückendsten Exponaten gehören Massen von Schuhen und

Brillen von KZ-Häftlingen, die in die Gaskammern geschickt wurden (100 Raoul Wallenberg Plaza, Tel. 1-202-488-0400, www.ushmm.org, tgl. 10–17.30 Uhr).

Im Jahr 1943 wurde zum 200. Geburtstag von Thomas Jefferson mit dem **Jefferson Memorial** 8 ein populäres Monument der Mall errichtet. Architektonisches Vorbild des runden Kuppelbaus mit Vorhalle war das römische Pantheon. Der mit 54 ionischen Säulen und einer 6 m hohen Bronzestatue ausgestattete Tempel ist eine Hommage an den Staatsmann und Architekten Thomas Jefferson. Die Innenwände sind mit Zitaten aus der Unabhängigkeitserklärung gestaltet. Bei den Einweihungsfeierlichkeiten konnte die Skulptur von Jefferson nur als Gipsmodell vorgestellt werden. Erst nachdem die kriegsbedingte Rationierung wichtiger Metalle aufgehoben worden war, konnte der Staatsmann in Bronze gegossen werden (900 Ohio Dr. SW., Tel. 1-202-426-6841, www.nps.gov/thje, immer zugänglich).

Das aus vier offenen Teilen bestehende **Franklin Delano Roosevelt Memorial** 9 erinnert an die vier Amtszeiten des 32. US-Präsidenten (1933–1945), zu dessen Verdiensten das während der Weltwirtschaftskrise initiierte Reform- und Hilfsprogramm New Deal gehörte (900 Ohio Dr. SW., Tel. 1-202-426-6841, www.nps.gov/frde, jederzeit zugänglich, Eintritt frei).

Das **Martin Luther King Memorial** 10 erinnert an den 1968 ermordeten Führer der schwarzen Bürgerrechtsbewegung. Er ist der erste Afroamerikaner, dem an der National Mall nach den Entwürfen eines chinesischen Bildhauers ein Denkmal errichtet wurde. In drei Teilen symbolisiert es die zentralen Ideen Kings: Gerechtigkeit, Demokratie und Hoffnung (www.nps.gov/mlkm).

Mit 19 einzelnen Skulpturen amerikanischer Soldaten, die mit ihren Waffen in den Händen, angetan mit Stahlhelmen und Regenponchos, durch ein Feld gehen, wirkt das **Korean War Memorial** 11 wie eine eingefrorene Kriegsszene. Der Korea-Krieg zwischen 1950 und 1953 forderte auf US-Seite mehr als 54 000 Tote und Vermisste (Daniel French

Dr. 4/Independence Ave. SW., Tel. 1-202-426-6841, www.nps.gov/kwvm, tgl. 8–24 Uhr, Eintritt frei).

Das westliche Ende der National Mall markiert das **Lincoln Memorial** 12, von dessen monumentaler Treppe man über das Washington Monument auf das entfernte Kapitol blickt. Der Bau zu Ehren des ehemaligen Präsidenten Abraham Lincoln entstand zwischen 1915 und 1922 nach Plänen von Henry Bacon, dem das Parthenon in Athen als Vorbild diente. Im Innern sitzt in einer offenen Halle, umgeben von in die Wände gravierten Auszügen aus der ›Gettysburgh Address‹ (s. S. 236), der marmorne Lincoln, den die Gebrüder Piccarilli nach dem Entwurf des Bildhauers Daniel Chester French aus Stein meißelten. Auf der Treppe des Memorials hielt im Jahr 1963 vor 750 000 Demonstranten der fünf Jahre später ermordete Martin Luther King nach einem Protestmarsch von Bürgerrechtlern seine berühmte Rede »Ich habe einen Traum«, in der er eine Politik der Rassengleichheit als Voraussetzung für eine friedliche Zukunft der USA beschwöre (23rd St. zwischen Constitution und Independence Ave. NW., Tel. 1-202-426-6841, www.nps.gov/linc, jederzeit zugänglich, Eintritt frei).

Sehr nüchtern und daher umso ausdrucksstärker zeigen sich die halb in die Erde gebauten schwarzen Steinwände des **Vietnam Veterans Memorial** 13, eine Hommage an die fast 60 000 amerikanischen Gefallenen und Verschollenen des Kriegs in Vietnam. Tagein, tagaus pausen Freunde und Angehörige die Namen von Kriegsopfern ab, die in Granit

Tipp: Gratisattraktionen

Die attraktiven und populären Hauptsehenswürdigkeiten von Washington D. C. sind ein Schnäppchen: Sämtliche Museen der Smithsonian Institution (s. S. 290) und alle Monumente auf der National Mall (s. S. 286) können kostenlos besichtigt werden. Das gilt außerdem für die National Archives (s. S. 294), die National Portrait Gallery, den National Zoo und das National Building Museum.

eingraviert sind. Eine Jury wählte den Entwurf für das Denkmal 1980 aus 1421 eingereichten Vorschlägen aus. Der Plan stammte von der 21-jährigen Architekturstudentin Maya Ying Lin von der Yale University (Constitution Ave./Henry Bacon Dr. NW., Tel. 1-202-426-6841, www.nps.gov/vive, jederzeit zugänglich, Eintritt frei).

Nach 17 Jahren Diskussionen über Entwurf und Standort bekam das **World War II Memorial** seinen Platz zwischen dem Washington Monument und dem Lincoln Memorial. Der aus Granitstein bestehende Komplex um eine zentrale Wasserfläche zu Ehren der Gefallenen und Überlebenden des Zweiten Weltkriegs wurde seit seiner Fertigstellung zum Teil hart kritisiert, weil er auf banale Weise Trauer und Glorie in grauen Granit verpackt. »Mussolini würde es gefallen«, schrieb das ›TIME Magazine‹ über die Anlage, die Erinnerungen wachruft an das Pathos faschistischer Architektur (900 Ohio Dr. SW., Tel. 1-202-426-6841, www.nps.gov/nwwm, www.wwiimemorial.com, jederzeit zugänglich, Eintritt frei).

Im Zentrum der National Mall erhebt sich das zu Ehren des ersten US-Präsidenten errichtete **Washington Monument** . Der 170 m hohe Marmorturm, das höchste Bauwerk der Staatsmetropole, wurde 1884 der Öffentlichkeit zugänglich gemacht. Ein Aufzug bringt alljährlich Hunderttausende Besucher zum Aussichtsdeck, von dem der Blick über den ganzen District of Columbia reicht.

Das Jefferson Memorial zur Zeit der Kirschbaumblüte im Frühling

Das Bauwerk sieht zwar aus wie ein Obelisk, wurde in Wirklichkeit aber gemauert (tgl. 9–17 Uhr, Hauptsaison bis 22 Uhr, zeitgebundene Gratistickets und online reservierte Tickets, www.recreation.gov, holt man im Gebäude östlich des Monuments ab,15th St.).

Das **National Museum of African American History and Culture**  16 befindet sich gegenwärtig im Bau und soll 2016 eröffnet werden (Constitution Avenue, NW., Ecke 15th St.).

Ausstellungen und Galerien

Als Tempel des technologischen und kulturellen Erbes der USA präsentiert sich das **National Museum of American History** 17. Auf drei Stockwerken verteilt sich Sehenswertes

Tipp: Kirschblütenfest

Am schönsten präsentiert sich das Jefferson Memorial im Frühjahr, wenn um das Tidal Basin die Kirschbäume blühen. Vor fast 100 Jahren machte der Tokioter Bürgermeister der Hauptstadt mehrere Tausend Kirschbäume zum Geschenk. Das **National Cherry Blossom Festival** wird jedes Jahr im März/April mit Konzerten, Feuerwerken und Paraden begangen.

aus so unterschiedlichen Bereichen wie medizinische Wissenschaften, Straßentransport, Elektrizität, Damenmode, Geschichte nach dem Bürgerkrieg, Keramik, Geld und Armee. Ein besonderes ›Juwel‹ ist das Original-Sternenbanner, das beim Angriff der Briten 1814 auf Baltimore über Fort McHenry wehte. Manche Besucher interessieren sich eher für Profanes wie die falschen Zähne von George Washington oder die Nachthemden der First Ladies (14th St./Constitution Ave., Tel. 1-202-633-1000, http://americanhistory. si.edu, tgl. 10–17.30 Uhr, Eintritt frei).

Umfangreiche Ausstellungen sowie einzelne Exponate über die Evolution des Menschen und die Entstehung von Kunst und Kultur, aber auch Dinosaurierskelette, Fossilien, präparierte Vögel, Säugetiere, Insekten, Mineralien und Meteoriten machen das **National Museum of Natural History** 18 zu einer Schatzkammer der Naturgeschichte. Zu den interessantesten Stücken gehören der 45,5-karätige Hope-Diamant aus Südafrika sowie die Originalmodelle eines afrikanischen Elefantenbullen und eines Blauwals. Aus einem Kohlebergwerk in Iowa stammt die größte, jemals ausgegrabene fossile Pflanze, 3,9 m lang, 3,7 m hoch und 16 t schwer. Teil des Museums sind auch das Johnson IMAX-Theater mit 3-D-Filmen etwa über die Tiefsee, eine Safari in Südafrika oder das Fahren mit einem Heißluftballon und das Fliegen mit Fluggeräten. Im IMAX & Jazz Café geht es jeden Freitag von 18 bis 22 Uhr bei Live-Musik und Filmen ganz unmuseal zu (10th St./Con-

Washington D. C.

stitution Ave., Tel. 1-202-633-1000, www.mnh.si.edu, tgl. 10–17.30 Uhr, Eintritt frei).

El Greco, Rubens, Tizian, Rembrandt, Renoir, Cézanne und Whistler sind Künstler von Weltrang, deren Werke in einem der außergewöhnlichsten Kunsttempel der USA, der **National Gallery of Art 19,** präsentiert werden. Im **West Building,** nach Plänen von John Russell Pope 1941 fertiggestellt, bereiteten die Museumsplaner Künstlern vom 13. bis zum 20. Jh. eine Bühne. Als eine besonders wertvolle Rarität gilt das ›Bildnis der Ginevra Benci‹, das einzige Meisterwerk von Leonardo da Vinci, das außerhalb von Europa zu sehen ist. Das moderne Äquivalent zum klassizistischen West Building ist das 1978 erbaute **East Wing-Building** des Stararchitekten I. M. Pei. Die dort ausgestellten Gemälde, Grafiken und Skulpturen stammen ausnahmslos aus dem 20. Jh., etwa von Alexander Calder, Henry Moore, Pablo Picasso und Joan Miró (zwischen 3rd und 9th St. an der Constitution Ave. NW., Tel. 1-202-737-4215, www.nga.gov, Mo–Sa 10–17, So 11–18 Uhr, Eintritt frei).

Stadtzentrum

Cityplan: S. 288

Pennsylvania Avenue

Heute bildet die **Pennsylvania Avenue** die Hauptschlagader der US-Metropole, auf der Persönlichkeiten wie John Kennedy zu Grabe getragen, Protestmärsche gegen Rassendiskriminierung und den Vietnamkrieg veranstaltet und Paraden abgehalten wurden. Die geschichtsträchtige Meile ist ein geeigneter Standort für das neue **Newseum 20,** das sich auf spannende Weise mit Entwicklung und Gegenwart des Nachrichtenwesens be schäftigt. Auf sieben Etagen können sich Besucher über Schlagzeilen produzierende Ereignisse informieren, einen Blick hinter die Kulissen von Medien werfen und selbst die Titelseite einer Zeitung gestalten (555 Pennsylvania Ave. NW, Tel. 1-202-292-6100, www.newseum.org, tgl. 9–17 Uhr, Erw. 23 $).

In den **National Archives 21** lagern Dokumente von unschätzbarem Wert – nationale und internationale Verträge und Abkommen, Gesetzeswerke, Karten, Unterlagen über Landkäufe und -verkäufe sowie Hunderte Urkunden von der Unabhängigkeitserklärung über die US-Verfassung bis zum Rücktrittsschreiben von US-Präsident Nixon nach der Watergate-Affäre. Die wichtigsten Dokumente der US-Geschichte sind in der Rotunde in Vitrinen ausgestellt, in denen Helium den Verfallsprozess des Papiers verhindert und andere Vorrichtungen diese Schätze vor Beschädigung oder Diebstahl schützen (700 Pennsylvania Ave. NW., Tel. 1- 202-357-5000, www.archives.gov/dc-metro/washington, tgl. 10-17.30 Uhr, Eintritt frei).

Zwei Institutionen, die miteinander verwandte Aufgaben wahrnehmen, sind durch die Pennsylvania Avenue, insbesondere auch durch teilweise ganz unterschiedliche Rechtsauffassungen voneinander getrennt: das Department of Justice (Justizministerium) und das **J. Edgar Hoover Building 22,** die Zentrale der Bundespolizei FBI, die von außen wie ein Hochsicherheittrakt für Schwerstkriminelle aussieht. Das 1908 von Teddy Roosevelt gegründete FBI (Federal Bureau of Investigation) wurde seit 1924 von seinem autoritären Chef J. Edgar Hoover geformt (935 Pennsylvania Ave. NW., www.fbi.gov).

Auf halber Strecke zwischen Kapitol und Weißem Haus reckt sich der neoromanische Turm des 1899 errichteten **Old Post Office 23** in den Himmel. Der US-Investor Donald Trump will das gewaltige Gebäude bis zum Jahr 2017 unter dem Namen Trump International in eines der vornehmsten Luxushotels der Stadt umwandeln – mit 271 Zimmern und Suiten, Restaurants, Café, Bücherei sowie im Atrium mit einem Fitnesscenter und einem Spa. Die Aussichtsplattform auf dem 96 m hohen Glockenturm soll der Öffentlichkeit allerdings erhalten bleiben (12th St./Pennsylvania Ave. NW.).

Das Besucherzentrum **D. C. Visitors Center 24** befindet sich im Ronald Reagan International Trade Center Building. Touristen können sich dort bei Tourismusexperten oder per

294

Computer in ihrer Landessprache über Sehenswürdigkeiten und die gastronomische Szene informieren, auch Hotelzimmer buchen (1300 Pennsylvania Ave. NW., Tel. 1-202-312-1300, www.itcdc.com, Frühjahr/Sommer Mo–Fr 8.30–17.30, Sa 9–16 Uhr, So geschlossen, Herbst/Winter kürzer).

Wie ein kleines Schloss liegt mit dem **White House** 25 der Regierungssitz des amerikanischen Präsidenten im üppigen Grün der White House Grounds. Kein anderes Machtzentrum der Welt demonstriert Bürgernähe so konsequent wie der Amts- und Wohnsitz des Präsidenten, in dem Touristen aus aller Herren Länder ein- und ausgehen (1600 Pennsylvania Ave. NW., Tel. 1-202-456-7041, www.whitehouse.gov, wer als Ausländer das Weiße Haus besichtigen will, muss jedoch seine jeweilige Botschaft in Washington D. C. kontaktieren).

Sehenswert in Downtown

Der künstlerische Schwerpunkt der **Renwick Gallery** 26, Washingtons ältestem Kunstmuseum aus dem Jahr 1869, liegt auf amerikanischer Kunst von der kolonialen Ära bis in die moderne Zeit. Zu sehen sind Werke u. a. von John Singer Sargent, Frederic Edwin Church, Albert Bierstadt, Mary Cassatt, Thomas Eakins, Thomas Cole, James Abbott McNeill Whistler und Edward Hopper (Pennsylvania Ave. & 17th St., http://americanart.si.edu, die Galerie ist bis voraussichtlich 2015 wegen Renovierung geschlossen).

Am Abend des 14. April 1865 fiel Abraham Lincoln im **Ford's Theater** 27 einem Mordanschlag zum Opfer. Der Präsident besuchte gemeinsam mit seiner Frau eine Aufführung des Stückes ›Our American Cousin‹, als er vom Schauspieler und glühenden Südstaatenverehrer John Wilkes Booth erschossen wurde. Das Attentat ist in einem Museum im Untergeschoss des nach wie vor in Betrieb befindlichen Theaters dokumentiert (W. 511 10th St. NW., Tel. 1-202-347-4833, www.fordstheatre.org, wechselnde Zeiten).

Wanzen, Minikameras fürs Knopfloch im Revers, unsichtbare Tinte, in Armbanduhren versteckte Geheimkameras, Sabotagewerkzeug, Schuhe mit in den Absätzen eingebauten Funkgeräten: Selbst James Bond, dessen Walther PPK zu den Exponaten gehört, wäre vom Instrumentarium angetan gewesen, das sich im **International Spy Museum** 28 auf zwei Dutzend Räume verteilt. Spezialisten der CIA, des FBI, der US-Armee, Spionage-Insider der NATO und des KGB sollen mit Exponaten geholfen haben (800 F St. NW., Tel. 1-202-393-7798, www.spymuseum.org, variierende Öffnungszeiten, meist 9 oder 10–18 Uhr, Erw. 22 $).

Die Ausstellungen im **National Museum of Crime & Punishment** 29 beschäftigen sich mit der US-Kriminalgeschichte von Piraten des Mittelalters bis zur Wirtschaftskriminalität der Gegenwart, mit forensischen Techniken und dem Strafvollzug (575 7th St. NW, Tel. 1-202-393-1099, http://crimemuseum.org, 10–19 Uhr, Erw. 22 $).

Das **German-American Heritage Museum** 30 widmet sich der Geschichte der deutschen Einwanderung in die USA. Per PC können Besucher nach Verwandten im Land forschen (719 6th St. NW, Tel. 1-202-467-5000, www.gahmusa.org, Di–Fr 11–17, Sa 12–17 Uhr, Eintritt frei).

Durch den Friendship Arch an der 7th und F St. NW. gelangt man nach **Chinatown** 31, das nur wenige Straßenzüge umfasst. Wie in anderen Großstädten besteht auch Chinatown in der Hauptstadt aus einer Vielzahl asiatischer Restaurants, Suppenküchen und Imbisse.

Andere Städte besitzen einen Bahnhof, Washington D. C. nennt mit der **Union Station** 32 einen Palast sein Eigen. Das Gebäude wurde von dem berühmten Architekten David Burnham im Beaux-Arts-Stil entworfen und mit Blattgold, Marmor und Granit dekoriert. Ende der 1970er-Jahre spielte die Stadtverwaltung mit dem Gedanken, das Terminal abzureißen. Schließlich entschied man sich aber zu einer Renovierung mit dem Ziel, dort neben dem normalen Bahnbetrieb eine Einkaufspassage mit mehr als 130 Läden, ein Kino und zudem einen Food Court einzurichten (50 Massachusetts Ave., Tel. 1-202-289-1908, www.unionstationdc.com, Geschäfte Mo–Sa 10–21, So 12–18 Uhr).

Außerhalb des Zentrums

▶ **1, F/G 8**

Cityplan: S. 288

Nördlich vom Dupont Circle dehnt sich der Stadtteil **Adams Morgan** 33 aus, einerseits ein typisches Wohnviertel mit Häusern aus braunen Ziegelsteinen, andererseits ein Restaurant- und Kneipenviertel, in dem unterschiedliche ethnische Gruppen und Bohemiens leben. An der 18th Street sowie der Columbia Road findet man viele ›exotische Restaurants‹ mit thailändischer, chinesischer, mexikanischer oder karibischer Küche.

Das Viertel entstand in den 1920er-Jahren, als reiche Bürger ansehnliche Häuser bauten. Als die Besserverdienenden nach dem Zweiten Weltkrieg dann in die Vorstädte zogen, wurden viele große Wohnhäuser in kleinere Einheiten mit erschwinglichen Mieten aufgeteilt, in die Einwanderer unterschiedlicher Nationalitäten sowie jüngere Einheimische einzogen. Jeweils im September feiern die Bewohner den Adams Morgan Day mit Tänzen, Ausstellungen und Speisen aus vielen Teilen der Welt.

Mehr als 200 000 weiße Grabsteine erinnern auf dem riesigen Gräberfeld des **Arlington National Cemetery** 34 an Männer und Frauen, die im Dienste ihres Landes standen. Am meisten besucht sind die Gräber von Präsident John F. Kennedy und dessen Bruder Robert, die beide Attentaten zum Opfer fielen. Das aus weißem Marmor gefertigte Grabmal des unbekannten Soldaten steht für die Toten der beiden Weltkriege sowie des Korea-, Vietnam- und Golfkriegs. Traditionell wird das Monument von Soldaten der dritten US-Infanterie bewacht, deren zackiger Wachwechsel zu den Touristenattraktionen gehört. (www.arlingtoncemetery.net, Eintritt frei).

Georgetown 35 bewahrte viel von seiner Identität, was ihm heute als touristisch attraktive Atmosphäre zugute kommt. Jeder Einwohner der Hauptstadt kennt die Neighborhood als ›In‹-Viertel, in dem sich gute und teure Restaurants, Galerien und Boutiquen die Kundschaft teilen. Häuserzeilen aus dem 18. und 19. Jh. bestimmen das Straßenbild

mit Erkern, bunt bemalten Türen und steilen Treppen zu den Hauseingängen. Früher verunzierte eine hässliche Zementfabrik das Potomac-Ufer in Georgetown. Nach dem Abriss entstand mit Washington Harbour ein zum Fluss hin offener Gebäudekomplex – eine ideale Bühne, um in der warmen Jahreszeit am Freitagabend das nahe Wochenende vorzubereiten. Epizentrum der feuchtfröhlichen Fete bilden mit **Tony & Joe's** und **Nick's Riverside Grill** zwei Openair-Bars am Rand eines illuminierten Springbrunnens, der mit den in den Himmel steigenden Fontänen für Abkühlung sorgt. Drumherum erledigen dies Bier, Wein, Champagner, Cocktails und allerlei Säfte. Sobald die Dämmerung den Potomac River bleigrau färbt, machen an der Wasserkante die ersten Jachten fest. Auf gut gefüllten Kühlboxen sitzend zehren die Crews vom Mitgebrachten oder mischen sich unters Volk.

Wie eine nostalgische Erinnerung an die gute, alte Zeit mutet der **Chesapeake and Ohio Canal** mitten in Georgetown an, in dem krumme Bäume ihre Zweige baden. Geldmangel und ein in die Jahre gekommenes, den Sicherheitsstandards nicht mehr entsprechendes Kanalboot führten dazu, dass romantische Kanalfahrten auf dem mitten durch die Stadt verlaufenden Wasserweg nach fast 30 Jahren ausgesetzt werden mussten. Ob Maultiere jemals wieder Kähne wie in alten Zeiten auf einem Treidelpfad durch Georgetown schleppen, ist gegenwärtig nicht absehbar.

Infos

Capitol Visitor Center: östliche Flanke des US-Capitol, Washington, DC 20510, Tel. 1-202-226-8000, www.visitthecapitol.gov, Mo–Sa 8.30–16.30 Uhr, interaktiver Stadtplan http://washington.org/dc-map.

Übernachten

Lässt nichts vermissen ▶ **Park Hyatt** 1: 1201 24th St. NW., Tel. 1-202-789-1234, www.park.hyatt.com. Großes Nobelhotel mit Zimmern und Suiten, Whirlpool, beheizter Innenpool, Sauna, Businesscenter. Ab 350 $.

Georgetown hat sich zu einem beliebten Restaurant- und Geschäftsviertel entwickelt

Sehr sympathisches Haus ▶ **Melrose Hotel 2**: 2430 Pennsylvania Ave. NW., Tel. 1-202-955-6400, www.melrosehoteldc.com. Gepflegtes, günstig zwischen Downtown und Georgetown gelegenes Hotel mit eigenem Restaurant und Bar, komfortablen Zimmern, Fitness- und Businesscenter, freundlicher Service. Ab 220 $.

Ein ganz besonderes Schmuckstück ▶ **Hotel George 3**: 15 E. St. NW., Tel. 1-202-347-4200, www.hotelgeorge.com. Modern eingerichtete, gemütliche Zimmer, die mit ihrem hippen Design aus dem üblichen Rahmen fallen, eigenes Bistro im französischen Stil. Ab 180 $.

Gut geführtes Hotel ▶ **Comfort Inn Convention Center 4**: 1201 13th St. NW., Tel. 1-202-682-5300, www.dcdowntownhotel.com. Kettenmotel mit Standardzimmern, in der Hochsaison Mindestaufenthalt von 2 Nächten. Ab 167 $.

Zentral und ordentlich ▶ **Fairfield Inn 5**: 500 H St. NW., Tel. 1-202-289-5959, www.

marriott.com. Kettenmotel, Zimmer mit Bad oder Dusche, Sauna, wenige Fitnessgeräte. 120–150 $.

Geschmackvoll eingerichtete Zimmer ▶ **Jurys Normandy Inn 6**: 2118 Wyoming Ave. NW., Tel. 1-202-483-1350, www.thenormandydc.com., Suiten bzw. Zimmer mit mehr oder weniger großem Komfort mitten im Botschaftsviertel. Ab 144 $.

Für Rucksackreisende ▶ **American Youth Hostels 7**: 1009 11th St. NW., Tel. 1-202-737-2333, www.hiwashingtondc.org. Betten in Schlafsälen, Küchenbenutzung, Münzwäscherei und Internetzugang. Ab ca. 29 $.

Essen & Trinken

Die Küche: eine Klasse für sich ▶ **CityZen 1**: im Mandarin Oriental, 1330 Maryland Ave. SW., Tel. 1-202-787-6006, www.cityzenrestaurant.com, Di–Do 18–21.30, Fr, Sa 17.30–21.30 Uhr. Chef Eric Ziebold wurde 2008 in die Liste der besten Köche aufgenommen. 6-Gänge-Probiermenü 110 $. Eine feine Käseauswahl

Rangerin mit Besucher am Vietnam Veterans Memorial an der National Mall

kostet zusätzlich 22 $. Weine sind im Preis nicht inbegriffen.

Tadellos ▶ **Mio 2**: 1110 Vermont Ave. NW, Tel. 1-202-955-0075, miorestaurant.com, Mo–Fr 11.30–22, Sa 17–22, So 11.30–14.30 Uhr. Eine Schönheit ist das Lokal wirklich nicht, aber die original puertoricanischen Spezialitäten können sich sehen und schmecken lassen. Ab ca. 20 $.

Ausgezeichnete Qualität ▶ **Capital Grille 3**: 601 Pennsylvania Ave. NW., Tel. 1-202-737-6200, www.thecapitalgrille.com >Locations, Mo–Sa Lunch, Dinner tgl. Gediegener Politikertreff mit hervorragenden Steak-Spezialitäten und Bar, in der Gäste rauchen dürfen. 20–50 $.

Gutes Essen, lebhafte Atmosphäre ▶ **Old Ebbitt Grill 4**: 675 15th St. NW., Tel. 1-202-347-4800, www.ebbitt.com, tgl. In Washingtons ältester Bar herrscht englische Klubatmosphäre, gegrillte Kalbsleber mit Kartoffeln und Zwiebeln 18,95 $, Parmesan-Forelle mit Sauce Hollandaise 20,95 $.

Prima Café mit Deli-Markt ▶ **Dean & DeLuca 5**: 3276 M St., Georgetown, Tel. 1-202-342-2500, www.deandeluca.com, tgl. 7–20 Uhr. Ausgezeichnetes Straßencafé mit himmlischem Backwerk und kleineren Gerichten. Zum Lokal gehört ein Supermarkt mit feinen Delikatessen. Ab 8 $.

Einkaufen

Attraktive Souvenirs ▶ **Gift Shop des Air & Space Museum 5**: Tel. 1-202-633-4510, http://airandspace.si.edu >Visit>Museum in DC>Museum Store. Jedes Museum der Smithsonian Institution in D. C. besitzt ein Geschäft, in dem man für den herkömmlichen Handel eher ungewöhnliche Gegenstände erwerben kann. Zumeist stehen sie mit dem Thema des jeweiligen Museums in Verbindung, im Shop des Air & Space Museum gibt es beispielsweise Fliegerjacken für Kinder.

Mall auf mehreren Etagen ▶ **Shops at Georgetown Park 1**: 3222 M St. NW., Tel. 1-202-342-8190, www.shopsatgeorgetownpark.

com, Mo–Sa 10–21, So 12–18 Uhr. Elegante
Mall mit vielen Boutiquen, Spezialitätenläden
und Food Court.

Abends & Nachts

Shows und Konzerte ▶ 9:30 Club 1️⃣**:** 815
V St. NW., Tel. 1-202-265-0930, www.930.
com, So–Do ab 19.30, Fr, Sa ab 21 Uhr. Der
Club gehört zu den besten Lokalen mit Live-
Musik. Man kann tanzen oder nur Zuschauer
sein. Häufige Shows und Konzerte..

Stimmungsvolle Bierkneipe ▶ Rhino Bar
2️⃣**:** 3295 M St. NW., Tel. 1-202-333-3150, tgl.
Im Zentrum von Georgetown gelegene populäre Kneipe für junges Publikum mit abend-
lichem Hochbetrieb.

**Treffpunkt für Kneipengänger ▶ Bottom
Line** 3️⃣**:** 1716 I St. NW., Tel. 1-202-298-8488,
thebottomlinedc.com, tgl. 11.30–23 Uhr. Lokal, in dem man essen, tanzen und sich mit
Gleichgesinnten treffen kann.

**Zentrum der Bühnenkunst ▶ John Ken-
nedy Center for the Performing Arts** 4️⃣**:**
2700 F St. NW., Tel. 1-202-467-4600, www.
kennedy-center.org. Auf 5 Bühnen werden
jährlich 2 Mio. Gäste unterhalten; Haus der
Washington National Opera und des National
Symphony Orchestra, Führungen Mo–Fr 10–
17, Sa, So 10–13 Uhr. Tickets kann man entweder online, am Schalter, telefonisch (Tel.
1-202-467-4600 10–21 Uhr) oder über pos-
talische Bestellung kaufen. Zum jeweiligen
Prozedere s. http://www.kennedy-center.org
/tickets.

Termine

Chinesisches Neujahrsfest (Jan./Febr.):
buntes Programm mit Umzügen.

Washington International Film Festival
(Febr./März): Filmfestival u. a. mit Filmen aus
Ländern wie China und Indien.

St. Patrick's Day Parade (März): Fest zu Ehren des irischen Nationalheiligen.

Blossom Kite Festival (März/April): (Papier)-
Drachenfest.

Kirschblütenfest (März/April) (s. S. 293).

Carnival Extravaganza (Juli): Karibisches
Karnevalsfest mit Steel Bands, kulinarischen
Spezialitäten und Kostümparaden.

Barbecue Battle (Juni): Nationale BBQ-Meis-
terschaften.

Smithsonian Folklife Festival (Juni/Juli):
Historisches Fest mit Kulturprogramm.

Adams Morgan Day Festival (Sept.): Kulturelles Stadtteilfest.

Verkehr

Flugzeug: In der Umgebung von Washington
D. C. gibt es gleich drei Flughäfen. Der Balti-
more/Washington International Airport (Tel. 1-
410-859-7111, www.bwiairport.com) liegt ca.
30 Meilen nordöstlich. Der Nahverkehrszug
MARC (Tel. 1-410-672-6169, www.mtamary
land.com) fährt in ca. 30 Min. zur Union Station, ein Shuttlebus stündlich ins Stadtzentrum (www.supershuttle.com). Taxis kosten
ca. 90 $.

Ronald Reagan National Airport, Tel. 1-703-
417-8000, www.mwaa.com/reagan. Der Flughafen liegt 10 Meilen entfernt in Virginia. Von
7 bis 22 Uhr gibt es alle 30 Min. Busverbindungen und von 5.30 bis 24, Sa, So bis 2 Uhr
alle 5 Min. U-Bahnverbindungen in Washingtons Innenstadt.

Washington Dulles International Airport, Tel.
1-703-572-2700, www.metwashairports.com
/dulles/dulles.htm. Der Airport liegt 26 Meilen
entfernt in Virginia. Der Washington Flyer
Super Shuttle bietet vom Flughafen einen
Tür-zu-Tür-Service mit einem Minivan an,
Tel. 1-800-258-3826, www.supershuttle.com;
Tickets sind erhältlich im Main Terminal,
Ground Transportation Level.

Bahn: Union Station, First St./Massachusetts
Ave., Tel. 1-800-USA-RAIL, www.amtrak.com.
Auf der Strecke New York–Philadelphia–Bal-
timore–Washington fahren die Acela-Schnell-
züge. Andere Fernverbindungen gehen über
Richmond nach Florida.

Interstädtischer Verkehr: Viele Sehenswürdigkeiten erreicht man mit der Metrorail (U-
Bahn, wochentags bis 24, Sa, So bis 2 Uhr,
www.wmata.com). Im Stadtgebiet gibt es zudem ein ausgedehntes Busnetz. Man kann
von der Metro in den Bus ohne Extraaufschlag
umsteigen, jedoch nicht umgekehrt. Auf dem
Potomac: Wasserbusse zwischen Jefferson
Memorial und Georgetown alle 20 Min.

Rund um die Chesapeake Bay

Maryland, Delaware und Virginia teilen sich die riesige Chesapeake Bay. Zeigen sich die ersten beiden – von der Großstadt Baltimore einmal abgesehen – hauptsächlich von ihrer ländlichen Seite, gibt es nirgendwo in den USA so viele historische Stätten wie in Virginia, wo sich vor knapp 400 Jahren die ersten englischen Siedler niederließen und sowohl der Unabhängigkeits- wie der Bürgerkrieg tiefe Narben hinterließen.

Seit Jahrhunderten bestimmen maritime Nähe und ausgeprägte Ländlichkeit das Leben der Menschen in Kleinstädten und Dörfern. Im Norden bildet die Delaware Bay die Grenze zum benachbarten New Jersey. Im Osten liegen die Atlantikstrände mit bekannten Badeorten, während im Westen der Hauptarm der 8300 km^2 großen Chesapeake Bay den Landesteil fast vom amerikanischen Kontinent abtrennt.

Die Chesapeake Bay gehörte früher einmal zu den ertragreichsten Fischgründen der Welt. Aber die Bestände sind wegen Überfischung und Wasserverschmutzung rückläufig. Trotzdem ist die Region immer noch ein Paradies für Feinschmecker, die einer besonderen Spezialität auf den Geschmack gekommen sind: Blue Crab. Diese Krustentiere, die ihren Namen wegen des grünblau gefärbten Panzers tragen, kommen immer noch in großen Mengen vor. Rund um die Bucht werden sie in vielen auf Seafood spezialisierten Restaurants vor allem auf zweierlei Art zubereitet serviert, im Ganzen gekocht oder als Crab Pie, einer großen, aus dem Krabbenfleisch zubereiteten Frikadelle nicht unähnlich.

An nur wenigen Stellen zeigt sich das moderne Amerika von einer so romantischen Seite wie in Virginia. Noch heute reichen die Baumwoll- und Tabakfelder hie und da von Horizont bis Horizont, und Pflanzerresidenzen mit weiß getünchten Säulenfassaden erinnern an eine glanzvolle Vergangenheit. Nostalgie und Melancholie vermischen sich, wenn Menschen bei historischen Festen in wallende Kleider und alte Uniformen schlüpfen, um frühere Zeiten aufleben zu lassen. Klangvolle Namen wecken Erinnerungen an indianische Ureinwohner, englische Seefahrer und europäische Siedler.

Nirgendwo fühlt man sich mehr in alte Zeiten zurückversetzt als in Colonial Williamsburg, einem unter Denkmalschutz gestellten, aufwendig restaurierten Stadtteil, in dem ›Einwohner‹ in historischen Kostümen das Leben wie zu Kolonialzeiten nachspielen.

Baltimore ▶ 1, G 7

Eine bedeutende Hafenstadt war **Baltimore** schon immer, ein touristischer Geheimtipp ist die Metropole erst seit einigen Jahren. Doch noch immer kämpft Marylands größter urbaner Ballungsraum mit dem früheren Image eines langweiligen Industriestandorts, vermutlich auch deshalb, weil sich die urbanen Erneuerungsprogramme hauptsächlich auf den Inner Harbor und die in der Nachbarschaft liegenden Stadtviertel beschränkten.

Am Inner Harbor

Der ›innere Hafen‹ von Baltimore liegt weit vom offenen Meer entfernt an einem Hauptarm der riesigen, tief ins Küstenhinterland hineinreichenden Chesapeake Bay. An Sommerwochenenden treten Orchester, Bands und Entertainer auf, um die Menschenmassen zu unterhalten. Einen hervorragenden Blick über den Hafen hat man vom Observation Deck auf der 27. Etage des World Trade Center direkt an der Wasserkante (401 E. Pratt St., www.viewbaltimore.org, Mo–Sa 10–19, So 11–18 Uhr, Erw. 5 $).

Eine exotische Welt mit 10 000 Lebewesen von Fischen über Vögel und Reptilien bis zu Amphibien umfängt Besucher im **National Aquarium**. Längst ist das Haus über seine Funktion als Aquarium hinausgewachsen, wenngleich die Delfin-Shows und die Haibecken immer noch zu den populärsten Sehenswürdigkeiten gehören. Außer einem atlantischen Korallenriff kann man einen Regenwald besichtigen, durch dessen Bäume sich Affen hangeln. Zu den Errungenschaften der letzten Jahre gehören eine Australien-Abteilung und 4 D-Filme (501 E. Pratt St., Pier 4, Tel. 1-410-576-3800, www.aqua.org, tgl. 9–17, Erw. 35 $, Kinder 3–11 Jahre 22 $).

Museumsszene

Zum nautischen Flair des Inner Harbor tragen am meisten die **Historic Ships in Baltimore** bei. Mit dem ausgemusterten Leuchtfeuerschiff ›Chesapeake‹, das zwischen 1933 und 1973 als schwimmender Leuchtturm Dienst in der Mündung der Chesapeake Bay tat, liegt eines der reizvollsten Fotomotive im Hafen. Andere Schiffe kommen hinzu wie das U-Boot ›USS Torsk‹, das 1972 nach 11 884 Tauchgängen stillgelegt wurde. Die ›USS Taney‹ ist das letzte intakte Kriegsschiff, das den japanischen Angriff auf Pearl Harbour 1941 überstand. Die im Jahre 1797 in Baltimore vom Stapel gelaufene Fregatte ›Constellation‹ lässt nicht nur Seglerherzen höher schlagen. Auch das runde, wie auf Spinnenbeinen stehende Seven Foot Knoll Lighthouse von 1856 ist Teil des Museums (Piers 1, 3 und 5, Inner Harbor, Tel. 1-410-539-1797, www.historicships.org, im Sommer So–Do 10–18, Fr, Sa bis 19 Uhr, sonst kürzer, vier Schiffe 18 $).

Filme in einem IMAX-Theater, interaktive Einrichtungen für naturwissenschaftliche Versuche, ein Planetarium und viele Ausstellungen über unterschiedlichste Wissengebiete machen den Besuch in dem **Maryland Science Center** für Jung und Alt zu einem kurzweiligen Vergnügen (601 Light St., Tel. 1-410-685-5225, www.mdsci.org, Mai–Sept. So–Do 10–18, Fr, Sa 10–20 Uhr, sonst kürzer, Erw. 19 $, mit Imax 23 $).

Im Mittelpunkt des **Reginald Lewis Museum** steht das afroamerikanische Erbe des Bundesstaats Maryland, wobei es um die Auswirkungen von 200 Jahren Sklaverei auf die damalige und die heutige Gesellschaft geht. Thematisiert werden aber auch die Wertvorstellungen sowie die kulturellen Traditionen und Künste, welche die Sklaven bei ihrer Deportation aus Afrika mitbrachten (830 E. Pratt St., Tel. 1-443-263-1800, www.africanamericanculture.org, Mi–Sa 10–17 Uhr, So 12–17 Uhr, 8 $).

Matisse, Picasso, Renoir, Degas, Cézanne, van Gogh – das **Baltimore Museum of Art** ist das beste Kunstmuseum der Stadt, das in der Regel mit wechselnden Ausstellungen an die Öffentlichkeit tritt. Zur ständigen Sammlung des Hauses gehört europäische Kunst vom 15. bis zum 19. Jh. (10 Art Museum Dr., Tel. 1-443-573-1700, www.artbma.org, Mi–Fr 10–17, Sa, So 11–18 Uhr, Eintritt frei, Sonderausstellungen kostenpflichtig).

Das **Walters Art Museum** hat sich hauptsächlich auf griechische, römische, asiatische Kunst sowie auf Werke der Renaissance spezialisiert. So werden u. a. tibetische Malerei, indische Miniaturen und Kunstgegenstände der Maya, Inkas und Azteken gezeigt (600 N. Charles St., Tel. 1-410-547-9000, http://thewalters.org, Mi–So 10–17, Do bis 21 Uhr, Eintritt frei).

Unterhaltsame ›naive‹ Schöpfungen von selbsternannten Künstlern, die »ihrer inneren Stimme« folgen, sind im **American Visionary Art Museum** zu bewundern. Die ungewöhnlichen, schrägen und skurrilen Kunstwerke ›Anders‹-Denkender treffen allerdings nicht bei jedem Besucher auf Gegenliebe. Wer Kunst neben dem Main Stream liebt, wird es mögen (800 Key Hwy., Tel. 1-410-244-1900, www.avam.org, Di–So 10–18 Uhr, Erw. 16 $, Kinder 10 $).

Rund um die Chesapeake Bay

Baltimores Inner Harbor mit dem ausgemusterten Leuchtfeuerschiff ›Chesapeake‹

Little Italy und Fell's Point

Östlich des Inner Harbor schließt sich **Little Italy** an. Der Kern dieses kleinstädtisch wirkenden italienischen Viertels mit etwa zwei Dutzend Pasta- und Pizzarestaurants liegt an der Exeter Street um die Kirche **St. Leo the Great,** die in den 1880er-Jahren von italienischen Einwanderern gebaut wurde.

Am Rande von Little Italy steht das 1793 erbaute **Star-Spangled Banner Flag House,** ohne dessen Besichtigung kein amerikanischer Besucher Baltimore den Rücken kehrt. In dem bescheidenen, von einem Flaggenpark samt Museum umgebenen Häuschen wohnte die Näherin Mary Pikkersgill, die den Prototyp des heutigen Sternenbanners mit 13 Sternen und 13 Streifen anfertigte (844 E. Pratt St., Tel. 1-410-837-1793, www.flaghouse.org, Di–Sa 10–16 Uhr, 8 $).

Im 18. Jh. entlud man am Ufer von **Fell's Point** vornehmlich Holz für den Schiffsbau in den umliegenden Werften. Im Zuge der Industrialisierung ließen sich dann in den kleinen Häusern entlang der schmalen Pflasterstraßen Arbeiter nieder, ehe das Viertel später langsam verkam. Erst in den 1980er-Jahren verwandelten es Investoren in eine wieder mit Leben erfüllte Wohn- und Geschäftsgegend, wobei die alte Bausubstanz erhalten blieb. An fast jeder Ecke gibt es heute Kneipen und Restaurants mit dekorativen Aushängeschildern und ›Antikläden‹ mit mehr oder weniger originellen Schaufensterauslagen wie vom Trödelmarkt (www.fellspoint.us).

Baltimore-VIPs

Das Enfant terrible der Rockmusik, Frank Zappa, war nicht der einzige bekannte Sohn der Stadt. Der gesellschaftskritische Essayist Henry Louis Mencken wurde 1880 in Baltimore geboren und lebte 68 Jahre lang in der Hollins Street. Krimiautor Dashiell Hammett erblickte 1894 in Baltimore das Licht der Welt. Edgar Allan Poe wohnte und arbeitete von

1832 bis 1835 in der Stadt und wurde auf dem Westminster Burying Ground zur letzten Ruhe gebettet (W. Fayette/Greene St.).

Maryland Zoo

Um die afrikanische Fauna zu erleben, braucht man Baltimore nicht zu verlassen. Der **Maryland Zoo** ist für Elefanten, Nashörner, Leoparden, Löwen, Giraffen, Gazellen und Primaten zur Heimat geworden, in der die natürlichen Lebensräume der jeweiligen Tiere möglichst naturgetreu nachgebildet wurden. Außer Tieren vom Schwarzen Kontinent, darunter 100 afrikanische Pinguine, sind Vertreter vieler anderer Regionen der Welt präsent wie Eisbären oder Flussotter. (Druid Hill Park, Tel. 1-410-396-7102, www.marylandzoo.org, März–Dez. 10–16 Uhr, Jan.–Febr. nur Fr–Mo, Erw. 17,50 $, Kinder 12,50 $).

Infos

Baltimore Visitor Center: 401 Light St., Baltimore, MD 21202, Tel. 1-877-BALTIMORE, http://baltimore.org, tgl. 9–18 Uhr. 11-minütiger Film über die Highlights der Stadt. Auskünfte für internationale Besucher vom Band unter Tel. 1-410-837-4636.

Übernachten

In Downtown sind Hotels sehr teuer, preiswerte finden sich eher Richtung Airport. Gute Angebote auch unter http://baltimore.org.

Schönes Stadthotel mit Komfort ▶ **Renaissance Harborplace Hotel:** 202 E. Pratt St., Tel. 1-410-547-1200, www.renaissance harborplace.com. Luxushotel am Hafen mit Innenpool, Sauna, Whirlpool, Sonnenterrasse und Fitnesseinrichtungen. 180–280 $.

Gute Lage ▶ **Days Inn Inner Harbor:** 100 Hopkins Pl., Tel. 1-410-576-1000, www.day sinn.com. Gepflegtes Kettenhotel mit Bar und Restaurant, Räume mit Kühlschrank und MW, WLAN. Ab 120 $, Parken 27 $.

Spartanisch, aber sauber ▶ **Motel 6:** 1401 Bloomfield Ave., I-95 Exit 50a, Tel. 1-410-646-1700, www.motel6.com. Vier Meilen östlich von Inner Harbor, Kettenmotel mit freiem Morgenkaffee, WLAN, Parkplatz. Ab 66 $.

Essen & Trinken

Exrem gediegen ▶ **Prime Rib:** 1101 N. Calvert St., Tel. 1-410-539-1804, www.theprime rib.com, tgl. ab 17 Uhr. Eines der populärsten Steakhäuser der Stadt. Herren sollten zumindest am Samstag ein Jacket tragen. Roast Prime Rib von 36–56 $, Seafood ab 36 $, gute Weinkarte.

Auf Seafood spezialisiert ▶ **Phillips Harborplace:** 601 E. Pratt St., Tel. 1-410-685-6600, www.phillipsseafood.com, tgl. 11–22 Uhr. Eine städtische Institution mit Köstlichkeiten wie Krabbenkuchen (30 $), Seafood-Platte (33 $), Shrimps-Salat (13 $) und gegrilltes Rib Eye Steak (37 $).

Einkaufen

Auf der nördlichen und westlichen Seite ist der Inner Harbor von Shopping Malls mit Food Courts umgeben.

Bauernmarkt ▶ **Lexington Market:** 400 W. Lexington St./Eutaw St., seit 1872 wird dort wochentags frisches Obst, Gemüse, Fleisch, Käse und Wurst verkauft.

Riesenmall ▶ **Arundel Mills:** 7000 Arundel Mills Circle, Hanover, Tel. 1-410-540-5110, www.simon.com/mall/?id=1230, Mo–Sa 10–21.30, So 11–19 Uhr. Über 200 Outlets, Restaurants sowie das Casino Maryland Live! Mit 4200 Spielautomaten.

Abends & Nachts

Zum Spielen ▶ **Gardel's:** 29 S. Front St., Tel. 1-410-837-3737, Di–So ab 20 Uhr. Der Tango-Club mit drei Tanzflächen wurde nach einem Vorbild in Buenos Aires gebaut. Wer nicht tanzen will, kann sich an den argentinischen Fleischgerichten erfreuen.

Musikkneipe ▶ **Cat's Eye Pub:** 1730 Thames St., Tel. 1-410-276-9866, www.catseye pub.com. Zünftiges Lokal.

Termine

Shows: France-Merrick Performing Arts Center, 12 N. Eutaw St., Tel. 1-410-727-7787, www.france-merrickpac.com. Im ältesten Kinopalast der Stadt aus dem Jahr 1914 werden in prächtigem Interieur Shows im Broadway-Stil gezeigt.

Rund um die Chesapeake Bay

Verkehr

Flugzeug: Baltimore/Washington International Airport, Tel. 1-410-859-7111, www.bwiairport.com. Der Flughafen befindet sich 10 Meilen südlich vom Stadtzentrum. In die Stadt gelangt man mit dem Super Shuttle (Tel. 1-800-258-3826, www.supershuttle.com) oder per Bahn mit Light Rail Service. Ein Taxi für die 15-minütige Fahrt kostet ca. 35 $.

Bahn: Amtrak Terminal, Pennsylvania Station, 1500 N. Charles St., Tel. 1-800-872-7245, www.amtrak.com. Baltimore liegt an der Acela-Schnellverbindung zwischen Washington D. C. und Boston.

Bus: Der kostenlose Hybridbus Charm City Circulator verbindet auf vier Routen Ziele rund um den Inner Harbour (Mo–Do 6.30–21, Fr–Sa bis 24, So 9–21 Uhr, www.charmcitycirculator.com). Busbahnhof für Fernverbindungen, Baltimore Greyhound Station, 2110 Haines St., Baltimore Downtown, Tel. 1-410-752-7682, www.greyhound.com; unter gleicher Adresse Peter Pan (Tel. 1-800-237-8747, www.peterpanbus.com).

Wassertaxi: Baltimore Water Taxi, Tel. 1-800-658-8947, http://baltimorewatertaxi.com. Verbindungen zwischen Inner Harbor und Fell's Point, Tagesticket 12 $.

Annapolis ▶ 1, G 8

Die 1649 gegründete Hauptstadt des Bundesstaats Maryland liegt an der tief ins Hinterland reichenden Chesapeake Bay und ist mit dem Meer nicht nur durch die Lage verbunden. In mehreren kleineren Buchten in der Umgebung liegen Hunderte Segelyachten in idealem Gewässer, das die Kapitale zu einem bekannten Revier für den weißen Wassersport gemacht hat. Außerdem hat die US-Marineakademie als Ausbildungsstätte von Kadetten ihren Sitz im nur 39 000 Einwohner großen Städtchen. Für die Besichtigung des Zentrums benötigt man kein Auto.

State House

Im Zentrum der Hauptstadt mit malerischem kolonialem Straßenbild und schönen, alten Ziegelfassaden steht auf einer Anhöhe das schmucke **State House** von 1772, das länger als jedes andere Parlament in den USA ständig genutzt wird. Mit der mehrstöckigen, hölzernen, im gediegenen Grau getünchten Kuppel ist es ein architektonisches Wahrzeichen der Stadt.

Die Abgeordneten tagen in einem alten Sitzungssaal, der noch so erhalten ist, wie ihn schon George Washington kannte. Denn 1783/84 diente das Gebäude ein halbes Jahr lang als amerikanisches Kapitol, bevor sich der Kongress endgültig in Washington D. C. einrichtete. Im Jahr 1783 trat George Washington in der Old Senate Chamber als Oberkommandierender der Unionstruppen zurück. Ein Jahr später ratifizierte an gleicher Stelle der Kontinentalkongress die Pariser Verträge, mit denen der Unabhängigkeitskampf offiziell beendet wurde.

Neben George Washington waren andere Berühmtheiten wie Thomas Jefferson und Benjamin Franklin häufig in der Stadt. Von Franklin soll der Blitzableiter auf der Spitze des State House stammen (State Circle, Tel. 1-410-946-5400, www.msa.md.gov >State House, tgl. 9–17 Uhr, es wird kontrolliert, ein Ausweis mit Foto muss vorgezeigt werden, der Eintritt ist frei).

City Dock

Die von älteren Bauten gesäumte Main Street führt vom Church Circle bergab zur Waterfront an der Chesapeake Bay. Statt alter Segelschiffe mit exotischen Waren legen dort heute durchgestylte Schickimickies mit modernen Wellenflitzern und Waterscooters an, wodurch die Wasserkante von Einheimischen spöttisch zur Ego Alley umgetauft wurde. Im 18. Jh. war das **City Dock** Anlegestelle von Sklavenschiffen.

Mit einem von ihnen kam der junge Afrikaner Kunta Kinte nach Amerika, dessen Sklavenschicksal Alex Haley in seinem Roman ›Roots‹ verewigte. Der Autor selbst sitzt in Bronze gegossen an der Wasserkante und beobachtet die Szenerie. Wer sich ihm anschließen will, nimmt am besten vor der aus dem 18. Jh. stammenden Middleton Tavern unter der rot-weiß gestreiften Markise Platz. Im Innern gibt sich das Traditionslokal museal mit Musketen aus dem Bürgerkrieg, alten Kadettenuniformen und nautischen Gemälden an den Wänden (2 Market Space, Tel. 1-410-263-3323, www.middletontavern.com, Mo–Fr 11.30–1.30, Sa, So 10–1.30 Uhr).

US Naval Academy

Nur Schritte entfernt beginnt das Areal der **US Naval Academy**, einer traditionsreichen Ausbildungsstätte der US-Kriegsmarine auf dem Terrain des früheren Fort Severn. Dreimal im Semester treten die weiß uniformierten Kadetten während ihrer 4-jährigen Ausbildung zu einer großen Parade an. Von Kasernenhof-Atmosphäre ist auf dem Gelände nichts zu spüren. Die mit bunten Markisen geschmückten Offiziersunterkünfte entlang der King George Street muten eher an wie elegante Strandhotels. Bei Führungen durch die Akademie spazieren Besucher u. a. durch die blitzsauberen Gänge der Schlafsäle und entdecken hie und da Bilder berühmter Ehemaliger wie etwa des ehemaligen US-Präsident Jimmy Carter und des früheren Präsidentschaftskandidaten Ross Perot, die beide vor Ort ihr Examen ablegten. In der Preble Hall zeigt das Naval Academy Museum Modelle amerikanischer und englischer Kriegsschiffe (Armel-Leftwich Visitor Center, 52 King George St., Tel. 1-410-293-8687, www.usna bsd.com/for-visitors/, März–Dez. 9–17, sonst bis 16 Uhr, Tour 10 $, Besucher benötigen einen Pass).

Infos

Annapolis & Anne Arundel County Conference & Visitors Bureau: 26 West St., Annapolis, MD 21401, Tel. 1-410-280-0445, www.visitannapolis.org.

Übernachten

Große Auswahl ▶ **Annapolis Bed & Breakfast Association:** www.annapolisbandb.org. Ein Zusammenschluss empfehlenswerter B & Bs im alten Zentrum der Stadt
Gemütlich ▶ **Country Inn & Suites:** 2600 Housely Rd., Tel. 1-410-571-6700, www.coun

tryinns.com. Schönes Haus mit Pool, WLAN. King Rooms haben einen Whirl Pool. Inkl. Frühstück ab 169 $.
Durchgestylt ▶ **Loews Annapolis Hotel:** 126 West St., Tel. 1-410-263-7777, www. loewsannapolishotel.com. Luxuriöses Hotel mit allem Komfort in zentraler Lage. Ab 179 $.
Einfach ▶ **Comfort Inn:** 76 Old Mill Bottom Rd. N., Tel. 1-410-757-8500, www.comfort inn.com. Ca. 4 Meilen vom historischen Distrikt entfernt, einfach eingerichtete Zimmer mit WLAN, Frühstück inkl. Ab 99 $.
Camping ▶ **Cherry Hill Park:** College Park, 9800 Cherry Hill Rd., Tel. 1-301-937-7116, www.cherryhillpark.com, ganzjährig. Sehr gut ausgestattet, Trailer, Cabins und Jurten können nen angemietet werden.

Essen & Trinken

Beliebt ▶ **Vin 909:** 909 Bay Ridge Ave., Tel. 1-410-990-1846, www.vin909.com, Di–So Dinner, Mi–Fr auch Lunch. Ob Pizza, Jakobsmuscheln, raffinierte Nudelgerichte, die frische organische Küche kommt gut an. Schöne Weinauswahl. Ab 11 $.
Häufig mit Musik ▶ **Rams Head Tavern:** 33 West St., Tel. 1-410-268-4545, www. ramsheadtavern.com, Mo–Sa 11–2, So 10–2 Uhr. 170 Biersorten, Live-Auftritte, Biergarten, Brunch (So), Kleine und auch größere Gerichte. Ab 10 $.
Feinkost ▶ **Chick and Ruth's Delly:** 165 Main St., Tel. 1-410-269-6737, www.chickand ruths.com, So–Do 6.30–23.30, Fr, Sa 6.30–0.30 Uhr. Delikatessengeschäft und Diner mit gutem Frühstück, Sandwiches, Burgern und Salaten. Ab 7 $.

Einkaufen

Amish-Waren ▶ **Pennsylvania Dutch Farmers Market:** Annapolis Harbour Center, http://padutchfarmmarket.com, Do, Fr 9–18, Sa 8.30–15 Uhr. Spezialitäten aus den Küchen der Amish und Mennoniten.
Mode und mehr ▶ **Westfield Mall:** 2002 Annapolis Mall, www.westfield.com/anna polis/, Mo–Sa 10–21, So 11–19 Uhr. 250 Geschäfte von Apple bis Victoria's Secret, Restaurants für jeden Geschmack.

Abends & Nachts

Reizvolles Ambiente ▶ Rams Head Tavern (s. S. 305), eines der beliebtesten Lokale für den Abend, oft spielen hier bekannte Musiker.

Aktiv

Stadttouren ▶ Four Centuries Tours of Annapolis: 48 Maryland Ave, Tel. 1-410-268-7601, www.annapolistours.com, im Sommer tgl., im Winter nur Sa, Erw. 16 $. Im Stil des 18. Jh. gekleidete Führer leiten Touren durch das historische Annapolis. **Segs in the City,** 42 Randall St., Tel. 1-800-734-7393, www.segsinthecity.com. 1,5-stündige Besichtigungstouren mit dem futuristischen zweirädrigen Transportmittel Segway Human Transporter, einem kleinen batteriebetriebenen Roller, tgl. 10, 12.15 und 14.30 Uhr.

Termine

Maryland Seafood Festival (am zweiten Wochenende im Sept.): Sandy Point State Park, Tel. 1-410-268-7682, www.mdseafoodfestival. com, Fr–So ab 11 Uhr. Hier dreht sich fast alles um Fisch und Meeresfrüchte.

Maryland Renaissance Festival (Ende August bis Anfang Oktober): Bei dem Spektakel in Crownsville bei Annapolis geht es mit Ritterspielen und Leiermusik rundum mittelalterlich zu. Für Essen und Trinken ist natürlich auch gesorgt. Besucher können sich historische Kostüme kaufen oder ausleihen (ab 20 $) und sich derart gewandet auf dem Festival sogar trauen lassen (Rte 450, Tel. 1-800-296-7304, www.rennfest.com, Sa, So 10–19 Uhr).

Atlantikküste ▶ 1, J 8

Bekanntester und beliebtester Badeort von Delaware ist das mit einer breiten Promenade ausgestattete **Rehoboth Beach**. Bis ins letzte Viertel des 19. Jh. war der Küstenabschnitt fast unzugänglich, ehe eine Eisenbahnlinie und in den 1920er-Jahren eine Straße gebaut wurde. Den Beinamen ›Sommerhauptstadt der USA‹ trägt der Ort nicht ohne Grund. In der Urlaubssaison flüchten viele Regierungsangestellte aus dem brütend heißen Washington D. C. zur Abkühlung ans Meer. Die gesamte Delaware-Küste gilt unter Windsurfern und Seglern als bevorzugtes Wassersportrevier.

Viele Fahnen in Regenbogenfarben kennzeichnen Rehoboth Beach als beliebten Treffpunkt von Homosexuellen. Trotzdem ist der Ort auch ein Ferienparadies für Familien geblieben.

An der Südspitze einer 16 km langen Insel gelegen, hat sich **Ocean City** über die Jahre zum bekanntesten Seebad an der Maryland-Küste entwickelt. Rummelplatzeinrichtungen, Wasserparks, Minigolf-Anlagen, Achterbahnen, Go-Kart-Bahnen, Souvenirshops und Schnellimbisse wie Sand am Meer machen die Strandpromenade zu einem sommerlichen Spielplatz für Familien mit Kindern. Auf dem Pier ist schon von weitem ein gewaltiges Riesenrad erkennbar.

Infos

Ocean City Visitors Bureau: 4001 Coastal Hwy, Ocean City, MD 21842, Tel. 1-410-289-8181, http://ococean.com.

Übernachten

Hotels in Ocean City sollten in der Hauptsaison mindestens drei Tage im Voraus reserviert werden.

Mit Meerblick ▶ Quality Inn Oceanfront: 54th St. 5400 Coastal Hwy, Tel. 1-410-524-7200, www.qioceanfront.com. Direkt am Strand gelegen, mit Pool, Coffeeshop sowie Bar, die Zimmer haben teilweise eine Küche. Ab 154 $.

Sympathisch ▶ Sea Hawk Motel: 12410 Coastal Hwy, Tel. 1-410-250-3191, www.seahawkmotel.com. Familienbetrieb eine halben Block vom Strand entfernt. Auch Zimmer mit kleiner Küche. Ab ca. 111 $.

In geschützter Bucht ▶ Bayshore Camping: Ocean View, Rd. 1, Tel. 1-302-539-7200, www.bayshorecampground.com, Mai–Okt. Ruhiger Platz für Wohnmobile (RV).

Camping ▶ Assateague State Park: Berlin, Rt. 611, 7307 Stephen Decatur Hwy., Tel.

1-410-641-2918, Mitte April–Okt. Großer Platz für RV und Zelt, kleiner Camperladen.

Essen & Trinken

Nah am Wasser ▶ **Fager's Island:** 60th St. at The Bay, Tel. 1-410-524-5500, www.fagers. com, tgl. 11–24, Bar bis 2 Uhr. Hervorragendes Seafood-Restaurant, mehr als 100 Biersorten, gutes Weinangebot, schöne Aussicht auf den Ozean. Lunch ab 8 $, Dinner ab 24 $.

Überzeugend ▶ **Antipasti:** 3101 Philadelphia Ave., Tel. 1-410-289-4588, www.ristorateantipasti.com, tgl. ab 17 Uhr. Viel gelobter Italiener, Hausspezialität ist Filetto ai Pepi, butterzartes Steak mit Knoblauch und italienischen Kräutern für 39 $.

Abends & Nachts

Country Club mit Restaurant ▶ **Cowboy Coast:** 17th/Coastal Hwy., Tel. 1-410-289-6331. Großer Club.

Mit Strandparty ▶ **Seacrets:** 49th St./The Bay, Tel. 1-410-524-4900, www.seacrets. com. Atmosphäre wie auf Jamaica, Live-Bands, direkt am Strand.

Virginias Inselreich

Chincoteague Island   ▶ 1, J 9

Inmitten von Salzmarschen versteckt sich an der Atlantikküste das 12 km lange und 2,5 km breite **Chincoteague Island,** die einzige Ferieninsel des Bundesstaats Virginia. Im späten 17. Jh. gründeten Seeleute das gleichnamige Fischerdorf, das heute ein winziges Touristenzentrum bildet, in dem Urlauber hauptsächlich von der ländlich-maritimen Atmosphäre angezogen werden. Wie eh und je spielt die Austern- und Muschelzucht als Erwerbsquelle eine wichtige Rolle. Mehr darüber erfährt man im kleinen **Oyster & Maritime Museum** (7125 Maddox Blvd., Tel. 1-757-336-6117, Sommer 10–17 Uhr, Mo geschlossen). Die landschaftlich reizvolle Insel eignet sich für Aktivitäten unter freiem Himmel wie Radfahren, Wandern, Vögel beobachten und Kajaktouren in den flachen Gewässern.

Auf Chincoteague Island können Besucher mit dem sogenannten **Pony Express** eine Besichtigungstour unternehmen. Der Bus legt auf der Inselrunde viele Stopps ein (Mitte

In Rot getaucht: nach Sonnenuntergang auf Chincoteague Island

Tipp: Pony Penning Day

Weit über Virginia hinaus bekannt wurde das **Chincoteague National Wildlife Refuge** durch wilde Ponys, die es seit mehreren Jahrhunderten im Süden von Assateague gibt. Den größten Besucherstrom erleben die beiden Inseln alljährlich in der letzten Juliwoche beim Pony Penning Day. Mehrere Zehntausend Schaulustige reisen an, wenn ›Salzwasser-Cowboys‹ die wilden Ponys am Mittwoch zwischen 7 und 13 Uhr von Assateague Island über die Wasserstraße nach Chincoteague Island treiben.

Juni–Sept. Di, Do, Tel. 1-757-336-6529, Erw. 4 $, Kinder 2 $).

Infos

Chincoteague Chamber of Commerce: 6733 Maddox Blvd., Tel. 1-757-336-6161, www.chincoteaguechamber.com. **Virginia Welcome Center:** New Church, Route 13 S. Mile Marker 1, Tel. 1-757-824-5000. Informationszentrum zum Bundesstaat Virginia.

Übernachten

Gute Wahl ▶ **Island Motor Inn:** 4391 Main St., Tel. 757-336 3141, www.islandresortinn. com. Hübsche Anlage mit Pool, gute Standardräume mit Kühlschrank, Kaffeemaschine, WLAN. Ab 120 $.
Schönes Refugium ▶ **Refuge Inn:** 7058 Maddox Blvd., Tel. 1-757-336-5511, www.re fugeinn.com. Standardzimmer oder geräumige Suiten mit Küche in reizvoller Anlage mit Pool, Kinderspielplatz, Radverleih. Ab 100 $.
Inselcamping ▶ **Tom's Cove Park:** am südöstl. Ende der Insel, Tel. 1-757-336-6498, www.tomscovepark.com, März–Nov. Campingplatz mit Pool und Laden.

Essen & Trinken

Gute Küche ▶ **Don's Restaurant:** 4113 Main St., Tel. 1-757-336-5715, tgl. Lunch und Dinner mit Seafood in lockerer Atmosphäre. Im Obergeschoss in Chattie's Lounge Fr und Sa Live-Musik. Ab 15 $.

Assateague Island ▶ 1, J 9

Chincoteague Island ist vom knapp 60 km langen **Assateague Island** durch eine Wasserstraße getrennt, die seit 1962 von einer Brücke überspannt wird. Assateague erstreckt sich im Norden an der Küste von Maryland hinauf bis fast nach Ocean City. Im südlichen Teil der Insel wurde 1943 das **Chincoteague National Wildlife Refuge** – trotz des verwirrenden Namens auf Assateague gelegen – eingerichtet, in dem Otter, Rehwild, Waschbären, Kaninchen und zahlreiche seltene Vogelarten leben.

Chesapeake Bay Bridge-Tunnel ▶ 1, H 11

Der knapp 30 km lange **Chesapeake Bay Bridge-Tunnel** zwischen Cape Charles und Norfolk stellt die Verbindung von Eastern Shore über die Mündung der Chesapeake Bay ins festländische Virginia her. Die Straße verläuft teilweise als Brücke, taucht aber an zwei Stellen in einem Tunnel unter das offene Meer. Als ›Stützen‹ fungieren vier künstlich aufgeschüttete Inseln. Die südlichste davon, Sea Gull Island, dient als Aussichtspunkt und Rastplatz mit Restaurant. Wegen der Fischwanderungen zwischen der Bucht und den Küstengewässern gilt der 190 m lange Pier als einer der besten Anglerplätze weit und breit (www.cbbt.com, Tunnelmaut 13 $).

Hampton Roads ▶ 1, G 11

Unter **Hampton Roads** verstehen Einheimische zweierlei: einmal die Buchten und Wasserstraßen um die Mündung des James River, zum anderen die um diesen natürlichen Hafen liegenden sieben Städte Norfolk, Virginia Beach, Portsmouth, Chesapeake, Suffolk, Hampton und Newport News, die mit 1,6 Mio. Menschen den bevölkerungsreichsten Ballungsraum des Staates Virginia bilden.

Zu Bürgerkriegszeiten war **Norfolk** einer der wichtigsten Häfen der Konföderation. Noch heute demonstriert mit der Naval Station die größte militärische Marinebasis der Welt ihre Rolle, wenn ein Großteil der dort beheimateten 130 Schiffe im Hafen vor Anker liegt. Bei einer Hafenrundfahrt bekommt man einen Eindruck von den riesigen Schiffen, unter denen sich mit der ›USS Enterprise‹ der erste atombetriebene Flugzeugträger der Welt befindet. Im **National Maritime Center Nauticus** gibt es u. a. eine Multimediaschau über exotische Meereslebewesen, von denen man kleine Exemplare im Touch Tank anfassen kann. Nebenan liegt das Battleship ›USS Wisconsin‹ vor Anker, das größte und letzte im Auftrag der US-Navy gebaute Schlachtschiff (1 Waterside Dr., Tel. 1-757-664-1000, www.nauticus.org, Sommer tgl. 10–17 Uhr, sonst Mo geschlossen, Erw. 16 $).

Unter den Kunstmuseen der USA nimmt das **Chrysler Museum** einen der vordersten Ränge ein. Neben Werken großer Meister wie Rubens, Renoir, Picasso und Gainsborough wartet das Museum vor allem mit eindrucksvollen Kunstwerken aus Glas auf, vom antiken Rom bis heute. Täglich zeigen Glasbläser um 12 Uhr ihre Künste (245 W. Olney Rd., Tel. 1-757-664-6200, www.chrysler.org, Di–Sa 10–17, So 12–17 Uhr, Eintritt frei).

Infos

Norfolk Convention and Visitors Bureau: 232 E. Main St., Norfolk, VA 23510, Tel. 1-757-664-6620, www.visitnorfolktoday.com.

Übernachten

Tadellos ▶ **Courtyard by Marriott:** 520 Plume St., Tel. 1-757-963-6000, http://marriott.com. Nur zwei Blocks vom Waterside Festival Marketplace entferntes, gut ausgestattetes Stadthotel mit Pool, Fitness-Studio, Waschautomaten. 149–189 $, Parken 19 $.

Okay ▶ **La Quinta Inn:** 1387 N. Military Hwy., Tel. 1-757-466-7001, www.laquintanorfolkairport.com. 72 Nichtraucherräume. Frühstück inkl. Ab 99 $.

Essen & Trinken

Mexikanisch ▶ **Luna Maja:** 2010 Colley Ave. & 21st St., Tel. 1-757-622-6986. Gute mexikanische Auswahl, 9 verschiedene Margarita-Variationen. Ab 13 $.

Exotisch ▶ **Rama Garden Thai:** 441 Granby St., Tel. 1-757-616-0533. Originale Thai-Gerichte ab 8 $.

Lebendige Geschichte: ›Bewohner‹ des Openair-Museums Jamestown Settlement

Rund um die Chesapeake Bay

Aktiv

Hafenrundfahrt ▶ **American Rover:** 333 Waterside Dr., Tel. 1-757-627-7245, www.americanrover.com, tgl. 2-stündige Rundfahrten mit Segelschiff, Erw. 20 $.

Historisches Dreieck

Nirgends auf dem Boden der USA präsentiert sich die angloamerikanische Geschichte des Landes so kompakt wie im ›historischen Dreieck‹ südöstlich der Hauptstadt Richmond. Zentrale Verkehrsverbindung durch den dort 1936 angelegten Colonial National Historical Park ist der Colonial Parkway von Jamestown über Williamsburg bis nach Yorktown.

Jamestown ▶ 1, G 11

Im Mai 1607 ratterten am Ufer einer kleinen Insel im James River die Anker der drei Schiffe ›Susan Constant‹, ›Godspeed‹ und ›Discovery‹ in den schlammigen Grund. Zu Ehren des englischen Königs nannten die an Land gehenden 104 Engländer ihre zukünftige Heimat **Jamestown,** die erste permanente englische Siedlung in Amerika. Gründe für derartige koloniale Unternehmungen in die weitgehend unbekannte Neue Welt gab es im damaligen England in Hülle und Fülle. Manche träumten von großen Reichtümern. Andere hatten die Bekehrung der Indianer, patriotische Träume von der Vorherrschaft Englands oder neue Märkte in Übersee im Sinn.

In Jamestown erinnern nur noch karge Spuren an die Zeit der ersten Besiedlung. Ältestes Relikt ist ein Kirchturm aus den 40er-Jahren des 17. Jh., der in die 1907 erbaute Memorial Church integriert wurde. Kapitän John Smith zu Ehren, der die Siedler hierher brachte, wurde zu Beginn des 20. Jh. eine Statue errichtet.

Da Jamestown Schauplatz zahlreicher Zusammenstöße zwischen Engländern und Indianern war, widmeten die Siedlernachfahren ein weiteres Denkmal der indianischen Häuptlingstochter Pocahontas, die Smith das Leben rettete. Hie und da stehen einige von den ersten Siedlern gepflanzte Maulbeerbäume, mit denen sie eine Seidenproduktion begründen wollten. Von später errichteten Gebäuden sind meist nur markierte Grundrisse oder zerfallene Mauern übrig (Rte 31 S., Tel. 1-757-898-2410, www.nps.gov/colo, tgl. 9–17 Uhr, 14 $).

Unweit der ursprünglichen Siedlung entstand im Jahr 1957 mit Jamestown Settlement ein historisches Freilichtmuseum mit einem rekonstruierten Dorf der Powhatan-Indianer und einer Siedlung, die das Leben der Pioniere von Jamestown zeigt. In hübschen Lehmhäusern erledigen ›Einwohner‹ in historischen Kostümen alltägliche Arbeiten. Am Flussufer liegen originalgetreue Nachbauten der ehemaligen Schiffe vor Anker, mit denen die ersten Siedler den Atlantik überquerten (Rte 31 S., Tel. 1-757-253-4838, www.historyisfun.org/Jamestown-Settlement.htm, tgl. 9–17, in der Hauptsaison bis 18 Uhr, Erw. 16 $).

8 Williamsburg ▶ 1, G 11

Nirgends sonst in den heutigen USA fühlt man sich so sehr ins 18. Jh. versetzt wie in **Williamsburg,** von 1699 bis 1780 blühende Hauptstadt von Virginia und ein politischer wie kultureller Mittelpunkt, der es mit Philadelphia, Boston und New York aufnehmen konnte. Nach der Unabhängigkeit begann der Stern von Williamsburg zu verblassen, weil sich die dynamischen Metropolen im Osten in den Vordergrund drängten. Bis ins 20. Jh. fiel der Ort in einen langen Dornröschenschlaf. Die Gebäude verkamen, und Unkraut fraß sich durch die ehemals hübschen Gärten der stattlichen Bürgerhäuser. Eine neue Ära begann im Jahr 1926 mit der Restaurierung der kolonialen Metropole.

Auf 70 ha bilden in **Colonial Williamsburg** mittlerweile sieben Dutzend wiederhergestellte Gebäude ein idyllisches Dorf im Stil des 18. Jh. mit einem aus Ziegeln erbauten Pulvermagazin, einer Kirche und weiß getünchten Häusern, in die man am liebsten selbst einziehen würde. Kneipenbesuche etwa in **Chownings Tavern,** zu der ein silberner Krug den Weg weist, müssen zu Fuß unternommen werden, weil Colonial Willi-

Tipp: Jamestown Discovery Trail

Eine romantische Reise führt über den 40 Meilen (64 Km) langen **Jamestown Discovery Trail** (Rte 5, ▶ 1, F 10–G 11) zwischen Williamsburg und Richmond, an dem mehrere historische Plantagen liegen (www.virginia.org/jamestown discoverytrail).

Sherwood Forest bei Charles City gehörte John Tyler, der seinem Nachbarn William Henry Harrison im Präsidentenamt folgte, nachdem dieser seine Inauguralrede nur kurz überlebt hatte. Da sowohl Tyler als auch sein Sohn Harrison noch im hohen Alter Nachkommen zeugten, ging die Plantage in der Vergangenheit durch die Hände nur weniger Generationen, was dem Anwesen seine Authentizität bewahrte (5416 Tuckahoe Avenue, Tel. 1-804-829-5377, www.sherwood forest.org, tgl. 9–17 Uhr, Besichtigung des Geländes 10 $, Hausführungen nur nach Reservierung).

Westover wurde um 1730 vom Gründer von Richmond erbaut. Man kann Gelände und Gärten besichtigen. Das Anwesen selbst, das u. a. an seinem steilen Dach und den ho-

hen Kaminen den georgianischen Baustil erkennen lässt, ist nicht zugänglich. Das Haupthaus stammt aus der Zeit um die Wende vom 19. zum 20. Jh. (7000 Westover Rd., Charles City, Tel. 1-804-829-2882, tgl. 9–18 Uhr, 11 $).

Das Haupthaus der **Berkeley Plantation** versteckt sich in einer Parkanlage zwischen hohen Bäumen. Jährlich gedenkt man auf der Plantage des Erntedankfests, das 1619 an dieser Uferstelle des James River erstmals auf US-Boden gefeiert wurde (12602 Harrison Landing Rd., Charles City, Tel. 1-804-829-6018, www.berkeleyplantation.com, Mitte März–Dez. 9.30–16.30 Uhr, sonst kürzer, 11 $).

Shirley Plantation schließlich, die älteste Plantage an dieser Route, wurde 1613 nur sechs Jahre nach Jamestown gegründet. Das 1723–38 errichtete Herrenhaus sieht noch genauso aus wie früher. Den First des Haupthauses ziert eine stilisierte meterhohe Ananas als Symbol der Gastfreundschaft (501 Shirley Plantation Rd., Charles City, Tel. 1-804-829-5121, www.shirleyplantation.com, März–Nov. 9.30–16.30 Uhr, 11 $).

amsburg für Autos gesperrt ist. Unweit von Robertsons Windmühle hämmern Küfer an neuen Fässern und der Grobschmied fertigt ein Scharnier.

Auf den ungeteerten Straßen sind Touristenführerinnen in ihren knöchellangen Röcken auf dem Weg zum **Kapitol,** einer Rekonstruktion des originalen Gebäudes, das von 1705 stammte und nach einem Brand im Jahr 1753 wiederaufgebaut wurde. Dort saßen die Ratsherren über den Entwürfen zur Unabhängigkeitserklärung, bevor das Dokument 1776 in Philadelphia verabschiedet wurde.

Im **Governor's Palace** von 1720 residierten sieben britische Vizekönige und während der Revolution die beiden Gouverneure Patrick Henry und Thomas Jefferson. Auch dieser Bau ist eine Rekonstruktion nach Originalplänen. Das nach dem berühmten englischen Baumeister benannte Wren Building

des William and Mary College wurde im Stil des frühen 18. Jh. restauriert (preisgünstigste Eintrittskarte ist das Single-day Ticket für 1 Tag, Erw. 44 $, Kinder 6–12 Jahre 22 $).

Infos

Colonial Williamsburg Visitors Center: 101 Visitor Center Dr., Williamsburg, VA 23185, Tel. 1-757-220-7645, 1-800-447-8679, www.colonialwilliamsburg.com.

Übernachten

Hervorragend ▶ Aldrich House: 505 Capitol Court, Tel. 1-757-229-5422, www.aldrich house.com. Behagliche Zimmer zum Teil mit Baldachinbett und offenem Kamin. Ab 125 $.

Wunderbare Atmosphäre ▶ War Hill B & B: 4560 Long Hill Rd., Tel. 1-757-565-0248, www.warhillinn.com. Zimmer und Suiten sowie Cottages teils mit offenem Kamin. Ab 110 $.

Aktiv

Vergnügungspark ▶ Busch Gardens Williamsburg: Exit 242A von der I-64, Tel. 1-800- 343-7946, http://seaworldparks.com/en/buschgardens-williamsburg, im Sommer tgl. ab 10 Uhr, Schließzeiten unterschiedlich. Freizeitpark mit historischen Themen, 9 Nationalitätendörfern und vielen Fahrbetrieben, Erw. 72 $, Kinder 3–9 J. 62 $, Parken 15 $).

Wasserpark ▶ Water Country USA: 176 Water Country Pkwy, Tel. 1-800-343-7946, www.watercountryusa.com, tgl. 10–18, im Hochsommer bis 20 Uhr. Ein riesiger Park, der für eine abenteuerliche Abkühlung sorgt, Erw. 50 $, Kinder 3–9 Jahre 43 $, Parken 15 $).

Verkehr

Bahn: Williamsburg Transportation Center, 468 N. Boundary St., Tel. 1-757-229-8750. Bahnhof wenige Blocks vom historischen Zentrum entfernt für die Amtrak-Züge aus bzw. nach Washington D. C.
Bus: Greyhound-Busse, Tel. 1-757-229-1460. Abfahrt am Bahnhof in der Boundary St.

Yorktown ▶ 1, G 11

Die dritte Ortschaft im historischen Dreieck wurde durch die letzten Tage des Unabhängigkeitskampfes berühmt. 1781 standen den britischen Truppen unter General Cornwallis die von Marquis de Lafayette, General Rochambeau und George Washington befehligten französisch-amerikanischen Streitkräfte in einer entscheidenden Schlacht gegenüber. Am 28. September begannen ca. 9000 Amerikaner und 7800 Franzosen mit der Belagerung der 8000 Briten, die drei Wochen später kapitulierten. An den Sieg erinnern eine weiße Triumphsäule, aufgeschüttete Wälle und zahlreiche Kanonen auf dem damaligen Schlachtfeld (Rte 1020, www.historyisfun.org).

Richmond ▶ 1, F 10

Die Hauptstadt von Virginia entwickelte sich zu einer historischen Schatztruhe. Doch ist die Metropole (214 000 Einw.) am James River kein verstaubtes Freilichtmuseum.

State Capitol

Nach dem Kapitol in Annapolis ist das **State Capitol** in Richmond – 1788 nach den Plänen von Thomas Jefferson fertiggestellt – das zweitälteste noch genutzte Parlamentsgebäude in den USA. Dem Architekten und späteren US-Präsidenten soll das römische Maison Carrée im südfranzösischen Nîmes als Vorlage gedient haben. In der Rotunde befindet sich die einzige Statue von George Washington, für die der Präsident Modell stand, in diesem Falle dem französischen Bildhauer Jean Antoine Houdon. Um das lebensgroße Kunstwerk aus Carrara-Marmor, das vor der Verschiffung in die Vereinigten Staaten 1796 im Louvre in Paris ausgestellt war, sind die Büsten sieben weiterer ehemaliger Präsidenten aus Virginia versammelt. Im Park des Kapitols ist George Washington mit einer Reiterstatue verewigt, die in München gegossen wurde (9th/E. Grace St., Tel. 1-804-698-1788, www.virginiageneralassembly.gov, Mo–Sa 8–17, So 13–17 Uhr, kostenlose Führungen Mo–Sa 9–16, So 13–16 Uhr).

Sehenswerte Museen

Für Einheimische ist das **Museum of the Confederacy** das bedeutendste Geschichtsmuseum der Stadt. In der Südstaaten-Metropole residierte von 1861 bis zum Ende des Bürgerkriegs der Präsident der Konföderation, Jefferson Davis. Er richtete im 1818 erbauten Brockenbrough House seinen Amtssitz ein. Seit jenen Tagen gilt das Gebäude als ›Weißes Haus der Konföderation‹. Im Jahr 1976 baute die Stadt Museumstrakte an, in denen heute Waffen und Uniformen, Kostüme und Dokumente ausgestellt sind, die allesamt aus dem Süden oder von der konföderierten Armee stammen (1201 E. Clay St., Tel. 1-804-649-1861, www.moc.org, tgl. 10–17 Uhr. Kombiticket inklusive Weißes Haus Erw. 15 $, Kinder 7–13 J. 8 $).

Eine breite Palette berühmter Werke von Künstlern wie Monet, Renoir, Degas, Picasso und der Pop-Art-Ikone Andy Warhol bietet das **Virginia Museum of Fine Arts.** Neben Kunstwerken aus dem antiken Griechenland und dem alten Rom sind Masken und Skulp-

Blick auf das Washington-Denkmal beim State Capitol und das Rathaus

turen aus Westafrika, englisches Silber und die Pratt Collection, eine der größten Sammlungen russischer Kunst außerhalb Europas, zu sehen (200 N. Blvd., Tel. 1-804-340-1405, www.vmfa.state.va.us, Eintritt frei, tgl. 10–17, Do, Fr bis 21 Uhr). Im ältesten Haus von Richmond, 1737 bis 1740 erbaut, ist das **Poe Museum** untergebracht. Zahlreiche Objekte wie etwa ein mit Monogramm verzierter Spazierstock erinnern an den Schriftsteller, der in Richmond aufwuchs, dort heiratete und als Autor des ›Southern Literary Messenger‹ literarische Anerkennung fand (1914–16 E. Main St., Tel. 1-804-648-5523, www.poemuseum.org, Di–Sa 10–17, So 11–17 Uhr, 6 $).

Infos

Metro Richmond Convention & Visitor's Bureau: 401 N. 3rd St., Richmond, VA 23219, Tel. 1-804-783-7450, www.visitrichmondva.com.

www2.richmond.com: Auskünfte über die Stadt und ihre Geschäfte, Gastronomie- bzw. Dienstleistungsbetriebe.

Übernachten

Hotels und Motels aller Kategorien liegen an der W. Broad St. nordwestl. des Zentrums parallel zur I-64. Auch an Exit 61 und 92 von der I-95 gibt es Übernachtungsmöglichkeiten.

Fürstliches Ambiente ▶ **Jefferson Hotel:** 101 W. Franklin St., Tel. 1-804-649-4750, www.jeffersonhotel.com. Sehr stilvolles Hotel von 1895, teils mit Wandteppichen, Marmorsäulen und Buntglasdecken, mit geradezu königlicher Lobby. Ab 230 $.

Ein Südstaatentraum ▶ **Virginia Cliffe Inn:** 2900 Mountain Rd., Glen Allen, 12 Meilen nördlich von Richmond, Tel. 1-804-266-7344, www.vacliffeinn.com. Romantische Nobeladresse mit vier Nichtraucherzimmern. Ab 135 $.

Essen & Trinken

Einfach und doch Spitze ▶ Mamma Zu:
501 S. Pine St., Tel. 1-804-788-4205, Mo–Sa
17–22 Uhr. Tolle italienische Gerichte, keine
Kreditkarten. 14–40 $.

Exellent ▶ Peter Chang: 11424 W. Broad
St., Glen Allen, Tel. 1-804-364-5168, www.
peterchangrva.com, tgl. 11–22 Uhr. Köstliche
Szeschuan-Leckerbissen. 10–22 $.

Aktiv

Vergnügungspark ▶ Kings Dominion: 16000
Theme Park Way, P.O. Box 2000, Doswell
nördl. von Richmond, Tel. 1-804-876-5400,
www.kingsdominion.com, Mai– Sept. tgl. ab
10 Uhr. Mit Achterbahnen wie ›Anaconda‹ und
›Shockwave‹, 3–61 Jahre 63 $, Parken 15 $.

Fredericksburg ▶ 1, F 9

In Ranglisten amerikanischer Kleinstädte mit
hoher Lebensqualität rangiert das 20 000 Einwohner zählende **Fredericksburg** auf vorde-
ren Plätzen. Die Attraktivität verdankt der Ort
nicht nur dem historischen Stadtbild mit gepflasterten Gehwegen, Blumentöpfen vor Geschäften und amerikanischen Flaggen als
Nachweis patriotischer Gesinnung. Touristisch profitiert er vor allem von der Tatsache,
dass George Washington auf der nahe gelegenen Ferry Farm aufwuchs und ein Teil seiner Familie später in Fredericksburg lebte.

Historische Anwesen

In der am Ufer des Rappahannock River liegenden Stadt kann man der ausgeschilderten
Heritage Tour folgen, die zu den meisten Se-

Tipp: Sparticket

Mit dem ›Timeless Ticket‹ erhält man verbilligten Eintritt zu den neun Hauptsehenswürdigkeiten von Fredericksburg. Zwecks besserer Orientierung enthält das Sparticket
auch eine Karte. Es wird im Visitor Center
verkauft (Erw. 32 $ oder Tagespass 16 $ jeweils inkl. 1 Kind 6–18 Jahre).

henswürdigkeiten führt wie etwa **Kenmore
Mansion,** einem für Washingtons Schwester
Betty und deren Ehemann erbautes Anwesen
mit einer wunderschönen Stuckdecke, Speiseraum und der Zeit entsprechenden Möblie-
rung (1201 Washington Ave., Tel. 1-540-373-
3381, www.kenmore.org, März–Okt. Mo–Sa
10–17, So 12–17 Uhr, im Haus nur 45-minütige
Führungen, Erw. 10 $).

Washingtons Mutter wohnte seit 1772 im
Mary Washington House, das George ge-
kauft hatte, damit sie in der Nähe ihrer Tochter Betty sein konnte. Das Haus, in dem Mary
die letzten 17 Jahre ihres Lebens verbrachte,
ist größtenteils mit dem Mobiliar ausgestattet, mit dem die Familie bereits auf der Ferry
Farm gelebt hatte (1200 Charles St., Tel. 1-
540-373-1569, http://preservationvirginia.org
>Visits, März–Okt. Mo–Sa 11–17, So 12–16
Uhr, sonst kürzer, 5 $).

In der Nähe beweist die im Jahr 1760 erbaute **Rising Sun Tavern,** dass es sich in den
Schenken des 18. Jh. gut feiern ließ. Das ehemalige Lokal wurde in dem Zustand erhalten
wie um den Beginn des 19. Jh. und ist größtenteils mit originalem Mobiliar ausgestattet
(1304 Caroline St., Tel. 1-540-371-1494, März–
Okt. Mo–Sa 11–17, So 12–16 Uhr, sonst kürzer, 5 $).

Aus demselben Jahrhundert stammt der
Hugh Mercer Apothecary Shop, in dem sich
die Zecher am Tag danach mit Pülverchen
gegen Kopfweh versorgen konnten. Auch
Mary Washington versorgte sich in diesem
Reich der Dosen, Flakons und Flaschen mit
Medizin (1020 Caroline St., Tel. 1-540-373-
3362, März–Nov. Mo–Sa 11–17, So 12–16
Uhr, sonst kürzer, 5 $).

Neben George Washington war der 5. US-
Präsident James Monroe die zweite Berühmtheit in der Geschichte von Fredericksburg. Im **James Monroe Museum** erinnern
Memorabilien, Möbel und Dokumente an den
ehemaligen Präsidenten (1817–1825), der zuvor (1794–1796) US-Botschafter in Paris gewesen war. An der Rückwand des Hauses
nimmt eine Gedenktafel Bezug auf die von
ihm entworfene berühmte Monroe-Doktrin.
Dieses Dokument von 1823 lehnte die Einmi-

schungen anderer Mächte in inneramerikanische Angelegenheiten strikt ab (908 Charles St., Tel. 1-540-654-1043, http://jamesmonroe museum.umw.edu, März–Nov. Mo–Sa 10–17, So 13–17 Uhr, sonst kürzer, 5 $).

Infos

Fredericksburg Visitor Center: 706 Carolina St., Fredericksburg, VA 22401, Tel. 1-540-373-1776 oder 1-800-678-4748, www.visit fred. com, tgl. 9–17, im Sommer bis 19 Uhr.

Übernachten

Prima Unterkunft ▶ **Country Inn & Suites:** 656 Warrenton Rd., Tel. 1-540-656-2398, www.countryinns.com. Beheizter Innenpool, schöne Zimmer mit Kaffeemaschine, MW, Kühlschrank. Frühstück, WLAN und Parken inklusive. Ab 85 $.

Ordentlich ▶ **Best Western Fredericksburg:** 2205 Plank Rd., Tel. 1-540-371-5050, www.bestwestern.com. Über 100 Zimmer mit zwei Queen-Size-Betten oder einem King-Size-Bett, Pool, Waschautomaten. Ab 85 $.

Camping ▶ **Aquia Pines Campground:** 3071 Jefferson Davis Hwy, Stafford, Tel. 1-540-659-3447, www.aquiapines.com. Zum Teil bewaldeter Platz, mit Stellplätzen und geräumigen Cabins. **Fredericksburg KOA:** 7400 Brookside Ln., Tel. 1-540-898-7252, www.fredericksburgkoa.com. Gut ausgestatteter Platz mit Cabins und Pool.

Essen & Trinken

Exzellent ▶ **La Petite Auberge:** 311 William St., Tel. 1-540-371-2727, www.lapetiteauber gefred.com, Mo–Sa Lunch und Dinner, Mi Jazz-Abend. Französisch inspiriertes Bistro. Dinner 17–28 $.

Super Markt ▶ **Wegman's:** 2281 Carl D. Silver Pkwy, Tel. 1-540-322-4800, tgl. 6–24 Uhr. Schöner Supermarkt mit Bäckerei, Delikatessen, Restaurant Market Cafe, Sushi und Seafood. Sandwiches ab 9 $.

Einkaufen

Antiquitäten ▶ **Antique Court of Shoppes:** 1001 Carolina St., Mo–Do 10–17, Sa 10–18, So 12–18 Uhr. Zwei Dutzend Antiquitäten-

geschäfte, die Uhren, Gegenstände aus Silber, wertvolles Porzellan und darüber hinaus Glaswaren vorhalten.

Alexandria ▶ 1, F 8

Eine Gruppe schottischer Tabakhändler gründete im Jahr 1749 die heute 144 000 Einwohner zählende Stadt **Alexandria.** Der zur Gründerzeit noch kleine Hafen am Ufer des Potomac River wuchs zu einem bedeutenden Umschlagplatz heran, an dem wichtige Güter von Schiffen aus England entladen wurden, während vornehmlich Tabak aus der riesigen Kolonie Virginia auf die Reise nach Europa ging.

Das historische Stadtzentrum

Ältestes Gebäude im historischen Kern von Alexandria war das 1749 erbaute **Ramsay House,** das 1949 abbrannte und durch das jetzige Anwesen ersetzt wurde. In seinen Räumen befindet sich das Visitor Center (s. S. 316).

Das **Gadsby's Tavern Museum** besteht aus zwei Gebäuden, die im späten 18. und 19. Jh. ein beliebter Ort für Feiern und Zusammenkünfte vor allem der Stadthonoratioren waren. George Washington feierte hier zweimal seinen Geburtstag. Andere berühmte Gäste waren John Adams, Thomas Jefferson, James Madison und darüber hinaus der Marquis de Lafayette (134 N. Royal St., Tel. 1-703-746-4242, www.alexandriava. gov/GadsbysTavern, April–Okt. Di–Sa 10–17, So, Mo 13–17, sonst Mi–Sa 11–16, So 13–16 Uhr, 5 $).

Ebenso alt wie das historische Gasthaus ist der im Jahre 1792 eröffnete **Stabler-Leadbeater Apothecary Museum.** Die bis 1933 geöffnete Apotheke erteilt heute aber nur noch musealen Anschauungsunterricht in Sachen Pulver und Pillen, die früher in hübschen Dosen und von Hand gefertigten Flaschen aufbewahrt wurden (107 S. Fairfax St., Tel. 1-703-838-3852, http://alexandriava. gov/Apothecary, April–Okt. Di–Sa 10–17, So 13–16 Uhr, sonst kürzer).

Rund um die Chesapeake Bay

Waterfront

Neben dem alten Kern mit ziegelgepflasterten Gehsteigen ist die **Waterfront** der sehenswerteste Teil von Alexandria. Um den kleinen Hafen mit Ausflugsbooten herrscht an Sommerwochenenden Hochbetrieb. Urlauber und Einheimische sitzen im Restaurant nur Schritte vom Wasser entfernt unter Sonnenschirmen und genießen die entspannte Atmosphäre.

Mittelpunkt der Promenade am Potomac River bildet das **Torpedo Factory Art Center.** In den 1918 als Torpedofabrik erbauten Gebäuden wurde noch im Zweiten Weltkrieg Munition hergestellt. Heute sind hier über 80 Studios eingerichtet, in denen man Malern und Bildhauern bei der Arbeit zusehen kann (105 N. Union St., Tel. 1-703-838-4565, www.torpedofactory.org, tgl. 10–18, Do bis 21 Uhr). Außerdem befindet sich das **Alexandria Archaeology Museum** in den alten Werkshallen, in dem prähistorische Steinwerkzeuge aus der Region ausgestellt sind (Tel. 1-703-838-4399, Di–Fr 10–15, Sa 10–17, So 13–17 Uhr).

Mount Vernon

Neun Meilen südlich von Alexandria steht mit **Mount Vernon** der letzte Wohnsitz von George Washington, der neben dem Herrenhaus aus insgesamt einem Dutzend Gebäuden wie einer Kornmühle, Ställen und Scheunen besteht. Er bezog die Plantage am Ufer des Potomac River 1759, nachdem er Martha Dandridge Custis geheiratet hatte. Das Bett, in dem er 1799 starb, ist neben zahlreichen anderen Memorabilien wie etwa seinem Schwert zu sehen. Nebengebäude wie etwa Sklavenhütten brannten 1835 ab, wurden später aber wieder aufgebaut. Der erste US-Präsident ist gemeinsam mit seiner Frau auf dem Grundstück bestattet (3200 Mt. Vernon Memorial Pkwy, 703-780-2000, www.mountvernon.org, April–Aug. 8–17, März, Sept. und Okt. 9–17, Nov.–Febr. 9–16 Uhr, Erw. 17 $, Kinder 6–11 J. 8 $).

Infos

Visitor Center: 221 King St., Alexandria, VA 22314, Tel. 1-703-746-3301, www.visitalexan

driava.com, tgl. 9–17 Uhr. Hilfreiche Infos rund um die Stadt.

Übernachten

Da Alexandria zum Einzugsbereich von Washington D. C. gehört, sind die Hotelpreise sehr hoch.

Einfach klasse ▶ **Hotel Monaco:** 480 King St., Tel. 1-703-549-6080, www.monaco-alexandria.com. Das einzige Hotel im historischen Zentrum von Alexandria. Swimmingpool, Fitnessraum, Sauna, Standardzimmer oder Suiten. Ab 220 $.

Für Genießer ▶ **Best Western Old Colony:** 1101 N. Washington St., Tel. 1-703-739-2222, www.hotel-alexandria.com. Kleineres Hotel mit 49 Zimmern auf zwei Etagen (kein Aufzug), Frühstück, WLAN und Parken inkl. Ab 130 $.

Ordentlich ▶ **Red Roof Inn:** 5975 Richmond Hwy, Tel. 1-703-960-5200, www.redroof.com. Etwas außerhalb gelegenes Kettenmotel mit Restaurants in der Nachbarschaft. Ca. 110 $.

Camping ▶ **Bull Run Regional Park Campingground:** Fairfax Station, 5400 Ox Rd., I-66, Exit 52, nordwestl. von Alexandria, Tel. 1-703-631-0550, Mitte Mai–Mitte Okt. Einfache Zeltplätze, aber auch solche für Wohnmobile mit Stromanschluss, Minigolf und kleiner Pool in der Nähe.

Essen & Trinken

Beliebtes Lokal ▶ **Fish Market:** 105 King St., Tel. 1-703-836-5676, www.fishmarketva.com, tgl. 11–23 Uhr. Fisch, Sandwiches und Pasta in lebhafter Atmosphäre, Do, Fr ab 20 Uhr Live-Musik. Hauptgang ab 14 $.

Viel Betrieb ▶ **King Street Blues:** 112 N. St. Asaph St., Tel. 1-703-836-8800, http://kingstreetblues.com, tgl. 11.30–2 Uhr. Restaurant und Bar mit viel jungem Publikum und auch guter Küche, Fr und Sa wird Live-Musik gespielt. Dinner 7–17 $.

Aktiv

Fahrradverleih ▶ **Bike and Roll:** 3 Cameron St., Tel. 1-202-842-2453, www.bikethesites.com, Reservierung nötig.

Appalachen

Bewaldete Bergzüge, in denen sich Waschbären und Luchse gute Nacht sagen, grandiose Tropfsteinhöhlen, stattliche Präsidentenresidenzen, nach Rot- und Weißwein duftende Weingüter, blühende Rhododendren und Azaleen: In den Appalachen und ihrer ländlichen Umgebung gibt es nicht nur Landschaft zu bestaunen.

Westlich von Washington D. C. sind die Appalachen in nicht einmal zwei Autostunden erreichbar: ein wasserblauer Höhenzug, der sich beim Näherkommen immer deutlicher vom Himmel abhebt. Zu den spektakulärsten Landschaften in dieser von Kanada bis nach Alabama reichenden Bergkette zählt der Shenandoah National Park, dessen indianischer Name ›Tochter der Sterne‹ bedeutet – auch wenn die höchsten Erhebungen des bewaldeten Mittelgebirges nicht über 1200 m hinausreichen. Die Appalachen sind bei den

Einheimischen eine beliebte Freizeitregion. Über 500 Meilen Wanderwege inklusive des Appalachian Trail erschließen die besonders im Herbst stark besuchte Gegend, wenn sich im Indian Summer die Eichenwälder grandios verfärben. Aber auch im Frühling zur Blütezeit von Büschen und Wildblumen hat der Park Naturfreunden viel zu bieten. Selbst unter der Erdoberfläche hat der Landesteil seine Reize, wie die Luray Caverns mit ihren tropfsteindekorierten Höhlenpalästen beweisen. Am Fuß des Gebirgszuges dehnen sich bis ins Zen-

Reizvolle Landschaft am Fuß der Appalachenkette

aktiv unterwegs

Skyline Drive – der ›Königsweg‹ der Appalachen

Tour-Infos

Start: Dickey Ridge Visitor Center (3655 Hwy 211 E. Luray, VA 22835-9036, Tel. 1-540-999-3500, www.nps.gov/shen, tgl. 9–17 Uhr, Pkw März–Nov. 15 $, Dez.–Febr. 10 $

Länge: 105 Meilen (169 km)

Dauer: Mit Stopps und kleinen Wanderungen sollte man mindestens einen ganzen Tag veranschlagen.

Wichtige Hinweise: Im Shenandoah National Park gibt es zirka 800 km Wanderwege. Alle sind mit Zementpfosten ausgestattet, an denen Metallbänder über Richtungen und Entfernungen Auskunft geben.

Der **Skyline Drive** verläuft auf dem 850 bis 1100 m hoch gelegenen Kamm der viel besungenen **Blue Ridge Mountains,** wie die Appalachen auf ihrem zentralen Abschnitt auch heißen. Über fünf Dutzend Aussichtspunkte laden zu Stopps ein. Aber die Landschaft ist zu reizvoll, um nur mit dem Auto zu fahren. Der bekannteste Wanderpfad ist ein Teil des von Kanada bis Alabama verlaufenden **Appalachian Trail** (s. S. 69), der in einigem Abstand dem Skyline Drive auf seiner ganzen Länge folgt. In regelmäßigen Abständen gibt es offene Hütten mit Feuerstellen zum kostenlosen Übernachten (Permit nötig).

Meist befindet sich nicht weit entfernt eine Quelle. Lebensmittel muss man unbedingt unerreichbar für Bären aufhängen.

Beim Dickey Ridge Visitor Center beginnt und endet der nur 2 km lange **Fox Hollow Trail.** Am leicht zu gehenden Weg liegt die 1856 aufgebaute Farm der Familie Fox, die bis in die 1930er-Jahre den Boden bewirtschaftete und einen nun halb verfallenen Privatfriedhof mit alten Grabsteinen hinterließ.

Am Gravel Springs Gap Parking (Meile 17,6) liegt der Beginn des hin und zurück 8 km langen **Big Devil Stairs Trail.** Zunächst folgt man dem Appalachian Trail bis zur etwas abseits gelegenen Gravel Springs-Schutzhütte, um dann durch von Schwarzbären bewohnten Mischwald weiterzuziehen bis zu einem mächtigen Felsen, von dem man den Blick auf die malerische Tallandschaft genießen kann. Über denselben Pfad kehrt man zum Parkplatz zurück.

Wer statt zu wandern lieber reitet, kann sich bei den **Skyland Stables** in den Sattel schwingen. Der Reitstall liegt beim Skyland Resort (Meile 41,7) und bietet zwischen April und November täglich unterschiedlich lange Ausritte an. Kinder ab 5 Jahren können sich beim Ponyreiten vergnügen (Tel. 1-877-847-1919, www.goshenandoah.com/Horse-Back-Riding.aspx).

trum von Virginia die Hügel des Piedmont aus, in denen sich Weinberge und Obstplantagen abwechseln. Die Gegend wird landwirtschaftlich intensiv genutzt, seit einigen Jahrzehnten vor allem von Weinbauern, die in den Fußstapfen des ersten ernsthaften, wenn auch wenig erfolgreichen Winzers, Thomas Jefferson, einen neuen Agrarsektor begründeten. Obwohl bereits das Universalgenie Jefferson sein Leben lang mit der Kultivierung von Reben experimentierte, entstand erst im 20. Jh. in der Gegend zwischen Charlottes-

ville im Süden und der Maryland-Grenze im Norden ein wichtiges Anbaugebiet für Wein. 1985 gab es dort 29 Winzerbetriebe, heute sind es ca. 100. Jahr für Jahr finden in Virginia über 300 Weinfeste statt. Selbst in der kalten Jahreszeit bieten die Weinbauern Veranstaltungen mit Weinproben, Lagerfeuern und leckeren Speisen an, besonders um den Valentinstag Mitte Februar.

Wenn die Region auch hauptsächlich provinziell geprägt ist, bieten einige Ortschaften kleinstädtische Abwechslung. Allen voran gilt das für Charlottesville, das sich wegen der 1819 von Thomas Jefferson gegründeten University of Virginia als eines der bedeutenden universitären Zentren der östlichen USA rühmen kann. Auch Roanoke besitzt eine Universität, hat sich aber eher als kommerzielles Zentrum einen Namen gemacht.

Shenandoah National Park ▶ 1, D/E 9

Der nördliche Zugang des 80 Meilen langen Parks liegt beim Städtchen **Front Royal**, das sich seit der Gründung des einzigen Nationalparks von Virginia im Jahr 1926 in ein kleines Touristenzentrum verwandelte.

Prachtstraße des Nationalparks ist der bei Mile 0 am südlichen Stadtausgang von Front Royal beginnende **Skyline Drive** (s. S. 318). Mehr als 100 Baumarten und 1500 andere hochwüchsige Pflanzen sind auf dem Parkgebiet heimisch. Hinzu kommen die meisten in Nordamerika vorkommenden Vögel und Säugetiere wie Waschbären, Opossums, Luchse, Schwarzbären und Stinktiere. Im Frühjahr blühen Rhododendren, Azaleen und Wiesenblumen; im Herbst wird die Fahrt zur Farbenschau, wenn sich die Blätter der unterschiedlichen Eichenarten, der Hickory-Bäume und der Birken ab Mitte Oktober in leuchtendes Rot oder Gelb verfärben und der tiefblaue Himmel einen fast kitschigen Kontrast bildet. Die Ranger im Visitor Center informieren über Wanderpfade (s. links, S. 318).

Übernachten

Innerhalb des Nationalparks liegen drei rustikale Lodges. Reservierungen laufen über den Konzessionär DNC Parks & Resorts at Shenandoah (P. O. Box 727, Luray, VA 22835, Tel. 1-801-559-5070, www.goshenandoah.com >Lodging).

Rustikales Refugium ▶ **Big Meadows Lodge:** Meile 51, ca. 100 Zimmer für unterschiedliche Ansprüche. Ab 105 $.

Einfach oder komfortabel ▶ **Skyland Resort:** Meile 41.7, 177 Zimmer, rustikale Cabins und moderne Suiten. Ab 85 $.

Reizende Cabins ▶ **Lewis Mountain Cabins:** Meile 57,2, rustikale kleine Hütten mit eigenem Bad, Kochgeschirr muss mitgebracht werden, ab 109 $.

Camping ▶ **Campgrounds:** Im Nationalpark gibt es vier Plätze – Mathews Arm bei Meile 22,1, Big Meadows bei Meile 51,2, Lewis Mountain bei Meile 57,5 und Loft Mountain bei Meile 79,5. Außer Matthews Arm sind alle Plätze mit Duschen ausgestattet und haben einen kleinen Laden.

Essen & Trinken

Für den großen Hunger ▶ im Park gibt es mehrere Restaurants und Imbisse: **Elkwallow Wayside,** Meile 24,1; **Skyland Restaurant,** Meile 41,7; **Big Meadows Wayside,** Meile 51,2; **Big Meadows Lodge,** Meile 51,2; **Loft Mountain Wayside,** Meile 79,5.

9 Luray Caverns ▶ 1, E 8

Die **Luray Caverns** bilden das größte und schönste Höhlensystem der östlichen USA nach der Mammoth Cave in Kentucky. Jährlich zieht die bis zu 50 m tiefe fantastische Unterwelt 500 000 Besucher an, denen sich ein faszinierendes Reich aus Tropfsteinwänden, barock geformten Stalagmiten, zierlichen Stalaktiten und versteckten Pools präsentiert.

Eine 1954 vom Ingenieur Leland Sprinkle erfundene Elektronikorgel, die statt Pfeifen bis zu 400 Mio. Jahre alte Stalagmiten benutzt, macht den Cathedral Room zu einem kleinen Disneyland (970 Hwy 211 W., Luray, Tel. 1-540-743-6551, www.luraycaverns.com, Führungen im Sommer tgl. 9–19 Uhr, sonst kürzer, Erw. 24 $, Kinder 6–12 Jahre 12 $).

Charlottesville ▶ 1, E 9

Sanft gewellte Hügel kennzeichnen die Piedmont-Region im Zentrum von Virginia bis an den Fuß der Appalachen. Zu den größeren Städten der Gegend gehört das 50 000 Einwohner zählende **Charlottesville** mit reizvol-

Grandiose Unterwelt mit Tropfsteinformationen: die Luray Caverns

ler Fußgängerzone im Zentrum und der von Thomas Jefferson gegründete **University of Virginia.** Der Lehrbetrieb begann 1825, nachdem die zum Teil von Jefferson entworfenen Gebäude fertiggestellt waren. Zu den Absolventen gehörten Edgar Allan Poe, dessen Studentenbude besichtigt werden kann, und der spätere US-Präsident Woodrow Wilson, der für seinen 14-Punkte-Friedensplan am Ende des Ersten Weltkriegs den Friedensnobelpreis erhielt (US 29/250 Bus, Tel. 1-434-924-7969, www.virginia.edu/exploring.html, tgl. außer Nov. und an Examenstagen).

Infos

Downtown Visitor Center: 610 E. Main St., Charlottesville, VA 22902, Tel. 1-434-293-6789 oder 1-877-386-1103, www.visitchar lottesville.org.

Übernachten

Fabelhaft ▶ **Inn at Monticello:** 1188 Scottsville Rd., Tel. 1-434-979-3593, www. innatmonticello.com. Restauriertes B & B aus

den 1850er-Jahren; 5 Gästezimmer mit eigenem Bad. 175–275 $.

Mit Pool und Business-Center ▶ **Courtyard by Marriott:** 638 Hillsdale Dr., Tel. 1-434-973-7100, www.courtyard.com/choch. Gästezimmer und Suiten mit Kühlschrank, Kaffeemaschine und kostenlosem Internetzugang. Ab 100 $.

Sauber und preiswert ▶ **Budget Inn University:** 140 Emmet St., Tel. 1-434-293-5141, www.budgetinncharlottesville.com. Einfaches Motel mit Außenpool, kleines Frühstück inkl. Ab 67 $.

Camping ▶ **Charlottesville KOA Kampground:** 3825 Red Hill Rd., Tel. 1-434-296-9881, www.charlottesvillekoa.com. Ruhiges, bewaldetes Gelände, die Anlage verfügt über einen Pool, einen Laden, Stellplätze für Zelte und Campmobile, Cabins.

Essen & Trinken

Unkomplizierte Gerichte ▶ **Blue Light Grill:** 120 E. Main St., Tel. 1-434-295-1223, www.bluelightgrill.com, tgl. Dinner ab 17.30

Uhr. Seafood-Spezialitäten, lange Weinliste, lokale Biere und delikate Appetizers. Dinner ab 22 $.

Spanische Leckerbissen ▶ **Mas Tapas:** 904 Monticello Rd., Tel. 1-434-979-0990, www.mastapas.com, Mo–Sa 17.30–1 Uhr. Köstliche Tapas, Sangria und eine gute Weinauswahl empfangen den Besucher. Tapas ab 4 $, Raciones ab 8 $.

Umgebung von Charlottesville

Das rustikale Gasthaus **Mitchie Tavern** aus dem späten 18. Jh., früher günstig an einer Postkutschenroute gelegen, wurde 1927 an den heutigen Standort versetzt. Zu den Gebäuden zählen eine Räucherkate, eine Küche und ein Brunnenhaus (Besichtigung Erw. 6 $). Gäste werden mit Gerichten nach Rezepten aus dem 18. Jh. wie etwa einem deftigen Standardmenü aus Brathähnchen mit Bohnen und Kartoffelbrei sowie Nachtisch bewirtet (683 Jefferson Pkwy, Tel. 1-434-977-1234, www.michietavern.com, tgl. 11.30–15 Uhr, Büfett Erw. 17,50 $, Kinder 12–15 Jahre 11 $, Museum tgl. 9–17 Uhr).

Thomas Jefferson (1743–1826), 3. Präsident der USA, der sich auch als Architekt hervortat, begann 1769 mit dem Bau seines klassizistischen Wohnsitzes **Monticello,** der erst im Jahr 1808 fertiggestellt wurde. Die Eingangshalle ist mit zahlreichen ›Souvenirs‹ ausgestattet, die von der Lewis & Clark-Expedition 1804 bis 1806 in den Westen der USA mitgebracht wurden, darunter ein Bisonschädel, mächtige Hirschgeweihe und Mastodonknochen.

Jefferson war begeisterter Gärtner, der Kreuzungsversuche an Pflanzen unternahm, allerdings daran scheiterte, guten Wein anzubauen. Er starb 1826 im Alter von 83 Jahren und wurde auf dem Familienfriedhof am Hang unterhalb seiner Residenz bestattet (Exit 64 von der I-64, Tel. 1-434-984-9800, www.monticello.org, März–Okt. 9–17, 25 $, Nov.–Febr. 10–17 Uhr, 17 $; der in Charlottesvilles Visitor Center (s. S. 320) verkaufte ›Monticelli Neighborhood Pass‹ ist auch für Ash Lawn-Highland und die Michie Tavern gültig, im Sommer 40 $, im Winter 32 $).

Tipp: Weinproben

In der Umgebung von Charlottesville bieten sich Weinproben bei folgenden Winzereien an: **Barboursville** (17655 Winery Road, Barboursville, Tel. 1-434-872-0207, www.bbv wine.com, tgl. 11–17 Uhr, 7 $, mit Restaurant Palladio Mi–So); **First Colony Winery** (1650 Harris Creek Rd., Tel. 1-540-832-3824, www. firstcolonywinery.com, tgl. 11–18 Uhr, Führungen und Proben 5 $); **Blenheim Vineyards** (31 Blenheim Farm, Tel. 1-434-293-5366, www.blenheimvineyards.com, Proben tgl. 11–17.30 Uhr, 5 $). **Jefferson Vineyards** (1353 Thomas Jefferson Pkwy, Tel. 1-434-977-3042, www.jeffersonvineyards.com, Führungen tgl. 13 und 14 Uhr, Proben tgl. 10–18 Uhr, 10 $). Auf den meisten Weingütern werden keine Speisen serviert. Wer nicht selbst fahren möchte, findet auf der Webseite der Visitor Information von Charlottesville einige Touranbieter.

Wirkt Monticello etwas förmlich, so macht **Ash Lawn-Highland** einen reizvoll ländlichen Eindruck. Die von Gärten umgebene Tabakplantage mit ihren weiß getünchten Holzgebäuden war von 1799 bis 1823 Wohnsitz des fünften US-Präsidenten James Monroe (1758–1831). Das Anwesen ist bescheiden eingerichtet, was weniger dem Geschmack, sondern eher den finanziellen Verhältnissen des Hausherrn entsprach. Während seiner Amtszeit als Botschafter in Paris hatte er sich hoch verschuldet. 1825 sah er sich sogar dazu gezwungen, den Besitz zu verkaufen (2050 James Monroe Pkwy, Tel. 1-434-293-8000, www.ashlawnhighland.org, April–Okt. 9–18, Nov.–März 11–17 Uhr, Erw. 14 $).

Dritter Präsident aus der Gegend um Charlottesville war der im **Montpelier Mansion** in der Ortschaft Orange residierende James Madison (1751–1836). Das 1760 erbaute Herrenhaus liegt in einem Park, ist aber nur noch mit wenigen Originalstücken ausgestattet, da der Präsident große Teile seines Besitzes verkaufen musste, um die Spielschulden seines

Stiefsohns zu begleichen. Im Zuge eines Umbaus wurde das Hauptgebäude wesentlich verkleinert und damit in den Zustand wie zu Lebzeiten von James Madison versetzt (11395 Constitution Hwy, Tel. 1-540-672-2728, www.montpelier.org, geführte Touren Di–Sa 9.30–16 Uhr, Erw. 18 $).

Lexington ► 1, C/D 10

Auf der historischen Landkarte der USA nimmt das Städtchen einen bedeutenden Platz ein – nicht weil es den Vorstellungen von einer beschaulichen Landgemeinde entspricht, sondern weil es eine Zeit lang Heimat zweier berühmter Südstaatenhelden war, Robert E. Lee und Thomas J. ›Stonewall‹ Jackson. General Lee, im Bürgerkrieg Oberbefehlshaber der Army of Northern Virginia in den Streitkräften der Südstaaten, amtierte

von 1865 bis 1870 als Präsident der örtlichen Hochschule, die 1871 in Washington and Lee University umbenannt wurde. In der **Lee Chapel** auf dem Campus wurde der 1870 verstorbene Robert E. Lee in der Familiengruft zur letzten Ruhe gebettet. Der 1867 errichtete Ziegelbau dient heute als Museum mit zahlreichen Porträts sowie einer marmornen, liegenden Lee-Statue des Bildhauers Edward Valentine. Im Untergeschoss der Kapelle ist das spartanisch ausgestattete Arbeitszimmer des Generals zu sehen (Campus, Tel. 1-540-458-8768, http://chapelapps. wlu.edu, April–Okt. Mo–Sa 9–17, So 13–17, sonst bis 16 Uhr, Eintritt frei).

Südwestlich von Lexington wusch der Cedar Creek eine Kalksteinformation zu einem riesigen Naturbogen aus, der sog. **Natural Bridge**. Thomas Jefferson war von dieser Naturattraktion so beeindruckt, dass er das gesamte Gelände 1774 kaufte. Heute ist der

Ein beliebtes Ausflugsziel: die Mabry Mill am Blue Ridge Parkway

Bogen in Privatbesitz und wird nach besten Kräften mit einem Wachs-, Spielzeug- bzw. Monstermuseum, Saurierskulpturen und einem ›Stonehenge‹ aus Styropor vermarktet (Rte 11 S., VA 24578, Tel. 1-540-291-2121, www.naturalbridgeva.com, April–Mai, Nov. 9–17, Juni–Okt. 10–18 Uhr, Erw. 18 $).

Roanoke ▶ 1, C 10

Nachts gibt sich die 97 000 Einwohner große Stadt schon aus der Ferne durch einen riesigen, roten Neonstern zu erkennen, der vom Mill Mountain den Bürgern ›heimleuchtet‹. Das Zentrum liegt um den historischen Market Square. Bauern aus dem Umland verkaufen dort im Sommer auf dem überdachten **City Market** jeden Vormittag frisches Obst und Gemüse und bringen auf diese Weise ländliches Flair in die Stadt.

Die Ausstellungen des **Virginia Museum of Transportation** erinnern an die Zeiten, als Roanoke noch ein wichtiger Knotenpunkt der Norfolk & Western Railway sowie der Shenandoah Valley Railroad war. Nostalgieträchtig sind die alten Dampf- und Dieselloks, die beim jährlichen Eisenbahnfest zusammen mit liebevoll restaurierten Waggons eingesetzt werden (303 Norfolk Ave., Tel. 1-540-342-5670, www.vmt.org, Mo–Sa 10–17, So 13–17 Uhr, Erw. 8 $, Kinder 3–11 Jahre 6 $).

Mit dem **Taubman Museum of Art** entstand in der Stadt ein Forum für die Werke von regionalen Künstlern aus den Appalachen wie Thomas Eakins, Winslow Homer und Childe Hassam. Aufmerksamkeit verdient aber auch das futuristische Museumsgebäude, das nach Plänen des aus Los Angeles stammenden Architekten Randall Stout errichtet wurde (110 Salem Ave. SE, Tel. 1-540-342-5760, www.taubmanmuseum.com, Di–Sa 10–17, Do Live-Musik und 1. Fr im Monat bis 21 Uhr, Eintritt frei).

Die Fahrt auf den Mill Mountain lohnt sich wegen des Ausblicks und wegen des **Mill Mountain Zoological Park** mit seinen Tigern, Schneeleoparden, asiatischen Reptilien und vielen Vogelarten. Er gehört zu den wenigen Tierparks, in denen Besucher die gefährdeten Roten Pandas zu sehen bekommen (J. P. Fishburne Pkwy/Prospect Rd., Tel. 1-540-343-3241, www.mmzoo.org, tgl. 10–16.30 Uhr, Erw. 7,50 $).

Infos

Roanoke Valley Convention & Visitors Bureau: 101 Shenandoah Ave. NE., Roanoke, VA 24016, Tel. 1-540-342-6025, www.visitroanokeva.com.

Übernachten

Große Zimmer, guter Service ▶ **Best Western Valley View:** 5050 Valley View Blvd., Tel. 1-540-362-2400, www.bwroanoke.com. Größeres Hotel mit Innenpool, Kaffeemaschine auf jedem Zimmer. 93–150 $.

Ohne großen Komfort, aber sauber ▶ **Sleep Inn:** 4045 Electric Rd., Tel. 1-540-772-1500, www.sleepinn.com. Alle Zimmer mit

Appalachen

kostenlosem Internetzugang und Frühstück. 66–100 $.

Essen & Trinken

Einfach, lebhaft, gut ▶ Hollywood's Restaurant & Bakery: 7770 Williamson Rd., Tel. 1-540-362-1812, www.hollywoodsrestaurant. com, Mo–Sa 11–22 Uhr. Salate, Ribeye Steak, Burger oder Coco Loco Chicken zu vernünftigen Preisen. Ab 9 $.

Nicht nur gutes Frühstück ▶ Roanoker Restaurant: 2522 Colonial Avenue SW., Tel. 1-540-344-7746, Di–Sa 7–21, So 8–21 Uhr. Amerikanische Gerichte, die nach Großmutters bewährten Rezepten zubereitet werden. Dinner 8–16 $.

Einkaufen

Von allem etwas ▶ Valley View Mall: 4802 Valley View Blvd. NW., Tel. 1-540-563-4400, www.valleyviewmall.com, Mo–Sa 10–21, So 12–18 Uhr. Nette kleine Mall unter einem Dach, mit GAP, JCPenney, H & M und Macy's sowie einigen Restaurants.

Verkehr

Bahn: Das frühere Eisenbahnzentrum ist nicht mehr an das Schienennetz der Amtrak angeschlossen. Die nächsten Bahnhöfe sind Clifton Forge und Lynchburg.

Blue Ridge Parkway

▶ **1, A–D 10–12**

In unzähligen Liedern besingen Amerikaner die ›Blauen Berge‹ und meinen damit die lang gezogene Mittelgebirgskette der Appalachen. Der Beiname passt. Aus den Tälern aufsteigender Dunst taucht die Berglandschaft in wässrigblaue Aquarellstimmung. Von Kanada bis nach Alabama bildet der Höhenzug das steinerne Rückgrat des amerikanischen Ostens. Früher gingen in den riesigen Wäldern Indianer auf Hirsch- und Bärenjagd oder sammelten Beeren und Wurzeln. Heute liegen in den dünn besiedelten Regionen einsame Berghöfe kauziger, als hinterwäldlerisch verschriener Hillbillies.

Südöstlich von Roanoke gelangt man auf den **Blue Ridge Parkway**, die viel gerühmte Panoramastraße durch die Appalachen. Sie beginnt im Norden im Shenandoah National Park und zieht sich auf insgesamt 467 Meilen Länge von Virginia durch North Carolina bis in die Cherokee Indian Reservation am Fuß der Great Smoky Mountains. Der Parkway wurde 1935 mitten in der Weltwirtschaftskrise als Arbeitsbeschaffungsmaßnahme begonnen, aber erst 1987 fertiggestellt und war Amerikas erste ausschließlich dem Ausflugsverkehr vorbehaltene Straße, an der es keine Werbeschilder, nur wenige Raststellen und außer Natur wenige andere Besichtigungspunkte gibt.

Zu den bekanntesten Sehenswürdigkeiten auf dem Staatsgebiet von Virginia gehört bei Meile 176 mit **Mabry Mill** eine restaurierte, in den 1930er-Jahren aufgegebene Getreidemühle (s. S. 322). In der warmen Jahreszeit demonstrieren Männer und Frauen in historischen Kostümen beim Apfelsirupkochen oder Schmieden das früher karge Leben der Bergbevölkerung in den Appalachen (www. mabrymillrestaurant.com). Wer sich für aus den Appalachen stammende Bluegrass Music interessiert, kann beim **Blue Ridge Music Center** (Meile 213, www.blueridgemusic center.org) einen Halt einlegen. Zwischen Juni und September treten dort auf einer Außenbühne und in einem Amphitheater Musiker und Bands auf. Das Besucherzentrum hält eine große Auswahl an CDs und Büchern über diese Musikrichtung bereit (www. blueridgemusiccenter.org).

Bei Meile 217 überquert der Parkway die Staatsgrenze von North Carolina und windet sich an Aussichtspunkten, Infostellen, einem mineralogischen Museum und einigen wenigen Restaurants vorbei Richtung Südwesten. Markierungen weisen auf Wanderpfade hin, auf denen man die abwechslungsreiche Natur der Appalachen hautnah kennenlernen kann. Am gesamten Parkway gibt es keine einzige Tankstelle. Aber an vielen Kreuzungen kann man die Panoramastraße verlassen, um in der näheren Umgebung zu tanken (www.blueridgeparkway.org).

Im Inselreich der Outer Banks

Sand, Salz, Sonne, Wind und Brandung sind die ›Ingredienzien‹, die einen Inselurlaub zum Erlebnis machen. Ein Besuch bei den Luftfahrtpionieren Gebrüder Wright, eine Besteigung der höchsten Düne des amerikanischen Ostens und eine Tauchexkursion zu einem Schiffswrack können aus dem Erlebnis sogar ein richtiges Abenteuer machen.

Wie ein schmaler, 280 km langer, hin und wieder von Durchlässen unterbrochener Naturdamm aus Sand schützen die bis zu 50 km vor dem Festland liegenden Outer Banks die Küste von North Carolina sowie den Albemarle und den Pamlico Sound. Ein Blick auf die Landkarte genügt, um zu erkennen, dass es sich bei dieser von der Virginia-Grenze bis zum Cape Lookout National Park im Süden erstreckenden merkwürdigen Inselkette um ein besonderes Naturphänomen handelt. Einerseits wird die Sandbank seit ihrer Entstehung von Stürmen und Hurrikans, aber auch von normalen Meeresströmungen permanent verändert. Nichts bleibt dort, wie es ist. Jeder Wellenschlag verändert die größtenteils unverbauten Strände. In Brandungsnähe stehende Ferienhäuser bekommen den Wandel der Küstenlinie am ehesten zu spüren, wenn etwa heftige Wirbelstürme ganze Strandabschnitte verschwinden lassen oder neue schaffen. Andererseits wurde North Carolinas atlantischer ›Balkon‹ von der Natur mit geradezu paradiesischer Lieblichkeit ausgestattet, die sich in vielen Teilen der Outer Banks mit Dünen und Strandhafer noch naturbelassen zeigt. In einigen Gebieten teilen sich wilde Pferde die Inselwelt mit über 250 unterschiedlichen Vogelarten.

Die ständigen Veränderungen durch natürliche Einflüsse betreffen nicht nur die Inselkette selbst, sondern auch den davor liegenden Meeresboden. Seekarten konnten in der Vergangenheit gar nicht so schnell angepasst werden, wie sich die Verhältnisse vor den Outer Banks änderten. Die Seefahrer wussten ein Lied davon zu singen. Kein Wunder, dass die Meeresabschnitte den Beinamen ›Friedhof des Atlantik‹ erhielten, weil dort in den vergangenen Jahrhunderten Tausende Schiffe nach Havarien sanken – für Taucher ein wahrer Glücksfall. Die kommerzielle Entwicklung um Kitty Hawk und Nags Head, wo die Gebrüder Wright Fliegereigeschichte schrieben, zeigt, welche Zukunft eventuell auch anderen Inselteilen bevorsteht. Das Freizeitpotenzial der Inselkette ist zu optimal, als dass es den Augen von Investoren auf Dauer verborgen bleiben könnte.

Kitty Hawk   ▶ 3, K 1

Der nördlichste Ort der Outer Banks wäre ein anonymer Inselflecken geblieben, hätten die Gebrüder Orville und Wilbur Wright zwischen Dünen und Wäldchen nicht Luftfahrtgeschichte geschrieben. Am 17. Dezember 1903 absolvierten sie mit ihrem Eigenbau namens ›Flyer‹ den ersten motorisierten Flug der Menschheitsgeschichte – 36 m weit. Am selben Tag folgten drei weitere fliegerische Pioniertaten, wobei man beim letzten Versuch immerhin eine Distanz von 260 m überwand. Dort, wo sich bei Kill Devil Hills die höchsten Sanddünen der Ostküste auftürmen, erinnert auf einem Hügel ein 20 m hohes Granitdenkmal an das bahnbrechende Unternehmen der Brüder. Neben dem ursprünglichen Flugfeld stellen das Besucherzentrum des **Wright**

Im Inselreich der Outer Banks

Brothers National Memorial viele Objekte aus knapp 100 Jahren Fliegerei aus, natürlich auch eine Rekonstruktion des *Flyer* (US 158 Bypass, Milepost 7,5, Kill Devil Hills, Tel. 1-252-473-2111, www.nps.gov/wrbr, tgl. 9–17 Uhr, ab 16. Jahre 4 $).

Nags Head ▶ 3, K 1

Supermärkte, Shopping Malls, Imbissketten, T-Shirt-Läden – das urbane Herz der Outer Banks wurde in den zurückliegenden Jahren immer größer. Mitten in der Ortschaft reicht die größte Düne der amerikanischen Atlantikküste im **Jockey's Ridge State Park** bis an die Durchgangsstraße heran. Ihre Höhe variiert zwischen 25 und 35 m, weil der Wind die Sandinsel ständig verändert. Mag sie auch auf den ersten Blick wie eine kleine Wüste aussehen, gedeihen in diesem im Sommer heißen und trockenen Lebensraum doch zahlreiche Pflanzen wie Myrthenwachs und Lorbeerbäume. Früh am Morgen kann man Hasen, Füchsen, Waschbären und Eidechsen begegnen. Wegen der ständigen Brise ist der State Park bei Familien beliebt, die Drachen fliegen lassen. Einige Unternehmen haben sich auf Hang Gliding spezialisiert (Carolista Dr., Meile 12 am Hwy 158 Bypass, www.jockeysridgestatepark.com, im Sommer tgl. 8–21, im Winter 7–18 Uhr).

Unter den zahlreichen Piers auf den Outer Banks ist die 1939 erbaute **Jennette's Pier** die älteste. Sie dient als Anglerpier und auch als Meeresgalerie der besonderen Art. Im Innern sind rekordverdächtige präparierte Fische wie Tigerhaie, Barrakudas und Schwertfische ausgestellt, die Anglern vor den Outer Banks an den Haken gingen (7223 South Virginia Dare Trail, Tel. 1-252-255-1501, www.jennettespier.net, tgl. tgl. 6–24 Uhr, 2 $).

Übernachten

Essen & Trinken

Aktiv

Roanoke Island ▶ 3, K 1

Im Schutz der nördlichen Outer Banks liegt auf der dem Festland zugewandten Seite **Roanoke Island.** Bereits seit dem ausgehenden 16. Jh. bewahrt die Insel ein düsteres Geheimnis, das schon Generationen von Historikern zu lüften versuchten – erfolglos.

Historische Spuren

Im Frühjahr 1585 segelten auf Betreiben des Seefahrers Sir Walter Raleigh, der im Auftrag von Königin Elizabeth I. in Amerika die britische Vormachtstellung gegenüber den Spaniern verteidigen sollte, 500 Mann an die Küste von North Carolina, um auf Roanoke Island eine Kolonie zu gründen und Fort Raleigh zu bauen. Ihr Führer John White reiste zwei Jahre später nach England zurück, um dringend notwendige Nahrungsmittel und Ausrüstung zu besorgen. Als er 1590 nach Roanoke Island zurückkehrte, waren seine Landsleute verschwunden. Als einzige Spur hinterließen sie das in die Rinde mehrerer Bäume geritzte Wort Croatan. Was es be-

Im Abendlicht schaukeln die Jachten in einem Hafen der Outer Banks

aktiv unterwegs

Wracktauchen auf den Outer Banks

Tour-Infos

Start: In Nags Head und Morehead City auf Cedar Island findet man Verpflegung, Unterkünfte und spezialisierte Tauchausrüster.

Entfernung: Die meisten Tauchplätze liegen leicht erreichbar direkt vor der Küste.

Beste Saison: Die günstigsten Sichtverhältnisse herrschen in den Sommermonaten.

Tauchbasen: Nags Head Diving: Tel. 252-473-1356, www.nagsheaddiving.com; Outer Banks Dive Center: 3917 S. Croatan Hwy, Nags Head, Tel. 252-449-8349, www.obxdive.com; Outer Banks Diving: 7540 Hwy 12, Hatteras, Tel. 252-986-1056, www.outerbanksdiving.com; Dive Hatteras, Hatteras Village, Tel. 703-517-3724, www.divehatteras.com; Olympus Dive Center: Morehead City, Tel. 252-726-9432, www.olympusdiving.com

An den Küsten der Outer Banks liegen mehr als 1500 Schiffswracks auf dem Meeresgrund. Kein Wunder, dass Tauchtouristen aus der ganzen Welt zu Unterwasserabenteuern anreisen. Neben Schiffsleichen können sich Taucher auf Meeresbewohner wie Sandtiger, Stachelrochen, Barrakudas, Schildkröten und Hammerhaie freuen. Zum Schiffsfriedhof wurden die warmen Gewässer des Golfstroms schon im 16. Jh. Viele Wracks liegen so günstig, dass sie von erfahrenen Tauchern unter spezieller Anleitung problemlos erkundet werden können.

Einige Wracks besitzen unter Kennern Kultstatus. Dazu gehört der 150 m lange Tanker ›**Papoose**‹, der 1942 vom deutschen U-Boot U-124 versenkt wurde. Im gleichen Kriegsjahr erlebte die deutsche Besatzung von ›**U-352**‹ nach einem Angriff der US-Küstenwache ihre schwärzeste Stunde. Erst 32 Jahre später entdeckte ein Taucher das Wrack, dessen Bordkanone auf dem Marktplatz von Morehead City als Erinnerung an den Zweiten Weltkrieg dient. Als künstliches Riff absichtlich auf Grund gesetzt wurde 1992 das 100 m lange Landungsboot ›**Indra**‹, ein Übungsterrain auch für Anfänger. Einen ähnlichen Zweck erfüllt die ›**Aeolus**‹, die in den 1960er-Jahren ein Telefonkabel von den Malediven nach Sri Lanka verlegte. Das deutsche U-558 torpedierte im Zweiten Weltkrieg den Frachter ›**HMS Bedfordshire**‹, der ebenso wie das deutsche U-Boot ›**U-85**‹, das 1942 mit 46 Mann Besatzung an Bord vom US-Zerstörer ›Roper‹ versenkt wurde, zu den Highlights unter den Wracks zählt.

deutet, konnten Wissenschaftler bis heute nicht herausfinden. Vermutlich zogen die Siedler nach der Abreise von White gen Norden, wo sie wahrscheinlich von den Powhatan-Indianern umgebracht wurden. An ihr mysteriöses Verschwinden erinnert seit 1937 das jeden Sommer im **Waterside Theater** aufgeführte Drama ›The Lost Colony‹ des Pulitzerpreisträgers Paul Green (am Nordende von Roanoke Island, Tel. 1-252-473-5772, www.nps.gov/fora, Juni–Aug. tgl. 9–20, sonst bis 17 Uhr, Parkbesichtigung frei).

In Sichtweite der Waterfront der Ortschaft Manteo liegt auf Ice Plant Island eine Rekonstruktion des Seglers **Elizabeth II.** vor Anker, mit dem die Kolonisten der sogenannten *Lost Colony* nach Amerika fuhren. Beim Bau des Schiffes bedienten sich die Handwerker ausschließlich traditioneller Methoden und Materialien. Kostümierte Seeleute erzählen Besuchern an Bord äußerst spannende Geschichten über die viele Rätsel aufgebende Kolonistensiedlung von Fort Raleigh. An Land demonstriert ein Schmied alte Handwerkskunst (Roanoke Island Festival Park, Tel. 1-252-475-1500, http://roanokeisland.com, März-Dez. tgl. 9–17 Uhr, Erw. 10 $, 6–17 Jahre 7 $).

North Carolina Aquariums

Was in den Gewässern von North Carolina schwimmt, kreucht und fleucht, ist in den **North Carolina Aquariums** in Becken und Tanks zusammengefasst. Dabei geht es nicht nur um Meereslebewesen, sondern auch um die ›Einwohner‹ von Flüssen und Seen. In zwei *touch tanks* können Besucher Einsiedlerkrebse oder Stachelrochen berühren. Neben Ausstellungen über Hurrikans kann man auch vor Terrarien mit Schwarzen Witwen, Taranteln und Giftschlangen eine Gänsehaut bekommen (3 Meilen nördlich von Manteo, Tel. 1-252-473-3494, www.nc aquariums.com, tgl. 9–17 Uhr, Erw. 11 $).

Infos

Outer Banks Visitors Bureau: 1 Visitors Center Circle, Manteo, NC 27954, Tel. 1-252-473-2138, www.outerbanks.org.

Übernachten

Kleines, malerisches Inn ▶ **Roanoke Island Inn:** Waterfront, Manteo, Tel. 1-252-473-5511, www.roanokeislandinn.com. Von außen zugängliche Gästezimmer mit Kaffeemaschine, nur Ostern bis Okt. Ab 228 $.

Viktorianisch ▶ **The White Doe Inn:** 319 Sir Walter Raleigh St., Manteo, Tel. 1-252-473-9851, www.whitedoeinn.com. Luxuriöses Inn mit Afternoon Tea und Frühstück. Ab 225 $.

Ruhig nächtigen ▶ **Wanchese Inn:** Wanchese im Süden der Insel, Tel. 1-252-475-1166, www.wancheseinn.com. Einfaches B & B, Zimmer inklusive Frühstück. 99–149 $.

Essen & Trinken

Essen auch draußen ▶ **Full Moon Café:** 208 Queen Elizabeth St., Manteo, Tel. 1-252-473-MOON, www.thefullmooncafe.com, tgl. Lunch und Dinner, Seafood, Salate, Snacks. Allerdings liegt die Betonung auf der Bierauswahl! Ab 10 $.

Familienfreundlich ▶ **Stripers Bar & Grill:** 1100A South Bay Club Dr., Manteo, Tel. 1-252-475-1021, www.stripersbarandgrille.com, tgl. 10–21 Uhr. Hier sitzt man sowohl innen als auch draußen schön. Pasta, Burger oder Seafood. Ab ca. 11 $.

Der Inselsüden ▶ 3, K 2

Inn Naturschutzgebiet **Pea Island National Wildlife Refuge** verbringen Tausende von Schnee- und Kanadagänsen, über zwei Dutzend Entenarten, Regenpfeifer, Tundraschwäne, Wanderfalken u. a. gefiederte Spezies wie Möwen und Reiher den Winter. Die Insel erhielt ihren Namen, weil Schneegänse bevorzugt nach Strand-Platterbsen als Futter suchen. Von Mai bis September patrouillieren Naturschützer an den Stränden, um die Gelege von Schildkröten aufzuspüren und deren Eier notfalls an geschützte Stellen zu bringen. Der warme Golfstrom, der vor der Küste vorbeizieht, sorgt für ein mildes Klima selbst in der kalten Jahreszeit (www.fws.gov/peais land).

Wie sehr die Kräfte der Natur auf die Outer Banks einwirken, zeigt das berühmte, diagonal schwarz-weiß gestreifte **Cape Hatteras** Lighthouse, mit 63 m der höchste Leuchtturm Nordamerikas. Die Küstenerosion bzw. der ansteigende Meeresspiegel bedrohten das aus 1,2 Mio. Ziegelsteinen gemauerte Bauwerk, sodass es 1999 ca. 150 m weiter landeinwärts versetzt werden musste. Das Licht der Küstenstation ist an klaren Tagen aus 50 Meilen Entfernung zu erkennen. 257 Stufen führen auf die Aussichtsplattform, von der man einen fantastischen Ausblick genießt. Die Küste vor dem Leuchtturm ist deshalb so gefährlich, weil der Golfstrom dort mit der sogenannten Virginia Drift des aus Kanada kommenden Labradorstroms kollidiert (Tel. 1-252-473-2111, www. nps.gov/caha, Ende April–2. Mo im Okt. tgl. 9–16.30 Uhr, 8 $).

Verkehr

Fähren: Von Ocracoke setzen Autofähren in gut 2 Std. nach Cedar Island über zwecks Weiterfahrt Richtung Morehead City. Platzgarantie nur nach tel. Reservierung (Ocracoke: 1-800-293-3779 oder 1-252-928-5311; Cedar Island: Tel. 1-800-293-3779 oder 1-252-225-7411). Eine zweite Fähre verbindet Ocracoke mit Swan Quarter (Tel. 1-800-293-3779, www.ocracoke-nc.com/ferry-swan).

Drayton Hall blieb als einziges der Plantagenhäuser
von Charleston im Bürgerkrieg unversehrt

Kapitel 4

Der Süden

Georgia, Tennessee und South Carolina hängt bis heute das Image des alten, traditionsverbundenen Südens an. Über 200 Jahre lang schufteten aus Afrika stammende Sklaven auf Baumwoll- und Reisplantagen, ehe das Ende des Bürgerkriegs dieser Art von Zwangsarbeit ein Ende bereitete. Geblieben sind aus dieser Epoche Klischees und Reminiszenzen, denen niemand so bleibenden Nachhall verschaffte wie Margaret Mitchell mit dem Roman ›Vom Winde verweht‹.

Beim genaueren Hinsehen zeigt sich, dass viele Klischees durchaus als Beschreibungen des heutigen Zustandes dienen können. Denn die Landesteile südlich der Mason-Dixon-Linie (Grenzlinie zwischen Pennsylvania und Maryland), die in der ersten Hälfte des 19. Jh. die Demarkationslinie zwischen Sklaven haltenden und anderen Staaten definierte, weisen tatsächlich Unterschiede zu den Nordstaaten auf. Die einen hatten ihre ökonomische Basis in der Landwirtschaft, die anderen in der Industrie. Daraus resultierten unter anderem soziokulturelle Gegensätze, die sich durch alle Gesellschaftsschichten und Parteien ziehen und auch nach Ende des Bürgerkriegs das Verhältnis zwischen Nord und Süd prägten.

Von den großen Metropolen Atlanta und Nashville abgesehen, zeigt sich der Süden eher von einer provinziellen Seite: die Berglandschaften in den südlichen Appalachen wie die Landstriche in Tennessee, Georgia und den Carolinas.

Auf einen Blick
Der Süden

Sehenswert

Chattanooga: Nicht nur wegen der Nostalgieeisenbahn Chattanooga Choo Choo, sondern auch wegen ihres Freizeitwertes ist die Stadt zu einer sehenswerten Destination geworden (s. S. 355).

Okefenokee Swamp: Bäume mit Zottelbärten, Alligatoren, Seerosen und fast unzugängliche Sümpfe machen aus der Landschaft einen von der Zivilisation fast vergessenen Flecken (s. S. 370).

10 Savannah: In der Küstenstadt könnte man vielerorts meinen, die Zeit sei in der weit zurückliegenden Vergangenheit irgendwann stehen geblieben (s. S. 375).

11 Charleston: Mit eleganten Villen, schönen Gärten und historischen Plantagen gehört der Küstenort in South Carolina zu den schönsten Städten des amerikanischen Ostens (s. S. 384).

Schöne Routen

Durch die Blauen Berge: Auf der Route durch die Blauen Berge gehört der Abschnitt zwischen dem Lake Lanier, der Indianerreservation der Cherokee nördlich davon und Knoxville in Tennessee zu den schönsten Appalachenlandschaften (s. S. 346).

Antebellum Trail: Auf der Touristenroute zwischen Athens und Macon in Georgia liegen mehrere Ortschaften und Kleinstädte aus der Zeit vor dem amerikanischen Bürgerkrieg mit ausgesprochen sehenswerter Architektur (s. S. 364).

Die Küste von Georgia mit den Golden Isles: Auf mehreren Inseln dominiert typisches Südstaatenflair, das man auf dieser Küstenroute in vollen Zügen genießen kann. Gleichzeitig sind auf einigen dieser Inseln wie Jekyll Island und Sea Island eine exklusive Gastronomie und Hotellerie zu entdecken (s. S. 370).

Meine Tipps

Bares sparen: Mit dem Atlanta CityPASS können Stadtbesucher bei einigen Hauptsehenswürdigkeiten sparen (s. S. 335).

Countrysound zum Anfassen: Die Tennessee-Hauptstadt Nashville ist der richtige Ort, um in die Countrymusic-Szene einzutauchen. In der bekannten Grand Ole Opry präsentieren sich Stars und Sternchen der Öffentlichkeit (s. S. 360).

Parken leicht gemacht: Savannah bietet seinen Besuchern einen speziellen Parkpass an, mit dem man für wenig Geld das Auto auf allen ausgewiesenen Parkplätzen abstellen kann (s. S. 380).

Inselparadies Tybee Island: Die Insel liegt nur ca. 20 Autominuten vom Zentrum von Savannah entfernt. In der Nähe des Leuchtturms kann man erholsame Strandspaziergänge unternehmen (s. S. 381).

aktiv unterwegs

Vergnüglicher Stone Mountain Park: Besucher finden auf dem Parkgelände bei Atlanta eine Mischung aus typischen Vergnügungsparkeinrichtungen, historischen Sehenswürdigkeiten und Naturattraktionen (s. S. 344).

Auf dem Alum Cave Trail durch die Smokies: Der Wanderweg in den Great Smokey Mountains führt zu ungewöhnlichen Felsformationen (s. S. 350).

Freizeitspaß auf dem Lookout Mountain: Die Attraktionen auf dem Berg bei Chattanooga, der zudem tolle Ausblicke bietet, wissen zu unterhalten (s. S. 354).

Romantisches Plantagenhüpfen: Nahe bei Charleston haben einige Plantagen überdauert. Sie verbreiten romantische Plantagenatmosphäre (s. S. 388).

333

Atlanta ►3, D4

Drehscheibe des Verkehrs, Medienzentrum des amerikanischen Südens, Sitz nationaler wie multinationaler Firmen – Georgias Hauptstadt Atlanta besitzt nicht viel vom typischen Südstaatencharme, sondern präsentiert sich eher als pulsierende Geschäftsmetropole.

Georgias Hauptstadt versteckt ihre Scarlett-O'Hara-Romantik in den Außenbezirken, in denen Besserverdienende reizvolle Häuser bewohnen. Im Zentrum aus Glas und Beton hingegen wird sichtbar, wie sich die Metropole im 21. Jh. versteht: als urbaner, dynamischer ›Aufsteiger‹, der in den vergangenen Jahrzehnten immer mehr in die Rolle eines regionalen Südstaatenzentrums schlüpfte. Die 540 000 Einwohner große Stadt – im Großraum leben etwa 5,5 Mio. Menschen – befindet sich zu Beginn des 21. Jh. unter den fünf am schnellsten wachsenden Ballungsgebieten im Land. Das eigentliche Wachstum findet dabei nicht im Stadtkern, sondern in den Vororten statt. Selbst Durchreisenden fällt auf, dass die von Wolkenkratzerinseln, Asphaltschluchten und Autobahnkreuzungen geprägte Metropole mit dem im Süden gängigen ›Magnolienmythos‹ nicht viel zu tun hat.

Atlanta versinnbildlicht das neue Gesicht des alten Südens mit internationalem Make-up – Firmensitzen von Dutzenden Banken aus aller Welt und Niederlassungen von über 1000 multinationalen Gesellschaften. In dieses Bild passt, dass etwa 10 % aller Einwohner des Großraumes keine gebürtigen Amerikaner sind, sondern im Ausland auf die Welt kamen.

Atlantas internationales Image ist damit noch nicht erschöpft. Unter der tatkräftigen Führung von Martin Luther King, der hier geboren wurde, entwickelte sich im amerikanischen Süden eine schwarze Bürgerrechtsbewegung, deren ziviler Ungehorsam und gewaltfreier Protest Vorbild für viele Organisationen in anderen Ländern werden sollte.

Atlanta ist eine junge Stadt. Im Jahr 1837 gegründet, hatte sie 27 Jahre später bereits den ersten Teil ihrer Geschichte hinter sich. 1864 rückte der Nordstaatengeneral William T. Sherman nach 117-tägiger Belagerung mit seinen Truppen in die damals 15 000 Einwohner große Gemeinde ein und statuierte ein beispielloses Exempel. Nach der Evakuierung der Bevölkerung ließ er jene Straßenzüge in Schutt und Asche legen, die dem vorausgegangenen Artilleriebombardement noch nicht zum Opfer gefallen waren. Nur etwa 10 % der Häuser blieben unbeschädigt.

Downtown

Cityplan: S. 337

Atlanta besitzt mit **Downtown** zwar ein kompaktes Wolkenkratzerzentrum mit Finanzinstituten, Bürohochhäusern und Shopping Malls. Kennzeichnender für die Stadt sind eher ihre Neighborhoods, Stadtteile mit zum Teil sehr unterschiedlichem Charakter. Seit kurzem versuchen die Stadtväter, Downtown durch neue Einrichtungen vor allem im Umkreis des Centennial Olympic Park neue Impulse zu verleihen. Das eigentliche Zentrum von Downtown befindet sich um die **Five Points Station 1** mit den zentralen Haltestellen der Bus- und U-Bahnlinien. In den umliegenden Straßen blüht das Geschäft der Straßenhändler. Dazwischen verkünden Prediger ihre Heilsbotschaften, während Banker und Büroangestellte aus den benachbarten Glastürmen bei schönem Wetter ihren Lunch

334

im Freien verzehren. In dieser Gegend ist unübersehbar, dass Atlantas Bevölkerung zu zwei Dritteln aus Afroamerikanern besteht.

In der Nachbarschaft lässt **Underground Atlanta** [2] bei Besuchern häufig ein Gefühl der Enttäuschung zurück, weil es der in Broschüren und Informationen propagierten Attraktivität nicht gerecht wird. Auf einer unterhalb der Straße liegenden Ebene befinden sich dort, wo früher Dampflokomotiven Waggons rangierten, Imbisse, Läden und mobile Verkaufsstände mit Baseballmützen, Sonnenbrillen und T-Shirts mit ›Atlanta‹-Aufdrucken, die Touristenherzen höher schlagen lassen oder auch nicht (50 Upper Alabama St., www.underground-atlanta.com, Mo–Sa 10–20, So 12–18 Uhr, Lokale länger).

Das **CNN Center** [3] ist nach dem 1980 gegründeten Nachrichtensender benannt. Im riesigen Atrium des Gebäudes gibt es neben dem Omni Hotel und einem Food Court die Möglichkeit, bei Touren durch die CNN-Studios Einblicke in die Arbeit der Nachrichtenredaktionen und der Spezialeffekte-Zauberer zu bekommen (1 CNN Center, Tel. 1-404-827-2300, www.cnn.com/studiotour, Studiotouren tgl. 9–17 Uhr, 15 $).

Um den Centennial Olympic Park

Vor dem CNN Center dehnt sich mit Rasenflächen, Brunnen, Teichen, Reflecting Pool, Blumenrabatten, Amphitheater und Besucherzentrum der zur Olympiade 1996 angelegte **Centennial Olympic Park** [4] aus. Er zollt auch den beiden Opfern Tribut, die während der Spiele bei einem Bombenanschlag ums Leben kamen. Schaustück des Parks ist der Fountain of Rings (Brunnen der Ringe), der weltgrößte Brunnen, der das olympische Symbol der fünf Ringe mit 25 Wasserdüsen darstellt. Sehr populär sind die Gratiskonzerte, die von April bis Oktober jeden Di und Do von 12 bis 13 und jeden Mi von 17.30 bis 20 Uhr im Southern Company Amphitheater stattfinden (International Blvd./ Techwood Dr., www.centennialpark.com, tgl. 7–23 Uhr).

Allein die Zahlen sind beeindruckend. Das neue **Georgia Aquarium** [5] beherbergt über

Tipp: Bares sparen

Mit dem **Atlanta CityPASS** können Besucher bei einigen Hauptsehenswürdigkeiten sparen. Er schließt den Eintritt etwa zum Georgia Aquarium, World of Coca-Cola, CNN-Studiotour, High Museum of Art oder die Fernbank of Natural History sowie Zoo Atlanta oder Atlanta History Center ein (Erw. 74 $, Kinder 3–12 Jahre 59 $).

100 000 Lebewesen von mehr als 500 unterschiedlichen Arten in fast 30 Mio. l Meer- und Süßwasser. Schon in den ersten Monaten nach der Eröffnung stellte sich heraus: Unumstrittene Stars sind mittlerweile vier harmlose Walhaie, die größte Fischart der Erde, die in allen tropischen und subtropischen Ozeanen der Welt verbreitet ist. Erwachsene Exemplare können es auf ein Gewicht von weit über 20 000 kg bringen. Im Unterschied zu Haien sind Walhaie keine Jäger, sondern ernähren sich von Plankton. Mit den beiden Riesen buhlen fünf Beluga-Wale und vier vor Südafrika gefangene Mantas um die Gunst des Publikums (255 Baker St., Tel. 1-404-581-4000, www.georgiaaquarium.org, So–Fr 10–17, Sa 9–18 Uhr, Erw. 39 $, Kinder 3–12 Jahre 33 $, online billiger).

In der Nachbarschaft des Aquariums wirbt der futuristische Pavillon **New World of Coca Cola** [6] für das wohl bekannteste Süßgetränk der Welt. Ein gewaltiger 27 m hoher Glaszylinder, in dem eine überdimensionale Coke-Flasche steckt, weist Besuchern den Weg in diesen Präsentationstempel des Coca-Cola-Unternehmens, dessen Hauptquartier sich in Atlanta befindet. Im Happiness Factory Theater stimmt ein Film Gäste auf das Museumsthema ein. Auf zwei Etagen und mehr als der doppelten Ausstellungsfläche wie früher huldigen Werbeplakate, Poster, Memorabilien wie ein 1939 gebautes Oldtimer-Lieferantenfahrzeug aus Argentinien und Apparaturen dem braunen Durstlöscher, der in einer speziellen Anlage in Flaschen abgefüllt wird. Natürlich kann man die Brause auch kosten. Und

Atlanta

nicht nur das Original. Aus den Probierstationen sprudeln außerdem ca. 100 Erzeugnisse, die von Coca Cola weltweit vertrieben werden (121 Baker St., Tel. 1-404-676-5151, www. worldofcoca-cola.com, Juni–Juli 10–18, sonst 10–17 Uhr, Erw. 16 $, Kinder 3–12 Jahre 12 $, Parkhaus 10 $).

In direkter Nachbarschaft zur Welt von Coca Cola öffnete das **Center for Civil and Human Rights** **7** mit beeindruckenden Ausstellungen über geschehene und aktuelle Menschenrechtsverletzungen seine Pforten (100 Ivan Allen Jr. Blvd., Tel. 1-678-999-8990, www.civilandhumanrights.org, tgl. 10–17 Uhr, Erw. 15 $ inkl. Tax, Kinder 3–12 Jahre 10 $).

Der **Centennial Olympic Park** und seine nähere Umgebung sollen in den kommenden Jahren die Reputation als Standort bedeutender Sehenswürdigkeiten weiter ausbauen und aufwerten. Neben dem bereits existierenden (klimatisierten!) Riesenrad (tgl. 10–22 Uhr, Erw. 15 $, Kinder 9 $) soll Atlanta durch ein National Health Museum, eine College Football Hall of Fame und eventuell durch ein Piratenmuseum in Zukunft zusätzlich Aufmerksamkeit auf sich lenken.

Georgia State Capitol **8**

Ein unübersehbarer Wegweiser in Downtown ist das 1889 vollendete **Georgia State Capitol** mit einer glänzenden Kuppel, die mit einheimischem Gold aus Dahlonega gedeckt wurde. Die Rotunde ist mit einer beeindruckenden 77 m hohen Decke und zahlreichen Büsten berühmter Bürger aus Georgia ausgestattet. Breite Treppen führen ins zweite Obergeschoss in die Sitzungssäle von Repräsentantenhaus und Senat, in denen sich die Delegierten während einer 40-tägigen Sitzungsperiode ab Mitte Januar zu Beratungen treffen. Im Stockwerk darüber zeigen die Ausstellungen des Georgia Capitol Museum mit Baumwolle, Pfirsich und Erdnuss die wichtigsten Agrarprodukte des Landes, außerdem Flora und Fauna sowie Mineralien und Indianische Artefakte (206 Washington St., Tel. 1-404-463-4536, www.libs.uga.edu/capitolmuseum, Mo–Fr 8–17 Uhr, Führung mit Reservierung Tel. 1-404-463-4536).

Südlich des Zentrums

Im Südosten von Downtown liegt der **Oakland Cemetery** **9** mit dem bescheidenen

Atlanta

Grab von Margaret Mitchell (248 Oakland Ave.), die mit dem Roman ›Vom Winde verweht‹ Weltruhm erlangte. Touristen machen sich in der Stadt allerdings vergeblich auf die Suche nach Tara, dem Landsitz der Familie von Scarlett O'Hara. Als David O. Selznick Ende der 1930er-Jahre das Bürgerkriegsepos verfilmte, stand die Plantage in den Kulissen von Hollywood in Kalifornien.

Als die Filmtechnik noch in den Kinderschuhen steckte, begannen 1885 deutsche Künstler in Wisconsin mit dem größten Ölgemälde der Welt, das die im Bürgerkrieg ausgetragene ›Schlacht von Atlanta‹ darstellt. Ein späterer Besitzer vermachte das gigantische Kunstwerk der Stadt Atlanta, die es im feuersicheren **Cyclorama** 🔟 als Rundgemälde zur Schau stellt. Das benachbarte Museum dokumentiert die Zeit des Bürgerkriegs (800 Cherokee Ave., Tel. 1-404-658-7625, www.atlantacyclorama.org, Di–Sa 9.15–16.30 Uhr, Erw. 10 $, Kinder 4–12 Jahre 8 $).

Im Grant Park zwei Meilen südlich von Downtown haben neben Nashörnern, Löwen, Elefanten, Zebras und Giraffen seltene Pelztiere ein Heim gefunden: die beiden Pandabären Lun Lun und Yang Yang mit ihrem Zwillingsnachwuchs. Ein Schwerpunkt des **Zoo Atlanta** 🔢 ist die Primatenabteilung, die sich um die Aufzucht und das Verhaltensstudium von Gorillas kümmert (800 Cherokee Ave., Tel. 1-404-624-WILD, www.zooatlanta.org, Mo–Fr 9.30–17.30, Sa, So bis 18.30, Erw. 22 $, Kinder 3–11 Jahre 17 $).

durch Erinnerungen an den Bürgerrechtler Martin Luther King geprägt ist. Die mit ihm zusammenhängenden Stätten werden als **Martin Luther King Jr. National Historic Site** vom National Park Service verwaltet.

Erinnerungen an M. L. King

Auburn Avenue Nr. 501 ist eine bekannte Adresse in Atlanta. In dem bescheidenen, zweigeschossigen Haus im Queen-Anne-Stil kam am 15. Januar 1929 der spätere Führer der schwarzen Bürgerrechtsbewegung Martin Luther King zur Welt. Die Zimmer zeigen, dass die Familie in bescheidenem Wohlstand lebte. Viele Fotos zeigen King als Kind im Kreis seiner Familie (Tel. 1-404-331-5190, www.nps.gov/malu, Touren tgl. ab 10 Uhr). In derselben Straße steht mit der **Ebenezer Baptist Church** jene Kirche, in der schon Kings Großvater und Vater als Prediger tätig waren und er selbst in die Fußstapfen seiner Vorfahren trat (407 Auburn Ave., tgl. 9–17 Uhr, Eintritt frei).

Bedeutendste Stätte im Viertel ist das **King Center**, eine Anlage mit Ausstellungs- und Verwaltungsräumen um einen Springbrunnen. Mitten in einem Pool steht der weiße Marmorsarkophag Kings. Tagtäglich entladen hier Busse aus dem ganzen Land neben Schulklassen die unterschiedlichsten Gruppen von Besuchern vor allem schwarzer Hautfarbe, für die Kings letzte Ruhestätte zum Wallfahrtsort geworden ist (449 Auburn Ave., Tel. 1-404-526-8900, www.thekingcenter.org, tgl. 9–18, im Winter bis 17 Uhr).

Sweet Auburn 🔢

Cityplan: S. 337

In der Ära der Rassentrennung lebten im Stadtteil **Sweet Auburn** bis in die 1950er-Jahre Afroamerikaner, die den Aufstieg in die Mittelklasse geschafft hatten. Die Häuser entlang der Auburn Avenue, der historischen Vorzeigemeile, wurden von der Nationalparkverwaltung in den 1990er-Jahren mit Blick auf die Olympischen Spiele zum Teil restauriert, wieder aufgebaut und in eine heute populäre Sehenswürdigkeit verwandelt, die hauptsächlich

Rundgang in Midtown

Cityplan: S. 337

Folgt man von Downtown in nördlicher Richtung der zentralen Peachtree Street, gelangt man jenseits der Ponce de Leon Avenue in den Stadtteil Midtown mit einigen Kunst- und Kultureinrichtungen, aber auch grünen Oasen mitten in der Stadtlandschaft.

Östlich von Midtown erinnert das **Jimmy Carter Library and Museum** 🔢 an den ersten US-Präsidenten (1976–1980) aus Georgia. Fotos, Filme und Gemälde dokumentieren die Karriere von Jimmy Carter vom Erdnussfarmer bis zum Inhaber des höchsten Staatsamts. In einem Raum ist das Oval Office des Weißen Hauses genauso rekonstruiert, wie es zu Carters Amtszeit aussah. Zu den bedeutenden Exponaten gehört der Friedensnobelpreis, der ihm im Jahr 2001 verliehen wurde (441 Freedom Pkwy, Tel. 1-404-865-7100, www.jimmycarterlibrary.org, Mo–Sa 9–16.45, So 12–16.45 Uhr, Erw. 8 $).

Mit der Naturgeschichte Georgias beschäftigt sich das um einen verglasten Lichthof angelegte **Fernbank Museum of Natural History** 🔢, in dessen Lobby man auf deutschem Boden steht. Die mit Fossilien versetzten Platten stammen von der Schwäbischen Alb. In diesem interaktiven Wissenschaftsmuseum können sich Besucher mit der amerikanischen Fauna ebenso wie mit Umweltproblemen beschäftigen. Eindrucksvolle Filme über Naturphänomene sind im IMAX-Theatre zu sehen (767 Clifton Rd. NE, Tel. 1-404-929-6300, www.fernbankmuseum.org, Mo–Sa 10–17, So 12–17 Uhr, Erw. 18 $).

In der Nachbarschaft geht der Blick im **Fernbank Science Center** weit über Georgia hinaus. Im Planetarium und astronomischen Observatorium bringen Vorführungen Besuchern den Kosmos näher (156 Heaton Park Dr., Tel. 1-678-874-7102, Zeitplan der Shows unter http://fsc.fernbank.edu).

Ursprünglich Tempel einer Sekte, wurde der Bau elf Jahre nach seiner Fertigstellung 1926 als **Fox Theatre** 🔢 in neuer Pracht eröffnet. Opulenter orientalischer Dekor macht den Innenraum zu einem richtigen Märchenreich. Von Opern über Broadway Shows und Ballettaufführungen finden auf der Bühne das Jahr über unterschiedliche Kulturereignisse statt. Bei Führungen kann man das grandiose Theater besichtigen (660 Peachtree St., Tel. 1-404-881-2100, www.foxtheatre.org, Führungen Mo, Do, Sa 10, 11, 12 Uhr 18 $).

Margaret Mitchell House 🔢

Nur wenige Straßenzüge entfernt zeigt das **Margaret Mitchell House** viele Memorabilien an die berühmte Schriftstellerin, die von 1925 bis 1932 mit ihrem Ehemann John Marsh in diesem Haus wohnte und den größten Teil des Erfolgsromans ›Vom Winde verweht‹ schrieb. Jahrelang war das Anwesen vom Abriss bedroht, ehe es 1997 nach einer von einem deutschen Autokonzern finanzierten Renovierung als Museum eröffnet werden konnte. Die einstündigen Führungen beginnen im Besucherzentrum mit einem 17-minütigen Film über das Leben der berühmten Schriftstellerin. Die ehemaligen Wohnräume sind im Großen und Ganzen immer noch so ausgestattet wie zu Lebzeiten von Margaret Mitchell. Unter anderem sind ihre Schreibmaschine und der Pulitzer Prize ausgestellt, den sie für ihren Bestseller überreicht bekam (990 Peachtree St., Tel. 1-404-249-7015, www.atlantahistorycenter.com/mmh, Mo–Sa 10–17.30, So 12–17.30 Uhr, Erw. 16,50 $).

Robert W. Woodruff Arts Center 🔢

Das **Woodruff Arts Center** nennt sich auch Woodruff's Village, weil sich der gesamte Komplex wie ein kleines Kunst-Dorf aus verschiedenen Kultureinrichtungen wie dem Alliance Theater, einem Kunstmuseum und einer Kunsthochschule zusammensetzt. Namensgeber des Zentrums war Robert W. Woodruff, ehemaliger Coca-Cola-Präsident und Philanthrop. Die Konzerte des renommierten Atlanta Symphony Orchestra finden in der 1800 Zuhörer fassenden Symphony Hall statt (www.woodruffcenter.org).

Wegen seiner runden Fassaden aus weißen Keramikkacheln ist das von Richard Meier entworfene **High Museum of Art** leicht erkennbar. Die Exponate reichen von Keramik, Zeichnungen, Skulpturen etwa von Alexander Calder, Textilien, Film- & Videokunst, Objekten aus Glas und Metall bis zu Gemälden, Drucken und Fotografien (1280 Peachtree St. SW., Tel. 1-404-733-4400, www.high.org, Di, Mi, Do, Sa 10–17, Fr 10–21, So 12–17 Uhr, Erw. 19,50 $, Fr ab 16 Uhr halber Preis).

Atlanta Botanical Garden 🔢

Auf einer Fläche von 12 ha bietet der **Atlanta Botanical Garden** mitten in der Stadtland-

Atlanta

schaft in der Nachbarschaft des Piedmont Park eine grüne Naturoase von großer Vielfalt. Im Dorothy Chapman Fuqua Conservatory etwa sind seltene und vom Aussterben bedrohte tropische und in wüstenhaften Trockengebieten lebende Pflanzenarten zu bewundern. Mit Akribie kümmert sich das Gartenpersonal um die Aufzucht von fleischfressenden Pflanzen, die in freier Natur wegen der sich verschlechternden Umweltbedingungen immer rarer werden. In der Orangerie liegt der Schwerpunkt auf wirtschaftlich verwertbaren tropischen und subtropischen Bäumen, die Zitrusfrüchte, Zimt, Kakao, Kokosnüsse, Papayas und Vanille liefern (1345 Piedmont Ave. NE., Tel. 1-404-876-5859, www. atlantabotanicalgarden.org, Di–So April–Okt. 9–19, Nov.–März 9–17 Uhr, Erw. 18,95 $).

Buckhead

Die Stadtlandschaft des Ballungsraumes Atlanta zieht sich in allen Himmelsrichtungen weit auseinander. Nördlich von Midtown, etwa 6 Meilen von Downtown entfernt, hat vor allem der Stadtteil **Buckhead** in den letzten Jahren als hippes ›In‹-Viertel von sich reden gemacht. Neben riesigen Einkaufs-Malls wie Lenox Square und Phipps Plaza renommiert das Viertel mit Luxushotels, erstklassigen Restaurants, schicken Bars und Clubs, einladenden Cafés und exklusiven Boutiquen. Zu den interessantesten Museen der Stadt gehört das **Atlanta History Center,** verfügt es doch über die Ausstellungsflächen hinaus auch über einen abwechslungsreich gestalteten Außenbereich. Der Schwerpunkt des Museums liegt auf der Entwicklung der Stadt von 1835 bis zum Beginn des 21. Jh. In weiteren Abteilungen geht es um die Geschichte des Bundesstaats Georgia bzw. des amerikanischen Südens. Im Park ist mit dem heute als Restaurant dienenden **Swan Coach House** ein Anwesen aus dem Jahr 1928 samt umgebender Gärten zu sehen. Einen Kontrast zu diesem eleganten Haus bildet die ländlich-einfache **Tullie Smith Farm** im Stil des 19. Jh., auf der Schafe und Ziegen

gehalten werden (130 W. Paces Ferry Rd., Tel. 1-404-814-4000, www.atlantahistorycenter. com, Mo–Sa 10–17.30, So 12–17.30 Uhr, Erw. 16,50 $, Kinder 4–12 Jahre 11 $).

Infos

Atlanta Convention and Visitors Bureau: 233 Peachtree St. NE., Atlanta, GA 30303, Tel. 1-404-521-6600, www.atlanta.net. Gute Infos über die Stadt.

Übernachten

Gepflegt ▶ **Omni Hotel** ☑: 100 CNN Center, Tel. 1-404-659-0000, www.omnihotels.com.

Ein Wandgemälde, das an für Atlanta wichtige Ereignisse und Personen erinnert

Das Stadthotel besitzt über 1000 Zimmer und Suiten, 2 Restaurants, Health Club mit Spa sowie einen Pool und einen Businesscenter. ab 180, im Sommer ab 110 $.

Verführt zu längerem Aufenthalt ▶ Shellmont Inn 1: 821 Piedmont Ave. NE., Tel. 1-404-872-9290, http://shellmont.com. Viktorianisches B & B vom Ende des 19. Jh. mit Zimmern im Haupthaus oder im benachbarten Carriage House, manche mit Kamin und Whirlpool. Ab 175 $.

Hochhaushotel im Zentrum ▶ Ellis Hotel 2: 176 Peachtree St. NW, Tel. 1-404-523-5155, www.ellishotel.com. 127 Gästezimmer und Suiten mit kostenlosem WLAN in zentraler Lage, LCD-TV und Minibar. Ab ca. 160 $.

Zentrale Lage ▶ Holiday Inn Express 3: 111 Cone St., 1-404-524-7000, www.ihg.com. DZ oder Suiten, alle mit Kühlschrank, Mikrowelle. Frühstücksbuffet und WLAN im Preis inkl., Parken 20 $. Ab ca. 140 $.

Abseits vom Rummel ▶ Hampton Inn 4: 244 North Ave. NW., Tel. 1-404-881-0881, http://hamptoninn1.hilton.com. 100 Zimmer großes ordentliches Hotel, sauber und ohne Schnickschnack. Ab 130 $.

Im Zentrums ▶ Best Western Plus 5: 330 W. Peachtree St. NW, Tel. 1-404-577-6970,

›Vom Winde verweht‹: Margaret Mitchell

Thema

Bis heute wurde in Amerika kein Roman so häufig verkauft wie ›Vom Winde verweht‹ von Margaret Mitchell. Seit der Niederlage der Südstaaten im amerikanischen Bürgerkrieg wurde der Glanz früherer Zeiten in der Literatur oft thematisiert. Aber niemand traf die Volksseele mit der Darstellung so sehr wie die Autorin aus Atlanta.

Margaret Mitchell kam am 8. November 1900 in Atlanta als Tochter eines Rechtsanwalts und einer Frauenrechtlerin irischer Abstammung zur Welt. Von 1922 an arbeitete sie als Journalistin für das ›Atlanta Journal‹. Eine schwere Arthritis machte ihr das Gehen manchmal unmöglich und zwang sie vier Jahre später, ihre journalistische Karriere aufzugeben. Immer häufiger und immer länger ans Bett gefesselt, begann sie Bücher regelrecht zu verschlingen, bis ihr zweiter Ehemann ihr 1926 eine Schreibmaschine schenkte, mit der sie ›Vom Winde verweht‹ begann.

Zehn Jahre schrieb Margaret Mitchell auf ihrer schwarzen Remington 2000 an diesem Epos, das den von 1861 bis 1865 dauernden amerikanischen Bürgerkrieg aus der Sicht der Südstaaten schildert und dabei den Schauplatz Atlanta in den Vordergrund rückt. Was den über 1000 Seiten umfassenden Roman aber zum Bestseller machte, war nicht der historische Hintergrund, sondern die Schilderung der unglücklichen Liebe zwischen der schönen, egoistischen, schwierigen und unwiderstehlichen Baumwoll-Farmerstochter Scarlett O'Hara und dem charmanten Abenteurer Rhett Butler.

Jahre später reiste ein Verleger auf der Suche nach neuen Autoren durch Georgia und lernte zufällig Margaret Mitchell kennen. Erst nach lebhaften Auseinandersetzungen vertraute sie ihm ihr Manuskript an, das am 10. Juni 1936 als Roman auf den Markt kam. Im Oktober waren bereits über eine Million Exemplare über den Ladentisch gegangen. Wenig später erwarb der Filmproduzent David O. Selznick die Filmrechte für die damalige Riesensumme von 50 000 $. Ein Jahr später wurde die Schriftstellerin mit dem Pulitzer-Preis für Literatur ausgezeichnet und war von da an eine Berühmtheit.

Das von Selznick produzierte Leinwandepos wurde in Atlanta 1939 in Anwesenheit der beiden Hauptdarsteller Clark Gable und Vivien Leigh uraufgeführt. Seit der Veröffentlichung des Wälzers mitten in der Weltwirtschaftskrise haben Millionen von Lesern und Kinogängern mit den Hauptfiguren Scarlett O'Hara und Rhett Butler geliebt, gekämpft und gelitten. Obwohl nicht sozialkritisch angelegt, griffen Roman und Film rassistische Fragen auf und machten sie zu einem öffentlichen Thema.

Noch zu Lebzeiten von Margaret Mitchell erhofften Verlag und Leserschaft eine Fortsetzung der Geschichte – am besten mit Happy End. Erst 1991 brachte die Schriftstellerin Alexandra Ripley unter dem Titel »Scarlett« eine erste Fortsetzung auf den Markt, die mittlerweile über 6 Mio. Mal verkauft wurde. Für eine dritte Folge sorgte Donald McCaig 2007 unter dem Titel »Rhett Butler's People«.

Am 11. August 1949 wurde Margaret Mitchell vor ihrem Haus von einem betrunkenen Taxifahrer angefahren und so schwer verletzt, dass sie einige Tage später starb. Ihr Grab befindet sich auf dem Oakland Cemetery.

www.bestwestern.com. Gute Lage, Früh-
stück und WLAN inkl., Parken 15 $. Ab 120 $.
**Camping ▶ Stone Mountain State Park
Camping 6**: Tel. 1-770-498-5710. Östlich
Atlanta an der I-285 gelegener Campingplatz
mit Pool.

Essen & Trinken

**Hervorragende Spezialitäten ▶ Morton's
Steakhouse 1**: 303 Peachtree St. NE., Tel.
1-404-577-4366, www.mortons.com, tgl.
Dinner. Perfekt gebratene Steaks mit ausgezeichneten Beilagen, aber teuer. Ab 60 $.
**Mischung aus Kneipe und Restaurant ▶
Midtown Tavern 2**: 554 Piedmont Ave NE,
Tel. 1-404-541-1372, www.midtowntavern.
net, Mo–Sa 17–3, So 12–24 Uhr. Aufgewec-
kte Bar mit guten Burgern, Salaten und Sandwiches bis lange nach Mitternacht. Ca. 15 $.
Gute Rippchen ▶ Thelma's Kitchen 3:
302 Auburn Ave. NE, Tel. 1-404-688-5855,
Mo–Fr 7.30–16.30, Sa 8–15 Uhr. Einfach, mit
bodenständiger Küche; vegetarische Gerichte, Hähnchen, Steaks. Hauptgang 6–12 $.
Schnelle Küche ▶ Aviva 4: The Mall at
Peachtree Center 225, Tel. 1-404-698-3600,
www.avivabykameel.com, Mo–Fr 7.30–16
Uhr. Guter Stopp für den Lunch oder Bissen
zwischendurch, mediterrane frische Speisen
wie Falafel, Rosmarin-Hühnchen, vegetarische Platten, Salate ab 6 $.

Einkaufen

Riesenmall ▶ Lenox Square 1: 3393 Peachtree Rd. NE., www.simon.com/mall, Mo–
Sa 10–21, So 12–18 Uhr. Eine der größten
Malls im amerikanischen Südosten, in der man
nicht nur alles bekommt, was man braucht,
sondern sich auch in einem der gastronomischen Betriebe vergnügen kann.
**Frische Biokost ▶ Whole Foods Market
2**: 650 Ponce De Leon Ave NE, www.whole
foodsmarket.com, tgl. 8-22 Uhr. Tolles Angebot an Obst, Gemüse, Käse, Wein. Große
Auswahl an frisch zubereiteten Gerichten.

Abends & Nachts

Guter Jazz und Blues ▶ Blind Willie's 1:
828 N. Highland Ave., Tel. 1-404-873-2583,
www.blindwilliesblues.com, Mo–Sa ab 19
Uhr. Kleines, aber ausgezeichnetes Jazz-Lokal, benannt nach der aus Georgia stammenden Jazz-Größe Blind Willie McTell.
Lebhaft ▶ Six Feet Under 2: 437 Memorial
Drive S. E., Tel. 1-404-523-6664, www.sixfeet
underatlanta.com, tgl. 11–1 Uhr. Restaurant
mit frischem Seafood und Leckereien wie
Spicy Rat Toes (gefüllte Jalapenos). Gleichzeitig Bierkneipe mit Patio und Blick auf den
Oakland Friedhof!
Cooler Jazz ▶ Churchill Grounds 3: 660
Peachtree St. NE, Tel. 1-404-876-3030, www.
churchillgrounds.com. Klassischer Jazz-Club,
Di–Sa Live-Musik ab 21.30 Uhr, Eintritt und
Verzehr ca. 20 $.
**Für ältere Gäste ▶ Johnny's Hideaway
4**: 3771 Roswell Rd. NE, Tel. 1-404-233-
8026, www.johnnyshideaway.com. Im Stadtteil Buckhead gelegener Club mit DJ-Musik
zum Tanzen. Ein Saal ist mit Frank Sinatra-
Memorabilien ausgestattet.
**Renommiertes Ensemble ▶ Atlanta Sym-
phony Orchestra 5**: 1280 Peachtree St.
NE., Tel. 1-404-733-4900, www.atlantasym
phony.org. Profiliertes Orchester, das unter
der musikalischen Leitung von Robert Spano
steht, der in den USA schon berühmte Ensembles dirigierte.
**Atlanta Opera ▶ Cobb Energy Performing
Arts Centre 6**: 2800 Cobb Galleria Pkwy, Tel.
1-770-916-2800, www.atlantaopera.org. Atlantas renommierte Oper gehört zu den Flagg-
schiffen der Kulturszene.
**Atlanta Ballet ▶ Michael C. Carlos Dance
Centre 7**: 1695 Marietta Blvd. NW, Tel. 1-
800-982-2787, www.atlantaballet.com. Das
älteste permanente Ballett der USA führt Stücke wie ›Carmen‹, ›Hamlet‹, und der ›Nuss-
knacker‹ auf.
**Avantgarde-Theater ▶ Actor's Express
8**: 887 W. Marietta St., Tel. 1-404-607-7469,
www.actorsexpress.com. Innovative Theater-
Gesellschaft mit modernen und klassischen
Stücken.

Aktiv

**Vergnügungspark ▶ Six Flags Over Geor-
gia 1**: Austell an der I-20 West, Tel. 1-770-

aktiv unterwegs

Vergnüglicher Stone Mountain Park

Tour-Infos

Start: Downtown Atlanta
Länge: Anreise 16 Meilen (26 km)
Dauer: 1 Tag
Adresse: Stone Mountain Park, Tel. 1-770-498-5690, www.stonemountainpark.com,
Öffnungszeiten/Preise: Attraktionen März–Dez. 10–17 Uhr, im Sommer länger. Tagespass ab 12 Jahre 30 $, Kinder 3–11 Jahre 25 $, gleicher Preis mit Snack und Getränken inkl., nur online, Parken 10 $.

Ca. 20 Autominuten östlich von Atlanta am Hwy 78 gehört der **Stone Mountain Park** zu den großen Zugnummern im Umkreis von Atlanta. Diese Oase aus Wald und Wasserflächen ist ein wahres Freizeitparadies.

Hat man den **Haupteingang 1** zum Park passiert, baut sich vor einem unübersehbar der **Stone Mountain 2** auf. Eine ganze Armee von Handwerkern war jahrzehntelang damit beschäftigt, ein 28 m hohes und 58 m breites Relief aus der glatten Nordflanke des Berges herauszuarbeiten. Die 1970 vollendete Bürgerkriegsszene zeigt das hauptsächlich in den Südstaaten heute noch verehrte Triumvirat Jefferson Davis (Präsident der Konföderation), General Robert E. Lee und General ›Stonewall‹ Jackson hoch zu Ross.

Am meisten Betrieb herrscht innerhalb des Parks in **Crossroads 3**. Besucher strömen durch ein Dorf im Stil des 19. Jh. mit alten Gebäuden, in die moderne Imbisse, Eisdielen und Souvenirläden eingezogen sind. Auf dem Rundgang kommt man am auf alt getrimmten Bahnhof der Stone Mountain Scenic Railroad vorbei, mit der man in einer knappen halben Stunde eine Runde um den Stone Mountain drehen kann. Sucht man nach einer sportlichen Herausforderung, ba-

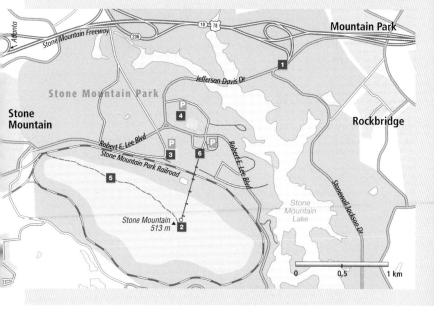

948-9290, www.sixflags.com. Großer Park mit nervenaufreibenden Fahrbetrieben, großem Wasserpark und einem großen Angebot für Kinder aller Altersklassen, online ab 42 $, Parken 20 $.

Termine

Atlanta 500 (März): Autorennen.
Atlanta Jazz Festival (Mai).
Lesbian and Gay Pride Festival (Juni): Schwulen- und Lesbenfest mit Paraden.
Black Arts Festival (Juli): 10-tägiges Fest afroamerikanischer Kunst.
Peach Bowl Parade (Dez.): Silvesterfest mit Musikkapellen aus ganz Amerika.
Museumstag: ›First Thursday‹, jeden 1. Do im Monat 17–20 Uhr. Freier Eintritt in Kunstgalerien, Museen und anderen Kultureinrichtungen (www.atlantadowntown.com/fun/first thursdays-art-walk).

Verkehr

Flugzeug: Hartsfield International Airport, Tel. 1-404-530-7300, www.atlanta-airport.com. Der Flughafen liegt 10 Meilen südöstlich von Downtown. Die Terminals innerhalb des Flughafens werden von einer permanent verkehrenden Bahn bedient. Zwischen den Terminals und der Stadt pendeln Züge und Busse des MARTA-Verkehrssystems. Flugverbindungen in alle Welt. Alle Mietwagenfirmen sind vertreten.
Bahn: Brookwood Station, 1688 Peachtree Rd., Tel. 1-800-872-7245, www.amtrak.com. Amtrak-Züge fahren tgl. z. B. nach Washington D. C. (ca. 11,5 Std.) oder nach Louisiana.
Bus: Greyhound Terminal, 232 Forsyth St., Garnett St. MARTA Station, Tel. 1-404-584-1728, www.greyhound.com. Busse in alle Landesteile.
Öffentlicher Nahverkehr: Die Verkehrsgesellschaft MARTA (www.itsmarta.com) betreibt zwei U-Bahn- und diverse Buslinien (5–1 Uhr). Eine Straßenbahnschleife verbindet den Centennial Olympic Park via Lucky Street und Edgewood Avenue mit dem King Historic District (Streckenplan unter http://street car.atlantaga.gov) mit dem Geburtshaus von Martin Luther King.

lanciert man im Sky Hike auf Drahtseilen und Stegen in schwindelerregender Höhe durch Baumwipfel. Ein nasser Kletterspaß für Kinder sind die Geyser Towers. Als äußerst spannend entpuppt sich der Baumpfad Sky-Walk.

In der Nachbarschaft von Crossroads lädt **Antebellum Plantation and Farmyard** 4 zu einem kurzweiligen Spaziergang durch das 18. und 19. Jh. ein. An den Wegen liegen knapp zwei Dutzend früher anderswo stehende, zwischen 1783 und 1875 erbaute Gebäude vom Herrenhaus bis zur Sklavenunterkunft, die den Gang durch das Open-Air-Museum mit Lektionen über das Farmleben aus längst vergangenen Zeiten anreichern. In einigen historischen Anwesen bietet zeitgemäß kostümiertes Personal Führungen an. Kinder freuen sich über einen Streichelzoo.

Eine Promenade durch die Antebellum Plantation und Crossroads schaffen auch selbst ausgesprochene Wandermuffel. Anstrengender ist der Aufstieg auf den 290 m hohen Rücken des vermutlich 300 Mio. Jahre alten Stone Mountain aus grauem Granit. Für den gut 2 km langen **Summit Trail** 5 auf den Gipfel sollte man ca. 40 Minuten veranschlagen.

Nur drei Minuten benötigt man mit dem **Summit Skyride** 6, einer in der Schweiz hergestellten Seilbahn. Sie führt unmittelbar am Bürgerkriegsrelief vorbei und verschafft den besten Blick auf die gigantische Bildhauerarbeit.

Festes Schuhwerk ist auch für die anderen Attraktionen nötig. Spaß macht die 45minütige mit Musik untermalte Lasershow Spectacular in Mountainvision (Juni–Juli täglich 21.30 Uhr, andere Monate s. u. Website). Die Lasershow ist in der Parkplatzgebühr inbegriffen, es gibt aber auch kostenpflichtige Sitzplätze auf separaten Terrassen.

Die Blauen Berge

Eine Tour durch die Blue Ridge Mountains im Staatendreieck Georgia, North Carolina und Tennessee führt nicht nur durch erhabene Berglandschaften im Great Smoky Mountains National Park, sondern am Fuß der Appalachen auch durch interessante Kleinstädte, die Heimat der Cherokee-Indianer und kommerzialisierte Touristen-Mekkas.

Nicht einmal eine Autostunde nördlich von Atlanta beginnt das Terrain langsam anzusteigen und kündigt an, was sich am Horizont immer deutlicher als blaue Höhenlinie abzeichnet: die Blue Ridge Mountains. Als südlicher Teil der gewaltigen Appalachenkette, die von der kanadischen Grenze bis in die amerikanischen Südstaaten reicht, verlieren die Blauen Berge auf dem Staatsgebiet von Georgia langsam an Höhe und enden schließlich am Rande der großen Erdnussebenen.

Georgia teilt sich die Blue Ridge Mountains mit den Nachbarstaaten North Carolina und Tennessee, in denen die Gebirgskette im berühmten Great Smoky Mountains National Park in einer Art grandiosem Finale noch einmal alle Register landschaftlicher Schönheit zieht. Mit jährlich mehr als 20 Mio. Gästen wird der Nationalpark häufig als einer der meistbesuchten in den USA bezeichnet, was manche Naturfreunde erschreckt. Wahrheit ist jedoch, dass die Besucherstatistik von der zentralen Parkstraße ›gefälscht‹ wird, die zu den wenigen in Ost-West-Richtung über die südlichen Appalachen führenden Routen zwischen Tennessee und North Carolina gehört und deshalb auch von vielen Durchreisenden benutzt wird. Abseits der Straße kann man in den Great Smokys große Gebiete finden, in denen man keiner Menschenseele begegnet.

In den Ausläufern der Blauen Berge können Besucher die meist kleinen Ortschaften wie Amerikas erstes Goldrauschstädtchen Dahlonega und das in bayerischem Weiß-Blau daherkommende Helen genießen. An-

hänger von Thomas Wolfe werden sich in Asheville auf die Spuren des bekanntesten Sohnes der Stadt begeben, der in der Pension seiner Mutter an seinem Welterfolg ›Schau heimwärts, Engel‹ schrieb.

An der östlichen Flanke der Great Smoky Mountains breitet sich in der reizvollen Appalachen-Landschaft das Stammesgebiet der Cherokee mit der ›Hauptstadt‹ Cherokee aus. Hotels, Motels, Inns und viele Geschäfte säumen die Straßen, in denen es nur einen Gelderwerb zu geben scheint: Tourismus.

Am Fuß der Blauen Berge

Lake Sidney Lanier ► 3, D 4

Nördlich von Atlanta liegt mit dem **Lake Sidney Lanier** ein bekanntes Ferienparadies. Der vom Chattahoochee und Chestatee River gespeiste See wurde nach dem einheimischen Dichter und Komponisten Sidney Lanier (1842–1881) benannt, der die Schönheit der Natur in vielen seiner Werke lobte. Bei den Olympischen Sommerspielen 1996 wurden am See die Ruder- und Kajakwettbewerbe ausgetragen, was dem Gewässer als Freizeitdestination Popularität verschaffte. Für die Bevölkerung im Großraum Atlanta war der Lake Lanier schon lange vorher ein Urlaubs- und Wochenendtipp, weil er schnell erreichbar und mit Straßen um seine 540 Mei-

Die Cherokee haben eine neue Erwerbsquelle entdeckt: Fotomodell

len langen Uferlinien gut erschlossen ist. An vielen Seeabschnitten gibt es Campingplätze, Sportanlagen, Wasserparks, Unterkünfte, Picknickstellen und Badestrände.

Dahlonega ▶ 3, D 3

Seit dem Jahr 1954 erinnert das jährlich im Oktober stattfindende Goldrausch-Festival im Städtchen **Dahlonega** an das wahrhaft goldene Zeitalter der Stadt. 1828 fanden Goldsucher hier das erste Gold auf amerikanischem Boden.

In der 3600 Einwohner großen Gemeinde sind die Spuren des ersten amerikanischen Goldrausches noch sichtbar. Im **Dahlonega Gold Museum** erzählt ein Film über Leben und Arbeit der damaligen Goldsucher. In den Ausstellungen sind Nuggets und Goldmünzen ausgestellt, die aus lokalem Material geprägt wurden (1 Public Sq., Tel. 1-706-864-2257, Mo–Sa 9–17, So 10–17 Uhr, Erw. 7 $).

Einen authentischeren Eindruck bekommen Besucher bei einer 45-minütigen professionellen Tour durch die **Consolidated Gold Mine,** in der das erste Gold gefördert wurde (185 Consolidated Gold Mine Rd., Tel. 1-706-864-8473, www.consolidated goldmine. com, im Sommer 10–17, im Winter 10–16 Uhr, Erw. 15 $).

Helen ▶ 3, D 3

Wie sich Amerikaner Bayern vorstellen, wird in der Ortschaft **Helen** deutlich. An der Durchgangsstraße flattern vor Geschäften weiß-blaue Fahnen im Wind, in denen Lederhosen, Bierkrüge, Kuckucksuhren und Weihnachtskugeln die Verkaufsrenner sind. Überdimensionale Gartenzwerge, Windmühlen und Weihnachtsmänner dekorieren Georgias bayerischen Außenposten, wobei Authentizität dort mangelndem Geografiewissen zum Opfer fällt, wo sich Lokale wie Old Innsbruck, Old Heidelberg Restaurant und Hofbrauhaus Inn um Gäste bemühen.

Asheville ▶ 3, E 2

Der westlichste ›Zipfel‹ des Staatsgebietes von North Carolina markiert die Nordost-Grenze von Georgia. Größte Stadt ist dort mit dem 60 000 Einwohner zählenden **Asheville** eine Hochburg der Art déco-Architektur und ein Wallfahrtsort für Liebhaber amerikanischer Literatur.

Das **Thomas Wolfe Memorial** besteht aus dem 1880 erbauten, durch einen Brand 1998 schwer beschädigten Old Kentucky Home, das von der Mutter des Schriftstellers Thomas Wolfe (1900–1938) als Pension betrieben wurde. Wo der Autor seine Jugendjahre verbrachte, spielt auch sein erster autobiografischer Roman ›Schau heimwärts, Engel‹. Sechs Jahre nach dem Feuer konnte das Memorial neu eröffnet werden, doch sind immer noch nicht alle Erinnerungsstücke restauriert. Hinter dem Haus informiert ein modernes Besucherzentrum u. a. mit einer audio-visuellen Präsentation über Leben und Werk des Schriftstellers. Nach seinem frühen Tod wurde Wolfe auf dem Riverside Cemetery bestattet, wo schon 28 Jahre zuvor der Erzähler William Sydney Porter alias O. Henry (1862–1910) zur letzten Ruhe gebettet worden war (52 N. Market St., Tel. 1-828-253-8304, www.wolfememorial.com, Di–Sa 9–17, Erw. 5 $, Kinder 7–17 J. 2 $).

Biltmore Estate ▶ 3, D 3

Diese größte Privatresidenz der USA ließ der Enkel des legendären Eisenbahnkönigs und Finanziers Cornelius Vanderbilt, George Vanderbilt, zwischen 1889 und 1895 inmitten eines reizvollen Parks bauen.

Hausarchitekt Richard Morris Hunt schuf ein Schloss mit 255 Räumen, das, dem Baustil der französischen Renaissance nachempfunden, gern als Amerikas Versailles apostrophiert wird. Gemälde europäischer Meister wie Renoir und Whistler, fernöstliches Porzellan, wertvolle Teppiche und Antiqitäten sowie ein Schachspiel, über dem Napoleon auf der Insel St. Helena grübelte, erwarben Vanderbilt und Hunt auf Sammelreisen durch Europa und den Orient – auf zwei Etagen kann man die Kostbarkeiten des Palastes besichtigen (1 Approach Rd., Tel. 1-828-225-1333, www.biltmore.com, tgl. 9–16.30 Uhr, Erw. 59 $ inkl. Garteneintritt und Weinprobe, online preiswerter).

Cherokee ▶ 3, D 2/3

Am Rande der **Cherokee Indian Reservation** (www.cherokee-nc.com) gelegen hat sich der Ort ganz dem Tourismus verschrieben. Im Reservat leben 10 500 Nachfahren jener Indianer, die in der ersten Hälfte des 19. Jh. auf dem ›Trail of Tears‹ nach Oklahoma deportiert wurden (s. S. 30). Über dieses dunkle Kapitel der Geschichte sowie über die Kultur der Cherokee informiert das **Museum of the Cherokee Indian** (Hwy 441/Drama Rd., Tel. 1-828-497-3481, tgl. 9–17 Uhr, Erw. 10 $).

Einen Eindruck vom früheren Indianerleben vermittelt das **Oconaluftee Indian Village** im Stil von 1750, wo die Native Americans ihre Kunstfertigkeit bei der Herstellung von Zeremonienmasken, Steingravierungen und geflochtenen Körben demonstrieren (Hwy 441 N., Tel. 1-828-497-2111, www.cherokee-nc.com, Mai–Okt. Mo–Sa 10–17 Uhr, Erw. 19 $). Wie die meisten anderen indiani-

schen Reservationen setzen auch die Cherokee als Einnahmequelle auf das Glücksspiel. Dass das Spielkasino **Harrah's Cherokee** sich als Hotspot der Unterhaltung in der Region längst etabliert hat, zeigen die Namen der dort aufgetretenen Künstler wie Kenny Rogers, Jay Leno, Bill Cosby, BB King und Loretta Lynn (777 Casino Dr., Tel. 1-828-497-7777, www.harrahscherokee.com).

Great Smokey Mountains
▶ 3, D 2/3

Tennessee und North Carolina teilen sich den 85 km langen und 30 km breiten **Great Smoky Mountains National Park,** dessen höchste Erhebungen zu den prominentesten Punkten im amerikanischen Osten zählen. Auf der mitten durch das Naturschutzgebiet führenden **Newfound Gap Road** herrscht im

Blick in die Weiten der Great Smoky Mountains

aktiv unterwegs

Auf dem Alum Cave Trail durch die Smokies

Tour-Infos

Start: Vom Sugarlands Visitor Center bei Gatlinburg fährt man 8,7 Meilen südlich auf der Newfound Gap Road zu einem auf der linken Straßenseite liegenden Parkplatz, wo der Wanderpfad beginnt.
Länge: gesamt (Hin- und Rückweg) 7,1 km
Dauer: 2–3 Stunden
Schwierigkeitsgrad: moderat
Karte: ▶ 3, D 2/3

Im **Great Smoky Mountains National Park** stehen Wanderern ca. 1200 km Pfade zu Verfügung, die meist durch dichten Wald und auf Bergrücken führen, von denen man hin und wieder schöne Ausblicke genießt. Wer längere Wanderungen unternimmt, kann mehrere Dutzend kleine Zeltplätze und 18 Schutzhütten in Anspruch nehmen.

An schönen Sommerwochenenden sollte man frühzeitig auf dem Parkplatz am Beginn des **Alum Cave Trail** erscheinen, um einen Abstellplatz für das Auto zu ergattern. Auf dem ersten Abschnitt steigt der Weg gemächlich Richtung **Arch Rock** an. Wer hier im Frühsommer wandert, hat das Glück, die vielen Rhododendronbüsche in Blüte zu erleben. Mit dem Arch Rock erreicht man gut 2 km vom Parkplatz entfernt einen Naturbogen. Vom folgenden **Inspiration Point** blickt man in westlicher Richtung auf die Little Duck Hawk Ridge mit einem ungewöhnlichen Felsfenster und nordöstlich auf den Myrtle Point am Mount LeConte.

Nach 3,5 km kommt man zur **Alum Cave,** bei der es sich um keine richtige Höhle, sondern eine ca. 25 m hohe und 150 m breite Felsvertiefung handelt, über deren Kante in der warmen Jahreszeit Wasser rieselt. Der Zugang wird durch in den Fels geschlagene Treppen und ein Sicherungsseil erleichtert. Im amerikanischen Bürgerkrieg förderten die Konföderierten vor Ort Salpeter zur Herstellung von Munition.

Von der Alum Cave kann man die Wanderung bis auf den Gipfel des gut 2000 m hohen **Mount LeConte** fortsetzen, wo es eine Hütte gibt. Die Gesamtstrecke beläuft sich dann für Hin- und Rückweg auf fast 18 km.

Sommer ständige Rushhour. Als Kontrastprogramm dienen Wanderwege wie etwa der 7,1 km lange **Alum Cave (Bluffs) Trail** (s. o.), der einen Höhenunterschied von fast 900 m überwindet, oder der 4 km lange **Chimney Tops Trail** in nahezu menschenleeren Parkabschnitten mit Laub- und Nadelwald, kleinen Seen und Bächen und sanft geschwungenen Bergkuppen.

Der längste Hiking Trail im Park ist der 109 km lange Abschnitt des Appalachian Trail über den 2080 m hohen Clingman's Dome, von dem man über die vom ›rauchigen‹ Dunst eingehüllten Höhenzüge blickt, die dem Park den Namen gaben (Visitor Information: Tel. 1-865-436-1200, www.nps.gov/grsm, durchgehend geöffnet, Eintritt frei).

Gatlinburg und Pigeon Forge
▶ 3, D 2

In unmittelbarer Nähe der nördlichen Parkgrenze stellt **Gatlinburg** mit konzentrierten Ansammlungen von Motels, Shopping Malls, Souvenirläden, Vergnügungsparks und Restaurants einen starken Kontrast zur Naturszenerie im Nationalpark her. Die in einem engen Tal liegende Touristenhochburg präsentiert sich wie eine Voralpenversion von Torremolinos. Im Hochsommer ist auf der Durchgangsstraße kaum ein Durchkommen, weder für Autos noch für Fußgänger.

Zu den Attraktionen des Orts gehört **Ripley's Aquarium of the Smokies,** ein Meeresaquarium mit mehr als 3 m langen Haien, 8000 exotischen Fischen wie gefräßigen Piranhas und japanischen Spinnenkrabben, den größten Krustentieren der Welt (88 River Rd., Tel. 1-865-430-8808, http://gatlinburg.rip leyaquariums.com, im Sommer tgl. 9–22 Uhr, sonst kürzer, Erw. 27 $).

Auch im benachbarten **Pigeon Forge** regiert der ungebremste Kommerz. Jedes Sommerwochenende bricht eine gewaltige Welle von Urlaubern über den Ort herein, die wild entschlossen sind, sich in Vergnügungsparks wie **Dollywood** (1020 Dollywood Ln., Tel. 1-865- 428-9488, www.dollywood.com) zu amüsieren, den freien Fall zu üben, tarzangleich beim ›Ziplinen‹ durch Bäume zu rasen oder in den gewaltigen Malls und Outlets bis zum Umfallen einzukaufen.

Infos

Pigeon Forge Welcome Center: 1950 Parkway, Pigeon Forge, Tennessee 37863, Tel. 1-865-453-8574, www.mypigeonforge.com.

Übernachten

Immer Weihnachten ▶ **The Inn at Christmas Place:** 119 Christmas Tree L., Tel. 1-888-465-9644, www.innatchristmasplace. com. Ein toll ausgestattetes Haus, das sogar einen Weihnachtsmann sein Eigen nennt! Ab 130 $.

Einen Aufenthalt wert ▶ **La Quinta Inn:** 219 Emert St., Tel. 1-865-429-3010, www.lq. com. Nur Nichtraucherzimmer, mit Kaffeemaschine, Mikrowelle, Kühlschrank. Frühstück inkl. Ab 99 $.

Essen & Trinken

Deftige Kost ▶ **Bennett's Pit Bar-B-Que:** 2910 Pkwy, Tel. 1-865-429-2200, tg. 11–21, Sa, So bis 22 Uhr. Man speist in rustikaler Atmosphäre; ausgezeichnete BBQ-Gerichte. Dinner 12–22 $.

Nach traditionellen Rezepten gekocht ▶ **Old Mill:** 164 Old Mill Ave., Tel. 1-865-429-3463, http://oldmillsquare.com, tgl. 8–21 Uhr. Serviert werden hier nicht nur gebratene Rinderleber, Ribeye-Steaks und Brathähnchen, sondern auch Seafood-Platten – typisch ländliche, deftige Küche ohne großen Schnickschnack. Dinner ab 18 $.

Knoxville und Umgebung ▶ 3, D 2

Bevor Nashville Hauptstadt von Tennessee wurde, spielte das heute 165 000 Einwohner große **Knoxville** am Ufer des Tennessee River diese Rolle. Erster weißer Siedler war 1786 General James White, der seine sieben Blockhütten mit einem Palisadenzaun umgab. **White's Fort** ist heute ein kleines Freilichtmuseum mit historisch eingerichteten Blockhütten, in denen nur die eingebauten Klimaanlagen an das 20. Jh. erinnern (205 E. Hill Ave., Tel. 1-865-525-6514, www.james whitesfort.org, Mo–Sa 10–16 Uhr).

Außer mit afrikanischem Großwild wie Giraffen, Elefanten und Gorillas, Vögeln, Reptilien und vielen Säugetierarten beschäftigt sich der **Knoxville Zoo** hauptsächlich mit der Aufzucht von Roten Pandas und hat sich damit weltweit einen hervorragenden Ruf geschaffen (3500 Knoxville Zoo Dr., Tel. 1-865-637-5331, www.knoxville-zoo.org, tgl. 9.30–18 Uhr, Erw. 20 $, Kinder 2–12 Jahre 17 $).

Sequoyah Birthplace Museum ▶ 3, D 3

Eroberten sich andere berühmte Indianer wie Sitting Bull, Crazy Horse oder Geronimo im Kampf gegen die Weißen einen Platz in den Annalen der US-Geschichte, machte sich der Cherokee Sequoyah (1776–1843) einen Namen durch eine beispiellose Kulturleistung. Er wurde 1776 als Sohn einer Cherokee und eines deutschen Händlers geboren und indianisch erzogen. Auf der Jagd verletzte er sich am Bein und blieb sein Leben lang behindert. Durch Missionarsschulen wurde er auf die englische Schriftsprache aufmerksam und machte sich an die Aufgabe, seiner eigenen Sprache ebenfalls eine Schrift zu geben. Nach zwölf Jahren hatte er ein aus 85 Zeichen bestehendes Cherokee-Alphabet erfunden. Auf Cherokee erschienen in der Folge mehrere Publikationen, 1828 die Zeitschrift ›Cherokee Phoenix‹ (Sequoyah Birthplace Museum, 576 Hwy 360, Vonore, TN 37885, Tel. 1-423-884-6246, www.sequoyahmuse um.org, Mo–Sa 9–17, So 12–17 Uhr).

Erinnerungen an längst untergegangene Indianerkulturen, Sehenswürdigkeiten wie die berühmte Chattanooga Choo-Choo-Eisenbahn und von Malzduftnebeln umgebene Whiskey-Brennereien liegen am Weg nach Nashville, Amerikas uneinnehmbarer Zitadelle der Countrymusic.

Funde prähistorischer Pfeilspitzen lassen Archäologen und Anthropologen darauf schließen, dass Menschen schon vor über 12 000 Jahren nördlich von Atlanta bei Cartersville lebten. Liegen diese frühen Zeiten weitgehend im Dunkel der Geschichte, kann die Wissenschaft über spätere Perioden genauere Auskunft geben. Das gilt etwa für die sogenannte Mississippi-Periode in der Zeit zwischen 1000 und 1600 unserer Zeitrechnung. Am Mississippi begannen damals die Menschen den Boden zu kultivieren und neue gesellschaftliche Organisationsformen zu entwickeln, was nach Osten ausstrahlte und auch in Georgia bei den Etowah Indian Mounds eine neue Kultur entstehen ließ.

Einzige größere Stadt zwischen Atlanta und Nashville ist Chattanooga gleich hinter der Tennessee-Grenze. Vor wenigen Jahrzehnten noch ein großes, langweiliges Kaff am Ufer des Tennessee River, trug die Stadtsanierung mittlerweile Früchte und verwandelte die Grenzmetropole in eine populäre Touristendestination. Erster Meilenstein auf dem Weg in eine bessere Zukunft war der Bau des Tennessee Aquarium, das sich früher ausschließlich mit Süßwasser-Lebewesen beschäftigte, seit seiner Erweiterung aber auch Spezies aus den Weltmeeren zeigt.

Nashville hebt sich mit seinem modernen Kern von anderen US-Städten vergleichbarer Größe dadurch ab, dass viele Sehenswürdigkeiten im kompakten Zentrum zu Fuß leicht erreichbar sind. Ein zweiter Unterschied: Hektik und Aufgeregtheit sind keine ausgeprägten Kennzeichen der Bevölkerung

in der Hauptstadt von Tennessee. Die Gelassenheit passt zur bodenständigen Countrymusic, mit der Nashville seit Jahrzehnten aufs Engste verbunden ist. Im Jahr 1925 begann eine Radiostation mit der Übertragung von Tanzveranstaltungen. Die Sendungen wurden zu einem Riesenevent, das sich durch die modernen Medien seit damals zwar veränderte, aber nach wie vor zu den bedeutendsten Kulturereignissen der Stadt gehört.

Auf dem Weg nach Tennessee ▶ 3, C 4

Bei Cartersville nördlich von Atlanta lebten während der Mississippi-Periode offenbar mehrere tausend Indianer auf der **Etowah Indian Mounds Historic Site** und bauten mit sechs Bestattungs- und Zeremonialhügeln erstaunliche Anlagen. Neben den Gebeinen von Toten stießen Forscher in den abgeflachten Aufschüttungen auf Überreste eines Indianerdorfes, darunter Grabbeigaben wie aus Kupfer getriebene Ohrbehänge, diverser Haarschmuck und einzigartige Steinfiguren. Die Gegenstände sind in einem kleinen Museum ausgestellt (813 Indian Mound Rd. SE., Tel. 1-770-387 3747, www.gastateparks.org/info/etowah, Mi–Sa 9–17 Uhr, Erw. 6 $).

Außerhalb der Ortschaft Calhoun westlich der I-75 liegt mit der **New Echota Historic Site** eine zweite bedeutende historische Stätte. An dieser Stelle gründeten die Cherokee-Indianer im Jahr 1825 die Hauptstadt ihrer Indianischen Republik, die sich weit über die Grenzen von Georgia hinaus bis nach North Carolina, Tennessee und Alabama erstreckt. Auf dem Gelände stehen zahlreiche restaurierte oder rekonstruierte Gebäude wie das Council House, der Oberste Gerichtshof, die Vann Tavern und eine Druckerei, in der mit dem ›Cherokee Phoenix‹ die erste indianische Zeitung in der von Sequoyah (s. S. 351) entwickelten Cherokee-Schrift veröffentlicht wurde (1211 Chatsworth Hwy NE., Tel. 1-706-624-1321, www. gastateparks.org, Do–Sa 9–17 Uhr, Erw. 7 $).

Rome

Seinem anspruchsvollen Namen wird der Ort durch seine Lage auf sieben Hügeln gerecht, zwischen denen sich das kleine historische Zentrum mit backsteinernen Häusern ausbreitet. Die Romulus-und-Remus-Skulptur vor der City Hall war 1929 ein Geschenk des italienischen Diktators Mussolini. Aus einer Schule im Blockhausstil baute die Mäzenin

Martha Berry 1902 das nach ihr benannte **Berry College** auf, zu dem über 35 Gebäude auf einem riesigen Campus gehören, der eher einer alten Klosteranlage ähnelt. Die knapp 2000 Studenten werden in teils prächtigen Bauten unterrichtet, die Geldgeber wie Henry Ford und Andrew Carnegie finanzierten (2277 Martha Berry Hwy NW., Tel. 1-706-232-5374, www.berry.edu).

Im Ort steht mit dem **Chieftain's Museum** die 1794 erbaute Residenz des berühmten Cherokee-Häuptlings Major Ridge. Ende 1835 schloss er in der Überzeugung, das Fortbestehen der Cherokee zu sichern, mit der US-Regierung einen Vertrag, mit dem er das gesamte Staatsgebiet der Cherokee für ca. 5 Mio. $ und ein neues Territorium in Oklahoma an die USA verkaufte. Die Vereinbarungen ließen den Indianern zwei Jahre Zeit, um sich ins Exil nach Oklahoma zu begeben. Da der Vertrag von der Cherokee-Regierung nie abgesegnet wurde, betrachteten ihn die

Bekannteste Sehenswürdigkeit in Chattanooga: der Chattanooga Choo-Choo

aktiv unterwegs

Freizeitspaß auf dem Lookout Mountain

Tour-Infos

Start: Talstation der Lookout Mountain Incline Railway (St. Elmo Station, 3917 St. Elmo Ave.) – Parkplatz ist vorhanden.
Länge: ca. 7 Meilen (11,5 km)
Dauer: 4–6 Stunden

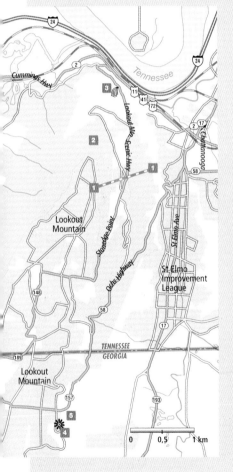

Zu den populärsten Freiluftattraktionen von Chattanooga gehört ein nur wenige Meilen vom Stadtzentrum entfernt gelegenes Naherholungsgebiet: der Lookout Mountain (www.lookoutmountain.com). Man kann den lang gezogenen Bergrücken mit dem Auto über den Lookout Mountain Scenic Hwy (148) erreichen, falls man die Distanzen zwischen den einzelnen Attraktionen nicht zu Fuß zurücklegen will. Oder man nimmt mit der Standseilbahn **Lookout Mountain Incline Railway** 1 einfach Amerikas steilste Passagier-Eisenbahn, die nach 10 Minuten die Bergstation erreicht (3917 St. Elmo Ave., www.ridetheincline.com, Fahrten alle 20 Minuten, im Sommer 8.30–21 Uhr, sonst kürzer, hin und zurück Erw. 15 $, Kinder 3–12 Jahre 7 $, Ticket inklusive Rock City und Ruby Falls Erw. 49 $, Kinder 26 $).

Von der Bergstation geht man knapp einen halben Kilometer auf der E. Brow Road in nördlicher Richtung zum Battles for Chattanooga Museum am Eingang zum **Point Park** 2, der heute Teil des Lookout Mountain Battlefield ist. Aus der Höhe kann man den grandiosen Blick über die Stadt und die Schleifen des Tennessee River genießen. Zahlreiche Wanderpfade ziehen sich durch den Park. Im amerikanischen Bürgerkrieg besiegten 1863 die Unionstruppen auf diesem Schlachtfeld die Konföderierten und eroberten damit einen strategischen Zugang zu den Südstaaten. Im Besucherzentrum kann man sich über die historischen Ereignisse informieren (Lookout Mountain Battlefield Visitor Center, Erw. 3 $).

Bei den **Ruby Falls** 3 handelt es sich um die ungewöhnlichsten Wasserfälle, die man sich vorstellen kann, denn sie liegen ungefähr 100 m unter der Erdoberfläche in einem Höhlensystem. Ein Lift bringt Besucher in die künstlich illuminierte Märchenwelt, die 1928 entdeckt wurde. Gegen Kälte schützende

Kleidung braucht man nicht. Auf einer kommentierten Führung lernt man außergewöhnliche Tropfsteinformationen wie Drachenfuß, Totempfahl oder Elefantenfuß kennen und erreicht nach ca. einer halben Stunde auf gut begehbaren Wegen in Solomon's Temple den ca. 40 m hohen Wasserfall, der aus unbekannten Quellen gespeist wird. Eine Licht- und Tonshow unterstreicht die Dramatik des Naturwunders (Tel. 1-423-821-2544, www.rubyfalls.com, Führungen tgl. 8–20 Uhr, etwa 90 Min., Erw. 19 $, Kinder 3–12 Jahre 11 $).

Eine weitere Attraktion auf dem Lookout Mountain erreicht man vom Zentrum Chattanoogas am besten mit dem Auto über die nach Süden verlaufende Broad Street, die Tennessee Avenue und den Ochs Hwy (Hwy 58). Heerscharen von Gartenzwergen bevölkern die aus bizarren Felsformationen, Höhlen und Felsbrücken bestehenden **Rock City Gardens** 4. Den auf natürliche Weise entstandenen Irrgarten bepflanzte die Tochter deutscher Einwanderer in den 1920er-Jahren mit mehreren Hundert Baum- und Pflanzenarten und verwandelte das Areal auf Chattanoogas Hausberg in ein teilweise kitschiges Märchenland, in dem die Beschallung aus versteckten Lautsprechern kommt. Über die ca. 100 m lange, an Kabeln baumelnde Sky-Bridge erreicht man die schroffe **Granitklippe Lovers Leap** 5, von der Tourismusstrategen den freien Blick auf sieben US-Staaten (Tennessee, Kentucky, Virginia, South und North Carolina, Alabama und Georgia) versprechen, dabei aber verheimlichen, dass die 150 km entfernt gelegenen Smoky Mountains eine Sichtbarriere bilden. Eine Cherokee-Häuptlingstochter soll sich an dieser Stelle das Leben genommen haben, nachdem ihr Vater ihren Verehrer hatte zu Tode stürzen lassen (1400 Patten Rd., Tel. 1-706-820-2531, http://seerockcity.com, tgl. 8.30–20 Uhr, Erw. 20 $, Kinder 3–12 Jahre 12 $).

meisten Stammesmitglieder als nicht rechtskräftig. Wenige Jahre zuvor hatte Ridge die Verabschiedung eines Gesetzes veranlasst, das den Verkauf von Stammesgebieten mit der Todesstrafe belegte. Im Museum beschäftigen sich die Ausstellungen hauptsächlich mit dem berüchtigten ›Trail of Tears‹ bzw. mit der Deportation der Cherokee nach Oklahoma (501 Riverside Pkwy, Tel. 1-706-291-9494, www.chieftainsmuseum.org, Mi–Sa 10–17 Uhr, Erw. 5 $).

Chattanooga ▶ 3, C 3

Unmittelbar hinter der Staatsgrenze von Tennessee liegt eine Südstaatenmetropole mit einem wohlklingenden, einprägsamen Namen: das 160 000 Einwohner große **Chattanooga**. Glenn Miller machte ihn in den 1940er-Jahren weltweit mit dem Lied ›Chattanooga Choo-Choo‹ bekannt, das sich auf eine imaginäre Eisenbahn bezog. In Deutschland verhalf Udo Lindenberg dem Song 1983 mit der deutschen Version ›Letzter Zug nach Pankow‹ zu neuer Popularität. Der Chattanooga Choo-Choo gehört in der Stadt am Tennessee River zu den zugkräftigsten Besuchermagneten. Die Dampflokomotive steht bunt bemalt im ehemaligen **Southern Railway Terminal,** der seit Jahren als Hotel genutzt wird und in dem Betten sogar in historischen Bahnwaggons angeboten werden (s. S. 357).

An der Riverfront

Ein amerikanisches Magazin wählte Chattanooga vor einiger Zeit zur besten amerikanischen Stadt für Fußgänger. Die Auszeichnung verdient sich die Stadt u. a. mit dem River Walk, der dem Ufer des Tennessee River folgt. Auf dem zentralen Abschnitt im Stadtzentrum führt bei Ross's Landing eine Freitreppe direkt zum Fluss, auf dem an heißen Sommertagen Wassersportler in Kanus, Booten und Gummiflößen in den Fontänen eines Springbrunnens um die kühlsten Plätze wetteifern.

Jahre vergingen, ehe die Stadtväter das Ufer des breiten Tennessee River als Freizeitzone erkannten. Heute dient die umge-

Promille-Wunderland: Alkoholgesetze

Thema

In einem Land, in dem selbst die bigotten Pilgerväter auf ihrer Pionierreise in die Neue Welt auf der ›Mayflower‹ mehr Bier als Trinkwasser transportierten und dessen erster Präsident George Washington zu den ersten kommerziellen Schnapsbrennern des Landes gehörte, muten die strengen Alkoholgesetze eigenartig an.

Auch lange nach Ende der Prohibitionszeit (1917–1933) existieren in den USA noch Alkoholgesetze, wie sie in Europa gänzlich unbekannt sind. Dabei unterscheiden sie sich von Staat zu Staat und von Landkreis zu Landkreis. Selbst manche Städte und Ortschaften besitzen ein eigenes Regelwerk zum Alkoholkonsum. US-Standard für alle Bundesstaaten sind nur zwei Bestimmungen: Das Mindestalter für Alkoholkauf und -konsum liegt bei 21 Jahren, die Promillegrenze für Autofahrer bei 0,8 Promille.

Jenseits dieser beiden ›nationalen‹ Gesetze existiert ein unübersichtlicher Dschungel aus Bestimmungen und Verordnungen, in denen gelegentlich nicht einmal Einigkeit über Definitionen herrscht. Manche Gesetze betreffen nur destillierte Alkoholika wie Whiskey und Wodka, andere schließen Bier und Wein mit ein. In Virginia existieren beispielsweise ›trockene‹ Landkreise mit ›feuchten‹ Städten. In anderen Bundesstaaten gibt es zwar keine entsprechenden Alkoholgesetze, aber per Referendum sorgen die Bürger in Städten und Gemeinden selbst für entsprechende Regularien.

Sogenannte Blue Laws verbieten hie und da etwa den Verkauf von alkoholischen Getränken an Sonntagen und manchen Feiertagen. In manchen Supermärkten werden Bier- und Weinregale an ›verbotenen‹ Tagen mit einer Sichtblende verhängt, damit niemand auf die Idee kommt, einen Sixpack an die Kasse zu schleppen. Die Zahl der Sonntagsverbote scheint jedoch rückläufig, weil für viele Geschäfte der Sonntag nach dem Samstag der zweitwichtigste Verkaufstag der Woche ist und viele Filialleiter auf den Umsatz mittels Alkoholika nicht verzichten wollen.

Ein Beispiel dafür ist das neuenglische Städtchen Rockport nördlich von Boston. Dort dämmerte im Frühjahr 2005 ein neues Zeitalter heran. Seit Mitte des 19. Jh. war die Ortschaft ›trocken‹ gewesen, weil sich seinerzeit eine einzelne Frau mit ihrem unerbittlichen Feldzug gegen den Alkohol durchgesetzt hatte. 2005 fand wieder einmal eine Abstimmung über die lokalen Alkoholgesetze statt, und diesmal entschieden die Einwohner, das seit über einem Jahrhundert gültige Verkaufsverbot in Geschäften bzw. das Ausschankverbot in Lokalen aufzuheben.

Besonders in Imbissketten und Fastfood-Lokalen muss man in der Regel auf das Gläschen Wein oder Bier zum Essen verzichten. Der Grund: Nur wer für seinen Betrieb eine Alkohollizenz erworben hat, darf alkoholische Getränke ausschenken. Da solche Lizenzen aber nicht gerade preiswert sind, verzichten manche Lokale darauf. Andere bieten ›BYO‹ an, was ›bring your own‹ bedeutet, d. h. man kann Wein oder Bier selbst mitbringen und vor Ort konsumieren. Für die Bereitstellung von Öffnern und Gläsern wird hie und da ein sogenanntes ›Korkgeld‹ verlangt. Größere Restaurants besitzen in den meisten Fällen eine Alkohollizenz, weil sie wissen, dass ihre Gäste gern ein Glas zum Essen genießen.

staltete Riverfront als Vorzeigestück einer sinnvollen Stadtsanierung.

Tennessee Aquarium

Unter den Attraktionen der Stadt nimmt das hoch gelobte **Tennessee Aquarium** einen besonderen Platz ein. In den letzten Jahren um das Doppelte des bisherigen Ausstellungsplatzes erweitert, gilt es zurzeit als größtes Süßwasseraquarium der Welt, das mehr als 9000 Fische, Vögel, Säugetiere und Reptilien in ihren natürlichen Lebensräumen zeigt. Die einzelnen Teile sind so perfekt nachgebaut, dass man glauben könnte, Alligatoren, Fischotter, Schildkröten, Welse und Piranhas in freier Wildbahn zu beobachten. Eine Nachbildung zeigt etwa typische Abschnitte des Tennessee River von seiner Quelle im Appalachengebirge bis zum Golf von Mexiko. Hinter einem anderen Fenster blicken Besucher staunend auf eine riesige Zypresse und fragen sich, wie es den Aquarium-Architekten gelang, den gewaltigen Baum ins dritte Stockwerk zu verpflanzen. Manche Becken sind mehrere Etagen hoch, sodass man beim Gang durch die halbdunklen Gänge von oben nach unten den Eindruck bekommt, trockenen Fußes immer tiefer in einen See zu steigen. Im neuen Teil des Aquariums begegnen Besucher Meereslebewesen und exotischen Schmetterlingen (1 Broad St., Tel. 1-423-265-0695, www.tnaqua.org, tgl. 10–18 Uhr, Erw. 27 $, Kinder 3–12 Jahre 17 $).

In der Nachbarschaft des Aquariums zeigt das **IMAX 3D Theatre** auf einer Riesenleinwand atemberaubende dreidimensionale Filme etwa über Haie in Mexiko, Kolumbien, Ägypten und Polynesien oder die Wunderwelt der Galapagos-Inseln, der man so nahe kommt, dass man fast glauben könnte, eine reale Situation zu erleben (Tel. 1-800-262-0695, tgl. ab 11 Uhr, Erw. 10 $).

Bluff View Art District

Auf einer Klippe hoch über dem Tennessee River hat sich der **Bluff View Art District** über die Jahre zu einem populären Ausgehviertel mit Restaurants, Cafés, Galerien und Boutiquen entwickelt. Zu diesem Stadtteil gehört auch das umgebaute und erweiterte **Hunter Museum of American Art** mit einer hervorragenden Sammlung amerikanischer Kunst. Unter den Gemälden befinden sich Werke von Künstlern wie Thomas Cole von der Hudson River School, von Vertretern des amerikanischen Impressionismus wie Mary Cassatt, John Twachtman, Lila Cabot Perry und Maurice Prendergast und darüber hinaus Arbeiten abstrakter Expressionisten wie Willem de Kooning (10 Bluff View, Tel. 1-423-267-0968, www.huntermuseum.org, Mo, Di und Fr, Sa 10–17, Mi und So 12–17, Do 10–20 Uhr, Erw. 10 $, 1. So frei).

Kunst und Natur verbindet der **River Gallery Sculpture Garden** am Steilufer des Flusses miteinander. Knapp zwei Dutzend originale Kunstwerke sind entlang befestigter Wege im Freien aufgestellt (400 E. 2nd St., tgl. 10 Uhr bis Sonnenuntergang, Eintritt frei).

Infos

Chattanooga Area Convention & Visitors Bureau: 215 Broad St., Chattanooga, TN 37402, Tel. 1-423-756-8687, www.chattanoogafun.com.

Übernachten

Historisches Bahnhofshotel ▶ **Chattanooga Choo Choo Holiday Inn:** 1400 Market St., Tel. 1-423-266-5000, www.choochoo.com. Die Hotellobby und das Restaurant befinden sich im restaurierten Bahnhof vom Beginn des 20. Jh. Eisenbahnfans können stilecht in einem der umgebauten viktorianischen Bahnwaggons übernachten. Ab 180 $.

Super Anwesen ▶ **Mayor's Mansion Inn:** 801 Vine St., Tel. 1-423-265-5000, www.mayorsmansioninn.com. Das Bed & Breakfast befindet sich im ehemaligen Wohnsitz des Bürgermeisters und besitzt eine edle Inneneinrichtung sowie 18 wunderschöne Zimmer. Ab 150 $.

Gemütliches Ambiente ▶ **Stone Fort Inn:** 120 E. 10th St., Tel. 1-423-267-7866, www.stonefortinn.com. In günstiger Lage in der Stadt gelegene Unterkunft mit sehr gemütlichen Räumen mit Balkon (Raucher). Exzellentes Frühstück. Ab 147 $.

Von Atlanta nach Nashville

Downtown ▶ Days Inn Riverside: 901 Carter St., Tel. 1-423-266-7331, www.days inn.com. Einfaches Motel mit ordentlichen Zimmern, Pool, Diner im Haus. Ab 80 $.

Camping ▶ Lookout Moutain/Chattanooga West KOA: 930 Mountain Shadows Dr., Trenton, Tel. 1-706-657-6815, www.look outmountainkoa.com. In Georgia liegender, gut ausgestatteter Platz.

Essen & Trinken

Gute Küche, ältlicher Dekor ▶ 212 Market Restaurant: 212 Market St., Tel. 1-423-265-1212, www.212market.com, tgl. Lunch und Dinner. Farbenfrohes Lokal mit Empore und ungezwungener Atmosphäre, Hausspezialität: Shrimps mit Grits für 21 $. Gute Weinauswahl, dienstags gibt es zum Dinner Weine zum halben Preis.

Südstaatenküche ▶ Mount Vernon: 3509 Broad St., Tel. 1-423-266-6591, http://mymt vernon.com, Mo–Fr 11–21, Sa 16–21.30 Uhr, So Ruhetag. Empfehlenswert sind beispielsweise das Schellfisch-Filet mit Kräutern und Limonen für 17 $ oder das Sirloin-Steak für 14 $. Es gibt auch hervorragende Desserts wie Amaretto Cream Pie.

Hier wird Gerstensaft gebraut ▶ Big River Grille & Brewing Works: 222 Broad St., Tel. 1-423-267-2739, www.bigrivergrille.com, tgl. 11–22 Uhr. Selbstgebrautes Bier zu Seafood, Burger, Pasta Jambalaya (15 $) oder Hawaii-Hähnchen (14$).

Einkaufen

Farmprodukte, Kunsthandwerk ▶ Chattanooga Market: 1826 Carter St., www.chat tanoogamarket.com, Mai–Dez. jeden So 11–16 Uhr. Lebhafter Markt für Obst und Gemüse, Töpfereien, Live-Musik.

Einkaufszentrum ▶ Hamilton Place: 2100 Hamilton Place Blvd., www.hamiltonplace. com, Mo–Sa 10–21, So 12–18 Uhr. Gewaltiger Einkaufskomplex mit Läden und Kaufhäusern.

Aktiv

Klettern in der Stadt ▶ High Point Climbing: 219 Broad St., Tel. 1-423-602-7625, www.highpointclimbing.com, Mo, Mi, Fr ab 6, sonst ab 10 Uhr. An der Außenwand klettern, ein Spaß für Sportliche. 15 $ plus Ausrüstung.

Termine

Riverbend Festival (Juni): Chattanoogas größtes, neun Tage dauerndes Stadtfest mit Jazz, Blues, Country und auch klassischer Musik, Bildhauer und Maler stellen ihre Arbeiten aus, Gastronomen servieren Südstaatenküche (www.riverbendfestival.com).

Verkehr

Öffentlicher Nahverkehr: Im 5-/10-Minuten-Takt fahren Elektrobusse die wichtigen Punkte der Innenstadt von Chattanooga an (Tel. 1-423-629-1473, www.carta-bus.org). Pro Fahrt 1,50 $, Tagespass 4 $.

Im Whiskey-Imperium

▶ 3, B 3

Über die Ortschaft Lynchburg kann man sich eigentlich nur wundern. Über dem Stadtkern um das Courthouse liegt tagtäglich ein malziger Whiskeygeruch, der nicht etwa Bars und Kneipen, sondern der 1866 gegründeten, für Besucher geöffneten Whiskeybrennerei **Jack Daniel's Distillery** entströmt. Widersinnig daran ist, dass Lynchburg in einem abstinenten Landkreis liegt, in dem das hochprozentige Getränk eigentlich weder verkauft noch konsumiert werden darf. Seit 2012 gibt es jedoch ein Schlupfloch: Bei Sampling-Touren (10 $) in der Destillerie dürfen Besucher über 21 Jahren drei winzige Proben kosten! Ansonsten sind die sehenswerten Touren kostenlos. Gutes Schuhwerk ist angesagt. (10 Short St., Tel. 1-931-759-4221, www.jack danlels.com, tgl. 9–16.30 Uhr).

Eine zweite Whiskeybrennerei befindet sich nordöstlich von Lynchburg bei der Ortschaft Normandy. Auch bei **George Dickle** kann man an Führungen durch den Betrieb teilnehmen (Cascade Hollow Rd., Tel. 1-931-857-3124, Anschluss 230, www.dickel.com, Mo–Sa 9–15.30 Uhr).

Das Charcoal-Mellowing-Verfahren ist bedeutend für den Tennessee-Whiskey

Franklin ▸ 3, B 2

Ziegelgepflasterte Bürgersteige führen im Zentrum der 20 000-Seelen-Ortschaft an reizvollen viktorianischen Hausfassaden vorbei, hinter denen sich elegante Boutiquen, Antiquitätengeschäfte, Kunstgalerien, Souvenirläden, gepflegte Restaurants und Imbisse für den ›schnellen‹ Hunger verbergen. Charme und Attraktivität des Städtchens verdrängen die Tatsache, dass bei Franklin im Jahr 1864 Ende November eine nur fünf Stunden dauernde Bürgerkriegsschlacht stattfand, die 8000 Soldaten das Leben kostete, darunter sechs Generälen der Konföderierten.

Die Schlacht bei Franklin setzte auch dem 1830 erbauten **Carter House** zu. In dem Ziegelgebäude, das ein Bürgerkriegsmuseum mit einer Video-Präsentation beherbergt,

schlugen damals über 1000 Kugeln ein und machten es zu einem der am stärksten beschädigten Gebäude des Kriegs, das die Kampfhandlungen dennoch überstand (1140 Columbia Ave., Tel. 1-615-791-1861, Mo–Sa 9–17, So 11–17 Uhr, Erw. 15 $).

Auch an der **Carnton Plantation** ging der Bürgerkrieg nicht spurlos vorbei. Die wunderschöne Villa mit einer Säulenfassade diente den Südstaatentruppen als Feldlazarett, in dem Hunderten Verletzten die letzte Stunde schlug. Über 1500 Gefallene wurden von der Hausherrin Carrie McGavock auf ihrem eigenen Grund und Boden auf einem privaten Friedhof bestattet, der immer noch in der Garten- und Parklandschaft des Anwesens existiert. Die damaligen Ereignisse beschreibt der Schriftsteller Robert Hicks in seinem 2005 erschienenen Roman ›The Widow of the South‹ (1345 Carnton Ln., Tel. 1-

Tipp: Countrysound zum Anfassen

Die musikalische Seele von Nashville ist in rauchgeschwängerten Kneipen am besten spürbar, wo jeden Abend Nachwuchstalente auf Minibühnen stehen und ein Hut oder Plastikeimer zwecks Gage herumgeht. Seit der Prohibition gelten manche Straßenzüge als Paradies für Musikfans und Nachtschwärmer.

Wenn die Großen der Countrymusic im Winter nicht in der Grand Ole Opry, sondern wie früher im Ryman Auditorium auftraten, liefen sie in den Pausen schon einmal schnell um die Ecke, um in **Tootsie's Orchid Lounge** (422 Broadway, Tel. 1-615-726-0463, www.tootsies.net, tgl. ab 19 Uhr) ein Gläschen zu trinken. Sind die Stars in dem kleinen Lokal nicht persönlich anwesend, sind sie zumindest auf Autogrammfotos an den Wänden präsent. Jeden Abend gibt es Live-Musik, und wer einen Platz an einem Tisch ergattern will, sollte früh genug kommen.

An alte Zeiten erinnert die versteckte **Printer's Alley** im Zentrum von Nashville, wo heute noch Lokale wie die **Bourbon Street Blues & Boogie Bar** (220 Printer's Alley, Tel. 1-615-242-5837, www.bourbonstreet blues.com, tgl. ab 11 Uhr) das historische Musikerbe verwalten.

Aus der Reihe fällt das kleine **Bluebird Café** (4104 Hillsboro Rd., Tel. 1-615-383-1461, www.bluebirdcafe.com, tgl. ab 18 Uhr). Es liegt nicht im Musikzentrum der Stadt, sondern am Stadtrand in einer Shoppingzeile und hat schon einer ganzen Reihe von Musikern eine Bühne geboten, die es von hier aus in den nachfolgenden Jahren bis in die großen Konzerthallen des Landes schafften.

Wer der Countrymusic in Nashville überdrüssig wird, kann sich in die Rhythm & Blues-Szene flüchten. Als deren Inbegriff gilt der **B.B. King's Blues Club** (152 Second Ave., Tel. 1-615-256-2727, http://nashville.bbking clubs.com, tgl. ab 11 Uhr), in dem der Meister und Eigentümer B. B. King selbst gelegentlich zur Gitarre greift. Das Lokal bietet zu den allabendlichen Shows ein Dinner an.

Typisch Nashville: Countrymusiker beim Auftritt in Tootsie's Orchid Lounge

615-794-0903, www.carnton.org, Mo–Sa 9–17, So 11–17 Uhr, Erw. 15 $).

Natchez Trace Parkway

Franklin liegt am historischen, 444 Meilen langen **Natchez Trace Parkway**, der im Städtchen Natchez im Bundesstaat Mississippi beginnt und im 15 Meilen von Franklin entfernten Nashville endet. Vor rund 8000 Jahren trampelten große Bisonherden über diesen Pfad, den später Indianer, Trapper, Händler, Missionare und Soldaten benutzten. Die Gefahren, die auf ihm durch Indianer, Banditen und wilde Tiere lauerten, brachten ihm den Namen ›Teufels Rückgrat‹ ein. Anfang des 19. Jh. war diese Route die einzige Verbindung zwischen der zivilisierten Welt an der Ostküste und der Zivilisationsgrenze am Mississippi. Mit der Erfindung des Dampfschiffes erübrigte sich der strapaziöse Landweg, der im 20. Jh. zu einer modernen Touristenroute ausgebaut wurde (www.nps.gov/natr).

Infos

Williamson County Visitor Information Center: 400 Main St., Franklin, TN 37064, Tel. 1-615-591-8514, www.visitwilliamson.com.

Übernachten

Hotel zum Wohlfühlen ▶ Drury Plaza: 1874 West McEwen Dr., Tel. 1-615-771-6778, www.druryhotels.com. Gediegenes Nichtraucherhotel mit Pool und komfortablen Zimmern, in denen es an nichts fehlt. Ab 130 $.

Gute Qualität für den Preis ▶ Best Value Inn & Suites: 4201 Franklin Commons, Tel. 1-615-591-5678, www.motelfranklin.com. Größeres Motel mit Pool und ordentlichen Standardzimmern bzw. Suiten. Ab 60 $.

Essen, Abends & Nachts

Konsum und Unterhaltung ▶ Factory at Franklin: 230 Franklin Rd., www.factoryat franklin.com, tgl. ab 9 Uhr. In elf ehemaligen Fabrikgebäuden wurden Geschäfte und Restaurants eingerichtet. Darüber hinaus gibt es ein breites Angebot an Unterhaltungsmöglichkeiten. Samstags von 8–13 Uhr findet ein Markt der umgebenden Farmen statt.

Nashville   ▶ 3, B 2

Jedem Amerikaner ist **Nashville** als Wiege der Countrymusic bekannt, die Stars wie Hank Williams und Willie Nelson zu Rang und Ansehen verhalf und mit Garth Brooks und George Strait neuere Stars feiert. Dass die 490 000 Einwohner zählende Metropole gleichzeitig Sitz von Regierung und Parlament von Tennessee ist, fällt im Leben der Stadt weniger ins Gewicht. Im Jahr 2010 wurde die Stadt durch Überschwemmungen schwer in Mitleidenschaft gezogen.

Im Unterschied zum größten Teil der Ostküste liegt Nashville nicht in der Eastern Time Zone, sondern in der Central Time Zone, d. h. der Zeitunterschied zu Deutschland beträgt nicht mehr 6, sondern 7 Stunden.

Country-Institutionen

Im Jahr 1892 als Gospelkirche erbaut, diente das **Ryman Auditorium** später als Theater, in dem Berühmtheiten wie Sarah Bernhardt, Enrico Caruso, Orson Welles und Mae West vom Publikum bejubelt wurden. In der zweiten Hälfte des 20. Jh. machte die Einrichtung eine beispiellose Karriere als Wiege der Countrymusic. Zwischen 1943 und 1973 traten auf der Bühne sämtliche Stars dieser Musikrichtung auf.

Im Jahr 1994 wieder einmal umgebaut, finden in dem 2100 Plätze großen Auditorium heute unterschiedliche Kulturveranstaltungen statt (116 Fifth Ave. N., Tel. 1-615-889-3060, www.ryman.com, Führungen und Backstage-Touren an veranstaltungsfreien Tagen 9–16 Uhr, Erw. ab 15 $).

Grand Ole Opry

Außer im Winter, wenn die **Grand Ole Opry** ins Ryman Auditorium umzieht, finden in dieser riesigen Konzerthalle die Countrykonzerte mit der Elite der Country-Sängerinnen und – sänger statt.

Freunde der Country Music können bei den Konzerten acht oder mehr Künstlern zuhören. Backstage-Touren können online gebucht werden und kosten zwischen 20 und 23 $ (2804 Opryland Dr., Tel. 1-615-871-OPRY, www.opry.com). In der Nachbarschaft ziehen die Gartenanlagen des **Gaylord Opryland Resort** mit Wasserfällen, Tropenwäldern und Wasserläufen viele Schaulustige an.

Country Music Hall of Fame

Rund 37 Mio. Dollar waren dem musikverrückten Nashville die Walhalla der bekanntesten Countrygrößen wert, die 2001 eröffnet wurde. Wer schon immer den goldenen Cadillac von Elvis Presley oder weitere 3000 Memorabilien mehr oder weniger berühmter Sänger und Sängerinnen sehen wollte, ist dort an der richtigen Stelle. Eine unter dem Titel ›Sing me back Home‹ stehende Dauerausstellung mit Kostümen, Memorabilien, Musikinstrumenten, Fotografien und Song-Manuskripten ermöglicht Besuchern eine Reise durch viele Jahrzehnte Country Music (222 Fifth Ave. S., Tel. 1-615-416-2001, www. countrymusichalloffame.com, tgl. 9–17 Uhr, Erw. 25 $, Kinder 6–12 Jahre 15 $).

Johnny Cash Museum

Cash-Fans finden in dem kleinen Museum rund 1000 Erinnerungsstücke an den Man in Black (119 Third Ave. S., Tel. 1-615-256-1777, www.johnnycashmuseum.com, tgl. 10–19 Uhr, Erw. 15 $).

State Capitol

Der Sitz der Regierung des Bundesstaats Tennessee auf einem Hügel in Downtown lässt an seinem Äußeren neogriechische Vorbilder erkennen. Das im Jahre 1859 nach Plänen von William Strickland fertiggestellte Gebäude ist von einem Park mit zahlreichen Monumenten umgeben, darunter eine Reiterstatue des siebten US-Präsidenten Andrew Jackson, der aus Nashville stammte. (Charlotte Ave. zwischen 6th und 7th Ave., Tel. 1-615-741-2692, www.capitol.tn.gov, Führungen Mo–Fr 9–15 Uhr, Eintritt frei).

Museumstour

Im Jahr 1934 im Art déco-Stil erbaut, beherbergt das frühere Hauptpostamt mit dem **Frist Center for the Visual Arts** eine wichtige Einrichtung der lokalen Kunstszene. Das Zentrum besitzt zwar nur eine kleine eigene Sammlung, zeigt aber das ganze Jahr über interessante Wanderausstellungen etwa über venezianische Glaskunst, Landschaftsfotografie oder französische Impressionisten (919 Broadway, Tel. 1-615-244-3340, www.fristcenter.org, Mo–Mi und Sa 10–17.30, Do, Fr 10–21, So 13–17.30 Uhr, Erw. 10 $).

Das **Tennessee State Museum** schlägt einen Bogen über 15 000 Jahre Vergangenheit von prähistorischen Zeiten über die angloamerikanische Besiedlungsgeschichte bis hin zum Bürgerkrieg und die darauf folgende Zeit. Historisches Mobiliar, Waffen, Flaggen und viele Memorabilien an Berühmtheiten wie Andrew Jackson, Daniel Boone, James K. Polk, David Crockett und Sam Houston machen das Museum zu einer wertvollen historischen Fundgrube (Fifth/Deaderick St., Tel. 1-615-741-2692, www.tnmuseum.org, Di–Sa 10–17, So 13–17 Uhr, Eintritt frei).

Dass Nashville gelegentlich als ›Athen des Südens‹ bezeichnet wird, hängt mit einer Jahrhundertausstellung zusammen, die 1897 im Centennial Park stattfand. Als repräsentatives Zentrum entstand damals aus Gips und Holz eine maßstabsgetreue Nachbildung des **Parthenons** in Athen, der 1931 in einem deutlich widerstandsfähigerem Sandstein nachgebaut wurde. Neben den städtischen Kunstsammlungen mit Werken bedeutender amerikanischer Künstler ist dort eine 13 m hohe Statue der Athene zu sehen, der griechischen Göttin der Weisheit, Wehrhaftigkeit und Künste (West End Ave./25th Ave., Tel. 1-615-862-8431, www.nashville.gov/parthenon, Di–Sa 9–16.30, So 12.30–16.30 Uhr, 6 $).

The Hermitage war die Privatresidenz des siebten amerikanischen Präsidenten Andrew Jackson (1767–1845), der von 1829 bis 1837 das höchste Staatsamt bekleidete. Er ging u. a. als Verantwortlicher für die brutale Vertreibung der Indianerstämme des Südostens in die Annalen der Geschichte ein.

1834 brannte seine Villa ab und wurde zwei Jahre später wieder aufgebaut. Die Innenräume sind mit Mobiliar und Kunstwerken ausgestattet wie zu Jacksons Lebzeiten. Der Politiker ist neben seiner Frau Rachel in einem Pavillon auf dem Grundstück bestattet (4580 Rachel's Ln., Tel. 1-615-889-2941, www.thehermitage.com, April–Mitte Okt. tgl. 8.30– 17, sonst 9–16.30 Uhr, Erw. 19 $, Kinder 13–18 Jahre, 14 $).

Infos

Nashville Convention & Visitors Bureau: One Nashville Place, 150 4th Ave. N., Nashville, TN 37219, Tel. 1-615-259-4730, www.visitmusiccity.com.

Übernachten

Historisch, mit allen Annehmlichkeiten ▶ **Hermitage Hotel:** 231 Sixth Ave. N., Tel. 1-615-244-3121, www.thehermitagehotel.com. Das beste Hotel zwischen Memphis und Atlanta mit einer fürstlichen Lobby und luxuriös ausgestatteten Zimmern und Suiten, in denen es den Gästen an nichts fehlt. Ab 299 $.
Zentrale Lage ▶ **Hampton Inn & Suites:** 310 4th Ave. S., Tel. 1-615-277-5000, www.hamptonnashvilledowntown.com. Modernes, großes Haus mit 155 Räumen und Swimmingpool in bester zentraler Lage für eine abendliche Tour durch die Musikclubs. Nur für Nichtraucher, Frühstück und Softdrinks inkl., Garage 17 $. Ab 169 $.
Gute Wahl ▶ **Fiddlers Inn:** 2410 Music Valley Dr., Tel. 1-615-885-1440, www.fiddlers-inn.com. Bei der Grand Ole Opry gelegenes Motel, das über Pool und Businesscenter verfügt, ordentliche Zimmer. 70–110 $.

Essen & Trinken

Qualitätsbewusste Küche ▶ **The Bound'ry:** 911 20th Ave. S., Tel. 1-615-321-3043, http://boundryrestaurant.com, nur Dinner. Großes, modern gestyltes Lokal mit Bar, Terrasse und mediterran inspirierten Speisen. 20–36 $.
Küche, wie Einheimische sie schätzen ▶ **Ted's Montana Grill:** 2817 West End Ave., Tel. 1-615-329-3415, www.tedsmontanagrill. com, So–Do 11–22, Fr/Sa 11–23 Uhr. Herzhafte, gut zubereitete Fleischgerichte wie zu Pionierzeiten. Ca. 15 $.
Kalorienreiche Küche ▶ **Hog Heaven:** 115 27th Ave. N., Tel. 1-615-329-1234, Mo–Sa 10–19 Uhr. Lokal mit Garagenatmosphäre und

zünftigen Fleischgerichten wie BBQs und gebratenem Geflügel. 5–15 $.

Einkaufen

Ein typisches Souvenir aus Nashville sind Cowboystiefel, die man zum Teil in hervorragender Qualität bekommt. Im Zentrum und an der Church Street gibt es zahlreiche Geschäfte.
Typische Souvenirs ▶ **Hatch Show Print:** 224 5th Ave. S., Tel. 1-615-577-7710, tgl. 9.30–18 Uhr. Wer als Reisemitbringsel ein Poster eines Countrystars sucht, wird in dieser seit 1879 existierenden Druckerei sicher fündig.
Einkaufen und amüsieren ▶ **Opry Mills:** 433 Opry Mills Dr., www.simon.com, Mo–Sa 10–21.30, So 11–19 Uhr. Riesiger Shopping- and Entertainment-Komplex mit über 200 Geschäften, Restaurants und Kinos.

Abends & Nachts

Partyparadies auf drei Etagen ▶ **Wildhorse Saloon:** 120 Second Ave. N., Tel. 1-615-902-8200, www.wildhorsesaloon.com, Di–So ab 11, Mo ab 16.30 Uhr. Beliebtes Restaurant mit Bar und einer lebhaften Musikszene.
Lokal auch für den späten Hunger ▶ **Gold Rush:** 2205 Elliston Pl., Tel. 1-615-321-1160, www.goldrushnashville.com, tgl. 11–3 Uhr. Mexikanische Speisen, ein Billardzimmer, eine Martini-Bar und eine Western-Bar.
Klassik-Tempel ▶ **Tennessee Performing Arts Center:** 505 Deaderick St., Tel. 1-615-782-4040, www.tpac.org. In dem weit über Nashvilles Stadtgrenze hinaus bekannten Kulturzentrum haben die Nashville Symphony, das Tennessee Repertory Theatre, die Nashville Opera und das Nashville Ballet ihre Spielstätten. Im Komplex stehen vier Auditorien mit bis zu 2400 Plätzen zur Verfügung.

Aktiv

Dampfertouren ▶ **General Jackson Showboat:** Gaylord Opryland Complex, 2800 Opryland Dr., Tel. 1-615-458-3900, www.generaljackson.com. Unterschiedliche Touren an Bord eines ›Mississippi‹-Dampfers mit Dinner und Unterhaltung.

Antebellum Trail

Von Zerstörungen des Bürgerkriegs weitgehend verschont, haben sich zwischen Athens und Macon in Georgia einige Ortschaften zur Touristenroute Antebellum Trail organisiert. Die ›Pfunde‹, mit denen sie wuchern können, sind wunderschöne Straßenzüge mit über 150 Jahre alten Villen und ›Lebkuchenhäusern‹ wie aus dem Bilderbuch.

Weiße Pflanzervillen, endlose Baumwollfelder, schattige Alleen aus jahrhundertealten knorrigen Eichen, dampfende Sümpfe, Magnoliengärten und Damen der besseren Gesellschaft in wippenden Reifröcken, die durch elegante Plantagenhäuser schreiten: Trotz vieler Veränderungen in den vergangenen Jahrzehnten lässt sich solche Idylle im amerikanischen Süden zwischen der supermodernen Millionenstadt Atlanta und der Atlantikküste nach wie vor finden.

Am 90 Meilen langen Antebellum Trail, der östlich von Atlanta im Universitätsstädtchen Athens beginnt und in Macon am Ocmulgee River endet, hat nur in mehreren kleineren Städtchen alte Südstaatenherrlichkeit überlebt. Denn im Bürgerkrieg fielen auf dem Gebiet der ehemaligen Südstaaten-Konföderation viele Städte und Gemeinden den blutigen Auseinandersetzungen zum Opfer. Ein Beispiel dafür sind einige Regionen in Georgia, wo Nordstaaten-General William T. Sherman auf seinem Marsch vom zerstörten Atlanta nach Savannah eine Schneise der Verwüstung schlug. Seine Soldaten plünderten und brandschatzten, gleichgültig ob es sich um militärisch wichtige Einrichtungen handelte oder nicht. Sie nahmen sich von Farmen und Feldern alles, was sie verwerten konnten, und machten nicht einmal vor Sklavenhütten Halt.

Von der brutalen Strategie der verbrannten Erde blieben im betreffenden Landesteil von Georgia nur wenige Orte verschont. Madison etwa hatte das Glück, dass Senator Joshua Hill vor Ort seinen strahlend weißen Landsitz errichtet hatte. Er war mit General Shermans Bruder befreundet und galt als Gegner der Südstaatensezession. Bei einem Treffen mit dem General setzte sich Hill erfolgreich für eine Verschonung von Madison ein, das aus diesem Grund den größten Teil seiner Häuser aus der Zeit vor dem Bürgerkrieg behielt und zum architektonischen Juwel am Antebellum Trail werden konnte.

›Lebkuchenhäuser‹ nennen die Amerikaner ihre schmucken Anwesen, deren hölzerne Balkonbrüstungen und weiß getünchte Fassaden aussehen wie Zuckerwerk auf einem Lebkuchenherz. Außer diesen stimmungsvollen Häusern, die nicht selten von wunderschönen, gepflegten Gärten umgeben sind, entstanden in der Vorkriegszeit auch noble Paläste, die ein Licht auf die Lebensweise der damaligen Highsociety werfen. Die Plantage Tara aus ›Vom Winde verweht‹ sucht man aber auch am Antebellum Trail vergeblich: Sie stand nur in den Filmstudios von Hollywood.

Athens ▶ 3, D 4

Noch heute bildet der im Jahre 1785 gegründete Campus in Athens mit über 300 Gebäuden einen Teil des historischen Erbes der Stadt. Auf dem parkähnlichen Universitätsgelände fallen säulengeschmückte Gebäude im klassizistischen Stil auf, der sich 1832 mit dem Bau der Universitätskapelle durchzusetzen begann und der Stadt den Beinamen The Classic City (Stadt der Klassik) eintrug. Gemälde sowohl aus der italienischen Renaissance als auch aus der amerikanischen Gegenwart und darüber hinaus zahlreiche Kunstgegenstände aus aller Welt sind im zur Universität gehörenden **Georgia Museum of Art** ausgestellt (www.uga.edu/gamuseum, Mo geschl., Eintritt frei).

Das 1845 im klassizistischen Stil erbaute **Taylor-Grady-House** schmücken 13 dorische Säulen als Symbole der amerikanischen Gründungsstaaten. Ebenfalls griechischen Vorbildern verpflichtet ist das 1857/58 errichtete **President's House** des ehemaligen Präsidenten der University of Georgia mit einer Fassade aus korinthischen und Flanken aus dorischen Säulen. Das älteste Haus von Athens, das **Church-Waddel-Brumby House,** wurde um 1820 als Wohnsitz eines Mathematikprofessors erbaut und dient nun als Touristeninformation.

Athens hat sich keineswegs nur als wissenschaftliche Hochburg und architektonisches Schaustück einen Namen gemacht, sondern auch als Musikerkolonie, in der junge Künstler in die Fußstapfen von aus Georgia stammenden Größen wie Otis Redding, Little Richard und James Brown traten. Das gilt in erster Linie für die drei lokalen, auch international bekannten Gruppen Indigo Girls, B-52 und R.E.M. sowie den Sänger Kenny Rogers.

Infos

Athens Welcome Center: 280 E. Dougherty St., Athens, Tel. 1-706-353-1820, www.athenswelcomecenter.com. Hier kann u. a. die 90-minütige kommentierte ›Classic City Tours‹ per Kleinbus gebucht werden.

Übernachten

Zentrale Bleibe ▶ **Foundry Park Inn:** 295 East Dougherty St., Tel. 1-706-549-7020, www.foundryparkinn.com. Modernes Motel mit Spa, Restaurant und Live-Musik gleich nebenan. Ab 120 $.

Gepflegtes Ambiente ▶ **The Colonels:** 3890 Barnett Shoals Rd., Tel. 1-706-559-9595, www.thecolonels.net. Gebäude von 1860, idyllisch auf dem Land gelegen. Antike Möbel, Klimaanlage, Internet. Ab 115 $.

Abends & Nachts

Berühmte Musikkneipe ▶ **40 Watt Club:** 285 W. Washington St., Tel. 1-706-549-7871, www.40watt.com, Do–Sa ab 20 Uhr. Der bekannteste Musikklub von Georgia profitierte in der Vergangenheit von den Berühmtheiten der lokalen Szene wie R.E.M. und B-52.

Termine

AthFest (Juni): Musikfest mit über 120 Bands, die ein Wochenende lang drinnen und draußen spielen, www.athfest.com.

Madison ▶ 3, D 4

Der nicht einmal 4000 Einwohner zählende Ort gilt als Perle des Antebellum Trail und sieht in manchen Straßenzügen aus wie ein gepflegtes Freilichtmuseum. Beim Morgan County Courthouse im Zentrum, das sich mit einem kuppelförmigen Uhrturm zu erkennen gibt, laufen die von historischen Häusern gesäumten Straßen zusammen. Viele der stattlichen Villen und hübschen Cottages entlang South Main und Academy Street entstanden zwischen 1830 und 1860, als Kaufleute und Farmer der Region mit Baumwolle zum Teil äußerst lukrative Geschäfte machten.

Das meistfotografierte Anwesen in Madison ist das **Hunter House** aus dem Jahr 1883. Seinen Reiz bezieht das im Queen-Anne-Stil errichtete Haus von seiner kleinteiligen Bauweise mit Erkern und Dachgauben, einem umlaufenden Balkon sowie einem traumhaften Garten mit Azaleenbüschen und rankenden Rosen. Neue Besitzer haben das Anwesen jüngst komplett renoviert (580 S. Main St., www.hunterhousebedandbreakfast.com).

Neben dem in die Jahre gekommenen **Dovecoat House** (201 S. Main St.) zählt das **Joshua Hill House** (485 Old Post Rd.) zu den schönsten Bauten der Stadt. Hausherr dieses neogriechischen Palastes mit schnee-

Einem verwunschenen Märchenschloss ähnelt das viktorianische Hunter House

weißen Säulen um die Fassaden war Senator Joshua Hill, der mit persönlichem Einsatz dafür sorgte, dass die Stadt im Bürgerkrieg nicht zerstört wurde.

Infos

Madison-Morgan Chamber of Commerce: 115 E. Jefferson St., Madison, GA 30650-1362, Tel. 1-706-342-4454, www.madisonga. org. Im Mai und Dezember finden Touren durch Privathäuser statt, die man sonst nicht besichtigen kann.

Übernachten

Unterkunft mit Charme ▶ Madison Oaks Inn: 766 E. Ave., Tel. 1-706-343-9990, www. madisonoaksinn.com. Prächtiges, in einem Park liegendes Anwesen im Greek-Revival-Stil von 1905, sehr gepflegte Zimmer mit Frühstück. 195–250 $.

Verwunschenes Refugium ▶ Brady Inn: 250 N. 2nd St., Tel. 1-706-342-4400, www. bradyinn.com. B & B in einem viktorianischen Cottage, 7 Gästezimmer mit eigenem Bad, Rauchen nur im Garten. Ab 129 $.

Auf dem Weg nach Macon

▶ 3, E 4/5

Das historische Ortsbild von **Eatonton**, wo knapp 7000 Menschen leben, präsentiert sich Besuchern weniger auffällig als in Madison, wenngleich in vielen Nebenstraßen sehenswerte Häuser aus dem 19. Jh. stehen. Im Ort wurde 1848 Joel Chandler Harris (1848–1908) geboren, der mit dem Hasen Br'er Rabbit und dem Fuchs Br'er Fox zwei populäre Fabelgestalten schuf, die in vielen seiner ›Uncle Remus‹-Geschichten auftauchen. Das Uncle Remus Museum ist in einem Blockhaus untergebracht, das aus zwei originalen Sklavenhütten zusammengesetzt wurde (214 Oak St., Tel. 1-706-485-6856, Mo–Sa 10–12, 13–17, So 14–17 Uhr, Erw. 5 $).

Vorbei am Lake Sinclair, der 1953 durch den Staudamm am Oconee River entstand, erreicht man **Milledgeville**, 1803 bis 1868 Hauptstadt von Georgia. An die damalige Zeit erinnert das 1806 erbaute Old State Capitol, in dem 1861 der sogenannte Sezessionskonvent zusammentrat. Nach dreitägiger, erbitterter Debatte beschlossen die Delegierten den Austritt aus der amerikanischen Union, womit sich Georgia im Bürgerkrieg auf die Seite der Südstaaten schlug. Seit Jahren ist im Hauptgebäude und den später errichteten Nebengebäuden mit dem **Georgia Military College** eine Militäruniversität untergebracht. Das 1838 fertiggestellte klassizistische **Old Governor's Mansion** mit säulengeschmückter Fassade gehört ebenfalls zu den geschichtsträchtigen Anwesen. Die Einwohner von Milledgeville behaupten übrigens gern, die beiden Hauptdarsteller des Bürgerkriegsepos ›Vom Winde verweht‹, Clark Gable und Vivien Leigh, seien vor Beginn der Aufnahmen in dieses Städtchen geschickt worden, um den sogenannten ›Southern Twang‹ zu üben, den schleppenden Akzent der Südstaaten.

Alternative zu viktorianisch ▶ **Quality Inn:** 2001 Eatonton Rd., Tel. 1-706-342-0054, www.choicehotels.com. Kettenmotel in Interstate-Nähe außerhalb des Orts. Ab 65 $.

Essen & Trinken

Moderne Kochkunst ▶ **Town 220:** 220 W. Washington St., Tel. 1-706-752-1445, www.town220.com, Di–Sa Lunch und Dinner. Steaks und Seafood in chickem Ambiente mit großer Weinkarte, Bar und schöner Terrasse. Ab 17 $.

Macon ▶ 3, D 5

Größte Stadt und Endpunkt des Antebellum Trail ist die 106 000 Einwohner zählende

Antebellum Trail

Stadt **Macon** am Ocmulgee River, der den Landstrich zwischen den Piedmont-Hügeln im Norden und der Küstenebene im Süden durchfließt. Im Jahr 1823 gegründet, wurde der Ort zu einem Geschäftszentrum inmitten ausgedehnter Plantagen. Wohlhabende Zeitgenossen ließen im Zentrum imposante Bürgerpaläste errichten, die zum Teil noch erhalten sind.

Noble Villen

Zu den dekorativsten Beispielen des Italian-Renaissance-Revival-Stils gehört das 24 Zimmer große **Hay House.** Der in einem Garten liegende Prachtbau mit einer geschwungenen Freitreppe zum Haupteingang entstand zwischen 1855 und 1859. Solche Paläste mit Stuckwerk, Kristallleuchtern, antikem Mobiliar und erlesenem Porzellan befinden sich heute nur noch selten in Privatbesitz, weil die Aufwendungen für Instandhaltung in der Regel zu hoch sind. Das gilt auch für das vom Georgia Trust for Historic Preservation unterhaltene Hay House. Zur Zeit seiner Fertigstellung beeindruckte es nicht nur durch sein reizvolles Äußeres, das vom Kontrast zwischen den roten Ziegelwerk und den schneeweißen Säulen, Balkonen und Fensterumrandungen lebt. Im Innern des Gebäudes kam modernste Technik zum Einsatz – etwa mit einer zentralen Wasserversorgung, einem Aufzug und einem ausgeklügelten Belüftungssystem (934 Georgia Ave., Tel. 1-404-881-9980, www.georgiatrust. org, Führungen Mo–Sa 10–16, So 13–16 Uhr, 11 $).

Als einziges Gebäude der Stadt wurde das **Old Cannonball House** während des Bürgerkriegs beschädigt. Im Flur des 1853 für einen Richter gebauten Hauses liegt eine Eisenkugel, die 1864 von den Unionstruppen abgefeuert wurde. Der Schaden war nicht allzu groß, da das Geschoss zwischen den ionischen Säulen an der Fassade einschlug, ein Fenster zerbrach und im Fußboden stecken blieb. Die mit edlem Mobiliar, wertvollen Teppichen und Kunstwerken ausgestatteten Zimmer lassen auf einen luxuriösen Lebenswandel der damaligen Bewohner schließen (856 Mulberry St., Tel. 1-478-745-5982, www.can nonballhouse.org, Führungen Mo–Sa 10–15.30 Uhr, 6 $).

Ruhmeshallen

Musikergrößen wie Little Richard, Otis Redding, James Brown und die Allman Brothers Band starteten in Macon ihre Karrieren. Von 1969 bis 1979 lebten die Allman Brothers hier und schrieben mit ihrem ›Southern Rock‹ Musikgeschichte. Einer der Rocker, Gregg Allman, war von 1975 bis 1979 mit der bekannten Sängerin Cher verheiratet. Zwei Bandmitglieder verloren nahezu an der gleichen Stelle bei Motorradunfällen in Macon ihr Leben. Alles über Lust und Leid der Band zeigt **The Allman Brothers Band Museum at the Big House** (2321 Vineville Ave., Tel. 1-478-741-5551, www.thebighousemuseum. com, Do–So 11–18 Uhr, Erw. 8 $).

Die populäre und viel besuchte **Georgia Sports Hall of Fame** dokumentiert Leben und Karrieren der Helden unterschiedlicher Sportarten von Golf und Football bis Baseball, Basketball und Autorennsport. Die Vitrinen dieses größten Sportmuseums im Staat sind voll von persönlichen Erinnerungsstücken wie Trikots, Sportschuhen und Preisen. Im Locker Room (Umkleideraum) fallen keine Hüllen, sondern werden Sportausrüstung, Videos von Spielen und Wettbewerben, Starfotos und Trainingskleidung verkauft (301 Cherry St., Tel. 1-478-752-1585, www.gshf. org, Di–Sa 9–17 Uhr, 8 $).

Ocmulgee National Monument

Schon 10 000 Jahre vor der Gründung von Macon durchstreiften nomadisierende Jäger die Uferzonen des Ocmulgee River. Nachweise ihrer Existenz fanden Archäologen in Form einfacher Speer- und Pfeilspitzen. Aus viel späterer Zeit stammen die Zeugnisse, die Forscher außerhalb des heutigen Stadtzentrums im **Ocmulgee National Monument** fanden. Dort lebte zwischen 900 und 1400 eine Ackerbau treibende Gemeinde der sogenannten Mississippi-Kultur, die sich seit etwa 750 n. Chr. vom mittleren Mississippi-Tal über weite Gebiete der zentralen und östlichen USA ausbreiteten. Die Mississippi-Indianer bauten am Ocmulgee River erstaunliche Anlagen.

In der Nähe des Visitor Center, in dem zahlreiche Funde ausgestellt sind und auch ein kurzer Film über die Indianer gezeigt wird, befindet sich die Rekonstruktion eines mit Erde bedeckten Zeremonialgebäudes, das aus der Entfernung wie ein abgerundeter Hügel aussieht. Unter dem runden, durch einen zentralen Pfeiler gestützten Holzdach versammelten sich vermutlich die politischen und religiösen Führer der Gemeinde. Das Volk lebte in Hütten auf den Anhöhen über dem Flussufer.

Im Südteil des National Monument liegen zwei Temple Mounds, aufgeschüttete, abgeflachte Hügel, auf denen in rechteckigen Holzbauten vermutlich Zeremonien abgehalten wurden. Im Museum von Ocmulgee sind viele der Mississippi-Kultur zugeordnete Gegenstände ausgestellt. Andere Exponate, hauptsächlich Keramik, weisen auf Woodland-Ursprünge hin oder gehören zur Lamar-Kultur, die sich der Mississippi-Zeit seit dem 14. Jh. anschloss (1207 Emery Hwy, tgl. 9–17 Uhr, Tel. 1-478-752-8257, www.nps.gov/ocmu, Eintritt frei).

Infos

Macon-Bibb County Convention & Visitors Bureau: 450 Martin Luther King Jr. Blvd., Macon, Georgia 31201, Tel. 1-478-743-3401, www.visitmacon.org.

Übernachten

Südstaatenflair ▶ **1842 Inn:** 353 College St., Tel. 1-877-452-6599, www.1842inn.com. Prachtvoller Säulenbau mit 22 Zimmern, ausgestattet mit Wandteppichen, Antiquitäten wie auch alten Gemälden, manche Zimmer mit Whirlpool und offenem Kamin, Frühstück inkl. ab 189 $.

Gute Ausstattung ▶ **Marriott Macon City Center Hotel:** 240 Coliseum Dr., Tel. 1-478-621-5300, www.marriott.com. Modernes Hotel in zentraler Lage von Downtown mit Pool, Fitnesscenter und kostenlosem Parken. Nur Nichtraucherzimmer. Ab 139 $.

Mit Standardausstattung ▶ **Super 8 Macon West:** 4765 Chambers Rd., Tel. 1-478-254-5200, www.super8.com. Gut geführtes Motel, alle Zimmer mit Mikrowelle, Kühlschrank, WLAN. Inkl. Frühstück. Ab 50 $.

Essen & Trinken

Kleines Restaurant ▶ **The Back Burner:** 2242 Ingleside Ave., Tel. 1-478-746-3336, www.backburnermacon.com, Di–Sa 11.30–14 und 18–21.30 Uhr. Der aus Nizza stammende Chefkoch zaubert hervorragende französische Gerichte auf den Tisch. Dinner ca. 30 $.

Unterhaltsame Atmosphäre ▶ **Hooters of Macon:** 112 Riverside Pkwy, Tel. 1-478-471-7675, tgl. ab 11 Uhr. Lockeres Kettenrestaurant, zu dessen Geschäftspolitik hübsche Bedienungen gehören, die in Hot Pants amerikanische Kost servieren. Ab 7 $.

Einkaufen

Outdoor Mall ▶ **The Shoppes at River Crossing:** 5080 Riverside Dr., Tel. 1-478-254-2940, www.theshoppesatrivercrossing.com, Mo–Sa 10–21, So 12–18 Uhr. Guter Mix aus Einkaufsmöglichkeiten wie z. B dem Kaufhaus Dillard's, GAP und Footlocker oder dem Bücherladen Barnes & Noble sowie diversen Restaurants. Hotspot für kostenloses WLAN.

Abends & Nachts

Für große Auftritte ▶ **Grand Opera House:** 651 Mulberry St., Tel. 1-478-301-5460, www.thegrandmacon.com. 1884 erbautes Opernhaus mit einer der größten Bühnen des Südens für Theater, Konzerte, Musicals.

Altes Theater in neuem Glanz ▶ **Historic Douglass Theatre:** 355 Martin Luther King Jr. Blvd., Tel. 1-478-742-2000. In diesem Theater begann Otis Redding seine Karriere. Heute finden dort unterschiedliche Veranstaltungen und Kinovorführungen statt.

Termine

Cherry Blossom Festival (März): 10-tägiges Kulturfest, dessen Anlass 285 000 alljährlich blühende Kirschbäume sind (www.cherryblossom.com).

Die Küste von Georgia

Inselhüpfen kann am Atlantiksaum von Georgia zur Sucht werden. Kein Wunder, dass sich Amerikas Millionäre manche der Traumparadiese schon im 19. Jh. selbst zum Geschenk machten. Heute gehört die Inselwelt ebenso wie Überbleibsel der Plantagenkultur und Kleinstädte zum touristischen Repertoire des Bundesstaats.

Bizarr geformte Buchten, Landvorsprünge, Halbinseln, Marsch- und Sumpfgebiete und vor allem eine Kette von Barriere-Inseln, die sich im Norden nach South Carolina und im Süden nach Florida fortsetzt, prägen die 100 Meilen lange Küste des Bundesstaats Georgia. Einerseits handelt es sich bei manchen Küstenabschnitten um fast unberührte, im Falle etwa von Cumberland oder Sapelo Island nur von einigen wenigen Menschen bewohnte Flecken.

Andererseits wurden manche der sogenannten Golden Isles wie Jekyll Island und Sea Island bereits im 19. Jh. von Erholung suchenden Industriemagnaten in noble Millionärsresorts verwandelt, die mit wunderschönen subtropischen Landschaften, gepflegten Golfanlagen, kilometerlangen Sandstränden und fürstlichen Nobelherbergen heute oft öffentlich zugänglich sind. Brücken und Dämme sorgen dafür, dass diese kleinen Inselparadiese vom Festland aus leicht erreichbar sind.

Die natürlichen Voraussetzungen an der Georgia-Küste, die ungewöhnliche Geologie des Meeresbodens eingeschlossen, sorgen dafür, dass die Gezeitenunterschiede deutlicher ausfallen als in anderen Atlantikanrainern. Das wiederum hat Sümpfe und Marschen entstehen lassen, in denen eine spezielle Flora und Fauna zur natürlichen Vielfalt beiträgt. Das größte Süßwassersumpfgebiet Nordamerikas liegt im Küstenhinterland und verbindet Georgia und Florida miteinander. Der riesige Okefenokee Swamp mit seinen Kanälen, Teichen und Seen voll von braunem Moorwasser bildet für Alligatoren, Schildkröten und Vögel einen idealen Lebensraum, für Besucher eine reizvolle Erfahrung mit einer exotischen Naturlandschaft.

Von Savannah abgesehen liegen an der Atlantikküste keine größeren Städte. Über Orten wie Brunswick und Darien, in deren Häfen sich Fischkutter knarzend aneinander reiben, liegt bis heute der Hauch alter Kolonialzeiten, gemischt mit dem romantisch-melancholischen Flair des Südens. Dazu passen Magnolien, Hartriegel, Jasmin und vor allem die immergrünen Eichen, aus deren wunderschönen Kronen zottelige ›Bärte‹ aus Spanischem Moos hängen.

Ziele an der Küste

Okefenokee Swamp ▶ 3, F 7

Die Indianer sprachen vom ›Land der bebenden Erde‹, wenn sie den riesigen, 1800 km² großen **Okefenokee Swamp** meinten, der von der südöstlichsten Ecke von Georgia ins benachbarte Florida hinüberreicht. Der Name rührt vom bis zu 5 m tiefen Torfboden her, der in Schwingungen gerät und Baumwipfel in nächster Umgebung zittern lässt, wenn man sich darauf entsprechend bewegt.

Bester Ausgangspunkt für Touren in den Sumpf ist die Ortschaft Waycross. Weite Gebiete sind nur per Boot über die 120 Meilen langen, mit moorbraunem Wasser gefüllten Kanäle zugänglich. An wenigen Stellen füh-

Tipp: Abstecher in die Zivilisationsferne

Das 6 Meilen vor der Küste liegende **Cumberland Island National Seashore** ▶ 3 , F 7 ist nur von St. Marys aus per Fähre zugänglich. Die Ranger des National Park Service achten darauf, dass jeweils nur eine begrenzte Anzahl von Besuchern auf das abgelegene, mit Sumpfgebieten, Stränden, Eichenwäldern und Dünen ausgestattete Inselreich übersetzt, wo es weder Hotels noch sonstige touristische Einrichtungen gibt. Einige in Privatbesitz befindliche Gebiete schürten in vergangenen Jahren Diskussionen über eine touristische Entwicklung beziehungsweise den Bau eines Damms in das Naturschutzgebiet. 1996 machte es Schlagzeilen, als sich in der winzigen First African Baptist Church am Burbank Point John Kennedy Jr. und Carolyn Bessette das Ja-Wort gaben (101 Wheeler St., St. Marys, GA 31558, Tel. 1-912-882-4336, www.nps.gov/cuis, die Passagierfähre und Campingplätze müssen vorab reserviert werden).

ren Holzstege durch das Naturparadies, an denen sich kapitale Alligatoren sonnen oder langbeinige Weißreiher durch die blühenden Seerosen staken. Weiße Wolken hängen wie Federbetten am Himmel, wenn sich am späteren Vormittag der Nebel verzogen hat. Bäume tragen würdige Zottelbärte aus gekräuseltem Moos und werfen ihre Schatten über die grüne Wildnis, die für fast fünf Dutzend Reptilien- und ebenso viele Amphibienarten einen einzigartigen Lebensraum bildet (US Hwy 1 S., Waycross, Georgia, Tel. 1-912-283-0583, www.okeswamp.com, tgl. 9–17.30 Uhr, Schmalspurbahn im Eintrittspreis enthalten, Erw. 15 $, Kinder 14 $).

Brunswick ▶ 3, F 6

Im Küstenstädtchen **Brunswick** liegen bunt angestrichene Shrimp-Kutter im natürlichen Hafen vor Anker, die nachts auf Fang fahren. Mächtige Eichen säumen die Straßen und bilden in den schwülheißen Sommermonaten grüne, schattige Tunnel.

Vom Zentrum der Mitte des 18. Jh. aus einer Plantage entstandenen Stadt abgesehen, überlebten an nur wenigen Küstenabschnitten solch stolze Bäume, weil bis ins 20. Jh. Holzexport und Schiffsbau großen Bedarf an Rohstoff hatten. An der Ecke Albany und Prince Street reckt **Lovers' Oak** sein riesiges Blätterdach in den Himmel. Der ungefähr 900 Jahre alte Baum besitzt einen Stammdurchmesser von 4 m. Seinen Namen leitet er offenbar davon ab, dass sich schon die Indianer zu Techtelmechteln unter ihm zu treffen pflegten.

Infos

Brunswick-Golden Isles Convention and Visitors Bureau: 1505 Richmond St., Brunswick, GA 31520 Tel. 1-912-265-0620, www.comecoastawhile.com.

Übernachten

Die etwas andere Herberge ▶ **Hostel in the Forest:** 3901 Hwy 82, Tel. 1-912-264-9738, www.foresthostel.com, zwischen 10 und 20 Uhr telefonische Reservierung, sie ist obligatorisch. Außergewöhnliche Jugendherberge mitten im Wald an einem kleinen Teich. Man kann in spartanisch eingerichteten runden Holzhütten übernachten oder – sofern man schwindelfrei ist – in richtigen Baumhütten. 25 $ pro Person, nur in bar.

Aktiv

Glücksspiel auf hoher See ▶ **Emerald Princess Casino Cruises:** 1 Gisco Point Dr., Tel. 1-912-265-3558, www.emeraldprincesscasino.com. Mo–Do 19–24, Fr, Sa 11–16 und 19–1, So 13–18 Uhr in internationale Gewässer außerhalb der 3-Meilen-Zone, wo Glücksspiel erlaubt ist, ab 18 J., Reservierung obligatorisch, Kosten 10 $.

Golden Isles ▶ 3, F 6

Brunswick öffnet das Tor zu den Golden Isles, einem Dutzend kleinerer Inseln vor der

Die Küste von Georgia

Die reizvolle Küstenlandschaft von Sea Island

Küste, von denen einige unter Naturschutz stehen und teilweise schwer zugänglich sind, während vier Inseln seit Jahrzehnten renommierte Urlaubsziele mit luxuriösen Hotels und Golfanlagen bilden. Sie sind mit dem Festland durch Brücken bzw. Dämme verbunden.

Jekyll Island ▶ 3, F 6

Zu Beginn des 20. Jh. schufen sich schwerreiche Unternehmer vom Schlage der Rockefellers, Astors, Vanderbilts und Pulitzers auf der kleinen Insel ein abgeschottetes Refugium, in dem die Mitglieder des amerikanischen ›Millionaire's Club‹ bei Golf und Bridge in aller Ruhe Geschäftsabschlüsse tätigen konnten. Da die aus New York, Boston und Philadelphia stammenden ›Yankees‹ trotz ihres immensen Wohlstands in Georgia nicht gern gesehen waren, kauften sie die damals unbewohnte Insel und verwandelten sie in eine luxuriöse Ferienkolonie, wovon **Jekyll** Island heute noch zehrt. Gleichzeitig gründeten sie den Jekyll Island Club, der früher so exklusiv war, dass John D. Rockefeller aus Kostengründen auf eine Mitgliedschaft verzichtete.

Heute ist das 10 km² große Jekyll Island, ›America's best kept secret‹, der Öffentlichkeit zugänglich, sofern Besucher am Mauthäuschen sechs Dollar Eintritt bezahlen. Hinter der Schranke tut sich eine eigene Welt auf mit ›manikürten‹ Rasenflächen, Tennis Courts,

jekyllclub.com. Traditionsreiche Renommieradresse mit Strand-Shuttle, Tennis- und Golfanlagen sowie einem großen Schwimmbad. 165–500 $, Resort Fee 16 $.

Ein wunderbarer Ort ▶ **Villas by the Sea:** 1175 N. Beachview Dr., Tel. 1-912-635-2521, www.jekyllislandga.com. Nur wenige Schritte vom Strand entfernte 1-, 2- oder 3-Zimmer-Wohnungen mit Küche. 139–399 $.

Strandnah ▶ **Days Inn & Suites Oceanside:** 60 S. Beachview Dr., Tel. 1-912-635-9800, www.daysinn.com. Zimmer mit Kühlschrank, Mikrowelle, Pool, WLAN, kleinem Frühstück. Auch Raucherzimmer. Ab 103 $.

Camping ▶ **Jekyll Island Campground:** 1197 Riverview Dr.,Tel. 1-912-635-3021. Sehr gut ausgestatteter Platz mit Zugang zum Strand.

Essen & Trinken

Führendes Seafood-Restaurant ▶ **Latitude 31:** 1 Pier Rd., Tel. 1-912-635-3800, www.latitude31jekyllisland.com, tgl. Lunch und Dinner. An der Jekyll Marina genießt man frisches Seafood, gratis dazu gibt es den Blick auf einen grandiosen Sonnenuntergang. Ab 28 $.

Toller Blick, Küche o. k. ▶ **SeaJay's Waterfront Cafe & Pub:** 1 Harbor Rd., Tel. 1-912-635-3200, http://seajays.com, tgl. ab 11 Uhr. Das Hafenlokal bietet jeden Tag wechselnde Tagesgerichte. Do–Sa Live-Musik. Ab 15 $.

Sea Island ▶ 3, F 6

Von Brunswick führt ein gebührenpflichtiger Damm nach **Sea Island** und St. Simons Island hinüber. Beiderseits des Dammes und der beiden Brücken dehnt sich von kleinen Tümpeln und Wasserwegen durchzogenes Marschland aus.

Das winzige Sea Island, noch kleiner als Jekyll Island, ist unter betuchten Touristen eine bekannte Adresse, weil sich dort mit den **Sea Island Resorts** eine der luxuriösesten Ferienhotelanlagen an der gesamten Atlantikküste befindet, die sich neben dem Spitzenhotel The Cloisters aus mehreren anderen Unterkünften zusammensetzt. Im Jahr 2005

Golfplätzen, Restaurants, Cafés und hübschen Geschäften. Natürlich besitzt dieses Kleinod aus Ruhe und Natur auf der dem offenen Atlantik zugewandten Seite auch wunderschöne Strände, an denen man an manchen Tagen sogar mit etwas Glück vom Land aus Delfine beobachten kann.

Infos

Jekyll Island Welcome Center: 901 Downing Musgrove Cswy,Tel. 1-877-453-5955, www.jekyllisland.com.

Übernachten

Inselparadies ▶ **Jekyll Island Club Hotel:** 371 Riverview Dr., Tel. 1-912-635-2600, www.

fand dort in abgeschotteter Atmosphäre der G8-Gipfel der acht führenden Industrienationen der Welt statt (The Cloister, 100 Cloister Dr., Tel. 1-855-572-4975 oder 1-888-732-4752, www.seaisland.com. Ab ca. 600 $).

St. Simons Island ▶ 3, F 6

An der Nordspitze von **St. Simons Island** ließ der britische General Oglethorpe 1736 mit Fort Frederica eine Bastion errichten, um das Georgia-Territorium gegenüber dem spanischen Florida abzusichern. In der Nähe steht in einer südseehaft anmutenden Umgebung die über 100 Jahre alte Christ Church mit einem sehenswerten Friedhof. Ein hübscher Flecken zum Ausspannen ist der kleine Park in der Nähe des Leuchtturms von St. Simons mit einer Bootsanlegestelle und einem schattigen Picknickplatz.

Am Altamaha River ▶ 3, F 6

Wo sich bis Anfang des 19. Jh. ein Zypressensumpf am Ufer des Altamaha River entlangzog, begann ein Farmer aus Charleston um 1807 mit dem Aufbau der **Hofwyl-Broadfield Plantation,** dessen Schwiegersohn nach seinem Tod den Betrieb übernahm und vergrößerte, sodass dort schließlich 357 Sklaven beschäftigt waren. Nach dem Bürgerkrieg gab es keine Sklavenarbeit mehr, und die Plantage begann über Jahrzehnte zu verfallen, bis ihr schließlich eine Reihe von Hurrikans 1915 den Todesstoß versetzten. 1973 vermachten die Besitzer das Land dem Staat Georgia, der das Terrain als ›Historic Site‹ unter Schutz stellte. Heute ähnelt die ehemalige Plantage eher einem verwilderten Park mit moosdrapierten Eichen, Magnolien- und Kamelienbäumen. Im Haupthaus ist ein kleines Museum eingerichtet, in dem ein Film über das frühere Farmer- und Sklavenleben gezeigt wird (5556 US Hwy 17 N., Tel. 1-912-264-7333, http://gastateparks.org/info/hofwyl, Mi–Sa 9–17 Uhr, Erw. 7,50 $).

Im historischen Stadtzentrum von **Darien** mit seinen Antiquitätengeschäften und Kunsthandwerksläden geht es beschaulich zu. Das ändert sich nicht einmal dann, wenn im Waterfront Park die Shrimpskutter ablegen oder vom Meer zurückkehren. Im Park findet jedes Jahr das *Blessing of the Fleet*-Festival statt, bei dem unter großer Anteilnahme der Bevölkerung und mit einer Parade jeweils an einem Sonntag im Frühjahr die Fischereiflotte der Stadt gesegnet wird.

An der Mündung des Altamaha River errichteten die Briten im Jahr 1721 mit **Fort King George** den südlichsten Militärposten ihres Einflussgebietes in Nordamerika, um rivalisierende Mächte und Indianer in Schach zu halten. Als Besatzung der Anlage, die aus einem rekonstruierten Blockhaus aus Zypressenstämmen, Baracken und Erdwällen besteht, dienten schottische Highlander, die sich auch heute wieder abenteuerlich bewaffnet und in Schottenröcke gekleidet an den Palisadenzäunen des Forts sehen lassen (1600 Wayne St., Tel. 1-912-437-4770, http://gastateparks.org/info/ftkinggeorge, Di–So 9–17 Uhr, Erw. 7,50 $).

Infos

Darien-McIntosh Visitor Center: 1111 Magnolia Bluff Way SW, Suite 255, Darien, GA 31305, Tel. 1-912-437-4837, www.mcintosh county.com.

Übernachten

Gemütliche Unterkunft ▶ **Darien Waterfront Inn:** 201 Broad St., Tel. 1-912-437-1215, www.darienwaterfrontinn.com. Sieben freundlich eingerichtete Gästezimmer bei relaxter Atmosphäre mit Flussblick. Frühstück inkl. Ab 95 $.

Empfehlenswert ▶ **Comfort Inn:** I-95, Exit 49, 12924 Hwy 251, Tel. 1-912-437-4200, www.comfortinn.com. Saubere Zimmer, Swimmingpool sowie freundliches und hilfsbereites Personal. Ca. 65 $.

Essen & Trinken

Shrimps! ▶ **B&J's Steaks & Seafood:** 901 N. Way, Tel. 1-912-437-2122, www.bandjs steaksandseafood.com, Mo–Sa 7–21, So 8–14 Uhr. Einfach, gute Shrimps! Freitags Seafood Buffet 20 $.

Traumhafte Eichenalleen, Hunderte wunderschöner Stadtpaläste aus dem 18. und 19. Jh., schattige Plätze mit historischen Monumenten und Südstaatenflair an allen Ecken und Enden berauschten Besucher der Stadt schon immer. Henry Miller ließ sich zu dem Kommentar hinreißen: »Savannah gleicht einem lebenden Denkmal, um das noch eine sinnliche Aura schwebt wie um das alte Korinth.«

Die 140 000 Einwohner große Küstenmetropole ist Verwaltungssitz des Chatham County und einer der führenden Seehäfen im amerikanischen Südosten, der früher mit Baumwolle viel Geld verdiente, heute mit Werften, Industrien für Papier, Chemie und Nahrungsmittelverarbeitung Geschäfte macht. Wer daraus auf rauchende Fabrikschlote und von Lagerhäusern gesäumte Straßen schließt, irrt kräftig. Savannah präsentiert sich als elegante Diva des Südens, ein bisschen exzentrisch und exotisch, wie es sich für eine Grande Dame gehört, mit einem spürbaren Hang zum Morbiden, was ihrer ausgeprägten Lebenslust jedoch keinen Abbruch tut.

Savannah ist die älteste Stadt Georgias. Sie wurde 1733 vom englischen General James Oglethorpe gleichzeitig mit der Kolonie Georgia gegründet, um einem eventuellen Vordringen der Spanier von Florida her Einhalt gebieten zu können. Oglethorpe überließ nichts dem Zufall, sondern plante die Straßenzüge am Reißbrett. An den Schnittpunkten ließ er im Zentrum 24 Plätze im Stil kleiner Parkanlagen anlegen, von denen heute noch 21 existieren. Diese von Brunnen, Obelisken und Statuen geschmückten Oasen sind von Villen aus dem 18. und 19. Jh. umgeben, die hinter schmiedeeisernen Zäunen in üppig wuchernden Gärten und Palmenhainen versinken. Das an vergangene Zeiten erinnernde Stadtbild etwa um den Chippewa und den Wright Square gefiel Regisseuren wie Robert Zemeckis und Robert Redford so

gut, dass sie es zur Kulisse ihrer Filme ›Forrest Gump‹ und ›Die Legende von Bagger Vance‹ machten.

Dass sich Savannah seit Mitte der 1990er-Jahre zu einem touristischen Glanzpunkt entwickelte, verdankt es u. a. dem New Yorker Journalisten John Berendt. Er verfasste 1994 über Savannah den dokumentarischen Roman ›Mitternacht im Garten der Lüste‹, der ein ungeschminktes Sittengemälde der Stadt entwirft. Die Geschichte dreht sich um einen reichen Antiquitätenhändler, der des Mordes an einem Homosexuellen angeklagt wird. Nachdem Clint Eastwood den Stoff verfilmt hatte, war Savannah nicht nur in den Vereinigten Staaten schlagartig berühmt.

Stadtbesucher, die Film bzw. Roman kennen, wollen zwar häufig den Tatort des tatsächlich geschehenen Mordes beim Mercer House am Monterey Square sehen. Noch zugkräftiger sind aber kilometerlange Eichenalleen, in denen die gewaltigen Kronen riesiger Bäume grüne Tunnel bilden. Der Victory Drive und die Washington Avenue sind sehenswerte Beispiele dafür.

Der historische Distrikt

Cityplan: S. 379

Das örtliche **Visitor Information Center** ▮1▮ ist im ehemaligen Bahnhof der Central of Georgia Railroad Station untergebracht. Man bekommt dort sämtliche Informationen über

Savannah

die Stadt und kann sich darüber hinaus anhand der hier zugänglichen Dokumente, Dioramen und Filme einen Überblick über Geschichte und Sehenswürdigkeiten der Stadt
verschaffen.

Bekannte Museen

Die mit Skulpturen von Rubens, Raffael, Mi-
chelangelo und Rembrandt geschmückte
Fassade des **Telfair Museum of Art** 2 ist ein
Hinweis darauf, dass sich dort das älteste,
1818 gegründete Kunstmuseum des Südens
mit Gemälden, Plastiken und dekorativen
Kunstgegenständen befindet. Die Ausstellungen wurden der Öffentlichkeit zunächst in
zwei Gebäuden präsentiert. 2006 kam mit
dem Neubau des Jepson Center for the Arts
eine dritte Niederlassung hinzu, die hauptsächlich für Wanderausstellungen genutzt
wird (Telfair Museum: Telfair Sq., Tel. 1-912-
790-8800, http://telfair.org, Di–Sa 10–17, So–
Mo 12–17 Uhr; s. auch S. 378, Owens-Thomas House; Jepson Center for the Arts, West
York/Barnard St., Erw. 20 $).

Im 18. und 19. Jh. spielte der Überseehandel zwischen England und Amerika eine
wichtige Rolle. Vor allem in der Zeit bis zum
Beginn des Bürgerkriegs 1861 profitierte Savannah von diesem Geschäft, weil es zu den
wichtigsten Umschlagplätzen weltweit für
Baumwolle gehörte. Im Jahr 1819 ließ sich
der Schiffseigner William Scarbrough das
elegante Scarbrough House bauen, in dem
heute das **Ships of the Sea Museum** 3 eingerichtet ist. Zu seiner Flotte gehörte das
Handelsschiff ›S. S. Savannah‹, das als erstes Dampfschiff den Atlantik überquerte. In
den Ausstellungen ist neben vielen anderen
Modellen, nautischen Antiquitäten und Gemälden auch eine maßstabsgerecht verklei-
nerte Kopie der ›Savannah‹ zu sehen. Sie
hatte sich im Mai 1819 auf ihre große Fahrt
nach Europa begeben und dabei in Liverpool,
Stockholm, St. Petersburg, Kopenhagen und
Arendal in Norwegen Station gemacht. Vier
Jahre später verunglückte sie vor der Küste
von New York und sank (41 Martin L. King Jr.
Blvd. Tel. 1-912-232-1511, http://shipsofthe
sea.org, Di–So 10–17 Uhr, Erw. 8,50 $).

City Market 4

Schon vor über 200 Jahren war die Gegend
um den **City Market** der ›Bauch von Savannah‹. Bauern und Fischer boten ihre frischen
Erzeugnisse an, und zur Atmosphäre der Gegend trugen Barbiere bei, die ihre Kunden im
Freien rasierten, während in der Nachbarschaft Pferde beschlagen wurden. In diesem
alten Zentrum entstand ein neues Viertel aus
verkehrsberuhigten Straßen mit kleinen Geschäften, die vor lauter Blumenkübeln kaum
zu sehen sind, mit Restaurants für jeden Geschmack und jede Preiskategorie, Eisdielen,

Der Springbrunnen im Forsyth Park: eine Südstaatenkulisse wie aus dem Bilderbuch

Delikatessengeschäften und alten begrünten Pferdekarren, die eine Spur Authentizität in die Fußgängerpromenaden mit Dutzenden Kunstgalerien bringen sollen. Straßenmusikanten und Bands sorgen an Wochenenden für Gratisunterhaltung (Jefferson/W. Saint Julian St., Tel. 1-912-232-4903, www.savannah citymarket.com.

Historic Savannah Waterfront 5

Savannahs Wasserkante ist nicht der Atlantiksaum, sondern weiter landeinwärts gelegen das Ufer des Savannah River, der die Grenze zwischen South Carolina und Georgia markiert. Gleichzeitig stattet er die Hafenstadt mit einer eindrucksvollen Kulisse aus. An der **Historic Savannah Waterfront** reihen sich ehemalige Lagerhäuser mit verwitterten Fassaden aneinander. Statt großer Ballen von Baumwolle stapeln sich in den Kellern heute Bierfässer von Kneipen und Pubs, die neben Candy Stores und gemütlichen Restaurants das Straßenbild bestimmen. Allabendlich wird die holprige Kopfsteinpflasterpromenade am Ufer zur Flaniermeile für die Einwohner der Stadt und zur

377

Savannah

Showbühne für Jongleure und Straßenmusikanten, bis die Sonne hinter dem Gewirr aus Ladekränen im Hafen jenseits der Brücke nach South Carolina untergegangen ist (www.riverstreetsavannah.com).

Stadtrundgang

Am nördlichen Ende der Bull Street ist der Kuppelbau der **City Hall** 6 nicht zu übersehen, wo Angestellte der Stadtverwaltung über Akten schwitzen. Als das im Renaissance-Revival-Stil erbaute Rathaus im Januar 1906 eingeweiht wurde, kamen 10 000 Bürger, um das Ereignis zu feiern. Der repräsentative Bau besteht größtenteils aus Granit mit einigen Kalksteinverblendungen und Terrakotta-Dekor. Zwei Statuen, die Kunst und Kommerz symbolisieren, schmücken den Balkon im dritten Obergeschoss. Der Turm war bis 1987 mit Kupfer gedeckt, bekam dann aber einen hauchdünnen Belag aus 23-karätigem Gold, nicht zu Lasten der Steuerzahler, sondern eines wohlhabenden Bürgers (Bull/Bay St., tgl. 8.30–17 Uhr freier Zugang).

Rechts vom Rathaus erinnert die neoromanische Ziegelfassade der **Cotton Exchange** 7 an die Baumwollära, die Savannah zu beträchtlichem Wohlstand verhalf. Heute ist sie Sitz der lokalen Freimaurerloge. Der Löwenbrunnen vor dem Bau tauchte in der Vergangenheit auf so vielen Broschüren auf, dass er heute als eine Art Symbol der Stadt gilt (100 E. Bay St.).

Der noch im Gründungsjahr von Savannah 1733 angelegte **Johnson Square** 8 ist der älteste unter den City Squares. Namensgeber war Robert Johnson, erster Gouverneur Georgias. Heute bildet der Platz das grüne Herz der Stadt. Im Mittelpunkt erinnert ein Denkmal an Nathanial Greene (1742–1786), der als Generalquartiermeister im Unabhängigkeitskrieg mit George Washington der wichtigste Befehlshaber war.

Das 1819 nach Plänen des Architekten William Jay fertiggestellte **Owens-Thomas House** 9 hat zwei Funktionen. Zum einen gilt es Architektur-Interessierten als schönstes amerikanisches Beispiel des englischen Regency-Stils, der in der Phase zwischen dem Georgian- und viktorianischen Stil von 1790 bis 1830 modern war. Zum anderen gehört das Owens-Thomas House zum Telfair Museum of Art und zeigt zahlreiche dekorative Stücke und Mobiliar, mit dem es von den Hausbesitzern zwischen 1750 und 1830 eingerichtet war (124 Abercorn St., Tel. 1-912-233-9743, http://telfair.org, Di–Sa 10–17, So–Mo 12–17 Uhr).

Plätze und Parkanlagen

Am **Wright Square** 10 an der Bull Street fand der Häuptling der zur Creek-Nation gehörenden Yamacraw-Indianer, Tomo-Chi-Chi, in Anwesenheit von Oglethorpe im Jahr 1739 seine letzte Ruhestätte. Tomo-Chi-Chi hatte sich als guter Freund der Engländer bewährt.

Er handelte mit Oglethorpe einen Vertrag aus, der die rechtlichen Grundlagen für die Besiedlung von Georgia bildete.

Der Häuptling besuchte 1734 im Alter von 84 Jahren mit seiner Frau Senaukee den englischen Hof und wurde sowohl vom König als auch dem Erzbischof von Canterbury empfangen. Er starb 1739 im Yamacraw Indian Village und wurde auf seinen eigenen Wunsch hin nach Savannah gebracht, um inmitten seiner englischen Freunde mit militärischen Ehren zur letzten Ruhe gebettet zu werden (Bull Street zwischen State und York Street).

Savannah

Im Zentrum des **Chippewa Square** [11] steht das Denkmal des Stadtgründers James Oglethorpe (1696–1785). Die vom Bildhauer Daniel Chester French entworfene Bronzestatue stellt den britischen General in einer damals üblichen Generaluniform dar, das gezückte Schwert in der Hand und den entschlossenen Blick nach Süden gewandt, wo in Florida mit den Spaniern der potenzielle Feind stand (Bull Street).

Die 1876 erbaute katholische **Cathedral of St. John the Baptist** [12] weist interessante Bauteile auf und besitzt Kunstgegenstände, die 1898 ein Feuer im Großen und Ganzen unbeschadet überstanden. Dazu gehören einige schöne Buntglasfenster. Einer Brandstiftung fiel 2003 u. a. die Kanzel zum Opfer, von der eine originalgetreue Rekonstruktion angefertigt wurde mit in Italien angefertigten Schnitzfiguren der vier Evangelisten (222 E. Harris St., www.savannahcathedral.org).

An heißen Sommertagen sammeln sich die Menschen im wunderschönen **Forsyth Park** [13] um den 1858 angelegten viktorianischen Brunnen, der Abkühlung verschafft. Savannahs größter Stadtpark ist eine grüne Oase der Ruhe, in der man unter bemoosten Eichen und Kamelien durch die mit Azaleen bestandene Parkanlage wandern oder von den Bänken aus die Jogger beim Rundendrehen beobachten kann (Bull und Gaston Street).

Außerhalb von Savannah

▶ 3, F 5

Zehn Meilen südöstlich des heutigen Stadtzentrums gründete Noble Jones, einer der

Tipp: Parken

Parken leicht gemacht: Der Visitor DayPass erlaubt das zeitlich unbegrenzte Parken auf allen öffentlichen Parkplätzen und in Garagen der Stadt zum Pauschalpreis von 7 $ für einen und 12 $ für zwei Tage. Den Pass gibt es beim Visitor Center und in vielen Hotels (Parking Services, Tel. 1-912-651-6470).

ersten britischen Kolonisten in Georgia, im Jahr 1737 auf der Isle of Hope die **Wormsloe Plantation.** Vom ursprünglichen Haupthaus sind nur noch spärliche Überreste erhalten. Im 1828 erbauten neuen Herrenhaus sind zahlreiche Artefakte ausgestellt. Die meisten Besucher unternehmen den Abstecher zur Plantage, um die zum Haus führende, eine Meile lange Eichenallee zu sehen (7601 Skidaway Rd., Tel. 1-912-353-3023, http://gastate parks.org, Di–So 9–17 Uhr, Erw. 8 $).

Am Weg nach Tybee Island (s. S. 381) bewacht das in den Jahren zwischen 1829 und 1847 erbaute **Fort Pulaski** die Mündung des Savannah River in den Atlantik. Die sternförmige Anlage, ein intaktes Beispiel der Militärarchitektur des 19. Jh., lag während des Bürgerkriegs 1862 eineinhalb Tage lang unter dem Beschuss der Unionstruppen, ehe sie eingenommen werden konnte (US 80, etwa 15 Meilen östlich von Savannah, Tel. 1-912-786-5787, www.nps.gov/fopu, tgl. 9–17 Uhr, 5 $).

Infos

Savannah Visitor Information Center: 301 Martin Luther King Blvd., Savannah, GA 31401, Tel. 1-912-944-0455, http://savannah visit.com, Mo–Fr 8.30–17, Sa, So 9–17 Uhr. Weitere Visitor Center gibt es u. a. am Ellis Square.

Übernachten

Westlich der Stadt an der I-95 liegen zahlreiche preisgünstige Motels.

Traumhaftes B&B ▶ **Forsyth Park Inn** [1]: 102 W. Hall St., Tel. 1-912-233-6800, www.for sythparkinn.com. Historisches B & B am Forsyth Park mit reizend eingerichteten Zimmern und einem romantischen Cottage. Ab 190 $.

Gemütlich logieren ▶ **Foley House Inn** [2]: 14 W. Hull St., Tel. 1-912-232-6622, www. foleyinn.com. Traumhaftes B & B im historischen Kern, 19 individuell mit englischem und französischem Mobiliar ausgestattete Räume, in denen man komfortabel unterkommt. Ab 149 $.

Sauber und sympathisch ▶ **Best Western Plus** [3]: 412 W. Bay St., Tel. 1-912-233-1011,

Tipp: Inselparadies Tybee Island

War der Bummel durch den historischen Stadtkern von Savannah anstrengend, kann ein erholsamer Badetag auf **Tybee Island** (20 Autominuten östlich) einen Aufenthalt abrunden. Ein 3 Meilen langer Sandstrand mit von Strandhafer bewachsenen Dünen säumt die 3700 Einwohner zählende Barriereinsel, an deren Südende ein Pier ins Meer hinausragt. Neben privaten Wohnungen gibt es Einrichtungen wie Hotels, Motels, Ferienwohnungen und Restaurants. 178 Stufen führen auf die Spitze des 1867 erbauten Leuchtturms, zu dem ein kleines Museum gehört. Aus der Höhe überblickt man das paradiesische Inselreich, das sich zum Schwimmen und Muschelnsammeln bestens eignet. Wer ein paar entspannende Stunden oder Tage schätzt, ist auf Tybee Island bestens aufgehoben (Tybee Island Light Station, www.tybeelighthouse.org, Mi–Mo 9–17.30 Uhr, Erw. 9 $).

www.bestwestern.com. Hotel mit wohnlichen Zimmern und Außenpool in zentraler Lage. Ab 100 $.

Total Retro ▶ **Thunderbird Inn** ◢: 611 W. Oglethorpe Ave., Tel. 1-912-232-2661, http://thethunderbirdinn.com. Hotel in Savannahs Downtown mit hell eingerichteten und freundlichen Zimmern. Ab 80 $.

Campingplatz ▶ **Skidaway Island State Park Campground** ◢: Diamond Causeway, 1-6 Meilen südöstlich von Savannah, Tel. 912-598-2300, www.gastateparks.org/info/skidaway. Mit Strom und Wasser ausgestatteter Platz in schöner Lage.

Essen & Trinken

Klassisch ▶ **Belford's Savannah Seafood & Steaks** ◢: 315 W. St. Julian St., Tel. 1-912-233-2626, www.belfordssavannah.com, tgl. ab 11 Uhr. Serviert werden Köstlichkeiten wie Ahi-Tuna für 28 $, Angus Burger für $ 15. Schöne Terrasse.

Für Krabbenliebhaber ▶ **Shrimp Factory** ◢: 313 E. River St., Tel. 1-912-236-4229, tgl. ab 11 Uhr. Auf Seafood spezialisiertes Touristenlokal an der Wasserkante, für Maine-Lobster werden 27 $, für Shrimps & Chicken Jambalaya 20 $ verlangt.

Leckere Gerichte ▶ **Moon River Brewing Co.** ◢: 21 W. Bay St., Tel. 1-912-447-0105, www.moonriverbrewing.com, tgl. ab 11 Uhr. Brauerei mit Restaurant und großem Biergarten, in dem u. a. Gerichte wie Burger ab 8 $, Bratwurst zu 7 $ oder Filet Mignon für 20 $ serviert werden.

Auf Tybee Island (s. o., Tipp):

Tolle Atmosphäre ▶ **Crab Shack** ◢: 40 Estill Hammock Rd., Tel. 1-912-786-9857, www.thecrabshack.com, tgl. 11.30–22 Uhr. Außerhalb gelegenes rustikales Lokal, das als Geheimtipp gehandelt wird und in dem man im Garten essen kann; BBQ ab 15 $, ein Pfund frisch gekochte Shrimps für 18 $, King Crabs für 50 $ oder lieber gleich die große ›Shack-Specialty‹-Platte für 24 $. Das tägliche Lunch Special gibt's für 8 $.

Einkaufen

Einkaufen und flanieren ▶ **Broughton Street** ◢: Gehört zu den besten Einkaufsstraßen mit Modegeschäften, Souvenirboutiquen und Geschäften anderer Branchen.

Aktiv

Themenführungen ▶ **Savannah Walks** ◢: 37 Abercorn St., Tel. 1-912-238-9255, www.savannahwalks.com. Zahlreiche geführte Touren zu Fuß mit unterschiedlichen Themen.

Bootstouren ▶ **Savannah's Riverboat Cruises** ◢: 9 E. River St., Tel. 1-912-232-6404, www.savannahriverboat.com. Ausflüge mit der ›River Queen‹ oder der ›Georgia Queen‹.

Verkehr

In der historischen Altstadt in Savannah verkehren auf mehreren Routen kostenlose dot-Busse (Mo-Sa 7–21, So 11–21 Uhr). Entlang der River Front fährt eine ebenfalls kostenlose Straßenbahn aus den 1930er-Jahren mit 7 Haltestellen (Do–So 12–21 Uhr).

An der Küste von South Carolina

Subtropisches Klima macht die Küste von South Carolina zu einem sehr beliebten Ziel für die unterschiedlichsten Urlauber. Auf Hilton Head Island trifft sich die sportlich aktive Highsociety beim Golfen oder Segeln, in Beaufort spannen Naturfreunde aus, in Myrtle Beach gehen Familien baden, und in Charleston treffen sich alle Südstaaten-Romantiker.

Niemand kommt an Charleston vorbei, der Perle der 190 Meilen langen Küste von South Carolina. Dort vermischen sich Charme, Geschichte und Tradition zu einem wunderschönen Straßenbild. Das romantische, von einer Spur Melancholie eingefärbte Flair des Südens ist in kaum einer anderen Stadt an der Atlantikküste so spürbar wie auf der Halbinsel zwischen Cooper und Ashley River, wo man durch Alleen mit prächtigen Villen und schattige Nebenstraßen mit märchenhaften Gärten flanieren kann – von den alten Plantagen einmal abgesehen, auf denen von Grünzeug überwucherte Zypressenteiche, moos-drapierte Eichen und vornehme Herrenhäuser an Geschichten wie ›Onkel Toms Hütte‹ und ›Vom Winde verweht‹ erinnern.

Mit einer Fläche von 108 km² ist Hilton Head Island die größte Insel der Atlantikküste zwischen New York und Florida. Dem Umriss nach wie ein Schuh geformt, besteht das Eiland aus Marschland, Kiefernwäldern und darüber hinaus einem knapp 20 km langen von Palmen und Magnolien gesäumten Sandstrand auf der Atlantikseite. Ihr modernes Gesicht als Freizeitparadies für betuchte Urlauber erhielt die Insel nach 1956, als sie durch eine Straßenverbindung ans Festland angebunden wurde.

Myrtle Beach hat über die Jahre mehrere Titel errungen: Welthauptstadt der küstennahen Golfplätze, Campingmetropole der USA, Mekka des Minigolfsports und Ferienhochburg von College-Studenten. Tatsächlich hat es der Ort mit über 100 Golfanlagen ge-

schafft, seine Saison über die ›Bademonate‹ hinaus im Frühjahr und Herbst auf neun Monate im Jahr durch günstige Angebote für Golfer zu verlängern.

Lediglich von Mitte November bis Mitte Februar kann die lokale Tourismusbranche ihre Batterien aufladen, bevor in der zweiten Februarhälfte Winterflüchtlinge aus den nördlichen US-Bundesstaaten ihre Golfschläger auspacken. Im Mai wird es dann laut in Myrtle Beach, wenn über den Badeort Horden marodierender Spring-Break-Studenten herfallen, die nach Auffassung älterer Einheimischer bis zum Letzten entschlossen drei Semesterferienziele verfolgen: Sonnenbrand, Leberzirrhose und ›Interaktion‹ mit dem anderen Geschlecht.

Hilton Head Island ▶ 3, G 5

Riesige, mit spanischem Moos überzogene Eichen säumen den Weg in Richtung Atlantik. Durch dichten Nadelwald und endloses Marschland geht die Fahrt bis an den Intracoastal Waterway. Jenseits der Brücke dehnt sich ein Inselparadies mit 34 000 ständigen Einwohnern aus. Im Sommer werden sie von 45 000 Besuchern zur Minderheit gemacht, von denen viele eine Golfausrüstung mitschleppen. Denn außer kilometerlangen Stränden mit pulverfeinem Sand besitzt das exklusive, vom warmen Golfstrom umspülte Eiland 22 Golfanlagen. Berühmtester Platz ist der 1969 angelegte Harbour Town Golf Links,

Maritim angehauchte Romantik auf der Urlauberinsel Hilton Head

auf dem schon alle Weltklasseprofis die Schläger schwangen und auf dem auch Amateure spielen dürfen; die Greenfee kostet allerdings zwischen 163 und 263 $. Spektakulär liegt das 18. Loch, von dem man auf den Leuchtturm der Sea Pines Plantation blickt. Jedes Jahr wird auf der Anlage das Heritage Classic ausgetragen. Neben Golf spielt auf der Insel hauptsächlich Tennis eine Rolle.

Strände

Zwar sind alle Strände auf der Insel öffentlich, aber nicht überall zugänglich, weil viele Uferzonen verbaut oder in Privatbesitz sind. Zum Schwimmen und Sonnenbaden eignen sich folgende fünf Strände, zu denen es öffentliche Zugangswege gibt: **Alder Lane Beach** (am South Forest Beach Drive), **Coligny Beach** (am Coligny Circle), **Driessen Beach Park** (am Ende der Bradley Beach Road), **Folly Field Beach Park** (Folly Field Road) und **Islanders Beach Park** (abseits der Folly Field Road). An jedem dieser Strände gibt es Toiletten, Umkleidekabinen, Duschen, Verkaufsstände und in der Hauptsaison eine Strandaufsicht.

Infos

Hilton Head Island-Bluffton Chamber of Commerce and Visitor & Convention Bureau: 1 Chamber of Commerce Dr., P. O. Box 5647, Hilton Head Island, SC 29938, Tel. 1-843-785-3673, www.hiltonheadisland.org.
Zeitungen: Infos über Veranstaltungen findet man in der Inselzeitung ›The Island Times‹ sowie in dem Monatsheft ›Hilton Head Monthly‹.

Übernachten

Eigener Strand ▶ **Westin Hilton Head Island Resort:** Port Royal Plantation, 2 Grasslawn Ave., Tel. 1-843-681-4000, www.westin hiltonheadisland.com. Luxuriös, 3 Pools, Golf- und Tennisanlagen. Ab 260 $.

Tolle Lage, toller Pool ▶ **Sonesta Resort:** 130 Shipyard Dr., Tel. 1-843-842.2400, www.sonesta.com. 340 luxuriöse Zimmer mit Kühlschrank, Kaffeemaschine, WLAN und Balkon. Mit Spa, Fitnesscenter, Fahrradverleih. Ab 200 $ plus Resort Fee 20 $.

Gutes Kettenmotel ▶ **Red Roof Inn:** 5 Regency Pkwy, Tel. 1-843-686-6808, www.redroof.com. Hotel mit Pool, Kinder unter 18 J. im Elternzimmer kostenlos. Ab 75 $.

Essen & Trinken

Extrem frisch ▶ Hudson's Seafood House on the Docks: 1 Hudson Rd., Tel. 1-843-681-2772, www.hudsonsonthedocks.com, tgl. ab 11 Uhr. Wunderbares Seafood in relaxter Atmosphäre. Ab 18 $.

Malerisch gelegen ▶ The Skull Creek Boathouse: 397 Squire Pope Rd., Tel. 1-843-681-3663, www.skullcreekboathouse.com. Tolle Atmosphäre, dienstagsabends gibt es Live-Musik. Seafood ab 9 $.

Bodenständig ▶ A Lowcountry Backyard: 32 Palmetto Bay Rd., Tel. 1-843-785-9273, www.hhbackyard.com. Relaxte Atmosphäre, Sandwiches, Burger und Seafood ab 9 $.

Einkaufen

In Bluffton:

Outlet ▶ Tanger Outlet: 1414 Fording Island Rd., Tel. 1-843-837-5410, Mo–Sa 10–21, So 11–18 Uhr. Outlet mit 100 Niederlassungen wie GAP, DKNY, Levi's, Guess, Hilfiger und Saks Fifth Avenue OFF 5TH.

Abends & Nachts

Hier wird die Nacht zum Tag ▶ Rund um das Hilton Plaza und 7, Greenwood Drive liegt das **Barmuda Triangle** mit Bars und verlockenden Happy Hours.

Entspanntes Flair ▶ Salty Dog Café: 232 S. Sea Pines Dr., Tel. 1-843-671-2233, www.saltydog.com, März–Nov. tgl. 11–24 Uhr. Am südlichen Inselende, Tische im Freien mit Blick auf das Wasser und Live-Musik. Ab 11 $.

Aktiv

Diverse Touren ▶ Chamber of Commerce: (s. S. 383) Hier kann man Führungen durch das Marschland sowie in das Pinckney Island National Wildlife Refuge buchen. Beliebt sind Bootstouren mit Delfin-Fütterung; Reittouren: Lawton Stables, Tel. 1-843-671-2586, Kajak-Touren: Outside Hiltonhead, Tel. 1-843-686-6996.

Termine

Harbour Fest: Shelter Cove Harbour, Juni–Aug. tgl. ab 18 Uhr. Kostenlose Unterhaltung und Essensstände, dienstags bzw. bei Regen mittwochs Feuerwerk (www.palmettodunes.com >Entertainment).

Beaufort ▶ 3, G 5

Abseits der Küstenstraße 17 führt **Beaufort** an einem Atlantikabschnitt mit mehreren kleinen Inseln ein entrücktes Dasein. An einer sanft geschwungenen Bucht gelegen, macht das Küstendorf einen geradezu märchenhaften Eindruck mit wunderschönen Villen zwischen uralten Eichen, aus deren Kronen zottige Rauschebärte hängen. Statt städtischer Hektik bestimmt gemächliches Tempo den Alltag.

Beauforts größte Attraktion sind nicht die Häuser aus der Kolonialzeit und auch nicht die Kopfsteinpflasterstraßen mit alten Gaslaternen, sondern die östlich der Stadt liegenden Inseln, die über Brücken und Dämme erreichbar sind.

Im **Huntington Island State Park** kann man sich aus der Vogelperspektive von einem knapp 50 m hohen Leuchtturm aus einen Überblick über diese abgeschiedene Welt aus Sandstrand, Marschlandschaften und Wanderwegen machen oder von der hölzernen Pier den Seemöwen und Delfinen zuschauen. Im State Park kann man auf einem Campingplatz mit Cabins übernachten und sich im Besucherzentrum informieren (an der US 21 etwa 25 km östlich von Beaufort, 2555 Sea Island Pkwy, Tel. 1-843-838-2011, www.southcarolinaparks.com, tgl. 6–18, im Hochsommer bis 21 Uhr).

11 Charleston ▶ 3, G 5

Cityplan: S. 386

Die 1670 zu Ehren des englischen Königs Charles gegründete Stadt pflegt wie kein anderer Ort in den USA aristokratische Plantagenherrlichkeit und Südstaatencharme.

Unterhalten sich Amerikaner über alte Städte ihres Landes mit unverkennbarem Stadtbild und unverwechselbarem Flair, ist

Blick in Charlestons historisches Stadtzentrum

meist schnell von **Charleston** die Rede. Mit rund 1500 historischen Gebäuden bildet es ein lebhaftes Open-Air-Museum voller Luxuspaläste, Stadthäuser und Cottages. Ob groß oder klein: Fast alle Gebäude stehen hinter rosenumrankten Holzzäunen oder schmiedeeisernen Einfriedungen in prachtvollen Gärten, die für die meisten Einheimischen eine Art Visitenkarte sind. Das **Visitor Center** 🔳 ist in einem 1856 erbauten früheren Bahndepot eingerichtet. Professionelles Personal steht Besuchern mit Rat und Tat zur Verfügung. Es gibt dort detaillierte Stadtpläne, Eintrittskarten und Auskunft über Preisermäßigungen auf die Tickets für manche Sehenswürdigkeiten wie z. B. Muscumspässe.

Historische Spuren

Das **Aiken-Rhett House** 🔳 ist unter den Gebäuden der Stadt das einzige mit allen Nebengebäuden erhaltene Anwesen aus der Zeit vor dem Bürgerkrieg. Während das Haupthaus mit Mobiliar und Innenausstattung im Großen und Ganzen so erhalten wurde, wie es 1858 aussah, gelten unter den Nebengebäuden vor allem die ehemaligen

Sklavenunterkünfte als ›Raritäten‹, weil sie die einzigen in der Stadt selbst sind, die man besichtigen kann (48 Elizabeth St., Tel. 1-843-723-1159, www.historiccharleston.org, Mo–Sa 10–17, So 14–17 Uhr, Erw. 10 $).

Der Wohlstand von Charleston in früherer Zeit beruhte in erster Linie auf der Produktion der zahlreichen Reisplantagen im Hinterland. Ein Schwerpunkt der Ausstellungen des **Charleston Museum** 🔳 liegt auf der Darstellung von Leben und Arbeit auf diesen Ländereien. Manche Exponate wie Fossilien und Walskelette reichen aber noch viel weiter in die Geschichte der Stadt zurück. Zum Museum gehört das um ca. 1803 entstandene **Joseph Manigault House,** in dem erlesenes amerikanisches, englisches und französisches Mobiliar auf den gehobenen Lebensstil damaliger Reispflanzer schließen lässt (360 Meeting St., Tel. 1-843-722-2996, www.charlestonmuseum.org, Mo–Sa 9–17, So 13–17 Uhr, nur Museum Erw. 10 $).

South Carolina Aquarium 🔳

Das ausgezeichnete **South Carolina Aquarium** beschäftigt sich zwar auch mit den fas-

Charleston

zinierenden Geheimnissen des Amazonas. Der Schwerpunkt liegt aber auf der Flora und Fauna in den Naturräumen von South Carolina vom Ozean über die Küstenebene und das Piedmont bis in die Berglandschaft der Appalachen. Vor allem die ozeanischen Becken fesseln mit Meeresbewohnern wie Haien, Muränen und Quallen die Zuschauer. In einem speziellen *touch tank* können Kinder und Erwachsene ungefährliche Meeresbewohner anfassen (100 Aquarium Wharf, Tel. 1-843-720-1990, www.scaquarium.org, März–Aug. 9–17, Sept.–Febr. 9–16 Uhr, ab 13 Jahren 25 $, Kinder 4–12 Jahre 18 $).

Erinnerungen an den Bürgerkrieg

Charleston hat US-Geschichte geschrieben. In Fort Sumter auf einer künstlich angelegten Insel im Charleston Harbor fiel im April 1861 der erste Schuss im amerikanischen Bürgerkrieg, als die Truppen der Konföderierten das von Unionssoldaten gehaltene Fort angriffen und nach 34-stündigem Kampf einnahmen. In den folgenden knapp zwei Jahren war die Befestigungsanlage hart umkämpft und wurde in dieser Zeit fast völlig zerstört, ohne dass die Südstaatentruppen ihren Widerstand aufgegeben hätten. Im **Fort Sumter Visitor Education Center** 5 erklären zahlreiche Ausstellungen den Ausbruch des Kriegs (340 Concord St., Tel. 1-843-883-3123, www.nps.gov/fosu, tgl. 8.30–17.30 Uhr). Dort legen auch die Fähren zum Fort

Sumter ab, die gesamte Tour dauert ca. 2,5 Std. (Tel. 1-843-881-7337, www.fortsumter tours.com, Erw. 18 $, Kinder 4–11 Jahre 11 $, online buchbar). In der ehemaligen Markthalle aus dem Jahr 1841 baute die Organisation Daughters of the Confederacy das kleine **Confederate Museum** 6 auf, in dem Flaggen, Uniformen, Waffen und viele Memorabilien an die konföderierten Truppen zu sehen sind, die im Bürgerkrieg 1861 bis 1865 den Verbänden der Union gegenüberstanden (Market Hall, 188 Meeting St., Tel. 1-843-723-1541, Di–Sa 11–15.30 Uhr, Erw. 5 $).

Für Museumsfans

Das **Gibbes Museum of Art** 7 konzentriert sich in seinen Ausstellungen auf amerikanische Kunst und versucht dabei, vor allem die Werke lokaler Künstler im Auge zu behalten. Neben einer hervorragenden Porträt- und Miniaturensammlung sind Landschaftsgemälde, Skulpturen und Fotografien zu sehen (135 Meeting St., Tel. 1-843-722-2706, www.gibbesmuseum.org, Di–Sa 10–17, So 13–17 Uhr, Erw. 9 $, Kinder 6–12 Jahre 5 $).

Ältestes öffentliches Gebäude in Charleston ist das 1712 innerhalb der Stadtmauer erbaute **Powder Magazine** 8, in dem früher Schießpulver gelagert wurde. Zwar entstand 1748 ein neues, dafür geeignetes Lager, aber der alte Turm behielt seine Funktion bis zu den Tagen der amerikanischen Revolution. Heute beherbergt er einige Ausstellungen über Charleston zu Kolonialzeiten (79 Cum-

aktiv unterwegs

Romantisches Plantagenhüpfen

Tour-Infos
Start: Zentrum von Charleston
Länge: hin und zurück ca. 60 Meilen (100 km)
Dauer: ein Tag,
Wichtige Hinweise: Man besucht die Plantagen am einfachsten mit dem Mietwagen. Ein Blick auf die Homepages kann sich lohnen, so gibt es z. B. auf der Magnolia Plantation im August zwei selbst zu druckende Tickets zum Preis für ein Ticket.

South Carolina war im 19. Jh. einer der größten Lieferanten von Reis in der westlichen Welt. Am Stadtrand von Charleston haben vier historische Plantagen überdauert, die heute keinen Reis mehr produzieren, sondern Besucher mit unnachahmlicher Südstaatenromantik verzaubern.

Die **Boone Hall Plantation** ❶ zählt zu den ältesten noch bewirtschafteten Betrieben des Südens. Vom Eingang des Geländes führt eine filmreife Allee mit mächtigen Eichen zum 1936 erbauten Plantagenhaus, durch das

man sich von kostümierten Hausdamen führen lassen kann. Einige Sklavenquartiere, die mit vor Ort hergestellten Ziegeln gemauert wurden, haben den Zeitenwechsel überdauert und sind nun Ziel der Besucher (Hwy 17 N., Mount Pleasant, Tel. 1-843-884-4371, www.boonehallplantation.com, März–Aug. Mo–Sa 8.30–18.30, So 12–17 Uhr, Sept.–Dez. Mo–Sa 9–17, So 12–17 Uhr, Erw. 20 $, Kinder 6–12 Jahre 10 $).

Nicht weit vom Ufer des Ashley River entfernt entstand zwischen 1738 und 1742 der gewaltige zweistöckige Backsteinbau der **Drayton Hall** ❷, der über zweieinhalb Jahrhunderte hinweg baulich fast unverändert blieb und selbst den Bürgerkrieg schadlos überstand. Die 15 Zimmer der Residenz sind nicht mehr eingerichtet. Seinen Reiz bezieht das Anwesen durch seine traumhafte Lage auf einer großen, von Bäumen umgebenen Wiese (3380 Ashley River Rd., etwa 9 Meilen nördlich von Charleston, Tel. 1-843-769-2600, www.draytonhall.org, Mo–Sa 9–15.30, So 11–15.30 Uhr, Hausführungen zur halben

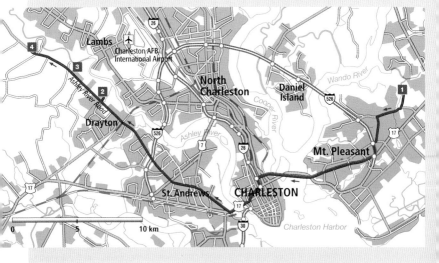

berland St., Tel. 1-843-722-9350, www.pow
dermag. org, Mo–Sa 10–16, So 13–16 Uhr,
Erw. 5 $, Kinder 2 $).

An düstere Zeiten erinnert in der Chalmers
Street das **Old Slave Mart Museum** 9, wo
1863 die letzte Sklavenversteigerung stattfand. Ausstellungen zeichnen die Geschichte
der menschenverachtenden Zwangsarbeit in
den Südstaaten nach, seit im Jahr 1670 die
ersten Arbeitskräfte von Afrika nach Georgia
deportiert worden waren. In Charleston fand
der Sklavenhandel in einer Halle statt, nachdem die ›menschliche Ware‹ nach 1856 nicht
mehr unter freiem Himmel verkauft werden
durfte (6 Chalmers St., Tel. 1-843-958-6467,
Mo–Sa 9–17 Uhr, Erw. 7 $).

In den 1771 von den Briten erbauten Ge-
wölben von **Old Exchange and Provost
Dungeon** 10 wurden während des Revolu-
tionskriegs amerikanische Patrioten einge-
sperrt. Heute veranschaulichen animierte
Wachsfiguren in einem historischen Museum
Szenen aus dem amerikanischen Unabhängigkeitskrieg (122 E. Bay St., Tel. 1-843-727-
2165, www.oldexchange.com, tgl. 9–17 Uhr,
Uhr, 9 $).

Bei der Church Street zweigt die kleine
Privatgasse **Cabbage Row** 11 ab. Sie diente
dem Schriftsteller DuBose Heyward als Vorbild für die Catfish Row in seinem Roman
›Porgy‹, der als Oper ›Porgy and Bess‹ nach
der Musik von George Gershwin 1935 weltberühmt wurde. Das Libretto zur Oper verfasste Heyward zusammen mit Ira Gershwin.
Wegen der Rassenthematik durfte das Stück
in Charleston selbst allerdings erst in den
1970er-Jahren aufgeführt werden (89–91
Church St.).

Stunde, Erw. 20 $, Kinder 12–18 Jahre 10 $,
6–11 Jahre 6 $).

Wunderschöne Seerosenteiche mit hübschen Brücken, Sumpflandschaften mit
mächtigen Sumpfzypressen, überbordende
Blumenbeete und mächtige Eichen mit Moos-
bärten machen die **Magnolia Plantation** 3
zu einer traumhaften Anlage. Über 900 unterschiedliche Kamelien- und 250 Azaleenarten
verteilen sich über das Areal, zu dem auch
der Audubon Swamp Garden gehört. Die
24 ha große, von Bretterstegen durchzogene
Sumpfwildnis mit mächtigen Zypressen, die
man auf eigene Faust erkunden kann, ist für
Alligatoren und zahlreiche Vogelarten ein
idealer Lebensraum. Im Haupthaus hingegen
kann man sich durch 10 Zimmer führen lassen und sich einen Eindruck vom Plantagenleben im 19. Jh. verschaffen (3550 Ashley
River Rd., Tel. 1-843-571-1266, www.magno
liaplantation.com, März–Okt. tgl. 8–17.30 Uhr,
sonst kürzer, Basiseintritt Erw. 15 $, Kinder
6–12 Jahre 10 $, für einzelne Sehenswürdig-
keiten wie eine Hausführung oder den Audubon Swamp bezahlt man je 8 $).

Anfang des 18. Jh. waren in Europa und in
England formale, nach strikten Prinzipien angelegte Gärten in Mode. Die landschafts-
gärtnerische Idee fasste auch in den Vereinigten Staaten Fuß. Ein wunderschönes Beispiel dafür ist **Middleton Place** 4, um
dessen 1755 erbautes Herrenhaus sich grandios gestaltete, zum Teil in Terrassen angelegte Gärten ausbreiten, die innerhalb von 10
Jahren von ca. 100 Sklaven geschaffen worden sein sollen. Das Plantagenhaus wurde im
Jahr 1975 in ein Museum umgewandelt und
gibt Einblicke in 300 Jahre Plantagenleben
der Middleton-Familie (4300 Ashley River
Rd., Tel. 1-843-556-6020, www.middletonpla
ce.org, tgl. 9–17 Uhr, Erw. 28 $, Kinder 6–13
Jahre 10 $, Hausführungen Mo 12–16.30, Di–
So 10–16.30 Uhr zu 15 $ Extrakosten).

Straßen mit Charakter

Die aus dem 18. Jh. stammenden 14 Wohnhäuser in einer Reihe sind zwar unter dem
Namen **Rainbow Row** 12 bekannt, aber keineswegs tatsächlich in Regenbogenfarben
gestrichen, sondern vielmehr in dezenten
Pastellfarben gehalten. Ursprünglich befanden sich Läden im Erdgeschoss und Wohnungen im Obergeschoss. Damals lagen die
Gebäude direkt am Wasser, sodass die Kauf-

An der Küste von South Carolina

leute schnellen Zugang zu den nahe liegenden Schiffen hatten (79–107 E. Bay St.).

Charlestons Uferpromenade **East Battery**  ist ein Laufsteg romantischer Eitelkeiten: eine Antebellum-Villa schöner und prächtiger als die andere, manche davon Märchenpaläste mit schneeweißen Säulenfassaden und ausladenden Balkonen. Die eigentliche East Battery besteht aus einer breiten Kaimauer, welche die Villenpromenade vor dem Meer schützt und heute ein Treffpunkt von Flaneuren, Joggern und Skatern ist.

Zu den prächtigsten Villen gehört das **Edmonston-Alston House** 14. Mitte der 1820er-Jahre wurde es für einen schottischen Kaufmann errichtet, der sich über sein fürstliches Heim nicht lange freuen konnte, weil ihn 1837 wirtschaftliche Schwierigkeiten zum Verkauf zwangen. Ein Nachfolger entschied sich bei einer Renovierung des Hauses für den neogriechischen Stil, der das Anwesen heute noch prägt. Edles Mobiliar, Silber und Porzellan gestalten das Innere so wohnlich, als seien die letzten Besitzer erst kürzlich ausgezogen (21 East Battery, Tel. 1-843-722-7171, www.edmondstonalston.com, Führungen Di–Sa 10–16.30, So, Mo 13–16.30 Uhr, Erw. 12 $).

Die Halbinsel, auf der Charleston zwischen Cooper und Ashley River liegt, endet an der Südspitze mit den **White Point Gardens** 15. In der kleinen Parkanlage stehen mächtige Eichen, historische Statuen, Monumente und Kanonen, die früher den Hafen schützten. In einem kleinen Pavillon finden häufig Hochzeiten und Konzerte statt. In der Umgebung fahren Pferdekutschen die Straßen mit den schönsten Villen ab.

Infos

Charleston Area Convention & Visitors Bureau: 423 King St., P. O. Box 975, Charleston, SC 29402, Tel. 1-843-853-8000, www.charlestoncvb.com; Charleston Visitor Center, 375 Meeting St.

Übernachten

Komfortabler geht's nicht ▶ **French Quarter Inn** 1: 166 Church St., Tel. 1-843-722-1900, www.fqicharleston.com. Angenehmer Luxus im historischen Distrikt. Rund um die Uhr kostenloser Kaffee in silbernen Samowaren, Frühstück auf der Terrasse, nachmittags Wein und Käse am Kamin. Der ›Pillow-Concierge‹ hält eine Auswahl unterschiedlicher Kopfkissen bereit. Ab 300 $.

Älteres, aber gutes Hotel ▶ **King Charles Inn** 2: 237 Meeting St., Tel. 1-843-723-7451, www.kingcharlesinn.com. Geschmackvoll eingerichtetes Best Western mit Pool und Restaurant, WLAN, Parken, Nachmittagswein mit Käse sowie Frühstück inkl. Ab 169 $.

Downtown ▶ **Andrew Pinckney Inn** 3: 40 Pinckney St., Tel. 1-843-937-8800, www.andrewpinckneyinn.com. Gemütliches modernes Inn in historischem Gebäude. Ab 159 $.

Sehr angenehm ▶ **Indigo Inn** 4: 1 Maiden Ln., Tel. 1-843-577-5900, www.indigoinn.com. 40 Räume sind im Stil des 18. Jh. eingerichtet, schöner ruhiger Garten, üppiges Frühstück. Ab 150 $.

Typisches Südstaatenflair: Abendstimmung auf der Litchfield Plantation

Nicht nur der Service ist toll ▶ **Elliott House Inn** 5: 78 Queen St., Tel. 1-843-518-6500, www.elliotthouseinn.com. Gediegenes B & B im Stil des 18. Jh. Schöne Gartenanlage mit Pool, stilvolles Ambiente, am Nachmittag Käse und Wein auf der Veranda, kostenloser Fahrradverleih. Ab 139 $.

Camping ▶ **Charleston KOA Kampground** 6: Ladson, Tel. 1-843-797-1045, 20 Meilen nordöstlich der Stadt, www.koa.com, ganzjährig. Mit Pool, Cabins und Lodges.

Essen & Trinken

Ausgezeichnet ▶ **Grill 225** 1: 225 E. Bay St., Tel. 1-877-440-2250, www.grill225.com, Mo–So 11.30–15, 17.30–22 Uhr, Sa länger. Hervorragendes Steakhaus, im dem es auch bestes Seafood gibt, allerdings zu gesalzenen Preisen. Steaks 32–67 $.

Superbe Küche ▶ **FIG** 2: 232 Meeting St., Tel. 1-843-805-5900, www.eatatfig.com, Mo–Do 17.30–22.30, Fr, Sa bis 23 Uhr. Bistro mit frischer, französisch inspirierter Küche, die Zutaten stammen von den Farmen rund um Charleston. Hauptgerichte ca. 30 $.

Beliebt ▶ **Hyman's Seafood Company** 3: 215 Meeting St., Tel. 1-843-723-6000, www.hymanseafood.com, tgl. 11–23, Nov.–Febr. Mo–Do nur bis 21.30 Uhr. Sehr lebhaftes Lokal, gängige Seafood-Gerichte wie gebratene Flunder, Tunfisch, Snapper und Mahi. Reservierung nicht möglich. Ab 10 $.

Für Rippchenfreunde ▶ **Sticky Fingers** 4: 235 Meeting St., Tel. 1-843-853-7427, www.stickyfingers.com, tgl. 11–23 Uhr. Beste BBQ-Ribs in diversen Saucen, Entscheidungsschwache wählen den Sampler und trinken einen Pitcher Bier dazu. Ab 10 $.

Gut gefrühstückt ▶ **Dixie Supply Bakery & Café** 5: 62 State St., Tel. 1-843-722-5650, www.dixiecafecharleston.com, tgl. 8–14.30 Uhr. Frühstück und Lunch. Ideal für den Start in den Tag, auch für Vegetarier. Zum Lunch gibt es meist Sandwiches und Burger. Ab 7 $.

Georgetown ▶ 3, G/H 4

Von ehemaligen Reis- und Indigoplantagen umgeben, hat sich der 9000 Einwohner große ehemalige Fischereiflecken ein aus dem 19. Jh. stammendes Ortsbild bewahrt, obwohl er heutzutage einen großen Seehafen hat. Der kleine Ort mit einigen Hotels, Restaurants und diversen Wassersportmöglichkeiten wie Kajakfahren wird gerne von Familien besucht, die von hier aus ihre Ausflüge starten. An der Wasserfront des Hafens, dem Harborwalk, liegen einige gemütliche Restaurants mit Außentischen, ideal zum *people watching*. Nördlich der Stadt beginnt mit dem Grand Strand die Strandlandschaft, die sich bis nach Myrtle Beach hinzieht.

Hampton Plantation

Wie es zur Sklavenzeit auf den Plantagen des Südens zuging, erfahren Besucher auf der **Hampton Plantation** südwestlich von Georgetown. Das schöne, um 1750 errichtete Haupthaus mit einer von Säulen geschmückten Fassade und die umliegenden Wirtschaftsgebäude der ehemaligen Reisplantage waren eine Zeit lang Wohnsitz des aus der Gegend stammenden Poeten Archibald Rutledge (1950 Rutledge Rd., 16 Meilen südwestlich von Georgetown abseits der US 17, Tel. 1-843-546-9361, www.southcarolinaparks. com, Gelände tgl. 9–17 Uhr, kostenlos; Haustour Fr–Di 12, 14 Uhr, Erw. 7,50 $).

Brookgreen Gardens

Die große ehemalige Reisplantage **Brookgreen Gardens** nördlich von Georgetown verbindet heutzutage auf dem Gelände Kunst und Natur. In dem wunderbaren Garten mit alten Eichen sind 1400 Skulpturen amerikanischer Künstler des 19. und 20. Jh. aufgestellt, darunter Werke von Bildhauern wie Frederic Remington und Daniel Chester French. Ein kleiner Zoo beherbergt einheimische Tiere wie Alligatoren, Otter und viele Vogelarten (3 Meilen südl. von Murrells Inlet an der US 17, Tel. 1-843-235-6000, www. brookgreen.org, tgl. 9–17 Uhr, Erw. 14 $, Kinder 7 $).

Myrtle Beach ▶ 3, H 4

Einen unumstrittenen Platz unter den renommiertesten Badeorten an der Atlantikküste hat **Myrtle Beach,** South Carolinas Antwort auf Mallorca. Soweit das Auge reicht, reihen sich am Grand Strand Freizeiteinrichtungen aneinander – Motels für jedermann, Hotelbauten eher groß als schön, Vergnügungsparks mit Geisterbahnen und Karussells sowie zahlreichen Outlets, Hamburgerküchen und Imbissstuben. Schon vor Jahren hat am Grand Strand, wie der 90 km lange Sandstreifen um Myrtle Beach heißt, die Countrymusic Einzug gehalten. In der Carolina Opry finden allabendlich Konzerte und Shows mit Stars und Sternchen statt. Kulturangebote gehören aber nicht unbedingt zu den Stärken des Orts.

Die wahren Attraktionen sind neben dem langen Sandstrand Golfplätze, Minigolfanlagen, Achterbahnen und Go-Kart-Kurse. Die Zahl der ständigen Einwohner liegt zwar nur bei etwa 28 000. In der Hauptsaison leben aber gut und gern 150 000 Menschen in der Gegend, darunter zu Beginn der Saison viele Studenten, die Myrtle Beach in den letzten Jahren als Ziel für ihre Semesterferien auserwählten. Ca. 600 Palmettopalmen säumen den über eine Meile langen **Boardwalk,** der zwischen 14th Avenue Pier und Second Avenue Pier mit vielen Geschäften, Restaurants aller Kategorien und einladenden Cafés die örtliche Flaniermeile bildet.

Infos

Myrtle Beach Area Chamber of Commerce: 1200 N. Oak St., P. O. Box 2115, Myrtle Beach, SC 29578, Tel. 1-843-626-7444, www.visitmyrtlebeach.com.

Übernachten

Strandnah ▶ **Best Western Plus Grand Strand Inn & Suites:** 1804 S. Ocean Blvd., Tel. 1-843-448-1461, www.myrtlebeachbestwestern.com. Das gut ausgestattete Hotel (Beachfront Building mit Küche) besitzt auch noch zwei Pools. WLAN, Frühstück inklusive. Ab 130 $.

In Myrtle Beach geht es in den Sommermonaten hoch her

Kinderfreundlich ▶ **Coral Beach Resort:** 1105 S. Ocean Blvd., Tel. 1-843-448-8421, www.coralbeachmyrtlebeachresort.com. Pools, Suiten für bis zu 6 Personen. Ab 80 $. Camping ▶ **Myrtle Beach KOA Kampground:** 5th Ave., South Myrtle Beach, Tel. 1-843-448-3421, www.myrtlebeachkoa.com, ganzjährig. Mit Pool, voll eingerichteten Cabins, in der Nähe eines Vergnügungsparks. In Myrtle Beach gibt es Campingplätze wie Sand am Meer.

Essen & Trinken

Schnitzel! ▶ **Café Old Vienna:** 3901 N. Kings Hwy, Tel. 1-843-946-6252, www.cafe oldvienna.com, Di–Sa Lunch und Dinner. Sauerbraten, Wiener Schnitzel und Gulasch für Heimwehkranke. Ab 19 $.
Lebhaft ▶ **Carolina Roadhouse:** 4617 N Kings Hwy, Tel. 1-843-497-9911, www.caroli naroadhouse.com, tgl. 11–22 Uhr. Deftige Gerichte in Richtung Burger, BBQ etc. Ab 10 $.
Populär, gut ▶ **Sea Captain's House:** 3002 N. Ocean Blvd., Tel. 1-843-448-8082, www. seacaptains.com, tgl. 7–22 Uhr. Frühstück, Lunch und Dinner mit Strandblick. Ab 11 $.

Einkaufen

Für Naturfreaks ▶ **Bass Pro Shops Outdoorworld:** 10177 N. Kings Hwy., Tel. 1-843-361-4800, www.basspro.com, Mo–Sa 9–22, So 10–22 Uhr. Alles für das Leben im Freien, mit Restaurant Islamorada Fish Co.
Große Mall ▶ **Coastal Grand Mall:** 2000 Coastal Grand Circle, www.coastalgrand.com, Mo–Sa 10–21, So 12–18 Uhr. Food Court und die Kaufhäuser Belk, Dillard's und Sears.
Günstig ▶ **Barefoot Landing:** N. Myrtle Beach, www.barefootlanding.com. Über 100 Shops und Restaurants sowie die sehenswerte T.I.G.E.R.S. Preservation Station.

Abends & Nachts

Unterhaltung im XXL-Format ▶ **Broadway at the Beach:** www.broadwayatthebeach. com. 100 Geschäfte, 20 Restaurants, 10 Nachtclubs, Gondelfahrt mit singendem Gondoliere, in der Saison Di 22 Uhr Feuerwerk.

Termine

Sun Fun Festival (Anfang Juni): Vier Tage voll Aktivität: Schönheitswettbewerb, Bootsrennen, Flugshows (www.sunfunfestival.com).

Botanisches Wahrzeichen des Sunshine State:
Sumpfzypressen in den Everglades

Kapitel 5

Florida

Reizvolle Landschaften und ein angenehmes Meeresklima lockten vor über 100 Jahren die ersten Touristen an Floridas Küsten. Heute stehen subtropische Naturkulissen wie weiße Sandstrände, von Palmenwäldchen dekorierte Inseln und Surferreviere zwar immer noch hoch im Kurs. Seit damals entwickelten sich zwischen der Georgia- und Alabama-Grenze im Norden und dem Künstler- und Touristenmekka Key West im Süden aber Dutzende hochkarätiger Attraktionen, die Florida zum Abenteuerspielplatz für Jung und Alt gemacht haben. Das quirlige Duo Miami und Miami Beach garantiert Großstadtleben unter Palmen. In der Millionärsenklave Palm Beach mischen sich ganz normale Touristen unter die amerikanische Highsociety. Im Weltraumbahnhof Kennedy Space Center kommen Besucher dem Orbit ganz nahe. Vor der Ostküste und auf den Florida Keys laden Hunderte Schiffswracks zum Schatztauchen ein. Und in Orlando entstand innerhalb weniger Jahrzehnte auf früher moskitoverseuchtem Brachland das größte, populärste und schillerndste Vergnügungspark-Imperium der Welt.

Floridas gigantisches, modernes Freizeitangebot könnte zum Schluss verleiten, der Sunshine State sei ein sehr junger Staat. Tatsächlich reicht dessen nichtindianische Geschichte weit in die Vergangenheit zurück. Bereits 1565 gründeten die Spanier mit St. Augustine die älteste, bis in die Gegenwart ständig besiedelte Stadt von Nordamerika.

Auf einen Blick
Florida

Sehenswert

 Miami Beach: Das pastellfarbene Art-
déco-Viertel South Beach (s. S. 404).

 Key West: Das elektrisierende Ende
der Florida Keys (s. S. 416).

Suncoast Seabird Sanctuary: Das Hospital
für frei lebende Vögel auf der Pinellas-Halbinsel ist eine wichtige Einrichtung (s. S. 437).

 Orlando: Vergnügungspark-Paradies mit
zahlreichen Themenparks (s. S. 454).

 Kennedy Space Center: Weltraumbahnhof am Cape Canaveral (s. S. 464).

St. Augustine: Häuser im spanischen Stil mit
Innenhöfen locken in den ältesten nichtindia-
nischen Ort auf US-Gebiet (s. S. 467).

Schöne Routen

Florida Keys: Die ca. 100 Meilen lange Kette
der Florida Keys mit ihren 42 größeren und
Myriaden kleinerer Inseln gilt mit subtropischen Landschaften und karibischem Flair
als Sympathieträger des Sunshine State (s.
S. 411).

Südliche Golfküste: Zwischen Naples und
Sarasota säumen kleinere Städte und natur-
verbundene Inseln die malerische Küste am
Golf von Mexiko (s. S. 426).

First Coast: Zwischen Daytona Beach und
Amelia Island kommt keine Langeweile auf.
Großstadtpflaster wie in Jacksonville und
historische Sehenswürdigkeiten wie in St.
Augustine wechseln sich ab mit leeren Insel-
stränden, viktorianischen Ortsbildern und
modernen Freizeiteinrichtungen (s. S. 464).

Meine Tipps

Miamis größte Kunstgalerie: Der Wynwood Art District lädt Freunde von Wandgemälden zu einer Entdeckungstour ein (s. S. 405).

Mit Indianern auf der Pirsch: In der Big Cypress Seminole Indian Reservation bietet ein indianisches Unternehmen Touren durch die Naturlandschaft an (s. S. 425).

Shell Hunting: Auf Sanibel und Captiva Island ist Muschelsuchen zum Volkssport geworden. Vor allem nach Stürmen wird nach Raritäten Ausschau gehalten (s. S. 428).

Disneypreise: Wer die Disney-Parks besuchen möchte, muss tief in die Taschen greifen (s. S. 461).

aktiv unterwegs

Abenteuer im Korallenriff: Im John Pennekamp Coral Reef Park in Key Largo taucht man in eine exotische Welt ein (s. S. 413).

Mit Ernest Hemingway durch Key West: Viele Stätten lassen das Leben des Schriftstellers lebendig werden (s. S. 418).

Kanutouren durch die Everglades: Auf dem Wasser durchs Naturschutzgebiet (s. S. 423).

Flaniertour durch ein Museumsdorf: Bei Pensacola heißt es Eintauchen in die Vergangenheit (s. S. 444).

Über Wasserrutschen durch Orlando: Großer Spaß für Wasserratten (s. S. 457).

Miami und Miami Beach

Wer von Miami schwärmt, meint meist Miami Beach. Das metropolitane Duo ist durch die Biscayne Bay und zwei unterschiedliche Charaktere voneinander getrennt. Miami ist der eher geschäftsmäßige Teil. Miami Beach hat dynamisches Lebensgefühl und karibisches Flair für sich gepachtet. Multikulturelle Hotspots sind beide Städte.

Mit ca. 2,4 Mio. Einwohnern bilden Miami und Miami Beach das größte urbane Ballungszentrum Floridas. Genau genommen sind ebenso wie Miami Beach auch South Miami, Coral Gables und Bal Harbour eigenständige Städte. Sie werden aber gemeinhin der sogenannten Metropolitan Area (Ballungsraum) zugerechnet, die sich zwischen dem 25. und 26. Grad nördlicher Breite ausdehnt und damit ungefähr auf dem Wendekreis des Krebses liegt, an dem geografisch die Subtropen beginnen.

Das größtenteils auf dem Festland gelegene Miami hat in den vergangenen Jahren mit Büro- und Bankentürmen seine Skyline immer weiter in den Himmel getrieben und zusammen mit dem Inselreich Miami Beach kräftig an seinem funkelnden Image als sonnenverwöhnte Trendsetter-Metropole gearbeitet. Noch in den 1980er-Jahren war der Ruf der Stadt nicht eben der beste. Hohe Kriminalität, Rassenunruhen, eine gewaltige Welle von Kubaflüchtlingen zum Teil zweifelhafter Reputation und der Abstieg zur internationalen Drehscheibe des Heroin- und Kokainhandels und gleichzeitig zur Geldwaschanlage der mächtigen kolumbianischen Drogenkartelle hinterließen tiefe Kratzer auf dem Image von Miami.

Mitte der 1980er-Jahre zeichnete sich zumindest für die Wirtschaft ein Silberstreifen am Horizont ab. Das Handelsvolumen mit lateinamerikanischen Staaten nahm ständig zu, und im Zentrum von Miami begannen wieder Banken und Unternehmenszentralen zu bauen, während der Touristenstrom in die südlichste Großstadt von Florida anzusteigen begann. Diesem Ziel diente auch die Fernsehserie ›Miami Vice‹, die in vielen Ländern der Erde ausgestrahlt wurde und eine wichtige Botschaft vermittelte: Miami ist zwar ein heißes Pflaster, aber auch eine der spannendsten Metropolen Amerikas.

Das gilt vor allem für Miami Beach, das auf dem südlichsten Zipfel einer vorgelagerten Insel liegt und vom Festland über mehrere Brücken bzw. Dämme leicht erreichbar ist. Damals begann sich die subtropische Schönheit zum Trendsetter zu entwickeln. Innerhalb weniger Jahre verwandelten sich die bis dahin heruntergekommenen Fassaden des Art déco-Viertels unter den Händen von Maurern, Malern und Designern in eine glamouröse Filmkulisse. Fast über Nacht mauserte sich Miami Beach zur hippen Modemetropole und zum Treffpunkt der internationalen Schickeria.

Downtown Miami ▶ 4, M 10

Cityplan: S. 402

Das Zentrum von Miami macht seinen Besuchern einen ersten Überblick leicht. Die kostenlose vollautomatisierte Hochbahn von Downtown, der sogenannte People Mover, dreht zwei Schleifen durch das Stadtzentrum, wobei eine Schienenstrecke u. a. mitten durch das Cen-Trust Building hindurchfährt. Von den wie von Geisterhand bewegten Waggons genießt man den besten Blick über Downtown Miami. Eine Haltestelle des People Mover befindet sich direkt am Bayfront Park.

Günstiger Ausgangspunkt für eine Besichtigung von Downtown ist der **Bayside Marketplace** 🔟, ein gut besuchter Komplex aus Restaurants, Bars, Straßencafés und Boutiquen direkt an der Biscayne Bay. Geschäfte wie Victoria's Secret oder Disney Store, ein Food Court sowie Restaurants wie Hooters, Hard Rock Café und Bubba Gump Shrimp Co. ziehen vor allem abends und am Wochenende die Besucher an, wenn es Live-Musik gibt. Von den Bars und Restaurants blickt man auf den Hafen oder auf die Skyline der Stadt, was besonders kurz nach Sonnenuntergang ein Erlebnis ist (401 Biscayne Blvd., Tel. 1-305-577-3344, www.baysidemarketplace.com, Mo–Do 10–22, Fr, Sa 10–23, So 11–21 Uhr, Bars und Restaurants längere Zeiten).

Lauteste und lebhafteste Geschäftsstraße ist die in Ost-West-Richtung verlaufende und von Geschäften gesäumte Flagler Street. Am Dade County Courthouse vorbei führt der Weg zum **Metro-Dade Cultural Center** 2️⃣. Die Piazza dieses Zentrums mit mediterranem Flair um die Mittagszeit zur Lunch-Oase für Geschäftsleute und Büroangestellte. Das den Platz umgebende Kulturzentrum besteht aus drei Gebäuden, die sich mit Bogenfenstern, Ziegeldächern und schmiedeeisernen Verzierungen an den spanischen Baustil anlehnen (101 W. Flagler St.).

Die **Miami-Dade Public Library,** die Zentralbibliothek der Stadt und des Landkreises, besitzt einen riesigen Bestand an Literatur über Florida (Tel. 1-305-375-2665, www.md pls.org, Mo–Sa 9–18 Uhr, kostenloser WLAN-Zugang). Mit prähistorischen Ausstellungsstücken, Exponaten zur Kultur der Seminolen-Indianer, Tonbildschauen und Dokumentationen über die wilden 1920er-Jahre gibt das Museum **HistoryMiami** Einblicke in die bewegte Geschichte von Südflorida und Miami (Tel. 1-305-375-1621, www.history miami.org, Mo–Sa 10–17, So 12–17 Uhr, Erw. 8 $). Die östliche Flagler Street lädt zum Shoppen ein. Hier gibt es zahlreiche kleine Geschäfte und Macy's (22 E. Flagler St.).

Wo der einstige Bicentennial Park südlich der Zufahrt zum MacArthur Causeway bislang keine Augenweide war, baut die Stadt Miami den **Museum Park Miami** 3️⃣. Ende 2013 öffnete das **Pérez Art Museum Miami** seine Pforten, das von den Schweizer Architekten Herzog & de Meuron entworfen wurde. Der Schwerpunkt des PAMM liegt auf moderner nord- und südamerikanischer Kunst des 20. und 21. Jh. Jeden dritten Sonntag im Monat gibt es abends Live-Musik und Cocktails auf den Terrassen – mit Blick auf die Bay (1103 Biscayne Blvd., Tel. 1-305-375 3000, www.pamm.org, Di–So 10–18, Do bis 21 Uhr, Erw. 12 $, 2. Sa und 1. Do im Monat und WLAN sind kostenlos).

Ebenfalls im Park wird in noch unbestimmter Zukunft das **Frost Science Museum** einziehen.

Little Havana 4️⃣

Im Straßenbild der Großstadt ist der karibische Einfluss vielerorts unübersehbar, aber nirgendwo so deutlich wie im Stadtteil **Little Havana** um die Calle Ocho, wie die südwestliche 8th Street von den Einheimischen genannt wird – eine Ansammlung von Billigläden mit Textilien, Kinderspielzeug und Gebinden von Plastikblumen, mit denen die Einwohner gern die glitzernden Bronzeschreine ihrer Hausheiligen schmücken.

Die Straßenzüge des Viertels enthüllen die wahre Identität von Miami als Stadt, die zwar geografisch auf US-Boden liegt, demografisch aber längst latinisiert und damit Teil der Karibik ist. In den Cafés und Schnellküchen ist auf ›internationale Verständigung‹ angewiesen, wer kein Spanisch spricht. Spezialitäten wie etwa Milanesa (Schnitzel), Baho (kubanischer Eintopf) und Schweinefleisch mit schwarzen Bohnen fehlen auf kaum einer Speisekarte.

Coral Gables ▶ 4, M 10

Cityplan: S. 402

Keine Stadt im Großraum Miami pflegt ihren eigenen Stil so konsequent wie Coral Gables.

Miamis Skyline trägt am Abend ein geheimnisvoll glitzerndes Outfit

Die Gemeinde entstand in den 1920er-Jahren, als die Südostküste von Florida einen Bauboom erlebte. Im Unterschied zu anderen Spekulanten, die es vornehmlich auf das schnelle Geld abgesehen hatten, tat sich der Gründer von Coral Gables, George Merrick, als Ästhet hervor. Auf Reisen hatte er die Mittelmeerregion kennengelernt, deren Architektur und Städteplanung er zum Vorbild nahm. So entstanden palmengesäumte Boulevards, offene Plätze mit Brunnen und stuckverzierten Hausfassaden, die ebenso im spanischen Süden stehen könnten.

Stadtrundgang

Als der Ort in den 1920er-Jahren aus dem Boden gestampft wurde, brachen Bautrupps das Baumaterial für die Häuser zum Teil aus dem Korallengestein des Untergrunds. Einer dieser Steinbrüche wurde nicht zugeschüttet, sondern in den 3 Mio. Liter Süßwasser fassenden **Venetian Pool** 5 verwandelt, ein traumhaft schönes Freibad unter Palmen. Neben kristallklarem Wasser sorgen Einfassungen aus Korallenfelsen, Blumen, ein prächtiger Wasserfall, Palmen und hübsche Gebäude im mediterranen Stil

vermutlich mit der Nagelschere gestutzten Rasen blickt, führte früher kein Geringerer als Leinwandtarzan Johnny Weissmuller Regie, der als olympischer Goldmedaillengewinner der Highsociety das Schwimmen beibrachte (1200 Anastasia Ave., Tel. 1-855-311-6903, www.biltmorehotel.com).

Mitten durch das mediterran anmutende Stadtgebiet zieht sich der Granada Boulevard, der wie die meisten anderen Straßen einen spanischen Namen trägt. Am südlichen Abschnitt dehnt sich der mit einem eigenen Schwimmbad ausgestattete Campus der University of Miami aus, auf dem das **Lowe Art Museum** Kunst aus der Epoche der Renaissance und des Barock, europäische, präkolumbische, asiatische und afrikanische Kunst sowie Werke amerikanischer Künstler des 19. Jh. zeigt (1301 Stanford Dr., Tel. 1-305-284-3535, www6.miami.edu/lowe, Di–Sa 10–16, So 12–16 Uhr, Erw. 10 $, 1. Di im Monat frei).

Coconut Grove ▶ 4, M 10

Cityplan: S. 402

The Grove, wie die Einheimischen ihr Viertel nennen, stand in den 1960er- und 1970er-Jahren bei Künstlern, Schriftstellern und Bohemiens als Wohnsitz hoch im Kurs. Heute liegt seine Anziehungskraft in guten Hotels wie dem Ritz Carlton und dem ›karibischen Feeling‹, das der Besucher in einem der Straßencafes aufsaugen kann. Die Hauptattraktion ist der nicht weit von der Biscayne Bay entfernte schneeweiße **Coco Walk** , ein recht kleines Einkaufszentrum mit luftigen Restaurants, einigen Bars, Geschäften und einem Kino. Der aus mehreren Ebenen bestehende, fast antik anmutende Komplex mit Treppenaufgängen, hübschen Balustraden und verwinkelten Terrassen umschließt einen Innenhof mit Ständen voller Parfümflakons, Sonnenbrillen und modischen Accessoires. An den Wochenenden gibt es ab 19 Uhr Live-Musik (3015 Grand Ave., Tel. 1-305-444-0777, www.cocowalk.net, So–Do 10–22, Fr/Sa 10–23, manche Bars bis 3 Uhr, Parken

um die Liegewiese für Tropenatmosphäre (2701 DeSoto Blvd., Tel. 1-305-460-5306, www.coralgablesvenetianpool.com, wochentags ab 11, am Wochenende ab 10 Uhr, Zutritt für Kinder unter 3 Jahren ist nicht erlaubt).

Bauliches Wahrzeichen von Coral Gables ist das monumentale **Biltmore Hotel** mit einem 90 m hohen, der Giralda im spanischen Sevilla nachgebildeten Turm. Früher gingen in der Nobelherberge prominente Gäste wie Bing Crosby, Ginger Rogers, Judy Garland und Al Capone ein und aus. Im hoteleigenen Pool, von dem man auf den

Miami

Sehenswert

1. Bayside Marketplace
2. Metro-Dade Cultural Center
3. Museum Park Miami
4. Little Havana
5. Venetian Pool
6. Biltmore Hotel
7. Lowe Art Museum
8. Coco Walk
9. The Barnacle
10. Villa Vizcaya
11. Miami Museum of Science
12. Miami Seaquarium
13. Bill Baggs Cape Florida State Recreation Area
14. Wynwood Arts District
15. Jungle Island
16. Children's Museum
17. Port of Miami
18. Ocean Drive
19. Wolfsonian
20. Bass Museum
21. Holocaust Memorial
22. Ancient Spanish Monastery

Übernachten

1. Essex House
2. Miami Marriott Biscayne Bay
3. Waldorf Hotel
4. Sleep Inn
5. Terrace Inn
6. Banana Bungalows
7. Larry and Penny Thompson Campground
8. Miami Everglades Kampground

Essen & Trinken

1. The Forge
2. Caffe Abbracci
3. Joe's Stone Crab Restaurant
4. News Café

Einkaufen

1. Dadeland Mall

Abends & Nachts

1. Mango's Tropical Café
2. LIV
3. Jazid
4. Gusman Center for the Performing Arts
5. Jackie Gleason Theater of the Performing Arts
6. Actor's Playhouse

Aktiv

1. Doral Golf Resort & Spa

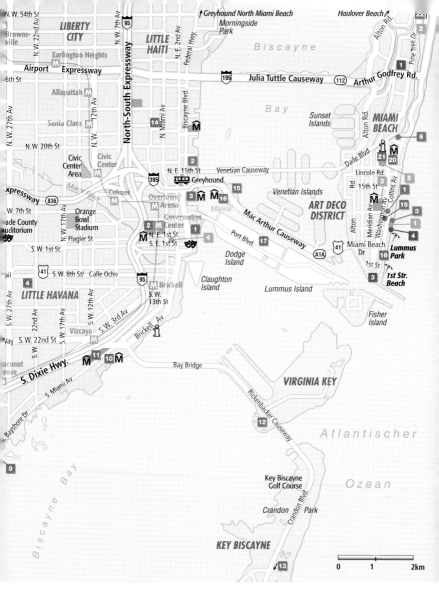

ist gebührenpflichtig). Der letzte Sonntag im Jahr gehört der King Mango Strut-Parade.

Museumstrio

Neben Lifestyle und Trend ist in **The Grove** die Vergangenheit mit **The Barnacle** vertreten. Der Schiffsbauer Ralph Munroe ließ

dieses Cottage im 19. Jh. errichten. Zahlreiche Details weisen auf die handwerkliche Herkunft des Hobby-Architekten hin, der hauptsächlich lokale Materialien benutzte und das Haus zwecks besserer Durchlüftung und zum Schutz vor Überflutung auf Stelzen setzen ließ. Ein hinzugefügtes Untergeschoss machte aus dem ursprünglichen Pfahlbau ein gewöhnliches Haus (3485 Main Hwy, Tel. 1-850-245-2157, www.floridastateparks.org/TheBarnacle, Mi–Mo 9–17 Uhr).

Der Name der **Villa Vizcaya 10** ist baskischen Ursprungs und bedeutet hoch gelegener Platz. 1000 teils europäische Fachkräfte waren jahrelang mit dem Bau des Prachtbaus im Stil der italienischen Renaissance beschäftigt, ehe der Industrielle James Deering einziehen konnte. Auf 34 Räume verteilen sich in dem zum Museum umgewandelten Palast Möbel und Kunstgegenstände, die der Bauherr auf Reisen durch die Alte Welt erstand. Um die wertvollen Kunstwerke vor der salzigen Luft und Feuchtigkeit zu schützen, deckte man den Innenhof später mit einer Glaskuppel ab (3251 S Miami Ave., Tel. 1-305-250-9133, www.vizcayamuseum.org, Mi–Mo 9.30–16.30 Uhr, Erw. 18, Kinder 6–12 Jahre 6 $).

Shows im Planetarium, ein Wildlife Center mit Reptilien und seltenen Greifvögeln, die nach Verletzungen dort hochgepäppelt werden, und interaktive naturwissenschaftliche Einrichtungen machen den Besuch im **Miami Museum of Science 11** kurzweilig. Das Museum zieht ca. 2015 in den Museum Park (s. S. 399) um (3280 S. Miami Ave., Tel. 1-305-646-4200, www.miamisci.org, tgl. 10–18, Fr bis 22 Uhr, Erw. 15 $).

Süd-Miami

Der **Fairchild Tropical Garden** ist ein reizender botanischer Garten mit tropischer und subtropischer Vegetation um mehrere Seen. Eine Tram fährt durch die Anlage (10901 Old Cutler Rd., Tel. 1-305-667-1651, www.fairchildgarden.org, tgl. 7.30–16.30 Uhr, Erw. 25 $). Im **Monkey Jungle** können sich über 400 Primaten im offenen Gelände bewegen, während Besucher hinter Gittern bleiben müssen (14805 SW 216th St., Tel. 1-305-235-1611, www.monkeyjungle.com, tgl. 9.30–17 Uhr, Erw. 30 $, Kinder 3–9 Jahre 24 $).

Erheblichen Auslauf haben die Tiere im **Miami Metrozoo**, wo sie größtenteils in Freigehegen gehalten werden (12400 SW 152 St., Tel. 1-305-251-0400, www.miamimetrozoo.com, tgl. 9.30–17.30 Uhr, ab 13 Jahren 16 $).

Mit dem **South Miami-Dade Cultural Arts Center** entstand ein Kunst- und Kulturzentrum, in dem unterschiedliche Veranstaltungen wie Konzerte und Theater- bzw. Ballettaufführungen über die Bühne gehen (Cutler Bay, 10950 SW 211 St., Tel. 1-786-573-5316).

Virigina Key und Key Biscayne ► 4, M 10

Cityplan: S. 402

Südlich von Downtown zweigt vom Bayshore Drive der Rickenbacker Causeway ab, der eine Verbindung zu zwei Inseln in der Biscayne Bay herstellt.

Auf Virginia Key ist das **Miami Seaquarium 12** seit Jahren ein Anziehungspunkt für Familien, die Delfinen, Seelöwen und vor allem dem riesigen Killerwal Lolita bei Shows zuschauen wollen. Noch wichtiger als die Unterhaltung des Publikums ist den Betreibern der Schutz und die Aufzucht bedrohter Tierarten wie etwa von Seekühen (4400 Rickenbacker Cswy, Tel. 1-305-361-5705, www.miamiseaquarium.com, tgl. 9.30–18 Uhr, Erw. 42 $, Kinder 3–9 Jahre 32 $).

Die 5 Meilen vom Festland entfernt gelegene Koralleninsel Key Biscayne ist für die Stadtbevölkerung ein attraktives Naherholungsziel mit malerischen Stränden und der **Bill Baggs Cape Florida State Recreation Area 13** an der südlichsten Spitze. Der 1825 erbaute Leuchtturm mit einer Aussichtsplattform überstand 1836 einen Angriff der Seminolen und während des Bürgerkriegs die Einnahme durch die Südstaatentruppen (1200 S. Crandon Blvd., Tel. 1-305-361-5811, tgl. 8 Uhr bis Sonnenuntergang, pro Pkw 8 $).

12 Miami Beach ► 4, M 10

Cityplan: S. 402

Der Mac Arthur Causeway, eine von mehreren Verbindungen von Miami nach Miami Beach, lässt sich durch den schlanken Freedom Tower leicht finden, der an dessen Zufahrt steht. Ein Damm führt entlang einiger In-

Tipp: Miamis größte Kunstgalerie

Mit dem **Wynwood Arts District** 14 versteckt sich in einem Lagerhausviertel nördlich von Downtown ein außergewöhnliches Mekka der Kunst. Wo über 70 Galerien, vier Museen und mehrere Ausstellungen zwischen heruntergekommenen Gebäuden, wellblechgedeckten Werkhallen und unansehnlichen Fabrikhöfen liegen, hinterließen Dutzende Künstler die größte Open-Air-Schau an Wandgemälden in ganz Florida. Dabei handelte es sich um keine geplante Entwicklung. Maler entdeckten den von der Stadtentwicklung vergessenen Winkel, weil genug freie Projektionsfläche für Künstlerfantasien vorhanden war und sich niemand durch die pinselschwingenden Kreativen gestört fühlte. Im Gegenteil. Nach und nach etablierte sich Wynwood zu einem Künstlermekka, das mit der jährlich im Dezember veranstalteten Kunstmesse **Art Basel Miami** zum viel beachteten ›Ableger‹ der renommierten Artshow Art Basel wurde. Regelmäßig präsentieren sich in Miami aus diesem Anlass über 2000 Künstler aus aller Welt.

Wer sich in erster Linie für die zum Teil riesigen Wandgemälde und Graffitis interessiert, kann sich einfach durch das Viertel treiben lassen. Hinter fast jeder Ecke und in fast jedem Straßenzug findet man *murals* verschiedenster Stilrichtungen, auch von bekannten Namen wie dem US-amerikanischen Maler und Bildhauer Ron English.

Jeden zweiten und vierten Samstag im Monat wird eine 2-stündige Führung für Fußgänger durch das Viertel angeboten. Den Startpunkt erfährt man nach der Anmeldung auf der Internetseite per Mail. Mobile Imbisswagen sorgen für das leibliche Wohl (zwischen I-95 und Biscayne Boulevard von der 20th bis zur 36th St., www.wynwoodartwalk.com, 50 $).

---

seln wie etwa Palm Island, wo Gangsterboss Al Capone residierte, zum südlichen Ende der Stadt Miami Beach.

Am Mac Arthur Causeway

Wer im Papageiendschungel nur Schönheiten mit buntem Gefieder erwartet, wird über die Vielfalt an Tieren und Pflanzen auf **Jungle Island** 15 überrascht sein. Zwar sind exotische Papageien die Hauptattraktion. Aber außer ihnen bevölkern Orang-Utans, Affen, Alligatoren, darunter ein seltener Albino-Alligator, nachtaktive Tiere und viele Reptilien die Anlage. Bei speziellen Shows beweisen etwa Papageien ihre Lernfähigkeit. Für Kinder wurde eigens ein Streichelzoo eingerichtet (1111 Parrot Jungle Trail, Tel. 1-305-400-7000, www.jungleisland.com, Mo–Fr 10–17, Sa, So 10–18 Uhr, ab 11 Jahren 35 $, Kinder 3–10 Jahre 27 $).

Mit interessanten, interaktiven Ausstellungen sollen Kinder im **Children's Museum** 16 an Themen wie gesunde Ernährung, Geld und Konsum, Umgang mit Haustieren, Kommunikation und Meeresleben herangeführt werden (980 Mac Arthur Cswy, Tel. 1-305-373-5437, www.miamichildrensmuseum.org, tgl. 10–18 Uhr, 16 $).

Südlich des Mac Arthur Causeway in Miami Beach ist der **Port of Miami** 17 leicht an den dort vor Anker liegenden Kreuzfahrtschiffen zu erkennen. Über die Jahre hinweg entwickelte sich der Hafen zum größten Kreuzfahrthafen der Welt mit jährlich mehr als 3 Mio. Passagieren. An den Kais in der Biscayne Bay legen die größten Schiffe der Welt an, von denen manche mehr als 2000 Passagiere an Bord nehmen können (1015 N. America Way, Miami, Fl 33132, Tel. 1-305-347-4800, www.miamidade.gov/portofmiami).

South Beach

Im südlichsten Teil von Miami Beach zogen in den 1930er-Jahren Maurer in Windeseile ganze Art déco-Straßenzeilen in die Höhe, mit denen die Zeit der wirtschaftlichen Depression gestalterisch überwunden werden sollte. So entstand mit South Beach ein Vier-

Am Ocean Drive: exotisches Nachtleben in karibischer Atmosphäre

tel, das durch geometrische Bauten mit vielfältigen Ornamenten gekennzeichnet ist. In pastellfarbenen Stuckverzierungen tauchen an den Fassaden einheimische Vogelarten sowie Trauben- und Melonenmotive auf, die Türen und Fenster umranken. ›SoBe‹, wie South Beach bei den Einheimischen heißt, besitzt seit den späten 1980er-Jahren Kultstatus und glänzt mit Hotels, Geschäften und Restaurants im Art déco-Stil schöner denn je (Art Déco Welcome Center, 1001 Ocean Dr., Tel. 1-305-672-2014, www.mdpl.org. Die Miami Design Preservation League bietet Führungen durch den Stadtteil an).

Hauptattraktionen
Prächtige Art déco-Schönheiten reihen sich am **Ocean Drive** 18 aneinander, der am pal-

Das **Wolfsonian** 19 versucht eine Antwort auf die Frage zu geben, wie im Zeitraum zwischen 1885 und 1945 Kunst und Design von der Geschichte und menschlichen Erfahrungen geprägt wurden und diese Einflüsse widerspiegeln. Dabei geht es u. a. um die Wechselwirkung von Kunst und Propaganda etwa im Dritten Reich, darüber hinaus aber auch um den Einfluss des Zeitgeistes auf die Gestaltung alltäglicher Gebrauchsgegenstände (1001 Washington Ave., Tel. 1-305-531-1001, www.wolfsonian.org, Do–Di 12–18, Fr bis 21 Uhr, Erw. 7 $, Fr ab 18 Uhr kostenlos, das French Café ist zu den gleichen Zeiten geöffnet).

Das sich im Art déco-Stil präsentierende **Bass Museum** 20 ist sich auf europäische Kunst des Mittelalters und der Renaissance spezialisiert und zeigt in diesem Zusammenhang Werke von Dürer und Rubens. Daneben sind aber auch Sammlungen aus Amerika, Asien und eine kleine ägyptische Sammlung zu sehen. Zudem bietet das Museum zeitgenössische Kunst etwa mit Video-Präsentationen (2121 Park Ave., Tel. 1-305-673-7530, www.bassmuseum.org, Mi–So 12–17 Uhr, Erw. 8 $, Senioren 6 $).

Ein aus Hunderten kleiner Menschenskulpturen bestehender, in den Himmel greifender Arm mit offener Hand steht im Mittelpunkt des beeindruckenden **Holocaust Memorial** 21. Die Anlage besteht aus einem Meditationsgarten mit Seerosenteich und umliegenden niedrigen Gebäuden wie einer kleinen Kuppel der Kontemplation, einer Wand der Erinnerung mit vielen eingravierten Namen von Opfern der Naziherrschaft und dem sogenannten Lonely Path, einem gemauerten Tunnel, in den nur durch Mauerritzen Helligkeit eindringt (1933–1945 Meridian Ave., Tel. 1-305-538-1663, www.holocaustmb.org, tgl. 9.30–21 Uhr, Eintritt frei).

Ancient Spanish Monastery 22

Der kalifornische Zeitungsmagnat und Kunstsammler William R. Hearst, den Orson Welles in seinem Film ›Citizen Kane‹ verkörperte, erstand 1925 auf einer Europareise im spanischen Segovia ein aus dem 12. Jh. stam-

mengesäumten, unverbauten Sandstrand verläuft. Tagsüber herrscht unter zahllosen bunten Sonnenschirmen einen Steinwurf von der Meeresbrandung entfernt Hochbetrieb. Abends zieht die aufgeheizte Strandgemeinde zum kulinarischen Spaziergang in neonbeleuchtete Restaurants um, ehe man in Poolbars und Diskotheken dem Morgen entgegenfeiert.

mendes Kloster, ließ es in durchnummerierte Einzelteile zerlegen und anschließend in die USA verschiffen.

Erst im Jahre 1964 wurde das historische Gemäuer ausgepackt und in North Miami zusammengefügt. Heute ist das **Ancient Spanish Monastery** an der Bausubstanz gemessen das älteste Museum auf amerikanischem Boden mit historischen Kunstwerken wie einer über 700 Jahre alten geschnitzten Christusstatue und antikem Mobiliar wie einem Holzschrank, den schon Papst Urban VII. (1623–1644) benutzte (16711 W. Dixie Hwy, North Miami Beach, Tel. 1-305-945-1461, www.spanishmonastery.com, Mo–Sa 10–16, So 11–16 Uhr, 8 $).

Infos

Greater Miami Convention & Visitors Bureau: 701 Brickell Ave., Suite 2700, Miami, FL 33131, Tel. 1-305-539-3000, www.miamiand beaches.com.
Miami Beach Visitors Center: 1901 Convention Center Dr., Miami Beach, FL 33139, Tel. 1-305-673-7400, www.miamibeachguest. com.

Übernachten

Gute Lage ▶ **Essex House 1:** 1001 Collins Ave., Tel. 1-305-534-2700, www.essexhotel. com. Schickes Hotel mit Garten in zweiter Reihe, aber sehr nah zu Strand und Lokalen. Parkhaus in der Nähe.159–240 $.
Stadthotel mit allem Komfort ▶ **Miami Marriott Biscayne Bay 2:** 1633 N. Bayshore Dr., Tel. 1-305-374-3900, www.marriott. com. Das Hotel ist zentral gelegen und luxuriös. Von den meisten seiner Zimmer blickt man auf die Biscayne Bay. 144–299 $.
Im Epizentrum des Amüsements ▶ **Waldorf Hotel 3:** 860 Ocean Dr., Tel. 1-305-531-7684, www.waldorftowers.com. Art déco-Hotel mit kleinen, aber sauberen Zimmern. Im Untergeschoss verkauft der hauseigene Supermarkt Bier, Wein, Kosmetikartikel und Zeitungen bzw. Zeitschriften. 143–179 $.
Günstige Bleibe ▶ **Sleep Inn 4:** 105 Fairway Dr., Miami Springs, Tel. 1-305-871-753, www.sleepinn.com. Kettenmotel am Flughafen von Miami mit Shuttle-Service, Pool, Internet, Frühstück, auch Raucherzimmer. Ab 124 $.
Für weniger Anspruchsvolle ▶ **Terrace Inn 5:** 1430 S Dixie Hwy, Tel. 1-305-662-8845. Preisgünstiges Motel nahe dem Universitätscampus mit ordentlichen Zimmern. Ab 69 $.
Mit Pool ▶ **Banana Bungalow 6:** 2360 Collins Ave., Tel. 1-305-538-1951. Um einen großen Pool gelegenes Hostel hauptsächlich für junge Gäste. Klimatisierte Zimmer mit Kabel- bzw. Satelliten-TV, Bad und Telefon. Im Preis ist ein kleines Frühstück inbegriffen. Ca. 49 $.
Camping ▶ **Larry and Penny Thompson Campground 7:** 12451 SW. 184 St., Tel. 1-305-232-1049, www.miamidade.gov. Gepflegter Campingplatz am See, auch Stellplätze für Zelte.
Miami Everglades Kampground 8: 20675 SW. 162nd Ave., Tel. 1-305-233-5300, www. miamicamp.com. Mit Pool und Cabins.

Essen & Trinken

Fürstliches Ambiente ▶ **The Forge 1:** 432 W. 41st St., Tel. 1-305-538-8533, www.the forge.com, Mo–Do, So 18–24, Fr, Sa 17–1 Uhr. Mit Antiquitäten und Kunst dekoriertes Toprestaurant mit französisch geprägter Küche auf hohem Niveau. Hauptgerichte ab 31 $.
Gutes Essen, teure Weine ▶ **Caffe Abbracci 2:** 318 Aragon Ave., Tel. 1-305-441-0700, www.caffeabbracci.com, Mo–Fr 11.30–15.30, Sa–Mi 18-23 Uhr. Highlight für Liebhaber italienischer Küche in romantischer Umgebung. 19–40 $.
Seafood-Klassiker ▶ **Joe's Stone Crab Restaurant 3:** 11 Washington Ave., Tel. 1-305-673-0365, www.joesstonecrab.com, Okt.–Mai Lunch und Dinner, sonst nur Dinner. Beliebtes Krabbenrestaurant, keine Reservierung. Hauptgerichte ab 18 $, Stone Crabs ab 30 $.
Populäres Straßencafé ▶ **News Café 4:** 800 Ocean Dr., Tel. www.newscafe.com, 24 Std. Im Trend liegendes Café, das Sandwiches, Frühstück rund um die Uhr, auch Omelettes bietet und darüber hinaus einen Zeitungskiosk zwecks Lesestoff. 6–17 $.

Papageienpärchen auf Jungle Island in Miami

Einkaufen

Shopping-Universum ▶ **Dadeland Mall ▣:** 7535 N. Kendall Dr., südlich von Downtown, www.dadelandmall.com, Mo–Sa 10–21.30, So 12–19 Uhr. Überdachte Riesen-Mall mit knapp 200 Geschäften, Food Court und Kinderspielplatz.

Abends & Nachts

Adressen und Veranstaltungskalender findet man in ›This Week in Miami – Miami Beach‹. Die Zeitung gibt es in allen Hotels und an Kiosken.

Permanent Hochbetrieb ▶ **Mango's Tropical Café ▣:** 900 Ocean Dr., Tel. 1-305-673-4422, www.mangostropicalcafe.com. Klasse Lokal, in dem täglich lateinamerikanische Live-Musik gespielt wird, zu der die männlichen und weiblichen Bedienungen knapp bekleidet auf dem Tresen tanzen.

Top Nachtclub ▶ **LIV ▣:** 4441 Collins Ave., www.livnightclub.com, Tel. 1-305-674-4680,

geöffnet Mi, Fr–So. Stylish, stets überfüllt und sehr teuer.

DJ- und Live-Musik ▶ **Jazid ▣:** 1342 Washington Ave., Miami Beach, Tel. 1-305-673-9372, www.jazid.net, tgl. 21–5 Uhr. Für Anhänger von Jazz, Rhythm & Blues.

Kultur ▶ **Gusman Center for the Performing Arts ▣:** 174 E. Flagler St., Tel. 1-305-372-0925, www.gusmancenter.org. Hochburg der lokalen Kulturszene mit einer fast ganzjährigen Saison.

Klassikkonzerte ▶ **Jackie Gleason Theater of the Performing Arts ▣:** Washington Ave./17th St., Tel. 1-305-673-7300, www.gleasontheater.com, Hier sind Miami City Ballet und Miami Beach Broadway Series zu Hause.

Musikalische Bühnenstücke ▶ **Actors' Playhouse ▣:** 280 Miracle Mile, Coral Gables, Tel. 1-305-444-9293, www.actorsplayhouse.org. Musiktheater mit einem 600 Plätze großen Zuschauerraum, der vom Ensemble für Aufführungen genutzt wird.

Cafés und Restaurants laden in Miamis Bayside Marketplace zur Pause ein

Aktiv

Wellness ▶ **Doral Golf Resort & Spa** ■: 4400 NW. 87th Ave., Tel. 1-305-592-2000, www.doralresort.com.

Termine

Calle Ocho Festival (März): Kubanisches Fest mit Musik und Paraden in Little Havana.
Caribbean Carnival (Okt.): Karibisches Fest mit farbenfrohen Paraden in Miami.

Verkehr

Flugzeug: Miami International Airport, Tel. 1-305-876-7000, www.miami-airport.com. Der Flughafen liegt 5 Meilen nordwestlich der Stadt und wird von den meisten nationalen und internationalen Gesellschaften angeflo-

gen. Vom Airport aus fährt der MIA-Mover zum Miami Intermodal Center (MIC), dem Zentrum für Mietwagen, Metrobus und Metrorail. Ankommende Flugreisende folgen dem pinkfarbenen Zeichen zum MIC.
Bahn: Amtrak Terminal, 8303 NW. 37th Ave., Tel. 1-800-872-7245, www.amtrak.com. Von Miami nach Washington D. C. benötigt man mit dem Zug ca. 24 Std.
Bus: Greyhound Lines Terminal, 4111 NW. 27th St., Miami, Tel. 1-305-871-1810, www. greyhound.com. Busse in alle Richtungen, auch auf die Florida Keys.
Öffentlicher Nahverkehr: Miami-Dade Transit, Tel. 1-305-770-3131, www.miamidade. gov/transit. Die kostenlose Hochbahn Metro Mover, fährt 21 Stationen im Zentrum an.

Florida Keys

Die Bezeichnung Keys leitet sich vom spanischen *cayo* (Sandinsel) ab. Hunderte kleiner und größerer Eilande aus ehemaligen Korallenstöcken bilden eine außergewöhnliche Inselbrücke bis ins entfernte Key West. Die Touristen- und Künstlerkolonie liegt nur 150 km von Kuba entfernt – ein Hinweis auf das karibische Flair der Florida Keys. Von der Ölpest im Golf von Mexiko 2010 war die Inselkette übrigens nicht betroffen.

Amerikas Annäherung an die Karibik besteht aus einer über 200 km langen, schmalen und sanft gebogenen Inselkette, die im Golf von Mexiko ›zerbröselt‹. Was sich zwischen Key Largo und Key West aneinander reiht, ist nur scheinbar eine entrückte Welt aus Korallenriffen und Eilanden. Längst wurden die Keys durch eine Straßenverbindung erschlossen, und längst büßte das Inselreich im Ansturm der Urlauber viel von seinem früheren Robinson-Crusoe-Flair ein. Dennoch blieb auf der Inselkette zwischen Atlantik und Golf von Mexiko vielerorts karibisches Ambiente erhalten.

Der spanische Seefahrer Ponce de León und der Chronist Antonio de Herrera waren wahrscheinlich die ersten Europäer, die 1513 die Florida Keys sichteten. Danach hatten die Landkrümel auf Seekarten zwar ihren festen Platz, doch blieben die auf der Inselkette seit langem lebenden Calusa-Indianer bis in das 18. Jh. von Weißen unbedrängt.

Die entscheidende Stunde der Keys schlug im 20. Jh. Henry Morton Flagler gab 1906 das Startzeichen für die Fortführung der Florida East Coast Railway über Miami hinaus bis nach Key West. Die Schienenkonstruktion sollte zu einem wahrhaft internationalen Unternehmen werden. Mit eigens aus Deutschland importiertem Spezialzement ließ Flagler Stützpfeiler für Brücken in das seichte Wasser zwischen die Inseln stellen, als ob technische Probleme nicht existierten. Stahl kam aus Pennsylvania, Kies vom Hudson River im Staate New York und rund 5000 Arbeiter strömten aus aller Herren Länder herbei, viele aus Irland. Schon im ersten Jahr fiel über das Projekt ein Hurrikan her, bei dem 130 Menschen umkamen. Aber selbst als ein weiterer Wirbelsturm drei Jahre später 60 km neu verlegte Gleise ins Meer fegte, vermochte dies Flaglers Willen zur Vollendung der Bahn keinen Abbruch zu tun. Am 22. Januar 1912 erlebte der 82-jährige Unternehmer in einem privaten Luxuswaggon der Jungfernfahrt nach Key West persönlich mit.

Flagler war schon über 20 Jahre tot, als am Labour Day 1935 wieder einmal ein fürchterlicher Sturm über den Florida Keys tobte und schwere Brecher die Brückenstützen einrissen – das endgültige Aus für die Bahnlinie. Stattdessen machte man sich an den Bau einer Straßenverbindung, die 1938 vollendet war und noch heute streckenweise parallel zum alten Bahngleis verläuft. 1982 renovierten Bautrupps die Strecke nach Key West von Grund auf und erneuerten 37 der insgesamt 42 Brücken. Der Orientierung dienen sogenannte Mile Marker (MM): Key West als südlichster Punkt liegt bei MM 0, in Florida City auf dem Festland steht als letzte Markierung MM 127. Bayside bedeutet westliche Seite, Oceanside Atlantikküste.

Upper Keys

Die Inselkette der Florida Keys lässt sich geografisch in zwei Abschnitte unterteilen. Die

411

Florida Keys

Upper Keys schließen den gesamten Bereich vom Biscayne National Park bis Marathon ein, die **Lower Keys** (s. S. 416) reichen von der Seven Mile Bridge bis nach Key West.

Biscane National Park ▶ 4, M 11

Bevor Hwy 1 die Florida Keys erreicht, bietet sich bei Homestead ein Abstecher zum **Biscayne National Park** an. Die 730 km² große Parkfläche des Naturschutzgebiets besteht zu 95 % aus Wasser, von etwa 30 unbewohnten Inseln abgesehen, auf denen sich seit der Entdeckung von Florida durch die Spanier nicht allzu viel verändert haben dürfte. Hotels, Restaurants und selbst Imbissbuden sucht man auf dem Parkgebiet vergebens. Auf dem größten Eiland, dem 11 km vom Festland entfernten Elliot Key, setzen Ausflugsboote Besucher für eine Wanderung auf einem Naturlehrpfad ab. Wer etwas von der fantastischen Unterwasserwelt mit Naturschwämmen, Seeanemonen, Horn- und Gehirnkorallen, Venusfächern und Seefedern sowie Rochen, Muränen, Aalen, Delfinen und Meeresschildkröten sehen will, ist auf ein Boot bzw. auf Taucher- oder Schnorchelausrüstung angewiesen (9700 SW. 328th St., Homestead, FL 33033-5634, Tel. 1-305-230-7275, www.nps.gov/bisc).

Key Largo ▶ 4, L 11

Mit knapp 50 km ist **Key Largo** das längste Glied in der Kette der Florida Keys. Die gleichnamige Stadt wurde erst 1952 auf diesen Namen getauft, zuvor hieß sie Rock Harbor. Immobilienfirmen setzten die Änderung aus Imagegründen durch, nachdem vier Jahre vorher John Houston dort einige Einstellungen des Gangsterstreifens ›Key Largo‹ mit Humphrey Bogart, Lauren Bacall und Edward G. Robinson gedreht hatte. Heute befindet sich am Mile Marker 104 mit dem ›Caribbean Club‹ das damalige Set, in dem die Wände mit Film-Memorabilien dekoriert sind. 1996 kehrten die Filmemacher zurück und nutzten die Kneipe als Drehort einiger Szenen für den Thriller ›Blood & Wine‹ mit Jack Nicholson und Jennifer Lopez (Tel. 1-305-451-4466, Fr, Sa Live-Musik, Mi abend Karaoke).

In die Kinogeschichte ging auch der beim Holiday Inn Key Largo im Wasser dümpelnde Flussdampfer ›African Queen‹ ein, mit dem Katherine Hepburn und Humphrey Bogart im gleichnamigen Abenteuerfilm durch Afrika schipperten. Heute wird der Oldtimer für Touristenausflüge genutzt.

Im Juni 2002 wurde im **Florida Keys National Marine Sanctuary** 6 Meilen vor der Küste der 150 m lange Militärfrachter ›Spiegel Grove‹ als Teil eines neuen künstlichen Korallenriffs auf Grund gesetzt. Seit damals haben sich auf allen Schiffsteilen Algen, Schwämme, Austern und Korallen angesiedelt, die das in 41 m Tiefe liegende Wrack über die Jahre vollkommen umhüllen werden (http://spiegelgrove.com).

Infos

Chamber of Commerce: 106000 Overseas Hwy, Key Largo, FL 33037, Tel. 1-305-451-1414, www.keylargochamber.org.

Übernachten

Schlafen auf dem Meeresgrund ▶ **Jules' Undersea Lodge:** MM 103, Tel. 1-305-451-2353, www.jul.com. Die Lodge zählt zu den ungewöhnlichsten Hotels in den USA, denn es handelt sich hier um ein ehemaliges Forschungslabor auf dem Meeresgrund. Das nur für Taucher erreichbare Hotel verfügt über Dusche, Telefon und Pizzaservice! 800 $ für 2 Personen; 3-stündiger Aufenthalt mit Tauchkurs 150 $ pro Person.

Strandidylle ▶ **Island Bay Resort:** 92530 Overseas Hwy, Tavernier, Tel. 1-305-852-4087, www.islandbayresort.com/keys. Das Resort umfasst 10 hübsche Cottages (alle mit Küche) für bis zu 4 Personen an einem Privatstrand. Ab 179 $.

Für Durchreisende in Ordnung ▶ **Holiday Inn Key Largo:** 99701 Overseas Hwy, Tel. 1-305-451-2121, www.holidayinnkeylargo.com. Alle Zimmer mit 2 Doppelbetten und Kabel-TV, tropisch anmutende Poollandschaft. 145–200 $.

Bietet das Nötigste ▶ **Marina del Mar Resort:** 527 Caribbean Dr., MM 100, Tel. 1-305-451-4107, www.marinadelmarkeylargo.com.

aktiv unterwegs

Abenteuer im Korallenriff

Tour-Infos
Start: John Pennekamp Coral Reef Park
(▶ A, L 11), MM 102,5, Tel. 1-305-451-6300,
www.pennekamppark.com
Öffnungszeiten: tgl. 8 Uhr bis Sonnenuntergang
Eintritt: 8,50 $/Pkw, Fußgänger 2,50 $

Von Fort Lauderdale im Norden bis in den äußersten Süden der Florida Keys erstreckt sich an der Atlantikküste das einzige Korallenriff der kontinentalen USA. In dieser Unterwasserregion existieren 52 Korallenarten, die den Lebensraum für etwa 500 Arten von Fischen bilden. Einen Zugang zu diesem Riff finden Taucher und Schnorchler im **John Pennekamp Coral Reef Park,** wo sich auf einer über 200 km² großen Fläche in Korallenriffen, Seegrasbetten und Mangrovensümpfen eine exotische Fauna tummelt. Die Riffe im Park beginnen etwa 5 km vor der Küste.

Bei einem Konzessionär können Interessenten Kanus und Motorboote ausleihen oder Tauch- und Glasbodenbootausflüge zum Riff unternehmen. Populär sind auch 2,5-stündige Ausflüge mit dem Schnorchelboot, wobei Teilnehmer 1,5 Stunden im Wasser über die einzigartige Unterwasserwelt schweben. Am besten eignet sich wegen der Sichtverhältnisse der Sommer für Tauch- und Schnorchelausflüge, wenn das Wasser am ruhigsten ist und kein Wellengang den Meeresgrund aufrührt. Neben den wassersportlichen Aktivitäten gibt es auch Outdoor-Vergnügen an Land mit zwei Naturlehrpfaden, zwei künstlich aufgeschütteten Stränden, Picknickhütten, einer Snackbar und einem Campingplatz. Eine Attraktion lockt Taucher ins Meeresschutzgebiet **Key Largo National Marine Sanctuary:** Dort wurde in 8 m Tiefe eine 3 m große und 2 t schwere, bronzene Christusstatue des italienischen Bildhauers Guido Galletti im Meer versenkt.

Erwartungsvolle Anspannung vor dem Tauchgang

Tipp: Schwimmen mit Delfinen

Über die Jahre hinweg hat das Forschungszentrum **Dolphin Research Center auf Grassy Key** zahlreiche Programme entwickelt, um Gästen den Kontakt mit Delfinen zu ermöglichen. Man kann einen Tag lang als Trainer oder Forscher arbeiten, mit Delfinen malen oder spielen und zu den Meeressäugern in ein Becken steigen. Zu den populärsten Angeboten der Einrichtung gehört aber Dolphin Encounter. Im Rahmen eines 20-minütigen Programms darf man sich mit den sympathischen Stars im Wasser bewegen und einige Runden mit ihnen schwimmen, nachdem man zuvor das Wichtigste über ihr Verhalten und zahlreiche Handzeichen gelernt hat, auf die die Tiere reagieren.

Wer sich im tiefen Wasser nicht wohlfühlt oder nicht schwimmen kann, trifft die Delfine bei dem Programm Dolphin Dip auf einer ins Wasser getauchten Plattform. Kinder unter 8 Jahren müssen zumindest einen Erwachsenen an ihrer Seite haben, Kinder unter 4 Jahren müssen von einem Erwachsenen gehalten werden.

Englischsprechende Besucher erfreuen sich am Dolphin Explorer-Programm, einer der Alternativen, die nicht vorab reserviert werden kann (58901 Overseas Hwy, www. dolphins.org, tgl. 9–16.30 Uhr, an manchen Feiertagen geschlossen. Programm-Reservierungen erforderlich unter Tel. 1-305-289-0002, keine Reservierung per Fax oder Mail, nur Eintritt Erw. 23 $, Kinder 4–12 Jahre 18 $. Dolphin-Encounter-Programm 199 $ inklusive Zertifikat; Dolphin-Dip-Programm 119 $, Dolphin Explorer 98 $).

1- bis 2-Zimmer-Studios, viele mit Küche. Ab 110 $.

Essen & Trinken

Für Fischliebhaber ▶ Mr. Mac's Kitchen: 99336 Overseas Hwy, Tel. 1-305-451-3722, www.mrsmacskitchen.com, Mo–Sa 7–21.30 Uhr. Täglich frischer gegrillter Fisch, aber auch Fleischspeisen, Pasta, Burger oder Alligator. Dinner 10–25 $.

Guter Start in den Tag ▶ Chad's Deli & Bakery: MM 92,3, Tel. 1-305-853-5566, www. chadsdeli.com, Mo ab 11, Di–Sa 7–21 Uhr. Gutes Frühstück, tgl. Lunch und Dinner-Specials, Burger, Sandwiches, leckere Salate und feine Suppen. Ab 9 $.

Islamorada ▶ 4, L 11

Südlich des Städtchens Tavernier beginnt das Inselquartett **Islamorada,** ein Mekka der Hochseeangler. Nirgends ist es einfacher, ein Boot samt Skipper und Ausrüstung für einen Angelausflug zu mieten. Wenn die Jachten am Nachmittag von den Ausflügen zurückkehren, bestehen gute Chancen, hie und da einen gefangenen blauen Marlin zu fotografieren.

Islamorada ist nicht nur ein Paradies für Wassersportler und Naturfreunde, sondern auch für Party-Fans. Zum **Postcard Inn Resort** gehören Poollandschaften und Tiki-Bars im polynesischen Stil, in denen schon nachmittags am Sandstrand unter Palmen Strandpartys mit karibischer Live-Musik und Tanz die Stimmung anheizen (84001 Overseas Hwy, Tel. 1-305-664-2321, www.holidayisle. com).

Das **Theater of the Sea** bietet eine Kombination aus Aquarium und Tierpark und führt Besuchern das Meeresleben der Florida Keys vor. Am beliebtesten sind die regelmäßigen Shows mit Delfinen, Seelöwen und Papageien. Wer zusammen mit Delfinen, Rochen und Seelöwen schwimmen möchte, hat hier dazu Gelegenheit. Im Eintrittspreis ist auch eine Fahrt mit einem Glasbodenboot enthalten (84721 Overseas Hwy, MM 84.5, Islamorada, Tel. 1-305-664-2431, www.theaterofthe sea.com, tgl. 9.30–15.30 Uhr, Erw. 32 $).

Im **Dolphin Research Center** auf Grassy Key wurde in den 1950er-Jahren die populäre Fernsehserie ›Flipper‹ gedreht. Im Rahmen eines Programms darf man mit den Stars schwimmen (s. o.; www.dolphins.org).

Infos

Islamorada Chamber of Commerce: MM 83,2, in einem roten Bahnwaggon, P. O. Box 915, Islamorada, FL 33036, Tel. 1-305-664-4503, www.islamoradachamber.com.

Übernachten

Urlaubsoase unter Palmen ▶ **Chesapeake Resort:** 83409 Overseas Hwy, Tel. 1-305-664-4662, www.chesapeake-resort.com. Gut ausgestattetes Ferienhotel auf der Atlantikseite mit hoteleigenem Strand und Jachthafen. Ab 175 $.

Ein Tropenmärchen ▶ **Casa Thorn:** 114 Palm Ln., Tel. 1-305-852-3996, www.casathorn.com. Gäste können in dem B & B zwischen Suiten im indonesischen, marokkanischen oder pazifischen Stil wählen oder in normalen Suiten übernachten. 129–239 $.

Essen & Trinken

Nicht nur gute Pizzen ▶ **Bayside Gourmet:** 82758 Overseas Hwy, Tel. 1-305-735-4471, Mo–Sa 6–22, So 6–14 Uhr. Gebäck, Pizzen, italienische Traditionsgerichte, Cheese-Steak etc. Die Speisen überzeugen. Ca. 8–14 $.

Stimmungsvoll ▶ **Lorelei Restaurant:** MM 82, Bayside, Tel. 1-305-664-2692, tgl. 7–24 Uhr. Rustikales Lokal am Wasser, Dinner ab 13 $. In der angrenzenden Cabana Bar feiern Gäste den Sonnenuntergang.

Aktiv

Fahrradverleih ▶ **Island Rentals:** MM 82, Islamorada, Tel. 1-305-664-4535, www.islamoradabikerental.com. Fahrräder oder Tandems und Scooter für Inselausflüge, Kajaks.

Marathon ▶ 4, K 12

Im geografischen und kommerziellen Zentrum der Florida Keys liegt **Marathon.** Der während Flaglers Eisenbahnbau als Arbeitercamp und Materiallager entstandene Ort entwickelte sich zum größten Touristenzentrum des Inselreichs nach Key West. Neben einem 18-Loch-Golfplatz lockt Marathon mit dem längsten Anglerpier der Welt, der aus 20 km langen, alten Brückenabschnitten besteht.

Abendstimmung an der Schiffsanlegestelle von Marathon

Lower Keys ► 4, J–K 12

Südlich von Marathon spannt die Seven Mile Bridge den Bogen zwischen Upper und **Lower Keys.** Für Henry Flaglers Ingenieure war dieses Projekt beim Bau der Eisenbahnlinie nach Key West die größte Herausforderung. Über 700 Arbeiter verloren durch Unfälle ihr Leben. Jährlich im April wird die Brücke an einem Samstagvormittag für den Seven Mile Bridge Run gesperrt.

Bahia Honda State Park

Wer gerne an einem Badestrand liegt, findet am Südende der Brücke im **Bahia Honda State Park** ein Plätzchen. Hoch über den Palmen hält eine Bauruine die Erinnerung an weniger unbeschwerte Tage aufrecht: eine teilweise eingestürzte Brücke, aus deren Fahrbahn ein Hurrikan ein etwa 200 m langes Stück herausriss. Der Sandstrand im Park gehört zu den schönsten auf den Florida Keys, im Meer kann man schnorcheln (MM 37, Tel. 1-305-872-3210, www.bahiahondapark.com).

Big Pine Key

Hauptinsel der Lower Keys ist **Big Pine Key**. Ihr Erscheinungsbild unterscheidet sich durch dichte Kiefernwälder deutlich von den übrigen Florida Keys. Eine Besonderheit bietet auch das National Key Deer Refuge mit einer Population von ca. 300 Hirschen, die nur eine Schulterhöhe von etwa 60 cm erreichen. Mit Blue Hole befindet sich in diesem Schutzgebiet der größte künstlich angelegte Süßwassersee der Inselkette. Neben dem Schutz von Wild widmet sich das Great White Heron Refuge auch dem Schutz von Weißreihern. Das **Looe Key National Marine Sanctuary** wiederum hat sich dem Schutz von Meeresleben verschrieben und ist geschätztes Tauchrevier (Looe Key Dive Center, MM 27,5, Tel. 1-305-872-2215, www.diveflakeys.com).

13 Key West ► 4, J 12

Südlichste Insel der Florida Keys ist Key West, unumstrittenes Epizentrum touristi-

scher Wirbelstürme, Treffpunkt der Schwulenszene und Floridas reizvoller karibischer Ableger. Früher einmal ein entlegenes Piratennest, regieren heute im sympathischen Städtchen Kommerz und American Way of Life, in den sich ein gehöriger Schuss karibische Exotik mischt.

Alles trifft sich abends bei Sonnenuntergang zur Openair-Fete am Mallory Square. Gaukler und Musikanten, Kunstgewerbler und Schaulustige bereiten sich bei dieser ›Traditionsveranstaltung‹ auf die lange Nacht bei Country und Calypso, Frozen Margarita und Conch Chowder (Muschelsuppe) vor.

Das Leben der Menschen, die sich seit Beginn des 19. Jh. auf Key West niederließen, war in Anbetracht der begrenzten wirtschaftlichen Möglichkeiten nicht leicht. Viele lebten von der Plünderung von Schiffswracks oder ließen sich für Seenotrettungen gut bezahlen. Später wurden Konserven- und Zigarrenfabriken angesiedelt, sodass in der zweiten Hälfte des 19. Jh. Key West zur größten Stadt in Florida aufstieg.

Conch Republic

Teil der Inselgeschichte ist eine amüsante Posse aus der jüngeren Vergangenheit. Als die Polizei im April 1982 auf den Upper Keys Straßensperren errichtete und jedes aus dem Süden kommende Fahrzeug nach illegalen Einwanderern und Drogen durchsuchte, brachten die Kontrollen zahlreiche Einwohner so in Rage, dass sie ihre Insel kurzerhand für von den USA unabhängig erklärten und die Conch Republic ausriefen (*conchs* werden die Einwohner von Key West genannt). Diese Unabhängigkeitserklärung war zwar nicht ernst gemeint, unterstrich aber die im Süden der Florida Keys tief verwurzelte, durch die geografische Abgelegenheit verständliche Unabhängigkeit der Bewohner. Heute lassen sich Touristen gegen eine Gebühr einen Pass der Conch Republic ausstellen.

Rundgang durch die Museen

Über das Ökosystem der Florida Keys informiert das **Eco-Discovery Center,** in dem man den Nachbau eines Tiefseeforschungs-

König der Schatztaucher: die Mel-Fisher-Story

Thema

Die Nachricht kam am 20. Juli 1985 um 13.05 Uhr von der ›Dauntless‹, die 40 Meilen westlich von Key West im azurblauen Wasser dümpelte. Kapitän Kane Fisher konnte seine Aufregung kaum verbergen, als er seinem Vater Mel Fisher die sensationelle Nachricht per Radio übermittelte: »Leg die Karten weg. Wir haben den Jackpot geknackt!«

Nach über 16 Jahren mühsamer Suche war der Traum des Schatzsuchers endlich wahr geworden: Seine Crew hatte das auf dem Meeresgrund liegende Wrack der spanischen ›Nuestra Señora de Atocha‹ gefunden. Schon als Teenager hatte Mel Fisher von der Schatzsuche in fernen Meeren geträumt. 1964 machte er sich erstmals an die Arbeit und hob über 1000 Goldmünzen aus einer 1715 gesunkenen Galeone. Der Erfolg spornte ihn an, nach der 1622 mit unermesslichen Schätzen an Bord untergegangenen ›Atocha‹ zu suchen, über die er in einem Tauchführer gelesen hatte. Gleichzeitig beschäftigte er sich mit dem Schwesterschiff ›Santa Margarita‹ und hatte Glück, als er 1980 an Bord des historischen Seglers Gold und andere Reichtümer im Wert von über 20 Mio. $ entdeckte.

Die fünf Jahre später gefundene ›Atocha‹ stellte alle Erwartungen in den Schatten. Aus ihrem geborstenen Bauch bargen Fishers Taucher 47 Tonnen Silber, 150 000 Goldmünzen und Goldbarren und Hunderte unbearbeiteter Smaragde zwischen einem halben und 77 Karat, darunter einen einzelnen Edelstein mit einem Wert von über 2 Mio. US-$. Insgesamt wurden die Schätze der ›Atocha‹ auf 400 Mio. $ veranschlagt. Um Schmuckstücke, Münzen, Dekorationsstücke, Waffen und nautische Artefakte ausstellen zu können, kaufte Amerikas berühmtester Schatzsucher in Key West eine ehemalige Station der Küstenwache und gründete die gemeinnützige Mel Fisher Maritime Heritage Society als Trägerin eines Schatzmuseums. Mel Fisher war nicht nur ein erfolgreicher Schatztaucher. Er verstand es auch, sein abenteuerliches Geschäft gewinnbringend zu vermarkten.

Als Tauchpionier bildete er im Laufe seines Lebens 65 000 ›Kollegen‹ aus, die ebenfalls Schatztaucher zum Teil in seinem eigenen Team werden wollten. Außerdem drehte er unter Wasser zahlreiche Kinofilme, Dokumentationen, Werbespots und lehrreiche Anleitungen für angehende Taucher. Als das Fernsehen noch in den Kinderschuhen steckte, hatte er bereits eine wöchentliche Show mit Unterwasserabenteuern im regelmäßig ausgestrahlten Programm. Auch auf dem Gebiet der Tauchausrüstung erwies sich Fisher als Pionier. Er entwickelte neue Tauchanzüge, Unterwasserkameras, Gasharpunen und andere nützliche Gegenstände bei der Jagd auf dem Meeresgrund. Seine Frau Dolores hielt viele Jahre lang mit über 55 Stunden den Weltrekord im Dauertauchen der Frauen.

Die verdrießlichsten Momente im Leben von Mel Fisher waren nach seinem eigenen Bekunden nicht die tiefen Enttäuschungen über jahrelang ausbleibende Funde, sondern Auseinandersetzungen im Gerichtssaal über Besitzansprüche auf seine gehobenen Schätze. Erst als er dem Staat Florida 25 % seiner jährlichen Funde garantierte, endeten die juristischen Geplänkel. Seinen letzten Kampf, dieses Mal gegen den Krebs, verlor Mel Fisher 1998 im Alter von 76 Jahren.

417

aktiv unterwegs

Mit Ernest Hemingway durch Key West

Tour-Infos

Start: Hemingway Home & Museum (907 Whitehead St.)
Länge: ca. 3 km
Dauer: 2–4 Stunden

Nachhaltigen Einfluss auf die Popularität von Key West hatte der von Ernest Hemingway 1931 gefasste Entschluss, seinen Wohnsitz auf die Insel am Südende der Florida Keys zu verlegen. Der Nobelpreisträger wirbt heute posthum an allen Ecken und Enden für die 25 000 Einwohner zählende Gemeinde, die alljährlich über 1 Mio. Besucher empfängt. Für viele von ihnen ist eine Besichtigung des in einem üppigen Tropengarten liegenden **Hemingway Home & Museum** 1 ein Muss. Der berühmte Hausherr verbrachte dort mit Unterbrechungen acht Jahre seines Lebens und schrieb Romane wie ›Wem die Stunde schlägt‹, ›Tod am Nachmittag‹ und ›In einem

anderen Land‹ (907 Whitehead St., Tel. 1-305-294-1575, www.hemingwayhome.com, Touren tgl. 9–17 Uhr, Erw. 13 $,). In der Nachbarschaft führen Stufen zur Aussichtsplattform eines im Jahr 1848 erbauten Leuchtturms, wo einem Key West zu Füßen liegt

Gleich um die Ecke, wo heute das Blue Heaven Restaurant steht, befand sich früher unter freiem Himmel die kleine **Key West Arena** 2, in der Hemingway an Freitagnachmittagen häufig bei Boxkämpfen als Schiedsrichter auftrat. Der passionierte Faustkampfanhänger stieg gelegentlich auch auf seinem eigenen Grundstück in den Ring, wo er eine Anlage hatte bauen lassen (729 Thomas St.).

Ende der 1920er-Jahre kam Hemingways Schwiegervater, ein Industrieller, nach Key West, um seinen Schwiegersohn kennen zu lernen. Er kehrte im 1926 erbauten **Colonial Hotel** 3 ein, das heute unter dem Namen Crowne Plaza Key West-La Concha betrieben wird. Ein Zeitlang logierte in diesem siebenstöckigen Bau auch Tennessee Williams, der dort sein Drama ›Endstation Sehnsucht‹ vollendete (430 Duval St.).

Wo heute Captain Tony's Saloon steht, befand sich in früheren Zeiten Hemingways Stammkneipe **Sloppy Joe's** 4, deren Pächter sein Freund und Angelpartner Josie Russell war (428 Greene St.). Im Jahr 1938 kam es zwischen ihm und dem Besitzer zu einem Streit über eine Mieterhöhung von 4 $, die Josie Russell so in Rage brachte, dass er die gesamte Inneneinrichtung der Kneipe noch in derselben Nacht einen halben Straßenblock weiter an jene Stelle bringen ließ, wo sich heute noch **Sloppy Joe's Saloon** 5 befindet (201 Duval St.).

Dort auch begegnete Ernest Hemingway zum ersten Mal seiner dritten Ehefrau Martha Gelhorn. Das durch den Umzug vakant gewordene Pinkelbecken der Kneipe ließ sich

labors besichtigen kann (33 E. Quay Rd., Tel. 1-305-809-4750, http://floridakeys.noaa.gov, Di–Sa 9–16 Uhr, Eintritt frei).

Im 1891 erbauten Zollhaus der Stadt dokumentiert das **Key West Museum of Art & History** die Geschichte der Stadt und mancher ihrer Bürger wie etwa Ernest Hemingway, an den seine Uniform aus dem Zweiten Weltkrieg und zahlreiche Memorabilien erinnern. Andere Ausstellungen beschäftigen sich mit Piraten und deren dunklen Geschäften sowie der amerikanischen Navy, die versuchte, den Seeräubern das Handwerk zu legen (281 Front St., Tel. 1-305-295-6616, tgl. tgl. 9.30–16.30 Uhr, Erw. 9 $, Kinder 5 $).

Amerikas berühmtester Schatztaucher Mel Fisher (s. S. 417) sorgte zu Lebzeiten für viele Schlagzeilen. Zu seinen spektakulärsten Unternehmungen gehörte die Suche nach zwei 1622 gesunkenen spanischen Galconen, deren unermessliche Schätze er mit seiner Crew hob und zum Teil im **Mel Fisher Maritime Museum** ausstellte. Die Vitrinen des Hauses sind voller Münzen und Waffen, Goldbarren und Schmuck, Porzellan und Devotionalien aus purem Silber. Besucher erhalten auch Einblick in die Unterwasserarchäologie sowie die bei der Schatzsuche benötigte technische Ausrüstung (200 Greene St., Tel. 1-305-294-2633, www.melfisher.org, Mo–Fr 8.30–17, Sa, So 9.30–17 Uhr, Erw. 12,50 $, Kinder 6 $).

Harry S. Truman (1884–1972), von 1945 bis 1953 US-Präsident, kam nach dem Zweiten Weltkrieg erstmals nach Key West, um eine Erkältung auszukurieren. Die Insel gefiel ihm so gut, dass er im sogenannten **Little White House** in den folgenden Jahren häufig seinen Urlaub verbrachte. Die dort ausgestellten Objekte erzählen interessante Details und Geschichten über Truman (111 Front St., Tel. 1-305-294-9911, www.trumanlittlewhitehouse.com, tgl. 9–16.30 Uhr, Erw. 16,13 $, Kinder 5–12 Jahre 5,38 $).

Südliches Key West

Eine Riesenboje mit schwarzen, gelben und roten Streifen kennzeichnet den südlichen Landpunkt des zusammenhängenden Staatsgebiets der USA. Die Insel Kuba ist von

Hemingway in sein Haus einbauen, wo es bis heute in Dienst ist.

Im April 1928 hatte Hemingway zusammen mit seiner Frau Pauline Havanna verlassen und sich an Bord eines Dampfers begeben, um zum ersten Mal der Insel Key West einen Besuch abzustatten. Das Schicksal wollte es, dass sein vorab reservierter Mietwagen für die Weiterreise nach Norden nicht verfügbar war und der Autor sich sieben Wochen lang im damaligen Trev-Mor Hotel einmieten musste. Während dieser Zeit lernte er die Insel kennen und schätzen. Heute trägt das Gebäude den Namen **Casa Antigua** 6 und steht für Besichtigungen offen (314 Simonton St., tgl. 10–18 Uhr). Mit einem 3300-Dollar-Vorschuss des Magazins › Esquire‹ auf einige Kurzgeschichten ließ sich der Schriftsteller 1938 ein auf den Namen Pilar getauftes Boot bauen, das in der Nähe der **Thompson Docks** 7 vor Anker lag. Die Anlegestelle gehörte einem befreundeten Geschäftsmann (am nördlichen Ende der Magaret St.).

Beschlossen Hemingway und seine trinkfesten Freunde, statt flüssiger feste Nahrung zu sich zu nehmen, wählten sie häufig **Mrs. Rhoda Baker's Electric Kitchen** 8 aus, ein sehr einfaches Restaurant, das seinen Namen keiner aufwendigen Elektro-Ausstattung, sondern nur ein paar von der Decke baumelnden Glühbirnen verdankte. Die Portionen von Mrs. Baker waren reichlich, schmackhaft und billig. Für ein Sandwich bezahlte man damals weniger als einen halben Dollar. Heute befindet sich in dem Haus der Buchladen Flaming Maggie's (830 Fleming St.). Nachdem er die streng katholische Pauline im Mai 1927 geheiratet hatte, war Hemingway zum Katholizismus konvertiert und zeigte sich in Key West von seiner freigebigen Seite, in dem er der **St. Mary Star of the Sea Church** 9 einen Altar spendete (1010 Windsor Lane).

diesem Punkt nur noch 90 Meilen entfernt. Die Boje ist wahrscheinlich der in Key West am häufigsten fotografierte Punkt (White-head/South St.).

Fort Zachary Taylor

Im Bürgerkrieg war das strategisch gelegene Fort von den Unionstruppen besetzt, die von dort aus den Schiffsverkehr um die Südspitze von Florida kontrollierten. In einigen Räumen der Festung sind Ausstellungen über den Krieg eingerichtet (am Ende der Southard St., Tel. 1-305-292-6713, www.fortzacharytaylor.com, tgl. 10–17 Uhr).

Infos

Key West Information Center: 201 Front St., Suite 108, Key West, FL 33040, Tel. 1-888-222-5590, www.keywestinfo.com.

Key West Chamber of Commerce: 510 Greene St., 1. Obergeschoss, Key West, FL 33040, Tel. 1-305-294-2587, www.keywestchamber.org.

Übernachten

Schnuckelig ▶ **Duval Inn:** 511 Angela St., Tel. 1-305-295-9531, www.duvalinn.com. Farbenfroh dekorierte Zimmer in einem reizenden Haus aus dem 19. Jh., beheizter Außenpool, Frühstück inklusive. Ab 99 $.

Gute Lage ▶ **Best Western Hibiscus:** 1313 Simonton St., Tel. 1-305-294-3763, www.bestwestern.com. Schöne Zimmer mit Kaffeemaschine und Kühlschrank. Pool, WLAN, Parkplatz , kleines Frühstück inbegriffen. Ab 129 $.

Traumhaft schön ▶ **Key West B & B:** 415 William St., Tel. 1-305-296-7274, www.keywestbandb.com. Viktorianisches Anwesen aus dem Jahr 1898 mit zum Teil luxuriösen Zimmern, Jacuzzi, Sauna, Frühstück inklusive. 3 Nächte Minimum, 90–285 $.

Budget-Unterkunft ▶ **Key West Youth Hostel:** 718 South St., Tel. 1-305-296-5719, www.keywesthostel.com. Jugendherberge mit Radverleih, im Schlafsaal 44 $, im Motel ab 139 $.

Camping ▶ **Boyd's Key West Campground:** 6401 Maloney Ave., Stock Island, Tel. 1-305-294-1465, www.boydscampground.

com. Angenehmer Platz direkt am Meer mit Pool, Supermarkt und Busverbindung in die Stadt.

Essen & Trinken

Beachtliche Qualität ▶ **Michael's Restaurant:** 532 Margaret St., Tel. 1-305-295-1300, www.michaelskeywest.com, tgl. 17.30–23 Uhr. Die hervorragenden Seafood- und Fleischgerichte werden auch auf der idyllischen Terrasse serviert. 15–50 $.

Schlicht, aber ausgezeichnet ▶ **Conch Republic Seafood Company:** 631 Greene St., Tel. 1-305-294-4403, www.conchrepublicseafood.com, tgl. Lunch und Dinner. Lokal am alten Hafen mit Meerblick. Tunfisch-Steaks, exotisch mariniertes Hähnchen, Schweinefleisch-Medaillons. Dinner ca. 21 $.

Abends & Nachts

Bar mit Charakter ▶ **Captain Tony's Saloon:** 428 Greene St., Tel. 1-305-294-1838, www.capttonyssaloon.com, tgl. Die Wände der ältesten Bar in Key West sind mit Damenunterwäsche und Visitenkarten dekoriert. In den 1930er-Jahren war Ernest Hemingway Stammgast.

Lokaler Favorit ▶ **Schooner Wharf Bar:** 202 William St., Tel. 1-305-292-3302, tgl. Lunch und Dinner. Wo früher eine Shrimps-Fabrik stand, strömt heute Bier und dampft frisches Seafood.

Aktiv

Schöne Badestrände ▶ **Fort Zachary Taylor:** Strand im State Park mit einer felsigen Uferzone (Zugang durch Truman Annex an der Southard St.). **Smathers Beach:** Künstlich aufgeschütteter Sandstrand und einer der Strände, die sich an der südl. Küste von Key West aneinanderreihen. Wassersportliche Aktivitäten sind hier geboten, außerdem gibt es Imbissstände.

Termine

Hemingway Days Festival (Juli): Fest zu Ehren von Ernest Hemingway.

Fantasy Fest (Okt.): 10-tägiges Kostümfest mit viel nackter Haut.

Everglades National Park

Das wogende Meer aus Ried- und Sägegras reicht bis zum Horizont, nur unterbrochen von kleinen Hainen aus Buschwerk, Palmen oder Zypressen. Bewegungslos trocknet ein Schlangenhalsvogel auf einem Baumstumpf in der Morgensonne sein gespreiztes Gefieder. Nichts lässt erahnen, dass in diesem Naturparadies Krisenstimmung herrscht.

Der rund 12 000 km² große Park besteht aus einer riesigen Ebene mit äußerst geringem Gefälle nach Südwesten. Auf einer Breite von 100 km fließt über dieses Marschland sehr langsam Süßwasser, das aus nördlicher gelegenen Depots stammt, vor dessen Eindeichung vor allem aus dem Lake Okeechobee. Niederschläge tragen zur Wasserversorgung vor allem zwischen Ende Mai und Oktober bei, wenn sich im subtropischen Klima häufig Gewitter entladen und schwere Regen niedergehen. Für Moskitos und andere Insekten, die eine wichtige Rolle in der Nahrungskette der Tiere bilden, ist dieses feuchtschwüle Klima ideal. Besucher freuen sich weniger über solche Bedingungen und reisen deshalb hauptsächlich in den Wintermonaten an. Dann trocknen die Everglades bis auf verstreute Wasserlöcher aus, um die sich viele Tiere, vor allem auch Alligatoren, aufhalten.

Das Ökosystem der Everglades hat sich während der letzten Jahrzehnte dramatisch

Alligatoren sind die größten Reptilien, die im Everglades National Park vorkommen

verändert. Wachsende Städte und expandierende landwirtschaftliche Nutzflächen drängten die Wildnis immer weiter zurück. Aus den Seen im zentralen Südflorida zweigten große Kanalsysteme Wasser zur Versorgung vor allem des Großraumes Miami ab, wodurch die Everglades immer weniger versorgt wurden. Über Düngung und Pflanzenschutz gerieten Pestizide wie DDT ins Wasser und erreichten über die Nahrungskette viele Tierarten. Bei Sumpfvögeln etwa wirkte sich das Gift besonders verheerend aus. Eierschalen wurden im Laufe der Zeit so dünn, dass sie zerbrachen, noch ehe die Küken schlüpften. Der Vogelbestand ging bei manchen Arten dadurch um 90 % zurück.

Die Auswirkungen der Ölpest im Golf von Mexiko nach dem ›Deepwater Horizon‹-Unglück 2010 auf die Everglades blieben peripher. Mit einer Ausnahme: Florida erhielt von BP 100 Mio. $, um hauptsächlich im Panhandle aufgetretene Schäden zu beseitigen. Ein Teil dieses Geldes soll auch Ökomaßnahmen in den Everglades zugute kommen.

Bis das Zusammenspiel relevanter Faktoren im riesigen Naturschutzgebiet wie etwa die Bedeutung der gemächlichen Veränderung des Wasserstandes erkannt waren, verging viel Zeit. Jahrelang hatte man die Wasserzufuhr über Schleusen geregelt, wodurch der Wasserspiegel viel zu schnell sank oder stieg. Dadurch fanden in der Übergangsphase zwischen dem feuchten Sommer und dem trockenen Winter etwa Vögel keine Gelegenheit mehr, Nester zu bauen und Eier auszubrüten. Zudem hatten die Sumpfgebiete Floridas für viele lange nur den einen Zweck, sie zwecks Gewinnung von zusätzlichem Ackerland trockenzulegen.

Der südliche Nationalpark

▶ 4, K/L 10/11

Bevor man auf der Straße 9336 die Parkgrenze erreicht, bietet die **Everglades Alligator Farm** die Möglichkeit, mit den größten in den Everglades vorkommenden Reptilien auf Tuchfühlung zu gehen. Die 1985 gegründete Farm züchtet Alligatoren und zeigt Besuchern in Florida heimische Tiere wie Krokodile, Vögel, Schlangen und Spinnen (40351 SW. 192nd Ave., Homestead, Tel. 1-305-247-2628, www.everglades.com, tgl. 9–18 Uhr, Erw. 15,50 $, Kinder 4–11 Jahre 10,50 $).

Direkt am Eingang des Parks lohnt sich ein Stopp im **Ernest Coe Visitor Center,** in dem mehrere Filme über den Park, über seine Flora und Fauna und über Hurrikans gezeigt werden.

Nur vier Meilen entfernt befindet sich das **Royal Palm Visitor Center** mit zwei nicht einmal einen Kilometer langen, lohnenden Naturpfaden. Der nach dem Schlangenhalsvogel benannte **Anhinga Trail** besteht aus einem asphaltierten Weg und Holzstegen und bietet Besuchern Gelegenheit, in Freiheit lebende Alligatoren, Vögel, Schildkröten und Wasserschlangen zu beobachten. Der nach einem Baum mit kupferroter Borke benannte **Gumo Limbo Trail** beginnt ebenfalls am Besucherzentrum und windet sich durch eine Dschungelvegetation mit schlanken Königspalmen, wilden Kaffeebäumen und anderen Arten, auf deren Ästen sich Moose, Epiphyten und Orchideen angesiedelt haben.

Aussichtspunkte

Auf der Fahrt ins touristische Parkzentrum **Flamingo** bestehen zahlreiche Möglichkeiten, um an Aussichtspunkten auf den Stegen oder Pfaden die Wildnis in Augenschein zu nehmen.

Beim **Pa-hay-okee Overlook** führt ein Dielensteg durch die Landschaft und ein Aussichtsturm bietet einen wunderbaren Blick über das Kerngebiet der Everglades. Nach weiteren sechs Meilen erreicht man **Mahogany Hammock** mit einem 500 m langen Boardwalk durch das ›Meer aus Sägegras‹ und einen Mahagony-Wald. Einer dieser Mahagony-Bäume (Swietenia mahagoni) ist als der größte seiner Art in den USA gekennzeichnet.

Paurotis Pond, eines von zahlreichen Gewässern entlang der Hauptstraße, ist nach einer in den Everglades seltenen, um den See aber häufig vorkommenden Palmenart

aktiv unterwegs

Kanutouren durch die Everglades

Tour-Infos

Start: Flamingo im Everglades National Park

Öffnungszeiten: Der Park ist ebenso wie das Ernest Coe Visitor Center am Homestead/ Florida City-Eingang ganzjährig rund um die Uhr geöffnet

Mietstation für Kanus und Kayaks: Flamingo Marina in Flamingo, Tel. 1-239-695-3101, www.nps.gov/ever

In den Everglades gibt es zahlreiche Wasserwege, auf denen Kanuten das Naturschutzgebiet erkunden können. Vorab sollte man sich auf jeden Fall in einem Besucherzentrum bei Rangern nach den jeweiligen Verhältnissen erkundigen. Zur Grundausstattung sollten genügend Trinkwasser, Sonnenschutz, Sonnenbrille, Mückenschutzmittel, Regenjacke, Verpflegung, ein Extrapaddel und ein wasserdichter Beutel etwa für die Kamera gehören. Zwischen Ende Februar und Mai muss man stellenweise mit Niedrigwasser rechnen. Die bekanntesten, von Flamingo aus erreichbaren Kanurouten sind:

Nine Mile Pond: Die 8 km lange, mit 116 weißen Posten markierte Rundtour führt durch Marschland mit vereinzelten Mangrove-Inseln. Am Ende der Trockenzeit kann der Wasserstand zu niedrig sein.

Noble Hammock: Die 3 km lange Rundtour zieht sich durch von Mangroven gesäumte Wasserläufe und Weiher. Auf dem gewundenen Wasserweg sollte man darin geübt sein, ein Kanu zu steuern.

Hell's Bay: Über 160 Orientierungspfosten leiten Kanuten über diesen knapp 20 km langen Kanutrail, an dem drei einfache Campingplätze liegen. Wer dort übernachten will, braucht ein Permit.

Florida Bay: In Flamingo können sich Kanuten in die offenen Gewässer der Florida-Bucht begeben, wo man selbst im Hochsommer kaum mit Moskitos rechnen muss. An windigen Tagen kann das Wasser zu rau sein.

Mud Lake Loop: 12 km lange Schleife vom Coot Bay Pond über Weiher, Seen und Kanäle. Der Bear Lake Canal kann zeitweise zu wenig Wasser führen.

West Lake: Auf der 13 km langen Strecke zum Alligator Creek paddelt man über mehrere Seen, die durch schmale Bäche miteinander verbunden sind. Übernachten auf den Campingplätzen ist nur mit Permit gestattet.

benannt. Bei Meile 30,5 beginnt der **Mangrove Wilderness Trail,** der nur rund 700 m lang ist und über einen Holzsteg durch Mangrovenbewuchs zum **West Lake** führt. Das Thema Mangroven ist auf diesem Weg deshalb so interessant, weil drei in Florida vorkommenden Arten an dieser Stelle wachsen: rote, schwarze und weiße Mangroven, die mit ihren hölzernen ›Beinen‹ Erdreich festhalten und über lange Zeiträume hinweg sogar Inseln bauen können.

Die Parkstraße endet in **Flamingo** an der Florida Bay, mit einer Touristeninformation, Campingplatz, kleinem Store und Cafe (nur Jan.–Mai), Rad- und Kajakverleih. Im ver- gangenen Jahrhundert war die Siedlung nur per Boot erreichbar und hauptsächlich für Vogeljäger interessant. Heute ist die Ansiedlung das Urlauberzentrum der südöstlichen Everglades, von wo aus man Bootsausflüge, Kanutouren und Wanderungen unternehmen kann.

Infos

Ernest Coe Visitor Center: 40001 US 9336, Homestead, FL 33034, Tel. 1-305-242-7700, www.nps.gov/ever, tgl. 8–17 Uhr. Das **Royal Palm Visitor Center** liegt 4 Meilen vom Parkeingang entfernt, Tel. 1-305-247-6211, tgl. 8–17 Uhr.

Ernst zu nehmende Warnung: Alligatoren sind gefährlich. Nicht füttern!

Übernachten

... in Flamingo:

Camping ▶ **Flamingo Campground:** Tel. 1-239-695-0124, großer Platz am Ende der Parkstraße auch für RV mit Strom, Duschen, Picknicktischen. Hier beginnen mehrere Wanderpfade und Kanurouten.

Long Pine Key Campground: 6,8 Meilen vom Parkeingang, für Zelte und RV, mit Toiletten und Wasser. Nur Nov.–Mai, Reservierung nicht möglich.

Der nördliche National-park ▶ 4, K/L 9/10

Vom Hwy 41 führt bei **Shark Valley** eine 15 Meilen lange Schleife durch die Sumpflandschaft der Everglades, die man entweder mit einem geliehenen Rad oder mit einem Touristenzug fahren kann. Am Wendepunkt der Straße steht ein 12 m hoher Aussichtsturm, von dessen Plattform man einen beeindruckenden Blick über die Landschaft hat

(Tel. 1-305-221-8776, www.sharkvalleytram tours.com, tgl. jede volle Stunde 9–16 Uhr, Tram Erw. 22 $, Rad 8,50/h $.

Miccosukee Indian Village

Unmittelbar an der Nordgrenze der Everglades sichern sich die Bewohner des **Miccosukee Indian Village** am Tamiami Trail ihren Anteil am Geschäft mit der Natur. Das Dorf liegt in einer 30 000 ha großen, 1934 eingerichteten Reservation, die von etwa 500 Miccosukee bewohnt wird, die sich von den weiter nördlich lebenden Big Cypress Seminole Indians (s. S. 447) abspalteten. Im Dorf selbst können Gäste den Indianern bei Korbflechte-, Schnitz- und Patchworkarbeiten zusehen. (MM 70, US. 41, Tel. 1-305-552-8365, www.miccosukee.com/indian_village, tgl. 9–17 Uhr).

Das **Miccosukee Resort & Gaming** 18 Meilen östlich will nicht so richtig in das traditionelle Bild einer Indianergemeinde passen. Hunderte Spielautomaten, Pokertische und Bingohallen demonstrieren im Hotelkasino, dass der Miccosukee-Stamm den Selbstverwaltungsstatus seiner Reservationen erfolgreich nutzte. Mit über 1000 Video-Spielautomaten, mehreren Dutzend Poker-tischen, einem Hotel und Golfplatz wurden neue Einnahmequellen erschlossen (Hwy 41/Krome Ave., 500 SW. 177th Ave., Tel. 1-877-242-6464, www.miccosukee.com).

Big Cypress National Preserve

Wie mit dem Lineal gezogen, durchquert der Highway 41, der sogenannte **Tamiami Trail**, die riesigen Sumpfgebiete des Everglades National Park in Ost-West-Richtung. Als Fortsetzung des Parks dehnt sich die Natur-landschaft in nördlicher Richtung über die bekannte Alligator Alley (I-75) aus, die ähn-lich schnurgerade wie der Tamiami Trail durch das **Big Cypress National Preserve** führt. Das Naturschutzgebiet erhielt seinen Namen nach den mehrere Hundert Jahre al-ten Sumpfzypressen, die in den 1930er- und 1940er-Jahren leider größtenteils der Holz-industrie zum Opfer fielen. Am nordöstlichen Rand des Gebiets dehnt sich die Big Cy-press Seminole Indian Reservation aus.

Everglades City

Folgt man dem Tamiami Trail nach Westen, bekommt man ein Gefühl für die Weiten des Sumpflandes.

Die Straße 29 biegt in südlicher Richtung in den westlichsten Parkabschnitt bei Ever-glades City ab. Dort werden anderthalbstün-dige Fahrten mit Ausflugsbooten durch die der Küste vorgelagerten Ten Thousand Is-lands angeboten, wobei man Delfine, Greif- und Stelzvögel beobachten kann.

Infos

Gulf Coast Visitor Center: 815 Oyster Bar L., Everglades City, Ranger Station, Tel. 1-239-695-3311, tgl. 9–16.30 Uhr.

Übernachten

Top-Adresse ▶ **Ivey House B & B:** 107 Ca-mellia St., Tel. 1-239-695-3299, www.iveyhou se.com. Gäste können im Inn, in der Lodge oder im Cottage unterkommen. Ab 99 $.

Tipp: Mit Indianern auf der Pirsch

Von der Alligator Alley biegt bei Exit 49 in nördlicher Richtung die Nebenstraße 833 ab, die nach 19 Meilen den Eingang zur **Big Cypress Seminole Indian Reservation** er-reicht. Das indianische Unternehmen **Billie Swamp Safari** veranstaltet in dieser von Sümpfen, Feuchtgebieten und kleinen Wäld-chen geprägten Landschaft Touren mit ge-ländegängigen Fahrzeugen, auf denen man unter professioneller Führung Flora und Fauna des zentralen Südflorida kennenlernen kann (HC-61, P. O. Box 46, Clewiston, Florida 334 40, Tel. 1-863-983-6101, www.seminole tribe.com/safari).

Nach dem Ausflug in die Natur bietet sich ein Besuch im **Ah-Tah-Thi-Ki Museum** an, das sich mit der Kultur der Seminolen gegen Ende des 19. Jh. auseinander setzt. Lebens-große Puppen tragen Seminolentrachten und schönen Perlenschmuck. Zudem sind Waf-fen und Gebrauchsgegenstände ausgestellt, die Aufschluss über das Alltagsleben der Flo-rida-Indianer geben (34725 W. Boundary Rd., Tel. 1-877-902-1113, www.seminoletribe.com/ museum, tgl. 9–17 Uhr, Erw 9 $, Kinder 5–18 Jahre 6 $).

Freundlich ▶ **Everglades City Motel:** 310 Collier Ave., Tel. 1-239-695-4224, www.ever gladescitymotel.com. Standardzimmer mit 2 Doppelbetten, Klimaanlage und Bad, manche auch mit Küche. 89–150 $.

Essen & Trinken

Einfach gut ▶ **Camellia Street Grill:** 208 Camellia St., Tel. 1-239-695-2003, tgl. 12–21 Uhr. Alligator, frischer Fisch oder Pizza in lo-ckerer Atmosphäre. Mückenspray mitneh-men! 10–30 $.

Für Bodenständige ▶ **Oyster House Res-taurant:** 901 S. Copeland Ave., Tel. 1-239-695-2073, www.oysterhouserestaurant.com, tgl. 11–22 Uhr. Shrimps mit Kräutern 24 $, Al-ligator 22 $, Captain Platter 28 $.

Klassische Reiseziele an der Ostküste wie Miami, Palm Beach und Daytona Beach haben Konkurrenz bekommen. Die südliche Golfküste macht dem atlantischen Osten die Gunst der Urlauber streitig. Makellose Sandstrände, malerische Inseln, moderne Städte und attraktive Sehenswürdigkeiten sind Pfunde, mit denen die Golfküste ebenso wuchern kann wie mit weniger frequentierten Orten.

Von den täglich ca. 1000 Menschen, die nach Florida ziehen, lassen sich etwa 80 % südlich der Linie Tampa/Orlando nieder, viele davon an der Golfküste. Grund sind die günstigen Lebensverhältnisse mit einem ganzjährig angenehmen Klima, vor allem aber zwischen Oktober und Mai, mit niedriger Kriminalitätsrate und einer reizvollen subtropischen Naturkulisse. Viele Amerikaner und in zunehmendem Maß auch Europäer reisen in der kalten Jahreszeit zum Überwintern an die südliche Golfküste und treten damit in die Fußstapfen von Berühmtheiten wie Henry Ford, Thomas Edison und Charles Lindberg, die dort ihre Winterresidenzen einrichteten.

Der Küste hauptsächlich bei Fort Myers und Sarasota sind typische Sandbankinseln vorgelagert, die zu den exklusivsten Urlaubsorten des westlichen Florida zählen. Auf Longboat Key etwa führt die Küstenpromenade an Nobelresidenzen, luxuriösen Golfklubs und First-Class-Resorts vorbei. Selbst der Rasen in den Parkanlagen wächst dort offensichtlich akkurater als sonstwo im Sunshine State. Zum obligatorischen Sonnenuntergang findet man sich am Strand auf Lido Key ein, wo allabendlich die große Stunde der Fotografen schlägt.

Wem der Sinn eher nach freier Natur steht, verbringt die Zeit vermutlich lieber am Strand auf Sanibel und Captiva Island, wo günstige Meeresströmungen für die schönsten Muschelstrände Amerikas sorgen. Im Hinterland der Küste liegt mit Fort Myers die größte Stadt

an der südlichen Golfküste. Dort tüftelte Thomas Edison bis zu seinem Tod im Jahr 1931 an genialen Erfindungen. Sein in einem schönen Garten gelegenes Heim an der Palmenallee McGregor Boulevard ist zweifellos die größte Besucherattraktion der Stadt.

Andere Küstenstädte brauchen sich hinter Fort Myers nicht zu verstecken. Sarasota gilt als Floridas Hochburg der Kunst und verdankt diesen Ruf dem Kunstmuseum des ehemaligen Zirkuskönigs John Ringling, der seit den 1920er-Jahren eine für Amerika einmalige Sammlung zusammentrug. Naples sieht aus, als würden Nacht für Nacht Heinzelmännchen Straßen und Gehsteige fegen.

Naples ▶ 4, J 9

Südlichste Stadt am Golf von Mexiko ist das schon vor Jahrzehnten von Pensionären als Alterswohnsitz entdeckte **Naples.** Die gepflegte 21 000-Seelen-Gemeinde mit ihrem kleinen, aber hübsch herausgeputzten Zentrum schickt sich an, Palm Beach den Rang als Prominententreff abzulaufen. Nirgendwo auf US-Boden gibt es mehr Golflöcher pro Kopf der Bevölkerung, und über ein mangelndes Angebot an Boutiquen, Designerläden und Nobelrestaurants kann sich auch niemand beklagen.

Im Sommer lockt der 10 Meilen lange Sandstrand mit seinem 300 m ins Meer ragenden Pier Badetouristen an, im Winter wirbt das Städtchen mit Temperaturen, die bis auf 20 °C klettern.

Seit fast 100 Jahren bildet der **Naples Zoo at Caribbean Gardens** eine Oase, die aus einem Tierpark mit Zebras, Affen, Löwen, Leoparden, Tigern, Schwarzbären und Pumas und einem historischen botanischen Garten besteht, der viele exotische Pflanzenarten zeigt (1590 Goodlette Rd. N., Tel. 1-239-262-5409, www.napleszoo.com, tgl. 9–17 Uhr, ab 13 Jahre 20 $, online günstiger).

Infos

Visitor & Information Center: 900 Fifth Avenue S., Naples, FL 34103, Tel. 1-239-262-6141, www.napleschamber.org.

Übernachten

Einwandfrei ▶ **Naples Bay Resort:** 1500 5th Ave. S., Tel. 1-239-530-1199, www.naplesbayresort.com. Wunderschönes Vier-Sterne-Resort mit Ferienwohnungen, Cottages, Gourmet-Restaurant, Bar und eigener Marina. DZ durchschnittlich 179 $.

Der Charme Floridas ▶ **Fairways Resort:** 103 Palm River Blvd., Tel. 1-239-597-8181, www.fairwaysresort.com. In einer Gartenanlage gelegenes Motel mit Pool. Die Hälfte der 46 Zimmer ist mit einer Küche ausgestattet. Frühstück wird in einem klimatisierten Gartenpavillon serviert. 80–170 $.

Essen & Trinken

Austern satt ▶ **Dock at Crayton Cove:** 845 12 Ave. S., Tel. 1-239-263-9940, http://dockcraytoncove.com, tgl. ab 11 Uhr. Am Hafen gelegenes einfacheres Lokal mit Seafood, Salaten, Steaks, Pasta-Gerichten und einer Raw Bar für Austern. Jeden So 10.30–14 Uhr Brunch mit Bloody-Mary-Bar.

Die Küste von Lee County

Fort Myers Beach ▶ 4, J 8

Gewissermaßen im Schatten der bekannten Inseln Sanibel und Captiva hat sich **Fort Myers Beach** auf Estero Island zu einem populären Badeort entwickelt. Strand und Wasserqualität sind ähnlich fantastisch wie bei den bekannten Nachbarn, die Preise aber weitaus günstiger. Außerdem profitiert der Küstenflecken von seiner Reputation, zu den sichersten Stränden im ganzen Sunshine State zu gehören. Vor allem Familien mit Kindern genießen das Baden und Sandburgenbauen an dem breiten Sandstreifen, der flach wie ein Bügelbrett ins Meer hinaus verläuft. Auf dem hölzernen Pier versammeln sich gegen Abend braune Pelikane, um in der Nähe der Feierabendangler auf einen schmackhaften Happen zu warten. Schon nachmittags rüsten sich die Musikkneipen am Strand für ausgelassene Festivitäten. Mittwochs und am Wochenende unterhalten im Lokal Doc Ford's Rum Bar & Grille Bands die Gäste (708 Fisherman's Wharf, Tel. 1-239-765-9660).

Sanibel und Captiva ▶ 4, J 8/9

Unter den Urlaubszielen der Golfküste besitzt das Lee County um Fort Myers einen klingenden Namen, in erster Linie wegen des kleinen, exklusiven Inselreichs vor diesem Küstenabschnitt. Seit 1963 verbindet ein mautpflichtiger Damm **Sanibel** und **Captiva** mit dem Festland. Zunächst erreicht die Straße das 20 km lange und 3 km breite **Sanibel Island**, das 7000 ›Insulaner‹ ihre ständige Heimat nennen. Sanibel wie auch der nördliche Nachbar Captiva Island gelten mit ihren unverbauten Stränden als Mekka für Muschelsucher (s. S. 428). Beide sind für Nobelhotels, luxuriöse Ferienhäuser und wunderschöne Ferienanlagen bekannt. Am besten lassen sich die Inseln mit ihren seltenen Vögeln, Schmetterlingen, Flamingos und Pelikanen per Fahrrad erkunden, da vor allem Sanibel ein dichtes Netz von Radwegen besitzt. Bei Bootsausflügen ist die Chance groß, auf Delfine oder Manatees zu treffen. Im Naturschutzgebiet **J. N. ›Ding‹ Darling Wildlife Refuge** führen mehrere Wege durch Palmen und Palmettobuschwerk zu einem 12 m hohen Beobachtungsturm, von dem man die Tier- und Pflanzenwelt studieren kann (1 Wildlife Dr., Tel. 1-239-472-1100, www.fws.gov/dingdarling, tgl. 7.30 Uhr bis Sonnenuntergang, Wildlife Drive am Fr geschlossen).

Tipp: Shell Hunting

Nirgendwo ist der Anblick gebückt gehender Menschen mit vor die Füße gerichtetem Blick ein so häufiges Phänomen wie auf Sanibel und Captiva Island. Beide Inseln gelten als Paradiese für Muschelsucher, weil wegen der günstigen Meeresströmungen dekorative Kalkschalen in riesigen Mengen angeschwemmt werden. Die hübschen Fundstücke werden aber auch in so gigantischen Mengen als Reisemitbringsel weggeschleppt, dass Kenner inzwischen eher empfehlen, etwa auf das nur per Boot erreichbare Gasparilla Island oder auf andere Barriere-Inseln auszuweichen, wo selbst seltene Muscheln noch in Hülle und Fülle zu finden sind.

Andere lohnende Strände, an denen bis zu 400 unterschiedliche Arten von Muscheln und Schnecken vorkommen, sind Lovers Key State Park in Fort Myers und Tigertail Beach County Park auf Marco Island südlich von Naples. Die beste Zeit für Shell Hunting ist die Saison von Dezember bis März. Man sollte die Ebbe abwarten, weil bei Niedrigwasser größere Strandabschnitte trocken liegen. Die Strände um Venice sind weniger für Muscheln als vielmehr für angeschwemmte Haifischzähne berühmt. Die Größen variieren stark, von wenigen Millimetern bis zur stolzen Länge von etwa 7,5 cm. So große Funde sind selten geworden, seitdem Riesenzähne unter Souvenirjägern ganz besonders begehrt sind. Praktischen Anschauungsunterricht vermittelt das **Bailey Matthews Shell Museum** auf Sanibel Island, das u. a. die Privatsammlung des Schauspielers Raymond Burr alias Perry Mason ausstellt (3075 Sanibel-Captiva Rd., Tel. 1-239-395-2233, www.shellmuseum.org, tgl. 10–17 Uhr, Erw. 9 $, Kinder 5-16 Jahre 5 $).

Infos

Sanibel & Captiva Islands Chamber of Commerce: 1159 Causeway Rd., Sanibel Island, Florida 33957, Tel. 1-239-472-1080, www.sanibel-captiva.org.

Übernachten

Berauschende Lage ▶ **Tropical Winds Motel & Cottages:** 4819 Tradewinds & Jamaica Dr., Tel. 1-239-472-1765, www.sanibeltropicalwinds.com. Cottages am Strand zum Teil für bis zu 8 Personen, voll ausgerüstet. Mindestaufenthalte, ab 189 $.

Nest für Romantiker ▶ **Parrot Nest:** 1237 Anhinga Ln., Tel. 1-239-472-4212, www.parrotnest.com. Sechs mit kleinen Küchen ausgestattete Zimmer am östlichen Ende von Sanibel. 99–209 $.

Fort Myers ▶ 4, J 8

Jahrzehntelang tüftelte in **Fort Myers** der geniale Erfinder Thomas A. Edison an elektrischen Glühbirnen und Telegrafen. Am Ufer des Caloosahatchee River baute er in einem überaus üppigen Tropengarten das **Thomas A. Edison's Winter Home,** in dem er zwischen 1886 und 1931 beinahe alle Wintermonate verbrachte. In seinem Labor experimentierte Edison vor Ausbruch des Ersten Weltkriegs im Regierungsauftrag auch an der Herstellung von künstlichem Gummi, weil die Vereinigten Staaten von Importen unabhängig werden sollten.

Diese Erfindung lag auch ganz im Interesse von Edisons Freund, dem Automobilkönig Henry Ford, der 1915 auf dem Nachbargrundstück das bescheidene **Ford's Home** kaufte. Im Innern sieht das Anwesen des schwerreichen Auto-Magnaten zwar so aus wie zu seinen Lebzeiten, doch existiert ein Großteil der Originalausstattung nicht mehr. Auf dem Parkplatz der beiden Promi-Anwesen steht ein riesiger Banyan-Baum, den der Gartennarr Edison 1925 als Pflänzchen vom Reifenfabrikanten Harvey Firestone geschenkt bekommen hatte (2350 McGregor Blvd., Tel. 1-239-334-7419, www.efwefla.org, Führungen tgl. 9–17.30 Uhr, Erw. 20 $, Kinder 6–12 Jahre 11 $).

Infos

Lee County Visitors & Convention Bureau: 2201 Second St., Fort Myers, FL 33901, Tel. 1-239-338-3500, www.fortmyerssanibel.com.

Am Palmenstrand von Fort Myers

Übernachten

Fabelhaft ▶ **Hibiscus House:** 2135 McGregor Blvd., Tel. 1-239-332-2651, www.thehibiscushouse.net. Das einzige B & B der Stadt aus dem Jahr 1912, mit 5 Gästezimmern, alle mit eigenem Bad und Internetzugang. 169 $.

Angenehm und gut gelegen ▶ **La Quinta Inn:** 4850 S. Cleveland Ave., Tel. 1-239-275-3300, www.lq.com. Ordentliche Zimmer, ausgestattet mit Kaffeemaschine und kostenlosem Highspeed-Internetzugang. Außenpool. 65–100 $.

Camping ▶ **Raintree RV Resort:** 19250 N. Tamiami Trail, North Fort Myers, Tel. 1-239-731-1441, www.raintreerv.com. Mit Palmen und Blumen sehr gut ausgestatteter Campingplatz mit Pools. **Seminole Campground:** 8991 Triplett Rd., N. Fort Myers, Tel. 1-239-543-2919, www.seminolecampground.com. Bewaldeter Platz, mit Laden, Pool und heißen Duschen.

Essen & Trinken

Einfach hervorragend ▶ **Cru:** 13499 US 41, Tel. 1-239-466-3663, www.eatcru.com, Mo–Do 11.30–14.30, tgl. 17.30–22 Uhr. Nobelrestaurant mit neuseeländischem Lammfleisch, Bisonsteaks aus Colorado, außerdem Paella und ausgezeichneter Weinauswahl. 20-44 $.

Ein hübsches Plätzchen ▶ **The Veranda:** 2122 Second St., Tel. 1-239-332-2065, www.verandarestaurant.com, Mo–Fr 11–16, 17.30–22 Uhr, Sa nur abends. Seafood, Fleisch und Pasta in viktorianischem Ambiente. 30–40 $.

Einkaufen

Outlet ▶ **Tanger Outlet Center:** 20350 Summerlin Rd., www.tangeroutlet.com/fortmyers, Mo–Sa 9–21, So 11–18 Uhr. 55 Geschäfte für Fabrikverkauf.

Sarasota ▶ 4, H 7

Vor 100 Jahren war fast die gesamte südliche Golfküste abgelegene Wildnis. In **Sarasota** stand um 1900 eine Hand voll Häuser, ehe Winterurlauber die fischreichen Gewässer, die tropische Vegetation und die frühlingshaften Januartemperaturen entdeckten. Einer der einflussreichsten war John Ringling. Er

Skulpturengarten des Ringling Museum of Art in Sarasota

kam 1920 nach Sarasota und blieb etwas länger als ursprünglich geplant – 16 Jahre. Heute gehören seine Hinterlassenschaften zum Sehenswertesten der Stadt. Er hatte es im Ölgeschäft und als Grundstücksspekulant zu einem riesigen Vermögen gebracht. Zudem betrieb er mit seinen vier Brüdern einen Zirkus und betätigte sich nebenbei als begeisterter Kunstsammler.

Das Ringling Imperium

Auf Reisen durch die Alte Welt hatte Ringling sein Herz für Renaissance- und Barock-Kunst entdeckt. Werke aus beiden Epochen holte er von Italien und Spanien nach Florida, darunter Statuen, Säulen und Brunnen, die alle Teil des 1929 eröffneten **John and Mable Ringling Museum of Art** wurden. Bis zu seinem Tod 1936 kaufte der Zirkuskönig über 600 Gemälde und zahlreiche Skulpturen, darunter unschätzbare Werke von Veronese, Rubens und Moretti.

Das inmitten eines Parks gelegene, einem florentinischen Palazzo im Renaissance-Stil nachempfundene Museum umschließt einen schönen offenen Innenhof mit Skulpturengar-

ten (5401 Bay Shore Rd., Tel. 1-941-359-5700, www.ringling.org, tgl. 10–17 Uhr, Erw. 25 $, gilt auch für Cà d'Zan, Museum Mo kostenlos).

Auf dem bis an die Sarasota-Bucht reichenden Ringling-Besitz steht außer einem Zirkusmuseum mit Kostümen, Kulissen, Requisiten und alten Werbeplakaten die dem Dogenpalast in Venedig nachempfundene Residenz **Cà d'Zan**, die Ringling von 1926 an als Wohnsitz diente. Das schöne, mit Terrakotta-Dekor geschmückte Anwesen, dessen Name durch die Verballhornung der italienischen Übersetzung von ›Johns Haus‹ entstand, verbindet viele unterschiedliche Stilelemente z. B. aus der italienischen und französischen Renaissance, dem Barock und der moderneren Architektur miteinander. Über der aus 30 Räumen und 14 Bädern bestehenden Residenz erhebt sich ein knapp 20 m hoher Turm, in dem in früheren Zeiten ein Licht brannte als Zeichen für die Anwesenheit des Hausherrn.

Sarasota Classic Car Museum

Um Schätze aus Lack, Blech und Chrom geht es in dieser Oldtimerausstellung, in der das älteste Auto Baujahr 1903 ist und bekannte Markennamen wie Bentley, Cadillac und Ferrari auftauchen. Zu den Stars zählt ein Mercedes Roadster, der früher einmal von John Lennon gefahren wurde, und der Mini Cooper von Paul McCartney. Neben Automobilen stellt das Museum alte Musikautomaten aus (5500 N. Tamiami Trail, Tel. 1-941-355-6228, www.sarasotacarmuseum. org, tgl. 9–18 Uhr, Erw. 9,85 $, Kinder 6–12 Jahre 6,50 $).

Botanische Gärten

Kenner zählen die **Marie Selby Botanical Gardens** zu den schönsten in den USA. Hinter dem Eingang öffnet sich ein Reich von über 6000 zum Teil seltenen Orchideen, wunderschönen Bromelien, blühenden Pflanzen und Farnen, die in Gewächshäusern oder im Freien wachsen (811 S. Palm Ave., Tel. 1-941-366-5731, www.selby.org, tgl. 10–17 Uhr, Erw. 19 $, Kinder 6–11 Jahre 6 $).

Das zoologische Pendant zu diesem botanischen Paradies bilden die **Sarasota Jungle Gardens** mit 70 Tierarten von der Burmesischen Python über Flamingo und Alligator bis zum Rotschwanzbussard (3701 Bay Shore Rd., Tel. 1-941-355-5305, www. sarasotajunglegardens.com, tgl. 10–17 Uhr, Erw. 16 $, Kinder 4–16 Jahre 11 $).

Infos

Sarasota Visitor Information Center: 701 N. Tamiami Trail, Tel. 1-941-957-1877, www.sara sotafl.org.

Übernachten

Malerisches Strandrefugium ▶ **Palm Bay Club:** 5960 Midnight Pass Rd., Tel. 1-941-349-1911, www.palmbayclub.com. Auf Siesta Key gelegenes Strandhotel mit vielen Annehmlichkeiten, darunter zwei beheizten Pools, Fitness Center, Tennisplätzen, Anglerpier und Privatstrand. Ab ca. 165 $.

Großes Apartment mit Küche ▶ **Residence Inn:** 1040 University Pkwy, Tel. 1-941-358-1468, www.marriott.com. 78 Suiten mit getrennten Wohn- und Schlafräumen, Frühstück inklusive. Ab 140 $.

Camping ▶ **Sun 'n Fun Resort Campground:** 7125 Fruitville Rd., Tel. 1-941-371-2505, www.sunnfunfl.com. Annehmlichkeiten wie große Poollandschaft.

Essen & Trinken

Universelle Küche ▶ **Cafe l'Europe:** 431 St. Armands Circle, Tel. 1-941-388-4415, www.cafeleurope.net, tgl. 11.30–22 Uhr. Der Küchenchef kombiniert französische, spanische und karibische Elemente und komponiert exzellente, bereits preisgekrönte Gerichte. 14–48 $.

Man bezahlt auch für die Lage ▶ **Marina Jack:** Island Park, Tel. 1-941-365-4232, tgl. 11.30–2 Uhr. Neben Seafood werden typische US-Klassiker serviert. Man kann draußen essen. 12–30 $.

Einkaufen

Geschäfte und Restaurants ▶ **St. Armands Circle:** Ringling Causeway über die Sarasota Bay nach St. Armands Key. Um den Platz liegen ca. 130 Einkaufsmöglichkeiten.

De Soto National Memorial ▶ 4, H 7

Die Reise Richtung Tampa Bay tritt man am besten über **Longboat Key** an. Auf der Meerseite verläuft der Gulf of Mexico Drive vorbei an manikürten Golfplätzen, Ansammlungen von Privatvillen und Nobelherbergen mit eigenen Sandstränden. Landeinwärts liegt am Südufer des Manatee River das **De Soto National Memorial**, wo der Spanier Hernando de Soto 1539 mit 600 Soldaten die erste größere Landexpedition im Südosten der USA begann. Sie diente dem Zweck, die sagenumwobenen ›Sieben goldenen Städte von Cibola‹ zu finden, endete aber in einem Fiasko, weil die Schatzjäger kein Gramm Gold auftreiben konnten. De Soto kam bei diesem Unternehmen 1542 am Mississippi ums Leben. Im Besucherzentrum zeigt ein 20-minütiger Film die historischen Ereignisse (8300 De Soto Memorial Hwy., Tel. 1-941-792-0458, www.nps.gov/deso, tgl. 9–17 Uhr).

Großstadtflair in Tampa, Kunstgenuss in St. Petersburg, Beach Life im dynamischen Clearwater Beach: Neben Stadtatmosphäre kennt die nördliche Golfküste auch stille, paradiesische Badeplätze, die besonders an der Küste des Panhandle einen hervorragenden Ruf genießen.

Die tief in die Golfküste hineinreichende Tampa Bay beginnt bei der 24 km langen und 54 m hohen Sunshine Skyway Bridge, auf der sich die Route 19 über die Bucht von Bradenton nach St. Petersburg hinüberschwingt. Die Stadt Tampa hatte 1884, als die von Henry Plant gebaute Eisenbahn an die Bay fertiggestellt war, erst 700 Einwohner, begann danach aber schnell zu wachsen. Damals wurde die Mündung des Hillsborough River, an dem die Stadt liegt, für Ozeanfrachter ausgebaut. Danach entwickelte sich der Küstenflecken bis 1890 zu einem Städtchen mit 5000 Einwohnern. Heute ist Tampa mit 340 000 Einwohnern die drittgrößte Stadt Floridas und siebtgrößter Hafen der USA. So modern sich die Bay-Metropole mit ihrer Hochhaus-Skyline und Vergnügungsparks auch gibt: Einige ihrer touristischen Schätze stammen aus vergangenen Zeiten wie etwa das von Zwiebeltürmchen geschmückte Tampa Bay Hotel des Eisenbahnkönigs Henry Plant. Ein weiteres Relikt aus der Vergangenheit ist der Stadtteil Ybor City, wo früher Tausende Arbeiterhände Zigarren drehten und den Stadtteil zu einer Hochburg des ›Blauen Dunstes‹ machten.

Wer an der nördlichen Golfküste die Strände genießen will, ist auf der Pinellas-Halbinsel und vor allem im Panhandle gut aufgehoben, wo etwa Panama City Beach als Badehochburg gilt. Auf den vorgelagerten Sandbankinseln des ›Pfannenstiels‹ trifft man auf Sandsäume, so weit das Auge reicht. Allerdings wurden sie durch die Ölpest 2010 in Mitleidenschaft gezogen.

Tampa ▶ 4, H 6

Gemeinsam mit St. Petersburg gehörte **Tampa** in den 1980er-Jahren zu den Städten mit der am schnellsten wachsenden hispanischen Bevölkerung in Florida. Die Wolkenkratzer-Skyline der Stadt warf im Zentrum um die sechs Blocks lange Fußgängerzone Franklin Street Mall immer längere Schatten über ältere Gebäude wie etwa die aus dem beginnenden 20. Jh. stammende Sacred Heart Church, das U.S. Courthouse von 1905 und die 1915 erbaute Tampa City Hall. Auch wirtschaftlich sind die Fortschritte Tampas unübersehbar. Über 30 % aller Beschäftigten von Hightech-Unternehmen in Florida stehen in und um Tampa in Lohn und Brot. Mit Erfolg versucht die Stadtverwaltung seit Jahren, die vor Jahrzehnten einsetzende Stadtflucht zu bremsen und wieder mehr Leben in die Innenstadt zurückzubringen.

Auf Stadttour

Wer mehrere Attraktionen besucht, spart mit dem Kauf des CityPass viel Geld (de.citypass.com/tampa, Erw. 119 $, Kinder 3–9 Jahre 99 $). Lohnenswert ist ein Besuch im Florida Aquarium. Der Komplex gibt über 10 000 unterschiedlichen Meerestieren und -pflanzen eine neue Heimat. Täglich werden Besucher mit Taucher-Shows im Haifischbecken unterhalten und können sich selbst mit den Meeresbewohnern anfreunden. Im Café Ray kann man seine Eindrücke bei einer Kaffeepause verarbeiten. Als neuestes Highlight wird Besuchern die Möglichkeit geboten, mit bunten Fischen in einem eindrucksvoll nachgebildeten Korallenriff zu schwimmen. Das IMAX-Kino nebenan zeigt Dokumentarfilme über Unterwasserwelten (701 Channelside Dr., Tel. 1-813-273-4000, www.flaquarium. org, tgl. 9.30–17 Uhr, Erw. 24 $, Kinder 3–12 Jahre 19 $).

Im Jahr 1891 ließ der Eisenbahnindustrielle Henry B. Plant das **Tampa Bay Hotel** im orientalischen Stil mit Zwiebeltürmchen erbauen, als habe sich der Architekt durch den Kreml inspirieren lassen. Der Luxusbau mit 500 Zimmern, zwei Ballsälen und Kasino mit Schwimmbad war das erste vollständig elektrifizierte Gebäude in Tampa, dessen Gäste mit Rikschas durch die Wandelhallen und den tropischen Garten fuhren. 1933 brachte man die Universität und ein Museum unter (401 W. Kennedy Blvd., Di–Sa 10–17, So 12–17 Uhr, Erw. 10 $).

Was klassische griechische und römische Kunst anbelangt, besitzt das **Tampa Museum of Art** eine der besten Sammlungen im Land. Aber auch zeitgenössische Kunst kommt nicht zu kurz, wie etwa eine Galerie zeigt, die amerikanische Künstler und Künstlerinnen wie Georgia O'Keeffe vorstellt. Das Museum befindet sich in einem mit Aluminiumplatten verkleideten Gebäude, dessen Entwurf der kalifornische Architekt Stanley Saitowitz anfertigte (120 W. Gasparilla Plaza, Tel. 1-813-274-8130, www.tampamuseum. org, Mo–Do 11–19, Fr 11–20, Sa, So 11–17 Uhr, Erw 10 $).

Busch Gardens

Kaum jemand stattet Tampa einen Besuch ab, ohne die Busch Gardens gesehen zu haben, eine Kombination aus Zoo und Freizeitpark. Zu einem Publikumsrenner wurde das **Myombe Reserve**, eine Primatenabteilung mit Schimpansen und Gorillas. In einem weiteren Teil der Gärten bildeten Landschaftsgestalter eine **afrikanische Savanne** nach, in der alle Großtiere des Schwarzen Kontinents vertreten sind. Auch bei den typischen Fahrvergnügungen dominiert das Thema Afrika, wie etwa beim Ritt in Gummibooten über die Stromschnellen des Congo River

oder bei der ›Rhino Rally Off-Road-Safari‹. Kinder lieben es, im ›Walkaway Way‹ die Kängurus zu füttern und zu knuddeln (3000 E. Busch Blvd., Tel. 1-888-800-5447, www. buschgardens.com, tgl. meist 9–18 Uhr, Erw. 92 $, Kinder 3–9 Jahre 87 $, online preiswerter, Parken 15 $).

Der **Lowry Park Zoo** entwickelte sich seit 1937 aus einem kleinen Tierheim und hat heute einen ausgezeichneten Ruf u. a. als Einrichtung, die sich mit einem Forschungs- und Rehabilitationszentrum z. B. der Rettung vom Aussterben bedrohter Seekühe verschrieben hat. Neben Manatees kann man im Lowry Park viele andere Wasserlebewesen und Reptilien wie Alligatoren und einheimische Schlangen sehen, aber auch afrikanisches Großwild, Primaten, Tiger und viele Vogelarten. Jüngeren Besuchern wird der Streichelzoo gefallen, in dem die Tiere gefüttert werden dürfen (1101 W. Sligh Ave., Tel. 1-813-935-8552, www.lowryparkzoo. com, tgl. 9.30–17 Uhr, Erw. 25 $, Kinder 3–11 Jahre 20 $, Parken kostenlos).

Mit simulierten Hurrikans, einer Fahrt mit dem Fahrrad in 10 m Höhe auf einem Stahlseil, Planetarium-Shows und auf eine Riesenleinwand projizierten IMAX-Filmen lockt das **Museum of Science and Industry** Jung und Alt. An Dutzenden interaktiven Einrichtungen kann man die Wirkungsweise der Naturgesetze studieren und interessante Fakten etwa über den menschlichen Körper oder Luftfahrttechnologien erfahren (4801 E. Fowler Ave., Tel. 1-813-987-6000, www.mosi.org, Mo–Fr 9–17, Sa/So 9–18 Uhr, Erw. 22 $, Kinder 2–12 Jahre 18 $).

Ybor City

Tampas historischer Kern **Ybor City** war früher ein Zentrum von 200 Zigarrenmanufakturen, in denen 12 000 kubanische, spanische und italienische Zigarrendreher jährlich 700 Mio. Zigarren rollten. Industriell hergestellte Produkte läuteten den Niedergang der Branche ein.

Bei Stadtführungen lernt man die teils im letzten Viertel des 19. Jh. errichteten Gebäude kennen und kann in der historischen

Flamingos in einem karibisch anmutenden Teil der Busch Gardens

Gonzalez y Martinez Cigar Factory (7th Ave./21st St., tgl. 10–18 Uhr) und im **Ybor City Museum** flinken Händen bei der manuellen Herstellung von Raucherwaren zusehen. Das in einer ehemaligen italienischen Bäckerei von 1923 untergebrachte Museum ist Teil des Ybor City Museum State Park, zu dem auch die Casita, die Wohnung eines ehemaligen Zigarrendrehers, und zahlreiche Memorabilien an die große Zeit von Ybor City gehören (1600 E. 8th Ave., Tel. 1-813-247-1437, http://www.yburmuseum.org, tgl. 9– 17 Uhr, 4 $).

Die Zeiten, als der Ort vom blauen Dunst lebte, sind längst vorbei. Einige wenige Straßenzüge und Häuserblocks erinnern an die Vergangenheit, als die Stadt von 20 000 Einwanderern geprägt wurde, die im historischen Viertel Spuren hinterließen. Die 7th Street schmückt sich mit restaurierten Fassaden aus dem letzten Jahrhundert, auf alt getrimmten Straßenlaternen, schmiedeeisernen Zäunen und Balkongittern. Hauptsächlich an den Wochenenden demonstriert der Stadtteil sein bis heute erhalten gebliebenes lateinamerikanisches Flair: Fünf Dut-

fleisch, italienischer Salami, Emmentalerkäse und Mixed Pickles serviert (2117 E. 7th Ave., Tel. 1-813-248-4961, www.columbiarestaurant.com, Mo–Sa 11–22, So 12–21 Uhr).

Infos

Tampa Bay Convention & Visitors Bureau: 401 E. Jackson St., Suite 2100, Tampa, FL 33602, Tel. 1-813-223-1111, www.visittampabay.com.

Übernachten

Hilfsbereites Personal ▶ **Best Western Harbor Hotel:** 7700 Courtney Campbell Cswy, Tel. 1-813-281-8900, www.bayharbortampa.com. Große Zimmer mit Blick auf die Bucht oder die Stadt, Außenpool direkt an der Wasserkante. Ab 106 $.

In Flughafennähe ▶ **Ramada Westshore Hotel:** 1200 N. Westshore Blvd., Tel. 1-813-282-3636, www.ramada.com. Airport-Shuttle, Frühstück inkl., Fitness-Studio, Außenpool. 70–149 $.

Essen & Trinken

Vorzüglich ▶ **Bern's Steakhouse:** 1208 S. Howard Ave., Tel. 1-813-251-2421, http://bernssteakhouse.com, tgl. 17–22 Uhr. Gute Steaks in allen Variationen, riesige Getränkeauswahl, zum Dessert genießt man im ›Dessertroom‹ einen der vielen Digestifs. Ab 35 $.

Rippchenhimmel ▶ **Kojak's House of Ribs**: 2808 W. Gandy Blvd., Tel. 1-813-837-3774, www.kojaksbbq.net, Di–Sa 11–21, So ab 12 Uhr. In dem einfachen Lokal sind Rippchen in Tomatensauce mit gebackenen Bohnen und Apfelkuchen zum Nachtisch die Klassiker. Man kann auch auf der Veranda essen. Rib Dinner ab 12 $.

Eine Institution ▶ **La Segunda Bakery:** 2512 N. 15th St.Ybor City, www.lasegundabakery.com, Mo–Fr 6.30–17, Sa–So 7–13 Uhr. Feinstes kubanisches Brot, Leckereien, tolle Sandwiches, guter Kaffee.

Abends & Nachts

Cooler Mix ▶ **Skipper's Smokehouse:** 910 Skipper St., Tel. 1-813-971-0666, www.skipperssmokehouse.com, Di–Fr ab 11, Sa–

zend Restaurants, Bars und Nachtclubs machten aus der ehemaligen Zigarrenmetropole ein populäres Nachtschwärmerziel, das am Samstagabend mit Reggae-Kneipen, Salsa-Tempeln und Margarita-Bars bis zu 30 000 Besucher anzieht.

An das spanische Erbe erinnert das mit Azulejos verzierte **Columbia Restaurant**. In dem reizvoll eingerichteten Lokal lassen fast jeden Abend Flamenco-Rhythmen die kleine Bühne erzittern. Als traditioneller Gaumenschmaus wird seit 100 Jahren warmes Cuban Sandwich mit Schinken, Schweine-

So ab 13 Uhr. Lässige Stimmung, gutes Essen, abends Live-Bands im Freien. Ab 6 $.
Hier geht die Post ab ▸ **Hyde Park Café:** 1806 W. Platt St., Tel. 1-813-254-2233, www.thehydeparkcafe.com, Di, Do, Sa 22–3, Fr 20–3 Uhr. Drei Bars unter einem Dach, Platz zum Tanzen.

Aktiv

Casino ▸ **Seminole Hard Rock Hotel & Casino:** 5223 N. Orient Rd., Tel. 1-813-627-7625, www.seminolehardrocktampa.com. Großes Hotelcasino mit Tischspielen, Spielautomaten, Bars, Lounges, Shows, Pool und Spa. Rund um die Uhr geöffnet.

Wasserfreizeitpark ▸ **Adventure Island:** 1001 Malcolm McKinley Dr., Tel. 1-813-987-5660, www.adventureisland.com, meist 9–18 Uhr. Mit Rutschen, Wasserfällen, Stromschnellen und Pools (Erw. 42 $, Parken 12 $).

Verkehr

Flugzeug: Tampa International Airport (TPA), www.tampaairport.com. Keine Direktflüge von und nach Deutschland, 8 km westlich der Stadt. Fahrzeit ins Zentrum 15 Min. Busse, Taxis und Limousinen bringen Passagiere in die Stadt.

Bahn: Tampa Union Station, 601 Nebraska Ave. N., Tel. 1-813-221-7600 oder 1-800-872-7245, www.amtrak.com. Von Tampa fahren Züge nach Miami und nach Jacksonville und von dort weiter Richtung New York bzw. New Orleans.

Bus: Greyhound Lines Terminal, 610 Polk St., Tel. 1-813-229-2174 oder 1-800-231-2222, www.greyhound.com. Verbindungen in viele Städte in Florida und in andere US-Staaten.

St. Petersburg ▸ 4, H 6

Die 240 000 Einwohner zählende Stadt liegt am äußersten Zipfel der Pinellas-Halbinsel. Wegen der statistisch errechneten 361 Sonnentage im Jahr entwickelte sie sich im ausgehenden 19. Jh. zum bevorzugten Pensionärsziel, aus dem seit damals eine Freizeit- und Kulturhochburg wurde.

Der Dreh- und Angelpunkt des öffentlichen Lebens in St. Petersburg lag jahrzehntelang ca. 800 m vor der Stadt auf meerumspültem Grund: auf dem großen **Pier.** Die gewaltige Promenade über dem Meer stammte ursprünglich aus dem Jahr 1889, als sie als Endpunkt einer Eisenbahnlinie errichtet wurde. Bis ins Jahr 2013 beherbergte ein fünfgeschossiger Riesenbau am Pierende, der wie eine auf der Spitze stehende Pyramide aussah, neben einem Maritimmuseum zahlreiche Imbissbuden, Eiscremestände, Modeboutiquen, Bars und Restaurants. Im Juni 2013 zogen alle Geschäfte aus und der Pier mit dem zerbröselnden Betonriesen wurde geschlossen. Fußgänger und Angler dürfen sie seit Anfang 2014 wieder betreten. Wie lange noch und welcher Neubau dann entstehen soll, wird heiß diskutiert. Eine Neueröffnung wird wohl erst 2018 erfolgen.

Museums-Highlights

Viele Werke von Salvador Dalí fanden bereits vor Jahrzehnten in St. Petersburg eine Heimstätte. Seit 2011 gibt es das von Yann Weymouth entworfene **Salvador Dalí Museum.** Der Komplex besteht aus einem Betonkubus, der teils von einer Glaskonstruktion ›umflossen‹ wird. Im Innern der grandiosen Lobby ragt eine schlanke Wendeltreppe über die dritte Etage hinaus. Das Haus besitzt eine der größten Sammlungen von Werken des spanischen Surrealisten weltweit, die aus Ölgemälden, Aquarellen und Zeichnungen sowie ca. 1000 Grafiken, Skulpturen und anderen Werken besteht und einen Gesamtwert von über 125 Mio. $ hat (1 Dali Blvd., www.thedali.org, Mo–Sa 10–17.30, So 12–17.30 Uhr, Erw. 21 $, Do 17–20 Uhr 10 $).

Die Palette der Ausstellungen des **Museum of Fine Arts** reicht von griechischer und römischer Kunst über Sammlungen präkolumbianischer Gegenstände bis hin zu Gemälden französischer Impressionisten und amerikanischer Künstler wie Thomas Moran und Georgia O'Keeffe. Doch auch aus dem Fernen Osten, aus Afrika und dem Orient finden sich in den Kollektionen des Museums sehenswerte Stücke (255 Beach Dr. NE., Tel.

1-727-896-2667, www.fine-arts.org, Mo–Sa 10–17, Do bis 20, So 12–17 Uhr, Erw. 17 $, Do ab 17 Uhr 5 $).

Pinellas Peninsula ▶ 4, H 6

Wie ein tropfenförmiger Landzipfel schirmt die **Pinellas Peninsula** die Tampa-Bucht vom Meer ab, lässt aber eine breite Passage zwischen Golf von Mexiko und Bucht frei, die von der Sunshine Skyway Bridge überspannt wird. Die 28 Meilen lange Meerseite der Halbinsel säumen auf vorgelagerten Inseln gelegene Badeorte, zwischen denen die Gemeindegrenzen nur noch schwer erkennbar sind. Höchstens anhand eines zwischen Motelreihen und Häuserfassaden versteckten Ortsschilds lässt sich herausfinden, wo der eine Ort aufhört und der andere beginnt. Bei der Fahrt auf dem Gulf Boulevard könnte man sich wie in einer Stadt fühlen, gäben nicht Baulücken hie und da den Blick sowohl nach Osten auf die Boca Ciega Bay als auch nach Westen auf den Golf von Mexiko frei mit seinem etwa 100 m breiten weißen Sandstrand, den man über zahlreiche Zugänge erreicht.

An Sommerwochenenden zieht in den Straßenzügen von St. Petersburg meist gähnende Leere ein, weil viele Einwohner die Zeit am St. Pete Beach verbringen. Vor der prächtigen Kulisse des korallenfarbenen **Don Cesar Beach Resort** glättet die Brandung des Golfes den flachen Sandstrand. Das in der Abendsonne wie ein rosafarbenes Schloss leuchtende Hotel mit einem Interieur aus marmornen Böden und Pfeilern beherbergt Gäste mit dickeren Brieftaschen. Erst seit den 1970er-Jahren dient der kolossale Bau wieder als Hotel, nachdem er seit der Weltwirtschaftskrise als Warenlager, Trainingszentrum für Sportler und als Militärlazarett zweckentfremdet wurde (3400 Gulf Blvd., Tel. 1-727-360-1881, www.doncesar.com, 200–500 $).

Fort de Soto Park

Im äußersten Süden der Pinellas Peninsula führt die Route 679 auf die fünf Inseln des

Fort de Soto Park. Trotz des Namens bestimmte nicht Hernando de Soto die Geschichte des Küstenfleckens, sondern sein dort 1513 ankernder Landsmann Ponce de León. Reste einer Befestigungsanlage stammen vom Ende des 19. Jh., als die Tampa Bay während des Spanisch-Amerikanischen Kriegs 1898 durch ein Fort geschützt werden sollte, das allerdings nie fertiggestellt wurde. Innerhalb der Parkgrenzen liegen traumhafte Sandstrände, die zu den schönsten in den USA gehören, weiterhin Bootsanlegestellen, Campingplätze, Piers für Angler, Radwege und ein markierter Kanupfad (Tel. 1-727-893-9185, http://www.pinellascounty.org >Parks and Recreation).

Auf dem Weg nach Clearwater Beach

Das Dorf **John's Pass Village** wurde aus groben Planken und rostigem Wellblech um einen rot-weiß getünchten Leuchtturm so zusammengezimmert, als hätten dort schon Walfänger im 19. Jh. ihre Heimkehr gefeiert. Auf Dielenstegen können Besucher auf verschiedenen Ebenen durch diese Touristenattraktion spazieren. In manchen Bretterbuden sind Restaurants und Kneipen eingerichtet, in denen raue Kehlen zur Gitarre oder zum Banjo singen. Weniger atmosphärisch sind die endlosen Verkaufsstände mit T-Shirts, Badelaken und Sonnenbrillen, mit denen man Galaxien von Kunden versorgen könnte (www.johnspass.com).

Suncoast Seabird Sanctuary

In Indian Shores befindet sich seit 1971 mit dem **Suncoast Seabird Sanctuary** eines der größten Hospitäler der Welt für frei lebende Vögel, die krank wurden oder Unfälle erlitten. Bevorzugt beschäftigen sich die Helfer mit braunen Pelikanen, die in manchen Teilen Amerikas und der übrigen Welt fast ausgestorben sind, während sie an den Küsten Floridas allgegenwärtig sind. Mit Begeisterung wird in der Vogelklinik die Geschichte von Pax erzählt, dem ersten in Gefangenschaft geborenen Pelikan, der fünf Jahre nach seiner Freilassung zurückkehrte, um sich eine

Tampa Bay, nördliche Golfküste und Panhandle

Verletzung behandeln zu lassen. Aufgrund finanzieller Schwierigkeiten ist die Zukunft des Vogelhospitals derzeit allerdings ungewiss (18328 Gulf Blvd., Tel. 1-727-391-6211, www.seabirdsanctuary.com, tgl. 9 Uhr bis Sonnenuntergang, Eintritt frei).

Clearwater Beach

Unumstrittenes Bade-Mekka im Umkreis der Tampa Bay ist Clearwater Beach. Nirgendwo an der Golfküste schlägt der Badetourismus so hohe Wellen wie am dortigen Sandstrand, der von großen und kleinen Hotels, Pizzabäckereien, Souvenirläden, Restaurants, einem Jachthafen und palmengeschmückten Parks gesäumt wird. Jeden Abend trifft man sich beim Straßenfest am Pier 60 zum Sonnenuntergang. Ein Besuch im **Clearwater Marine Aquarium** lohnt sich wegen der vielen Meerestiere, die dort nach Krankheiten oder Unfällen wieder hochgepäppelt werden (249 Windward Passage, Tel. 1-727-441-1790, www.cmaquarium.org, Mo–Do 9–17, Fr, Sa 9–19, So 10–17 Uhr, Erw. 20 $, Senioren 18 $, Kinder 2–12 Jahre 15 $).

Infos

St. Petersburg/Clearwater Area Convention & Visitors Bureau: 13805 58th St. N., Suite 2-200, Clearwater, FL 33760, Tel. 1-727-464-7200, www.visitstpeteclearwater.com.

Übernachten

Direkt am Strand gelegen ▶ **Seaside Inn:** 401 S. Gulfview Blvd., Tel. 1-727-446-8305, www.seasidecb.com. Älteres Hotel mit ordentlichen Zimmern auch mit Küche, beheizter Pool, WLAN. 115–150 $.

Empfehlenswerte familiäre Unterkunft ▶ **Amber Tides Motel:** 420 Hamden Dr., Tel. 1-727-445-1145, www.ambertides-motel.com. Prima Lage, einfache Zimmer, manche mit Küche. Der schöne Garten hat einen Pool und Grill.100–150 $.

Campingplatz ▶ **Clearwater Travel Resort:** 2946 Gulf to Bay Blvd., Tel. 1-727-791-0550, www.clearwatertravelresort.net. Campingplatz mit 150 Plätzen, einem Pool und WLAN.

Essen & Trinken

Solide Qualität ▶ **Heilman's Beachcomber Restaurant:** 447 Mandalay Ave., Tel. 1-727-442-4144, www.bobheilmans.com, tgl. ab 11.30 Uhr. Saftige Steaks, Seafood, Lamm, Pasta-Gerichte. Dinner 14–30 $.

Nichts für Geräuschempfindliche ▶ **Frenchy's Saltwater Café:** 419 Poinsettia Ave., Tel. 1-727-461-6295, www.frenchysonline.com, tgl. 11–23 Uhr. Einfaches Lokal mit Tischen drinnen und draußen und einer Bar. Auf der Speisekarte findet jeder etwas nach seinem Geschmack. Dinner 6–13 $.

Abends & Nachts

Im polynesischen Stil ▶ **Shephard's Backyard Tiki Bar:** Shephards Beach Resort, 619 S. Gulfview Blvd., Tel. 1-727-441-6875, www.shephards.com, tgl. ab 11 Uhr. Bar auf einer Plattform über dem Wasser mit Reggae-Musik, Bikini-Tanz und Go-Go-Girls.

Cooler Nightclub ▶ **The Wave:** Shepards Beach Resort (s. o.). Live-Musik oder DJs, hier ist hauptsächlich am Wochenende etwas los. Am Sonntag Drinks für 1 $.

Aktiv

Stimmung auf dem Partyschiff ▶ **Captain Memo's Pirate Cruise:** Clearwater Marina, Tel. 1-727-446-2587, http://captainmemo.com, tgl. mehrere Fahrten. Lustiger Ausflug auch für Kinder auf dem Piratenschiff. Bier und Wein sind im Preis inbegriffen.

Delfinbeobachtung ▶ **Seascreamer:** Clearwater Marina, Tel. 1-727-447-7200, www.seascreamer.com, tgl. ab 12 Uhr mehrere Fahrten mit einem riesigen Speed Boat zur Delfinbeobachtung (Erw. 24 $).

Termine

Clearwater Jazz Holiday (Okt.): 4 Tage Jazz (www.clearwaterjazz.com).

Die nördliche Golfküste

Zeigt sich die Tampa Bay mit ihren Städten und Badeorten als eine vom Tourismus stark frequentierte Golfregion, führt eine Fahrt von

Clearwater über **Tarpon Springs** nach Norden in die Provinz. Je weiter man sich von der Tampa Bay entfernt, desto ländlicher wird die Gegend. Griechische Einwanderer begannen um die Jahrhundertwende das Geschäft mit Naturschwämmen, die an diesem Küstenabschnitt in Mengen im Meer vorkamen. Unverkennbar prägen noch heute Nachfahren der Südeuropäer die Touristenhochburg Tarpon Springs. Schlendert man um die Mittagszeit an der Hafenpromenade entlang, hallt Sirtaki-Musik aus den Restaurants, begleitet vom Duft nach gebratenem Hammel und geharztem Wein. In den Seitenstraßen spielen alte Männer nach mediterraner Manier an kleinen Tischen Domino. Am Hafen legen Fischkutter ab, auf denen Taucher Touristen die Naturschwammernte zeigen.

Weeki Wachee ▶ 4, H 5

Eine weltweit vermutlich einmalige Attraktion erwartet Besucher in **Weeki Wachee**. Im 40 m tiefen Topf der Weeki-Wachee-Quelle führen als Wassernixen ausstaffierte junge Damen und verkleidete Männer, von in einem abgedunkelten Raum sitzenden Zuschauern nur durch eine Glasscheibe getrennt, in etwa vier Meter Tiefe Hans Christian Andersens Märchen ›Die kleine Meerjungfrau‹ auf. Darsteller und Darstellerinnen müssen sich einem speziellen Training unterziehen, damit sie für einzelne Szenen genug Luft haben, ehe sie sich an eigens eingerichteten Sauerstoffschläuchen bedienen (6131 Commercial Way, Tel. 1-352-596-2062, www.weekiwachee. com, Shows tgl. 11.15 Uhr, Erw. 13 $, Kinder 6–12 Jahre 8 $). Auf demselben Gelände kann man auf dem Weeki Wachee River eine Bootsfahrt unternehmen oder den im Preis enthaltenen Wasserpark **Buccaneer Bay** mit Rutschen und Wasserattraktionen genießen (Juni–Sept. tgl. 10–17 Uhr).

Homosassa Springs ▶ 4, H 5

Die Ortschaft Homosassa Springs zieht mit dem **Homosassa Springs Wildlife State Park** viele Besucher an. Um den Quelltopf des gleichnamigen Flusses entstand ein Park mit einheimischen Tierarten wie Alligatoren, Ottern, Pumas, Schlangen, Bären und teil-

Die Wassernixen von Weeki Wachee: Märchenstunde einmal ganz anders

weise auch bedrohten Spezies. Publikumslieblinge sind die Seekühe, die hier eine Zufluchts- und Aufzuchtstätte fanden. Die Parkverwaltung richtete ein Unterwasser-Observatorium ein, von dem Besucher die Manatees beobachten können (4150 S. Suncoast Blvd., Tel. 1-352-628-5343, www.homosassasprings.org, tgl. 9–17.30 Uhr, Erw. 13 $, Kinder 6–12 Jahre 5 $).

Cedar Key ▶ 4, G 4

Ein Damm führt in ein subtropisch anmutendes Reich von etwa 40 Inseln, deren ›Hauptstadt‹ Cedar Key in der zweiten Hälfte des 19. Jh. Endstation einer von Amelia Island verlegten Eisenbahn war. Über diese Schienenstrecke transportierten Loks Zedernholz zur Ostküste, das zur Herstellung von Bleistiften auch nach Deutschland verschifft wurde. Als die Zedernwälder geplündert waren, versank Cedar Key in einen Dornröschenschlaf, aus dem es bis heute nicht erwacht ist.

Der Tourismus hält sich in Grenzen, was dem Ort offensichtlich gut bekommt. Auf dem Pier sitzen Angler und Pelikane einträchtig nebeneinander und warten auf den großen Fang. Die in Hafennähe teils noch von alten Häusern aus Zedernholzplanken gesäumten Dorfstraßen erwachen nur dreimal pro Jahr zum Leben: wenn im April das Sidewalk Art Festival stattfindet, am 4. Juli der Unabhängigkeitstag gefeiert wird und im Oktober die Besucher zum Seafood Festival herbeiströmen. Naturfreunde können sich auf mehrere Naturpfade begeben und dabei Flora und Fauna genießen.

Tallahassee ▶ 4, F 2

Im Stadtzentrum steht das 1845 erbaute Old Capitol mit säulengeschmückter Fassade, einer kleinen Kuppel und markisendekorierten Fenstern. Hier sind die ehemaligen Räume des Senats und des Repräsentantenhauses und historische Exponate zu sehen (Mo–Sa ab 9, So ab 12 Uhr, kostenlos). Direkt dahinter befindet sich das 22 Stock-

werke hohe New Capitol mit Aussichtsplattform. (Monroe St./Apalachee Pkwy, Mo–Fr 8–17 Uhr).

Die Geschichte von Florida seit prähistorischer Zeit ist im Museum of Florida History dokumentiert (500 S. Bronough St., Tel. 1-850-245-6400, www.museumoffloridahistory.com, Mo–Fr 9–16.30, Sa 10–16.30, So 12–16.30 Uhr, Eintritt frei). Schön anzusehen sind die rund 130 historischen Automobile im Antique Car Museum (6800 Mahan Dr., Tel. 1-850-942-0137, Mo–Fr 8–17, Sa 10–17, So 12–17 Uhr, www.tacm.com, Erw. 16 $.). Konzerte für bis zu 3500 Zuschauer finden in dem 2014 eröffneten Cascades Park statt (1001 South Gadsden St.). Fastfood-Fans kommen auf ihre Kosten beim Food Truck Thursday mit Picknicktischen und Live-Musik (Do 17–21 Uhr am Ella Lake).

Archäologische Stätten

Auf der Lake Jackson Mounds State Archaeological Site stießen Archäologen auf sechs künstlich aufgeschichtete Hügel einer von ca. 1000 bis 1450 existierenden indianischen Kultur. Funde wie Muschelhalsketten, Armbänder und Fußringe lassen darauf schließen, dass die Stätte als zeremonielles Zentrum diente und die Indianer Handelsbeziehungen mit anderen Gruppierungen pflegten (3600 Indian Mound Rd., Tel. 1-850-922-6007, www.floridastateparks.org/lakejackson, tgl. 8 Uhr bis Sonnenuntergang, 3 $).

An einer zweiten Ausgrabungsstätte, der San Luis Archaeological Site, wo Ausgrabungsstücke wie Töpferwaren und Schmuck gefunden wurden, stand ein Apalachee-Indianerdorf, lange bevor spanische Mönche 1656 mit dem Bau einer Mission begannen, die bis 1704 als Zentrum der spanischen Missionen im westlichen Florida diente. Sowohl die indianischen wie die Missionsbauten wurden zum Teil rekonstruiert (2100 W. Mission Rd., Tel. 1-850-487-3711, www.missionsanluis.org, Di–So 10–16 Uhr, Erw. 5 $).

Ein Paradies für Tiere

Südlich von Tallahassee umgibt der Edward Ball Wakulla Springs State Park die Quelle des Wakulla River, die mit 72 m Tiefe und einem Ausstoß von 2 Mio. l Wasser pro Minute zu den größten der Erde zählt.

Der Wakulla River fließt durch ein Paradies für Alligatoren, Reiher, Wasserhühner, Schlangenhalsvögel und Ibisse, das sich über Urwälder und Sümpfe mit Zypressen und undurchdringlichem Dickicht ausdehnt. In dieser Gegend wurden die ersten Tarzan-Filme mit Johnny Weissmuller gedreht (550 Wakulla Park Dr., Tel. 1-850-926-0700, www.florida stateparks.org, tgl. 8 Uhr bis Sonnenuntergang, Pkw 6 $).

Infos

Tallahassee Area Convention & Visitors Bureau: 106 E. Jefferson St., Tallahassee, FL 32301, Tel. 1-850-606-2305, www.visittalla hassee.com.

Übernachten

Zivile Preise ▶ **Quality Inn & Suites:** 2020 Apalachee Pkwy., 850-877-4437, www.qua lityinn.com. 2,2 Meilen südlich an der US 27 gelegen, gute Ausstattung der kleinen Suiten, mit Pool und Frühstück. Ab 80 $.

Ordentliches Kettenmotel ▶ **Red Roof Inn:** 2930 Hospitality St., Tel. 1-850-385-7884, www.redroof.com. Motel in guter Lage. Ab ca. 55 $.

Essen & Trinken

Authentische thailändische Gerichte ▶ **Bahn Thai:** 1319 S. Monroe St., Tel. 1-850-224-4765, Mo–Do 11–14.30, Mo-So 17–22 Uhr, www.bahnthai.org. 126 überwiegend thailändische, exotisch gewürzte Speisen machen die Auswahl schwer. Ab 13 $.

Amerikas Lieblingsgerichte ▶ **Barnacle Bill's:** 1830 N. Monroe St., Tel. 1-850-385-8734, tgl. 11–23 Uhr. Variationsreiche Hamburger, Chicken Wings und Seafood, ab 8 $.

Kreativer Küchenchef ▶ **Cypress Restaurant:** 320 E. Tennessee St., Tel. 1-850-513-1100, www.cypressrestaurant.com, Di–Sa Dinner, So nur Brunch. Lebhafte Atmosphäre, an der Bar kleine Speisen zur Happy Hour, im Sommer am Freitag »Wine Dinner« für 85 $, sonst ab ca. 24 $.

Die Panhandle-Küste

Unterwegs nach Pensacola

▶ 4, E 3–A 2

Untrüglicher Beweis für das Aschenputtel-Dasein des Panhandle ist das Städtchen Apalachicola an der gleichnamigen Bucht. Im vergangenen Jahrhundert machte man im Hafen mit der Verschiffung von Granit und Baumwolle lukrative Geschäfte. Doch schon vor Jahrzehnten verwandelte sich der Ort in einen unbedeutenden, wenn auch stimmungsvollen Küstenflecken.

Östlich von Apalachicola überspannt die 5 km lange Gorrie Bridge die Bucht. Weiter westlich liegt die Grenze zwischen der Eastern und Central Time Zone (Uhren eine Stunde vorstellen!). Der Arzt John Gorrie (1803–55) erfand den Prototyp der in Amerika unverzichtbaren Klimaanlage. Das winzige **Gorrie Museum** hält die Erinnerung an den Erfinder aufrecht (46 6th St., Tel. 1-850-653-9347, Do–Mo 9–17 Uhr, 2 $).

Wie eine Hühnerkralle greift die **St. Joseph Peninsula** ins Meer hinaus, eine schmale Sandbank mit einem State Park am Westende. An den makellosen Stränden, die zu den saubersten und schönsten der USA zählen, kann man sich ungestört der Robinson-Crusoe-Romantik hingeben oder 240 verschiedene Vogelarten beobachten. Camper finden schöne Plätze mit Strom, Duschen und Picknicktischen vor (T. H. Stone Memorial St. Joseph Peninsula State Park, 8899 Cape San Blas Rd., Tel. 1-850-227-1327, www.floridastateparks.org/stjoseph, tgl. von 8 Uhr bis Sonnenuntergang, 6 $).

Der 40 000 Einwohner große Badeort **Panama City Beach** bedeutet für den Pfannenstiel Floridas, was Rimini für die italienische Adriaküste ist. Nur: Der schneeweiße Sandstrand und das türkisfarbene Wasser sind blitzsauber. In Rangliste der schönsten US-Strände tauchte Panama City Beach schon mehrfach auf vordersten Plätzen auf. Das ist umso erstaunlicher, als direkt neben dem Strand die von Hotelburgen, Restaurants, Souvenirläden und Vergnügungsparks gesäumte Küstenstraße verläuft. Im Sommer

Panhandle Cotton Trail

herrscht auf diesem ›Miracle Mile Strip‹ hektischer Kirmesbetrieb.

Museum of Man in the Sea

Nicht nur bei schlechtem Wetter lohnt sich der Besuch des Museums, das einen Überblick über menschliche Unterwasserunternehmungen vom U-Boot bis zum Einsatz von ferngelenkten Tauchmodulen gibt. Interessante Ausstellungen beschäftigen sich mit gehobenen Schätzen aus vor Jahrhunderten gesunkenen spanischen Galeonen oder mit Techniken der Offshore-Erdölbohrung (17314 Panama City Beach Pkwy, Tel. 1-850-235-4101, http://maninthesea.org, Mi–Sa 19–17 Uhr, 5 $).

Infos

Panama City Beach Visitors Bureau: 17001 Panama City Beach Parkway, Tel. 1-850-233-6503, tgl. 8–17 Uhr, www.visitpanamacity beach.com.

Übernachten

Nur Schritte entfernt vom Strand ▶ Osprey on the Gulf: 15801 Front Beach Rd., Rd., Tel. 1-850-234-0303, www.ospreyon thegulf.com. Alle Räume oder Suiten mit eingerichteter Küche und Balkon. Ab 100 $.

Für den Strandurlaub ▶ Chateau Motel: 12525 Front Beach Rd., Tel. 1-850-234-2174, www.chateaumotel.com. 135 Gästezimmer, die sich über vier Etagen verteilen, direkt am Sandstrand, einige Räume mit Küche, alle mit Balkon und Blick aufs Meer. Pool und WLAN. Ab ca. 110 $.

Strandlage ▶ Holiday Inn Resort: 11127 Front Beach Rd., Tel. 1-877-859-5095, www. ihg.com. Mit Pool, Mikrowelle, WLAN, auch Raucherzimmer, Frühstück kostet extra. Ab 120 $.

Camping ▶ Campers Inn: 8800 Thomas Dr., Tel. 1-850-234-5731, www.campersinn. net, ganzjährig. Platz für Wohnmobile und Zelte, es gibt auch rustikale Cabins.

Essen & Trinken

Barbecue ▶ **Moe's Original Bar B Que:** 14896 Front Beach Rd., Tel. 1-850-708-1633, www.moesoriginalbbq.com, tgl. 11–22 Uhr. Rustikale Atmosphäre. Auf den Tisch kommen Rippchen, Shrimps, Hühnchen oder auch Salat. Ab 10,50 $.

Respektable Auswahl ▶ **Boar's Head:** 17290 Front Beach Rd., Tel. 1-850-234-6628, www.boarsheadrestaurant.com, tgl. 16.30–22 Uhr. Fisch- und Fleischgerichte vom Holzkohlegrill, Fr, Sa Live-Musik. Ab 20 $.

Für jeden etwas ▶ **Captain Anderson's Restaurant:** 5551 N. Lagoon Dr., Tel. 1-850-234-2225, www.captanderson.com, Febr.–Okt. Mo–Sa 16–22 Uhr. Direkt am Wasser, Shrimps in vielen Variationen, Lobster, Crab Meat, Seafoodplatten sowie Angussteaks, gute Weinkarte. Ab 17 $.

Abends & Nachts

Das Nachtleben findet hauptsächlich entlang dem **Thomas Drive** statt.

Partyparadies ▶ **Club La Vela:** 8813 Thomas Dr., Tel. 1-850-235-1061, www.clubla vela.com. Angeblich der größte Nachtclub Amerikas mit vielen Themenräumen, eigenem Pool und Strand. Beliebt sind Bikini-, Wet-Shirt- und Male-Hardbody-Wettbewerbe. Frühjahr und Sommer jeweils Sa, So um 13 Uhr. Rechtzeitiges Erscheinen ist sinnvoll!

Destin

In den vergangenen Jahren hat sich das auf einer Landzunge liegende Destin zu einem wahren Touristenmagneten entwickelt. Vor allem im Oktober ist der Küstenort Ziel von bis zu 30 000 Freizeitanglern, die am jährlichen **Fishing Rodeo** teilnehmen, bei dem der gewaltigste Fang vor vollen Publikumsrängen prämiert wird.

Wer lieber einkaufen gehen oder den Fang des Tages im Restaurant genießen möchte, hat dazu im **HarborWalk Village** Gelegenheit. Dieses ›Dorf‹ besteht aus modernen Geschäften und rustikalen Souvenirbuden. Davor liegen zahlreiche Charterboote und Ausflugschiffe vor Anker und bilden eine recht fotogene Szenerie.

Santa Rosa Island ▶ 4, B 2

Die prachtvollen Strände auf **Santa Rosa Island** erreicht man über eine Brücke von Navarre. Auf einer Länge von 90 km schützt die schmale Sandbank, die Teil der Gulf Island National Seashore ist, die Küste.

Santa Rosa Island endet im Westen in der Bucht von Pensacola, die im Jahr 1822 als Standort einer Marinebasis ausgewählt wurde. Um diesen Militärstützpunkt gegen Angriffe von der Golfseite zu schützen, entstand **Fort Pickens** (1829–1834). 1886 wurde es zum Gefängnis des prominentesten ›Staatsfeindes der USA‹, des legendären Apachenhäuptlings Geronimo. An den Stränden konnte das Öl zum größten Teil entfernt werden, das nach der Katastrophe der ›Deepwater Horizon‹ im April 2010 austrat (Fort Pickens Rd., Tel. 1-850-934-2635, www.nps.gov, tgl. 9.30–17 Uhr).

Pensacola ▶ 4, A 2

Was an historischen Überresten aus der Vergangenheit der heute 250 000 Einwohner zählenden Stadt – es handelt sich um die zweitälteste Stadt Floridas nach St. Augustine – erhalten ist, reicht in die erste Hälfte des 19. Jh. zurück. Schon damals profitierte **Pensacola** von seinem geschäftigen Hafen, in dem Waren und Rohstoffe, vor allem Holz, umgeschlagen wurden.

Ein buntes Völkchen von indianischen Jägern, weißen Siedlern, Seeleuten und Händlern verlieh in jener Zeit dem Ort ein kosmopolitisches und zugleich stimmungsvolles Flair, das sich im historischen Kern auch heute noch erahnen lässt.

Museum of Naval Aviation

Was der Stadt über wirtschaftliche Talsohlen der jüngeren Vergangenheit hinweghalf, war ihre militärische Bedeutung als Marinefliegerbasis. Seit 1911 trainierten die Piloten für ihre Einsätze im Ersten Weltkrieg auf Wasserflugzeugen, von denen neben vielen modernen Militärflugzeugen ein Exemplar im **National Naval Aviation Museum** ausge-

aktiv unterwegs

Flaniertour durch ein Museumsdorf

Tour-Infos

Start: T.T. Wentworth Jr. Florida State Museum (330 Jefferson St.), Pensacola

Länge: 1 km

Dauer: 2–3 Stunden

Öffnungszeiten: Di–Sa 10–16 Uhr

Tickets: Tivoli High House Gift Shop, 205 E. Zaragoza St., Tel. 1-850-595-5985, www.historicpensacola.org/visitorinformation.cfm, Erw. 6 $, Senioren ab 65 Jahren 5 $, Kinder 4–16 Jahre 3 $. Im Ticketpreis inbegriffen sind Touren, die tgl. um 11, 13 und 14.30 Uhr durchgeführt werden.

In den über 450 Jahren seit dem ersten Siedlungsversuch kontrollierten außer Spanien auch Großbritannien, Frankreich, die Konföderierten und die USA die Stadt Pensacola und ihre Umgebung, ehe das Gebiet 1821 offiziell an die Vereinigten Staaten überging. Wer gerne historischen Spuren folgt, kann bei einem entspannten Gang durch das aus 22 Gebäuden bestehende **Historic Pensacola Village** in die wechselhafte Vergangenheit der Stadt eintauchen.

Das **T. T. Wentworth Jr. Florida State Museum** ❶, ein repräsentativer Bau im spanischen Neorenaissance-Stil, diente früher eine Zeit lang als Stadtverwaltung, ehe dort historische und archäologische Ausstellungen einquartiert wurden. Zu den Prunkstücken gehören Teile eines von insgesamt sieben Schiffen des spanischen Entdeckers Don Tristan de Luna, die 1559 in der Pensacola Bay während eines Hurrikans sanken.

Handel und Wandel in der Stadt des 19. Jh. dokumentiert das **Museum of Commerce** ❷. Es zeigt eine ganze Straßenzeile, so wie sie damals aussah, ein altes Friseurgeschäft, einen Laden für Leder und Zaumzeug, Transportmittel wie einen historischen Trolley und Pferdekutschen sowie Zeitungsdruckmaschinen lange vor dem digitalen Zeitalter. In der Nachbarschaft steht mit dem **Tivoli High House** ❸ ein zweigeschossiges Gebäude, in dem man die Tickets für das Village und alle nötigen Informationen bekommt. Dort ist auch ein Souvenirshop eingerichtet.

Um technologische Neuerungen des frühen 20. Jh. geht es im **Manuel Barrios Cot-**

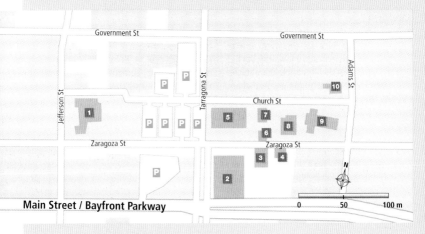

tage **4**, wo u.a. ein Prototyp der heutigen Waschmaschine und eine typische Küchen-einrichtung im Stil der 1920er-Jahre zu sehen sind. Industriezweige wie Holzwirtschaft, Ziegelherstellung, Fischerei und Schienenverkehr spielten in der Geschichte von Pensacola eine wichtige Rolle. Sie werden im **Museum of Industry 5** mit Ausstellungsstücken wie einer Baldwin-Dampflok von ca. 1904 erklärt.

Im **Julee Cottage 6**, das Ende des 18., Anfang des 19. Jh. errichtet wurde, lebte mit Julee Panton eine ehemalige schwarze Sklavin. Sie muss eine sehr aktive Frau gewesen sein, denn sie schaffte es durch den Aufbau eines eigenen Geschäfts, so viel Geld zu verdienen, dass sie sich freikaufte und Geld an andere Sklaven verlieh. So konnten diese ihrem menschenunwürdigen Schicksal entkommen. Die Exponate im Cottage geben einen Eindruck vom Leben der Afro-Amerikaner in dieser Region.

Als ältestes Anwesen der Stadt gilt das **Lavalle House 7** von 1805, ein Cottage im kreolischen Stil. Knapp 100 Jahre jünger ist das **Lear-Rocheblave House 8**, das typische Heim einer Mittelklassefamilie am Ende der viktorianischen Ära. Der ehemalige Besitzer war Kapitän eines Schleppkahns. Auch das Pensacola Historical Museum, das in der 1832 erbauten und 1903 säkularisierten **Old Christ Church 9** eingerichtet ist, widmet sich akribisch der Präsentation der Stadtgeschichte. In dieser vermutlich ältesten Kirche Floridas sind Fossilien, indianische Töpfereien, historische Fotografien und Kostüme ausgestellt. Mit einer Einrichtung im viktorianischen Stil präsentiert sich das klassizistische **Dorr House 10** von 1871. Die schneeweiße Säulenfront mit Balkonen vor der eigentlichen Fassade zeigt, welcher Baustil in Pensacola nach Ende des Bürgerkriegs 1861 en vogue war.

stellt ist. Im IMAX Theatre werden spannende Filme über die Fliegerei gezeigt. Weit über die Landesgrenzen hinaus bekannt ist die Naval Air Station als Heimat der Blue Angels, einer legendären, seit 1946 bestehenden Kunstfliegerstaffel (Navy Blvd., Tel. 1-850-452-3604, www.navalaviationmuseum.org, tgl. 9–17 Uhr, Eintritt frei).

Infos

Pensacola Tourist Information Center: 1401 E. Gregory St., Pensacola, FL 32502, Tel. 1-850-434-1234, www.visitpensacola.com. Gute Infos über die Stadt.

Übernachten

Bescheidener Komfort ▶ **Sole Inn & Suites:** 200 N. Palafox St., Tel. 1-850-470-9298, www.soleinnandsuites.com. Boutiquehotel im Stadtzentrum. Alle Gästezimmer mit Kühlschrank, Mikrowelle und Kaffeemaschine, kleines Frühstück inklusive. Ab 99 $.

Standardqualität ▶ **Quality Inn & Suites:** 7601 Scenic Hwy, Tel. 1-850-477-7155, www.qualityinn.com. Großes Motel mit Swimmingpool und Lounge-Bar. Inkl. Frühstück, Internet. Ab 100 $.

Camping ▶ **Navarre Family Campground:** 9201 Navarre Pkwy (Hwy 98), zwischen Pensacola und Fort Walton Beach, Tel. 1-850-939-2188, www.navarrebeachcampground.com, ganzjährig geöffnet. Rustikale Cabins können angemietet werden.

Essen & Trinken

Für Fleischliebhaber ▶ **Jackson's Steakhouse:** 400 S. Palafox St., Tel. 1-850-469-9898, www.jacksonsrestaurant.com, Di–Fr 11–14, Di–Sa 17.30–22 Uhr. In einem historischen Gebäude befindliches Lokal mit rustikal-eleganter Atmosphäre und Bar. Di–Sa 17.30–18 Uhr zweigängiges Prelude-Menü für 28 $, Steaks ab 29 $.

Im Stil der 1950er-Jahre ▶ **Scenic 90 Café:** 701 Scenic Hwy, Tel. 1-850-433-8844, http://scenic90cafe.com, tgl. 6.30–15, Fr und Sa bis 21 Uhr. Schöner, glitzernder Diner, ideal zum Frühstücken. Ab 7 $.

Die Ostküste

Seit Ende des 19. Jh. sonnt sich Floridas Atlantikküste in dem Ruf, alle Voraussetzungen eines sonnenverwöhnten Ferienparadieses zu erfüllen. Jahr für Jahr bestätigen diesen Anspruch Urlauber aus aller Herren Länder. Küstenabschnitte wie Gold und Treasure Coast und renommierte Städte wie Palm Beach und Fort Lauderdale haben nichts von ihrer magischen Anziehungskraft verloren.

Üppige Natur und selbst im Winter angenehmes Klima veranlassten vor über 100 Jahren Amerikas Highsociety, dem in Eis und Schnee erstarrten Norden den Rücken zu kehren, um im frühlingshaften Florida die kalte Jahreszeit zu verbringen. Die Vorarbeit dafür hatte eine gewisse Julia Tuttle geleistet. Sie kam im Jahr 1875 per Postdampfer im damaligen Niemandsland um Miami an und setzte sich in den Kopf, eine Stadt zu gründen. Voraussetzung dafür war eine verkehrstechnische Erschließung der Region. Nach einem Kälteeinbruch, der weiter im Norden viele Zitrusplantagen vernichtet hatte, schickte sie dem Eisenbahnbauer Henry Morton Flagler eine duftende Orangenblüte, die den Industriellen offensichtlich davon überzeugte, seine Ostküsteneisenbahn bis nach Südflorida fortzuführen.

Heute steht Floridas Atlantikküste bei amerikanischen Urlaubern und Touristen aus aller Welt mit weißen Sandstränden, schmalen, für Badeferien idealen Barriere-Inseln, warmen Surferrevieren wie um Cocoa Beach und interessanten Städten immer noch hoch im Kurs. Nach wie vor sind viele Stellen am östlichen Meeressaum des Sunshine State Synonyme für Sonne, Brandung und unbeschwertes Leben, gewissermaßen das atlantische Pendant zur kalifornischen Pazifikküste. In den vergangenen Jahrzehnten entstanden nördlich des Großraumes Miami aber auch viele neue Gründe, der Ostküste einen Besuch abzustatten – vom sehenswer-ten Fort Lauderdale über die abenteuerlichen Wracktaucherreviere an der sprichwörtlichen Schatzküste bis zur exklusiven Millionärsenklave Palm Beach mit märchenhaften Nobelhotels und traumhaften Golfanlagen, von Sehenswürdigkeiten wie Museen und State Parks ganz zu schweigen.

Floridas sogenannte Goldküste beginnt in Miami und endet im renommierten Palm Beach. An diesem Küstenabschnitt liegen Städte mit bekannten Namen wie Boca Raton und Hollywood, die längst fester Bestandteil der Kataloge von Reiseanbietern sind. Für Palm Beach sind die vielen Palmen typisch, die der Schickeria-Hochburg den Namen gaben. Sie sollen von einem im Jahr 1878 havarierten spanischen Schiff stammen, das mit 20 000 Kokosnüssen an Bord vor der Küste auf Grund lief. Die Siedler pflanzten die angeschwemmten Nüsse, und Henry Morton Flagler war so begeistert von der Palmenoase, dass er hier später einen charmanten Urlaubsort bauen ließ.

Die Goldküste

Goldküste nennen die Einheimischen den von Miami bis nach Palm Beach reichenden Küstenabschnitt, an dem die bekanntesten Badeorte der Ostküste liegen. Der Name bezieht sich nicht nur auf den goldfarbenen Sand der Strände, sondern auch auf den Wohlstand der Bewohner, der hauptsächlich im Millionärswinkel Palm Beach zum Ausdruck kommt. Der Einzugsbereich des Großraumes Miami reicht weit nach Norden und ist selbst noch im 145 000 Einwohner zählenden **Hollywood** spürbar. Der Badeort besitzt einen 8 km langen Sandstrand unter Palmen, an dem der Boardwalk entlangführt. Bei diesem handelt es sich allerdings schon lange um keinen Dielensteg mehr, sondern um eine asphaltierte Promenade mit Geschäften, Kneipen, Straßencafés, Restaurants und Sport-Shops, in denen man Fahrräder und Fun Cycles für mehrere Personen ausleihen kann.

Seminole Indian Reservation ▶ 4, L 9

An der Stadtgrenze zwischen Hollywood und Fort Lauderdale liegt im Küstenhinterland die Reservation der Seminolen-Indianer, die in jüngerer Vergangenheit geradezu dramatische Veränderungen erlebte. Um neue Einkommensquellen zu schaffen, folgten die Native Americans dem Beispiel anderer Reservationen und bauten das mit über 1000 Spielautomaten, Pokertischen und Wetteinrichtungen ausgestattete **Seminole Indian Casino** und das **Seminole Hard Rock Hotel** (One Seminole Way, Tel. 1-866-502-7529, www.seminolehardrock.com).

Zu diesen beiden Komplexen kam mit **Seminole Paradise** ein Einkaufs-, Restaurant- und Unterhaltungszentrum mit Geschäften, 17 Restaurants und 11 Nachtclubs hinzu. Nicht sehr lohnend ist ein Besuch im recht kleinen **Seminole Okalee Indian Village** mit Gift Shop, in dem handgefertigter Schmuck, indianische Kleidung, Körbe und Holzschnitzarbeiten sowie einige Tiere ausgestellt werden. Samstags um 20 Uhr steht eine Alligatorshow auf dem Programm (5716 Seminole Way, Tel. 1-954-797-5551, Mi–So 9.30–17.30, Sa 12–20, So 10–17 Uhr, Erw. 12 $, Kinder 5–12 Jahre 8 $).

Fort Lauderdale ▶ 4, M 9

Mit 150 000 Einwohnern ist **Fort Lauderdale** nicht nur nach Miami die zweitgrößte Stadt an der Ostküste, sondern auch eine der se-

henswertesten. Von Palmen gesäumte Kanäle und und Wasserstraßen, malerische Buchten und Mini-Inseln durchziehen sie und machen aus ihr eine der ›feuchtesten‹ Stadtlandschaften Floridas. Wohin man auch blickt: Die nächste Jacht ist nicht weit. Da liegt es nahe, sich drei Stunden lang gemütlich per Paddle-Wheeler über den New River schippern zu lassen und die Villen der Schönen oder vielleicht auch nur Reichen näher in Augenschein zu nehmen.

Der entlang des New River liegende **River Walk** mit Restaurants lädt zu einem Spaziergang ein, Wassertaxis halten hier an mehreren Stellen, eine Route führt auch zum Kreuzschifffahrtshafen Port Everglades (www.watertaxi.com, Erw. Tagespass 22 $, ab 17 Uhr 15 $, Haltestelle z. B. an der Las Olas Riverfront). Ohne eigenen Wagen gut voran kommt man auch mit dem Sun Trolley (www.suntrolley.com, teilweise kostenlos, Einzelfahrt 1 $, Tagespass 3 $).

Hauptgeschäftsmeile ist der in Ost-West-Richtung verlaufende Las Olas Boulevard mit edlen Restaurants und gediegenen Fachgeschäften, vor denen Luxusautos stehen. Hier geht es nach Sonnenuntergang bei Austern, Tapas oder Sushi genauso bunt und lebendig zu wie auf dem ›Strip‹, der Küstenstraße Atlantic Boulevard (Hwy A1A), wo sich auf der Meerseite kilometerweit der wunderbare Sandstrand von Fort Lauderdale hinzieht. Wassersportler kommen hier voll auf ihre Kosten. Auf der gegenüberliegenden Seite folgt ein Resort-Hotel dem anderen mit Bars, Restaurants und Straßenkneipen, in denen nicht nur beim Spring Break der Frozen Margarita in Strömen fließt.

Zu den kulturellen Attraktionen der Stadt zählt das **Museum of Art** mit europäischer und amerikanischer Malerei des 19. und 20. Jh. In jüngerer Vergangenheit erwarb das Haus auch eine Sammlung von Werken von 90 kubanischen Künstlern, die entweder in den USA oder in anderen Teilen der Welt im Exil leben (1 E. Las Olas Blvd., Tel. 1-954-525-5500, www.moafl.org, Di–Sa 11–17, So 12–17, Do 11–20 Uhr, Erw. 10 $, Kinder 13–17 Jahre 7 $).

Tipp: Abstecher auf die Bahamas

Die Inselgruppe der **Bahamas** liegt von Floridas Küste nur wenige Stunden entfernt. Vom Fährhafen Port Everglades kann man der Insel Grand Bahama einen Kurzbesuch abstatten. Die Schnellfähren benötigen ca. 3 Std. pro Strecke, fahren frühmorgens ab und kommen spätabends zurück (ca. 90 $ plus Steuern, inkl. kleiner Snack, die Transfers zum Hafen bzw. Hotel kosten extra). Entspannter ist die Reise, wenn man ein oder zwei Übernachtungen einplant (buchbar ab 235 $). Infos: www.ferryexpress.com oder www.2daycruise.com.

Infos

Greater Fort Lauderdale Convention & Visitor's Bureau: 100 E. Broward Blvd., Suite 200, Fort Lauderdale, FL 33301, Tel. 1-954-765-4466, www.sunny.org.

Übernachten

Schöne Lage am Jachthafen ▶ **Bahia Mar Beach Resort:** 801 Seabreeze Blvd., Tel. 1-954-764-2233, www.bahiamarhotel.com. Hotel am Strand, alle Gästezimmer sind freundlich eingerichtet, Highspeed-Internet, Kaffeemaschine, Safe und Minibar. Ab 99 $.

Gute Ausstattung ▶ **Alhambra Beach Resort:** 3021 Alhambra St., Tel. 1-954- 525-7601, www.alhambrabeachresort.com. Schöne kleine Anlage mit Pool. Fast alle Räume haben eine komplette Küche. Zimmer mit Frühstück ab 109 $, große Suiten ab 199 $.

Schmuckes kleines Motel ▶ **By Eddy Motel:** 1021 N.E. 13th Avenue., Tel. 1-954-764-7555, www.byeddymotel.com. Kleines Haus mit Terrasse und Pool, WLAN, BBQ. Saubere Zimmer oder Suiten jeweils mit Küche ab 84 $.

Essen & Trinken

Fantastische Steaks ▶ **Chima:** 2400 E. Las Olas Blvd., Tel. 1-954-712-0580, tgl. Dinner. Das brasilianische Steakhouse bietet ein gigantisches All-you-can-eat-Büfett für 50 $. 20 $ Rabatt bei Reservierung per Mail über www.chima.cc.

Medium oder Hot ▶ **Thai Spice:** 1514 E. Commercial Blvd., Tel. 1-954-771-4535, www.thaispicefla.com, Mo–Fr 11–15 und tgl. ab 17 Uhr. Hervorragende thailändische Spezialitäten. Ab 16 $.

Feiner Fisch ▶ **Blue Moon Fish Co.:** 4405 W. Tradewinds Ave., Tel. 1-954-267-9888, www.bluemoonfishco.com, tgl. 11.30–22 Uhr. tolles Fischrestaurant mit Terrasse. Dinner ab 33 $, So Brunch ›All you can eat‹ inkl. Champagner 55 $.

Einkaufen

Einkaufszentren ▶ **Sawgrass Mills:** 12801 W. Sunrise Blvd., Sunrise, www.sawgrassmills.com, Mo–Sa 10–21.30, So 11–20 Uhr. Amerikas größte Shopping- und Entertainment-Mall mit 350 Fachgeschäften, Imbissen, Restaurants und Kinos. **Galleria Mall:** 2414 E. Sunrise Blvd., www.galleriamall-fl.com, Mo–Sa 10–21, So 12–18 Uhr. Großes Einkaufszentrum mit Kaufhäusern, Läden und Restaurants, aber auch Nachtleben entlang dem Middle River.

Aktiv

Spaß auf dem Wasser ▶ **Jungle Queen Riverboat:** 801 Seabreeze Blvd./Rte AIA, Bahia Mar Yacht Basin, Tel. 1-954-462-5596, www.junglequeen.com. An Bord des auf historisch getrimmten Boots kommt bei 3-stündigen Fahrten Mississippi-Atmosphäre auf.

Termine

Cajun Zydeco Crawfish Festival (Mai): Kulinarisches Fest mit Cajun-Spezialitäten.
Blues Festival (Nov.): Musikfestival am Riverwalk.
Winterfest (Dez.): Mit Bootsparaden auf dem Intracoastal Waterway.

Verkehr

Flugzeug: Fort Lauderdale-Hollywood International Airport (FLL), Tel. 1-866-435-9355, www.fortlauderdaleinternationalairport.com. Der Flughafen liegt 8 km vom Stadtzentrum entfernt. Fahrzeit in die Stadt 15 Min. Einige Fluglinien fliegen ihn direkt von Deutschland aus an.

Bahn: Amtrak Terminal, 200 SW. 21st Terrace, Tel. 1-954-587-5387, www.amtrak.com. Fernzüge an die Ost- und Westküste.

Palm Beach ▶ 4, M 8

Auf einer schmalen Insel zwischen Atlantik und Lake Worth gelegen, gehört **Palm Beach** zu den bekanntesten Orten an der Ostküste. Den Ruf als Mekka der Reichen und Berühmten verdankt die 10 000 Einwohner zählende Gemeinde dem Flair einer Ende des 19. Jh. entstandenen Millionärsenklave. Mit Henry Flaglers East Coast Railway ließ sich der Küstenflecken leicht erreichen, was viele Industriemagnaten und Stars aus dem Show Business hauptsächlich im Winter nutzten. Daran hat sich bis heute nichts geändert.

Palm Beach fällt nicht nur wegen seiner Schickeria-Szene, sondern auch wegen seiner sehenswerten Architektur auf. Für den mediterranen Stil zahlreicher Bauten war Addison Mizner verantwortlich, der seine Energien nach dem Ende einer Boxerkarriere in den Zeichenstift umleitete und ab 1918 seine in Europa gemachten Erfahrungen architektonisch umsetzte. Schon wenige Jahre später hatte sich der Autodidakt zum Hausarchitekten vieler Bauherren hochgearbeitet. Mizner kopierte den südeuropäischen Baustil und erwarb sich damit nicht nur in Palm Beach, sondern auch in Boca Raton hohes Ansehen.

The Breakers

Das bekannteste Bauwerk des Orts stammt allerdings nicht von Mizner. 1926 eröffnete mit **The Breakers** ein monumentaler Hotelpalast mit eine gewaltigen, an eine gotische Kathedrale erinnernden Lobby und über 800 Zimmern, umgeben von einem Sandstrand und gepflegten Golfanlagen, wofür das Architektenduo Schultze und Weaver die Pläne entworfen hatte. Die direkt am Meer liegende Nobelherberge bietet selbst anspruchsvol-

len Gästen reichlich Luxus: 9 Restaurants, 3 Bars, einen Coffeeshop, 4 Swimmingpools, Whirlpool, Fitnessraum und zahlreiche Boutiquen. Wer Erholung nötig hat, kann sich im mit Fitnesszentrum, Sauna, 17 Behandlungsräumen sowie Massage- und Schönheitssalon ausgestatteten Beach Club & Spa rundum verwöhnen lassen (1 S. County Rd., Tel. 1-561-655-6611, www.thebreakers.com, ab 350 $).

Whitehall Mansion

Als Mizner 1918 nach Palm Beach kam, stand auch ein anderes Juwel der lokalen Architektur bereits – das 1901 errichtete Whitehall Mansion, in dem das **Henry M. Flagler Museum** untergebracht ist. Der weiße Palast mit einer Fassade aus dorischen Säulen kostete die erkleckliche Summe von 4 Mio. $, was dem Eisenbahnkönig Flagler offensichtlich als angemessenes Hochzeitsgeschenk für seine dritte Frau Lily erschien. Die Eingangshalle ist mit sieben unterschiedlichen Marmorarten aus Italien und Vermont prächtig ausgestaltet. Unter den 73 Räumen befindet sich ein Ballsaal im Stil von Ludwig XVI. und eine Bibliothek im Stil der italienischen Renaissance. Im Obergeschoss zeugen 16 Schlafgemächer in unterschiedlichen Stilrichtungen von orientalisch bis englisch davon, dass für die Gäste des Hauses nichts zu gut und zu teuer war. Neben Silber-, Porzellan- und Gemäldesammlungen ist ›The Rambler‹ ausgestellt, Flaglers Luxuswaggon mit wertvollen Intarsienarbeiten, tapezierter Decke und Lüster in Tulpenform (1 Whitehall Way, Tel. 1-561-655-2833, www.flagler.org, Di–Sa 10–17, So 12–17 Uhr, Erw. 18 $, Kinder 13–17 Jahre 10 $).

Millionärsmeilen

Da man Berühmtheiten auch in Palm Beach selten zu Gesicht bekommt, konzentriert sich das Interesse vieler Besucher auf die zum Teil grandiosen Residenzen und Villen, die sich am **Ocean Drive** aneinanderreihen.

Ein Highlight ist der im Besitz des New Yorker Baulöwen Donald Trump befindliche Privatclub **Mar-a-Lago**. Der im spanisch-

maurischen Stil 1923 erbaute Palast mit 118 Räumen ist der Öffentlichkeit nicht zugänglich. Man sieht ihn aber von der Straße aus (1100 S. Ocean Dr.).

Palm Beach besitzt mit der **Worth Avenue** eine attraktive Shoppingmeile, die häufig in einem Atemzug mit dem berühmten Rodeo Drive in Beverly Hills genannt wird. Sie lädt nicht nur zum Schaufenstergucken und Einkaufen ein, sondern macht mit ihren hübschen Fassaden, versteckten Passagen und Innenhöfen auch das Flanieren unterhaltsam. Neben Edelboutiquen von Armani, Chanel, Gucci, Calvin Klein, Giorgio Armani, Hermès, Sonia Rykiel, Valentino und Louis Vuitton findet man unter den über 200 Geschäften auch Läden, die Preiswerteres anbieten.

West Palm Beach

Palm Beach ist von der Nachbarstadt **West Palm Beach** durch den Lake Worth getrennt. Die Unterschiede zwischen den beiden Gemeinden sind unübersehbar. West Palm Beach ist kein Refugium der Highsociety, sondern eine ›normale‹ Stadt mit großen Shopping Malls, aber auch einem Kulturangebot, das sich sehen lassen kann.

Die permanenten Kollektionen des **Norton Museum of Art** bestehen aus europäischer und amerikanischer Kunst des 19. und 20. Jh., chinesischen Sammlungen sowie zeitgenössischer Kunst und Fotografie. Zu den großen Europäern gehören Gauguin, Matisse, Miró, Monet und Picasso, während in der amerikanischen Sektion Künstler wie Hopper, O'Keeffe, Pollock und Sheeler vertreten sind (1451 S. Olive Ave., Tel. 1-561-832-5196, www.norton.org, Di–Sa 10–17, Do bis 21, So 11–17 Uhr, Erw. 12 $, Kinder 13–21 Jahre 5 $).

Im **South Florida Science Museum** sind in der ägyptischen Galerie Artefakte aus dem Ägypten vor der Zeitenwende ausgestellt, darunter eine echte Mumie, während es in der Space Gallery um Ausstellungen amerikanischer und russischer Raumfahrtgeräte, Astronautenausrüstungen und Meteoriten geht. Ein lebendes Korallenriff ist im hauseigenen

Adlerskulptur am Royal Poinciana Way

Aquarium Lebensraum für Haie und viele exotische Meeresbewohner, die man in einem Touch Tank auch anfassen kann (4801 Dreher Trail N., Tel. 1-561-832-1988, www.sfsm.org, Mo–Fr 9–17, Sa und So 10–18 Uhr, Erw. 12 $, Kinder 3–12 Jahre 9 $).

Infos

Palm Beach County Convention and Visitors Bureau: 1555 Palm Beach Lakes Blvd., Suite 800, West Palm Beach, FL 33401, Tel. 1-561-233-3000, www.palmbeachfl.com.

Übernachten

Unterkunft mit Charme ▶ **Colony Hotel:** 155 Hammon Ave., Tel. 1-561-655-5430, www.thecolonypalmbeach.com. Exquisites Boutique-Hotel mit kostenlosem Internetzugang. Ab 275 $.

Wie in der guten alten Zeit ▶ **Palm Beach Historic Inn:** 365 S. Country Rd., Tel. 1-561-832-4009, www.palmbeachhistoricinn.com. Hübsches Inn aus dem Jahr 1921 mit dem Flair vergangener Tage. Alle Zimmer haben eine sehr geschmackvolle Einrichtung. Ab 119 $.

Top-Unterkunft ▶ **Grandview Gardens:** 1608 Lake Ave., West Palm Beach, Tel. 1-561-833-9023, www.grandview-gardens.com. Gemütliches B & B mit großen Räumen, alle mit Kaffeemaschine, Kühlschrank, Terrasse zum Pool. Die Gastgeber sprechen Deutsch. Ab 125 $.

Essen & Trinken

Traumhafter Küchenzauber ▶ **The River House:** 2373 PGA Blvd., Palm Beach Gardens, Tel. 1-561-694-1188, www.riverhouse-restaurant.com, So–Do 17–21.30, Fr, Sa 17–22 Uhr. Restaurant am Wasser mit guten Seafood-Gerichten und großer Weinauswahl. Shrimps & Steak 35 $, Hähnchenbrust vom Mesquiteholzgrill 26 $.

Echt Kubanisch ▶ **Havanna:** 6801 S. Dixie Hwy, West Palm Beach, Tel. 1-561-547-9799, tgl. 11–22 Uhr, ›to go‹ rund um die Uhr. Traditionelle kubanische Kost. Lunch Specials für 7,50 $, gute Sandwiches mit kubanischem Weißbrot 7 $, ansonsten 14–18 $.

Verkehr

Bahn: Amtrak Terminal, 201 S. Tamarind Ave., Tel. 1-561-832-6169, www.amtrak.com. West Palm Beach liegt an der Bahnstrecke zwischen Miami und New York.

Die Barriere-Inseln

Der Festlandsküste sind lang gestreckte, schmale Barriere-Inseln wie North Hutchinson Island, Hutchinson Island und Jupiter Island vorgelagert, auf denen sich viele County und State Parks sowie etwa 40 Strände befinden, die zu den schönsten in den USA gehören.

Wer eher menschenleere Strände sucht, ist mit dem nur per Boot erreichbaren **St. Lucie Inlet State Park** an der nördlichen Spitze von Jupiter Island gut bedient, von wo ein gänzlich unverbauter Strand bis zum **Hobe Sound Wildlife Refuge** weiter im Süden reicht. Ein Schnorchelparadies mit seichtem Wasser ist **Bathtub Reef Park** am Südende von Hutchinson Island, wo ein Riff für ruhiges Wasser sorgt. **Pepper Park** auf dem nördlichen Hutchinson Island ist eine gute Adresse für jene, die von Piers aus angeln oder sich Boote mieten wollen. Am Strand reiten kann man im **Frederick Douglass Memorial Park** südlich des Fort Pierce Inlet.

An der Küste von Hobe Sound und am Jensen Beach, aber auch an vielen anderen Stellen entlang der Ostküste kommen von Mitte Mai bis August Tierliebhaber auf ihre Kosten. Man kann sich nächtlichen Führungen anschließen, um streng geschützte Wasserschildkröten beim Nestbau und bei der Eiablage zu beobachten. Zahlreiche Organisationen zwischen Melbourne und Fort Lauderdale bieten solche Führungen vor allem im Juni und Juli an (eine Liste von Organisatoren von Schutzprogrammen findet sich im Internet unter www.myfwc.com, Links ›Wildlife & Habitats‹, ›Sea Turtles‹).

Jupiter Island bietet ein Naturschauspiel anderer Art. Im **Blowing Rocks Preserve** nördlich von Tequesta wusch die Brandung auf einer Länge von 2 km Höhlen aus den Kalkfelsen der Küste. Bei günstigem Wasserstand spritzt eindringendes Meerwasser durch sogenannte *blowholes* wie Geysire in den Himmel (574 S. Beach Rd., Hobe Sound, tgl. 9–16.30 Uhr, Erw. 2 $).

Treasure Coast ▶ 4, L 5–M 8

Bei Palm Beach beginnt die **Treasure Coast** und zieht sich Richtung Norden bis nach Melbourne hin. Den Namen Schatzküste erhielt der Atlantiksaum aus gutem Grund. Seit dem 16. Jh. sanken dort Hunderte von Schiffen, die meist samt Ladung noch heute auf Grund liegen. 1715 etwa geriet eine spanische Flotte mit 11 Schiffen auf dem Weg von Südamerika nach Europa in einen fürchterlichen Sturm und ging unter, wobei mehr als 1000 Menschen ums Leben kamen. Die Segelschiffe sollen unermessliche Schätze wie Gold, Silber und Juwelen an Bord gehabt haben. Seit 1988 gelang es professionellen Schatzsuchern, die Kostbarkeiten teilweise zu heben (einen Plan mit bekannten Schiffswracks findet man im Internet unter www.nps.gov/nr/ ›For Travellers›Florida Shipwrecks).

Wertvolle Schätze aus der 1715 havarierten spanischen Flotte sind in Fort Pierce im Treasure Room des **St. Lucie County Regional History Center** ausgestellt. Dabei handelt es sich um Gold- und Silbermünzen, Töpferwaren, Zinngeschirr und nautische Artefakte (414 Seaway Dr., Tel. 1-772-462-1795, www.stlucieco.gov/history, Mi–Sa 10–16, So 12–16 Uhr, Erw. 4 $).

Gilbert's Bar House of Refuge bei Stuart ist die letzte von ehemals fünf Rettungsstationen für Schiffbrüchige, die an der Ostküste in den 1870er-Jahren gebaut wurden. In den Ausstellungen finden sich u.a. Dokumente über Schiffsunglücke (301 SE. Mac Arthur Blvd., Hutchinson Island, Mo–Sa 10–16, So 13–16 Uhr, 8 $).

Eine nette Sammlung an Wrackschätzen besitzt das **McLarty Treasure Museum** mit Porzellan, religiösen Gegenständen, Waffen, Münzen, Gerätschaften, Schiffsglocken und Schmuck (13180 N. A1A, Vero Beach, Tel. 1-772-589-2147, tgl. 10–16 Uhr, Erw. 2 $).

Prächtige Lobby des Luxushotels The Breakers am Strand von Palm Beach

Cocoa Beach

An Floridas Ostküste liegen Dutzende idealer Surferstrände. Das Paradies der Wellenreiter ist **Cocoa Beach,** wo Wellen ungestört durch vorgelagerte Riffe an den Strand rollen. Vom sandigen Saum der Küste reicht ein 250 m langer hölzerner Pier ins Meer, der etwas in die Jahre gekommen ist. Hier kann man sich zu einem Getränk an die schattige Mai Tiki Bar setzen, die sich am äußersten Ende des Piers befindet und einen idealen Aussichtspunkt auf die Küstenlandschaft bildet (Parken ab 17 Uhr frei).

Infos

Cocoa Beach Area Chamber Of Commerce: 8501 Astronaut Blvd., Cape Canaveral, FL 32920, Tel. 1-321-784-6444, www.visit cocoabeach.com.

Übernachten

Schöner Strand ▶ **International Palms Resort:** 1300 N. Atlantic Ave., Tel. 1-321-783-2271, www.internationalpalms.com. Älteres Haus direkt am Strand mit zwei Restau-

rants, zwei Cafeterias und vielen Möglichkeiten für sportliche Aktivitäten. Wer eine private Atmosphäre bevorzugt, wohnt in einem von insgesamt 14 Häuschen inkl. eigener Küche. Ab 99 $.

Preiswert ▶ **Econo Lodge:** 3185 N. Atlantic Ave., Tel. 1-321-783-0500, www.econo lodge.com. Pool, WLAN, Gutschein für Frühstück, Zimmer mit Mikrowelle und Kühlschrank, teils mit Küche. Ab 75 $.

Einkaufen

Ultimatives Surfer-Mekka ▶ **Ron Jon Surf Shop:** 4151 N. Atlantic Ave., Tel. 1-321-799-8888, www.ronjons.com, tgl. 24 Std. geöffnet. Riesiges Geschäft mit allem, was man für für Wassersport und Strandleben braucht.

Aktiv

Surflektionen ▶ **Ron Jon Surf School:** 150 E. Columbia Ln., Tel. 1-321-868-1980, www.cocoabeachsurfingschool.com. Privatstunden für Einzelpersonen und Gruppenkurse mit Lehrern, die früher zum Nationalteam der USA gehörten.

453

Themenparks mit irren Achterbahnen, Rennkurse, Aquarien, Zoos für Land- und Meerestiere, Wasserparks mit abenteuerlichen Rutschen, Filmstudios, Kneipenviertel, Dinner-Theater, Kunstmuseen, Alligatorengehege: Amerikas Abenteuerspielplatz Nr. 1 ist eine verrückte Welt, in der sich alles nur um eines dreht: Amüsement um jeden Preis.

Weltweit hat das gut 200 000 Einwohner große Orlando den Ruf einer uneinnehmbaren Zitadelle der Vergnügungsindustrie mit über 110 000 Hotelzimmern und ca. 4500 Restaurants. Jahr für Jahr kommen 57 Mio. Touristen in diesen Teil des Sunshine State – Tendenz steigend. Genau genommen liegt dieser vibrierende Kosmos nicht in Orlando, sondern zwischen der Stadt und dem südlichen Nachbarn Kissimmee. Vor 150 Jahren befand sich in dieser Gegend lediglich ein abgelegenes Camp für Soldaten, die gegen Seminolen-Indianer kämpften. Der Anschluss an das Eisenbahnnetz brachte 1880 den ersten Kontakt mit der Außenwelt. Aber die Gegend blieb ein moskitoverseuchtes Brachland, bis der Disney-Konzern nach geheim gehaltenen Grundstücksverhandlungen, um die Preise nicht in die Höhe zu treiben, 1964 25 000 m² Sumpfland kaufte, um einen Vergnügungspark nach dem Vorbild von Disneyland in Anaheim (Kalifornien) zu errichten. In Rekordzeit waren die Bauarbeiten beendet, und bereits 1971 konnten die Tore zum großen Besucherspaß geöffnet werden.

An Nachahmern sollte es in den folgenden Jahren nicht fehlen. Weitere Großfirmen erkannten das wirtschaftliche Potenzial der entstehenden Vergnügungsindustrie und versuchten, sich ebenfalls ein Stück vom großen, profitablen Kuchen zu sichern. Neben schwergewichtigen Einrichtungen wie Universal Studios, Sea World und Gatorland siedelten sich viele kleine Parks und Attraktionen an, in deren Umfeld wiederum Shopping Malls, Restaurants, Museen, Shows, Golfanlagen, riesige Parkplätze und Myriaden von Hotels aller Preiskategorien entstanden.

Besucher, die ihre Unterkunft in den Resorts der Themenparks oder gleich ganze Packages inklusive Parktickets buchen, erhalten Privilegien wie früheren oder längeren Zugang zu den Parks, kostenlose Transfers und (ansonsten kostenpflichtige) Pässe für kürzere Wartezeiten bei vielen Attraktionen. Grundsätzlich gilt: So früh oder spät wie möglich an der Kasse erscheinen, weil die Besucherströme bis zum frühen Nachmittag kontinuierlich anwachsen.

Walt Disney World ▶ 4, K 5

Cityplan: S. 458

Unumstrittener Marktführer im Riesenangebot der Themenparks ist das aus vier eigenständigen Teilen bestehende, über eine Fläche von 50 km² verteilte **Walt Disney World.** Es besteht aus den vier Themenparks Magic Kingdom, Epcot Center, Animal Kingdom und Hollywood Studios, den beiden Wasserparks Typhoon Lagoon und Blizzard Beach sowie beinahe drei Dutzend Hotels und beschäftigt Tag für Tag über 5000 Angestellte, die als Aschenputtel, Mickey Maus, Goofy oder in sonstigen Jobs unterwegs sind (Lake Buena Vista, Tel. 1-407-824-2302, http://disneyworld.disney.go.com).

In der Regel öffnen Magic Kingdom, Epcot und die Hollywood Studios um 9 Uhr ihre

Pforten, Gäste ausgewählter Disney-Resorts können Animal Kingdom schon um 8 Uhr besuchen. Wer Tickets online kauft, kann mit dem im Eintrittspreis enthaltenen Fast Pass+ schon 30 Tage vorher online den Zeitrahmen zum Besuch einer Attraktion buchen, um Wartezeiten zu verkürzen.

Magic Kingdom

Im vor allem für Kinder geeigneten **Magic Kingdom** gelangt man von der im Stil des 19. Jh. gestalteten Main Street in sieben unterschiedliche ›Länder‹ wie etwa Fantasyland mit einem Aschenbrödelschloss, Tomorrowland mit Anleihen an das Raumfahrtzeitalter und Adventureland, wo sich Familien ihren Weg durch einen Dschungel bahnen und gegen Piraten ›kämpfen‹. Die Chancen, Mickey Mouse, Donald Duck, Goofy, Pluto oder einer anderen Disneyfigur über den Weg zu laufen, sind in diesem Park am günstigsten. Häufig finden Paraden statt, bei denen alle kostümierten Darsteller gemeinsam auftreten.

EPCOT-Center

Wahrzeichen des **EPCOT Center** ist das Spaceship Earth in Form eines riesigen Golf-balls. Dieser Disney-Park bietet Hightech-gesteuerte Attraktionen, welche die Errungenschaften von Wissenschaft, Technik und Industrie zum Thema haben. Ein zweiter Teil von EPCOT, World Showcase, besteht aus elf Nationalitätendörfern wie China, Frankreich, Japan, Norwegen, Marokko und Italien, die schon an ihrer Architektur dem jeweiligen Land zugeordnet werden können. Den ganzen Tag über finden in diesen Dörfern typische Open-Air-Veranstaltungen wie Auftritte von Artisten aus dem Reich der Mitte oder venezianischer Karneval statt.

Animal Kingdom

Seit der Eröffnung 1998 hat sich **Animal Kingdom** zu einem besonderen Besuchermagneten entwickelt. Im 200 ha großen Park leben exotische Tiere in Landschaften, die der Wirklichkeit täuschend echt nachempfunden sind, ob es sich um afrikanische Savannen oder asiatische Tigerreviere handelt. Holpert man vom Harambe-Village mit der Kilimanjaro-Safari an Bord eines umgebauten Lastwagens über wacklige Brücken und ausgefahrene Pisten an Löwen und Giraffen vorbei, fühlt man sich in ein ostafrikanisches

Stunt Show zu ›Indiana Jones‹ in den Disney Hollywood Studios in Orlando

Orlando und die Vergnügungsparks

Tierschutzgebiet versetzt. In einer reizvollen Landschaft leben Gorillas, die auf dem Pangani Forest Exploration Trail zu sehen sind. Im Asienteil des Parks führt der Maharaja Jungle Trek an halb verfallenen Tempeln vorbei, zwischen deren malerischen Ruinen man Tiger beobachten kann.

Disney-Hollywood Studios 4

Einen Blick hinter die Kulissen von Film- und Fernsehproduktionen lassen die **Disney-Hollywood Studios** zu. Im Stil von Steven Spielberg gibt's jede Menge Action in der ›Indiana Jones Stunt Show‹ bei Kampfszenen und Explosionen, während Besucher im Set von ›Krieg der Sterne‹ das Gefühl haben, mit Lichtgeschwindigkeit durch den Orbit zu rasen. Noch intensiver werden die Nerven im ›Twilight Zone Tower of Terror‹ beansprucht. Wer einen echten Adrenalinkick benötigt, kann sich in dem düsteren Hotelturm in einem Aufzug mit atemberaubender Geschwindigkeit nach oben katapultieren lassen, um die Lift in völliger Dunkelheit ins Bodenlose zu fallen scheint. Dem tatsächlichen Filmgeschäft kommt man in den Fertigungsräumen von Zeichentrickfilmen am nächsten, wo Originalskizzen zu sehen sind und Zeichner bei der Arbeit sitzen.

Kleinere Parks ▶ 4, K 5

Cityplan: S. 458
In **Gatorland** 5 tummeln sich Baby-Alligatoren ebenso wie furchterregende ausgewachsene Exemplare. Natürlich kommt auch diese Attraktion nicht ohne Shows wie etwa Ringkämpfen mit Alligatoren aus. Am publikumswirksamsten sind Raubtierfütterungen, bei denen Wärter Schubkarrenladungen an Fisch und Fleisch an die gierigen Echsen verteilten. Ein Hauch von Crocodile-Dundee-Feeling mag aufkommen, wenn man das Package ›Trainer for a Day‹ bucht, das in Wahrheit allerdings nur zwei Stunden dauert (14501 S. Orange Blossom Trail, Tel. 1-800-393-5197, www.gatorland.com, tgl. 10–17 Uhr, ab 13 Jahren 27 $, Kinder 3–12 Jahren 19 $).

Neben Hightech-Einrichtungen und Film-kulissen gelten im Freizeitimperium von Orlando hauptsächlich exotische Tiere und Meereslebewesen als besondere Attraktionen. Als faszinierender Meereszoo präsentiert sich **Sea World** 6 mit einer Wal- und Delfinstation, einer arktischen Forschungsstation, Hallen für Pinguine, Seelöwen und Otter sowie einem riesigen Becken für die Hauptattraktion – Shamu, den Killerwal. Neben den einzelnen Tierpräsentationen gibt es Sonderprogramme wie ›Animal Care Experience‹, d. h. man kümmert sich einen Tag lang unter fachkundiger Anleitung etwa um verwaiste Seekuhkinder, Seelöwen oder Walrösser. Das Programm ›Dine with Shamu‹ verbindet einen lukullischen Schmaus am Meeresfrüchte-Büfett mit einem informativen Treffen mit einem Orka-Tiertrainer, der Wissenswertes über die riesigen Meeressäuger berichtet (7007 Sea World Dr., Tel. 1-407-351-3600, www.seaworld.com, tgl. ab 9 Uhr, Schließungszeiten variieren, Erw. 95 $, Kinder 3–9 Jahre 90 $, Onlinepreise weitaus preiswerter).

Am International Drive ▶ 4, K 4

Cityplan: S. 458
Von den Vergnügungsparks einmal abgesehen spielt sich das Leben in Orlando vor allem auf und um den **International Drive** 7 ab, der parallel zur I-4 verläuft. An dieser Straße reihen sich Hotels, Geschäfte, unzählige Restaurants und Attraktionen aneinander, die vor allem nach Schließung der Parks für viel Betrieb sorgen.

Die Ausstellung ›Titanic – Ship of Dreams‹ besitzt auch über 200 Originalstücke der ›Titanic‹ und viele Memorabilien aus Filmen, die über die wohl berühmteste Schiffshavarie der Welt gedreht wurden (7324 International Dr., Tel. 1-407-248-1166, www.titanictheexperience.com/facts.html, tgl. 10–20 Uhr, ab 12 Jahren 22 $, Kinder 5–11 Jahre 16 $).

Man kommt ins Staunen, wenn man auf dem International Drive an **Wonderworks** vorbeifährt. Das Bauwerk sieht aus, als sei es

aktiv unterwegs

Über Wasserrutschen durch Orlando

Tour-Infos
Start: Wet 'n Wild (5800 Water Play Way)
Länge: 14 Meilen (22,4 km)
Dauer: für jeden Park sollte man mindestens einen halben Tag einplanen
Cityplan: s. S. 458

Orlando wäre nicht Floridas Vergnügungs-mekka, hätten die Spaßstrategen nicht längst dafür gesorgt, dass nicht nur während der warmen Sommermonate aktive Wasserratten auf ihre Kosten kommen. Die Zeiten geka-chelter Schwimmbecken mit Sprungbrett sind allerdings längst vorbei. Wer im meer-fernen Orlando Abkühlung sucht, kann pures Badevergnügen mit Adrenalin fördernden Wasserabenteuern verbinden.

Wet 'n Wild 2 ist zwar der älteste Was-serpark der Welt, bietet aber waghalsige At-traktion wie Bomb Bay, vor der selbst erfah-rene Adrenalinjunkies kneifen. In einem sechs Stockwerke hohen Turm steigt man in eine Kapsel, deren Boden sich schlagartig öffnet und die Insassen eine fast senkrechte, 23 m hohe dunkle Wasserrutsche hinunterstürzen lässt. Einmalig ist wohl die Disco H2O inner-halb einer röhrenförmigen Wasserrutsche, die selbst auf Lichteffekte, Trockeneisnebel, coole Musik und natürlich eine Tanzfläche nicht verzichtet (6200 International Dr., Tel. 1-407-351-1800, www.wetnwildorlando.com, tgl. 10–17 bzw. 19 Uhr, Erw. 56 $, Kinder 3–9 Jahre 51 $, online günstiger, Parken 13 $).

Bringt man genügend Courage mit, kann man sich in **SeaWorld's Waterpark Aqua-tica** 3 in der Wasserrutsche Omaka Rocka wie in Half-Pipes trichterförmige Wände hi-naufdrücken und kräftig durchschütteln las-sen, bevor man in ein Labyrinth aus Rutschen und Rinnen gespült wird und schließlich ei-nen gnadenlosen Sturz in ein Becken erlebt. Ein tolles Erlebnis ist der Dolphin Plunge. In

einer gläsernen Röhre rutschen Gäste 15 m weit durch ein Becken, in dem sich Delfine tummeln. Besonders Mutige stürzen sich im freien Fall 24 m in Ihu's Breakaway hinunter, der höchsten und aufregendsten Wasserrut-sche von Orlando (5800 Water Play Way, Tel. 1-888-800-5447, http://aquaticabyseaworld. com, ganzjährig geöffnet, wechselnde Zeiten, Parken 13 $, Eintritt Erw. 56 $, Kinder 3–9 Jahre 51 $, online günstiger).

Eine künstliche Schnee- und Eislandschaft mit Tannenbäumen, Eiszapfen und einer akustischen Untermalung durch Weihnachts-lieder sorgt im **Disney's Blizzard Beach Wa-ter Park** 4 für eine ungewohnte Szenerie im hochsommerlichen Orlando. Selbst vom blo-ßen Hingucken wird einem trotz der Tages-temperaturen von 30 Grad im Schatten schon kalt. Ein Skilift bringt Bikini- und Badehosen-träger auf einen verschneiten Gipfel, wo man zwischen verschiedenen Abfahrten wählen kann – bäuchlings auf dem Schmelzwasser der Skipiste bergab oder durch eine 12 Stockwerke hohe Wasserrutsche bis zur Lan-dung in einem Auffangbecken (1534 W. Buena Vista Dr., Tel. 1-407-939-6244, http:// disneyworld.disney.go.com/parks/blizzard-beach, tgl. 10–18 Uhr, Erw. 53 $, Kinder 3–9 Jahre 45 $).

In **Disney's Typhoon Lagoon Water Park** 5 sieht es zwischen Palmenhainen, Was-serbecken und tropischen Fantasieland-schaften aus, als sei eben ein verheerender Taifun durchgezogen. Auf dem Gipfel eines Berges hat der gewaltige Sturm einen Fisch-kutter zurückgelassen. Schnorchler können sich zu Haien und tropischen Fischarten in ein Becken begeben, während Surfer ihr Kön-nen an Riesenwellen messen (1195 East Buena Vista Dr., Tel. 1-407-824-4321, http:// disneyworld.disney.go.com/parks/typhoon-lagoon, tgl. 10–18 Uhr, ab 10 Jahren 53 $, Kinder 3–9 Jahre 45 $).

Orlando

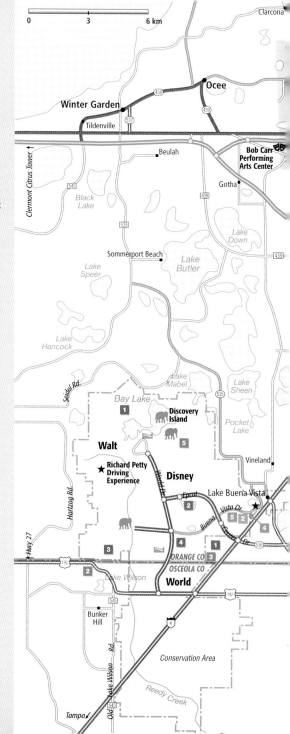

auf das Dach gekippt worden. Im Innern kann man ein Erdbeben der Stärke 5,3 am eigenen Leib verspüren. Außerdem gibt es viele interaktive Hightecheinrichtungen, die Besucher ausprobieren können (9067 International Dr., Tel. 1-407-351-8800, www.wonderworkson line.com, tgl. 9–24 Uhr, ab 13 Jahren 26 $, Kinder 4–12 Jahre 20 $).

Universal Studios ► 4, K 5

Cityplan: S. 458
Härtester Konkurrent der Disney-Hollywood Studios sind die **Universal Studios** 8, in denen es ebenfalls um Kulissen und Inszenierungen berühmter Filme wie ›Jurassic Park‹, ›Zurück in die Zukunft‹, ›Der weiße Hai‹, ›E. T.‹ oder ›Men in Black‹ geht. Schon der Eingangsbereich der Universals ist sehr attraktiv. Ein futuristisch anmutendes System von Rolltreppen und Förderbändern transportiert Besucher von den Parkdecks zum Eingang des CityWalk, wo sich Restaurants, Bars, Nachtclubs und Geschäfte befinden und das größte Hardrock-Café der Welt Gäste bewirtet. Durch diese ›Vorstadt‹ gelangt man zum eigentlichen Themenpark. Man kann im Manhattan der 1920er-Jahre den Blues Brothers zuhören, durch eine Kopie von Fisherman's Wharf in San Francisco flanieren oder sich im Set des Katastrophenthrillers ›Twister‹ von einem Hurrikan durchschütteln lassen. Im Juli 2014 wurde der zweite Teil von ›The Wizard World of Harry Potter‹ eröffnet, wo Diagon's Alley mit Goblins in der Gringotts Bank und einer atemberaubenden Achterbahn die Hauptattraktionen sind. Mit dem Park-to-Park-Ticket kann man mit dem Hogwarts™ Express nach Hogsmeade, der Potter-Welt in den Islands of Adventure-Park, fahren.

Islands of Adventure 9

Zu den Universals gehören die **Islands of Adventure.** Dort dürfen Besucher in Hightech-Rides wie ›Amazing Adventures of Spider-Man‹, ›The Incredible Hulk‹ und den ›Dueling Dragons‹-Achterbahnen ihre Mägen auf Be-

lastbarkeit testen. Eine beeindruckende Erfahrung ist die Simulation eines Erdbebens der Stärke 8,6 in einer U-Bahn-Station von San Francisco – Wassereinbruch, berstende Deckenträger und brennender Tanklastwagen inklusive. Besuchermagnet ist ›The Wizard World of Harry Potter‹. (1000 Universal Studios Plaza, Tel. 1-407-363-8000, www.universalorlando.com, tgl. ab 8 oder 9 Uhr, Tagesticket für die zwei Parks Erw. 136 $, Kinder 3–9 Jahre 130 $).

Infos

Orlando/Orange County Convention & Visitors Bureau: 8723 International Dr., Orlando, FL 32819, Tel. 1-407-363-5872, www.orlandoinfo.com, www.orlandotourism.us, im Mercado Mediterranean Shopping Village. Für mobile Endgeräte gilt visitOrlando.mobi.

Übernachten

Flair der Karibik ► **Loews Royal Pacific Resort** 1: 6300 Hollywood Way, Tel. 1-407-503-3000, www.loewshotels.com/en/Hotels/Royal-Pacific-Resort. Exotisch anmutende, schöne Anlage mit reizvoller Poollandschaft und Spa. Mit Bootstransfer zum abendlichen Drink am Universal City Walk, kostenlosen Transfers und diversen Privilegien für die Themenparks von Universal. Ab 280 $.

In Disney-Nähe ► **Floridays Resort** 2: 12562 International Dr., Tel. 1-866-994-6321, www.floridaysresortorlando.com. Ein ideales Quartier für Familien; Pool, Waschautomaten, Suiten mit 2 Zimmern, 2 Bädern und Küche, WLAN. Ab 150 $.

Mitten drin ► **Disney's Pop Century Resort** 3: 1050 Century Dr. Lake Buena Vista, Tel. 1-407-938-4000, www.disneyworld.disney.go.com. Lebhaftes, günstig gelegenes Hotel in Disney World mit schönen Pools und Spielplatz, gut für Familien mit Kindern geeignet. Transfers sind im Preis inbegriffen. Ca. 100 $.

Nahe dem International Drive ► **La Quinta Inn** 4: 5621 Major Blvd., Tel. 1-407-313-3100, www.lq.com. Ordentliches Kettenmotel mit Standardzimmern nicht weit von den Universal Studios entfernt. Ab 84 $.

Tipp: Disneypreise

Tief durchatmen! Wer diese Devise beherzigt, verkraftet die gesalzenen Eintrittspreise in den Disney-Einrichtungen vielleicht leichter. Einen Vorgeschmack erhält man unter http://disneyworld.disney.go.com unter der Rubrik ›Parks & Tickets‹. Ärgerlich ist die verwirrende Preisgestaltung, die zu längerem Studium der Auswahl zwingt.

Ein Tagesticket für einen Park kostet Erwachsene 100 $, Kinder zwischen 3 und 9 Jahren 94 $, jeweils inkl. Tax (Magic Kingdom kostet 5 $ mehr). Bereits ab 10 Jahren(!) gilt für Kinder der Erwachsenenpreis. Zusätzliche Tage werden nur geringfügig preiswerter, der Parkeintritt für vier Tage schlägt für eine Familie mit einem Kind zwischen 3 und 9 Jahren mit insgesamt rund 918 $ zu Buche. Dabei darf aber zwischen den Parks nicht gewechselt werden.

Möchte die Familie ›pendeln‹, muss man für die Option ›Parkhopper‹ zusätzlich zahlen: vier Tage kosten dann 1109 $. Da die Parks anstrengend sind, lohnt sich ein 7-Tages-Ticket, das kaum teurer ist. Die Familie würde inklusive Parkhopper-Option dafür 1205 $ zahlen. Wasserparks kann man gleich mitbuchen, das kommt dann auf stolze 1288 $. Parken kostet pro Tag zusätzliche 17 $. Da kann sich ein Package lohnen.

Das **Magic Your Way Package** beinhaltet den Parkeintritt (Anzahl der Tage wählbar) sowie die Übernachtung, den Flughafentransfer, kostenloses Parken und Transfers zwischen den Parks. Zudem dürfen die Hotelgäste eine Stunde früher in einen Park (die Parks variieren täglich) oder aber länger bleiben. Disney World bietet diverse Komplettpakete mit Parkeintritt, Parkhopperoption und Unterkunft an, etwa für eine vierköpfige Familie mit 4 Parktagen bzw. 3 Übernachtungen im Standardzimmer zu einem Preis ab 1427 $. Wer eine komfortablere Unterkunft wählt, bezahlt weit über das Doppelte. Sämtliche Preise sind online im Voraus auszurechnen unter http://disneyworld.disney.go.com.

Camping ▶ Disney's Fort Wilderness Resort [5]: Walt Disney World Resort, Lake Buena Vista, Tel. 1-407-934-7639, www.disneyworld.disney.go.com. Gut ausgestatteter Platz auch für Zelte; Cabins mit Küche; in der Nähe liegt die Tri-Circle-D Ranch, auf der Kinder Reitstunden auf Ponies nehmen können.

Essen & Trinken

Traumhafte Steaks ▶ Bull & Bear [1]: 14200 Bonnet Creek Resort Ln., Tel. 1-407-597-5500, www.waldorfastoriaorlando.com, tgl. ab 18 Uhr. Hervorragend, extravagant und teuer. Das 1000 g schwere ›Tomahawk‹-Steak für Zwei kostet 130 $.

Zurück ins Mittelalter ▶ Medieval Times [2]: 4510 W. Irlo Bronson Hwy, Tel. 1-407-396-1518, www.medievaltimes.com. Bei der Dinnershow geht es um mittelalterliche Ritterturniere. 59 $.

Top-Brasilianer ▶ Fogo De Chao [3]: 8282 International Dr., Tel. 1-407-370-0711, www.fogodechao.com, tgl. Lunch und Dinner. Brasilianisches Churrasco-Steakhouse im Gaucho-Stil. Fleischspezialitäten ›all you can eat‹ mit Salatbüfett 48,50 $.

Hervorragend ▶ Roy's [4]: 7760 W. Sand Lake Rd., Tel. 1-407-352-4844, www.roysrestaurant.com, tgl. ab 17.30 Uhr. Kunstvoll arrangierte Speisen im hawaiianischen Stil, meist Seafood. Ab ca. 30 $.

Französisches Spitzenrestaurant ▶ Emeril's [5]: 6000 Universal Blvd., Tel. 1-407-224-2424, www.emerils.com, tgl. Lunch und Dinner. Restaurant des bekannten Emeril Lagasse. Für die einen der Gourmethimmel, für andere eine Touristenfalle. Ab 24 $.

Einfach Italienisch ▶ Olive Garden [6]: 8984 International Dr., Tel. 1-407-264-0420, www.olivegarden.com, tgl. 11–22 Uhr. Kettenrestaurant mit guter italienischer Küche für die ganze Familie. Ab 11 $.

Lecker und doch preiswert ▶ Ponderosa Steakhouse [7]: 6362 International Dr., Tel. 1-

Orlando und die Vergnügungsparks

407-352-9343, www.ponderosaorlando.com, Frühstück, Lunch & Dinner. Seafoodplatten, Steaks, Hähnchen. Hauptgang ab 10 $.

Top Sandwiches ▶ **Hot Krust Panini** 🔳: 8015 Turkey Lake Rd., Tel. 1-407-355-7768, www.hotkrust.com, Mo–Fr 8–20, Sa 10.30–20 Uhr. Idealer Ort für einen Lunch, feine Suppen und Salate. Ab 6 $.

Einkaufen

Shopping-Imperien ▶ **Artegon Marketplace** 🔳: www.artegonorlando.com, die 70 Millionen Dollar kostende Umwandlung der ehemaligen Festival Bay Mall in einen Marketplace mit deutscher Bierhalle und entsprechenden Speisen wie Sauerbraten und Wiener Schnitzel, Kunst- und Marktständen, Ron Jon's Surf Shop, dem Outdoorspezialisten Bass Pro Shop, Kinos und der Kette für Country Food »I Love This Bar & Grill« ist derzeit in vollem Gange.

Florida Mall 🔳: 8001 S. Orange Blossom Trail, www.simon.com, Mo–Sa 10–21, So 12–18 Uhr. Sozusagen ein Angriff auf die Reisekasse: Dillard's, JCPenney, Lord & Taylor, Macy's, Nordstrom, Saks Fifth Avenue, Sears und noch 250 andere Shops sind hier vertreten, zudem Restaurants inklusive eigenem Hotel.

Mall at Millenia 🔳: 4200 Conroy Rd., www.mallatmillenia.com, Mo–Sa 10–21, So 11–19 Uhr. Alles, was das Herz begehrt: Cartier, Gucci, Chanel, Burberry, Louis Vuitton, Lacoste, Tiffany & Co. sowie Bloomingdale, Macy's.

Abends & Nachts

Großes Vergnügungszentrum ▶ **Universal City Walk** 🔳: vor den Universal Studios, tgl. 11–2 Uhr. Attraktives Vergnügungsviertel mit Restaurants, Kinos, Klubs und Bars, viele Tische im Freien. Besonders am Wochenende herrscht großer Andrang. Der ›City Walk Party Pass‹ gewährt für 11,99 $ Einlass zu sämtlichen Musikclubs.

Disney Ausgehviertel ▶ **Downtown Disney mit Pleasure Island** 🔳: Buena Vista Dr., tgl. bis 2 Uhr. Gegenstück zum City Walk mit dem größten Walt-Disney-Shop der Welt,

Restaurants, Klubs und der großen Show ›Cirque du Soleil La Nouba‹.

Für Großveranstaltungen ▶ **Amway Center** 🔳: 400 W. Church St., Tel. 1-407-440-7000, www.orlandocentroplex.com. Großer Komplex in Orlando für Sport- und Kulturveranstaltungen.

Aktiv

Freizeitpark ▶ **Loch Haven Cultural Park** 🔳: N. Mills Ave. ›Kulturmeile‹ von Orlando auf großem Freizeitgelände mit drei Seen, Parkanlagen, Museen, Galerien und dem Shakespeare Theater.

Verkehr

Flugzeug: Orlando International Airport, Tel. 1-407-825-2001, www.orlandoairports.net. Er wird von mehreren Fluggesellschaften aus Deutschland angeflogen. Lynx-Busse fahren nach Downtown (Linie 11 und 51) und zum International Drive (Linie 42). Alle großen Mietwagenfirmen sind mit Büros am Flughafen vertreten.

Bahn: Amtrak Terminal, 1400 Sligh Blvd., Tel. 1-800-872-7245, www.amtrak.com. Züge nach Miami und in alle anderen Landesteile.

Bus: Greyhound Lines Terminal, 555 N. John Young Pkwy, Tel. 1-407-292-3424, www.greyhound.com. Busse verkehren von hier aus in alle Richtungen.

Öffentlicher Nahverkehr: Die I-Ride Trolleys fahren alle 15 Min. die 54 mit ›I-RIDE‹-Schildern gekennzeichneten Haltestellen am International Drive an (Einzelfahrt 2 $, Kinder 3–9 Jahre 1 $, an Kiosks gibt es den One Day Pass für 5 $, den Three Day Pass für 7 $, www.iridetrolley.com, tgl. 8–22.30 Uhr).

Lynx-Busse: www.golynx.com. Verkehren im Großraum Greater Orlando. Die Haltestellen sind mit dem Abdruck einer Luchspfote gekennzeichnet, Einzelticket für 1,50 $, Tagespass 5 $, 3 Tage 7 $, tgl. 8–22.30 Uhr.

Im Hai-Tunnel in Seaworld fühlt sich der Besucher auf den Meeresgrund versetzt

Space Coast und First Coast

Wegen des Kennedy Space Center auch Weltraumküste genannt, dominiert am Cape Canaveral Hightechindustrie. Der restliche Nordosten ist von der Metropole Jacksonville abgesehen eine Mischung aus verträumten Kleinstädten und historischen Schauplätzen, die dieser Region den Namen ›Erste Küste‹ gegeben haben.

Bis in die Zeit nach dem Zweiten Weltkrieg waren die atlantischen Inseln bei Titusville eine Welt für sich aus Schilfgras, Sand und Wasserwegen. Doch schon wenige Jahre später wählte die NASA den isolierten Küstenflecken als Standort ihrer Raumfahrtprogramme aus. Mit John Glenn flog am 20. Februar 1962 der erste Amerikaner in den Orbit. Im Zuge des Apollo-Programms betrat am 21. Juli 1969 Neil Armstrong als erster Mensch den Mond. Sechs weitere Landungen auf dem Erdtrabanten folgten bis 1972. Ende der 1970er-Jahre bahnte sich mit der Entwicklung der Space Shuttles und den ersten erfolgreichen Flügen eine neue Ära an. Ihre dunkelsten Stunden erlebte die NASA mit der Explosion der Raumfähre ›Challenger‹ 1986, bei der sieben Besatzungsmitglieder ums Leben kamen, und 2003, als die ›Columbia‹ beim Wiedereintritt in die Erdatmosphäre mit ebenfalls sieben Astronauten an Bord verglühte.

Der Nordosten Floridas hat sich aber nicht nur als Ziel für Raumflug-Amateure einen Namen gemacht, sondern ist auch an Landschaften, Städten, Sehenswürdigkeiten und Freizeitmöglichkeiten gemessen ein Schwergewicht. Keine Stadt auf dem Boden Floridas aber präsentiert sich Besuchern mit so unverwechselbar spanischem Flair wie St. Augustine. Das Touristenziel rühmt sich heute als älteste Stadt auf US-amerikanischem Boden. Je weiter man an der First Coast nach Norden fährt, desto ruhiger wird jenseits der Riesenstadt Jacksonville die Landschaft mit den abgeschiedenen Talbot Islands und mit Amelia Island fast an der Grenze zum Nachbarstaat Georgia.

🔢15 Kennedy Space Center ▶ 4, L 5

Millionen Schaulustiger statten Jahr für Jahr dem Weltraumbahnhof Kennedy Space Center einen Besuch ab. Einst starteten dort US-Raumshuttles zu ihren Missionen in den Orbit, und selbst die Apollo-Unternehmen, die in den Mondlandungen ihren Höhepunkt fanden, wurden dort vorbereitet und durchgeführt. Das **Kennedy Space Center** bildet gewissermaßen die Eingangslobby zum riesigen NASA-Gelände am Cape Canaveral. Im Freien ist ein Raketengarten mit in den Himmel ragenden Trägersystemen aufgebaut. Außerdem ist eine gewaltige Saturnrakete zu sehen, die bei den Apolloflügen eingesetzt wurde. Häufig stellen sich auf dem Gelände Astronauten den Fragen des Publikums. Man kann am Programm ›Lunch with an Astronaut‹ teilnehmen und sich nach einem Mittagessen von Astronauten über Raumflugerlebnisse berichten lassen. Ein Erlebnis ganz besonderer Art sind die wechselnden 3-D-Filme, sowie ein sehr realistisch wirkender Shuttle-Start, der im Shuttle Launch Experience simuliert wird. In Wirklichkeit endete die Ära der Weltraumstarts der NASA-Shuttles im Februar 2011 mit dem letzten Flug der Endeavour zur Internationalen Raumstation.

Seit 2012 kann die ISS nur noch von den russischen Sojus-Kapseln versorgt werden. Dennoch werden Besuche des Kennedy Space Center nichts von ihrer Attraktivität verlieren. Dafür sorgen u. a. die Ausstellung des Space Shuttles Atlantis oder die halbstündige Star Trek-Bühnenshow, bei der Fans sich mit den Feinheiten der Raumfahrttechnik vertraut machen können.

Den besten Eindruck von den NASA-Aktivitäten bekommt man bei der im Ticket enthaltenen ›Kennedy Space Center Tour‹ per Bus über das Gelände (ca. 2 Std.). Stopps werden u. a. beim Apollo/Saturn V. Center mit einer 110 m langen Trägerrakete, der Observation Gantry in der Nähe einer Space-Shuttle-Rampe und beim International Space Station Center eingelegt. Dort erfährt man alles über Bau und Betrieb der Internationalen Raumstation ISS, welche die NASA zusammen mit Partnerorganisationen in Europa, Kanada, Japan und Russland verwirklicht. Eine andere Tour trägt den Namen ›Cape Canaveral: Then & Now‹. Sie verbindet die Kennedy Space Center Tour mit einem Ausflug zu den ehemaligen Startrampen der Mercury-, Gemini- und Apollo-Projekte. Zwei weitere Touren sind im Angebot. Bis auf die Bustour kosten alle Touren zusätzlich zum Ticket 25 $, Kinder 3–11 Jahre 19 $.

U.S. Astronaut Hall of Fame

Westlich vom Kennedy Space Center besitzt die **Astronaut Hall of Fame** die weltweit größte Sammlung an originalen Ausrüstungsgegenständen von Astronauten, Raumkapseln der Mercury-, Gemini- und Apollo-Missionen und interaktive Einrichtungen, an denen man sich der Erdanziehungskraft enthoben fühlt wie beim Spaziergang über die Mondoberfläche oder in einem Simulator die vierfache Erdanziehungskraft zu spüren bekommt (6225 Vectorspace Blvd., tgl. 10–18.30 Uhr im Sommer, Ticket für das Kennedy Space Center eingeschlossen).

Infos

Kennedy Space Center: 11 Meilen östlich der I-95 an der SR 405, Tel. 1-321-449-4444, www.kennedyspacecenter.com, tgl. 9–17 Uhr, Erw. 50 $, Kinder 3–11 Jahren 40 $.

Übernachten

Zufriedenstellend ▶ **Econo Lodge:** 260 E. Merritt Island Cswy., Tel. 1-321-452-7711, www.choicehotels.com. Kein anderes Hotel liegt näher beim Space Center. 80–200 $.

Gute Wahl ▶ **Best Western Space Shuttle Inn:** 3455 Cheney Hwy/Rte 50, Titusville, Tel. 1-321-269-9100, www.bestwestern.com. Geräumige Zimmer, diverse Sportgelegenheiten, Frühstück inkl. 70–90 $.

Daytona Beach ▶ 4, K 4

Der Sandstrand von **Daytona Beach** trennt den Atlantik von einer aus Hotels, Motels und Apartmentklötzen bestehenden Stadtkulisse. So weit unterscheidet sich der Badeort kaum von anderen Küstenflecken. Was Daytona Beach aber so besonders macht, ist seine intime Verbindung mit dem liebsten ›Spielzeug‹ der Amerikaner: dem fahrbaren Untersatz.

Schon zu Beginn des 19. Jh. donnerten im benachbarten Ormond Beach Rennwagen den Strand entlang. An diese Vorgeschichte knüpft die Rennbegeisterung der Einwohner und Besucher von Daytona Beach an, die sich alljährlich zu mehreren Veranstaltungen auf dem Daytona International Speedway treffen.

Auch an normalen Wochenenden demonstrieren Auto- und Motorradbesitzer ihre tiefgehende PS-Treue. Wer etwas auf sich hält, bezahlt an einem Tickethäuschen 5 $ und erwirbt damit die Berechtigung, mit dem Fahrzeug am Strand auf und ab fahren oder für einen Badenachmittag parken zu dürfen. An Sommerwochenenden verwandelt sich der Atlantiksaum in einen Laufsteg der Eitelkeiten. Trägerinnen knapper Bikinis patrouillieren in Begleitung gebräunter Muskelmänner in offenen Sportwagen. Teenager bugsieren Strandbuggys auf der Suche nach dem anderen Geschlecht durch die Menschenmengen, die sich zwischen geparkten Autos und Motorrädern im Sand räkeln. Bester Logenplatz, um das sehenswerte Chaos zu be-

465

Riesenraketen im Apollo/Saturn V. Center auf dem NASA-Gelände

obachten, ist der 400 m weit ins Meer ragende **Main Street Pier** mit dem Restaurant Joe's Crab Shack.

Motorsport

Normalerweise beginnt das Rennjahr mit den 16-tägigen Speedweeks im Februar, bei denen auch das berühmte ›Daytona 500‹ gefahren wird, gefolgt von der ›Bike Week‹ mit Dutzenden von Veranstaltungen im März. Die Reihe der Veranstaltungen zieht sich bis zum Dezember hin, ehe eine kurze Winterpause eingelegt wird.

Daytona International Speedway

Der Hochgeschwindigkeitskurs existiert seit 1959 und besteht aus einer 4 km langen ovalen Rennbahn, die von hohen Seitenwänden flankiert wird. Als erstes Rennen wurde am 22. Februar 1959 vor mehr als 41 000 Zuschauern das erste Daytona 500 ausgetragen, das bis heute das populärste Rennen geblieben ist und jedes Jahr bis zu 150 000

Zuschauer anzieht (1801 W. International Speedway Blvd., Tel. 1-386-253-7223, www.daytonainternationalspeedway.com).

Bikerwochen und Spring Break

Bikerwochen und Spring-Break-Harley-Liebhaber kommen bei der **Bikeweek** (März) und beim **Biketoberfest** (Oktober) voll auf ihre Kosten. Tausende von Bikern präsentieren sich und ihre Maschinen dann dem staunenden Publikum. Gleichzeitig zur Bike Week feiern die amerikanischen Studenten ihre **Ferien beim Spring Break,** wobei das Jungvolk eine beachtliche Partyausdauer an den Tag legt. Wer an dem Trubel teilhaben möchte: eine rechtzeitige Hotelreservierung ist angebracht, denn es wird – in jeder Hinsicht – ›voll‹ (www.officialbikeweek.com).

Infos

Daytona Beach Area Convention & Visitors Bureau: 126 E. Orange Ave., Daytona Beach, FL 32114, Tel. 1-386-255-0415, www.daytonabeach.com.

Übernachten

Am Strand gelegen ▶ Shores Resort & Spa: 2637 S. Atlantic Ave., Tel. 1-866-934-7467, www.shoresresort.com. Großes Hotel mit Spa und Fitnesscenter, beheiztem Pool, Tiki Bar und Restaurant. 130 $ plus 15 $ Resort Fee.

Fabelhaftes B & B ▶ The Villa: 801 N. Peninsula Dr., Tel. 1-386-248-2020, www.thevillabb.com. Gepflegtes Anwesen im spanischen Stil mit vier Nichtraucher-Zimmern, Pool und hübschem Garten. 130–250 $.

Eine charmante Oase der Ruhe ▶ River Lily Inn: 558 Riverside Dr., Tel. 1-386-253-5002, www.riverlilyinnbedandbreakfast.com. Attraktives Bed & Breakfast im viktorianischen Stil mit 6 wohnlich und hell gestalteten Gästezimmern mit eigenem Bad, TV, DVD-Player und WLAN. Rauchen ist nur außerhalb erlaubt. Ab 135 $.

Camping ▶ Daytona Beach KOA: 3520 S. Nova Rd., Port Orange, Tel. 1-386-767-9170. Großer Platz mit Pool, ganzjährig geöffnet. **Harris Village and RV Park:** 1080 N. US 1, Ormond Beach, Tel. 1-386-673-0494, www.harrisvillage.com. Platz nur für Erwachsene mit sämtlichen Einrichtungen.

Essen & Trinken

Deutsche kulinarische Hochburg ▶ European Cafe & Schnitzel House: 210 S. Atlantic Ave., Ormond Beach, Tel. 1-386-672-8834, www.hb17.com/schnitzelhouse, tgl. 16–21 Uhr. 16 verschiedene Schnitzelarten für Heimwehkranke. 14–18 $.

Küchengruß aus Italien ▶ Don Vito's: W. Int. Speedway Blvd., Tel. 1-386-492-7935, www.donvitosrestaurant.com, Di–So ab 16 Uhr. Pizza & Pasta. 12–20 $.

Abends & Nachts

Mehrere Lokale liegen in der **Main St.** und deren Umgebung wie etwa:

Lieblingsbar der Einheimischen ▶ Froggy's Saloon: 800 Main St., Tel. 1-386-254-8808, Mo, Di 11–19, Do–Sa 19–3 Uhr. Da kann man ins Träumen geraten: Hier hat man die Decke mit angehefteten Geldscheinen in einen Dollarhimmel verwandelt.

Heiße Partybühne ▶ Razzle's Night Club: 611 Seabreeze Blvd., Tel. 1-386-257-6236, www.razzlesnightclub.com, tgl. 20–3 Uhr. Hipper ›High Energy‹ Dance Club mit 10 Bars, großem Dance-Floor und beeindruckender Light-Show.

Nichts für zarte Gemüter ▶ Boot Hill Saloon: 310 Main St., Tel. 1-386-258-9506, http://boothillsaloon.com. Das rustikale Lokal ist ein Biker-Treff, oft Live-Musik.

St. Augustine ▶ 4, K 3

Mit knapp 12 000 Einwohnern ist **St. Augustine** eine Kleinstadt, historisch und touristisch aber ein ›Schwergewicht‹ als ältester nicht-indianischer Ort auf dem Staatsgebiet der USA. Er wurde 1565 vom spanischen Seefahrer Pedro Menendez de Aviles gegründet, 42 Jahre bevor englische Siedler in Jamestown an Land gingen. Enge Gassen, Häuser im spanischen Stil mit malerischen Innenhöfen, hübschen Balkonen und schmiedeeisernen Gittern vermitteln eine mediterrane Atmosphäre. Zu ihr trägt auch die reizvolle Bridge of Lions bei, die zwischen Stadtzentrum und Anastasia Island den Matanzas River überspannt. Ihr Mittelteil gewährt als Zugbrücke großen Schiffen freie Durchfahrt.

Historische Stätten

Die strategisch günstige Lage am ›Tor‹ nach Florida machte St. Augustine jahrhundertelang zu einer heftig umkämpften Bastion. Um sie zu schützen, wurde 1672 das **Castillo de San Marcos** errichtet, die älteste gemauerte Verteidigungsanlage der USA. Das Baumaterial bestand aus relativ weichem Muschelkalk (*coquina* oder *tabby* genannt), der sich beim Beschuss des Forts hervorragend bewährte, weil er nicht splitterte, sondern nachgab und Kanonenkugeln, wie Augenzeugen zu berichten wussten, ›wie ein weicher Käse‹ auffing. Heute untersteht die mittelalterlich anmutende Anlage mit dekorativen Ecktürmchen der Nationalparkverwaltung. Bevor San Marcos von Touristen gestürmt wurde, erfüllte es seine letzte militärische Funktion im

19. Jh. als Gefängnis für Seminolen-Indianer, die sich der Deportation nach Oklahoma widersetzten. Unter den Inhaftierten befand sich auch Häuptling Osceola, dem 1837 die Flucht aus dem als ausbruchsicher geltenden Gemäuer gelang (1 Castillo Dr., Tel. 1-904-829-6506, www.nps.gov/casa, tgl. 9–17 Uhr, 7 $).

Die Fußgängerzone St. George Street führt mitten durch die historische Altstadt und ist nicht nur von unvermeidlichen Souvenirläden und Imbissständen gesäumt, sondern auch von den ältesten Bauwerken der Stadt. Dazu gehört das wahrscheinlich um die Mitte des 18. Jh. aus Zypressen- und Zedernholz erbaute **Oldest Wooden Schoolhouse**, in dem der Schulalltag wie vor 200 Jahren dargestellt wird (14 St. George St., Tel. 1-904-824-0192, www.oldestwoodenschoolhouse.com, tgl. 9–17 Uhr, Erw. 4 $, Kinder 6–12 Jahre 3 $).

Zahlreiche restaurierte bzw. rekonstruierte Häuser aus der spanischen Kolonialzeit vor 1763 bilden das **Colonial Quarter.** Handwerker, Hausfrauen, Bedienstete und Soldaten in für die damalige Zeit typischer Kleidung führen Besuchern das Alltagsleben des 18. Jh. vor Augen (33 St. George St., Tel. 1-904-825-6830, www.colonialquarter.com, tgl. 10–18 Uhr, Erw. 13 $, Kinder 5–12 Jahre 7 $).

Ältestes ziviles Gebäude in der Stadt ist das **Gonzalez-Alvarez House** aus dem frühen 18. Jh. Ursprünglich handelte es sich um ein eingeschossiges Haus, dem später eine zweite Etage in Holzbauweise hinzugefügt wurde. In den Räumen wurde ein kleines stadtgeschichtliches Museum eingerichtet (14 St. Francis St., Tel. 1-904-824-2872, www.oldesthouse.org, tgl. 9–17 Uhr, Erw. 8 $, Kinder 6–18 Jahre 4 $).

Flaglers Vermächtnis

Eine kleine Parkanlage mit Brunnen trennt das ehemalige, vom Eisenbahnmagnaten Henry M. Flagler (1830–1913) erbaute Alcazar Hotel von der King Street. In dem andalusisch-orientalischen Bau ist seit 1948 das **Lightner Museum** mit Antiquitäten, Sammlungen von mechanischen Musikinstrumenten, einem viktorianischen Dorf und Kollektionen von Tiffany-Glas untergebracht (75 King St., Tel. 1-904-824-2874, www.lightner museum.org, tgl. 9–17 Uhr, Erw. 10 $, Kinder 12–18 Jahre 5 $).

Das spanische Viertel, eine der ältesten europäischen Siedlungen der USA

Als ein Monument aus der jüngeren Vergangenheit zieht im Stadtzentrum das **Flagler College** die Blicke auf sich. Der Gebäudekomplex mit roten Ziegeldächern, quadratischem Turm, Innenhof mit Palmen, Brunnen und üppigem Terrakotta-Dekor wurde 1888 als Hotel Ponce de Léon eröffnet. 1968 wurde das Luxushotel in ein College verwandelt. Besuchern ist der Zugang zur Rotunde erlaubt, einer runden Eingangshalle mit Mosaikboden und holzgeschnitzten Pfeilern, die zwei sich nach oben verjüngende Galerien tragen, über dem sich eine ausgemalte Kuppel wölbt (74 King St., Tel. 1-904-829-6481, www.flagler.edu).

Im Süden von St. Augustine

Südlich der Stadt widmet sich die **St. Augustine Alligator Farm** der Aufzucht von Alligatoren und Krokodilen, doch fanden in diesem subtropischen Tierpark auch Affen, viele Vogelarten wie Tukane oder Papageien sowie Riesenschildkröten eine Heimat. Unbestreitbar der Größte war bis vor einigen Jahren Gomek, ein rund 1300 kg schweres Krokodil aus Papua-Neuguinea, das seine Alligatorenkollegen wie Winzlinge aussehen ließ und seit seinem Ableben 1997 in präpariertem Zustand in einem eigenen Pavillon zu bestaunen ist (999 Anastasia Blvd., S. A1A Hwy, Tel. 1-904-824-3337, www.alligatorfarm.com, tgl. 9–17 Uhr, ab 12 Jahren 23 $, Kinder 3–11 Jahre 12 $).

Der spanische Begriff *matanzas* bedeutet so viel wie Gemetzel und bezeichnet zugleich eine 14 Meilen südlich von St. Augustine auf einer Barriere-Insel liegende Stätte, an der im Gründungsjahr der Stadt 1565 spanische Soldaten 245 Franzosen umbrachten. Von 1740 bis 1742 entstand dort zum Schutz der Südflanke der Stadt das kleine **Fort Matanzas.** Um die Anlage zu besichtigen, muss man mit einer Fähre vom Festland übersetzen (8635 A1A S., Tel. 1-904-471-0116, www.nps.gov/foma, tgl. 9–17.30 Uhr, kostenloser Fährservice 9.30–16.30 Uhr).

Eine Filmgesellschaft aus Hollywood baute 1938 zwischen St. Augustine und Flagler Beach ein Meerwasserbecken, um dort gehaltene Große Tümmler für Filme einfacher als im Meer auf Zelluloid bannen zu können. Daraus entstand in Laufe der Jahre unter dem Namen **Marineland of Florida** eine populäre Touristenattraktion, die unterschiedliche Aktivitäten mit Delfinen anbietet (9600 Oceanshore Blvd., Tel. 1-904-471-1111, www.marineland.net, tgl. 9–16.30 Uhr, ab 13 Jahren 12 $, Kinder 7 $).

Infos

St. Augustine, Ponte Vedra & The Beaches Visitors & Convention Bureau: 29 Old Mission Ave., St. Augustine, FL 32084, Tel. 1-904-829-1711, 1-800-653-2489, www.floridashistoriccoast.com.

Übernachten

Mit Aussicht aufs Meer ▶ **House of Sea and Sun:** 2 B St., Tel. 1-904-461-1716, www.houseofseaandsun.com. Ca. 5 Meilen außerhalb von St. Augustine direkt am Meer gelegenes hübsches Bed & Breakfast aus den 1920er-Jahren. An Wochenenden 2 Nächte Minimum. Ab 169 $.

Makellos, romantisch ▶ **Kenwood Inn:** 38 Marine St., Tel. 1-904-824-2116, www.thekenwoodinn.com. Schönes, zentral gelegenes B & B im viktorianischen Stil mit breiten Balkonen. Ab 139 $.

Wunderschöne Unterkunft ▶ **Victorian House:** 11 Cadiz St., Tel. 1-904-824-5214, www.victorianhousebnb.com. Viktorianisches B & B mit operettenhaft ausstaffierten Zimmern. Ab 159 $.

WG-Feeling ▶ **Pirate Haus Inn:** 32 Treasury St., Tel. 1-904-808-1999, www.piratehaus.com. Im historischen Distrikt gelegenes B & B, das auch als Jugendherberge dient. Zimmer ab 90 $, Betten im Schlafsaal 20 $.

Essen & Trinken

Viktorianisches Flair ▶ **Raintree Restaurant:** 102 San Marco Ave., Tel. 1-904-824-7211, tgl. ab 17 Uhr So 10–14 Uhr Brunch. Gute Fisch-, Pasta- und Steakgerichte, Dinnerspecials ab 15 $. 15 % Tipp werden automatisch abgezogen, man muss also nicht mehr drauflegen!

Bei St. Augustine sind die Sandstrände breit und flach

Abseits vom Touristenrummel ▶ **Salt Water Cowboys:** Dondanville Rd., Tel. 1-904-471-2332, www.saltwatercowboys.com, tgl. ab 17 Uhr. Urige Camp-Atmosphäre mit tollem Blick auf den Intercoastal Waterway. Jambalaya, BBQ, Austern oder Alligator ab 12 $.
Pizza und Pasta ▶ **Casa Benedetto's:** 6357 A1A S., Tel. 1-904-471-5999, www.casabenedettos.com, Mo–Sa ab 12 Uhr. Minestrone, Fettucine … Fans italienischer Küche landen in diesem gemütlichen Lokal. Ab 15 $.

Jacksonville ▶ 4, J/K 2

Mit über 2000 km² zählt **Jacksonville** zu den flächenmäßig größten Städten der USA und platziert sich mit 740 000 Einwohnern noch vor Miami. Direkt am Wasser liegt **Jacksonville Landing,** das vom gleichen Architekten entworfen wurde wie der Bayside Marketplace in Miami (www.jacksonvillelanding.com).

Das **Cummer Museum of Art and Gardens** ist das größte Kunstmuseum im Nordosten von Florida und stellt europäische Kunst vom 12. bis zum 20. Jh. aus mit Werken von Rubens, Gaddi, Aertsen und Vasari. Der Schwerpunkt der amerikanischen Abteilung liegt auf der Landschaftsmalerei des 19. Jh. Einen hervorragenden Ruf hat die mehr als 700 Stücke umfassende Sammlung von Meißener Porzellan (829 Riverside Ave., Tel. 1-904-356-6857, www.cummer.org, Di–Sa 10–16, So 12–16, Di bis 21 Uhr und ab 16 Uhr freier Eintritt, sonst Erw. 10 $).

Die Main Street Bridge führt an das südliche Flussufer zum **Museum of Science and History**, das aus einem wissenschaftlichen Zentrum mit Experimenten zum Selbstprobieren, dem Alexander Brest Planetarium, einer astronomischen Ausstellung und einer Abteilung für Kinder besteht (1025 Museum Circle, Tel. 1-904-396-6674, www.themosh.org, Mo–Fr 10–17, Sa 10–18, So 12–17 Uhr, Erw. 10 $, Kinder 3–12 Jahre 6 $).

Als eine der größten Kunsteinrichtungen des Südostens beschäftigt sich das **Museum of Contemporary Art** mit zeitgenössischer Kunst (333 N. Laura St., Tel. 1-904-366-6911, www.mocajacksonville.org, Di, Mi, Fr, Sa 11–17, Do bis 21, So 12–17 Uhr, Erw. 8 $).

Amelia Island ▶ 4, K 2

Im äußersten Nordosten endet das Staatsgebiet des Sunshine State mit der malerischen Küstenlandschaft von **Amelia Island.** Die Insel rühmt sich, der einzige Flecken in den USA zu sein, über dem seit der ersten Besiedlung Mitte des 16. Jh. acht unterschiedliche Flaggen wehten.

Fernandina Beach

Einziges Städtchen auf dem lang gezogenen Eiland ist Fernandina Beach mit knapp 9000 Einwohnern. Die zentrale Centre Street durch den **Fernandina Beach Historic District** sieht aus wie im späten 19. Jh. Über 400 viktorianische Bauten bilden das Altstadtviertel und lassen erahnen, dass das Städtchen im 19. Jh. als Exporthafen von Zypressenholz, das per Bahn aus Cedar Key an der Golfküste herangeschafft wurde, viel Geld verdiente. Nachdem die Insel im beginnenden 20. Jh. mangels Rohstoff auf den Holzexport verzichten musste, verlagerten örtliche Geschäftsleute ihre Aktivitäten auf den Shrimps-Fang – bis heute neben dem Tourismus die wichtigste Einnahmequelle. Die idyllische Südstaatenruhe wird nur am ersten Maiwochenende gestört, wenn über 150 000 Besucher zum jährlichen Shrimps-Festival anreisen. Eine Institution ist der **Palace Saloon** von 1878 an der Centre Street, die älteste Taverne Floridas (www.thepalacesaloon.com).

Fort Clinch

Einen Blick in die Vergangenheit erlaubt der **Fort Clinch State Park** am nordöstlichsten Punkt Floridas. Das Fort wurde 1847 als Küstenbefestigung errichtet, um die Schifffahrt auf dem St. Mary's River sowie den Hafen von Fernandina zu schützen, erwies sich aber schon wenige Jahrzehnte später als überflüssig und wurde aufgegeben. Auf dem Parkgebiet lädt ein 4 km langer Strand mit feinem Quarzsand mit über 12 m hohen Dünen zum Baden ein (2601 Atlantic Ave., Tel. 1-904-277-7274, www.floridastateparks.org/fortclinch, tgl. 8 Uhr bis Sonnenuntergang, Pkw 6 $).

Infos

Amelia Island Chamber of Commerce and Welcome Center: 961687 Gateway Blvd., Tel. 1-904-261-3248, Mo–Fr 9–17 Uhr, www.islandchamber.com.

Übernachten

Liebenswert ▶ **Addison on Amelia:** 614 Ash St., Tel. 1-904-277-1604, www.addisononamelia.com. Stimmungsvolles B & B mit 14 Nichtraucher-Gästezimmern, die sich auf drei Gebäude im Antebellum-Stil verteilen. Das Haupthaus stammt von 1876. Jedes der romantisch eingerichteten Zimmer ist mit eigenem Bad ausgestattet. Ab 195 $.

Schöner Dekor ▶ **Williams House:** 103 S. 9th St., Tel. 1-904-277-2328, www.williamshouse.com. Viktorianisches B & B mit luxuriöser Ausstattung. In einem geheimen Raum wurden früher flüchtige Sklaven versteckt. 180–250 $.

Ein viktorianischer Palast ▶ **Fairbanks House:** 227 S. 7th St., Tel. 1-904-277-0500, www.fairbankshouse.com. Zimmer, in denen man im fürstlichen Ambiente fast wie in einem Museum aus dem 19. Jh. nächtigt, Frühstück inkl. Ab 185 $.

Camping ▶ **Fort Clinch State Park:** Straße A1A, Tel. 1-904-277-7274, www.floridastateparks.org. Für Camper gibt es zwei kleine Plätze.

Essen & Trinken

Fabelhafte Gerichte ▶ **29 South Eats:** 29 South 3rd St., Tel. 1-904-277-7919, www.29southrestaurant.com, Mi–Sa Lunch, tgl. Dinner. Bistro, Pork Chop auf Makkaronigratin und Brombeer-Ingwersauce 24 $.

Für Gourmets ▶ **Le Clos:** 20 S. 2nd St., Tel. 1-904-261-8100, www.leclos.com, Mo–Sa Dinner ab 17.30 Uhr. Französisch inspirierte Küche auf hohem Niveau, die Hauptgerichte beginnen bei 19 $.

Aktiv

Kajaktouren & Radverleih ▶ **Kayak Amelia:** Tel. 1-904-251-0016, www.kayakamelia.com. Verschiedene Kajaktouren durch die Küstengewässer, auch Radverleih.

Register

Der Haupteintrag ist **fett** hervorgehoben.

473

Register

Der Haupteintrag ist **fett** hervorgehoben.

Register

Der Haupteintrag ist **fett** hervorgehoben.

Register

Der Haupteintrag ist **fett** hervorgehoben.

Abbildungsnachweis/Impressum

Abbildungsnachweis

f1-online, Frankfurt: S. 4 u., 218 (Bartel)
Bildagentur Huber, Garmisch-Partenkirchen:
S. 383 (Damm); 1 M., 89, 150, 396 re., 410,
Umschlagrückseite u. (Gräfenhain); 18
(Newman); 287, 396 li., 400/401 (Picture
Finders); 394, 429 (Schmid)
Bilderberg/Avenue Images, Hamburg: S. 3 u.,
141 (Arnold); 200 (Artur); 9 u., 340/341
(Bossemeyer); 117 (Boisvieux); 257, 313,
393 (Ginter); 421(Schmid)
Manfred Braunger, Freiburg: S. 2 u., 3 o., 4 o.,
5 o., 5 M., 6 u., 7 M., 7 u., 8 o., 9 o., 9 M.,
13, 17, 24, 33, 38/39, 50, 67, 72, 78, 86 re.,
94, 100, 111, 112/113, 120, 132, 142/143,
146, 153, 168 re., 180, 187, 206/207, 213,
225, 228, 230/231, 236, 239, 246, 248 re.,
255, 266/267, 269, 276, 280/281, 298, 302,
307, 309, 320, 322/323, 332 re., 347, 353,
360, 366/367, 376/377, 406/407, 409, 430,
434/435, 453, 455, 462/463

laif, Köln: S. 182 (Blickle); 442 (Haenel); 1 li., 1
re., 3 M., 6 o., 54/55, 84, 202, 248 li.,
292/293, 349, 372/373, 385, 390/391, 439,
468, Umschlagrückseite o. (Heeb); 98/99
(Holland.Hoogte); Titelbild (Le Figaro Maga-
zine/Fautre); 450 (Meier); 8 u., 27, 70, 97,
128/129, 136, 157, 163, 413, 415, 466 (Mo-
drow); 424, 470 (Neumann); 332 li., 359
(New York Times Redux); 134 (Rapho); 43,
48, 168 li., 173, 191, 197 (Sasse)
Look Bildagentur, München: Umschlagklappe
vorn, S. 7 o., 166, 330 (age fotostock); 297
(Heeb); 5 u., 317 (Johaentges)
Mauritius Images, Mittenwald: S. 327 (age);
82/83 (Waterburn-Lee)
picture-alliance, Frankfurt a. M.: S. 2 o., 60 (Eh-
lers); 10/11 (KPA/Meyer); 86 li., 105 (Rose)

Kartografie

DuMont Reisekartografie, Fürstenfeldbruck
© DuMont Reiseverlag, Ostfildern

Umschlagfotos

Titelbild: Oak Bluffs auf Martha's Vineyard, Massachusetts
Umschlagklappe vorn: Landschaft bei Woodstock

Über den Autor: Manfred Braunger ist Reisejournalist und Fotograf. Als Student machte er seine erste große USA-Rundreise, kreuz und quer durch das Land der ›unbegrenzten Möglichkeiten‹ – und kam seither nicht mehr los von Amerika. Im DuMont Reiseverlag veröffentlichte er neben verschiedenen Reiseführern über die USA das Reise-Taschenbuch ›Elsass‹.

Lektorat: Lioba Waleczek, Susanne Schleußer, Lucía Rojas

Hinweis: Autor und Verlag haben alle Informationen mit größtmöglicher Sorgfalt geprüft. Gleichwohl sind Fehler nicht vollständig auszuschließen. Alle Angaben erfolgen ohne Gewähr. Bitte schreiben Sie uns! Über Ihre Rückmeldung zum Buch und über Verbesserungsvorschläge freuen sich Autor und Verlag:
DuMont Reiseverlag, Postfach 3151, 73751 Ostfildern, E-Mail: info@dumontreise.de

3., aktualisierte Auflage 2015
© DuMont Reiseverlag, Ostfildern
Alle Rechte vorbehalten
Grafisches Konzept: Groschwitz, Hamburg
Printed in China

MIX
Papier aus verantwortungsvollen Quellen
FSC
www.fsc.org
FSC® C020056